GETÚLIO

LIRA NETO

Getúlio
Do Governo Provisório à ditadura do Estado Novo (1930-1945)

12ª reimpressão

Copyright © 2013 by Lira Neto

Grafia atualizada segundo o Acordo Ortográfico da Língua Portuguesa de 1990, que entrou em vigor no Brasil em 2009.

Capa
João Baptista da Costa Aguiar

Foto de capa
DR/ Cortesia da família Cóbra Vivas, Poços de Caldas

Foto da lombada
Fundação Getúlio Vargas — CPDOC

Preparação
Leny Cordeiro

Índice remissivo
Luciano Marchiori

Revisão
Huendel Viana
Carmen T. S. da Costa
Ana Maria Barbosa

Dados Internacionais de Catalogação na Publicação (CIP)
(Câmara Brasileira do Livro, SP, Brasil)

Neto, Lira
    Getúlio: Do Governo Provisório à ditadura do Estado Novo (1930-
-1945) / Lira Neto. – 1ª ed – São Paulo : Companhia das Letras, 2013.

    ISBN 978-85-359-2304-9

    1. Brasil – História – Estado Novo, 1937-1945 2. Brasil – História
– 1930-1945 Vargas, Getúlio, 1883-1954 I. Título.

13-06366   CDD-923.281

Índice para catálogo sistemático:
1. Brasil : Políticos : Biografia 923.281

Todos os direitos desta edição reservados à
EDITORA SCHWARCZ S.A.
Rua Bandeira Paulista, 702, cj. 32
04532-002 — São Paulo — SP
Telefone: (11) 3707-3500
www.companhiadasletras.com.br
www.blogdacompanhia.com.br
facebook.com/companhiadasletras
instagram.com/companhiadasletras
twitter.com/cialetras

O período ditatorial tem sido útil, permitindo a realização de certas medidas salvadoras, de difícil ou tardia execução dentro da órbita legal. A maior parte das reformas iniciadas e concluídas não poderia ser feita em um regime em que predominasse o interesse das conveniências políticas e das injunções partidárias.

Getúlio Vargas

Para Adriana

Sumário

1. Oficiais do Exército destroem um jornal:
"A ditadura vai salvar o Brasil", proclamam (1930-2).......................... 13

2. Crise política, confusão nos quartéis, caos financeiro.
Querem derrubar Getúlio (1931-2)... 37

3. "Sai, Getúlio, sai! São Paulo não é Shanghai!" (1931-2)..................... 58

4. Um general de pijama assume a pasta da Guerra.
Os conspiradores decidem que é hora de agir (1932)........................ 79

5. Getúlio escreve um bilhete de despedida:
"Escolho a única solução digna para não cair em desonra" (1932)............ 97

6. Uma notícia se espalha em São Paulo:
O ditador fugiu do palácio (1932)... 113

7. Getúlio escapa da morte. Para a polícia, foi acidente.
Mas havia quem apostasse em atentado (1933)................................. 131

8. Tiros de metralhadora na fronteira argentina:
Bejo Vargas complica a política externa brasileira (1933)...................... 153

9. O ditador deixa o poder; o novo presidente assume.
Mas eles são a mesma pessoa (1934)... 172

10. A Lei Monstro é aprovada:
"Não teremos mais direito de pensar em voz alta" (1934-5)................... 192

11. O serviço secreto britânico adverte Getúlio:
espiões e terroristas soviéticos estão no Brasil (1935).......................... 221

12. Sete mil presos políticos lotam os porões do regime.
Há graves denúncias de tortura. Getúlio nega (1935-6)........................ 243

13. "Os satélites começam a girar em torno do Sol",
diz Getúlio, após tirar de órbita os candidatos a presidente (1936-7).......... 276

14. Menção honrosa no concurso infantil de frases patrióticas:
"Getúlio Vargas é maior que o Tarzan das Florestas" (1937-8)................. 312

15. Getúlio enfrenta metralhadoras e fuzis,
mas sucumbe ante um adeus da Bem-Amada (1937-8)......................... 331

16. A Segunda Guerra Mundial estoura na Europa.
"Estou só e calado, para não demonstrar apreensão" (1939-40).............. 350

17. Getúlio toma a decisão sobre a guerra. Mas avisa:
"Não sobreviverei a um desastre para minha pátria" (1940-1)................. 376

18. Preso a uma cama, Getúlio administra a crise do regime,
enquanto os nazistas iniciam o "alegre massacre" (1942-3).................... 406

19. O Estado Novo agoniza: é preciso fazer a abertura.
Antes que os inimigos do governo a façam (1943-4)........................... 429

20. "Estou resolvido ao sacrifício, como um protesto,
marcando a consciência dos traidores" (1944-5)................................ 453

Epílogo
(29 de outubro a 1º de novembro de 1945)........................... 479

Este livro.. 493
Fontes.. 497
Notas... 510
Crédito das imagens... 573
Índice remissivo.. 575

1. Oficiais do Exército destroem um jornal:
"A ditadura vai salvar o Brasil", proclamam (1930-2)

Por volta de onze e meia da noite daquele 25 de fevereiro de 1932, uma quinta-feira, os habituais frequentadores da praça Tiradentes, mais famoso reduto da boemia carioca à época, tiveram a atenção voltada para o som do motor de pesados caminhões na rua ali em frente. Sambistas, atores, coristas, músicos e malandros que sempre lotavam os cafés do local até alta madrugada assistiram com surpresa à passagem do comboio composto de três enormes veículos de carga, apinhados de soldados do Exército. Eram cerca de 180 homens fardados. Todos com fuzis, pistolas e submetralhadoras em punho.[1]

Os caminhões oficiais — dois pertencentes à corporação militar e o terceiro identificado mais tarde como do departamento de limpeza pública do Distrito Federal — contornaram a Tiradentes e margearam lentamente a profusão de cabarés, bares, cinemas e teatros que fervilhavam ao redor da praça. Seguiram assim, sem pressa, até estacionarem enfileirados à altura do número 77, onde funcionava a sede do *Diário Carioca*.

O jornal, que quinze meses antes apoiara com ardor a deposição de Washington Luís e a consequente chegada de Getúlio Vargas ao poder, passara a publicar artigos e editoriais inflamados a favor da reconstitucionalização do país. Desde novembro de 1930, Getúlio vinha governando por decreto, após suspender a

Constituição Federal, dissolver o Congresso, as Assembleias Legislativas e as Câmaras municipais, destituir prefeitos e governantes dos estados, eliminar as prerrogativas individuais e instituir um tribunal de exceção para julgar crimes políticos.[2] Autoatribuindo-se poderes discricionários, o Governo Provisório, originário do movimento civil-militar que conduzira o político gaúcho ao Catete, também aposentara compulsoriamente, por "imperiosas razões de ordem pública", seis ministros do Supremo Tribunal Federal (STF), considerados comprometidos com o antigo regime.[3]

A maioria dos textos editados com destaque na primeira pagina do *Diário Carioca* era assinada pelo diretor de redação, José Eduardo Macedo Soares. Um dos últimos, publicado no dia 24 de fevereiro de 1932, fustigara: "O regime do sr. Getúlio Vargas fracassou. Primeiro, pela resistência que encontrou no sentimento brasileiro de invencível repugnância a qualquer escravidão política. Segundo, pela insanável incompetência dos homens nos quais se apoiou".[4]

Macedo Soares, com seus característicos olhos verdes e fundos, de grandes pestanas e pálpebras meio caídas, era um polemista profissional. Em 1912, após chegar ao posto de tenente, largara a Marinha e passara a militar na imprensa, ao fundar seu primeiro diário, *O Imparcial*, pioneiro na publicação de ilustrações entre os jornais do Rio de Janeiro e crítico sistemático do então presidente Hermes da Fonseca. Ex-deputado federal por três mandatos consecutivos, fora preso por subversão também em três ocasiões, uma delas em 1922, quando ocupara a companhia telefônica de Niterói, encarregado de cortar as ligações locais com a capital, onde os insurgentes tenentistas sublevavam o Forte de Copacabana. Mandado preso para a ilha Rasa, fugira pela porta da frente, ludibriando os carcereiros, envergando sobre o uniforme de presidiário um terno levado pelo irmão.[5]

Em 1928, Macedo Soares fundara o *Diário Carioca*, para fazer oposição ao governo de Washington Luís. Pouco depois aderira à Aliança Liberal — a coalizão de forças que apoiara a candidatura de Getúlio Vargas à presidência da República. Em seguida à vitória do movimento de 1930, começara a criticar os civis e militares abrigados no Clube 3 de Outubro, agremiação fundada no ano seguinte no Rio de Janeiro por representantes do tenentismo. Defensores de um regime forte e autoclassificados como "patriotas enérgicos", os integrantes do 3 de Outubro — o nome do clube era uma homenagem à data do estopim da chamada "Revolução de 30" — pregavam a necessidade de manutenção indefinida do período de exceção. Os "outubristas" argumentavam que uma possível volta à ordem legal serviria apenas para trazer de volta a "politicalha" varrida do poder pela Revolução e pela "República Nova".[6]

"Foi para realizar a tarefa de renovar o país que se instituiu, em fins de 1930, a ditadura no Brasil", afirmava um dos mais destacados líderes tenentistas, Juarez Távora, promovido a major pelo governo revolucionário. "Essa obra prévia de desentulho, a ditadura só poderá dar por concluída quando houver separado, criteriosamente, o joio do trigo, os elementos imprestáveis, inadequados ou apodrecidos dos esteios bons que também se encontram sob os destroços da velha ordem."[7]

Em contraposição ao Clube 3 de Outubro, o *Diário Carioca* se convertera no baluarte do retorno à ordem constitucional. Suas páginas não cansavam de exigir eleições livres para uma Assembleia Constituinte, com vista à elaboração de uma nova Carta Magna para o Brasil. Por isso, os três caminhões parados em frente à sede do jornal àquela hora da noite, com soldados ostensivamente armados, não pareciam indicar uma visita de cortesia.

A má intenção dos recém-chegados logo se revelou. Sem descer dos veículos, os militares obedeceram à ordem determinada por um oficial e, a um só gesto, apontaram o cano de suas armas para a fachada do prédio. A seguir, sob nova ordem, a de fazer fogo, desfecharam uma ruidosa carga de disparos. Depois de meio minuto ininterrupto de artilharia, os caminhões ligaram os motores e seguiram em frente, sacolejando em marcha lenta, como se nada de anormal houvesse ocorrido.

Em meio à balbúrdia que tomou conta dos cafés, os boêmios mais curiosos saíram para conferir o estrago. A imagem era devastadora. As balas de grosso calibre estilhaçaram as vidraças do *Diário* e abriram centenas de buracos nas paredes do imóvel de dois pavimentos. Os trabalhadores gráficos e os redatores que preparavam a edição do dia seguinte despontaram à calçada, atônitos. Enquanto todos aferiam a extensão da violência, notou-se que os caminhões apenas circundavam a praça e já retornavam, ameaçadores. O primeiro ataque fora somente uma mensagem de advertência, compreendeu-se. Os soldados ainda não haviam dado o serviço por terminado.

"Foge, que lá vem bala de novo!", alguém gritou, em meio à multidão.[8]

Quase não restou ninguém para assistir à segunda ofensiva. A maioria dos que ali se aglomeravam fugiu pela rua da Constituição — via pública que passara a ter um nome meramente decorativo, sem nenhuma correspondência com a situação política do país. Apenas os mais destemidos ousaram buscar um ponto de observação privilegiado por trás das árvores, bancos de granito e postes de iluminação da praça, já que todos os bares e cafés das imediações trataram de cerrar imediatamente as portas — e um grande número de funcionários do jornal decidiu acompanhar os populares em debandada.

A nova saraivada de tiros se mostrou ainda mais ensandecida do que a primeira. A exemplo da ação anterior, os soldados atiraram do alto das carrocerias das viaturas, sem ao menos se darem ao trabalho de desembarcar. Mais uma vez, os caminhões entraram em movimento logo após a redobrada carga de artilharia, permitindo que os últimos grupos de jornalistas e gráficos tivessem tempo para evacuar o prédio, advertidos pelos gritos dos soldados de que ainda haveria um terceiro e definitivo ataque.

De fato, depois de novamente contornarem a praça, os três caminhões pararam em fila, no mesmo lugar de antes. A diferença foi que dessa vez os soldados saltaram dos veículos e invadiram o prédio, pondo abaixo a porta da frente a golpes de coturno. Um pelotão de recrutas, munido de pás, machados e picaretas utilizadas na construção de trincheiras de guerra, ficou encarregado de destruir tudo o que encontrasse no caminho. O parque gráfico, localizado no andar térreo, foi o primeiro alvo. Máquinas tipográficas, mesas, cadeiras e armários ficaram reduzidos a destroços.

Para surpresa dos invasores, alguns poucos funcionários insistiram em permanecer no interior do imóvel. Entre eles, quatro linotipistas, que receberam coronhadas e golpes de sabre nas costas, na cabeça, nos braços e no peito. Um deles, Crispim Barbosa Júnior, que tentou reagir, foi baleado na barriga e atingido por um projétil que se alojou no osso ilíaco direito.

A fúria do assalto prosseguiu no piso superior, onde funcionava a redação do jornal. Dois redatores que também não fugiram, Rafael Holanda e o crítico de arte Angione Costa, foram espancados e sofreram escoriações generalizadas pelo corpo. Não restou um único móvel intacto. Todos os birôs e máquinas de escrever foram estraçalhados a machado e picareta. Até os corrimões de madeira chegaram a ser arrancados. Arquivos foram violados e pilhas de papéis, documentos e fotografias voaram janela afora, o mesmo ocorrendo na tesouraria com livros contábeis e fichas dos funcionários.

"Onde está o Macedo Soares?", um dos militares indagou aos dois jornalistas estatelados no chão.[9]

Como não obtivesse resposta, o oficial que parecia comandar a ação rumou para o gabinete da administração do jornal. Depois de constatar que não havia ninguém por lá, permitiu que uma única peça do mobiliário ficasse intacta: a cadeira do diretor editorial. Não admitiu que a despedaçassem, tal qual haviam feito com todo o resto. Preferiu disparar contra ela um único tiro, a meia distância. O projétil varou o encosto acolchoado, produzindo um rombo de bom tamanho no enchimento de palha. A mensagem era mais do que evidente. Aquela bala tinha sido reservada para o dono da cadeira.

Meia hora mais tarde, por volta da meia-noite, depois de se darem por satisfeitos com a quebradeira, os soldados retornaram aos caminhões. A essa altura, o local já estava deserto. Poucos metros adiante, os letreiros do Teatro Recreio anunciavam a nova atração da casa, um espetáculo de revista teatral previsto para estrear na noite seguinte, escrito, dirigido e produzido pelo trio Djalma Nunes, Alfredo Breda e Amador Cisneiros. No elenco, aparecia pela primeira vez em letra de fôrma o nome de um jovem palhaço, trapezista e acrobata de circo chamado Oscar Lorenzo Jacinto de la Imaculada Concepción Teresa Diaz, anunciado nos cartazes pelo pseudônimo de Oscarito Brennier. Muito em breve ele ficaria famoso nos palcos e no cinema, fazendo dupla com Grande Otelo e se tornando conhecido apenas pelo apelido de Oscarito.

O espetáculo que marcou a chegada do célebre comediante ao teatro de revista faria um estrepitoso sucesso, embora as colunas especializadas tenham dado pouca atenção ao novato Oscarito Brennier, preferindo destacar a atuação da vedete Otília Amorim e das *"25 recreio-girls encantadoras"* que dançavam de pernas de fora e com plumas na cabeça ao longo dos vinte números musicais da atração. O mais evidente, porém, foi a inevitável associação entre o título do novo show do Teatro Recreio e o violento atentado contra o *Diário Carioca*. Para muitos, o nome do espetáculo poderia servir como um recado ao titular do Palácio do Catete, sede do governo federal:

"Calma, Gegê."[10]

Apesar da hora, quase uma da manhã, o ministro da Justiça, Maurício Cardoso, gaúcho nomeado por Getúlio Vargas para o cargo dois meses antes, decidiu que era o caso de tratar pessoalmente do assunto no Palácio Guanabara, a residência oficial da Presidência da República. Se Getúlio estivesse dormindo, não hesitaria em pedir para alguém acordá-lo. Não esperaria o amanhecer para compartilhar com o chefe do Governo Provisório suas preocupações pelo ocorrido. Dadas as circunstâncias, o ataque contra o *Diário Carioca* prometia aprofundar ainda mais a crise política e institucional na qual o governo estava imerso.[11]

Ao chegar ao Guanabara na companhia do chefe de polícia do Distrito Federal, o também rio-grandense Batista Lusardo, e ser informado de que Getúlio ainda estava acordado, Maurício Cardoso se dirigiu de imediato ao gabinete presidencial. Na antessala, deparou-se com o ministro da Fazenda, Oswaldo Aranha, saindo pela porta principal, com ar apressado. Oswaldo cumprimentou a dupla de conterrâneos e fez menção de seguir adiante, mas Maurício o segurou pelo braço.

"Venha cá. Tu vais ouvir, na presença do Getúlio, o que acabou de acontecer", disse-lhe, em tom grave.[12]

Oswaldo Aranha fora um dos mais entusiasmados incentivadores da fundação do Clube 3 de Outubro. Seu plano original era a organização de um grupo centralizado e coeso, que servisse de sustentação ao governo e substituísse o papel dos partidos políticos tradicionais, alijados após a Revolução. No entender de Oswaldo, caberia aos outubristas não só apoiar e respaldar a implantação dos itens mais radicais do programa revolucionário, mas também manter a uma distância conveniente de Getúlio as lideranças partidárias que compuseram a Aliança Liberal.[13] Tudo em nome do "espírito revolucionário" — uma entidade abstrata que estaria acima da sociedade, dos homens, das classes sociais e dos partidos —, capaz de conduzir o país a seu "destino histórico de grande nação".[14]

Ao entrarem ao lado de Oswaldo no gabinete, Maurício e Lusardo encontraram um Getúlio de cenho fechado, os olhos fixos em uma montanha de papéis sobre a mesa. Entre os dedos da mão direita, rolava um charuto aceso.[15] Não havia em seu semblante o menor vestígio do característico sorriso, a marca registrada do chefe do Governo Provisório, retratada à exaustão nas caricaturas da imprensa e imitada quase todas as noites pelos comediantes dos espetáculos teatrais da praça Tiradentes.[16] Já estava informado do que ocorrera na sede do *Diário*. Minutos antes da chegada de Maurício e Lusardo, dividira com Oswaldo Aranha uma cuia de chimarrão e recebera as notícias pelo telefone. Por isso, o ministro da Fazenda parecera tão afobado. Estava de saída para averiguar a ocorrência.[17]

Mas já não havia o que fazer na Tiradentes. Maurício Cardoso e Batista Lusardo tinham vistoriado o local, de onde acabavam de chegar. Podiam assegurar que não restara um único centímetro intacto na sede do *Diário Carioca*, a não ser a cadeira do diretor da publicação, onde ficara o rombo ameaçador de uma bala. A gráfica, a redação e os escritórios do jornal estavam inteiramente destruídos. Os feridos foram transferidos de ambulância para o pronto-socorro e, embora não corressem risco de morte, estavam sob observação médica.[18]

"Getúlio, estamos diante de um fato gravíssimo. Quero saber quais as providências que o teu governo julga necessárias nesse momento", cobrou Maurício, após descrever com minúcias o cenário de destruição que testemunhara.[19]

É verdade que, durante as primeiras horas da Revolução, em outubro de 1930, as sedes dos jornais alinhados à ordem deposta haviam sido alvo de depredações por populares exaltados. Entretanto, dessa vez, um órgão de imprensa tivera suas instalações invadidas e devastadas por soldados do Exército, fardados e de arma em punho. Homens pagos para defender a lei e a ordem arrasaram uma propriedade privada e espancaram jornalistas e gráficos. A liberdade de pensamento fora um dos axiomas da luta revolucionária e aquele evento contrariava todos os discursos de campanha da Aliança Liberal. Maurício, na condição de ministro da Justiça, argumentava que os responsáveis pelo estrago no *Diário Carioca* precisavam ser punidos de modo exemplar.

Getúlio Vargas ouviu os protestos do ministro em silêncio. Depois de escutar o relato, permaneceu calado durante mais alguns instantes. Segundo a reconstituição minuciosa da cena que Batista Lusardo faria mais tarde, um pensativo Getúlio apenas soltou uma baforada do charuto e ficou olhando, meditativo, para as espirais de fumaça. Por fim, decidiu rebater a inquirição de Maurício Cardoso com uma pergunta:

"O que tu achas que devemos fazer?"[20]

Maurício expôs a necessidade de os ministros das pastas militares serem tirados da cama e convocados ao palácio para uma reunião de emergência.

"E já", sugeriu.[21]

Naquele exato momento, o telefone do gabinete presidencial tocou. Do outro lado da linha, Getúlio reconheceu a voz do ministro da Guerra, general José Fernandes Leite de Castro:

"Dr. Getúlio, os rapazes do Clube 3 de Outubro fizeram ao *Diário Carioca* o que eu faria se tivesse vinte anos a menos...", comentou o general.[22]

Ao ter conhecimento da posição do ministro da Guerra, Maurício levantou-se, apanhou o chapéu que deixara sobre a mesa e se dirigiu à saída do gabinete.[23]

"Getúlio, vim para teu governo pensando em servir à Revolução", disse, amargurado. "Concorrer para a desordem ou pactuar com a violência nunca foi meu programa político, nem o do Rio Grande do Sul", completou, ao abrir a porta e sair, pisando duro, acompanhado de perto por Lusardo.[24]

Não era só a temperatura política da capital federal que estava quente naquele início de 1932, quando o horário de verão passou a vigorar no Brasil pela primeira vez, instituído por um decreto do Governo Provisório.[25] Os termômetros do Rio de Janeiro indicavam médias diárias elevadas, em torno de 33°C. Isso levou Getúlio a se decidir por desfrutar alguns dias no clima mais ameno de Petrópolis. De um lado, fugiria do calor asfixiante. De outro, uma ausência temporária do epicentro da crise poderia oferecer um refresco também ao governo. No alto da serra, no Palácio Rio Negro, residência presidencial de verão, Getúlio buscaria a tranquilidade necessária para avaliar a situação a conveniente distância.[26]

Como de costume, levou consigo uma maletinha de couro marrom de dois compartimentos, companheira inseparável desde a viagem de trem que fizera de Porto Alegre ao Rio de Janeiro, em 1930, para assumir o poder após o movimento que depôs Washington Luís.[27] Em um dos compartimentos da valise, transportava um arsenal de produtos de toalete, incluindo saboneteira, creme de barbear, loção pós-barba, água-de-colônia e perfume. Preso por elásticos ao forro interno, o espelho de mão de formato retangular fazia companhia a uma navalha para escanhoar o rosto, o pente, a tesourinha e a lixa de unhas. No outro compartimento, iam acomodadas as escovas de sapato, a calçadeira e alguns pares de meias de seda, dobrados com capricho.[28]

Apesar do cheiro acre de charuto que recendia de seu hálito, Getúlio passava uma impressão geral de higiene quase obsessiva, como se houvesse acabado de sair do banho — aspecto reforçado pelo rosto sempre bem raspado, onde as bochechas meio rosadas emolduravam o nariz aquilino e os olhos ligeiramente estrábicos. Os cabelos curtos, penteados para trás, umedecidos por leve brilhantina, aumentavam a sensação de frescor, alinho e limpeza. Quando oferecia a mão em cumprimento a alguém, a palma macia e as unhas aparadas e polidas, de quem parecia ter vindo da manicure, completavam o efeito de rigoroso asseio pessoal.[29]

Malgrado o zelo nos cuidados do corpo, não conseguia se vestir sozinho. O contínuo do Palácio Guanabara, Adão Feliciano, antes encarregado de manter limpos os uniformes dos ajudantes de ordens, passara a ser uma espécie de valete do presidente. Ajudava-o a escolher o terno e as camisas que vestiria no dia, mas principalmente o auxiliava em duas tarefas que, desde a juventude, Getúlio considerava sobre-humanas: acertar o nó da gravata e amarrar os próprios sapatos.[30]

"Parece incrível que o senhor ainda não tenha aprendido nessa idade uma coisa tão simples", impressionava-se a filha Alzira, ao ver o pai tropeçando nos cadarços desamarrados.[31]

O padrão estético de Adão nem sempre correspondia às recomendações dos manuais de elegância masculina da época. Quando Getúlio pedia o terno branco de linho, não havia erro. A camisa da mesma cor, também de linho e com punhos engomados, formava o conjunto habitual. Mas, quando deixava a escolha da indumentária por conta exclusiva do auxiliar, o presidente corria o risco de descer para o gabinete de trabalho vestindo terno azul-marinho, camisa listrada e gravata verde, como fez determinada manhã, para ser imediatamente repreendido pelos familiares, que o compararam a um cabide de tinturaria.[32]

Getúlio detestava casaca ou smoking, não só porque a formalidade do traje o exasperasse, mas também pela angústia de ter que se entender com os mistérios insondáveis da gravata-borboleta, enigma que só mesmo a esposa, Darcy, e o diligente Adão eram capazes de resolver.[33] Por isso, a temporada de verão na agradável Petrópolis teria para ele um prazer complementar. Iria se libertar das obrigações solenes e das recepções de gala típicas da capital da República. Nesse caso, a sem-cerimônia do paletó de linho claro era quase um uniforme.

"Ao deixar o Catete, fui ver o cenário da festa da Quinta da Boa Vista. Não pretendo ir à noite. É uma festa de muita grã-finagem", escreveu, certa feita, ao fugir de um convite do gênero.[34]

A repercussão do atentado ao *Diário Carioca* estava sendo catastrófica para o governo. Uma autodenominada Associação Antifascista de São Paulo fizera publicar a ata de uma reunião de sócios na qual fora lavrada uma moção de repúdio ao episódio: "Reconhecemos no empastelamento do *Diário Carioca* um caráter determinantemente fascista, e contra o mesmo elevamos os nossos protestos em defesa da liberdade de imprensa e da integridade física dos trabalhadores".[35] O termo "empastelamento", no jargão jornalístico, definia a invasão e destruição do jornal, e remetia à época em que os periódicos eram compostos em máquinas de tipos móveis, em que cada letra tinha de ser escolhida pelo tipógrafo e montada, uma a uma, para formar as palavras. Empastelar, nesse caso, significava abrir as gavetas de tipos e esparramar as letras de chumbo no chão, o que exigia meses para reorganizá-las. Com o tempo, o vocábulo passou a designar qualquer ato de violência contra jornais.

A Associação Brasileira de Imprensa (ABI) — entidade de defesa da categoria e da liberdade de expressão fundada em 1908 por Gustavo de Lacerda — também divulgara uma nota de protesto. A diretoria se declarou em sessão permanente e informou que mandara hastear a bandeira da instituição a meio pau, na fachada da sede, à rua do Rosário. O documento classificava o ataque ao *Diário* como "uma afronta à consciência jurídica nacional". O jornalista Herbert Moses, cofundador de *O Globo* em companhia do jornalista Irineu Marinho e presidente da ABI, avisara: enquanto o Catete não tomasse as devidas providências, a diretoria prosseguiria em vigília cívica.[36]

Em solidariedade aos colegas feridos, os trabalhadores gráficos de vários estados do país decidiram paralisar as atividades durante 24 horas. Nas principais capitais brasileiras, incluindo Rio, São Paulo e Belo Horizonte, nenhum jornal circulou no sábado seguinte à agressão ao *Diário*, 27 de fevereiro. Nem as publicações que apoiavam o governo saíram às ruas. Em toda a capital federal, o único informativo a ser impresso na data foi uma edição extraordinária de *A Voz do Gráfico*, órgão oficial da categoria, cuja venda avulsa foi revertida às vítimas da emboscada. Reunidos em assembleia na tarde do sábado, os filiados da União dos Trabalhadores Gráficos (UTG) do Rio de Janeiro decidiram sair em passeata até o Catete, onde uma comissão exigiu ser recebida em audiência pelo chefe do Governo Provisório.[37]

Ante a comoção geral, não houve como lhes recusar a entrada. Getúlio os atendeu e, na ocasião, tentou se mostrar simpático aos representantes da entidade, ao mesmo tempo que cuidou de se dizer profundamente abalado com o episódio, que classificou de "monstruoso". Ao receber a moção de protesto das mãos dos diretores da associação gráfica, garantiu que o governo federal tomaria todas as providências para identificar — e punir — os culpados.

"Podem se retirar tranquilos. Confiem em mim", pediu, antes de ultimar os preparativos para a viagem a Petrópolis.[38]

No diário pessoal, na antevéspera de subir a serra, Getúlio assumiu que a situação não era nada confortável: "O espírito público está inquieto", escreveu. "Tenho de me decidir entre as forças militares que apoiam o governo e um jornalismo dissolvente, apoiado pelos políticos e instigado por estes mesmos contra o governo."

"Estou numa encruzilhada em que urge uma decisão", concluiu.[39]

"Chego a Petrópolis sem novidade", comentou Getúlio no mesmo caderninho de capa verde, na anotação referente à data de 29 de fevereiro de 1932. "A situação continua em crise", definiu, no dia seguinte, 1º de março.[40]

A contragosto, ele era obrigado a reconhecer que um dos editoriais escritos pelo viperino Macedo Soares cerca de dois meses antes, intitulado "Balaio de caranguejos", cunhara a metáfora perfeita para definir o que se passava nos bastidores do governo. Pouco adiantara, na ocasião, mandar apreender uma edição inteira do *Diário Carioca* para impedir a circulação do malfadado editorial. Soares imprimira depois o texto na forma de panfleto e inundara as esquinas do Rio de Janeiro com ele.[41]

No material censurado, o dono do *Diário* afirmava que os aliados de Getúlio, como caranguejos atados dentro de um mesmo cesto, se entregavam a uma disputa brutal por áreas de influência, trocando ofensas pessoais e hostilidades mútuas. A continuarem assim, terminariam por chacinar uns aos outros, previa Soares, que costumava escrever seus editoriais incendiários em casa, de pé, completamente nu por baixo de um robe de chambre.[42]

Vista em retrospectiva, a crise tinha raízes profundas. Já nas semanas iniciais, logo após a tomada do poder em outubro de 1930, ficaram evidentes as divergências na base de apoio do Governo Provisório. A prometida coalizão se revelara impossível. Os liberais acusavam os tenentistas de usar Getúlio como fachada civil para impor uma ditadura militar ao Brasil, por meio do controle e da influência que exerciam sobre o aparelho do Estado. Por sua vez, os tenentistas acusavam os liberais de não desejar realmente mudanças profundas para o país, mas apenas paliativos reformistas, ou seja, a mera substituição de uma oligarquia por outra.

Os primeiros exigiam o encerramento imediato do período discricionário e a convocação urgente da Constituinte. Os outros achavam cedo demais para isso e argumentavam que os brasileiros não tinham maturidade política para eleger seus próprios destinos, necessitando de uma elite ilustrada, consciente — e armada — para lhes guiar os caminhos. Convocar os eleitores e restaurar a Constituição, no entender dos tenentistas, só serviriam para submeter novamente a nação ao voto de cabresto e às garras do coronelismo. Pelo raciocínio, as eleições seriam um obstáculo à própria democracia: retornar à legalidade plena era cometer uma traição ao povo, pois devolveria o país a um estágio anterior, no qual a representatividade nunca passara de uma ficção, sustentada pelo escândalo das atas falsas. Reconstitucionalizar o país significaria reativar as máquinas político-partidárias das oligarquias, historicamente mantidas pela submissão do eleitorado rural ao poderio do latifúndio.[43]

Até então, Getúlio Vargas tentara contemporizar, aparar arestas, equilibrar-se como árbitro do conflito entre as duas facções.

"Sempre que alguém rosna mais forte nos calcanhares de Getúlio, ele atira um osso, às vezes sem carne, para o resmungador se aquietar", definiria um dos tenentistas mais exaltados, Agildo Barata, que em outubro de 1930 tivera participação decisiva na deposição dos governos estaduais da Paraíba, Pernambuco, Alagoas, Sergipe e Bahia.[44]

Em quinze meses no exercício do poder, Getúlio praticara como ninguém a arte de atirar ossos e silenciar resmungos, isto é, de procrastinar soluções definitivas para as dissensões internas no governo. Enquanto foi possível, alternou movimentos para cada um dos lados em disputa, distribuindo indistintamente vantagens e compensações. Dotado de hábil pragmatismo e de impressionante paciência histórica, preferia deixar suas opções políticas sempre em aberto, na expectativa de que o tempo oferecesse a oportunidade propícia para deliberações mais seguras ou até mesmo para futuras conciliações, por mais improváveis que estas aparentassem ser no momento.[45] Contudo, a proverbial desenvoltura em contornar desavenças vinha sendo confundida com incompetência para tomar decisões ou, ainda, com simples lassidão. Ao diário pessoal, Getúlio se permitia confessar, nesse caso específico, uma certa dose de impotência para a resolução dos impasses e contradições que a vitória da Revolução fizera aflorar.[46]

"Sinto o meu declínio político; ou por falta de capacidade para abrir novos horizontes, ou por falta de apoio para transformações mais radicais", registrou.[47]

Getúlio estava convicto de que a tradicional representatividade política, nos moldes ínfimos postos em prática na Primeira República — período anterior a 1930, ao qual os documentos oficiais passaram a se referir, de modo pejorativo, como "República Velha" —, nunca havia passado de uma grosseira mistificação.

A democracia liberal brasileira, lastreada por velhos partidos políticos a serviço das oligarquias regionais, apenas servira de aparato ideológico para a defesa de interesses locais e particulares. Contra essa falácia, fizera-se o movimento civil-militar de 1930. Retornar ao modelo antigo sem antes sanear a nação, sem superar o território escorregadio da política, seria, pela perspectiva de Getúlio, um imperdoável retrocesso. Em tal ponto, concordava de modo irrestrito com os tenentistas.

Se ele optasse pela reconstitucionalização imediata, inviabilizaria o projeto revolucionário e com isso, possivelmente, os tenentistas o abandonariam — ou, numa hipótese muito provável, se voltariam em armas contra ele. Ao contrário, se persistisse em governar por decreto indefinidamente, os liberais-democráticos que haviam dado sustentação política ao movimento de 1930 desistiriam dele, restando-lhe apenas a alternativa de aprofundar a participação dos militares como sustentáculo do governo.[48] O dilema andava tirando de verdade o sono de Getúlio. As notas de seu diário íntimo revelavam que ele passara a se demorar na cama além do horário habitual. Antes, seis horas noturnas de descanso lhe bastavam para repor as energias. Em meio à crise, mesmo se permitindo ficar por mais tempo deitado, não conseguia pregar o olho durante boa parte da madrugada.

"Permaneço em repouso umas sete horas por noite. Raramente durmo todo esse tempo. Hoje amanheci um tanto adoentado. Sinto fadiga. Doença, decadência física, velhice... *Chi lo sa?* [Quem sabe?]"[49]

Nas reuniões ministeriais de todos os sábados, eram flagrantes os longos silêncios de Getúlio, mesmo quando das discussões mais acaloradas, ocasiões em que seus auxiliares aproveitavam para medir forças. Alguns participantes desses embates do alto escalão governamental chegariam a jurar que, em tais momentos, viram Getúlio ressonar profundamente, até mesmo cabeceando aqui e ali, enquanto as altercações se desdobravam ao seu redor. Ao final, com os olhos apertados e uma feição sonolenta, sentenciava:

"Como os senhores não chegaram a nenhuma conclusão, o assunto fica adiado, para uma posterior deliberação."[50]

Justamente por essa época, um instantâneo feito por um indiscreto fotógrafo do jornal paulista *A Gazeta* exibiu a imagem de Getúlio dormindo, estirado em uma espreguiçadeira em plena luz do dia, de paletó e gravata, nos jardins do palácio, observado de perto por um oficial do Exército. A leitura foi inevitável: o chefe do Governo Provisório, em vez de trabalhar e resolver os graves problemas do país, preferia cochilar nas horas mais improváveis, confiando a placidez de seu sono à escolta de um militar armado.

"Ora, todos os ditadores devem dormir com um olho aberto e outro fechado, ou mesmo com ambos abertos", expunha o texto sob a foto. "Como quer que seja, a fotografia acima é um símbolo dos tempos que passam."[51]

Onde alguns interpretavam um misto de enfado, negligência e preguiça, outros viam apenas dissimulação, maquiavelismo e astúcia. Fingindo-se de surdo, mudo e indolente, Getúlio estaria delongando, como sempre, a resolução dos temas mais urgentes e controversos. Enquanto mantivesse aquela atmosfera de disputa na cúpula do regime, conseguiria impedir que qualquer um dos lados que se digladiavam por áreas de influência e postos-chaves se arvorasse como hegemônico e, portanto, dono absoluto do governo.

A manutenção de um espectro de insegurança e inconstância política pairando sobre a cabeça dos aliados faria parte da estratégia sutil de Getúlio conservar para si — e para mais ninguém — a prerrogativa de decidir a direção a tomar no momento oportuno. O suspense e a indefinição, nesse caso, trabalhariam a favor de seu jogo duplo. Era como se assim ele quisesse também demonstrar que as medidas fundamentais para os destinos do país estavam à mercê não de sua vontade pessoal, mas da neutralidade de um líder equilibrado e equidistante, capaz de sopesar cada gesto pelos critérios da razão, da temperança e da serenidade.[52]

> Sou um temperamento retraído, pouco expansivo, e por vezes talvez pareça demasiado lento nas minhas resoluções. Mas tenho horror ao cabotinismo e não desejo ser jamais acusado de precipitações. Seduzem-me os gestos simples, naturais e espontâneos. Antes da projeção exterior de minha vontade, domino as agitações internas, para agir conscientemente, com firmeza e persistência. Sempre sou sincero, entretanto, nas minhas atitudes. Nunca fui um calculista frio e impassível.[53]

De todo modo, as especulações em torno dos pensamentos cada vez mais inescrutáveis de Getúlio tomavam conta dos bastidores do poder. O amigo e político gaúcho João Neves da Fontoura, um dos primeiros a adverti-lo do avanço militarista sobre as bandeiras civis da Aliança Liberal, nunca conseguira extrair-lhe uma palavra mais transparente a respeito de tais assuntos, mesmo em reservada confiança.

"Ao homem que não faz confidências, sobram facilidades para recuar ou avançar na forma como lhe for ditada pelas conveniências", concluíra João Neves.[54]

Em alguns momentos desse ambiente político mutável e indefinido, Getúlio fora compelido a romper o manto de silêncio para evitar explosões de lado a lado. Em dezembro de 1931, sob forte pressão da opinião pública, pedira ao ministro da Justiça que acelerasse a elaboração de um esboço de legislação eleitoral, com o qual pretendia aplacar as críticas dos que o acusavam de querer se perpetuar no poder e de governar o país ao arrepio das tradições constitucionais. O gesto não obedecera a uma decisão espontânea, mas a uma imposição dos fatos.

O movimento popular organizado por ligas pró-Constituinte em todo o Brasil vinha concentrando multidões em praças públicas, exigindo a redemocratização. Em 25 de janeiro de 1932 — aniversário da cidade de São Paulo e exatamente um mês antes da invasão ao *Diário Carioca* —, uma massa humana tomara conta da praça da Sé. Os organizadores falaram de algo em torno de 100 mil pessoas, embora a imprensa tenha calculado um valor mais realista, não menos expressivo, de 50 mil manifestantes.[55] De todo modo, as fotos dos jornais exibiram o mar de gente ocupando cada metro quadrado da praça, os muitos guarda-chuvas negros atestando que nem a tempestade de verão que caíra na cidade naquele dia conseguira arredar os manifestantes.

"Restitua-se à Nação a posse de si mesma, para que ela delibere como melhor entender", cobrara o editorial da *Folha da Manhã*, ao repercutir o grande evento na Sé.[56]

O texto do novo código eleitoral encomendado por Getúlio à comissão coordenada por Maurício Cardoso ficou pronto em fevereiro e foi assinado exatamente no dia 24 — não por coincidência, a data exata do 41º aniversário da primeira Constituição republicana brasileira, a de 1891, aquela que a Revolução tornara letra morta. Para fazer a assinatura do documento coincidir com a efeméride, o datilógrafo do Ministério da Justiça precisou trabalhar de forma frenética durante toda a noite do dia 23, a fim de passar a limpo a versão final do texto, de mais de trinta páginas. Na manhã seguinte, já na primeira hora do expediente, ele estava pronto sobre a mesa de Getúlio.[57]

O conteúdo do novo código eleitoral se revelou extremamente avançado em relação à legislação anterior. Pela primeira vez na história do país se previa o voto secreto, a participação das mulheres nas urnas e a organização de uma Justiça Eleitoral independente.[58] Com esta última, ficava extinta a famigerada Comissão de Verificação de Poderes do Congresso, o comitê formado por deputados e senadores governistas encarregados de validar os votos, autorizar a expedição de diplomas eleitorais e, sempre que fosse o caso, barrar a eleição de oposicionistas. Seria o fim definitivo, portanto, das eleições a "bico de pena".

Mesmo assim, as ligas em defesa da reconstitucionalização receberam a novidade com desconfiança. Duvidavam que Getúlio tivesse real interesse em tirar a nova lei do papel. Para muitos, como de hábito, o chefe do Governo Provisório apenas ganhava tempo, para amornar o nível da insatisfação pública, uma vez que as prometidas eleições para a Assembleia Constituinte ainda não tinham data marcada para ocorrer. Sem o estabelecimento de um cronograma detalhado, o código eleitoral soava como uma carta de boas intenções de feição democrática, mas sem nenhuma perspectiva de aplicação concreta. Por isso, para continuar pressionando o Catete, os paulistas voltaram a sair às ruas, justamente no dia em que o decreto recebeu a assinatura de Getúlio — véspera do assalto ao *Diário Carioca*. O cenário do comício foi a mesma praça da Sé. De novo, uma chuvarada desabou sobre São Paulo. Mas o público foi ainda maior do que na ocasião anterior, informaram os jornais.[59]

No Rio de Janeiro, marcara-se um evento similar. Entretanto, dois dias antes, elementos filiados ao Clube 3 de Outubro informaram ao ministro da Marinha, almirante Protógenes Pereira Guimarães, que não permitiriam a realização do grande comício pró-Constituição na capital federal. Prometiam usar inclusive o argumento das armas, se necessário, para impedir quaisquer manifestações públicas favoráveis à reconstitucionalização do país. Atribuíam aos organizadores do evento a intenção de promover a desordem e o presumido intuito de dispor a população civil contra o governo. Se os patrocinadores do comício insistissem em manter a manifestação no Rio, sofreriam as consequências, ameaçaram os filiados do 3 de Outubro.[60]

"Será uma sangueira. Haverá muito pau e bala também", observara o ministro da Fazenda, Oswaldo Aranha, ao chefe de polícia do Distrito Federal, Batista Lusardo.[61]

O caso fora levado ao Palácio Guanabara, para que Getúlio tomasse a decisão que achasse mais prudente a respeito do assunto. Lusardo, partidário da reconstitucionalização, defendera a realização do evento, pois os organizadores já tinham obtido autorização prévia da chefia de polícia, providência necessária em situações nas quais se previam grandes aglomerações populares. Maurício Cardoso concordara com Lusardo. Não fazia sentido recuar ante uma intimidação daquele naipe. Se capitulasse à ameaça, Getúlio iria se tornar refém dos outubristas, mesmo porque o novo código eleitoral, considerado o primeiro passo para a convocação da Constituinte, já estava pronto para ser publicado no Diário Oficial.

Getúlio ponderara todos os argumentos e, por fim, para desolação e escândalo de Lusardo e Maurício, decidira proibir a manifestação pró-Constituinte na capital federal. Alegou temer que os outubristas cumprissem a promessa e fizessem jorrar sangue em praça pública. Os organizadores do evento, portanto, deveriam ser comunicados de que o governo não teria como garantir a ordem durante a realização do comício.[62]

Para Maurício Cardoso, aquilo soara como uma demonstração deplorável de fraqueza do Catete. No jogo de compensações, entretanto, Getúlio acreditava estar utilizando a tática certa. Pusera a assinatura no novo código eleitoral, satisfazendo os reclamos dos partidários da redemocratização; em contrapartida, no mesmo dia, mandara cancelar a manifestação pública pró-Constituinte, para contentar os tenentistas. Uma no cravo, outra na ferradura, como se dizia. No dia subsequente, porém, o *Diário Carioca* soltara mais um de seus candentes editoriais, intitulado "Torre de Babel", escrito por Macedo Soares:

> A rapaziada do Clube 3 de Outubro está querendo construir um arranha-céu com palitos. [...] A finalidade real do Clube é sustentar, pela violência, um regime de poderes discricionários, que o sr. Getúlio Vargas, evidentemente, planeja prolongar no país. Para organizar a ditadura, o chefe do Governo Provisório não podia contar com os democratas. Tenta, por isso, um sistema militarista que se aproveita da legenda de heroísmo e abnegação dos antigos revolucionários e do interesse e ambição dos novos.[63]

Um dia depois da publicação, houve o empastelamento do jornal. Um dos funcionários do *Diário Carioca*, ferido durante a invasão, servira no 1º Regimento de Cavalaria, sediado no bairro de São Cristóvão. Ele disse ter reconhecido entre os agressores vários ex-colegas de quartel, oficiais lotados no gabinete do interventor do Distrito Federal, o médico Pedro Ernesto Batista (após a Revolução, os antigos presidentes estaduais e do Distrito Federal foram depostos e substituídos por interventores, nomeados pelo chefe do Governo Provisório).[64] Pedro Ernesto era, também, nada menos do que presidente do Clube 3 de Outubro. Preocupado,

Getúlio resolveu convocá-lo ao Guanabara, pouco antes de seguir para Petrópolis. Mas o interventor não se mostrou nem um pouco constrangido.

"Achei-o insensível e parece que até convencido de que praticou um ato louvável", escreveu Getúlio no diário, logo após o encontro.[65]

No dia 3 de março de 1932, Getúlio foi procurado por João Neves da Fontoura no Palácio Rio Negro, em Petrópolis. A velha relação entre os dois amigos de juventude estava em frangalhos. João Neves jamais perdoara o fato de Getúlio, em outubro de 1930, ter passado o governo do Rio Grande do Sul para as mãos de Oswaldo Aranha. Como vice-presidente estadual eleito, teria cabido a Neves assumir o posto naquela ocasião, enquanto o titular, Getúlio, rumava à capital federal, no comboio revolucionário, com o intuito de reclamar o poder máximo da República. Sentindo-se ultrajado, Neves pedira demissão. Renunciara oficialmente à função de vice, segundo suas palavras, para não se deixar "cair no ridículo".[66]

Depois da vitória do movimento, ainda ofendido com a preterição anterior, João Neves recusara a interventoria do Rio Grande do Sul e o Ministério da Justiça, ambos oferecidos a ele por Getúlio.[67] Sua questão, portanto, não era de cargos, mas de amor-próprio ferido. Ele, um dos mais aguerridos tribunos da Aliança Liberal, aceitara do Governo Provisório apenas a nomeação para um posto burocrático, sem poder de mando, o de consultor jurídico do Banco do Brasil no Rio de Janeiro. Mas Neves estava em Petrópolis para entregar uma nova carta de demissão a Getúlio. Já esvaziara as gavetas de sua mesa de trabalho no banco.

"Só os invertebrados morais ou os que tenham a epiderme de cimento armado admitiriam que eu vacilasse frente a uma decisão de honra", explicaria João Neves, que na conversa com Getúlio deplorou o atentado ao *Diário Carioca* e, mais ainda, a hesitação do governo em punir os culpados.[68] Fora aberto um inquérito militar para apurar as responsabilidades, mas a chefia da investigação acabou sendo confiada ao coronel Felipe de Moreira Lima, oficial filiado ao Clube 3 de Outubro, circunstância considerada um escárnio pelos que exigiam uma apuração isenta dos fatos.[69]

"O governo, se não foi o mandante do crime, o tolera com indulgência. Ou então é impotente para punir os responsáveis", criticou João Neves.[70]

Não havia muito mais o que dizer entre os dois. Neves apenas comunicou a Getúlio que seu pedido de demissão era irrevogável e que estava com uma passagem de avião comprada para o Rio Grande. Voltaria para Porto Alegre no dia seguinte, 4 de março, onde pretendia debater com as lideranças políticas regionais a atitude que o estado deveria tomar em relação ao governo federal, em face dos últimos acontecimentos. Não iria sozinho. Outros dois gaúchos, o chefe de polícia do Distrito Federal, Batista Lusardo, e o ministro do Trabalho, Lindolfo Collor, lhe fariam companhia durante a viagem. Ao dar a notícia, Neves puxou do bolso interno do paletó dois envelopes. Eram, respectivamente, as cartas de demissão de Lusardo e Collor.[71]

Na primeira mensagem, Lusardo explicava que se sentira diminuído em sua autoridade desde o cancelamento do comício em prol da Constituinte no Rio de Janeiro, pois a polícia sob seu comando expedira uma licença para a realização do evento. Como agravante, quando do ataque ao *Diário*, prontificara-se a mandar prender os agressores identificados pelas vítimas, mas recebera ordens superiores para deixá-los em paz. Por isso, julgava-se incompatibilizado para prosseguir no cargo.[72]

Lusardo deixava como principal espólio à frente da chefia de Polícia a fundação do Laboratório de Antropologia Criminal, um centro de pesquisas que, entre outros assuntos, se encarregava de estudar as supostas relações entre o crime e o biótipo de negros e homossexuais. Dirigido pelo médico Leonídio Ribeiro, o laboratório tentava pôr em prática no Rio de Janeiro as ideias do cirurgião e cientista italiano Cesare Lombroso, autor de *O homem delinquente*, obra na qual se defendia a tese de que assassinos, malfeitores e facínoras em geral podiam ser identificados a partir de suas características físicas exteriores, como o formato do crânio, o tamanho das orelhas, o contorno do nariz e a espessura dos lábios.

Em vários países, a teoria lombrosiana derivou para práticas políticas de eugenia — o "aperfeiçoamento" da raça, por meio da tentativa de branqueamento da população. O instituto fundado por Batista Lusardo ainda viria a receber, na Itália, o Prêmio Lombroso de 1933, mas seu idealizador, ao pedir demissão do Governo Provisório, não estaria mais no cargo para comemorar o feito. Possivelmente, o próprio Lusardo não se deixaria submeter a uma análise frenológica por parte dos especialistas da instituição que criou. Se o fizesse, estes teriam identificado no seu acentuado prognatismo — a proeminência da mandíbula inferior em relação à superior — uma característica que os manuais lombrosianos atribuíam, baseados no determinismo genético, aos assassinos em potencial.[73]

A segunda carta entregue por João Neves a Getúlio, assinada por Collor, era ainda mais amarga que a de Lusardo:

> Devo afirmar a vossa excelência — e vossa excelência sabe que eu falo a verdade — que se me fosse dito que a Revolução se faria precisamente para manietar e sufocar essa liberdade [de opinião], que é a pedra angular das sociedades organizadas, eu não teria sido, como fui, um dos elementos mais decisivos na conspiração que deflagrou o movimento de 3 de outubro de 1930. [...] A minha convivência política com os autores desse crime não seria, de forma nenhuma, possível para mim, sob pena de eu não corresponder às imposições de minha consciência.[74]

A demissão de Collor abria uma cratera em um setor sensível — e estratégico — do governo. A criação do Ministério do Trabalho, uma das promessas de campanha da Aliança Liberal, vinha sendo até ali uma das pedras de toque da ação e da propaganda governamental. Com menos de dois meses no poder, Getúlio decretara a primeira de suas muitas leis trabalhistas, ao estabelecer que as empresas instaladas no país teriam que reservar dois terços dos postos de trabalho a cidadãos brasileiros, o que controlaria a entrada e a participação da mão de obra imigrante no país. Era uma medida em defesa do operariado nacional, no momento em que o mundo ainda vivia os efeitos da crise econômica e do desemprego em massa decorrentes da quebra da Bolsa de Nova York em 1929.[75] A equipe de Collor elaborara e Getúlio assinara também a chamada Lei dos Sindicatos, de março de 1931, que regulou os direitos e deveres de patrões e empregados por meio de associações de classe, autorizadas e reconhecidas como interlocutoras oficiais pelo Ministério do Trabalho.[76]

Muito ainda iria se discutir sobre as consequências de uma legislação de forte acento nacionalista — que criava um antídoto contra os estrangeiros considerados "indesejáveis" (comunistas e anarquistas, em especial) — e que subordinava os sindicatos à tutela do governo, obedecendo à máxima positivista de que caberia ao Estado, de cima para baixo, "incorporar o proletariado à sociedade", sempre em nome da "ordem e progresso". Mas, naquele momento, as primeiras manifestações do chamado trabalhismo varguista demonstravam o interesse efetivo do novo governo pela questão social, uma novidade na história republicana brasileira, recém-saída do escravismo.

A saída de Collor do ministério criava uma situação no mínimo delicada, embora tal notícia viesse a ser comemorada pelos empresários e industriais que andavam desgostosos com as novidades impostas ao setor. Acusado de reacionário pela esquerda, rotulado de comunista pelas classes produtoras, Collor se despedia de um fogo cruzado que seu sucessor, fosse quem fosse, teria de administrar.[77]

Neves avisou ainda a Getúlio que não eram apenas ele, Lusardo e Collor que estavam de partida. Combinara-se uma retirada geral dos gaúchos do Governo Provisório. Outros rio-grandenses instalados no segundo e terceiro escalões da administração pública também estavam demissionários. Getúlio não contasse mais com o concurso de nenhum deles.[78]

Tornava-se assim sem efeito uma das anedotas mais populares à época: contava-se que certo mendigo carioca, ao constatar que determinada esquina da capital federal rendia esmolas mais generosas do que as outras, suplicara aos companheiros de infortúnio que jamais revelassem aquele segredo aos gaúchos que haviam tomado de assalto o governo federal. Se tal informação chegasse ao Catete, era bem possível que o chefe do Governo Provisório baixasse mais um de seus inúmeros decretos, dessa vez nomeando um rio-grandense para explorar em regime de exclusividade as esmolas da esquina em questão.[79]

Em outra piada do gênero, dizia-se que o Cristo Redentor, então recém-inaugurado no Corcovado, fora originalmente planejado com as mãos postas, em atitude de oração. Mas abrira os abraços, de repente, para suplicar a Getúlio Vargas:

"Chega de gaúchos!"[80]

Galhofas à parte, pelo menos um dos rio-grandenses que Getúlio levara para a equipe de trabalho no Catete lhe permaneceria fiel: Oswaldo Aranha. Tão logo os pedidos de exoneração de Lusardo, Collor e João Neves vazaram para a imprensa, Oswaldo se apressou em anunciar que continuaria à frente do Ministério da Fazenda:

"Não serei nunca rato de naufrágio, vou até o sacrifício total."[81]

A grande incógnita para Getúlio era Maurício Cardoso, o ministro da Justiça, considerado o paladino da reconstitucionalização dentro do governo. Maurício simplesmente desaparecera sem deixar rastros. No dia seguinte à destruição do *Diário Carioca*, depois de apanhar o chapéu sobre a mesa e sair bruscamente do gabinete de Getúlio, pegara um automóvel no Rio de Janeiro e tomara a estrada, rumo ao Rio Grande do Sul, sem encaminhar nenhuma carta de demissão.

"Escrevi a Maurício para que ficasse no ministério", anotou Getúlio, apreensivo, em seu diário.[82]

O anúncio de uma batida em retirada também da parte de Maurício Cardoso indicaria, para a opinião pública, a certeza de que Getúlio ficara sozinho, desfalcado de todos os representantes pró-Constituinte em seu governo. Sem a presença de Maurício, a aplicação do novo código eleitoral se anunciava ainda mais incerta. A afinidade de Oswaldo Aranha com os integrantes do Clube 3 de Outubro — notória a ponto de lhe ter rendido o apelido de "tenente paisano"[83] — só ampliava tais receios.

O Governo Provisório, temia-se, estava prestes a se transformar em uma ditadura permanente.

Às duas da tarde de 4 de março de 1932, um dia após João Neves ter comunicado a Getúlio a demissão coletiva dos gaúchos, quarenta automóveis saíram do Rio de Janeiro em direção a Petrópolis. Todos os carros estavam ocupados por sócios do Clube 3 de Outubro, que à hora da partida posaram altivos e sorridentes para os fotógrafos dos jornais e revistas. No primeiro veículo, ia o interventor do Distrito Federal, Pedro Ernesto. No que seguia imediatamente atrás, o coronel Felipe Moreira Lima, responsável pelo inquérito relativo ao caso do *Diário Carioca*. Nos automóveis seguintes, acomodavam-se dezenas de oficiais do 1º Regimento de Cavalaria, a guarnição de onde partiram os caminhões com os soldados que depredaram o jornal de Macedo Soares.[84]

Vencido o percurso de cerca de setenta quilômetros até Petrópolis, a caravana entrou na cidade e seguiu direto para os jardins do Rio Negro. Ao desembarcar, o grupo de visitantes se aglomerou diante das escadarias do palácio e voltou os olhos para as duas portas contíguas da fachada, que encontrou fechadas. Durante os cerca de quinze minutos em que os outubristas permaneceram ali, sem que ninguém do cerimonial do governo lhes dispensasse a menor atenção, chegou-se a imaginar que seriam vítimas de uma desfeita.

"Será que não tem ninguém no palácio?", indagou Pedro Ernesto, mantendo um ar de estudada descontração, para não perder a pose diante dos fotógrafos.[85]

Mas o temor de que não fossem recebidos em audiência se dissipou quando as portas enfim se abriram e, pondo fim ao suspense, o ajudante de ordens de Getúlio foi recebê-los, para então encaminhá-los ao salão de honra, onde estavam sendo aguardados. "O sr. Getúlio Vargas já estava no salão, à espera dos manifestantes. A recepção que lhes fez foi a mais cordial. Sorrindo, abraçou os primeiros que se aproximavam", registrou o enviado especial do *Correio da Manhã*.[86]

Depois dos cumprimentos calorosos de Getúlio, Pedro Ernesto pediu a palavra. Fez um discurso sem meias palavras.

"Excelentíssimo senhor chefe do Governo Provisório, o Clube 3 de Outubro aqui está com o fim de trazer o apoio e a solidariedade ao seu governo", iniciou. "Esta demonstração é a revelação pública de que estamos certos da ação ditatorial de vossa excelência, pautada dentro dos princípios revolucionários, e que vossa excelência cada vez mais se revela o ditador de que necessitamos para salvar o nosso país", prosseguiu. "Chegado o momento em que vossa excelência sente a necessidade de atos de força, como nos parece também ter chegado, estamos convictos que os fará e, para tanto, tem o apoio absoluto de todos nós." Ao final, Pedro Ernesto reforçou: "Apoiaremos, de modo absoluto, o governo de vossa excelência, como ditador".

De imediato, foi febrilmente aplaudido pelos colegas.[87]

Era a vez de Getúlio Vargas falar, em resposta ao discurso do presidente do 3 de Outubro. Ele devia ter plena consciência de que suas palavras poderiam determinar os rumos do país dali por diante. Seria a oportunidade para expressar uma recusa cabal ao autoritarismo, aos "atos de força" de que se vangloriava Pedro Ernesto, ou de aderir publicamente à tese de que só mesmo uma ditadura conviria ao país naquele momento de crise.

"Recebo a demonstração de solidariedade que me trazeis, e bem compreendendo seu alcance e significação", iniciou Getúlio. "Sois a vibrante mocidade civil e militar que não quer ver a revolução se afundar no atoleiro das transigências, dos acordos, das acomodações entre os falsos pregoeiros da democracia."

Os aplausos dos representantes do Clube 3 de Outubro foram entusiásticos. Ante aquela vigorosa saudação, não poderia haver mais dúvidas de que ali estava o líder que exigiam, "o ditador que salvaria o Brasil". Getúlio prosseguiu, para arrancar mais palmas e aclamação dos outubristas:

"Sob a aparência do apelo à Constituinte e defesa duma autonomia que sempre violaram, muitos procuram apenas voltar ao antigo mandonismo e pleiteiam a posse dos cargos para a montagem da máquina eleitoral, veículo indispensável à sua ascensão."

Pedro Ernesto e seus companheiros exultaram. Estavam ouvindo exatamente o que queriam. Não haviam ido a Petrópolis à toa. Getúlio, tudo indicava, pensava como eles: o sistema eleitoral era uma farsa; a democracia representativa, um estorvo; as manifestações em prol da Constituinte, mera fachada para politiqueiros saudosos. A cada frase de Getúlio Vargas, os outubristas se derramavam em novos e acalorados aplausos. Os vivas, porém, foram mais comedidos quando Getúlio seguiu adiante:

"A volta do país ao regime constitucional virá, terá de vir, está na lógica dos acontecimentos. Essa volta processar-se-á, porém, orientada pelo governo revolucionário, com a colaboração direta do povo e não em obediência à vontade exclusivista dos políticos."

A ressalva de que o regime constitucional viria, mais cedo ou mais tarde, não agradou a alguns dos presentes. Entretanto, desde que isso fosse encarado como simples possibilidade, uma perspectiva lançada em direção a um futuro hipotético, nada tinham a opor. Os aplausos só se tornaram de fato mais chochos quando, ao final, Getúlio sentenciou:

"O que não posso é concordar com a prática de violências de quaisquer origens, pois a ninguém é lícito fazer justiça pelas próprias mãos sem com isso diminuir a autoridade do governo e o prestígio da revolução."[88]

E ainda advertiu:

"O governo somente se integrará num regime novo quando este for reflexo da nação organizada. Não deverá tornar-se, por isso, prisioneiro de qualquer partido, classe ou facção, porque unicamente ao povo brasileiro, juiz definitivo de seus atos, lhe cumpre prestar contas."[89]

Os outubristas se entreolharam. O que significava aquilo? Eles realmente estavam sendo repreendidos pelo atentado ao *Diário Carioca*?

De que lado estava, afinal de contas, o sr. Getúlio Vargas?

2. Crise política, confusão nos quartéis, caos financeiro. Querem derrubar Getúlio (1931-2)

Um Ford coberto de lama, com placa do Rio de Janeiro e um pneu murcho, amanheceu estacionado diante do Grande Hotel, em Porto Alegre, em 8 de março de 1932, terça-feira. Eram cinco horas da manhã. O céu ainda estava escuro quando Maurício Cardoso, de aparência insone, barba por fazer emendada às características costeletas, paletó amassado e respingado de barro, desceu do automóvel e se encaminhou à porta giratória do estabelecimento. Depois de se apresentar ao funcionário postado atrás do balcão, recebeu a chave do apartamento 436, tomou o elevador e subiu direto ao quarto andar, onde mal tirou a roupa e já mergulhou pesadamente na cama. Rodara quase 2 mil quilômetros, durante quatro dias seguidos. Estava exausto. Os últimos trechos da viagem haviam sido vencidos aos solavancos, com o pneu traseiro furado. O estepe também arrebentara no meio do caminho e àquela hora não existiam oficinas abertas ao longo da estrada.[1]

Maurício dormiu até por volta do meio-dia. Ainda cambaleando de cansaço, levantou, fez a barba, tomou um banho, vestiu um dos ternos limpos que trouxera na bagagem e ligou para o quarto ao lado, o 435, onde estava instalado João Neves da Fontoura. Maurício avisou que iria descer logo em seguida para o restaurante do hotel. Neves o encontrasse por lá. Os dois poderiam almoçar juntos, trocar impressões sobre o momento político e depois seguir ao palácio do governo gaúcho, onde o interventor do estado, José Antônio Flores da Cunha, os aguardava.

Havia uma reunião marcada para as três e meia da tarde com Flores e as principais lideranças da Frente Única Rio-Grandense — a coligação dos velhos partidos Republicano (PRR) e Libertador (PL), costurada por Getúlio ainda nos tempos da Aliança Liberal. Borges de Medeiros, o chefe histórico dos republicanos gaúchos, se dispusera a abdicar temporariamente de seu retiro em Irapuazinho e confirmara participação, após três anos de ausência em Porto Alegre. Raul Pilla, líder dos antigos libertadores, também estaria presente. Batista Lusardo, libertador, e Lindolfo Collor, republicano, idem. A pauta do encontro de cúpula era inflamável. Na véspera, segunda-feira, houvera uma assembleia prévia, durante a qual o grupo decidira aguardar a chegada de Maurício Cardoso para pôr em debate o possível rompimento oficial do Rio Grande, em bloco, com Getúlio.

De rosto já escanhoado, Maurício se encaminhava ao restaurante do hotel quando um repórter do *Correio do Povo* o interceptou à saída do elevador. O jornalista vira o carro sujo lá fora, conferira a placa do Rio e deduzira que aquele só podia ser o veículo tão aguardado em Porto Alegre nos últimos dias. Desde a sexta-feira, os jornais locais não falavam de outra coisa a não ser da expectativa pela chegada do ministro da Justiça à cidade. Todos se perguntavam se ele viria na condição de mediador autorizado por Getúlio para tentar abafar a crise ou, ao contrário, iria se juntar ao time de conterrâneos demissionários do Governo Provisório.

"Até acho graça que me pergunte isso", respondeu Maurício. "Não voltarei para aquele posto nem mesmo que haja uma recomposição geral", garantiu.

"Mas por que o senhor veio de carro, e não de avião, como os outros?", quis saber o repórter, referindo-se a Batista Lusardo, João Neves e Lindolfo Collor, que desde o início da semana já estavam na cidade, após pedirem demissão a Getúlio.

"Vim de automóvel porque, ao chegar à capital da República, eu declarara que se não conseguisse fazer a obra que me propunha empreender voltaria pelo mesmo caminho e condução com que para ali havia me dirigido", explicou.[2]

Mais do que um ministro intransigente na defesa da palavra empenhada, Getúlio temia perder um amigo. Conhecia Maurício Cardoso desde os tempos de faculdade. Quando jovens, haviam integrado o Bloco Acadêmico Castilhista e a redação do jornal estudantil *O Debate*. Em 1915, Maurício defendera como advogado o irmão mais velho de Getúlio, Viriato, no processo criminal pela morte de

Benjamin Torres, o desafeto da família Vargas que tivera o crânio perfurado pela bala de um assassino de aluguel. Dedicado à advocacia e ao mandato de deputado estadual, Maurício participara ativamente dos acontecimentos em Porto Alegre durante a fase conspiratória de 1930. No "dia D", 3 de outubro, comandara a ocupação das repartições públicas federais sediadas na cidade.

No início de dezembro de 1931, Getúlio finalmente mandara buscá-lo na capital do Rio Grande para tentar apagar um incêndio na equipe, após o pedido de demissão do primeiro ministro da Fazenda do Governo Provisório, o banqueiro paulista José Maria Whitaker, que entrara em atritos com os tenentistas instalados no governo. No reposicionamento das peças no tabuleiro, Aranha foi transferido para a pasta econômica, em substituição a Whitaker, e Maurício colocado no lugar de Aranha, numa típica manobra getulista: de um lado, afagava-se a tenentada com a saída do pró-Constituinte José Maria Whitaker da Fazenda; de outro, entregava-se a Justiça a um notório defensor do retorno à ordem legal. Decorridos apenas cerca de sessenta dias da acomodação, o artifício já ruía, com as declarações categóricas de Maurício ao jornalista nos corredores do Grande Hotel.

"Eu só retornaria na hipótese de que todos os outros demissionários voltassem a ocupar seus cargos. E isso, o amigo sabe, é absolutamente impossível", afirmou.[3]

Após o almoço, conforme combinado, Maurício e Neves rumaram para o palácio do governo gaúcho. A reunião de lideranças, a portas fechadas, se prolongou por quatro horas. Ao final, Flores da Cunha anunciou à imprensa que ainda não fora tomada nenhuma decisão definitiva em relação ao rompimento oficial com Getúlio. De comum acordo, os participantes do conclave acharam melhor aguardar pelo último nome que faltava para completar a cúpula suprapartidária: Assis Brasil, presidente honorário do diretório central do Partido Libertador, aquinhoado pelo Governo Provisório com duplo encargo, o de embaixador brasileiro em Buenos Aires e o de ministro da Agricultura. Como pretendiam tomar uma decisão unânime, em nome de todo o povo gaúcho, a palavra de Assis era imprescindível. Ele estava em missão diplomática na capital argentina e chegaria a Porto Alegre no sábado, 12 de março, dali a quatro dias. Até lá, libertadores e republicanos continuariam confabulando. Por enquanto, podiam confirmar uma única deliberação: a saída de Maurício Cardoso do governo era mesmo sem volta.

"Já disse, não sou mais ministro", insistiu Maurício, rodeado pelo enxame de jornalistas que o cercou à saída do palácio.[4]

★ ★ ★

Em Petrópolis, Getúlio fazia de tudo para simular tranquilidade. "Apesar de todos os acontecimentos desenrolados nestes dias, o sr. Getúlio Vargas passou um dia calmo. O chefe do governo passeou pela cidade, em companhia do seu ajudante de ordens", informou o correspondente da *Folha da Manhã* na cidade serrana. "Não se notava no semblante do sr. Getúlio Vargas a menor contrariedade. Dir-se-ia que nada de novo ocorrera no panorama político nacional. Com o seu habitual sorriso, andou pelas alamedas e ruas, voltando ao Rio Negro depois de uma boa caminhada."[5]

Nessa época, mais do que a atividade física preferencial de Getúlio, andar a pé também era uma forma de demonstrar desassombro em momentos de crise. No Rio de Janeiro, em situações semelhantes de pressão política, percorria com passos aparentemente despreocupados os cerca de dois quilômetros que separavam a residência oficial, o Palácio Guanabara, da sede do governo, o Catete. Dispensava o automóvel, caminhava cerca de 850 metros sob as palmeiras imperiais da rua Paissandu até a altura da Marquês de Abrantes, dobrava à esquerda e depois vencia cerca de mais mil metros, para enfim chegar à sede do governo. Na volta, ao final do dia, fazia o caminho inverso. Dizia preferir caminhar sozinho, sem nenhum aparato de segurança. Como nem sempre isso era possível a um presidente da República, ordenava aos ajudantes de ordens que o seguissem a meia distância e à paisana, para não chamar a atenção.[6]

De vez em quando, contudo, pregava peças aos auxiliares. Sem avisar nada a ninguém, saía do palácio e, sorrateiramente, andava algumas quadras desacompanhado, até o porteiro conseguir localizar o oficial do dia para informar que o presidente estava na rua, sem escolta. O ajudante de ordens disparava na direção em que Getúlio havia se encaminhado, alcançando-o centenas de metros depois. Ao observar o militar esbaforido, ofegando em seus calcanhares, comentava, zombeteiro:

"Andar muito depressa assim faz mal..."[7]

Determinada tarde, Getúlio tomou Alzira pela mão e caminhou com ela até a avenida Rio Branco, para lhe comprar um par de calçados numa loja do centro da cidade. Pai e filha despertaram olhares de espanto e curiosidade ao longo do trajeto e, enquanto Alzira escolhia o modelo que mais lhe agradava, uma multidão se formou à porta do estabelecimento para ver o presidente. No retorno ao

Guanabara, tomaram um táxi no ponto mais próximo à sapataria, recebendo cumprimentos e aclamações calorosas.[8]

"Não sou vaidoso, não cortejo essas demonstrações, mas elas são as únicas recompensas na vida dos homens públicos", dizia Getúlio, a respeito dos aplausos do povo.[9]

Gostava de caminhar sobretudo após as refeições, para "fazer o quilo" — expressão utilizada à época, equivalente a fazer a digestão. Quando calhava de receber um interventor para o almoço ou o jantar, impressionava o convidado pelo apetite que demonstrava por carne vermelha, costume gaúcho que jamais abandonou. À hora da sobremesa, também era obcecado por doces. E não dispensava a xícara de café antes de levantar da mesa. Mal permitia, porém, que os comensais desfrutassem dos mesmos regalos. Eles quase não encontravam tempo de levar o garfo ou a xícara à boca, submetidos pelo anfitrião a extenuantes sabatinas.

"Os pobres interventores mal podiam comer. Entre uma garfada e outra, deviam responder de quantos quilômetros de estrada de ferro dispunha o estado e que cidades serviam; quantos quilômetros de estrada de rodagem, em que condições e a espécie de revestimento; qual a situação econômica e financeira; os índices de produção etc.", recordaria Alzira. Depois disso, continuavam a ser bombardeados por novas perguntas durante a obrigatória caminhada pela rua. "Arrastava-os, também, em suas excursões. Era o tributo que tinham de pagar."[10]

Se na capital da República os passeios do presidente estavam virando rotina, em Petrópolis eles passaram a ser um ritual diário. Getúlio fazia questão de saudar os populares, tirar o chapéu à passagem das senhoras e, ao encontrar um conhecido, demorar-se para alguns bons minutos de prosa na esquina. Não esquecia de rechear os bolsos de bombons e moedas, que oferecia às crianças ao longo do trajeto. Numa dessas peregrinações petropolitanas, um menino de uns oito anos de idade correu em sua direção e o abordou:

"É verdade que você é o presidente da República?"

"O que é que você acha?", indagou Getúlio.

O menino o mediu com os olhos, e respondeu:

"Acho que não. Você não tem espada."

Getúlio riu.

"A espada é grande demais e muito pesada. Deixei-a em casa."

"Que idade você tem?", perguntou o garoto, desconfiado.

"Tenho mais de cem anos. Muito mais..."

"É mentira. Você não tem cem anos e não é o presidente da República!", protestou o garoto.[11]

Episódios assim invariavelmente se transformavam em notícia de jornal e rendiam comentários simpáticos na imprensa a respeito da informalidade do chefe de Estado e de sua forma peculiar de enfrentar adversidades. A rigor, apenas um homem que não temia os inimigos poderia exibir semelhante desenvoltura e tamanho senso de humor.

Do mesmo modo que evitava aparecer de cenho fechado em público, pedia aos auxiliares diretos que se esforçassem para demonstrar o mesmo espírito de descontração. Um dos secretários da presidência, Gregório da Fonseca — engenheiro militar e poeta parnasiano, autor de *Templo sem deuses* —, era um homem reservado e pouco expansivo. Numa solenidade festiva, Getúlio o repreendeu por estar de cara amarrada, pouco amistosa.

"Sorri, Fonseca...", cutucou.[12]

No íntimo, porém, Getúlio estava atormentado. Alimentara a ilusão de fazer de Maurício Cardoso seu procurador na rixa com os gaúchos. Até onde a vista alcançava, o caso não se resumia a uma simples crise regional. Se o Rio Grande do Sul não o apoiasse, quem mais o faria? Como conter a onda de insatisfações na base de apoio político do governo se até mesmo os rio-grandenses pulassem fora do barco? Para evitar o iminente naufrágio, Getúlio apelara a Maurício para que não largasse o leme. "Será mesmo que o Rio Grande me abandonou e está em divórcio definitivo comigo?", indagara-lhe, em carta magoada. "Acredito na vitória final do bom senso, no patriotismo dos dirigentes do estado e, principalmente, na tua firmeza e lealdade."[13]

Em vão. A recepção aos integrantes do Clube 3 de Outubro em Petrópolis cristalizara na opinião pública a certeza de que o governo havia se rendido de vez aos extremistas, instaurando o que os jornais passaram a chamar de "tenentocracia".[14] A imprensa de todo o país destacou os trechos iniciais do discurso proferido por Getúlio em resposta à saudação de Pedro Ernesto, mas ignorou os períodos finais de sua fala, aqueles que tanto incômodo e perplexidade provocaram nos outubristas.

"Como se explica que pesando tão forte e tão fundamentada acusação sobre o Clube 3 de Outubro o chefe do governo tenha recebido os seus membros com toda a solenidade?", questionava em Porto Alegre o editorial do *Estado do Rio Grande*, ligado aos liberais. "Não há, não pode haver outra resposta: o sr. Getúlio Vargas é solidário com as façanhas dos energúmenos."[15]

Na carta a Maurício, Getúlio tentara convencê-lo do verdadeiro sentido de suas palavras. "No meu discurso, só perceberam manifestações de um homem desvairado pelo poder e empenhado em organizar um exército persa para garanti-lo", lamentou. "Não perceberam ou não quiseram perceber, entretanto, a minha reprovação ao atentado ao *Diário Carioca* e, ainda, a afirmação de que não era prisioneiro de nenhum partido, facção ou classe."[16]

Anos depois, ao recordar o episódio, Getúlio explicitaria: "No discurso de Petrópolis, eu tive de apoiar-me no Clube 3 de Outubro e nos elementos extremados da Revolução para resistir à pressão dos cambalachos políticos, vencê-los, e depois estabelecer a ordem legal fora da influência desses elementos".[17]

Sem poder contar com Maurício no ministério, as esperanças de Getúlio quanto ao bom encaminhamento da questão gaúcha passaram a se concentrar em Assis Brasil, que, aliás, compusera a comissão de notáveis incumbida de elaborar o projeto de reforma eleitoral. Por meio de um telegrama da Western, enviou ao líder libertador um resumo da situação. Getúlio argumentava que, com a lei eleitoral já publicada, o ataque ao periódico de Macedo Soares — um "mero incidente policial" — não poderia servir de pretexto para um rompimento tão intempestivo. Por isso, dizia confiar no prestígio e na autoridade de Assis sobre os correligionários para evitar que "agitações estéreis" perturbassem o interesse geral do país.[18]

Assis, também em mensagem telegráfica, prometeu a Getúlio que empenharia todo esforço possível para administrar a situação. No entanto, no sábado, tão logo chegou a Porto Alegre, um repórter o flagrou em conversa reservada com outro dos demissionários gaúchos, Aníbal Barros Cassal, que tentava lhe expor os motivos de ter se demitido da chefia da Imprensa Nacional após o atentado ao *Diário*.

"A sua conduta, Cassal, foi lógica, a única compatível com a sua dignidade cívica", analisou Assis, compreensivo, dando sinais de que Getúlio corria o sério risco de ser abandonado também pelo ministro da Agricultura.[19]

O Rio Grande do Sul não era o único foco de preocupação para o governo. A crise desencadeada pelo atentado ao *Diário Carioca* provocara uma onda incontrolável de boatos. Havia quem apostasse até mesmo em uma possível renúncia de Getúlio Vargas, a um só tempo desprestigiado pelos liberais, partidários da reconstitucionalização, e emparedado pelos integrantes outubristas, defensores do regime discricionário. Com receio de perder um dos dois pontos principais de apoio, Getúlio parecia ter se indisposto com ambos. Mesmo assim, refutava qualquer rumor sobre estar propenso a abandonar o cargo.[20]

"Não renunciarei. E não sou dos que esperam o cardeal", disse Getúlio, em referência à visita do cardeal d. Sebastião Leme ao Catete, em outubro de 1930, para convencer Washington Luís a deixar o poder sem maiores derramamentos de sangue.[21]

Numa tirinha cômica publicada por *O Globo*, o chefe do Governo Provisório aparecia no primeiro quadrinho garantindo a Pedro Ernesto, presidente do Clube 3 de Outubro: "Estou com você, Pedro". No segundo, ao contrário, afiançava a Maurício Cardoso: "Estou com você, Maurício". No terceiro e último quadrinho, um sorridente Getúlio Vargas abraçava uma senhora gorda, de aparência malévola, a personificação da ditadura. "Afinal, com quem você está, Getúlio?", indagava a megera. "Eu estou é com você, minha filha!", lia-se na legenda.[22]

A central de murmúrios também dava conta de que oficiais tenentistas tramavam um levante para depor Getúlio, com o objetivo de instaurar uma ditadura militar assumida e afastar em definitivo os civis da órbita do Catete. De outro lado, cresciam os sussurros de que certas lideranças da política liberal, em diferentes estados da federação, estavam se aproximando sub-repticiamente de forças moderadas do Exército para tentar brecar, a todo custo, o avanço dos outubristas.[23]

Na maré de burburinhos, falava-se de uma onda crescente de insatisfação fardada, originária dos oficiais legalistas que se julgavam atropelados pela promoção em massa dos revolucionários — muitos, ex-foragidos da justiça e sem curso militar completo —, reintegrados com vantagens à caserna pelo Governo Provisório após a decretação da anistia, por Getúlio, a todos os implicados no ciclo de revoltas que sacudiram o país desde 1922. Nos quartéis, os rebeldes históricos, que se sentiam os novos donos da situação, passaram a ser apelidados de "picolés", porque teriam saído "todos da mesma fôrma" e por tratar os colegas de carreira "friamente". Em represália, os oficiais de carreira que haviam aderido à causa revolucionária apenas no último instante, em 1930, receberam a pecha de "rabanetes" — vermelhos por fora, brancos por dentro.[24]

Um dos principais temores de Getúlio era o de que a confusão no âmbito político e a agitação na seara militar contagiassem outros setores do governo, justo no momento em que o Catete vinha conduzindo uma delicada transação financeira junto aos credores internacionais. O país estava tecnicamente quebrado, soubera Getúlio tão logo assumira o poder, no fim de 1930. A queda brutal no preço do café, as exportações em baixa devido à crise mundial e o inevitável desaparecimento de investidores estrangeiros após o *crash* de Wall Street reduziram as reservas cambiais a poeira. Em 1929, elas eram de 31 milhões de libras esterlinas. Em agosto de 1930, haviam caído para menos da metade, 14 milhões de libras. No final de 1931, chegaram a zero.[25]

Getúlio herdara uma dívida externa de cerca de 237 milhões de libras esterlinas. Sem dinheiro em caixa, ficou impossível honrar o serviço dos empréstimos anteriores. Para evitar o colapso, foi preciso negociar um empréstimo de consolidação, um *funding loan*, recurso extremo antes levado a efeito apenas pelos presidentes Campos Sales, em 1898, no auge da crise da primeira década republicana, e Hermes da Fonseca, em 1914, com a eclosão da Primeira Guerra Mundial. Com esse terceiro *funding loan*, o Brasil consolidou e reescalonou a dívida por um período de três anos, prazo durante o qual o país, em tese, buscaria se reorganizar financeiramente.

"Foi assinado o *funding* com os credores estrangeiros", respirou aliviado Getúlio em seu diário, mesmo sabendo que o benefício era transitório e apenas empurrava o problema para um futuro dali não muito distante, por meio do aumento total da dívida.[26]

Sir Otto Niemeyer, diretor do Banco da Inglaterra enviado ao Brasil em 1931 para recomendar políticas econômico-financeiras ao governo brasileiro, de início criticara a ideia de um terceiro *funding loan*.

"O homem que afunda três vezes em geral se afoga", teria dito Niemeyer.[27]

Mas, com o aprofundamento da crise internacional, o próprio Niemeyer se convenceu de que não havia alternativa.[28] No dia seguinte à assinatura do *funding* — por meio do qual o Brasil recebeu novos 18,4 milhões de libras esterlinas para refinanciar os juros dos empréstimos federais —,[29] os detalhes sobre o acordo histórico com os banqueiros estrangeiros foram praticamente ignorados pelos principais jornais do país. Na paulistana *Folha da Manhã*, uma notinha de apenas dez linhas a respeito do assunto aparecia espremida em um canto da primeira página, ofuscada pelas manchetes relativas ao "grave momento político brasileiro".³⁰ No carioca *Correio da Manhã*, nem isso. O assunto fora relegado a nota ainda menor, escondida nas letrinhas das páginas internas.³¹

Uma das exceções ficou por conta do *Jornal do Brasil*, que em um texto de seis parágrafos, ocupando uma coluna quase inteira da página reservada aos artigos de fundo, citava trechos da exposição de motivos redigida pelo novo ministro da Fazenda, Oswaldo Aranha, na qual ele assegurava que o Brasil honraria os compromissos assumidos com os credores e que, dali por diante, o país encerraria para sempre a fase de má gestão financeira.

O editorialista do JB fazia votos para que Aranha estivesse certo:

"Queira Deus", desejou.³²

Inquietações nos quartéis, rebeliões políticas na base aliada, dificuldades econômicas a perder de vista. A avalanche de problemas fez Getúlio deixar passar em branco o aniversário de casamento com Darcy, descuido que ele próprio reconheceu como um grave delito familiar, a ponto de se penitenciar nas páginas de seu diário.

"Completou-se o meu vigésimo primeiro aniversário de casamento, mas as preocupações políticas encheram o dia, esquecendo a data doméstica."³³

Após duas décadas de convívio, a relação com Darcy, que nunca fora baseada em paixão arrebatadora, atingira o estágio da morna conveniência. Quando noivo, o deputado estadual Getúlio Vargas chegara a enviar cartas amorosas a ela. "Sinto uma necessidade indescritível de comunicar-me contigo, de vazar no papel o molde de meu pensamento, a forma das minhas expressões, para dizer-te que te amo cada vez mais", escrevera em 1910. "Como me é agradável desviar a atenção de toda esta solfa gasta de política, discussões, trapalhadas, conversas de cafés e de mesas de hotéis, para pensar em ti."³⁴ Não há, porém, ao longo das centenas de páginas dos treze cadernos que compõem o diário íntimo de Getúlio, nenhuma palavra de ternura explícita em relação à mulher, sempre tratada com polida consideração, mas também com notório distanciamento. Aqui e ali, surge uma citação mais amena a respeito de uma ida do casal ao cinema na companhia dos filhos, de prosaicas partidas de dominó ou pingue-pongue disputadas com a primeira-dama, citada invariavelmente de modo solene como "minha esposa".

O mesmo não se pode dizer, contudo, das alusões no diário a outras presenças femininas que cintilavam ao redor de Getúlio. Ao comparecer a uma exposição agropecuária em Petrópolis, anotou: "Após a exposição, fomos a um churrasco. Animais vacuns bons, cavalos medíocres, exposição avícola e de coelhos excelente. Algumas mulheres interessantes".[35]

Havia flertes menos fugazes. Datavam de cerca de um ano as primeiras referências veladas àquela que viria a ser, por muito tempo, a amante mais assídua de Getúlio. Nas páginas relativas ao feriado de 1º de maio de 1931, ele escrevera: "À tarde, uma visita agradável, interrupção de três anos e meio de vida regular. Uma sinalefa!!".[36]

Desse breve momento de indiscrição, é possível se inferir que Getúlio já mantivera outros casos extraconjugais, ainda em Porto Alegre, quando governara o Rio Grande do Sul. Depois disso, permanecera algum tempo fiel aos compromissos matrimoniais, conforme sugeria a referência aos "três anos e meio de vida regular". Mas o duplo ponto de exclamação que arrematava a nota denunciava um inusitado entusiasmo de Getúlio, em contraste com os comentários habituais do diário, narrados de modo contido, objetivo, quase frio. A citação à sinalefa — fenômeno da linguagem oral e da metrificação poética pelo qual se aglutinam duas sílabas em uma só — ajudou a entregar à posteridade a identidade da eleita, que aparecia na vida de Getúlio quando ele estava prestes a completar cinquenta anos.

O nome dela era Aimée. A *Bien-Aimé* ["bem-amada", em francês], codinome pelo qual seria mencionada em recorrentes anotações do diário a partir de então. Aimée Sotto Mayor Sá era uma paranaense de apenas 24 anos, alta, morena, olhos verdes, modos refinados, dona de uma beleza estonteante — e a essa altura noiva do oficial de gabinete de Getúlio, Luís Simões Lopes (aquele que em dezembro de 1929 se envolvera na luta corporal entre o pai, o deputado gaúcho Simões Lopes, e o colega pernambucano Sousa Filho, morto com dois tiros ao final do embate, em pleno Palácio Tiradentes).[37] À diferença do tom protocolar com que citava Darcy em seu diário, Getúlio se referia à bela Aimée de forma desbragada. Ela era "a luz balsâmica e compensadora dos meus dias atribulados".[38]

Apesar das vicissitudes de um governo em crise, Getúlio sempre encontrava uma forma de ludibriar a agenda do palácio e, por extensão, a vigilância da esposa. Certo final de tarde, após a jornada cotidiana de despachos, o chefe do Governo Provisório desaparecera por algumas horas. Ninguém sabia de seu paradeiro.

"Chovia, e fiz uma escapada agradável", confidenciou Getúlio mais tarde ao caderninho, que deixava trancado à chave na gaveta de seu gabinete de trabalho.[39]

* * *

Fazia mais de quarenta anos que aqueles dois senhores não se viam frente a frente. O encontro entre os bigodudos Borges de Medeiros e Assis Brasil, na sede do governo gaúcho, por volta das nove horas da manhã de 14 de março de 1932, foi descrito como um "sensacional acontecimento" pelas manchetes dos jornais. Companheiros de propaganda republicana no final do Império, Borges e Assis haviam se separado no início do regime instituído pelo marechal Deodoro da Fonseca. Tornaram-se rivais na política e, em 1922, bateram-se nas urnas, na disputa pelo governo estadual. Borges vencera, com a ajuda suspeita de uma Comissão de Verificação e Poderes, chefiada pelo então deputado Getúlio Vargas. Duas décadas depois do polêmico episódio que servira de estopim para a revolução gaúcha de 1923, os dois estavam ali para combinar uma estratégia comum contra o mesmo Getúlio.

Os fotógrafos não conseguiram a imagem histórica de Assis e Borges chegando juntos ao prédio. O primeiro entrara pela porta lateral do palácio, na rua contígua à catedral metropolitana. O segundo, pela frente. Lá dentro, a presença dos jornalistas foi proibida, embora o secretário rio-grandense do Interior, Sinval Saldanha, tenha reproduzido aos repórteres os trechos iniciais da conversa:

"Dr. Assis!", teria exclamado Borges de Medeiros, de braços abertos.

"Dr. Borges, deixemos de parte os quarenta anos em que vivemos separados e voltemos à nossa intimidade de propaganda republicana. Me chame apenas de Assis", observara o ex-adversário político, aceitando o abraço.

"Sim, e me trate do mesmo modo, apenas como Borges", devolvera o chefe do PRR, retribuindo as amabilidades e os tapinhas nas costas.[40]

O interventor Flores da Cunha, emocionado, teria puxado do bolso um lenço de cambraia e assoado o nariz.[41] O momento era significativo também para ele. Flores comandara a Brigada do Oeste durante a Revolução de 1923, em defesa do governo de Borges de Medeiros, contra o opositor Assis Brasil.

Os pormenores da conferência que se seguiu entre Assis, Borges, Flores, Neves, Pilla, Collor e Cardoso — os "morubixabas" gaúchos, na expressão de Getúlio[42] — permaneceriam em segredo. Às 12h35, quando os participantes da reunião enfim começaram a deixar o palácio, os jornalistas correram em direção a eles, em busca de informações mais consistentes. Ninguém deixou escapar nada.

Fora firmado um pacto de silêncio, que seria mantido até que o Governo Provisório recebesse as resoluções do encontro por escrito, em primeira mão.

"Todos nós estamos presos a um compromisso de nada dizer antes do momento oportuno", desculpou-se Maurício Cardoso.[43]

Assis Brasil, com passo acelerado, já chegava ao automóvel quando os jornalistas imploraram que retornasse ao grupo, para um registro fotográfico. Assis concordou e os flashes de magnésio estouraram no ar.

"O senhor também já abandonou o ministério?", indagou um repórter a Assis Brasil, que voltou a caminhar rápido em direção ao carro, deixando a pergunta sem resposta.[44]

Coube a Assis a tarefa de comunicar a Getúlio as condições impostas pelas lideranças gaúchas para continuar dando apoio ao Governo Provisório. Eram sete itens, expressos em uma carta de preâmbulo respeitoso e cordial, na qual Getúlio era tratado como "eminente amigo", mas também em que Assis dizia ter de obedecer às ordens ditadas pelo partido, o que soava como um aviso prévio de exoneração do governo.

O heptálogo, em resumo, exigia o seguinte: 1) punição exemplar dos implicados no ataque ao *Diário Carioca*, após investigação conduzida por um magistrado do Supremo Tribunal; 2) restauração dos artigos da Constituição que asseguravam os direitos civis aos cidadãos brasileiros; 3) decretação de uma lei para garantir a ampla liberdade de imprensa; 4) nomeação de uma comissão de notáveis para elaboração de um anteprojeto de Constituição, a ser analisado e votado por uma Assembleia Constituinte; 5) início imediato de novo alistamento eleitoral em todo o território brasileiro; 6) incorporação, pela União, das dívidas estaduais; 7) estabelecimento de um conselho para definir uma ampla reforma tributária no país, discriminando as rendas que deveriam caber a União, estados e municípios.[45]

Somente nove dias depois Getúlio respondeu a Assis Brasil, também amistoso, reconhecendo no heptálogo um "alto senso patriótico", a "clareza de pensamento" e a "segurança de conceitos" com que o documento fora escrito. Dizia ter buscado governar até ali afastado das influências partidárias, concentrado que estava nos graves problemas inerentes à administração pública. Nos seus planos, expôs Getúlio, só após realizada a tarefa de reerguer a economia, restaurar as finanças, equilibrar os orçamentos e sanear o ambiente moral e material do país caberia dar início à segunda fase da revolução, ou seja, organizar constitucionalmente o Brasil. Quando houvesse chegado essa hora, garantiu, o Rio Grande do Sul seria chamado a dar sua "inestimável contribuição" à obra de reconstrução legal na nação. Entretanto, como os acontecimentos precipitaram o desenrolar natural dos fatos, Getúlio não se negava a considerar a questão desde já.[46]

Tinha apenas algumas rápidas considerações a fazer em relação aos termos do heptálogo. Sugeria, por exemplo, que o primeiro item fosse retirado da pauta das negociações, pois já fora instaurado um inquérito civil e outro militar para investigar o caso do *Diário Carioca*, o que no seu entender já garantia a ampla apuração do episódio. Em relação ao segundo item, argumentava que, dado o caráter do momento revolucionário, o Governo Provisório se via forçado a manter temporariamente a suspensão de certas garantias constitucionais. "Não é possível a um governo emanado de uma revolução manter-se sem estas restrições", sustentou. "Parece-me inviável a ação governamental sem certas faculdades discricionárias."[47]

Sobre a liberdade de imprensa, objeto do quarto item, Getúlio prometia regulamentá-la imediatamente, por meio de um decreto, dando como pretexto para ainda não tê-lo feito "o acúmulo de serviço e a maior urgência da lei eleitoral". Também não teria nada a opor ao quarto e quinto itens, que pediam o anteprojeto da nova Constituição e o estabelecimento do alistamento dos eleitores, medidas aliás previstas no texto da lei eleitoral já assinada. Por fim, sobre o sexto e sétimo tópicos, relativos a questões econômicas de interesses dos estados, Getúlio informou que dois meses antes baixara um novo decreto instituindo uma comissão de estudos financeiros encarregada de analisar propostas para uma reforma no sistema tributário federal, estadual e municipal. "Apreciei as diversas sugestões, aceitando-as em tese, e fazendo objeções apenas quanto à forma de execução de duas", registrou Getúlio no diário.[48]

Assis Brasil alegou razões de família para deixar Porto Alegre e não endereçar a tréplica a Getúlio. Seguiu para a sua estância em Pedras Altas, no interior do Rio Grande, embora antes de partir tenha encontrado tempo de remeter ao Rio Negro o duplo pedido de demissão, do Ministério da Agricultura e da embaixada na Argentina.

"As circunstâncias superam os meus bons desejos e a sincera afeição pessoal", justificou-se, polidamente.[49]

Nesse meio-tempo, Getúlio foi surpreendido por uma circular assinada por Borges de Medeiros e Raul Pilla. A mensagem repetia o mesmo conteúdo do heptálogo, só que acrescido de uma nova exigência, a de que fosse marcada de imediato a data da eleição para a Constituinte, que obrigatoriamente deveria ocorrer ainda naquele ano. No lugar do tom conciliatório da carta enviada por Assis Brasil, essa continha palavras abrasivas. Borges e Pilla denunciavam o "regime de terror" implantado no país, marcado pela "intolerância e violência" dos tenentistas e consentido pela "impotência do Governo Provisório". Ao recolocar em foco o atentado ao *Diário Carioca*, Borges e Pilla bradavam: "Se a liberdade de imprensa continua espezinhada, se vierem a periclitar as demais liberdades civis e políticas, se, em suma, os direitos fundamentais da sociedade não repousarem sobre garantias reais e invioláveis, o que restará do regime republicano? Só a ficção ou a mentira".[50]

Getúlio ficou furioso. Não admitiria que a conversa descambasse para aquele nível. Ele era o chefe de governo, a maior autoridade do país, e havia uma liturgia a ser respeitada. "Estranhei os termos rígidos e intransigentes, quase inamistosos, não digo por tratar-se até então de um amigo de lutas e ideias de quem agora se sentiam separados, mas por serem dirigidos ao chefe da nação e a um ex-presidente do Rio Grande do Sul", queixou-se em carta a Flores da Cunha. "Nos termos em que estas declarações estão feitas, não posso tomar conhecimento delas, nem discuti-las. Podem instigar o Rio Grande contra mim, mas não conseguirão lançar-me contra o Rio Grande."[51]

O que irritara ainda mais Getúlio fora o fato de Borges e Pilla terem mandado publicar o texto, respectivamente, nas primeiras páginas de *A Federação* e de *O Estado do Rio Grande*, além de expedi-lo em cópias abertas para todos os ministros, interventores e correligionários. "Tudo com espalhafato, dando a impressão que me queriam humilhar perante a opinião do país. Até agora não compreendo como semelhante documento fosse subscritado por um homem ponderado e experiente qual o dr. Borges", lamentou. "Não mantenho intransigências, nem prevenções, quanto a esta ou aquela sugestão. Apenas quero que me tratem com a consideração devida. As divergências políticas não excluem a boa educação."[52]

Aos íntimos do palácio, Getúlio tinha uma reclamação ainda mais sentida a fazer:

"Apoiei a ditadura do velho Borges no Rio Grande do Sul durante um quarto de século e não tive nada a reclamar. Ele agora reclama porque sou ditador há apenas dois anos."[53]

Bastava uma única palavra de Getúlio, explicou-lhe Pedro Ernesto, em reunião realizada no dia 30 de março de 1932, no Palácio Rio Negro. Se ele dissesse sim ao prolongamento da ditadura, Ernesto e os demais interventores ficariam solidários com o Governo Provisório e garantiriam a manutenção da ordem pública. Todos os estados da federação permaneceriam leais à situação. As prováveis exceções ficariam por conta do Rio Grande do Sul, por causa dos últimos acontecimentos; de Minas Gerais, onde a dissidência oligárquica de Artur Bernardes controlava uma facção do PRM (o velho Olegário Maciel fora o único presidente estadual mantido no cargo pelo apoio que dera ao movimento de outubro de 1930); e de São Paulo, unidade federativa na qual o movimento constitucionalista assumira proporções avassaladoras. Nos outros dezessete estados brasileiros — cujas interventorias estavam ocupadas por elementos ligados ao tenentismo —, ninguém ousaria emitir um miado de protesto. E mesmo que isso ocorresse, os interventores estariam em condições materiais de sufocar, por bem ou por mal, as prováveis defecções.[54]

Pedro Ernesto, acusado de ser um feroz comunista pelas classes empresariais, tinha certeza de que as massas trabalhadoras — e particularmente setores do movimento operário na capital federal — ficariam ao lado de Getúlio em uma ocasional radicalização. Para tanto, confiava na crescente popularidade do chefe de governo junto às classes populares.[55] Isso sem falar da simpatia que ele próprio, Ernesto, desfrutava junto aos trabalhadores no Rio de Janeiro. Desde que assumira a interventoria do Distrito Federal em 1931, vinha determinando uma série de medidas trabalhistas, a exemplo da estabilidade no emprego, da extensão dos direitos do funcionalismo municipal aos operários (incluindo a assistência médico-hospitalar) e da regularização das licenças e aposentadorias no caso de invalidez e doenças como a tuberculose, a lepra e o câncer.

Uma certa aura romântica também acompanhava Pedro Ernesto — assim como Aranha, considerado um "tenente civil". Ele participara ativamente dos movimentos rebeldes de 1922 e 1924. Envolvido na conspiração que resultara no movimento vitorioso de 1930, quase fora preso pelos legalistas sob as ordens de Washington Luís, mas escapara do cerco policial imposto à casa de saúde que dirigia por meio de um truque astucioso: deitou em uma maca e embarcou, como se fosse um doente qualquer, na primeira ambulância estacionada lá fora.[56]

Médico pessoal de Getúlio Vargas, Pedro Ernesto tinha total ciência da hipocondria do seu ilustre paciente. Getúlio andava impressionado com a notícia que recebera ainda dos profissionais que cuidavam de sua saúde no Rio Grande do Sul. Tivera à época o diagnóstico de dilatação da aorta. Doença silenciosa, assintomática, ela pode levar o indivíduo à morte súbita, no caso de uma ruptura da artéria mais importante do organismo. Exames complementares no Rio de Janeiro desmentiram o diagnóstico anterior, mas radiografias revelaram que o coração de Getúlio era um pouco maior do que o normal, o que o levava a se entupir de medicamentos de procedência duvidosa para tentar refrear o problema, muitas vezes desrespeitando ordens clínicas e recorrendo à automedicação.

"Ele tentava teimosamente fazer seu coração encolher. Tinha o coração grande demais", recordaria a filha Alzira.[57]

Aquela era a hora de se preocupar com o pulso, e não com o coração, pareciam sugerir os participantes da reunião reservada no Rio Negro. Os interventores da Bahia, Juracy Montenegro Magalhães, e do Ceará, Roberto Carlos Vasco Carneiro de Mendonça, concordavam com o ponto de vista de Pedro Ernesto. Eram absolutamente contrários ao início das atividades eleitorais e defendiam o prolongamento da ditadura o máximo possível. Getúlio, entretanto, mostrava-se reticente. Mesmo com o apoio do Clube 3 de Outubro e dos interventores tenentistas, considerava uma temeridade enfrentar as forças políticas dos três estados mais poderosos da federação, São Paulo, Minas Gerais e Rio Grande do Sul. Juarez Távora, também presente, discordava. Getúlio não deveria temer a impopularidade, a pressão civil ou a crítica da imprensa. Em entrevista coletiva concedida dias antes, Távora afirmara que o episódio do *Diário Carioca* jamais afastaria o Governo Provisório do rumo previamente traçado.

"A ditadura podia e devia ter evitado o empastelamento do *Diário*, se tivesse feito a censura à imprensa, não permitindo que ela se excedesse em comentários", dissera aos jornalistas. No entender de Távora, nomeado delegado militar junto aos dirigentes dos estados do Norte e Nordeste — o que inclusive lhe valera na imprensa o apelido de "vice-rei do Norte" —, havia um limite para o exercício da liberdade de opinião. "Seria admissível se permitir que o cangaceiro Lampião viesse a lançar um jornal, para pregar suas ideias e traçar normas de conduta?", exemplificou.[58]

O ministro da Viação e Obras Públicas, o paraibano José Américo de Almeida, filiado ao Clube 3 de Outubro e também integrante do grupo que solicitara a reunião com Getúlio, tinha uma sugestão a fazer. José Américo, escritor, autor do romance regionalista *A bagaceira* (publicado em 1928), defendia que a saída mais ponderada para o caso seria prolongar o regime discricionário por pelo menos mais um ano, durante o qual as forças revolucionárias fiéis ao governo se organizariam em torno da criação de um grande e novo partido político, de expressão nacional. Uma legenda forte o suficiente para se submeter ao escrutínio das urnas sem recear os adversários. As considerações de José Américo em torno da necessidade de criação do novo partido vinham enchendo as páginas dos jornais de artigos sobre o assunto. Já havia um possível nome para a agremiação: Partido Nacional (PN). Por causa dos discursos de fortes conotações sociais de Getúlio, houve quem sugerisse a denominação Partido Social Nacionalista. Nesse caso, existia uma similaridade incômoda, explorada por uma charge da revista satírica *Careta*.

A charge exibia uma bandeira da planejada legenda tremulando ao fundo, enquanto o ministro da Viação, com seus óculos imensos e a cabeça quadrada, aparecia em primeiro plano. "Parabéns, seu Zé Américo, pelo novo Partido Nacional, mas cuidado com as imitações", dizia o Jeca, em um canto da cena. No canto oposto, via-se um cartaz com o retrato de Adolf Hitler. Naquele ano, o Partido Nacional Socialista da Alemanha, ou Partido Nazista, conseguiria eleger a maioria do parlamento germânico, abrindo definitivamente o caminho para a implantação do Terceiro Reich.[59]

Depois de sobrevoar o bairro porto-alegrense de Navegantes, o hidroavião da Panair do Brasil que levava Oswaldo Aranha a bordo fez um semicírculo sobre a cidade e amerissou nas águas do Guaíba. Lá de cima, Oswaldo constatara a multidão que se aglomerava no cais. Com o aparelho já sobre as águas, viu a lancha do governo do estado se aproximar, trazendo o líder libertador Raul Pilla. Quando a porta do avião abriu, Oswaldo foi o primeiro a passar à embarcação, estendendo a mão para ajudar a esposa, dona Vindinha, que vinha logo atrás dele.[60]

"Disseram-me no Rio de Janeiro que eu seria apedrejado aqui em Porto Alegre, mas eu havia tomado minhas precauções", brincou Aranha. "O radiotelegrafista do avião é meu homônimo. Chama-se Oswaldo Aranha, também. Por isso, até o apelidaram de 'ministro'. Se eu visse que as coisas estavam pretas para meu lado, quem apareceria seria ele, e não eu", gargalhou. "E aí o povo constataria o 'engano' e iria embora. Depois eu poderia desembarcar calmamente..."[61]

Raul Pilla também riu. Mas logo quis saber se Aranha trazia algum documento oficial da parte de Getúlio, a tão esperada resposta à carta assinada por ele e Borges de Medeiros.

"Não, não trouxe. Eu não vim para trazer qualquer documento. Vim para conversar com vocês", respondeu o recém-chegado.[62]

Os jornalistas, como sempre, queriam uma frase bombástica para a manchete do dia seguinte. Aranha, contudo, os decepcionou. Não, não era verdade que também estava demissionário e que viera ao Rio Grande se juntar aos colegas que haviam abandonado o governo. Não, também não era correto dizer que vinha trazendo a contraproposta de Getúlio ao heptálogo. Sim, ainda era ministro, permaneceria no cargo enquanto o chefe do Governo Provisório confiasse nele. Sim, estava ali por causa da crise política, não como negociador, mas simplesmente como interlocutor do governo federal junto aos conterrâneos.[63]

Apesar dos desmentidos, não havia como negar. Getúlio Vargas enviara Oswaldo Aranha com a missão de pacificar o estado e, por consequência, trazer tranquilidade à administração federal. Contudo, orientou-o a não deixar transparecer que vinha barganhar o apoio de republicanos e libertadores em troca de concessões. Era preciso mostrar-se afável e conciliador, mas jamais dar a entender que o Governo Provisório se sentia pressionado, encurralado pelo ultimo dos rio-grandenses. A carta de Pilla e Borges ainda estava atravessada na garganta de Getúlio. A incumbência de Aranha era estudar o cenário, para confirmar a lealdade de Flores e minar a resistência dos demais "morubixabas".

Flores da Cunha recepcionou Oswaldo Aranha com todas as honras previstas pelo protocolo a um ministro de Estado. Duas bandas de música da Brigada Militar foram mandadas ao local. Um grupo de infantaria da corporação ficou encarregado de prestar continência a Aranha, que em seguida foi levado no carro oficial até o palácio do governo. Diante do prédio, nova multidão se acotovelava em praça pública, na esperança de vê-lo e ouvi-lo.[64]

Durante os dez dias que passou no Rio Grande do Sul, Aranha cumpriu uma extenuante maratona de compromissos políticos. Trancafiou-se com Pilla em uma reunião de mais de seis horas em Porto Alegre. Tomou um trem noturno para ir a Cachoeira conversar com Borges de Medeiros e João Neves. Voou em um pequeno Farman-Salmson de apenas dois lugares — um para o piloto, outro para o passageiro — e aterrissou em Pelotas, no aeroporto mais próximo de Pedras Altas, para uma conferência com Assis Brasil. Além disso, participou de almoços e jantares com lideranças empresariais, autoridades militares e representantes de sindicatos. Ouviu muito, falou mais ainda. Já estava completamente rouco no último evento público do qual participou em Porto Alegre, uma grande manifestação popular em que deveria discursar para o povo, do alto dos balcões do Grande Hotel.[65] No rol dos oradores, contava-se Alvimar Garcez Cabeleira, acadêmico de Direito que quase provocou uma hecatombe ao querer dirigir a Getúlio, por meio de Aranha, um recado em nome da "mocidade revolucionária gaúcha":

"O dr. Getúlio Vargas pode ficar tranquilo porque, apesar de todos os pesares, a despeito de todos os despeitos, os rio-grandenses que são revolucionários de verdade estão firmes ao lado da ditadura, cujo único defeito é não ser mais ditatorial ainda."[66]

Alguém interrompeu o jovem orador, com um grito de protesto:

"Queremos a Constituição imediata!"

"Quer a Constituição? Pois então, toma!", devolveu um dos estudantes, atirando um exemplar da Carta Magna de 1891 em direção ao rosto do que gritara antes.[67]

Houve empurra-empurra, troca de agressões e grossa pancadaria dos dois lados. Aranha, quase sem voz, pedia calma e implorava para ser ouvido. Depois de alguns minutos de confusão, refeita a ordem, enfim se esforçou para falar ao público:

> Senhores! O dr. Getúlio Vargas, o homem que detém o poder mais alto que em nosso país já foi confiado a um cidadão, não é um amigo deste mesmo poder, é um escravo do Brasil, do seu povo e das suas aspirações. Podeis confiar. A obra administrativa da ditadura aproxima-se do seu termo. É na solidariedade, na paz, na união, que repousa o futuro do país.[68]

Mas nem mesmo Aranha acreditava mais nisso, a confiar nos telegramas que mandou de Porto Alegre a Getúlio. O clima que testemunhara não era de paz ou união. Depois de tudo o que vira e ouvira no Rio Grande do Sul, o ministro da Justiça chegara à conclusão de que havia realmente uma grande conspiração, em pleno andamento, para derrubar o governo. Intermediários de São Paulo e Minas Gerais planejavam uma ação conjunta, e eram recebidos por chefes libertadores e republicanos para a coordenação da ofensiva. Previa-se nova e encarniçada luta armada. A atitude de Flores da Cunha — e por consequência, da poderosa Brigada Militar gaúcha — prometia ser o fator decisivo para os destinos do governo federal.[69]

No Palácio Rio Negro, o interventor da Bahia, Juracy Magalhães, ao ser recebido novamente em audiência, estranhou a ansiedade com que Getúlio parecia esperar um levante contra ele. O chefe do Governo Provisório talvez estivesse convicto de que só assim esmagaria de uma vez por todas os problemas que o atormentavam.

"Deixa a cobra botar a cabeça pra fora!", comentou Getúlio a Juracy.[70]

3. "Sai, Getúlio, sai!
São Paulo não é Shanghai!" (1931-2)

Os moradores do número 70 (mais tarde 298) da rua Barão de Itapetininga, centro da capital paulista, já estavam na cama quando foram despertados pela gritaria. Os que levantaram e espiaram pelas cortinas do quarto puderam observar, com alarmada curiosidade, a multidão compacta que avançava lá embaixo. Duzentos estudantes, muitos deles armados de porretes e barras de ferro, investiam em direção ao prédio de seis andares, situado na esquina com a praça da República. Alguns conduziam escadas de madeira, que debruçaram sobre a fachada do imóvel.[1]

A intenção era evidente. Na sobreloja funcionava a sede da Legião Revolucionária, fundada em 1930 em apoio ao novo regime e, no início daquele ano de 1932, rebatizada de Partido Popular Paulista (PPP). Os jovens pretendiam invadir e depredar os escritórios da agremiação, base do tenentismo no estado.

Como passava das onze da noite, as luzes da Legião estavam apagadas. Imaginou-se, portanto, que a sede ficasse deserta após o expediente. Porém, tão logo os primeiros estudantes iniciaram a abordagem, ouviu-se uma saraivada de tiros. Mesmo com as salas às escuras, havia militantes guardando o local. Para dissuadir os invasores, os sete legionários de braçadeira vermelha que montavam sentinela dispararam para o alto, surpreendendo os visitantes indesejados, obrigados a pular para o chão em busca de abrigo.

Passado o susto inicial, a massa não se dispersou. Ao contrário, depois de alguns minutos, foi se multiplicando. Populares vindos dos comícios em prol da reconstitucionalização realizados na cidade naquela segunda-feira, 23 de maio, aglomeraram-se nas ruas adjacentes à praça da República, somando-se à ação estudantil. Por volta da meia-noite, além de mais numerosos, os manifestantes estavam mais bem guarnecidos. Arrombaram três lojas de armas e munições que funcionavam nas redondezas e trocaram os porretes por revólveres, carabinas e fuzis. De posse desse arsenal, decidiram fazer nova ofensiva. Um grupo deu cobertura, atirando contra a sobreloja, enquanto outro se esgueirou até as escadas apoiadas sobre a fachada.

Lá em cima, sob o chuveiro de balas, os sitiados improvisaram uma trincheira, empilhando birôs, armários e outros móveis rente às janelas. Mesmo em flagrante inferioridade numérica, tinham a seu favor a visão privilegiada, devido à altura na qual se encontravam. Um dos primeiros a tentar alcançar o topo foi alvo fácil para um balaço. O homem, ferido, soltou o grito de dor e despencou na calçada. Uma poça de sangue logo se formou em volta de seu corpo imóvel. Os companheiros que o seguiam também foram atingidos, mas conseguiram se afastar, cambaleantes, para fora da zona de perigo.

Seguiu-se cerrado tiroteio. As vinte famílias que moravam nos apartamentos situados a partir do terceiro pavimento entraram em polvorosa. Projéteis adentravam a sala, o quarto, a copa, quebrando lustres, abrindo buracos nas paredes, estraçalhando espelhos, destruindo cristaleiras. Homens, mulheres e crianças disputaram um lugar no elevador ou se atropelaram pelas escadarias internas, todos em direção ao sexto andar, onde funcionava a administração do condomínio. De lá, ligaram para o plantão da Força Pública, que prometeu mandar um pelotão urgente. Contudo, três horas depois, o tiroteio continuava — e a polícia não havia aparecido.

De vez em quando, o chão da praça tremia: granadas de mão eram atiradas da Legião Revolucionária sobre a Barão de Itapetininga. Mais do que simples escritórios, constatou-se que os legionários mantinham ali um verdadeiro paiol de guerra. Embaixo, a explosão das granadas estourava vitrines, vergava postes de ferro, fazia mais um punhado de feridos.

Os manifestantes não se intimidaram. Obrigaram um bonde elétrico que se recolhia à garagem a parar. Arrancaram as alavancas de controle das mãos do motorneiro e arrastaram o veículo pelos trilhos até o mais próximo possível do número 70, estabelecendo uma barricada que lhes garantiu melhor posição de fogo. Em questão de segundos, o teto do bonde foi cravejado pelas balas vindas do alto. Em compensação, os agressores conseguiram destruir a tiros os lampiões de iluminação pública em volta da esquina.

Protegidos pela escuridão, planejaram o ataque final. Despejaram galões de querosene e gasolina junto à entrada do imóvel e depois riscaram fósforos. Em segundos, as labaredas consumiram o capacho de juta que ficava na calçada, ultrapassaram o portão de ferro e lamberam os móveis da portaria, ameaçando atingir o registro de gás. Colunas de fumaça negra penetraram pela porta pantográfica do elevador, invadiram o fosso e alcançaram os andares superiores. Os gritos de socorro dos moradores, encurralados pelo tiroteio e pela nuvem tóxica de fuligem, eram abafados pelo troar incessante das balas.

Por volta de uma da manhã, sem ainda nenhum sinal da chegada da polícia, caminhões do Corpo de Bombeiros tentaram desenrolar suas mangueiras para conter o incêndio. Entretanto, foram impedidos de seguir adiante e retornaram ao quartel. Ambulâncias enviadas à praça da República também encontraram a mesma dificuldade para recolher os feridos espalhados no meio da rua. Para sorte dos moradores, depois de destruir parte do mobiliário do térreo, as chamas começaram a ceder, sem alcançar os demais pisos.

Às quatro da madrugada, ouviu-se um matraquear ensurdecedor de metralhas. Eram forças do Exército, que na ausência da polícia finalmente chegavam para impedir a continuação do embate. O comandante da operação ordenou o imediato cessar-fogo. Caso contrário, gritou, seus homens seriam forçados a impor a ordem, nem que para tanto precisassem disparar contra um ou outro lado, sem distinção. Enquanto os soldados formavam um cordão de isolamento e punham uma fileira de metralhadoras voltadas para a praça, um oficial se dirigiu ao portão do edifício. Nem precisou de esforço para arrombá-lo. Bastou um leve empurrão. A fechadura já estava arrebentada pelas balas. Intimados a se render, os ocupantes da sede da Legião receberam garantias de que seriam conduzidos para um quartel, longe das vistas dos que ameaçavam linchá-los.

Debaixo de vaias, um a um, os legionários atravessaram a ala dupla de soldados e foram introduzidos em três carros estacionados junto ao meio-fio. Nenhum deles exibia ferimentos graves.

Nesse momento, não muito distante dali, os sinos do relógio do mosteiro de São Bento anunciavam as badaladas das cinco horas da manhã. Em poucos minutos, o dia iluminaria o cenário do conflito, permitindo que os paulistas a caminho do trabalho tivessem uma melhor dimensão do episódio ocorrido durante a madrugada. Muitos feridos ainda podiam ser vistos caídos pelo chão, ensanguentados. Os padioleiros da Santa Casa continuariam a trabalhar com o sol a pino. Os baleados somavam algumas dezenas. O número de vítimas, incluindo os que morreriam dias depois em leitos pelos hospitais da cidade, chegaria a treze. Mas a maioria dos mortos foi esquecida pela historiografia, condenados ao anonimato eterno.[2]

O noticiário da época e os relatos posteriores destacaram a morte de três indivíduos, o auxiliar de cartório Euclides Miragaia, o comerciário Antônio Américo Camargo Andrade e o fazendeiro Mário Martins de Almeida, recolhidos já sem vida ao necrotério. Um quarto, o ajudante de farmácia Dráusio Marcondes de Sousa, de apenas catorze anos, morreria menos de uma semana depois, devido a complicações nos ferimentos a bala. As iniciais de seus nomes de guerra — Miragaia, Martins, Dráusio e Camargo — forneceriam a sigla e o símbolo da cruzada paulista contra Getúlio Vargas: MMDC.

A julgar pelos acontecimentos em São Paulo, de nada valera Getúlio ter feito em cadeia nacional de rádio um pronunciamento à nação, dez dias antes. O comunicado fora planejado para causar o maior impacto possível, a começar pelo lugar escolhido para a cerimônia: o Palácio Tiradentes, sede da Câmara dos Deputados, símbolo do Poder Legislativo. Os alto-falantes dispostos nas escadarias do palácio permitiram que a pequenina voz do presidente, com seu típico acento de gaúcho da fronteira, fosse ouvida no meio da rua.[3]

Sempre evitava discursar de improviso. "Para mim, não é fácil", admitia.[4] O método de Getúlio de falar em público seguia um padrão já conhecido pelos que trabalhavam com ele. Após redigir à mão as ideias e frases centrais, o presidente entregava os esboços aos auxiliares, para que fossem, como ele mesmo dizia, "penteados" e acrescidos de algum "nariz de cera" — termo que tomava emprestado ao jornalismo para definir um preâmbulo rebuscado e pouco objetivo, de inflexão retórica. Ao mesmo tempo, pedia que podassem as "quixotadas", ou seja, o estilo por vezes floreado, quase gongórico, do original.[5]

Muitas vezes os datilógrafos do Catete eram obrigados a trabalhar dobrado, pois Getúlio exigia que fossem recolocados no mesmo lugar de antes os trechos suprimidos na tarefa de reescrita.⁶ Embora jurasse preferir o estilo escorreito e direto, tinha mesmo certo gosto por frases altissonantes e anacronismos de linguagem. Desde que falara aos cariocas pela primeira vez, quando da leitura da plataforma da Aliança Liberal em 1929, ninguém esperava dele os histrionismos de um orador vulcânico. Lia as frases no mesmo diapasão monocórdico, sem gesto de mãos ou crispar de rosto, ao contrário dos tribunos da época. As pausas de Getúlio, subvertendo as regras tradicionais da pontuação, também obedeciam a uma lógica própria, que todos também já haviam aprendido a aceitar sem maiores estranhamentos.

Se falasse um pouco mais afastado do microfone, mesmo um ouvinte situado a poucos metros de distância poderia não ouvi-lo, devido à ausência absoluta de impostação vocal. Mas naquela tarde, discursando do Palácio Tiradentes, as ondas curtas se encarregaram de remeter a mensagem de Getúlio para longe, aos rincões de norte a sul do Brasil. O discurso trazia uma boa-nova. O Tiradentes, em breve, voltaria a funcionar. O país teria eleições para uma Assembleia Nacional Constituinte.⁷

Depois de fazer uma espécie de prestação de contas de seus primeiros dezessete meses de governo e traçar diretrizes para "o futuro da Revolução" — entre as quais não faltou uma referência à necessidade de "apressar o progresso do país pelo aperfeiçoamento eugênico da raça" —, Getúlio fez o elogio do regime de exceção.

"O período ditatorial tem sido útil, permitindo a realização de certas medidas salvadoras, de difícil ou tardia execução dentro da órbita legal. A maior parte das reformas iniciadas e concluídas não poderia ser feita em um regime em que predominasse o interesse das conveniências políticas e das injunções partidárias", disse. "[Mas] nunca pretendi me manter indefinidamente no exercício dos poderes discricionários que a Revolução me delegou. Dentro de um ano, poderão finalmente realizar-se as eleições, fixadas para 3 de maio do ano próximo." O Governo Provisório, segundo prometia Getúlio, tinha dia, mês e ano para acabar.⁸

Em editorial, a *Folha da Manhã* indagou: "Pensará o ditador que ainda somos um país de bugres?". O jornal definiu o discurso como uma encenação. Criticou o atraso com que a medida era anunciada, a delonga de ainda mais um ano para que fosse implementada e, em especial, o texto do decreto que a oficializou. Segundo a resolução proclamada por Getúlio, a fórmula das eleições poderia ser alterada por dispositivos complementares, expedidos pelo Governo Provisório até a data do pleito — o que deixava larga margem para mudanças de regras a qualquer momento. "Governar é agir, e não produzir frases de efeito", recriminou a *Folha*. "O Brasil quer atos, e não palavras."⁹

A fixação do calendário eleitoral não fora o bastante para conter a onda de protestos que tomava conta da capital paulista. No dia seguinte ao conflito entre legionários e manifestantes, Getúlio decidiu convocar uma reunião extraordinária do Gabinete Negro — um seleto conjunto de auxiliares cujo poder se sobrepunha ao do próprio ministério e era incumbido de deliberar sobre assuntos estratégicos de governo. O epíteto do grupo, cunhado pela imprensa da época, aludia aos ares de poder e mistério com que se revestiam os encontros.

O Gabinete Negro se considerava uma espécie de supremo guardião do espírito revolucionário. Em tese, cabia a ele ser o grande intérprete das necessidades, sentimentos e aspirações da sociedade, auxiliando Getúlio a dirigir o país sem precisar recorrer à "fórmula caduca" do liberalismo e da democracia representativa.¹⁰ A legitimidade dessa congregação de vestais políticas advinha, no entender de seus componentes, da responsabilidade com que se autoinvestiam de encarnar a vontade coletiva, a consciência nacional e o conceito de "revolução permanente" — a ideia de que a tomada do poder fora apenas o primeiro passo de um longo processo de transformações, daí a necessidade de prolongamento do período discricionário.¹¹

"A Revolução ainda não terminou", dizia Getúlio.¹²

Entre os principais integrantes dessa confraria de déspotas esclarecidos estavam Góes Monteiro (o comandante militar do movimento de 1930, promovido a general de brigada pelo Governo Provisório); o general Leite de Castro, ministro da Guerra; os civis Oswaldo Aranha, José Américo de Almeida, Pedro Ernesto e Virgílio de Melo Franco; e os tenentistas João Alberto e Juarez Távora.¹³ Em vez de Gabinete Negro, contudo, Getúlio preferia se referir ao grupo, com autoironia, como o seu "Soviete Revolucionário".¹⁴

Aquele, contudo, não era o momento para fazer graça. Conforme indicavam os episódios da véspera, a situação na capital paulista saíra do controle. Era preciso tomar providências enérgicas. Desde o início do Governo Provisório, São Paulo constituíra um foco permanente de tensões. Em menos de um ano e meio, Getúlio se vira obrigado a nomear sucessivamente quatro interventores para o estado. Nenhum deles conseguira desfrutar de uma única semana de sossego à frente do cargo. Qualquer observador que voltasse os olhos para o passado então recente constataria que o primeiro grande desafio do Governo Provisório fora acomodar as rivalidades dos grupos pretendentes à interventoria paulista.

Para os adversários, alheios aos bastidores da crise, Getúlio cometera uma sucessão de erros tão bizarros na condução do caso que muitos passaram a duvidar de sua decantada capacidade de negociador. O professor e jornalista Paulo Duarte, articulista de *O Estado de S. Paulo*, prognosticava que a passagem de Getúlio pelos salões atapetados do Catete seria irremediavelmente curta:

"Esse Mussolini à escabeche ainda vai ver..."[15]

"Que decepção!", exclamou Alzira, quando entrou pela primeira vez no Palácio do Catete, o prédio de arquitetura neoclássica que servira de residência ao barão de Friburgo e, em 1897, fora comprado pela União para abrigar a sede do governo. "Mobília escura, sombria, cortinas severas", descreveu a filha de Getúlio. "Um elevador periclitante e intermináveis escadarias de mármore, mal iluminadas, davam acesso ao terceiro andar, considerado o de moradia." Havia apenas dois banheiros em todo o edifício, um deles de localização impraticável, pois ficava ao lado do elevador, por onde subiam e desciam os ministros para as audiências. O segundo andar, mais luxuoso, com amplos salões de recepção e banquete, permanecia fechado a maior parte do tempo, aberto apenas em ocasiões solenes. No térreo, as escrivaninhas de dezenas de funcionários se espremiam nas salas menores, onde fervilhava o expediente do governo.[16]

Apesar de o Catete dispor de mais de dez quartos, todos enormes, Getúlio preferiu manter o Palácio Guanabara como residência oficial, função que o antigo prédio das Laranjeiras, onde morara a princesa Isabel e o conde d'Eu, passara a exercer a partir de 1926, por decisão de Washington Luís. Dividido em duas alas independentes, uma residencial, outra administrativa, o Guanabara oferecia mais espaço e comodidade para a família Vargas, fato que levou Getúlio a ignorar a antiga lenda de que o casarão seria amaldiçoado.

Contava-se que um velho escravo que trabalhara na primeira reforma do palacete, ainda nos tempos do Império, havia sido torturado por um feitor e, por esse motivo, lançara a terrível maldição: nenhum morador teria paz e sossego enquanto ali vivesse. Os que acreditavam na eficácia da praga tinham lá seus motivos. A princesa Isabel fora enxotada do local com a proclamação da República. A primeira esposa do marechal Hermes da Fonseca, que se mudara para lá, morrera logo após a posse do marido como presidente da República. O rei Alberto, da Bélgica, sofrera um acidente fatal pouco depois de vir ao Brasil e ali se hospedar. Washington Luís fora deposto e saíra do Guanabara acuado.

"Não sou supersticioso", desdenhava Getúlio.[17]

Nos fundos do Guanabara, o magnífico jardim copiado de um detalhe do Palácio de Versalhes dava para uma estradinha de cimento, de cerca de um quilômetro de extensão e tráfego exclusivo, que adentrava o morro Mundo Novo e levava até um mirante de vista irresistível. Do alto se podia divisar, de um lado, toda a baía de Guanabara e o Pão de Açúcar; do outro, via-se o Corcovado, no topo do qual então se edificava a estátua do Cristo Redentor. Nesse mirante, cercado pela mata virgem, Getúlio decidiu organizar um gabinete alternativo de trabalho, para os dias de maior calor. Boa parte dos discursos e decretos do Governo Provisório seria garatujada ali, com a deslumbrante paisagem do Rio de Janeiro ao alcance dos olhos. Uma escada em caracol dava acesso à varanda onde foi instalado o birô presidencial e algumas poltronas de vime, onde Getúlio se aboletava para decidir os rumos do país.

Logo nos primeiros dias após a mudança para o Guanabara, uma travessura juvenil dos filhos o deixara irritado. Alzira e os irmãos pintaram e colaram letreiros de cartolina sobre as placas de identificação originais da estradinha que conduzia ao Mundo Novo. Em vez de "avenida Washington Luís", trataram de rebatizá-la de "avenida 3 de Outubro".

"Depois do almoço vocês vão retirar tudo", ralhou Getúlio. "Quem construiu a estrada foi ele. É justo que tenha o nome dele."[18]

Quando o golpe civil e militar contra Washington Luís se fez vitorioso, em outubro de 1930, uma questão se impôs a Getúlio ainda no comboio ferroviário que o conduziu em triunfo de Porto Alegre até o Palácio do Catete. Quem escolheria para sentar no sofá estilo Luís XVI do luxuoso palácio do Campos Elíseos, sede do governo paulista?

A solução não era simples. Pretendentes não faltavam. Francisco Morato, fundador do Partido Democrático (PD), era considerado o candidato natural ao posto, devido ao apoio prestado por sua legenda à chapa Getúlio Vargas-João Pessoa. Mas o chefe tenentista Miguel Costa, personagem-chave de 1930, fundador da Legião Revolucionária, aparecia como o nome mais cotado por aqueles que apoiavam uma solução militarista. Havia, contudo, prevenções contra o antigo companheiro de Luís Carlos Prestes no comando da "Coluna Invicta". Suspeitava-se que, cedo ou tarde, Costa ensaiasse uma guinada à esquerda e acompanhasse os rumos tomados pouco antes pelo camarada Prestes, embora repelisse de público tal probabilidade e estimulasse a máxima que circulava em torno de si: "Miguel Costa guarda o comunismo no coração e os comunistas na cadeia".[19]

Ventilado pelos jornais da época como o terceiro aspirante mais provável ao Campos Elíseos, o general Isidoro Dias Lopes, comandante do levante de 5 de julho de 1924, tinha a seu favor a aura de respeitabilidade decorrente da idade avançada, 65 anos. Além do mais, Isidoro desfrutava da simpatia de certos círculos liberais-democráticos, pelo menos entre aqueles que o consideravam uma alternativa menos lesiva a seus interesses no caso de a escolha de Getúlio recair sobre um interventor fardado.

Quanto ao favoritismo de Morato, houve um sério impeditivo para sua materialização. O auxílio bélico dos paulistas durante a luta armada em 1930 fora considerado pífio pelos líderes do movimento. Entre os tenentistas, era consenso que os democráticos não deveriam ser presenteados com a interventoria sem terem feito por merecê-la. Nos meios militares, os filiados do PD eram citados, com aberto desprezo, como "os politiqueiros da Aliança Liberal".[20]

Getúlio Vargas entendia que a unidade economicamente mais poderosa da federação, principal núcleo do movimento operário no país, precisava ser administrada por mãos firmes, mas maleáveis ao Catete. Berço político dos "carcomidos" Washington Luís e Júlio Prestes, o estado poderia se transformar em um viveiro de agitações e rancores. Assim, depois de anunciar o tenente João Alberto como "delegado da revolução" em São Paulo, Getúlio resolveu efetivá-lo como interventor, mesmo sabendo que com isso romperia a promessa feita a Francisco Morato de que em quinze dias após a organização do Governo Provisório o poder regional seria entregue aos quadros do PD.

"A coisa começou mal em São Paulo", definira Batista Lusardo, um dos articuladores da adesão dos democráticos à Aliança Liberal em 1930.[21]

Como reconhecimento à ação revolucionária de Miguel Costa, Getúlio Vargas entronizou-o no comando da poderosa Força Pública, função que Costa acumularia com a de secretário de Segurança no estado. Para afagar Isidoro, Getúlio confirmou-o no comando da 2ª Região Militar, sediada na capital paulista. Ao mesmo tempo, a fim de suavizar as frustrações do PD, entregou a chave dos cofres do país a dois representantes das elites liberais do estado, os banqueiros José Maria Whitaker e Vicente de Almeida Prado, empossados respectivamente como ministro da Fazenda e presidente do Banco do Brasil. Nenhuma das forças regionais da base de apoio poderia alegar ter ficado de fora de tão salomônica partilha.

"Tudo acomodado, classes conservadoras e operariado", definiu Getúlio em suas anotações, orgulhoso da própria capacidade de construir consensos.[22]

A princípio, o parte e reparte deu resultado. A imprensa paulistana apoiou Getúlio Vargas e expressou em manchetes generosas todo o seu otimismo em relação ao projeto de reconstrução do país. Os jornais *Diário Nacional* e *O Estado de S. Paulo*, ambos de extração liberal, chegaram a promover uma grande campanha para ajudar Getúlio a pagar a dívida externa brasileira. Contagiados pelo espírito de colaboração, funcionários públicos foram convencidos a doar ao governo o equivalente a um dia de salário por ano, descontado dos ordenados em prol da causa comum.[23]

Entretanto, as divergências de ordem ideológica não demoraram a corroer a trégua entre o interventor João Alberto e os liberais-democráticos de São Paulo. O empresariado paulista, alarmado com as falências e os efeitos da crise mundial sobre o mercado cafeeiro, passou a ver com desconfiança aquele voluntarioso tenente de artilharia que, promovido a capitão pelo Governo Provisório, consentia na criação de uma exótica Sociedade dos Amigos da Rússia e autorizava o funcionamento de uma célula do Partido Comunista no estado. Embora tenha dado várias entrevistas para negar qualquer relação com o marxismo, o interventor não conseguiu apagar os boatos de que seria um pretenso agente vermelho de Moscou infiltrado por Getúlio em pleno Campos Elíseos.[24]

A falta de experiência administrativa e a circunstância de ser pernambucano serviram de mote para os que passaram a identificar em João Alberto, além de um suposto espião comuna, um intruso no comando do estado. Na opinião de Júlio de Mesquita Filho, dono do jornal *O Estado de S. Paulo*, o interventor imposto por Getúlio não demonstrava a menor identificação com a realidade local e nenhum apreço à aristocracia do cargo, pois cometia a gafe de receber os democráticos, em pleno salão nobre do palácio, apenas de pijamas e chinelos "cara de gato" — calçado trançado de duas cores, típico dos boêmios e malandros da Lapa carioca.[25]

Para Mesquita, faltaria a João Alberto "a cultura necessária para analisar uma sucessão de fatos que só conhecimentos sociológicos lhe permitiriam perceber". O interventor, "nascido sob o signo do padre Cícero e criado na admiração dos cangaceiros Antônio Silvino e Lampião", militar "cuja infância se passara na contemplação dos mocambos do Recife", não seria a pessoa certa para dirigir a terra paulista.[26] O decaído Júlio Prestes podia ter sido acusado de tudo, mas pelo menos era um legítimo representante da briosa Piratininga, lamentavam os contrariados: "Oh, desilusão das desilusões! São Paulo repudiou um despotismo que era tipicamente seu para obter em troca um despotismo alienígena", lastimou o *Diário Nacional*.[27]

Enquanto foi possível, Getúlio Vargas tapou os ouvidos às queixas da imprensa paulistana, creditando-as ao mais retrógrado bairrismo. O Governo Provisório pregava a construção de um novo conceito de nacionalidade, no qual um poder central forte, orgânico e incontestável deveria se impor aos sentimentos regionalistas. Na proposição do sociólogo fluminense Francisco José de Oliveira Vianna — o autor de *Populações meridionais do Brasil*, continuamente citado por Getúlio em seus discursos desde os tempos de deputado —, o Estado Nacional todo-poderoso libertaria a sociedade brasileira da condição "ganglionar" na qual vivia, concedendo-lhe "massa, forma, fibra, nervo, ossatura e caráter".[28]

"Qual a humilhação, a grave ofensa que se está fazendo a São Paulo?", indagava Getúlio. "Só porque seu atual interventor não é paulista? Mas há vários estados do Brasil administrados por interventores estranhos, e que não se julgam por isso ofendidos."[29]

Getúlio Vargas relevou as contendas entre João Alberto e as lideranças do PD na disputa pelo controle das prefeituras e da poderosa máquina estadual. Confiava plenamente no interventor que escolhera para São Paulo, um sujeito a quem definia como "curiosa figura", "homem ambicioso, ágil, hábil, organizador", de "pouca cultura e muita inteligência". "Sua atuação inquieta muita gente. Não a mim, que tenho simpatia por ele."[30]

Getúlio só demonstrou se preocupar de verdade com o assunto quando os democráticos, para unir forças contra o interventor, começaram a se chegar de modo mais nítido ao general Isidoro e aos caciques do velho Partido Republicano Paulista, o PRP (o mesmo derrubado do poder em 1930). Buscando ampliar também seu arco de alianças, João Alberto estabeleceu um canal de comunicação com colonos e pequenos cafeicultores, dando origem ao "Grupo da Lavoura", dissidência do Instituto do Café de São Paulo, controlado pelo PD. Prestigiado pelo poder central, João Alberto atraiu contra si, entretanto, a reação dos militares Isidoro e Miguel Costa, cada vez mais incomodados com o papel de coadjuvantes que lhes fora reservado. Os três não mais se entenderam. Miguel queixava-se de Alberto, que se queixava de Isidoro, que por sua vez se queixava dos dois, em seguidas conversas de pé de orelha com Getúlio.[31]

O velho Isidoro chegou a recomendar a remoção da dupla de desafetos para longe de São Paulo. A fim de que a medida não deixasse transparecer a natureza de um ato de força, a proposta do general era que João Alberto e Miguel Costa fossem despachados em alguma missão honorífica, a exemplo da confiada antes ao tenente João Cabanas — um radical da Coluna Prestes afastado do cotidiano do Governo Provisório após ser mandado à Europa em uma comissão de estudos de economia política.

"Seja franco, general Isidoro. Não se constranja em me responder. O que vou fazer com eles?", indagou Getúlio, a respeito da dificuldade de encaixar Miguel Costa e João Alberto em qualquer outra instância de governo.

"Mande-os para a Europa", respondeu tranquilamente Isidoro.

"Mas a título de quê?"

"O senhor não mandou o tenente João Cabanas em comissão de estudos? Pois mande os dois verem o que está fazendo o Cabanas."[32]

Getúlio riu. Mas ignorou os conselhos de Isidoro. Em 5 de abril de 1931, teve o desprazer de ler um manifesto divulgado pelo PD no qual os liberais de São Paulo oficializavam a ruptura com o interventor. "Estamos entregues a um governo de forasteiros", dizia o texto, cuja divulgação João Alberto tentara impedir, ordenando a invasão de residências e a prisão de líderes do PD, além de suspender, pela ação da polícia, a circulação do *Diário Nacional*, órgão oficial do partido. Mas o manifesto foi publicado com estardalhaço pelos demais jornais paulistanos. Na sequência, veio uma tentativa de levante, em 28 de abril de 1931, organizado por elementos do PD e por oficiais da Força Pública com o duplo objetivo de derrubar João Alberto da interventoria e Miguel Costa do controle da corporação.

"Grande exaltação em São Paulo, motim na Força Pública, repressão imediata", sintetizou Getúlio, na linguagem telegráfica de seu diário.[33]

O movimento político-militar, que passaria à história com o prosaico nome de "abrilada", terminou sufocado pelas forças fiéis ao governo federal e com a prisão de mais de duzentos envolvidos, entre eles o chefe do Estado-Maior da 2ª Região, o tenente-coronel Joaquim Teopompo Godói de Vasconcelos, braço direito de Isidoro Dias Lopes. Procurado pelos conspiradores da abrilada, Isidoro garantira que as tropas da 2ª Região permaneceriam "neutras" em relação ao conflito, o que para Getúlio equivaleu a uma declaração de envolvimento no Putsch. O general foi afastado do comando, substituído por Góes Monteiro. Mas já se tornara evidente que a permanência de João Alberto à frente de São Paulo produzira muito mais desgastes do que vantagens ao Catete.

"Dr. Getúlio, se o João Alberto continuar no governo paulista, é certo que podem até matá-lo", dissera um dos representantes do PD que foram ao Rio de Janeiro tentar uma saída negociada.

"Pois até que esta seria uma boa solução", ironizara Getúlio.[34]

Ninguém entendeu nada quando menos de dois meses depois, em 13 de julho de 1931, o tenentista João Alberto pediu demissão do cargo e indicou como substituto, de forma inesperada, um nome muito caro ao ideário liberal, o do advogado e jornalista Plínio Barreto, redator-chefe de *O Estado de S. Paulo*. Getúlio se divertiu com a surpresa geral. Na verdade, a indicação de um interventor "paulista e civil" — a exigência dos democráticos, transformada em slogan da campanha pela autonomia administrativa estadual — fora matreiramente intermediada por ele. Tratava-se de uma clara manobra para tentar pacificar os ânimos e reconquistar a confiança do PD, barrando a crescente aproximação dos liberais com os oligarcas do velho PRR.[35]

O único problema, para o astuto Getúlio, era que Miguel Costa parecia disposto a melar a posse de Plínio Barreto. Do alto de seus coturnos, Costa disse ser contrário à nomeação do jornalista que, em julho de 1922, quando da histórica revolta em Copacabana, redigira um artigo contundente contra os míticos sobreviventes dos Dezoito do Forte intitulado "Heróis? Não!". Getúlio não via motivo para tanta indignação. Ele próprio, quando deputado federal, subira à tribuna da Câmara para dizer que Miguel Costa e seus camaradas da Coluna Prestes não eram revolucionários, mas simples baderneiros.[36]

Caso Barreto tomasse posse, Miguel Costa ameaçava pôr os cerca de 200 mil sócios da Legião Revolucionária em estado de alerta. Como o convite a Barreto já fora feito — e aceito, com direito a ampla divulgação na imprensa —, Getúlio não poderia retroceder ante os rugidos de Costa, sob pena de ter sua autoridade questionada.[37] O único jeito foi pedir que Oswaldo Aranha, em nome do Catete, falasse grosso e desse garantias a Barreto:

"Eu emposso o senhor. Vou a Quitaúna [onde funcionava o 4º Regimento de Infantaria], trago um grupo de obuseiros e o coloco na interventoria."³⁸

Como condição para assumir o governo paulista, Barreto exigiu a demissão imediata de Miguel Costa. Getúlio, que queria a recomposição com os liberais de São Paulo mas ao mesmo tempo desejava continuar usufruindo do apoio dos legionários, mandou avisar que o prestígio do comandante da Força Pública não entraria em negociações. Antevendo as dificuldades caso viesse a aceitar o cargo em circunstâncias tão ambíguas, Plínio Barreto simplesmente declinou do convite e tratou de seguir escrevendo editoriais no jornal da família Mesquita.³⁹

O incidente reacendeu a ira dos liberais-democráticos. Para demover novas tentativas de levante armado, Góes Monteiro pôs na rua uma exibição de pujança e unidade militar. Nas comemorações do nono aniversário do primeiro Cinco de Julho, homens da Força Pública e das guarnições do Exército sediadas em São Paulo marcharam unidos pela avenida Paulista, em espetaculosa parada. Porém, a população recebeu as tropas em silêncio, negando-lhes o aplauso, fato incomum em desfiles cívicos do gênero. Góes, interrogado pelos jornalistas sobre como os quartéis reagiriam àquela desfeita, pronunciou a frase que instigaria ainda mais os ânimos:

"Eles devem reagir niponicamente", definiu Góes, fazendo uma desastrada analogia entre a ocupação militar japonesa na China setentrional e a conturbada conjuntura paulista.⁴⁰ Indiferentes aos protestos do povo chinês, as tropas do Japão haviam garantido a instalação de um Estado fantoche na Manchúria, subordinado aos interesses nipônicos.

"Sai, Getúlio, sai! São Paulo não é Shanghai!", passou a ser a palavra de ordem mais ouvida nas manifestações de protesto no estado.⁴¹

Getúlio Vargas detestava falar ao telefone. Alegava não ouvir muito bem o que lhe diziam do outro lado da linha. A surdez seletiva não passava de mera desculpa. Na verdade, evitava grampos. Ele bem sabia que as ligações podiam ser monitoradas à distância. Em seus arquivos, existem dezenas de cópias de transcrições de diálogos telefônicos entre adversários do regime — e mesmo entre aliados do governo —, sem que estes soubessem que suas conversas estavam sendo acompanhadas pelo serviço de inteligência do governo. Além do mais, Getúlio preferia dialogar observando o outro, medindo-lhe as reações.

Estudava detidamente cada expressão alheia, avaliando a linguagem corporal do interlocutor.

"Ele ouvia melhor com os olhos do que com os ouvidos", definia a filha Alzira.[42]

Naquela tarde de 12 de novembro de 1931, Walder Sarmanho, oficial de gabinete e cunhado de Getúlio, informou-lhe que a secretaria do Catete acabara de receber um telefonema de São Paulo. O ex-desembargador Laudo de Camargo queria falar com o presidente da República. O assunto era urgente — e Camargo parecia aflito.

Getúlio pediu a Sarmanho para ligar de volta e perguntar o motivo da urgência, embora provavelmente já intuísse o problema. Ante a desistência de Plínio Barreto, com São Paulo à beira de uma conflagração, o Catete precisara buscar às pressas outro nome de livre trânsito junto aos liberais. Encontrou-o na pessoa de Laudo de Camargo, juiz do Tribunal de Justiça paulista, homem ligado por afinidade ao PD. Para aceitar o cargo, Camargo exigira a anistia dos "abrilistas" que ainda se encontravam presos ou respondendo a processos. Em nome da conciliação, Getúlio se vira forçado a ceder, assinando um decreto que ordenara o "perpétuo silêncio" a todos os casos relativos ao golpe fracassado.[43] Miguel Costa, mais uma vez, indignou-se, sentindo-se traído por não ter sido consultado sobre as bases do acordo. Para tentar desestabilizar o novo interventor, Costa vinha acusando-o de nomear "um corrupto" para a secretaria estadual da Fazenda, o banqueiro Numa de Oliveira, que segundo as denúncias dos tenentistas trabalharia "em conluio com os capitalistas internacionais contra os interesses brasileiros".[44]

Sarmanho retornou a ligação e, depois de ouvir as queixas de Camargo, repassou-as a Getúlio. Naquela manhã, o novo interventor paulista recebera uma visita nada amistosa de Miguel Costa e João Alberto. Ambos, unidos pela causa comum, foram lhe pedir a cabeça de Numa de Oliveira.[45] Tal exigência, conforme afirmaram, viria de cima, do Palácio do Catete. Havia sido Getúlio Vargas quem os mandara ali, garantiram.[46] Camargo não lhes dera crédito e exigira uma resolução por escrito, detalhando as justificativas para a demissão do principal auxiliar. Ao telefone, queria tirar o assunto a limpo. Afinal, Getúlio Vargas mandara ou não aquela dupla de encrenqueiros conversar com ele?

Walder Sarmanho tomou nota de tudo e disse que iria levar o caso ao presidente. Justificou que no momento o "dr. Getúlio" estaria muito ocupado, absorvido por uma extensa agenda de despachos. Horas depois, seguindo as instruções que recebera do presidente, Sarmanho telefonou de novo para Camargo. O "dr. Getúlio" continuava assoberbado de trabalho, mas pedira para esclarecer que, diante das denúncias pontuais contra Numa de Oliveira, confiara a João Alberto o serviço de estudar com o interventor paulista a "conveniência de fazer alterações no secretariado". Camargo disse que gostaria de ouvir tal recomendação, nesses termos mais corteses, da boca do próprio chefe do Governo Provisório. Ligaria ao Catete mais tarde, para tentar conversar com o presidente a respeito.[47]

Enquanto isso, João Alberto voltou ao Campos Elíseos com uma carta, assinada por ele próprio, que "oficializava" o pedido de exoneração de Numa de Oliveira.[48] Quando tentou nova comunicação com Getúlio, Laudo de Camargo foi informado de que o presidente continuava premido pelas atribulações da agenda oficial. Ainda não podia atender a ligação.

Qualquer um, nesse caso, compreenderia a circunstância. Não era a propalada aversão de Getúlio pelo telefone que explicava as contínuas evasivas. Parecia claro que ele não iria assumir, de viva voz, a responsabilidade pela demissão do secretário paulista da Fazenda. Preferira transferir o encargo a terceiros e a um pedaço de papel que, a rigor, não valia nada como documento — um "papelucho", como a tal carta passaria à crônica histórica. Camargo não teria como saber, mas Numa de Oliveira fora rifado ainda no início daquele mês, numa das reuniões de Getúlio Vargas com o Gabinete Negro.[49]

Como último recurso para tentar preservar Numa em sua equipe, Laudo de Camargo respondeu a João Alberto que ainda não desistira de se entender com o próprio chefe do Governo Provisório. Enquanto não falasse com Getúlio, o assunto permaneceria em suspenso. Porém, a resistência do interventor paulista foi quebrada no dia posterior, quando recebeu a visita do tenente-coronel Manuel Rabelo, comandante do 4º RI de Quitaúna, que lhe entregou em mãos um telegrama de Góes Monteiro. A mensagem assegurava que Getúlio tinha total conhecimento dos termos da carta apresentada por João Alberto — e, não só isso, que os aprovava.[50] Exatamente como da primeira vez, a vontade do Catete vinha anunciada por vias oblíquas. Em vez de tentar pôr a informação à prova, Camargo preferiu telegrafar a Getúlio para liquidar o caso:

"Renuncio ao mandato, pedindo a vossa excelência indicar imediatamente, por telegrama, a quem devo entregar o governo."[51]

Com a sujeição do adversário, os tenentistas se sentiram donos absolutos do cenário. À tarde, por determinação de Getúlio, Laudo de Camargo passou o governo interino ao próprio tenente-coronel Manuel Rabelo, que não era civil e muito menos paulista. Fluminense, positivista ortodoxo, ex-preso político por ter participado do levante tenentista de 1922, Rabelo fora reintegrado à caserna em 1930 por decisão do Governo Provisório. Entre as providências imediatas como interventor, determinou que a mendicância deixasse de ser considerada caso de polícia e que os pedintes fossem tratados como quaisquer outros cidadãos, no gozo pleno de seus direitos. A medida foi ridicularizada pelas elites e classes médias do estado, que acusaram o tenente-coronel de querer "incentivar a vagabundagem" e transformar São Paulo na "capital mundial dos mendigos".[52] Rabelo acabou inscrevendo seu nome nas páginas do folclore político nacional, passando à posteridade sob a pecha maldosa de ter "regularizado" a esmola como atividade profissional.

A interinidade de Manuel Rabelo se estendeu por quatro meses — não pela dificuldade de Getúlio encontrar quem quisesse assumir o cargo em definitivo e sim porque a questão era descobrir quem, uma vez escolhido, conseguiria realmente tomar posse e governar.

"Se for legionário, os democráticos não aceitam. Se for democrático, os perrepistas não aceitam. Se for perrepista, os revolucionários não aceitam. Ninguém serve", resumiu o sempre loquaz Góes Monteiro.[53]

Em manchete de primeira página, o *Diário Nacional* aguilhoou:

O CHEFE DO GOVERNO PROVISÓRIO NÃO TEM VONTADE, NÃO TEM OPINIÃO, NÃO TEM FORÇA PARA ESCOLHER O NOVO INTERVENTOR PAULISTA.[54]

Getúlio, porém, tinha outra explicação para a estratégia de cozinhar o assunto em fogo brando. Mesmo pressionado, continuava fiel à característica de não apressar o curso dos acontecimentos. Em seu diário, rabiscou:

"Resolvo deixar o coronel Rabelo, para ganhar tempo e examinar melhor o tabuleiro. [...] Sinto que se aproximam momentos decisivos."[55]

Havia uma motivação econômica a reforçar a crise política. Ao assumir o país em um cenário de crise, Getúlio precisou adotar medidas extremas. A velha política de valorização artificial do preço do café demonstrara toda a sua estrondosa ineficácia. Diante da crise mundial, na impossibilidade de conseguir recursos internacionais como historicamente vinha sendo feito, repassou parte dos custos de financiamento da produção ao próprio setor cafeeiro, que assim foi surpreendido pela criação de novos tributos. Para evitar os recorrentes surtos de superprodução e controlar a oferta, além de simplesmente mandar queimar boa parte dos estoques, o Governo Provisório passou a cobrar, entre outros gravames, mil-réis sobre cada novo pé de café plantado. Com o objetivo de ampliar a intervenção federal sobre a lavoura paulista, fundou o Conselho Nacional do Café, esvaziando muitas das funções do Instituto do Café de São Paulo. Nada disso, é claro, agradou aos produtores locais e, por conseguinte, às suas lideranças políticas.[56]

Isso ajudava a explicar por quais motivos, logo após o pedido de demissão de Laudo de Camargo, Getúlio recebera também a carta de exoneração assinada pelo então ministro da Fazenda, o banqueiro paulista José Maria Whitaker, que discordara tanto da política de suspensão do pagamento dos juros da dívida externa quanto da nova política relativa ao café, ambas apoiadas pelo núcleo duro tenentista.[57] Whitaker não seria o único a saltar fora do governo. Outros paulistas lhe seguiram o exemplo quando o novo titular das finanças nacionais, Oswaldo Aranha, decidiu reajustar as tarifas de exportação nos portos brasileiros, regra que provocou nova grita do empresariado e do setor cafeeiro de São Paulo.

Em 13 de janeiro de 1932, o PD, que já estava rompido com o governo estadual, lançou um manifesto oficializando também a ruptura definitiva com a "política sinistra" e os "desatinos" do Governo Provisório. "Entregue-se aos estados o governo dos estados", exigia o documento dos liberais-democráticos, que lançava um convite a todos os conterrâneos para uma ação conjunta, em defesa da bandeira comum: "São Paulo para os paulistas!".[58]

O apelo encontrou terreno fértil. Três dias depois, 16 de janeiro, divulgou-se um segundo manifesto, no qual se anunciava a instauração da Frente Única Paulista (FUP), um casamento político alcovitado por Júlio de Mesquita Filho entre o PD e um redivivo PRR, partidos outrora rivais, mas que decidiam juntar forças contra o Catete em defesa do "progresso econômico de São Paulo".[59] Até ali, a despeito das adversidades, Getúlio parecia tranquilo. No dia seguinte à divulgação do manifesto da FUP, um domingo, escreveu, fleumático: "Choveu, não saí de casa. Aproveitei parte da tarde para repousar, e estudei depois alguns trabalhos de maior importância que não pude despachar nos dias de expediente".[60]

Oswaldo Aranha, que estivera antes em Porto Alegre para sondar o ambiente político gaúcho, seguiu com idêntico propósito à capital bandeirante. Entretanto, sua presença em São Paulo produziu efeito contrário ao esperado. Nas faixas estendidas ao longo das principais ruas e avenidas da cidade, foi xingado pelos simpatizantes da FUP de "gigolô da ditadura". A Associação Comercial recomendou que as lojas fechassem as portas naquele dia e conclamou os empregados a engrossar os protestos.[61]

"Morra Oswaldo Aranha!", gritaram os manifestantes que saíram às ruas para protestar contra a visita do principal articulador político do Catete. A missão confiada por Getúlio a Oswaldo — negociar uma saída política para a crise — acabou sendo denunciada pelos jornais locais como uma tentativa de impor novos grilhões a São Paulo. "Situação aqui péssima. Forças trabalhadas pela mais profunda cizânia e anarquia", telegrafou Oswaldo, apreensivo, ao Rio de Janeiro.[62]

Em 3 de março de 1932, Getúlio Vargas enfim substituíra Manuel Rabelo por um interventor que se enquadrava na fórmula "paulista e civil", ainda com o intuito de bloquear o fortalecimento da FUP. O escolhido fora o septuagenário Pedro de Toledo, fundador da Academia Paulista de Letras e ex-embaixador brasileiro na Itália, Espanha e Argentina. Porém, a notícia de sua nomeação conseguira a proeza de desagradar aos tenentistas e, ao mesmo tempo, não entusiasmar os integrantes do PD.

"Esse homem está gagá!", reagiu o oficial de gabinete do Ministério da Guerra, major Cordeiro de Farias, ex-integrante da Coluna Prestes. Ao ser informado sobre quem seria seu substituto, Manuel Rabelo também ficou escandalizado. Advertiu a Góes Monteiro que os extremistas reduziriam o velho Toledo "aos pedaços", antes mesmo que ele conseguisse ser oficializado no cargo.

"Se isto acontecer, ele tomará posse de qualquer maneira, ainda que seja uma de suas pernas, um de seus braços, a sua cabeça ou qualquer outra parte do seu corpo esquartejado", respondeu Góes. "Reagirei à bala contra aqueles que ousarem se opor a um ato legítimo do governo federal."[63]

Do lado oposto, os integrantes da Frente Única Paulista também consideravam Toledo um homem avelhantado demais, desprovido da necessária energia para se contrapor às investidas de Miguel Costa e João Alberto. O jornalista Macedo Soares, que pusera o *Diário Carioca* de novo em circulação, analisou: "O sr. Getúlio Vargas foi descobrir no arquivo histórico da Primeira República um antepassado suficientemente esgotado. O sr. Pedro de Toledo foi posto na cadeira presidencial do Campos Elíseos, dormindo, babando e sorrindo".⁶⁴

As manifestações patrocinadas pela FUP exigiram do interventor recém-empossado o compromisso de formar um secretariado "puro-sangue", ou seja, sem nenhuma participação de forasteiros, legionários ou tenentistas em geral. Na definição de um dos líderes democratas, o advogado Valdemar Ferreira, os paulistas queriam um gabinete estadual sem a presença dos "eunucos de Vargas". Na reunião que manteve em São Paulo com Toledo, Oswaldo Aranha, orientado por Getúlio, afirmou que o Governo Provisório até aceitaria a inclusão de alguns nomes do PRP no novo secretariado paulista desde que a FUP se comprometesse a colaborar com o Catete e não interpretasse a concessão como uma volta ao velho regime:

"Não queremos cambalachos com o passado", ressalvou Aranha.⁶⁵

Enquanto se desdobravam as negociações entre Oswaldo Aranha e Pedro de Toledo, jornais e emissoras de rádio paulistas evocavam o mito histórico dos antigos bandeirantes como principal apelo à mobilização popular. A cada nova edição, o noticiário vinha atulhado de menções às "glórias ancestrais" e à "bravura de Anhanguera e Borba Gato". A autoestima da população era habilmente instigada por editoriais que propunham uma espécie de vingança histórica contra a derrota sofrida durante a Guerra dos Emboabas, no início do século XVIII. Para a imprensa de São Paulo, Getúlio almejava reeditar o famigerado Capão da Traição, o massacre ordenado em 1708 pelo emboaba Bento do Amaral Coutinho contra os paulistas. O discurso nativista, que mesclava ufanismo, xenofobia e indignação cívica, seduziu estudantes, convenceu as camadas médias, reagrupou de vez as elites.

Além das bandeiras constitucionalistas e do discurso pela autonomia administrativa estadual, havia um agravante a indispor as classes médias paulistanas contra Getúlio. Os movimentos grevistas surgidos na principal metrópole industrial brasileira naquele início de 1932 avivaram o eterno pavor contra o fantasma do comunismo. Ferroviários, vidreiros, padeiros, sapateiros, funcionários de hotéis e de indústrias têxteis cruzaram sucessivamente os braços em São Paulo. Nos meios mais conservadores, não faltava quem insistisse em associar o regime inaugurado em 1930, com suas ligas revolucionárias, tenentes extremados e leis trabalhistas, aos ecos do movimento marxista internacional.

"A erva daninha do comunismo, trouxe-a para São Paulo a mochila de certos próceres de 1930", pregava o arcebispo de São Paulo, d. Duarte Leopoldo e Silva.[66]

Incentivado pelo clamor popular, Pedro de Toledo organizou um secretariado composto unicamente de integrantes da FUP. O passo consequente foi a demissão de Miguel Costa e a sua reforma compulsória nos quadros da Força Pública. Excitada, uma multidão resolveu celebrar a vitória a seu modo. Como revide ao atentado contra o *Diário Carioca*, depredou dois jornais leais ao Governo Provisório: o *Correio da Tarde* e *A Razão*. Depois, arrancou as placas de rua onde se liam os nomes de Siqueira Campos e João Pessoa. Por fim, promoveu o ataque à sede da Legião Revolucionária, na esquina da Barão de Itapetininga com a praça da República, no trágico episódio que resultou nas mortes de Miragaia, Martins, Dráusio e Camargo, os paulistas que se tornaram os mártires de uma verdadeira cruzada.

"A situação de São Paulo agrava-se", compreendeu Getúlio. "Ficou resolvido que se enviassem tropas para São Paulo. [...] Espero para amanhã acontecimentos sérios, se houver complicações em outros setores."[67]

4. Um general de pijama assume a pasta da Guerra. Os conspiradores decidem que é hora de agir (1932)

Os cariocas começaram a prestar mais atenção naquela mocinha de cabelos curtos que todos os dias, de manhã bem cedo, dobrava a esquina a pé, acompanhada dos dois irmãos mais novos, para chegar ao Colégio Aldridge — escola elegante, de rigorosa linha pedagógica inglesa, localizada na praia do Botafogo. Os moradores das imediações saíam às janelas para ver o jovem trio passar. Comentava-se à boca miúda que, aos dezessete anos, cursando o último ano do colegial, Alzira Vargas conhecia todos os segredos de Estado que transitavam pelo birô de jacarandá de Getúlio, a quem carinhosamente passara a chamar de "patrão" — uma forma de evitar tratá-lo como "papai" em pleno horário de expediente.[1]

Alzira era uma espécie de secretária informal do Guanabara. Organizava a correspondência, ajudava a rotina de despachos, lia os pareceres dos ministros e resumia em voz alta o teor dos documentos antes de submetê-los à assinatura paterna. Foi conquistando semelhante privilégio aos poucos. Primeiro, ficou encarregada de reorganizar os volumes da biblioteca particular de Getúlio, isso após um desavisado contínuo do palácio ter decidido arrumá-los nas prateleiras obedecendo ao critério do tamanho dos tomos e da cor das lombadas. A moça já mantinha relativa intimidade com os livros, pois desde menina se acostumara com as leituras noturnas que o pai lhe fazia, em voz alta, de seus poetas de predileção: Antero de Quental, Augusto dos Anjos, Guerra Junqueiro e Olavo Bilac.[2]

Uma rápida espiada nos demais títulos da biblioteca revelava um leitor fiel à antiga preferência juvenil pelos clássicos: Homero, Shakespeare, Flaubert, Zola. A maioria das obras provinha dos tempos de acadêmico ou de recém-formado, conforme evidenciavam as folhas de rosto, nas quais se liam, em caligrafia, a data de aquisição e a assinatura de Getúlio. Quase todos estavam datados do período compreendido entre 1905 e 1911. Os compêndios legais dos tempos da Faculdade de Direito em Porto Alegre também continuavam todos lá, fazendo companhia aos filósofos e pensadores responsáveis pelo período de formação do jovem gaúcho: Nietzsche, Darwin, Taine, Saint-Simon.[3]

Getúlio tinha um enorme ciúme da biblioteca e, anos antes, em São Borja, ficara furioso quando Alzira, ainda criança, ao tentar localizar a página com as bandeiras coloridas de todos os países do mundo, rasgara por acidente uma folha de sua estimada *Le Petit Larousse Illustré*. Mas, após a filha entrar no ginásio, o pai achou que já estava na hora de vê-la trocar as historinhas do *Almanaque do Tico-Tico* por literatura mais densa. Tirou da estante e ofereceu-lhe os romances *Canaã*, de Graça Aranha, e *O Ateneu*, de Raul Pompeia. De todos os filhos, era Alzira quem mais demonstrava interesse pelo universo dos livros, o que a elevava ainda mais no índice de afeição paterna.[4]

Proporcionar aquele tipo de leitura a uma moça de família indicava, no mínimo, uma notável mudança nos conceitos de Getúlio sobre a educação feminina. Nem parecia o mesmo homem de bigodes gauchescos que um dia dissera à esposa que "mulher foi feita apenas para tomar conta de casa" e, por isso, bastaria às filhas "saber costurar, tocar piano e cozinhar". Mais surpreendente ainda foi a reação dele quando Alzira lhe anunciou que, após terminar o colegial, cogitava a possibilidade de entrar numa faculdade e, especificamente, cursar direito, tal como ele fizera um dia.

Em vez de repreendê-la, Getúlio a incentivou. Como se não bastasse, fez-lhe uma promessa que a deixou comovida. Se a filha conseguisse estudar o bastante para ser aprovada nos exames introdutórios ao curso, ela herdaria todos os livros dele.[5]

"A mulher de hoje precisa falar inglês, saber datilografia e guiar automóveis", sentenciou o pai.[6]

A imprevista liberalidade de Getúlio foi posta à prova quando, certa tarde, ao entrar no quarto de Alzira sem que a filha estivesse lá, encontrou sobre uma pilha de livros e cadernos um exemplar de *A tragédia biológica da mulher*, do russo Anton V. Nemilov, identificado na capa como professor da Universidade de Leningrado. Não obstante o título de inspiração determinista, a obra pregava a emergência de uma "nova moral sexual", destinada a romper com a "retrógrada interpretação eclesiástico-cristã de mundo". "Na Rússia comunista, combatemos categoricamente a teoria da inferioridade da mulher", pregava Nemilov.[7]

A dupla subversão, moral e política, chocou Getúlio.

"Você acha que anda lendo o que deve?", cobrou, quando pouco depois Alzira foi vê-lo em seu gabinete.[8]

Ela engoliu em seco. Sabia que o pai gostava de lhe visitar o quarto para desarrumá-lo levemente, de propósito e por brincadeira, apenas para provocá-la. Tirava o telefone da mesinha e o colocava no chão, punha a máquina de escrever sobre o peitoril da janela, o rádio sobre o sofá, o tinteiro debaixo da almofada, a cadeira de pernas para o ar. Numa dessas, ao que parece, Getúlio encontrara o livro do professor soviético.[9]

Após breve hesitação, Alzira rebateu:

"Papai, li há poucos dias uma frase de são João Crisóstomo muito apropriada: 'Não nos devemos envergonhar daquilo que Deus não teve vergonha de criar'."[10]

Conforme ela mesma contaria em suas memórias, Getúlio a fitou intensamente durante um segundo e, sem dizer mais nenhuma palavra, voltou a se concentrar nos papéis sobre a mesa de trabalho. A resposta rápida desconstruíra seus argumentos. A guria, pelo visto, crescera. Não era mais nenhuma meninota, embora o pai continuasse a tratá-la como "rapariguinha passeadeira", "pinoiazinha", "topetudazinha" e outros adjetivos carinhosos, falsamente insolentes, todos no diminutivo.[11]

A intimidade entre o pai e a filha predileta ficou registrada nas muitas cartas trocadas entre os dois ao longo da vida. Na correspondência dessa época, Alzira se referia a Getúlio como "Querido Gê", enquanto ele preferia tratá-la de "Dona Fulismina", personagem que ambos criaram para servir como uma espécie de intermediária epistolar fictícia. "Ora, Dona Fulismina, devo explicar-lhe que minha filha Alzira não tem mau gênio. É uma menina alegre e gosta de brincar, embora um tanto petulante e inclinada à irreverência para com seus semelhantes", ele escrevia.[12] "Dona Fulismina faltaria ao mais sagrado dos deveres se, animada do mais alto e sincero furor cívico, não apresentasse seus vivos protestos de estima, consideração e congratulações ao país pelo vibrante exemplo de civismo e coragem, ação e desprendimento dado por vossa excelência", respondia ela, assinando-se Fulismina Maximino Fernandes de Oliveira Grilo.[13]

Em poucos anos, Alzira ascendera degraus significativos não só em seu afeto, mas também em sua confiança e respeito. A demonstração inequívoca disso ocorreu quando, após concluído o minucioso trabalho de arrumar e catalogar a biblioteca — o que incluiu a restauração dos volumes roídos pelas traças e a introdução de um sistema de fichário aprendido com uma funcionária especializada do Itamaraty —, Getúlio confiou-lhe missão de responsabilidade infinitas vezes maior.[14]

"Será que podes arrumar esses papéis para mim?", perguntou, abrindo as gavetas do birô e lhe mostrando uma montanha de documentos, entre cartas, bilhetes, telegramas e anotações esparsas.[15]

A partir daquele dia, Alzira ficou encarregada de organizar o arquivo pessoal de Getúlio Vargas. Milhares de páginas, sem ordenação alguma, a serem catalogados por datas, temas, autores e assunto. A primeira coisa que fez foi mandar construir um grande armário de madeira, para conservar em segurança os segredos políticos e pessoais mais bem guardados do pai — e do governo. Só Alzira tinha a chave que dava acesso àquele manancial inesgotável de informações, fontes primárias que ajudariam a desnudar a história de um período crucial da República brasileira. Anos mais tarde, esses papéis seriam doados por ela à futura Fundação Getúlio Vargas e comporiam o maior arquivo de um presidente do Brasil disponível a pesquisadores nacionais e estrangeiros.

Mesmo sem saber até onde ia o verdadeiro conhecimento de Alzira, a curiosidade pública voltou-se para a moça. Afinal, era ela a filha mais querida do presidente. Aquela, segundo se dizia, para quem Getúlio lia em primeira mão todos os seus discursos. Aquela, também, que ajudava a decifrar os telegramas secretos que chegavam sistematicamente ao Catete. Assim, nos dias em que ela passava a caminho do Colégio Aldridge com o semblante fechado, era sinal de que alguma coisa não ia bem no governo. Se caminhasse com expressão desanuviada, é porque decerto voltara a reinar a paz nas entranhas do poder.[16]

Com as notícias alarmantes que chegavam de São Paulo, aumentava a bisbilhotice em relação aos humores da filha predileta do chefe do Governo Provisório. Alzira, percebendo que ela e os irmãos haviam se transformado em barômetro para a indiscrição geral, passou a imitar os cutucões do "patrão" no secretário Gregório da Fonseca. Durante a caminhada, mesmo quando torturada pelas mais agudas preocupações, ensaiava um ar invariavelmente risonho. Pelo caminho, contava piadas a Maneco, de quinze anos, e Getulinho, de catorze, para fazê-los relaxar.[17]

"Ri, Maneco!", cotovelava Alzira, ela própria com o sorriso mais convincente possível congelado no rosto.[18] Não seria à toa que, logo, logo, a apelidariam de "Gegeia, a filha do Gegê".[19]

A caminhada até o Aldridge se tornara rotina obrigatória desde que a imprensa denunciara o fato de Getúlio usar a limusine presidencial para mandar os filhos à escola. Por causa das repercussões negativas, ele decidira que a família jamais voltaria a utilizar o carro oficial quando não fosse para acompanhá-lo em solenidades públicas.[20]

Por volta das seis e meia da manhã, Alzira, Maneco e Getulinho tomavam o bonde que passava em Laranjeiras, próximo ao Palácio Guanabara, e saltavam em Botafogo, a uma quadra da escola. O mano mais velho, Lutero, aos vinte anos, já entrara no curso de medicina, na Praia Vermelha. Jandira, a segunda irmã, dezenove anos, que sofria de um distúrbio psíquico que lhe acarretava constantes crises emocionais, se dedicava a ajudar a mãe nas tarefas domésticas ou na preparação dos inevitáveis chás beneficentes promovidos pela primeira-dama. A doença de Jandira era um dos tabus mais bem protegidos da família, que sempre evitou trazer o problema a público.[21]

Porque os médicos da época nunca chegaram a uma conclusão unânime, a indefinição prosseguiu, sob o rótulo indefinido de "neurastenia". O silêncio familiar também não ajudava a esclarecer o mistério. Segundo a tradição oral dos Vargas, murmurada apenas entre os parentes do círculo mais íntimo, atribuía-se os males de Jandira às sequelas de uma febre infantil, de origem incerta, que quase a matara nos primeiros anos de vida. O fato é que ela crescera com o estigma de ser uma moça de sentimentos instáveis, que não raro se recolhia a um canto durante lapsos de comportamento que pareciam sugerir algum tipo específico de depressão. Ocasionais surtos nervosos, intercalados por momentos de hiperatividade e estados exaltados de humor, apontavam também para outros possíveis transtornos para os quais, naquele tempo, não havia ainda um diagnóstico preciso, como os de natureza afetiva bipolar.[22]

Além da proibição do automóvel presidencial aos filhos, Getúlio impusera a si mesmo outra regra de austeridade: baixara um decreto reduzindo pela metade os próprios subsídios. Uma lei anterior, assinada por Washington Luís e publicada em 25 de novembro de 1929, fixara o salário do presidente da República em 240 contos de réis anuais, ou seja, vinte contos mensais. Em 26 de janeiro de 1931, após dois meses na função de chefe do governo, Getúlio diminuíra esse valor para 120 contos de réis anuais — dez contos por mês.[23]

À época, *A Noite* fizera um levantamento dos subsídios recebidos pelos titulares do Poder Executivo em diversos países ao redor do mundo. De acordo com a pesquisa do jornal, entre os mandatários das principais nações republicanas, o presidente alemão Paul von Hindenburg era quem embolsava o salário mais polpudo, o equivalente, em moeda brasileira, a 2200 contos de réis por ano. Em segundo lugar na lista, o norte-americano Herbert Hoover recebia algo em torno de 980 contos de réis anuais. Por decisão de Getúlio, o salário do chefe de Estado brasileiro ficou em patamar inferior aos dos colegas vizinhos da Colômbia (450 contos), Argentina (quatrocentos contos), Uruguai (160 contos) e Equador (150 contos).[24]

A redução dos subsídios presidenciais era apenas um detalhe — não menos eloquente, do ponto de vista do convencimento da opinião pública — em meio ao discurso mais amplo de austeridade e modernização financeira. Para redefinir os rumos da economia brasileira, Getúlio se dizia empenhado em promover uma maior eficiência da administração pública, ajustar os quadros do funcionalismo, reorganizar o Tesouro Nacional, atualizar a legislação fiscal, robustecer o Tribunal de Contas.[25] Defendia também um aprofundamento da intervenção do Estado na seara econômica, receituário que tinha como sustentação ideológica o colapso do liberalismo e o consequente exemplo dos regimes de força que afloravam Europa afora.

"A ditadura instalou-se hoje como forma providencial de governo, impondo-se a nações de intensa cultura social", analisava Getúlio Vargas.[26]

O intervencionismo posto em ação pelo Governo Provisório não apontou para o caminho de um estatismo nos moldes soviéticos, como temiam muitos dos adversários de Getúlio. Ao contrário, significou a tentativa de constituição de uma nova ordem capitalista, que reconhecia o direito à propriedade privada, mas ao mesmo tempo previa a necessidade de um planejamento econômico baseado na centralização das decisões, na racionalidade administrativa e nas soluções ditadas pela eficiência técnica. Já nessa época foram criados por Getúlio os primeiros de uma série de órgãos e institutos federais de consultoria e apoio às atividades voltadas para os mercados interno e externo — como o Instituto do Cacau, fundado em 1931, e, dali a pouco, o Instituto do Açúcar e do Álcool, de 1933.[27] Para incentivar a produção canavieira, Getúlio decretou pela primeira vez no país a adição de 5% de álcool nacional à gasolina, obrigando os distribuidores de combustível a adquirir previamente o produto brasileiro para só depois terem liberadas as guias de importação.[28]

Também em nome da racionalização do sistema produtivo, Getúlio delineou uma reforma geral do ensino, tarefa confiada ao ministro da Educação, o mineiro Francisco Campos. Em linhas gerais, a reforma educacional professava que o bacharelismo, marca cultural do país até então, deveria ser superado pela disseminação de cursos técnicos e profissionalizantes, que funcionassem como celeiros de mão de obra qualificada e apta a assumir as funções requeridas pela nova lógica da máquina burocrática estatal. Em suas falas públicas, Getúlio não cansava de proclamar o triunfo da técnica sobre a teoria, a primazia da administração sobre a política.[29]

Quanto mais se acentuava o viés de uma modernização essencialmente centralizada, avessa ao federalismo consagrado pela Constituição de 1891, mais Getúlio se empenhava em condenar a "velha ordem", representada pelo liberalismo e, na sua face mais visível, pelas forças regionais que faziam oposição ao governo federal no Rio Grande do Sul e em São Paulo. Retornar às fórmulas jurídicas do início da República, como queriam os oposicionistas, seria condenar para sempre o Brasil ao passado, raciocinava Getúlio. Os "novos tempos" exigiam leis mais modernas, um novo arcabouço institucional, organizado em favor da planificação econômica e da própria "despolitização da política".[30]

Por esse ponto de vista, as eleições, se antecipadas, significariam um risco de retrocesso e de um consequente atentado contra a "remodelação do Estado", o "bem-estar do povo" e o "interesse geral da nação".[31] Por isso, Getúlio prometia convocar a Constituinte para dali a menos de um ano. Nunca antes disso. Era o prazo que dizia necessitar para encaminhar as reformas estruturantes que saneariam o país e o conduziriam "rumo ao futuro".

"O saudosismo dos políticos decaídos, procurando precipitar a marcha dos acontecimentos, traduz somente sua esperança no retorno às delícias fáceis do poder", dizia Getúlio. "Tudo virá a seu tempo", prometia, repetindo o mantra favorito.³²

Depois de ouvir o minucioso relato de Oswaldo Aranha a respeito de sua viagem a São Paulo, os integrantes do Gabinete Negro foram unânimes. Pela forma "tumultuada e subversiva" como se organizara, o secretariado paulista tinha que ser dissolvido. Era o caso de Getúlio ejetar Pedro de Toledo da cadeira de interventor, mandar para trás das grades os líderes das manifestações de rua e demitir todos os funcionários públicos envolvidos nos conflitos de São Paulo.³³

Oswaldo foi o único a argumentar em sentido contrário. O melhor a fazer, nesse caso, era reduzir a temperatura ambiente. Isso pelo menos até o Catete conseguir avaliar a verdadeira extensão do movimento conspiratório sobre o qual tanto se especulava. Se gaúchos, mineiros e paulistas estivessem mesmo planejando um golpe conjunto para depor o Governo Provisório — e os informantes do governo não tinham mais dúvida quanto a isso —, toda cautela se fazia necessária.

Getúlio concordou com as avaliações de seu emissário. A cautela não tinha sido uma das principais características de Oswaldo nos últimos tempos. Embora fosse um negociador por excelência, por vezes ele deixara que o entusiasmo ditasse suas decisões. Meses antes, quando de uma tentativa de levante militar no Recife, propusera a Getúlio a decretação da lei marcial para castigar, com pena de fuzilamento, qualquer ensaio de sublevação nos quartéis. Tais ocorrências, argumentara Oswaldo, deveriam ser enquadradas como crimes de alta traição contra o ideal revolucionário. O ministro da Guerra, Leite de Castro, que pensava de modo idêntico, prontificara-se a ajudar na redação da minuta do decreto que instituiria o "paredão" no Brasil.³⁴

"O senhor vai fazer o que querem estes malucos?", abismara-se um dos oficiais de gabinete do palácio, Luiz Vergara.³⁵

Naquela ocasião anterior, para controlar o ímpeto de Oswaldo Aranha e Leite de Castro, Getúlio submetera a dupla a uma estafante via-crúcis. De início, devolvera-lhes a minuta do decreto e pedira rápidas alterações no texto. Em seguida, solicitara novas modificações no documento já alterado. Mais adiante, sugerira manhosamente outras sucessivas mudanças. Tantas foram as idas e vindas da papelada que a ideia de um pelotão de fuzilamento foi arrefecida — e jamais posta em prática.[36]

Se dessa vez Oswaldo Aranha, mais ponderado, desaconselhava a tática do enfrentamento como solução para o caso paulista, era porque apresentava motivos bem razoáveis para isso, considerou Getúlio. Uma possível união da Frente Única Gaúcha com a Frente Única Paulista, reforçada por dissidentes de Minas Gerais, prometia ser catastrófica para o governo central. Não valia mesmo a pena testar o poder de fogo de uma aliança interestadual de tamanho calibre.

Naqueles dias, em carta ao libertador Antunes Maciel, secretário da Fazenda do governo do Rio Grande do Sul, Getúlio desabafou. Dizia não entender as razões que levavam os opositores a repudiar de tal forma o seu governo:

> Para justificar tanta malquerença agressiva, que fizera eu? Dera-lhes, apenas, tudo quanto pediram! [...] Atendidos que eram, logo se mostravam insatisfeitos e pediam outra coisa. Queriam a lei eleitoral — promulguei-a. Exigiam interventor "civil e paulista" para São Paulo — nomeei-o. Mas ainda não bastava. Tornava-se necessário marcar a data para as eleições — marquei-a. Continuaram, entretanto, as censuras, os ataques. Reclamavam mais: a entrega do governo de São Paulo à Frente Única. [...] Quando, porém, os entendimentos estavam em marcha, promovem-se manifestações populares, que os desordeiros e reacionários transformam em movimento de hostilidade à Revolução. [...] E, no meio de semelhante tumulto, organiza-se o novo secretariado. Apesar disso e do desgosto sentido pelos elementos revolucionários quando dos acontecimentos desenrolados na capital paulista, mantive-o. [...] Que diferença de conduta e de atitudes![37]

A conjuntura exigia que Getúlio começasse a agir em frentes simultâneas. Como gostava de comparar a política a um jogo de xadrez, era determinante voltar a dominar a área central do tabuleiro. Para isso, talvez tivesse que abrir mão de algumas peças valiosas, com o objetivo de envolver o adversário, estabelecer estratégias de compensação e retomar a iniciativa da partida. O rei, mantido sempre na retaguarda, deveria ficar protegido por um roque de segurança. Mas, nas casas mais avançadas, chegara a hora de armar o xeque-mate.

As arquibancadas vazias do campo do Fluminense, no bairro das Laranjeiras, Rio de Janeiro, foram o retrato mais categórico de como andava baixa a popularidade de Getúlio Vargas. Poucos cariocas se animaram a sair de casa e comparecer à solenidade na qual o chefe do Governo Provisório foi se despedir dos 82 atletas brasileiros escalados para representar o país nas Olimpíadas daquele ano de 1932, em Los Angeles. Após o hasteamento da bandeira nacional e do tradicional desfile da delegação, Getúlio fez um rápido discurso de cunho patriótico e desejou sucesso aos atletas. Votos de boa sorte, isso era tudo o que o Catete tinha para lhes oferecer.[38]

A crise econômica impossibilitara maiores investimentos no preparo da comitiva. Uma parcela das despesas da viagem até Los Angeles seria custeada pela venda de selos comemorativos na sede da Confederação Brasileira de Desportos (CBD) e de exemplares avulsos do *Jornal dos Sports*. O grosso da conta deveria ser pago com a negociação das 55 mil sacas de café dos estoques governamentais que seguiriam no porão do *Itaquicê*, navio encarregado de transportar os atletas até o destino olímpico. A transação teria que ser agenciada pela própria delegação esportiva, durante as escalas da viagem marítima. Como sinal maior do improviso, a embarcação zarpou disfarçada de vaso de guerra, no intuito de ludibriar as restrições alfandegárias internacionais. Dois canhões cenográficos foram instalados no convés onde os atletas fariam seus exercícios matinais. Se a simulação desse certo, o *Itaquicê* ficaria isento das pesadas tarifas aduaneiras.

Dali a alguns dias, porém, o navio seria retido pelas autoridades do Panamá sob suspeita de contrabando. Depois dos constrangidos pedidos de desculpas telegráficas do governo brasileiro, a viagem prosseguiria, mas não haveria jeito de encontrar clientes para o café amontoado nos porões. Com a crise mundial, o principal produto da pauta de exportações nacionais perdera o apelo de mercado. A questão passaria a ser como custear a hospedagem da equipe brasileira nas instalações da vila olímpica. Apenas 67 dos 82 atletas — os que podiam pagar do próprio bolso ou aqueles que tinham alguma mínima chance de conquistar medalhas — seriam autorizados a desembarcar. Os demais seguiriam a bordo até San Francisco, na esperança de negociar a carga e voltar a tempo para os jogos. Não funcionou. Ao final, os atletas-mascates retornariam para casa sem nenhum ouro, prata ou bronze como lembrança da aventura olímpica. E com montanhas de café no porão do navio.[39]

Depois de comparecer à melancólica solenidade de despedida dos esportistas,

Getúlio retornou ao Palácio Guanabara. Passou o resto do dia em conferências telegráficas. As agruras dos atletas brasileiros não estavam entre suas maiores preocupações naquele instante. Nas últimas semanas, sua atenção estava voltada para um possível acordo com as oposições, em nome da governabilidade. As frentes únicas do Rio Grande do Sul e de São Paulo haviam concordado em nomear João Neves da Fontoura como representante nas negociações. Como de costume, a principal moeda de troca prevista para um entendimento de cúpula seria a barganha de cargos do primeiro escalão do poder. As exigências da FUG e da FUP para fechar um pacto com o Governo Provisório, comunicou Neves, passavam por uma recomposição geral do ministério. Todos os auxiliares diretos de Getúlio teriam que se exonerar, abrindo espaço para um novo gabinete de coalizão nacional.[40]

Getúlio concordou com os termos propostos, mas sugeriu um rearranjo prévio de forças: o interventor rio-grandense, Flores da Cunha, seria deslocado para a capital federal, onde assumiria o Ministério da Justiça, vago desde o pedido de demissão de Maurício Cardoso. Era uma forma sutil de afastar de Porto Alegre o reconhecido espírito bélico do interventor e garantir que ele ficasse na esfera de influência do Catete. Para preencher o lugar de Flores na interventoria gaúcha, Getúlio convidou o civilista Maurício, como "demonstração de confiança" no ex-colaborador e de "boa vontade" com a FUG. Por sua vez, a FUP também receberia o correspondente quinhão. Se os paulistas desejassem, a pasta da Agricultura ficaria reservada para Paulo de Morais Barros, ex-secretário estadual de São Paulo para o setor. Minas Gerais, que já tinha assento na equipe de governo, poderia decidir pela permanência de Francisco Campos na Educação ou recomendar outro nome para o mesmo posto. O também mineiro Afrânio de Melo Franco seria mantido nas Relações Exteriores. Contudo, para resguardar os interesses dos tenentistas no chamado "ministério de concentração nacional", Getúlio indicou o nome de João Alberto para a pasta do Trabalho, o que preencheria o vácuo deixado pela saída de Lindolfo Collor e garantiria o apoio dos revolucionários mais radicais ao governo.[41]

"Sinto que os elementos mais extremados vão se afastando de mim e que começo a perder o controle sobre eles", calculou Getúlio.[42]

Na política, saber negociar é uma arte. Com isso em vista, João Neves regateou. Em nome das frentes únicas, acolhia de bom grado a oferta das pastas para

São Paulo e Rio Grande. Mas, como condição para seguir conversando, impôs uma compensação ao fato de ter que engolir João Alberto alçado ao posto de ministro. Em troca, queria a demissão imediata do interventor do Distrito Federal, Pedro Ernesto, e do ministro da Guerra, Leite de Castro. Feitas as contas, Getúlio considerou o preço da transação elevado.

"Discordei logo do ponto que incluía a substituição do ministro da Guerra", registrou em seu diário.[43]

Getúlio Vargas temia que o afastamento de Leite de Castro repercutisse como uma imposição civil em assunto que continuava a produzir fagulhas na caserna. A rixa entre picolés e rabanetes fora contornada por um decreto que criara dois quadros paralelos no Exército: um regular, para abrigar os oficiais de carreira; outro especial, para acolher os revolucionários anistiados em 1930.[44] Com o artifício de se instituir dois quadros distintos, rabanetes e picolés seriam promovidos em seus próprios segmentos hierárquicos, sem uns se sentirem atropelados pelos outros nos direitos de antiguidade. Como o litígio militar ainda estava por demais inflamado, Getúlio julgava recomendável não provocar novas suscetibilidades em torno do tema. Se Neves entendia não haver motivos para mudar o ocupante da outra pasta militar, a da Marinha (o acordo previa a permanência do almirante Protógenes Guimarães), a mesma regra poderia ser aplicada ao Ministério da Guerra, ponderou.[45]

João Neves, contudo, não abriu mão da contrapartida. Com a permanência de Leite de Castro — um dos idealizadores do Clube 3 de Outubro —, não haveria acordo. As frentes únicas faziam absoluta questão da substituição do ministro da Guerra. Queriam, no lugar dele, "um militar de notória e indiscutível independência de ação", alguém que fosse "realmente a expressão do glorioso Exército nacional". Em bom português, isso significava um general de divisão sem nenhum elo com o 3 de Outubro e disposto a enfrentar a supremacia tenentista. A título de sugestão, Neves aventou dois generais situados no topo da hierarquia militar: Tasso Fragoso e João Ferreira Johnson (respectivamente, chefe e subchefe do Estado-Maior do Exército — EME). Nenhum dos dois, contudo, constava dos planos de Getúlio, pois nos bastidores do governo se suspeitava de um envolvimento da dupla no movimento conspiratório em marcha.[46]

Declarado o impasse, o próprio ministro da Guerra pôs o cargo à disposição, queixando-se de boicotes internos. Leite de Castro se dizia cansado de receber chavascadas dos dois lados: os picolés desejavam que ele fosse mais radical; os rabanetes achavam que ele havia se rendido à tenentada. Getúlio procurou alertá-lo de que a renúncia só instigaria as disputas no seio da corporação. O general pensava diferente. Sua saída, no mínimo, facilitaria as negociações em torno da reformulação do gabinete. Na esperança de que Leite de Castro viesse a mudar de ideia, Getúlio manteve por mais alguns dias o decreto de exoneração na gaveta, intocado, sem assinatura, enquanto prosseguia na difícil queda de braço com João Neves.[47]

A margem de manobra do Catete diminuiu quando Maurício Cardoso, em correspondência reservada a Getúlio, recusou o convite para assumir a interventoria gaúcha.

"Não desejaria que, amanhã, com o meu temperamento politicamente intratável, eu viesse a causar novos embaraços", justificou.[48]

A única probabilidade de aceitar o encargo, ressalvava Maurício, seria o restabelecimento da Constituição castilhista no Rio Grande do Sul e a consequente reabertura dos legislativos estadual e municipais gaúchos. Mas isso, para Getúlio, estava fora de cogitação. Não fazia sentido abrir uma exceção para um único estado, enquanto os demais permaneciam sob as regras do regime discricionário.[49]

Com a negociação em ponto morto, Getúlio foi surpreendido na tarde de 22 de junho com o pedido de exoneração coletiva do ministério. Conforme interpretou a imprensa, a intenção dos demissionários era deixar o caminho livre para a recomposição política entre governo e oposições. Getúlio, contudo, considerou o gesto precipitado. A renúncia em bloco poderia ser lida como uma rendição do governo às imposições de João Neves. Por isso, no início da noite, mandou a assessoria do Catete disparar uma nota de esclarecimento aos jornais, dizendo que não via motivos para a renúncia de seus auxiliares, que lhe inspiravam toda a confiança. A nota acrescentava a informação de que Getúlio não considerara o pedido. Todos os ministros continuariam investidos nos respectivos cargos.[50]

Na edição do dia seguinte, *O Radical*, publicação ligada ao Clube 3 de Outubro, abriu na primeira página uma sequência de manchetes sobrepostas, de ferina provocação:

SENHORES MISTIFICADORES DA OPINIÃO PÚBLICA:
ONDE ESTÁ O "GABINETE DE CONCENTRAÇÃO NACIONAL"?
ONDE ESTÁ O ULTIMATO DAS FRENTES ÚNICAS?
ONDE ESTÃO OS INFORMADÍSSIMOS ORIENTADORES DOS JORNAIS CUJOS

GAROTOS JÁ ANUNCIAVAM PELAS ESQUINAS A NOMEAÇÃO DE NOVOS MINISTROS?[51]

João Neves considerou aquilo uma desmoralização pública. Getúlio Vargas os atraíra para uma cilada. Primeiro lhes acenara com a possibilidade de pacto, numa confabulação exaustiva e delicada, que vinha sendo acompanhada pelos jornais com enorme expectativa, dia após dia. No momento em que tinha a chance para recomeçar o governo do zero por meio de uma reforma completa do ministério, Getúlio fechava as portas ao acordo, pondo as frentes únicas numa situação vexatória, deixando no ar a impressão de que paulistas e gaúchos apenas pretendiam mendigar menos de meia dúzia de cargos no governo em troca da capitulação total.

"A nota do Catete punha termo às minhas conversações. Com tais homens não se podia tratar a sério", registrou João Neves, em seus apontamentos escritos no calor da hora.

Neves ficou ainda mais transtornado quando soube da nomeação do general Augusto Inácio do Espírito Santo Cardoso para o Ministério da Guerra, em substituição a Leite de Castro. Depois de tanto se aferrar à permanência do general, Getúlio tomara a súbita decisão de trocá-lo sem nenhuma comunicação ou consulta prévia às frentes únicas, o que sepultava de vez as tentativas de acordo.[52]

A notícia da nomeação do novo ministro militar foi tão inesperada que até o próprio Espírito Santo Cardoso — tio-avô do futuro presidente da República Fernando Henrique Cardoso — ficou surpreso ao receber o convite. Militar reformado, o general de 62 anos se mantinha alheio à vida da caserna desde 1923. Recolhido à cidade mineira de Três Corações, montara uma pacata fábrica de cerâmica. Enquanto envergou a farda, foi um empedernido legalista, embora seu irmão, o general Joaquim Inácio Cardoso, e os filhos Ciro e Dulcídio do Espírito Santo Cardoso, ambos militares, tivessem participado do longo ciclo de revoltas iniciado nos quartéis brasileiros desde 1922. Além das relações de parentesco, suas credenciais revolucionárias se resumiam a uma discreta colaboração nos preparativos do movimento de 1930, quando escondeu em casa oficiais que à época conspiravam contra Washington Luís.[53]

Oficialmente, a indicação de Espírito Santo Cardoso atendia ao princípio de que, exatamente por estar afastado por tanto tempo do Exército, um velho general de pijama, legalista histórico, ficava em posição equidistante no escarcéu entre rabanetes e picolés. Com isso, em tese, evitava-se que graduados da ativa se digladiassem pelo comando da pasta. Todavia, restaria a desconfiança histórica de que as articulações para a escolha de Espírito Santo Cardoso mal escondessem as impressões digitais dos tenentistas. Dulcídio, o filho do general, era membro do Clube 3 de Outubro, ex-chefe de gabinete de Leite de Castro e titular da 4ª Delegacia Auxiliar do Distrito Federal — a temida polícia política do regime.

"Deixo o ministério farto de aborrecimentos", comentou, aliviado, o ministro da Guerra que saía.[54]

"Levarei para as minhas novas funções o lema com que tenho pautado a minha vida: agir sempre e falar o menos possível", declarou aos repórteres o ministro que entrava, para o gáudio de Getúlio.[55]

Enquanto isso, uma nova anedota passava a ser repetida pelas mesas do Café Belas-Artes, na esquina da avenida Rio Branco com a rua Almirante Barroso, então principal central de fofocas políticas do Rio de Janeiro:

"Washington Luís foi deposto porque o cardeal d. Sebastião Leme não conseguiu mantê-lo. Agora o Getúlio apela ao próprio Espírito Santo."[56]

Getúlio considerou a mensagem cuja cópia acabara de receber tão inacreditavelmente desrespeitosa que só podia ter sido escrita por alguém que perdera por completo o juízo e o senso de autopreservação. Ou, ao contrário, alguém que de forma calculada tinha a intenção de incendiar o país. Uma "circular urgentíssima", assinada pelo general Bertoldo Klinger e dirigida ao ministro Espírito Santo Cardoso, considerava "absurda" a nomeação do novo ministro da Guerra. "O antecessor de vossa excelência, desconhecedor pessoal do Exército e ultra-ambicioso, foi afastado porque sancionava assaltos à disciplina, ao sabor dos caprichos de um punhado de extremistas desvairados", dizia o texto. "O principal título de vossa excelência para substituí-lo é vir se prestar melhor ainda ao mesmo papel. É fiador disso o filho de vossa excelência, capitão Dulcídio, extremista rubro de décima terceira hora."

A verrina não parava por aí. "O Exército desejaria saber se vossa excelência, alquebrado pela idade, resistiria a uma inspeção de saúde. Se vossa excelência não inspira confiança sob o ponto de vista físico, também não pode inspirá-la sob aspecto moral. Vossa excelência não tem tirocínio de direção, nem mesmo cursou Escola de Estado-Maior", prosseguia. "O prestígio e a autoridade de vossa excelência e também os do governo claudicam, diante da revelação surpreendente de que não há um general na ativa para [ocupar o posto de] ministro da Guerra, não obstante o governo ter reformado um ror deles e fabricado outros em massa no começo da Nova República."

A transmissão radiotelegráfica fora captada e mandada ao Catete pelo posto de escuta da estação de Niterói. Getúlio conhecia muito bem o autor daquelas linhas. O general de brigada Bertoldo Klinger, comandante da Circunscrição Militar do Mato Grosso, fora seu contemporâneo na Escola Militar de Rio Pardo. Baixinho, ruivo, sardento, filho de um imigrante austríaco dono de uma cervejaria no município gaúcho de São Leopoldo, Klinger recebera à época o apelido de "Alemão". A alcunha se consolidou quando, em 1910, o então primeiro-tenente Klinger fora enviado pelo governo brasileiro, junto a outros jovens oficiais, para um período especial de dois anos de estágio no exército germânico, em Güstrow. Voltou influenciado pelas inovações técnicas e pelo culto à disciplina das linhas militares do Kaiser, fundando então com colegas a revista *Defesa Nacional*, que propugnava a modernização das Forças Armadas. Em 1930, após a vitória do movimento de outubro, Klinger redigira uma célebre nota na qual afirmava não passar de uma "balela" a informação de que a Junta Governativa entregaria o poder a um civil. Por isso, com Getúlio já instalado no Catete, fora transferido do Rio de Janeiro para a circunscrição do Mato Grosso, destino reservado aos militares que se mostravam incômodos ao novo regime. O ofício destemperado ao recém-empossado ministro da Guerra trazia-o de volta à boca de cena.[57]

As expressões utilizadas por Klinger para se referir a Espírito Santo Cardoso eram um atentado ao princípio basilar dos quartéis: a hierarquia. Ao tomar conhecimento do conteúdo do documento, não restaria alternativa a Cardoso senão punir exemplarmente o autor do libelo. Em conversa com Getúlio, Oswaldo Aranha desconfiou que talvez fosse isso mesmo que Klinger pretendesse. Sua eventual prisão poderia ser a senha para o início de uma onda de reações concatenadas, instituindo a baderna no Exército. A anarquia fardada geraria uma conjuntura propícia aos conspiradores.[58] Por outro lado, ignorar o ofício era impossível. Seria uma demonstração de falta de firmeza e de descontrole sobre a tropa. Klinger, portanto, os pusera numa sinuca.

A única saída viável para o caso era impedir que o ministro da Guerra recebesse a mensagem em caráter oficial. Góes Monteiro, em articulação com Getúlio, contatou Bertoldo Klinger pelo telégrafo para tentar convencê-lo a retroagir.

Klinger, entretanto, não tinha nenhum interesse nisso. Despachara uma cópia impressa do documento por meio de um portador, que deveria protocolá-la na sede do ministério. Ademais, para conhecimento prévio dos colegas, versões radiotelegráficas do texto foram distribuídas aos comandos de várias guarnições do país — e por isso o serviço de escuta do governo a interceptara. Em resposta aos apelos de Góes Monteiro, Klinger afirmou que o governo de Getúlio Vargas era formado "por uma dúzia de papões sem nenhuma responsabilidade e sem nenhuma força real".[59]

Antes de tomar as medidas requeridas pelo caso, Getúlio se cercou dos necessários cuidados. Pediu para Aranha informar Flores da Cunha sobre a circular explosiva do general Klinger e para indagar, no caso de uma convulsão civil e militar, de que lado realmente ficaria o interventor do Rio Grande do Sul. Caso a poderosa Brigada Militar gaúcha se unisse à Força Pública Paulista, o Catete teria sérios problemas. A resposta veio sem meios-tons: "Só depois de morto tomarão conta do estado. Estou tomando as primeiras providências. Abraços, Flores".[60]

Com a garantia expressa de que o governo gaúcho não embarcaria em um levante coordenado por São Paulo, Getúlio solicitou a Góes Monteiro e a Espírito Santo Cardoso que tomassem as medidas militares cabíveis. Imediatamente, no Rio de Janeiro, dezenas de suspeitos de servir de elemento de ligação entre as frentes únicas e a capital federal receberam voz de prisão. Em paralelo, o general Cardoso irradiou comunicados de alerta a todos os comandos regionais, ordenando que ficassem em estado de prontidão para a necessidade de um possível deslocamento de tropas rumo a São Paulo e Mato Grosso. Como medida cautelatória, em vez de prender Bertoldo Klinger, como todos esperavam, Getúlio optou por destituí-lo do cargo e encerrar sua carreira no Exército, mandando-o para a reserva. Às 13h15 do dia 7, o ministro da Guerra remeteu a Klinger o aviso oficial: "Comunico-vos que o chefe do Governo Provisório vos reformou administrativamente, pelo que deveis passar o comando da circunscrição ao substituto legal imediatamente".[61]

Estava feito. Depois disso, era esperar pela reação. Os desdobramentos dos fatos dependeriam do teor da ordem do dia que Bertoldo Klinger viesse a emitir aos seus comandados em Campo Grande. A expectativa era a de que soltasse um novo petardo, dando início a um conflito de proporções e consequências imprevisíveis.

Para surpresa geral, às dezessete horas do mesmo dia 7, Klinger redigiu um pacífico boletim de despedida: "Exorto os meus camaradas a que se mantenham em calma, dentro da ordem, na verdadeira disciplina".[62]

Ninguém esperava por aquilo. O que dera em Klinger? Por que mudara tão drasticamente de tom? As suspeições de que estivesse trabalhando com algum elemento surpresa foram se dissipando quando o próprio interventor do Mato Grosso, Leônidas Matos, telegrafou a Getúlio para informar que reinava a mais perfeita tranquilidade no estado, com todas as guarnições locais do Exército jurando lealdade ao regime.[63] Um após outro, os interventores das demais unidades da federação também enviaram ao Catete telegramas unânimes de solidariedade. Nada de anormal fora registrado nas últimas horas em seus respectivos estados. De Minas Gerais, o secretário do Interior e Justiça, Gustavo Capanema, tinha notícias idênticas. Tudo em paz.[64] Do olho do furacão, São Paulo, o interventor Pedro de Toledo igualmente tranquilizava: "Honrado pela confiança do chefe do Governo Provisório, tenho praticado tudo para que se mantenha o prestígio da sua autoridade".[65]

"A façanha degenerou em comédia", gracejou Oswaldo Aranha.[66]

Pela primeira vez em muitos meses, Getúlio respirou aliviado. Suas anotações relativas à data de 9 de julho encerravam com um comentário sereno:

"Parece que a crise passou."[67]

Após escrever aquela frase, Getúlio Vargas jantou e, como de costume, para fazer a digestão, saiu a caminhar pela praia do Flamengo, acompanhado do ajudante de ordens e do filho mais velho, Lutero. Quando os três já estavam à beira-mar, Getúlio avistou um funcionário do Catete que corria afobado em sua direção. O homem trazia uma terrível notícia.

A revolta armada explodira em São Paulo.[68]

5. Getúlio escreve um bilhete de despedida: "Escolho a única solução digna para não cair em desonra" (1932)

Walder Sarmanho, oficial de gabinete e cunhado de Getúlio, estacionou o carro em frente à portaria do Country Club, em Ipanema. Identificou-se na recepção e, apressado, tratou de localizar a irmã, Darcy Vargas. Não foi difícil. Ela dividia uma das mesas centrais do salão com Alzira e Jandira. Ponto de encontro da elite carioca, o Country promovia naquela noite um jantar dançante. Era a primeira vez que as filhas de Getúlio tinham a oportunidade de participar de evento tão elegante na capital da República. Mas o tio Walder estava ali para lhes transmitir um recado não muito simpático. Teriam que abandonar a festa pela metade. Darcy, Alzira e Jandira precisavam retornar imediatamente ao Palácio Guanabara. Ordens do próprio Getúlio Vargas.[1]

Minutos depois, quando mãe e filhas chegaram inconformadas ao palácio, ficou evidente que algo de grave estava ocorrendo. Era quase meia-noite e todas as luzes do prédio permaneciam acesas. Em situações normais, àquele horário, além do jardim, apenas o gabinete presidencial e a secretaria, quando muito, estariam iluminados. Ao descer do automóvel, Darcy percebeu o clima tenso que reinava no ambiente, impressão sugerida pela presença de soldados armados do lado de fora e, lá dentro, confirmada pelo movimento incomum nos corredores. Políticos e militares adentravam e saíam a todo instante, apressados, pelas portas internas. Na antessala do escritório presidencial, o ajudante de ordens falava ao telefone sem parar. Alzira, curiosa, invadiu o gabinete do pai e o flagrou sozinho, andando devagar de um lado para outro, cabeça baixa, olhos no tapete, as mãos postas por trás das costas, o charuto apagado entre os dedos. Imerso nos próprios pensamentos, Getúlio tomou um susto ao ver a filha entrando assim de supetão, sem pedir licença.[2]

Alzira perguntou-lhe o que estava ocorrendo. Como resposta, o pai apenas estancou o passo e ficou observando-a, com expressão vazia. "Fitou-me com o olhar ausente de quem acaba de receber um choque, e não se dignou a me responder", ela recordaria, anos mais tarde. "Pelo olhar, o movimento de mãos, a maneira de andar, por mil pequenos sinais, eu sabia se ele estava triste ou alegre, contente ou preocupado." E não havia dúvidas. Getúlio estava bem preocupado.[3] Na intenção de quebrar o mutismo do pai, Alzira insistiu. Precisava realmente saber o que se passava. Tinha sido obrigada a sair no meio de uma festa e, por isso, merecia alguma espécie de satisfação. De acordo com o que ela mesma narraria, Getúlio ensaiou um sorriso macambúzio, como se pedisse desculpas pela decepção que causara. Por fim, após deixar escapar um suspiro, comentou:

"Rebentou em São Paulo um movimento armado contra o governo. Várias guarnições estão sublevadas." Getúlio falava para dentro, mais para si do que para Alzira. E seguia com o aspecto distante, o olhar perdido, mirando o nada. "Dizem-se constitucionalistas. Mas isso é pretexto. Há mais de um mês nomeei a comissão para elaborar o anteprojeto da nova Constituição."[4]

Nesse instante, os dois foram interrompidos pelo ajudante de ordens. Ele vinha avisar que Góes Monteiro, conforme solicitação de Getúlio, também acabava de chegar. Pelo telefone, Góes ainda questionara se o assunto era tão urgente assim para o perturbarem em hora tão inadequada. Tivera muito trabalho nas últimas semanas por causa da crise paulista e estava tentando desfrutar de uma primeira noite de sono em muitos dias. Poucas horas antes, comparecera à Estação Pedro II para prestigiar o embarque do novo comandante da 2ª Região Militar, o general de divisão José Luís Pereira de Vasconcelos, veterano da repressão ao Contestado e legalista histórico. A substituição no comando da região militar sediada na capital paulista atendera a um pedido expresso do interventor Pedro de Toledo, que fizera um apelo ao Catete no sentido de nomear para o cargo um general sem nenhum vínculo com o Clube 3 de Outubro. Depois de se despedir de Vasconcelos e lhe desejar boa sorte, Góes deitara tão fatigado na cama que nem sequer tirara as botas e as esporas. Ao ser informado por Sarmanho do que ocorrera em São Paulo, vestiu a túnica, pegou um táxi e seguiu célere ao Guanabara.[5]

Introduzido ao gabinete presidencial, Góes Monteiro soube por meio de Getúlio que as informações ainda eram incompletas, pouco esclarecedoras. O telegrafista da estação da cidade paulista de Queluz, na divisa com o Rio de Janeiro, comunicara que os trilhos e dormentes da linha férrea entre os dois estados tinham sido arrancados. As localidades próximas se encontravam ocupadas por tropas em conflagração. Góes, até aí sonolento, acordou de vez. Quis saber, ante tais graves notícias, quais providências o chefe do Governo Provisório havia tomado. Getúlio ficou surpreso. Ora, a primeira providência que tomara fora tirar o próprio Góes Monteiro da cama.[6]

"Então não há mais tempo a perder", calculou o general. "Mande chamar também os ministros da Guerra e da Marinha, os chefes de Estado-Maior das duas corporações militares e o chefe de Polícia do Rio de Janeiro", prosseguiu. "Além disso, mande telegramas para todos os estados, alertando as tropas e as autoridades locais."[7]

O burburinho no palácio aumentou. Enquanto Getúlio instruía seus auxiliares de gabinete a cumprir as novas orientações, o próprio general se dirigiu ao telefone que fazia a ligação direta com o Campos Elíseos. Quem atendeu foi o secretário do palácio do governo paulista, que forneceu notícias atualizadas — e ainda mais inquietantes. O coronel Euclides de Oliveira Figueiredo (colega de Bertoldo Klinger nos tempos do estágio alemão em Gustrow) se apossara do comando da 2ª Região Militar, antecipando-se à chegada do novo comandante, general Pereira de Vasconcelos. O coronel Euclides (pai do futuro presidente da República João Baptista de Oliveira Figueiredo) passara a deter o controle sobre as unidades militares federais no estado, com o devido apoio do general Isidoro. Não houve chance para maiores resistências. Os oficiais do Exército e da Força Pública que se recusaram a participar do levante foram presos. Existia grande agitação na cidade. As forças civis apoiavam o movimento militar. As ruas estavam tomadas por manifestações públicas em solidariedade aos revoltosos.[8]

Góes Monteiro pediu para falar com o próprio intervator, Pedro de Toledo, que confirmou a gravidade do momento. Em nome do governo federal, Góes recomendou a Toledo que se retirasse de imediato para o município de Caçapava, no vale do Paraíba, a cerca de 120 quilômetros da cidade de São Paulo e a meia distância dos limites com o estado do Rio. O comandante da guarnição do Exército sediada ali, coronel José Joaquim de Andrade, receberia instruções para providenciar toda a cobertura possível ao interventor e à manutenção do governo estadual, pelo menos até a chegada do novo comandante da 2ª Região. Toledo, contudo, retrucou. Disse temer ser preso pelos rebeldes caso decidisse pôr os pés para fora do portão do Campos Elíseos. O prédio se encontrava cercado por manifestantes e soldados insurgentes, balbuciou.[9]

Foi a última vez que Góes Monteiro conseguiu contato telefônico naquela noite com a sede do governo paulista. Depois disso, a linha entre os dois palácios foi cortada. Ato contínuo, o general buscou acionar o coronel José de Andrade, em Caçapava, com o objetivo de lhe passar as diretrizes para a defesa da situação. Mas, pelo tom de voz e pelas palavras dúbias do coronel, Góes logo percebeu que já era tarde demais. O coronel Andrade aderira ao inimigo. O general Góes constataria o mesmo ao telefonar e enviar radiogramas de emergência para outras unidades paulistas situadas ao longo do vale do Paraíba, região considerada estratégica pela localização geográfica, próxima ao Rio de Janeiro. Em poucas horas, o estado de São Paulo caíra nas mãos dos rebeldes. Até o general Pereira de Vasconcelos se juntou ao movimento assim que desembarcou em Guaratinguetá, durante a madrugada.[10]

Configurada a extensão do problema, Góes retirou-se para uma sala contígua ao gabinete presidencial. Era preciso estabelecer, com urgência, um detalhado plano de operações militares. O governo federal teria que avaliar o alcance das próprias forças e, com base nisso, traçar estratégias para levar a melhor no confronto armado com os paulistas. Acima de tudo, Getúlio deveria se certificar de que realmente contaria com o prometido apoio dos governantes do Rio Grande do Sul, Flores da Cunha; e de Minas Gerais, Olegário Maciel.[11] Já ficara evidente que de Pedro de Toledo não se poderia esperar muita coisa — hipótese reforçada por um telegrama assinado pelo próprio, algumas horas depois, renunciando ao governo paulista, sob a justificativa de que não lhe fora possível "caminhar ao revés dos sentimentos" do povo de seu estado. Na mensagem, o interventor demissionário informava ainda que repassara o poder regional aos "chefes militares do movimento revolucionário constitucionalista".[12] Estes, por sua vez, em sinal de agradecimento, decidiram tornar sem efeito a renúncia de Toledo e aclamá-lo não mais interventor, mas *governador* de São Paulo, numa solenidade festiva, ao som dos clarins da cavalaria e de fanfarras militares. No diário, um decepcionado Getúlio Vargas anotou:

"Em São Paulo, traição [...] de todo o governo paulista, inclusive a velha múmia que exumei do esquecimento, o interventor Pedro de Toledo."[13]

Antes do amanhecer, começaram a chegar as respostas dos interventores aos telegramas despachados por Getúlio. Todos, sem exceção, de norte a sul, continuavam a se dizer solidários ao Governo Provisório.[14]

"Manterei a ordem ou morrerei", prometia mais uma vez Flores da Cunha, em Porto Alegre.[15]

De posse dessas confirmações, Góes Monteiro começou a armar o dispositivo legal. O plano previa o insulamento das forças sublevadas, mediante pressão sobre elas em todas as direções possíveis, a partir de círculos concêntricos. O ataque terrestre seria coadjuvado por uma ação naval, deslocando-se uma esquadra de guerra para bloquear o porto de Santos. Pelo ar, a aviação governista faria sobrevoos de reconhecimento, com o objetivo de fotografar e mapear a posição exata do adversário. Os aviões também seriam empregados em excursões de propaganda, despejando panfletos sobre as cidades e linhas inimigas, conclamando-as à rendição. Seriam programados ainda eventuais bombardeiros aéreos, que teriam a missão de atingir alvos táticos e restritos, como paióis, quartéis, usinas elétricas, trincheiras e estações ferroviárias. Na retaguarda, um contingente especial garantiria a segurança de Getúlio, de sua família e dos demais componentes do Governo Provisório. Como última medida preventiva, Góes ordenou que os homens aquartelados na Vila Militar, de onde habitualmente partiam os focos de agitação fardada na capital da República, se deslocassem para pontos determinados da cidade. A intenção de Góes era evacuar a Vila por completo, o que dificultaria qualquer tentativa interna de sublevação.[16]

"Guardada a sede do governo — que é o mais importante para evitar um golpe de Estado —, o principal, mesmo que haja outras manifestações de rebelião, é concentrar o maior número de forças contra São Paulo", definiu Góes, no documento secreto que apresentou a Getúlio Vargas aos primeiros raios da manhã do dia 10 de julho, por volta das seis horas, após uma noite em que o Palácio Guanabara passou inteiramente em claro.[17]

Cumprida a tarefa de rascunhar o plano de ataque, Góes Monteiro informou que iria preparar o embarque das tropas. Impressionado com a determinação e a diligência do general, Getúlio decidiu nomeá-lo comandante em chefe das forças encarregadas do "setor leste", ou seja, a principal linha de combate — o funil compreendido entre o litoral fluminense, o vale do Paraíba e as divisas com

Minas Gerais. O "setor sul" ficaria confiado ao general Valdomiro Castilho de Lima, tio-avô de Darcy, cuja missão era conduzir as tropas regulares e os corpos provisórios que subiriam desde o Rio Grande até a divisa paranaense com o território paulista, à altura de Itararé, reeditando a marcha militar de 1930.[18]

Uma terceira frente, a oeste, comandada pelo coronel Manuel Rabelo, atuaria na repressão aos rebeldes que agiam em pontos isolados da divisa com o Mato Grosso. Nenhum setor ficaria desguarnecido. Ao norte, as forças mineiras seriam enviadas pela rede ferroviária até a serra da Mantiqueira, o paredão montanhoso que separa Minas Gerais de São Paulo. Os destacamentos prometidos pelos interventores nordestinos seguiriam por navios mercantes até a capital federal e, a partir daí, esperariam a redistribuição para o epicentro do conflito. O rolo compressor estava preparado para triturar São Paulo, garantia Góes.[19]

Getúlio, entretanto, continuava preocupado. Boatos davam conta de que militares de alta patente conspiravam em plena capital da República, arquitetando um ataque simultâneo contra o Guanabara e o Catete. Por volta do meio-dia daquele 10 de julho, espias do governo haviam detectado movimentações suspeitas de tropas no bairro do Botafogo e na Praia Vermelha. Chegavam também notícias de que vários oficiais legalistas no Rio de Janeiro vinham sendo aliciados pelos conspiradores. Desconfiava-se que gente muito próxima ao governo pudesse estar envolvida na conjura. Em meio à maré de rumores, Oswaldo Aranha ficou alarmado quando Getúlio lhe confidenciou que, caso fosse alvo de uma traição, não se entregaria:

"Resistirei até o fim", prometeu.[20]

Ao dizer isso, Getúlio mostrou os rascunhos de um texto que pretendia divulgar à nação na hipótese de ser obrigado a renunciar. Na gaveta do birô, sobre uma pilha de papéis avulsos, dois revólveres carregados estavam prontos para qualquer eventualidade.[21] Oswaldo, sem revelar o conteúdo integral das linhas que acabara de ler, procurou Alzira, chamou-a a um canto e pediu-lhe que ficasse atenta aos movimentos do pai. Getúlio parecia estranho. Até mudara a localização do gabinete, optando por uma nova sala, reservada, de acesso mais difícil, onde permaneceria enfurnado o resto do dia.[22]

"Teu pai anda escrevendo umas coisas, em um caderninho que ele esconde sempre. Hoje ele me leu algumas notas que me deixaram preocupado", revelou Oswaldo, sem dar detalhes.[23]

Foi o suficiente para deixar Alzira em pânico. Ela decidiu entrar novamente de súbito no escritório de Getúlio e, mais uma vez, encontrou-o caminhando em círculos, pensativo, dando voltas em torno da mesa de trabalho. Em vez de lhe lançar nova bateria de perguntas e objeções, procurou atraí-lo à conversa devagar, tangenciando assuntos diversos e aleatórios, até adentrar no tema que, segundo Oswaldo, angustiava o pai: os sussurros de golpe. Comentava-se pela cidade que o cardeal d. Sebastião Leme já fora prevenido de que, pela segunda vez em menos de dois anos, talvez fosse convocado para escoltar um chefe de Estado para fora do palácio.

"A mim não me levam dessa maneira. D. Leme é meu amigo e eu não sou homem de me entregar", ratificou Getúlio à filha.[24]

Alzira aproveitou o momento em que o pai fez uma rápida saída da sala e vasculhou os papéis sobre a mesa, em busca das tais anotações de que falara Oswaldo Aranha. Nenhum sinal delas.[25]

Oswaldo nunca vira o amigo Getúlio, de hábito um homem adepto do autocontrole, tão transtornado. Por isso, pediu para Góes Monteiro retornar urgente ao Guanabara. Abordou o general à chegada, ainda no salão de entrada e, do mesmo modo que fizera com Alzira, conduziu-o a um canto isolado. Oswaldo compartilhou suas preocupações, mencionou a onda de boatos, aludiu às suspeitas de golpe e, por último, confidenciou: ciente dos insistentes rumores, Getúlio se dizia disposto a resistir, até a morte, se fosse preciso.[26]

Góes tratou de serenar Oswaldo. De fato, a boataria andava solta nas ruas. Colegas de farda, oficiais de confiança do governo, eram assediados pelos que defendiam o afastamento de Getúlio como única solução para se evitar uma guerra fratricida contra São Paulo. Até ele próprio, Góes, já fora sondado. Ofereceram-lhe vantagens e recompensas para romper com o governo. Descartara tal hipótese, repugnado.

"Propostas sedutoras me foram feitas e teriam, se as aceitasse, assegurado a minha independência econômica e o futuro de minha família", admitia Góes.[27]

O general Álvaro Guilherme Mariante, antigo comandante em chefe da repressão à Coluna Prestes, tinha sido outro a ser procurado. Mariante também se negara, contudo, a tomar partido no assunto. Até onde Góes pudera apurar, a ideia não florescera. Os defensores do golpe haviam se rendido à constatação de que a cúpula dos quartéis não compartilharia dos mesmos propósitos. Getúlio podia ficar tranquilo. O movimento das tropas na cidade fazia parte dos preparativos para o embarque em direção ao vale do Paraíba. Nada mais do que isso. Permanecia tudo sob controle. Em poucos dias, o Exército marcharia sobre São Paulo e retomaria o domínio absoluto da situação, prometeu. Góes acrescentou que estava atarefado com o envio de homens para o front. Tinha mais com o que se preocupar. Não podia perder tempo dando ouvidos a zunzuns e fofocas. Chegou a recriminar Oswaldo Aranha por ter lhe desviado de tarefas urgentes chamando-o ao palácio com o objetivo de tratar de um assunto vencido, de somenos importância, uma mera especulação.[28]

Oswaldo se desculpou. Mas explicou que Getúlio estava negativamente impressionado. Escrevera em segredo umas declarações esquisitas e ameaçava enfrentar os possíveis invasores do palácio à bala. Por isso, mesmo contrafeito, Góes prometeu averiguar in loco as denúncias a respeito de movimentações irregulares de tropas em Botafogo e na Praia Vermelha. Despediu-se, girou sobre os calcanhares e retornou após alguns minutos, para garantir que o vaivém de soldados naqueles locais fazia mesmo parte das providências de policiamento da capital e dos trabalhos para o iminente embarque rumo à divisa com São Paulo. Conforme já dissera, o Guanabara não corria nenhum perigo.[29]

Oswaldo ficou tão aliviado com a explanação que ousou pedir a Góes mais um favor: repetir aquilo em pessoa a Getúlio. Quando o general entrou no gabinete presidencial, dois detalhes logo lhe chamaram a atenção. Sobre a mesa, havia um envelope fechado, onde se podiam ler as seguintes palavras: "À Nação Brasileira". E enquanto Getúlio continuava a caminhar de um lado para outro, Góes pôde perceber, saindo de um dos bolsos externos do paletó escuro que o chefe de governo vestia, o inconfundível cabo branco de madrepérola de um revólver.[30]

A arma permaneceria no bolso de Getúlio durante os dias seguintes. E o conteúdo do envelope ficaria guardado nos seus papéis pessoais como um atestado à posteridade de que o autor daquelas linhas, quando confrontado por uma situação incontornável, por mais de uma vez cogitou o recurso extremo como única saída honrosa.

Cerca de dois anos antes, em 1930, a trinta minutos de rebentar o movimento que o conduziria ao poder, Getúlio escrevera em seu diário uma anotação em tom fatalista: "Quatro e meia. Aproxima-se a hora. Examino-me e sinto-me com o espírito tranquilo de quem joga um lance decisivo porque não encontrou outra saída digna para seu estado. A minha sorte não me interessa e sim a responsabilidade de um ato que decide o destino da coletividade", assinalara o então presidente estadual do Rio Grande do Sul. "Como se torna revolucionário um governo cuja função é manter a ordem? E se perdermos? Eu serei depois apontado como o responsável, por despeito, por ambição, quem sabe? Sinto que só o sacrifício da vida poderá resgatar o erro de um fracasso." No comboio ferroviário que o levara ao Rio de Janeiro, acrescentara: "Desejo fazê-lo, porque este é o meu dever, decidido a não regressar vivo ao Rio Grande, se não for vencedor".[31] Mas, dessa feita, a mensagem era ainda mais explícita. Naquele 10 de julho de 1932, imaginando que um grupo de militares estava prestes a enxotá-lo do poder, condenando-o possivelmente ao eterno vexame e à permanente infâmia, Getúlio escreveu um inequívoco bilhete de suicida:

> Meus intuitos, no exercício do governo, foram os mais nobres e elevados. Procurei sempre inspirar-me nos interesses superiores da pátria.
> Entreguei as posições aos que se rebelaram contra mim e fui vencido pela traição, pela deslealdade, pela felonia.
> Reservara para mim o direito de morrer como soldado, combatendo pela causa que abraçara.
> A ignomínia duma revolução branca não m'o permitiu. Escolho a única solução digna para não cair em desonra, nem sair pelo ridículo.
> Getúlio Vargas
> Em 10/7/1932.[32]

O bilhete não precisou cumprir sua função sinistra.

"Na manhã do dia 11 de julho, Getúlio Vargas estava seguro no governo; nós tínhamos lançado as bases da nossa reação", testemunharia o coronel Pantaleão da Silva Pessoa, chefe do estado-maior do Destacamento Leste das tropas legalistas, comandado por Góes Monteiro.[33] Ao contrário do plano paulista, as guarnições sediadas no sul de Minas Gerais não se uniram ao movimento rebelde para a prevista "arrancada irresistível" rumo ao Rio de Janeiro. Ao contrário, abriram fogo para impedir seu avanço. Os reforços do Mato Grosso prometidos pelo general Klinger também não chegaram. Em vez de avançar, os paulistas foram compelidos a marcar passo, imobilizados no vale do Paraíba.

"Este levante é obra de colegiais enciumados", definiu Getúlio, com o humor inteiramente recomposto.[34]

Após três dias do início do movimento rebelde em São Paulo, o Catete recebeu a cópia de uma proclamação feita ao povo rio-grandense por Borges de Medeiros e Raul Pilla, líderes da Frente Única Gaúcha. Publicado com destaque pelos jornais e transmitido pelas emissoras de rádio de Porto Alegre, o texto lançava uma súplica a Flores da Cunha. "Já que não foi possível contar com o sr. interventor para conduzir o Rio Grande à satisfação dos nossos compromissos com São Paulo, seja-lhe lícito pelo menos dirigir a sua excelência um público e solene apelo de não levar o Rio Grande a atirar contra os nossos irmãos e aliados paulistas", dizia o documento. "Em atenção aos nossos compromissos de honra, exortamos, pedimos, rogamos, imploramos que mantenha o Rio Grande afastado do incêndio."[35]

Getúlio sabia exatamente o que aquilo significava. Borges e Pilla, até o último momento, acreditaram que Flores da Cunha ficaria ao lado deles — e não do Catete. Alguns líderes constitucionalistas, em especial Júlio de Mesquita Filho, mantiveram contatos prévios para envolver o interventor gaúcho e, dadas as suas antigas ligações de amizade com Borges de Medeiros e com expressões do mundo político paulista, imaginaram que ele aderiria à insurreição sem maiores vacilos. Em discurso em Porto Alegre, ainda em junho, Flores praticamente se comprometera com a causa dos insurgentes, ao afirmar em praça pública que, apesar de ser homem da paz e da ordem, iria com o Rio Grande "para o despenhadeiro contra a ditadura".[36] Em conversas posteriores, prometera a um emissário de Borges e Pilla, o advogado e ex-deputado Glicério Alves, que enviaria trezentos fuzis e 30 mil cartuchos para a tomada do quartel do município de Cachoeira.[37]

Entretanto, perante as reticências e hesitações que Flores demonstrara às vésperas da deflagração do movimento, a FUG foi aos poucos o marginalizando do processo conspiratório, chegando a maquinar seu afastamento do cargo e a planejar a restauração do velho Borges de Medeiros na chefia do governo estadual.[38] Quando explodiu a revolta em São Paulo, ele nem sequer foi avisado. Flores percebeu a arapuca e surpreendeu a todos, declarando lealdade integral a Getúlio.[39] Anos depois, o advogado, escritor e político sul-rio-grandense Mem de Azambuja Sá definiria, gauchescamente:

"A passagem do Flores para o outro lado foi um coice de mula na boca do estômago."[40]

Confrontados com a nova realidade, Borges e Pilla buscavam uma reaproximação tática com Flores da Cunha, tentando utilizá-lo como interlocutor numa possível negociação para selar a paz com o governo federal, respeitadas determinadas condições. Os líderes da FUG propuseram que Flores convencesse Getúlio a aceitar o ex-ministro da Justiça, Maurício Cardoso, como mediador de um imaginável acordo.[41] Oswaldo Aranha, porém, desconfiou do mensageiro:

"O Maurício é um cavalo de Troia entrando na nossa cidadela", advertiu.[42]

Prevenido, Getúlio prometeu receber Maurício como pombo-correio da proposta de pacificação, mas recomendou que Flores não tivesse envolvimento público e oficial no assunto, pois cogitar um armistício em tal hora poderia provocar o esmorecimento geral nos combatentes.[43] A conjuntura, afinal de contas, já parecia francamente favorável ao governo. Na frente norte, o governo dispunha de cerca de 20 mil soldados legalistas, contra 10 mil rebeldes (somados os contingentes da Força Pública paulista e das guarnições federais no estado). Na frente sul, a superioridade era de 18 mil legalistas contra 8,5 mil homens do lado adversário.[44] Afora isso, as tropas paulistas permaneciam imóveis, abdicando do efeito surpresa, enquanto os contingentes governistas já começavam a infligir perdas expressivas ao adversário. No dia 13, ocorreria aquele que é considerado o primeiro bombardeio aéreo sobre uma cidade brasileira: aviões governistas despejaram explosivos e dispararam rajadas de metralhadoras nas imediações do município de Cachoeira Paulista, episódio que levou pânico à população local e desarticulou as posições mantidas pelo 4º RI de Quitaúna.[45]

Em compensação, na mesma data o túnel da serra da Mantiqueira caíra em poder dos constitucionalistas, após escaramuças iniciais com soldados mineiros.[46] Entretanto, somados prós e contras, Getúlio estava tão confiante no êxito das operações que, em sinal de desassombro, decidiu aproveitar o domingo, 17 de julho, para vistoriar de binóculo a tiracolo o acampamento militar mais avançado, no vilarejo de Formoso, em Resende, distante apenas três quilômetros do fogo das linhas inimigas.[47]

Na quarta-feira, 20 de julho, Maurício Cardoso chegou ao Rio, trazendo duas folhas de papel almaço dobradas e escritas à mão. Nelas, as condições que Borges de Medeiros e Raul Pilla propunham para o eventual cessar-fogo. Getúlio ficou mais do que decepcionado com o que leu. Na verdade, sentiu-se ofendido. Em síntese, o documento indicava cinco itens para as bases gerais da pacificação nacional: 1) Restabelecimento da Constituição de 24 de fevereiro de 1891; 2) Limitação dos poderes discricionários; 3) Restituição a estados e municípios do direito de escolher livremente seus governantes; 4) Eleição da Constituinte até 31 de dezembro; 4) Recomposição ministerial, de modo que o Rio Grande, São Paulo e Minas tivessem, cada um, dois ministros indicados por seus partidos políticos.[48]

"São condições de um vencedor para um vencido. Recuso-as", disse Getúlio.[49]

A proposta de Borges e Pilla chegou a ser apresentada em reunião extraordinária do ministério, que apoiou integralmente o alvitre de não levar o texto em consideração.[50] A guerra, de modo precoce, passara a entrar em um momento-chave, pois na antevéspera, 18 de julho, o general Valdomiro Lima rompera a barreira geográfica de Itararé e já invadira o território paulista pelo flanco sul, provocando a retirada e o recuo em massa dos constitucionalistas para o vale do Paranapanema.

"Tomamos Itararé a baioneta", telegrafou Valdomiro. "Inimigo fugiu espavorido", informou.[51]

Nessas circunstâncias, concordavam também os integrantes do Gabinete Negro, a única paz aceitável seria por meio da rendição incondicional de São Paulo, embora o governo federal enfrentasse notórias dificuldades materiais para treinar, uniformizar, armar e municiar os numerosos batalhões que seguiam para as frentes de combate. O próprio Getúlio pôde constatar o quadro desolador quando, no retorno de Resende, cruzara na autoestrada com fileiras de soldados em marcha, munidos com equipamento deficiente e fardamento incompleto.[52] Pelo que constava nos informes trocados nos bastidores militares, faltava até mesmo munição nos acampamentos governistas, e as armas de fogo disponíveis eram em grande parte obsoletas.[53] "O Paraná insiste pedindo aviões", registrou Getúlio no diário. "Aguarda-se a chegada de pólvora, que escasseia."[54]

Por causa das insofismáveis carências materiais, Góes Monteiro fincara pé na estratégia de sufocamento gradativo dos oponentes, evitando grandes confrontos no vale do Paraíba, para não gerar baixas desnecessárias. Seu plano continuava a ser o de ir jugulando, aos poucos, o espaço de manobra dos paulistas, fechando o círculo de fogo e impedindo as comunicações de São Paulo com o exterior, por ar, mar e terra. O isolamento, calculava Góes, em pouco tempo abalaria o moral do inimigo e provocaria o descontentamento das populações civis sitiadas. Além disso, a paciência também trabalharia a favor de uma melhor concentração das forças legalistas, pelo menos até o momento em que fosse possível lançá-las em uma ação simultânea, decisiva e cumulativa em todas as frentes de batalha.

"Um ataque apressado, mal preparado, poderá resultar em fracasso", explicou Góes a Getúlio.⁵⁵

No Rio Grande do Sul, porém, Flores da Cunha estava exasperado pelo que considerava uma inexplicável morosidade da parte de Góes Monteiro. Ele não entendia por qual motivo as tropas gaúchas, unidas às do Paraná, já haviam ultrapassado Itararé, ao passo que Góes Monteiro e seu estado-maior ainda se demoravam em Resende.

"Se não querem lutar, por que não falam franco e não atendem às sugestões de paz?", indagou Flores, por carta, a Getúlio.⁵⁶

Pelo que se podia perceber, além do inimigo comum, existiam várias guerras internas entre as lideranças militares a serviço do governo. O general Manuel Rabelo, por exemplo, se queixava de não estar recebendo de Góes Monteiro o necessário apoio para a conservação das fronteiras mato-grossenses.⁵⁷ As maiores queixas, todavia, vinham mais de cima, do chefe do Estado-Maior do Exército, general Tasso Fragoso. Nesse caso, o imbróglio envolvia uma questão de hierarquia. Tasso andava colérico por entender que Góes Monteiro vinha passando por cima da competência do órgão, ao não abastecer o EME de informações sobre os planos de guerra e por não consultá-lo a respeito das estratégias e táticas postas em ação no desenrolar dos combates. Um dos pontos principais da discórdia tratava do uso da aviação como máquina de guerra. Em ofício a Getúlio, o general Tasso Fragoso disse discordar dos bombardeios contra São Paulo, por julgá-los um ato de desumanidade.⁵⁸

Não obstante as discrepâncias do chefe do EME, as ordens de ataque aéreo foram mantidas. Pelo argumento de Góes, era indispensável aproveitar a superioridade do governo em setor tão nevrálgico.⁵⁹ Em 1930, após a deposição de Washington Luís, Getúlio esvaziara a aviação da Força Pública paulista, por meio do confisco de aparelhos e equipamentos. Os poucos aviões à disposição dos constitucionalistas, identificados pelas listras pretas na parte inferior das asas, quase nada podiam fazer ante as aeronaves governistas do Grupo Misto de Aviação, equipe que durante o conflito viria a cumprir cerca de 1300 missões, ao longo de mais de 2500 horas de voo, sob o comando do major Eduardo Gomes — sobrevivente dos Dezoito do Forte e fundador do Correio Aéreo.⁶⁰ Como eram em sua maioria pintados de vermelho, os aviões a serviço do governo foram apelidados de "vermelhinhos".

Eterno contemporizador, Getúlio tentava aplacar as iras de Fragoso apelando à consciência hierárquica de Góes Monteiro.⁶¹ Este, contudo, entendeu o recado como uma demonstração de falta de confiança em seu trabalho. Por isso, respondeu com uma ressentida carta de demissão. Getúlio, temendo a desarticulação dos esforços de guerra, não aceitou o pedido de exoneração e insistiu para que Góes ficasse. Este, sentindo-se prestigiado pelo chefe do Governo Provisório, reconsiderou o caso. No fundo, o episódio serviu para Tasso Fragoso perceber que era ele quem passara a ocupar um papel meramente decorativo, sem nenhuma voz real de comando. Foi a sua vez de solicitar demissão da chefia do EME.⁶²

Após um breve e protocolar pedido de permanência, Getúlio aceitou a solicitação sem maiores ressalvas. Substituiu-o na chefia do EME pelo general de divisão Francisco Ramos de Andrade Neves, comandante da 3ª Região Militar, sediada em Porto Alegre.⁶³ Em tese, a partir dali, o general Neves estaria no comando do planejamento estratégico do Exército. Mas, na prática, em relação à guerra contra São Paulo, Góes continuaria estabelecendo todas as diretrizes, com apoio irrestrito de Getúlio. Isso faria dele, ao final do conflito, um dos homens mais prestigiosos da República — e o militar mais poderoso de todo o Exército.

A utilização de bombardeios aéreos na luta contra os constitucionalistas de São Paulo, item da desinteligência entre Góes e Fragoso, ficaria historicamente associada à morte de Alberto Santos-Dumont. Segundo a voz corrente, o chamado "Pai da Aviação" teria se suicidado, aos 59 anos, no dia 23 de julho de 1932, no Grand Hôtel La Plage, no Guarujá, litoral paulista, após a constatação de que seu invento se transformara em uma arma letal de guerra. A visão de duas aeronaves do Exército em voo rasante atacando um navio, segundo consta, teria sido chocante demais para o sensível coração do aviador. Angustiado, tomado por uma depressão profunda, o criador do *14 Bis* tirara a própria vida, enforcando-se com a gravata no banheiro do hotel.

À época, o suicídio foi encoberto e se divulgou a notícia oficial de que Santos-Dumont sofrera um ataque cardíaco. As autoridades paulistas não permitiram a instalação do devido inquérito policial para determinar a causa real da morte. Quando, anos mais tarde, a verdade veio à tona, consolidou-se a tese de que o suicídio atendera aos ditames da alma atormentada de um criador desgostoso com os rumos de sua criatura. Porém, a doença degenerativa que perseguiu Santos-Dumont em seus últimos anos de vida, diagnosticada como uma esclerose múltipla, parecia acenar com explicações mais plausíveis e menos românticas para o trágico episódio. Desde 1915, Dumont enfrentava um quadro crescente de debilidade física e mental, com longas crises de abatimento e melancolia.

No dia 7 de agosto, Getúlio fez questão de receber pessoalmente um grupo especial de "voluntários" gaúchos que acabara de desembarcar no Rio de Janeiro. O 14º Corpo Auxiliar do Rio Grande do Sul, composto por centenas de peões rústicos arregimentados nas estâncias e na sede municipal de São Borja, era comandado por ninguém menos do que o farmacêutico Benjamim Vargas, o Bejo, 35 anos, irmão mais novo do chefe do Governo Provisório, comissionado no posto de tenente-coronel.

O alistamento do 14º Corpo Auxiliar fora feito, literalmente, na base do laço. Homens entre 22 e 35 anos se viram retirados de casa, durante a madrugada, ou arrastados no meio da rua para serem levados ao quartel. Quem insistiu em reagir foi advertido de que seria incluído na lista dos inimigos mortais dos Vargas na cidade. Em compensação, se resolvessem colaborar, suas famílias receberiam proteção total e não sofreriam represálias.

"Se ficarem quietinhos, ninguém se machuca!", lhes teria recomendado Bejo.[64]

A missão daquele bisonho grupo de combatentes — formado às pressas e à força — era auxiliar as tropas de Minas Gerais nos preparativos para a invasão de São Paulo, a partir do município mineiro de Jacutinga. Além de contar com capangas e agregados com larga folha de serviços prestados aos estancieiros da região missioneira — "quanto mais destemido, mau pelo e venta rasgada, mais mérito para ocupar o cargo" —,[65] o 14º também abrigava ex-combatentes da revolução gaúcha de 1923 e filhos das chamadas "boas famílias" são-borjenses, a exemplo de três sobrinhos de Getúlio, Ary e Omar Mesquita Vargas (filhos de Protásio Vargas) e Odon Sarmanho Mota (filho de Alda Sarmanho Mota, irmã de Darcy), todos improvisados na função de tenentes.[66]

Ao tomar conhecimento da partida do tio Bejo e dos primos Ary, Omar e Odon para as linhas de combate, Lutero Vargas, primogênito de Getúlio, fez questão de também se engajar ao destacamento. Estudante de medicina no Rio de Janeiro, Lutero trocou provisoriamente o jaleco de aluno pelo uniforme de soldado. Ao receber seus próprios brasões de tenente e uma metralhadora Hotchkiss, ficou responsável por chefiar uma das sessões que partiriam para Minas, a despeito de sua experiência bélica até então se resumir às instruções de ordem unida nos tempos de Colégio Militar.[67]

"Causou-me grande satisfação a chegada do 14º Auxiliar do Rio Grande do Sul, comandado pelo meu irmão, Benjamim Vargas, e composto de gente do meu rincão, São Borja", escreveu Getúlio em seu diário.[68] "Revejo a minha tribo. É como se eu estivesse em família."[69]

Um negro retinto, alto e corpulento, filho de Nica, a cozinheira da família Vargas, destacava-se entre os componentes do "Catorze-de-pé-no-chão", como viria a ficar conhecido o regimento são-borjense.

"*Vamo* derrubar *os paulista* a pata de cavalo e chumbo grosso", prometia o negro.[70]

Seu nome era Gregório Fortunato.[71]

6. Uma notícia se espalha em São Paulo: o ditador fugiu do palácio (1932)

São Paulo amanheceu em festa. As notícias que chegavam à cidade, provenientes da capital da República, eram as mais alvissareiras possíveis para os rebeldes. Getúlio Vargas fugira do Catete, rumo a destino ignorado. Mesmo fontes próximas ao palácio não sabiam informar onde o ditador estaria escondido. Havia quem desconfiasse que viajara em segredo a Petrópolis, enquanto outros prefeririam acreditar que ele já se encontrava exilado em algum país vizinho.[1]

O abandono da sede do governo coincidira com o estado de guerra que tomara conta das principais ruas do Rio de Janeiro desde a tarde do dia anterior, 2 de agosto de 1932. Os primeiros informes diziam que os ministros também haviam desertado dos respectivos cargos, solicitando asilo político em embaixadas estrangeiras. Oswaldo Aranha, segundo constava, estaria recolhido à representação diplomática do Uruguai. O general Espírito Santo Cardoso, à da Argentina. Sem mais nenhuma razão para prosseguir na luta, Góes Monteiro se autodispensara do posto de comando no vale do Paraíba, deixando as tropas acéfalas. No Paraná, Valdomiro Lima também depusera as armas, sentindo-se traído e humilhado.

A queda fulminante do governo se originara de uma pacata manifestação estudantil pró-Constituição, reprimida com rigor excessivo pela polícia carioca. Na ocasião, centenas de manifestantes teriam sido pisoteados pela cavalaria do

Distrito Federal. Um grupo de rapazes ficara entrincheirado no Jockey Club e resistira durante horas ao cerco militar, até ser desalojado a bala e golpes de baioneta. Tudo indicava que se derramara muito sangue inocente. Não se conhecia, entretanto, o número exato de feridos, nem se tinha notícia de quantas mortes resultaram do confronto.

Em meio à escassez de informações, os jornais paulistas (os únicos a salvo do controle da censura federal) deduziam que a violência contra os estudantes indignara a opinião pública. A onda de protestos se alastrara incontrolável pela cidade, tomando aspectos de luta campal generalizada. Àquela hora, bondes e automóveis oficiais vinham sendo postos de rodas para cima nas avenidas centrais do Rio. Repartições públicas eram depredadas pela sanha popular e incêndios devastavam quarteirões inteiros. O povo desafiava a ferocidade da repressão e continuava nas ruas, aos gritos de "lincha", numa caçada humana a João Alberto, nomeado por Getúlio Vargas, em abril, chefe de Polícia do Distrito Federal.

"A avenida Rio Branco está em pé de guerra. A polícia ataca o povo com fuzis e bombas lacrimogêneas. Senhoras, das janelas, aclamam delirantemente os constitucionalistas", noticiou o *Diário de S. Paulo*. Os concorrentes *Folha da Manhã* e *O Estado de S. Paulo* optaram por destacar em primeira página o ultimato conjunto que os generais Klinger e Isidoro haviam dirigido por radiograma ao Catete, horas antes da apregoada fuga de Getúlio:

"Sr. Getúlio Vargas; mobilizais as últimas reservas de vosso patriotismo de brasileiro, de vosso pundonor de criatura humana e cumpri o único dever que nesta hora pode a pátria esperar de vós", instigava o texto. "Rompei o cerco em que vos prendem falsos amigos, meros aproveitadores pessoais do prolongamento do flagelo nacional que representa o vosso perdurar no poder, restituí esse poder aos chefes militares de terra e mar de quem o recebestes — os generais Tasso Fragoso, Mena Barreto e Isaías Noronha — que o entregarão à suprema direção do movimento constitucionalista."[2]

O radiograma era absolutamente verdadeiro. De fato, os generais Bertoldo Klinger e Isidoro Dias Lopes exigiam a renúncia imediata de Getúlio Vargas. Mas o restante das notícias não passava de boato. O Rio de Janeiro não estava em chamas. Ao contrário, fora alvo de uma colossal tromba-d'água. A força do vento e da chuva arrancara árvores, derrubara fios elétricos e destruíra o teto de várias casas. As ruas estavam intransitáveis por causa da grande enxurrada. Em algumas vias, o calçamento tinha sido arrastado pelas águas.[3]

"Muita água e muito vento, nada mais, meu senhor", disse um policial ao repórter do *Correio da Manhã*.[4]

Afora os estragos causados pela borrasca, tudo continuava em ordem na capital federal. As manifestações políticas contra o governo, registradas em pontos isolados da cidade, não assumiram as proporções alardeadas em São Paulo. O ministério continuava incólume, com todos os titulares no pleno exercício de seus cargos. Góes Monteiro seguia à frente das forças legalistas no vale do Paraíba, apertando o torniquete contra o adversário. Valdomiro Lima se preparava para fazer uma grande investida contra Buri, a apenas 250 quilômetros da capital paulista, para aquela que seria considerada "a maior batalha da América do Sul de todos os tempos", quando 6 mil federais tomariam as posições mantidas por apenas cerca de mil constitucionalistas, desmantelando todo o sistema defensivo dos rebeldes na região.[5]

Getúlio, é claro, não fugira. Continuava despachando no Catete. O governo não caíra. Pelo contrário, parecia mais forte do que nunca.

"As anunciadas revoltas [no Rio de Janeiro] reduzem-se a algumas arruaças promovidas por um grupo de mulheres exaltadas, de reconhecida filiação política, através das quais alguns homens se aproveitam para insultar a polícia", escreveu Getúlio em seu diário. "Isso foi facilmente dominado, sem vítimas a lamentar. [Há] uma intensa atmosfera de boatos, de que procuro alhear-me para não perturbar a serenidade que preciso manter."[6]

Na batalha incessante de informações e contrainformações, emissoras de rádio paulistas também chegaram a anunciar que o "Catorze-de-pé-no-chão", o batalhão provisório formado por homens de São Borja, fora dizimado pelas tropas constitucionalistas. Lutero Vargas estaria prisioneiro, mantido como refém de guerra.[7]

"É preciso um espírito forrado de grande serenidade para resistir aos embates morais desta luta. A um dia de relativa tranquilidade, sucede-se outro cheio de boatos, de intrigas, de conspirações, de ameaças de atentados pessoais. Procuro isolar-me dessa atmosfera enervante", tornou a escrever Getúlio.[8] Não obstante a notícia da captura de Lutero ter sido desmentida logo em seguida, a presença do primogênito nos campos de batalha continuou a abalar a tranquilidade paterna.

"No setor de Ouro Fino, sobre o rio Eleutério, o 14º de São Borja entra em sangrento combate. Não tenho notícias do meu filho; com o telégrafo interrompido, fico apreensivo."⁹

A batalha na ponte do rio Eleutério, na divisa de Minas com São Paulo, foi palco do mais violento de todos os confrontos que o destacamento são-borjense enfrentou ao longo da campanha. Em 26 de agosto, cercados pelos paulistas, os homens do "Catorze-de-pé-no-chão" foram surpreendidos em inferioridade numérica e, por isso, receberam do comandante, coronel Galdino Esteves, a ordem para recuar. Bejo Vargas, arrebatado pelo fragor da luta, insistiu em romper o cerco, com a ajuda de Gregório Fortunato. Mesmo sob forte tiroteio, assistindo a camaradas varados pelas balas caindo mortos ao chão, Bejo pediu reforços e munição extra, na intenção de seguir adiante. Como resposta, recebeu nova orientação para retroceder, enquanto ainda era possível aos companheiros lhe fornecer alguma espécie de cobertura.¹⁰

De volta ao acampamento, contados os feridos e refeitas as ligações com o Rio de Janeiro, Bejo telegrafou ao irmão Getúlio, protestando pela atitude do comandante, a quem responsabilizou pelo malogro da operação. O total de baixas entre os provisórios gaúchos chegara a 35 homens. Odon Mota, sobrinho de Getúlio, foi um dos recolhidos à enfermaria, com uma bala de fuzil encravada na perna direita. Um dos mortos, o tenente Jerônimo Braga, tivera o corpo triturado por um trem blindado paulista, após ser atingido por um tiro que o fez tombar sobre a linha férrea.¹¹

"Bejo telegrafa-me, desgostoso com a falta de apoio do Exército no combate que teve de sustentar no setor de Ouro Fino. Está exaltado pelos companheiros que perde. Respondo-lhe aconselhando serenidade", registrou Getúlio nas páginas finais daquele que já era o quarto caderno de seu diário, iniciado cerca de um ano e meio antes, no histórico 3 de outubro de 1930.¹²

O quinto caderninho, de capa preta e lombada verde, seria inaugurado com outro aflito comentário e de letra nervosa sobre a participação familiar nos cenários de guerra. Após o revés em Ouro Fino, Lutero retornara ao Rio de Janeiro junto aos feridos, derrubado por uma sinusite maxilar que lhe pusera fora de ação. Menos de três semanas depois, declarando-se em forma, foi reincorporado à frente.

"Apesar do risco que correu no combate de Eleutério, não o privei de cumprir o que ele julgava ser de seu dever. Eu já tinha lá um irmão e sobrinhos. Foi também, de novo, o filho", registrou Getúlio. "Meus inimigos não poderão afirmar que este aspecto sentimental me desinteressa."¹³

No regresso ao front, Lutero se deparou com um estado de espírito completamente distinto no acampamento do 14º Corpo Auxiliar. O incidente no rio Eleutério provocara a substituição do coronel Galdino do comando do destacamento de São Borja, que passou a marchar unido ao 11º Regimento de Infantaria, de Minas Gerais, sob as ordens diretas de outro coronel, o comandante do 4º Regimento de Cavalaria de Três Corações. O novo chefe de Bejo e Lutero era mais um velho conhecido de Getúlio ainda dos tempos de escola militar em Rio Pardo: Eurico Gaspar Dutra.

Coube ao então coronel Dutra a missão de conduzir seus homens para além da divisa com São Paulo. O novo chefe cumpriu a incumbência com denodo. Em 12 de setembro, auxiliou na investida federal que, pelo caráter simbólico da conquista, praticamente decidiu os rumos do conflito: a tomada simultânea da cidade paulista de Cruzeiro, pela frente leste de Góes Monteiro, e do túnel da serra da Mantiqueira, pelas forças mineiras.[14]

"Os rebeldes não resistem mais; levantam bandeira branca e fogem", festejou Getúlio.[15]

Dali a alguns dias, removido o tampão que retinha as tropas legalistas à boca do túnel, os homens de Dutra arremeteram contra os revoltosos em pleno território paulista, ocupando sucessivamente os municípios de Itapira, Mogi Mirim, Mogi Guaçu, Amparo e Pedreira, já chegando às portas de Campinas — cidade rendida com a ajuda de ataques aéreos que deixaram dezenas de civis feridos e uma criança morta, Aldo Chioratto, de apenas nove anos, escoteiro e estafeta da revolta, atingido pelos fragmentos de uma bomba jogada sobre a estação ferroviária local.[16]

"Incapaz de lutar no campo da honra, a ditadura resvala para o campo do crime", condenou em São Paulo o *Diário Nacional*.[17]

Dos escombros da guerra e da convivência em armas com o tenente Benjamim Vargas, nasceria uma admiração mútua que, pouco mais tarde, aproximaria Dutra do Catete e, por consequência, do próprio Getúlio.[18]

Os salões nobres do Guanabara se transformaram em oficinas de crochê. Darcy Vargas e a filha Jandira comandavam o batalhão de voluntárias que passavam dia e noite confeccionando mantas, meias e agasalhos de lã para os soldados legalistas. Enquanto isso, Getúlio observava o mapa pendurado em seu gabinete de trabalho, onde alfinetes vermelhos e azuis, espetados em pontos específicos, indicavam a posição das tropas aliadas e inimigas. Havia um aspecto curioso naquele retrato miniaturizado da guerra, elemento que Getúlio passou a incorporar às suas reflexões de hermenêutica política.

No primeiro momento, quando os alfinetinhos vermelhos pareciam mais bem posicionados, indicando um favoritismo momentâneo dos rebeldes, o palácio estivera quase vazio, devido aos pouquíssimos pedidos de audiência. Depois da situação equilibrada, com os alfinetes distribuídos de forma equânime, começaram a ressurgir as primeiras solicitações de reunião na secretaria do Catete. Quando a circunstância finalmente se invertera, e os alfinetes azuis então já se espalhavam pela maior porção do mapa, os corredores do palácio estavam entupidos de autodeclarados "amigos do governo".[19]

"Os homens são os mesmos em toda parte...", meditava Getúlio.[20]

A notícia da tomada do túnel, porém, foi solenemente ignorada pelos jornais paulistas. Um dia depois de as tropas federais dominarem o local, a *Folha da Manhã* publicava um editorial em tom vanglorioso: "Somos os senhores da situação". Os leitores eram levados a crer que a frente da Mantiqueira permanecia invicta.[21]

Getúlio quase não acreditou quando soube que João Neves fizera um discurso vibrante pelo rádio, transmitido de São Paulo para todo o país. Neves, que alcançara a capital bandeirante a bordo de um teco-teco clandestino, mandara um recado direto para o ex-aliado:

"Getúlio, não lhe falte na hora do desmoronamento a elegância dos vencidos. Olhe a nação de frente, faça continência e tombe."[22]

Havia, mais uma vez, um evidente descompasso entre a realidade objetiva e a versão que os constitucionalistas insistiam em passar à população sitiada. O rádio, desde o início um poderoso instrumento de mobilização popular nas mãos dos insurgentes, passara a ser a derradeira trincheira dos paulistas. Só mesmo as ondas eletromagnéticas se mostravam capazes de furar a solidez do bloqueio militar imposto pelo Governo Provisório aos rebeldes.

No plano estadual, as irradiações buscavam, a todo custo, manter viva a chama da rebeldia. Para o público externo, tentavam desmentir a acusação oficial de que o levante se resumia a uma desforra dos velhos oligarcas cafeeiros apeados do poder pela Revolução de 30 — conforme, aliás, Getúlio acusou em um "Manifesto ao povo de São Paulo", divulgado em 20 de setembro, quando a guerra já parecia perfeitamente decidida, embora a imprensa paulista ainda se recusasse a encarar a derrota como fato incontesteaspas.[23] No manifesto, depois de lembrar que o governo atendera de antemão as exigências dos revoltosos (lei eleitoral, data para convocação da Constituinte, interventor civil e paulista, secretariado escolhido pela Frente Única e troca no comando da Região Militar), Getúlio indagava:

"Se todos os motivos apontados improcedem ante a realidade dos acontecimentos, como se explica a revolta de São Paulo?" Ele próprio tratava de responder à questão, a seu modo. "Só uma explicação é possível: a ambição do poder, caracterizada por um movimento de revanche contra o de 1930, visando restaurar o passado."[24]

Em revide, os defensores da redemocratização argumentavam que estavam investidos de uma missão muito mais nobre do que a simples desforra política. Sua luta seria de ordem moral e cívica. Guerreavam por um dever de justiça e consciência. Não eram os antigos perrepistas e barões do café que estavam na linha de frente, nem mesmo os democráticos do PD, desiludidos com os rumos do regime que ajudaram a implantar. "Quem se bate contra os pretorianos da ditadura em todas as frentes é São Paulo", contestou o escritor Alcântara Machado, um dos diretores da primeira fase da *Revista de Antropofagia*, veículo de divulgação da estética modernista. "Literatos, jornalistas, estudantes e mestres das escolas superiores: é contra eles que o ditador está enviando as suas metralhadoras", reforçava Machado, ressaltando que a intelligentsia local aderira em peso à campanha.[25]

A lista de figuras do mundo artístico-intelectual que emprestavam prestígio à propaganda rebelde era, de fato, tão extensa quanto ilustre. Incluía os escritores Cassiano Ricardo, Guilherme de Almeida, Mário de Andrade, Menotti Del Picchia, Monteiro Lobato, Orígenes Lessa e Paulo Setúbal; os músicos Camargo Guarnieri, Francisco Mignone e Guiomar Novaes; e os artistas Lasar Segall e Victor Brecheret, entre outros expoentes da elite ilustrada paulista.[26] Seus manifestos, proclamações e ultimatos eram transmitidos ao som de "Paris Belfort" — consagrado como o hino do movimento desde quando o locutor César Ladeira anunciara no microfone da Rádio Record a morte dos manifestantes Martins, Miragaia, Dráusio e Camargo, sob os vibrantes clarins da marcha militar francesa. Ladeira, dono de "erres" prolongados e de uma dicção efusiva, converteu-se na própria "Voz da revolução".

"À vitória! À vitória! À vitória!", exortava, declamando texto do poeta Guilherme de Almeida que enaltecia o "heroísmo das trincheiras" e o "sacrifício histórico" então vivido por São Paulo.²⁷

As vicissitudes de uma guerra desigual não esmoreciam o ímpeto dos insurgentes. Mocinhas e donas de casa persistiam engajadas em torno de instituições como a Cruz Vermelha e de entidades femininas como a Cruzada Pró-Infância, a Liga das Senhoras Católicas, a Federação das Filhas de Maria e a Associação das Mães Cristãs. A "Mulher Paulista" — termo genérico e ufanista pelo qual passaram a ser definidas as voluntárias — dedicava-se diuturnamente à tarefa de cuidar dos feridos, preparar mantimentos, confeccionar uniformes, coletar agasalhos. Até mesmo crianças passaram a ser usadas no incentivo a novos alistamentos de homens e rapazes aptos ao combate. Diversos "batalhões infantis", uniformizados e com armas de brinquedo em punho, desfilavam pelas ruas e avenidas de São Paulo com faixas e tabuletas em que se lia o convite emotivo: "Se for preciso, nós também iremos".²⁸

Havia uma evidente cautela de não associar tais mensagens, carregadas de exaltado sentimento regionalista, às inevitáveis bandeiras separatistas que elementos mais radicais insistiam em tremular. Embora não fosse majoritário entre os líderes, o desejo de um São Paulo independente, livre do jugo do governo central, alimentava os devaneios de certa parcela do movimento. Monteiro Lobato deixou um documento comprobatório de que, no afã pelo convencimento público, o separatismo era uma hipótese aventada não só por carbonários de segunda ordem, mas também por propagandistas de grande expressão.

"Após a vitória de São Paulo, na campanha ora empenhada, se faz mister que seus dirigentes não se deixem embalar pelas ideias sentimentais de brasilidade, irmandade e outras sonoridades. O Norte inteiro é nosso inimigo instintivo. O Rio Grande não é amigo. Minas cuida de si", escreveu Lobato. "Temos de nos guardar de todos esses irmãos. Se Abel houvesse pensado assim não teria caído vítima da queixada de burro com que o matou Caim", comparou o escritor, que um ano antes publicara o clássico da literatura infantil *Reinações de Narizinho*.

Lobato explicitava:

A atitude única que o instinto de conservação impõe a São Paulo, depois da vitória, deverá expressar-se nesta fórmula: Hegemonia ou Separação. [...] Convençamo-nos de que só há dois caminhos na vida: ser martelo ou bigorna, boi de corte ou tigre. Velha bigorna, velho boi de corte, velha vaca de leite, transforme-se São Paulo em tigre. Faça-se todo dentes e garras afiadíssimas, antes que a linda ideia romântica da brasilidade o reduza a churrasco.²⁹

Por volta das onze horas da manhã, o fogo para o tradicional churrasco gaúcho já estava aceso. Borges de Medeiros e Batista Lusardo — inimigos de outrora, mas aliados circunstanciais da causa constitucionalista — dividiam o chimarrão com os últimos insurgentes que os acompanhavam naquela jornada rumo ao município de Piratini, a cerca de trezentos quilômetros de Porto Alegre. Em um gesto simbólico de protesto, Borges e Lusardo planejavam pisar o chão histórico da antiga República Rio-Grandense no início da tarde daquele mesmo 20 de setembro, a data em que os tradicionalistas comemoram o estopim da célebre Revolução Farroupilha.³⁰

Naquele momento, os duzentos homens que acompanhavam Borges e Lusardo se revezavam na múltipla tarefa de colocar as montarias no pasto, derrubar o gado, pôr a carne para assar e vigiar o horizonte. A maioria, entretanto, se entregava a um merecido descanso em terras consideradas seguras, uma estância em Cerro Alegre, nos arredores de Piratini. Perto do meio-dia, Batista Lusardo, com o cabresto do cavalo às mãos, olhou para longe e percebeu, à esquerda, as nuvens de poeira levantadas por um contingente legalista que crescia lentamente no seu campo de visão. Pelo cálculo de Lusardo, pelo menos setecentos soldados galopavam em direção a eles, em inconfundível posição de ataque.

"Dr. Borges, temos que sair daqui. Aquela tropa é muito grande. Vai pegar fácil nossa gente, que está toda de cavalo desencilhado", alertou.³¹

"Monte, Lusardo, tente ver se dá para salvar alguns dos nossos", respondeu Borges, cujo cavalo pastava a alguns metros, sem arreios e sem cela. Mesmo que vencesse o cansaço e o peso da idade, correndo até o animal para tentar montá-lo a pelo, o velho líder republicano sabia que em tais circunstâncias seria difícil escapar dos oponentes.³²

Pela terceira ocasião em menos de dois meses, Borges se via sem saída. Nas duas oportunidades anteriores, escapara ileso. Mas dessa vez a situação parecia irremediável. Em 5 de agosto, Borges driblara o cerco armado contra ele por Flores da Cunha, fugindo de Porto Alegre pelas águas do Guaíba. Viajara acocorado no fundo falso de uma pequena canoa de carga, escondido debaixo das tábuas que sustentavam latões de leite e sacos de milho, feijão, farelo e alfafa. A seu lado, também agachado em posição incômoda, seguira Batista Lusardo, que chegara ao trapiche disfarçado de padre marista, com a batina emprestada por um amigo religioso.[33]

A partir do Guaíba, a embarcação penetrara por uma sucessão de rios e restingas rumo ao interior do estado, até encontrar um trecho seguro de terreno que possibilitou aos dois fugitivos prosseguir a cavalo em direção à cidade de Santa Maria, onde se planejava um levante contra as forças federais, em apoio à sublevação paulista. Durante a travessia por terra, enfrentando as gélidas madrugadas de inverno gaúcho, evitaram os horários, estradas e caminhos comuns aos viajantes, com o objetivo de se esquivar das forças federais. Porém, antes de chegarem ao destino, com o corpo tiritando de frio por baixo dos respectivos ponchos, Borges e Lusardo foram atalhados por uma patrulha governista. Enfrentaram-na de revólver em punho, escapando como por milagre ao bloqueio.[34]

"O dr. Borges de Medeiros, num triste crepúsculo da vida, deixa-se arrastar por alguns despeitados a lamentáveis aventuras, logo fracassadas", lastimou Getúlio.[35]

Naquele 20 de setembro, cercado pelas tropas que apontavam no horizonte em Cerro Alegre, Borges de Medeiros percebeu que não teria a mesma sorte de antes. Lusardo foi um dos poucos a conseguir fugir do local, galopando por uma picada do terreno. Autorizado por Borges, deixou o campo de batalha sem luta, para não cair nas mãos do inimigo.[36]

Apesar do desequilíbrio de forças, Borges de Medeiros e seus homens ensaiaram alguma reação, infligindo baixas ao adversário. Mas foi impossível resistir por muito tempo. Cercados, foram obrigados a se render.

"Acabamos de aprisionar o dr. Borges de Medeiros", comemorou Flores da Cunha em telegrama a Getúlio.[37]

Borges, o todo-poderoso que comandara o Rio Grande do Sul por cerca de um quarto de século, era feito prisioneiro do governo de Getúlio Vargas, o ex-correligionário que um dia fora seu principal articulador político.

Nos últimos dias de setembro, os rebeldes paulistas continuariam a sofrer uma derrota após outra. Bombardeios de aviões governistas sobre Campinas e Aparecida, investidas terrestres sobre Lorena e o recuo dos constitucionalistas para Guaratinguetá, tudo deixava evidente que o fim do conflito estava próximo. Em Minas Gerais, outro figurão da Primeira República, Artur Bernardes, fora capturado, após uma tentativa fracassada de levante na cidade de Viçosa, na Zona da Mata mineira, onde o ex-presidente tinha uma fazenda, transformada em bunker rebelde. Bernardes foi encontrado por soldados no meio de um canavial, no interior de uma tapera, sentado em um jirau sobre dois colchões velhos.[38]

"Bernardes e Borges, dois homens que fundamentalmente se hostilizaram e se prestaram depois mútuo apoio, dois temperamentos afins de dominadores decaídos e não conformados, vão afinal conhecer-se... na mesma prisão", escreveu Getúlio, com uma indisfarçada ponta de satisfação e ironia.[39]

Walder Sarmanho tomou a liberdade de bater à porta do quarto de Getúlio para acordá-lo. Embora fosse alta madrugada, Sarmanho achou que o motivo era mais do que justo. Acabara de chegar ao palácio um telegrama de São Paulo, assinado pelo general Bertoldo Klinger, remetido por meio da Western Telegraph Company:

São Paulo, 29 de setembro de 1932.
Dr. Getúlio Vargas, Rio de Janeiro;
Com o fito de não causar à nação mais sacrifícios de vidas nem mais danos materiais, o comando das Forças Constitucionalistas propõe imediata suspensão das hostilidades em todas as frentes, a fim de serem assentadas as medidas para a cessação da luta armada.
General Klinger[40]

Passava das duas da manhã quando Getúlio leu a mensagem e constatou que ela apenas repetia o teor de uma carta remetida por Klinger havia dois dias ao ministro da Marinha. Na mensagem anterior dirigida ao almirante Protógenes Guimarães, o comandante das tropas paulistas também se dizia pronto a aceitar o armistício, para assim abrir caminho às negociações de uma paz definitiva. A opinião de Getúlio, porém, era que não havia mais o que discutir. Por orientação sua, Protógenes já respondera a Klinger que o governo não aceitava suspender os ataques contra os rebeldes antes que estes cumprissem as bases estabelecidas para o cessar-fogo. As precondições estavam postas. Não havia mais o que barganhar. Caberia aos constitucionalistas apenas o dever de cumpri-las.

A primeira exigência adotada por Getúlio como ponto inegociável era que os revolucionários depusessem as armas imediatamente, aceitando que o governo de São Paulo fosse reorganizado a critério do Catete. O governo federal se comprometia a nomear para o estado um novo interventor, obedecendo à fórmula "civil e paulista", mas ressalvava que o nome escolhido não poderia ser ligado, de modo algum, ao movimento rebelde. Como segundo item, Getúlio estudaria conceder anistia aos envolvidos, sem prejuízo das sanções administrativas que pretendia aplicar aos responsáveis pela insurreição. Em terceiro e último lugar, o Catete restabeleceria o funcionamento do Judiciário, devolvendo aos tribunais a plenitude de suas garantias e atribuições previstas na Constituição de 1891, embora se resguardasse o direito de manter em vigor os poderes discricionários do Executivo em matérias de ordem política.[41] Para Getúlio, assunto encerrado. Era isso ou nada. Os insurgentes deviam se render ou assumir as consequências pela manutenção da luta:

"A rendição terá que ser um ato espontâneo, decorrente da própria lógica dos acontecimentos, e não poderá ser objeto de discussão com os rebeldes, cuja autoridade não reconheço", sentenciou.[42]

Firme no propósito de não ceder um milímetro além daquele ponto, Getúlio retornou ao quarto e voltou a dormir. Pela manhã, precisamente às 7h43, telegrafou a Klinger, consentindo que um emissário constitucionalista fosse recebido no quartel-general das forças governistas em Cruzeiro, para assinar o convênio militar que oficializaria a submissão dos insurgentes.

O tenente-coronel Oswaldo Vila Bella e Silva, representante de Klinger, colocado diante da folha de papel com os termos indicados pelo governo, recusou-se a subscrever o documento. Vila Bella argumentou que, ao pôr sua assinatura no acordo, ficaria em situação delicada junto à opinião pública de São Paulo. O povo paulista estava por demais exaltado e não aceitaria a rendição pura e simples, em condições tão dóceis.[43]

Em vez da mera rendição, os líderes constitucionalistas propunham uma trégua sem prazo definido para terminar, tempo em que se discutiriam regras "mais razoáveis" para a assinatura final do armistício. Entre as demandas que desejavam ver postas em prática estavam a antecipação imediata das eleições à Constituinte, a manutenção do governo estadual paulista e o afastamento de Getúlio do poder máximo da República, passando a presidência a uma nova junta governativa.[44] Irritado com a proposta que julgou obscena, Getúlio ordenou que as tropas do governo apertassem ainda mais o garrote contra os constitucionalistas:

"Deveis recomeçar ofensiva com toda a intensidade", ordenou ao general Valdomiro Lima. "Os chefes rebeldes querem discutir um acordo, quando não têm mais autoridade nem sobre as tropas sob seu comando."[45]

Era a mais pura verdade. No dia 1º de outubro, às 22h30, Góes Monteiro telegrafou a Getúlio para informar que os comandantes da Força Pública de São Paulo haviam concordado, à revelia do governo paulista e do comando geral do movimento, em assinar a rendição. Em troca, pediam apenas a manutenção dos seus postos na hierarquia da tropa. Depois disso, prometiam recuar para a capital estadual, não mais com a intenção de prestar obediência a Pedro de Toledo, mas para manter a ordem, estabelecer o policiamento nas ruas e garantir o acatamento à vitória das forças leais ao Catete.[46]

"Se a Força Pública cumprir mesmo o convênio, amanhã ou depois, Klinger e creio que a totalidade das tropas inimigas capitularão sem condições. Não pretendo entrar com a minha tropa em São Paulo, pelo menos antes de saber o que lá se passará ao certo", telegrafou Góes a Getúlio.[47]

Com efeito, logo no início da manhã seguinte à rendição da Força Pública, Getúlio recebeu novo telegrama de Bertoldo Klinger. "Foi ordenado o retraimento geral das minhas forças", comunicou o general inimigo. Era o reconhecimento oficial da derrota por parte do chefe militar dos constitucionalistas. Vitorioso, o governo federal exigiu a devolução de todo o armamento da União em posse dos insurgentes, a libertação dos prisioneiros por trás das linhas inimigas e a volta disciplinada dos destacamentos rebeldes à caserna. Toledo foi deposto pela Força Pública, sob o comando do coronel Herculano Carvalho e Silva, que assumiu interinamente o governo estadual como delegado militar.[48]

Terminava ali, de modo melancólico, a chamada "Revolução Constitucionalista", como a definiram os combatentes de São Paulo. Ou a "contrarrevolução", conforme preferiram nomeá-la os getulistas. Contendas semânticas à parte, jamais se soube o preço pago em vidas humanas ao longo dos tortuosos 87 dias de conflito. Do lado governista, as estatísticas nunca foram devidamente esclarecidas. Entre os contingentes paulistas, os números oficiais falaram de 633 mortos, além de cerca de 15 mil feridos, incluindo mutilados de guerra.[49]

Para Getúlio Vargas, derrotado o levante, era preciso retomar o mais urgente possível a rotina de trabalho e atualizar o expediente do palácio. A aproximação da data firmada para as eleições à Constituinte, 3 de maio de 1933, exigia um esforço concentrado do governo, especialmente do novo ministro da Justiça, o gaúcho Antunes Maciel, indicado por Flores da Cunha e nomeado um mês após a vitória sobre São Paulo. Maciel, partidário da abertura política, era considerado uma garantia a favor da redemocratização. Contudo, antes de mais nada, Getúlio precisava providenciar o arcabouço jurídico para legitimar uma ampla "limpeza de área" e impedir que os inimigos recém-vencidos estivessem legalmente aptos a participar do pleito.

Flores da Cunha — a liderança regional que saíra mais fortalecida do confronto pelo apoio crucial que prestara ao Catete — opinava:

"Sou sinceramente pela anistia geral, mas entendo que não devemos nos suicidar. Não há maneira de desarmar o ânimo dos que nos combatem. A solução, parece, está na decretação da anistia apenas após as eleições."[50]

O tema, como não poderia deixar de ser, saiu do terreno exclusivo das discussões políticas e invadiu as discussões das mesas de bar. O compositor, pianista, locutor esportivo e humorista Ary Barroso aproveitou a deixa e lançou um sambinha maroto, na voz de Francisco Alves, e no qual a crítica política vinha disfarçada numa letra que falava, à primeira vista, apenas de Carnaval, não fosse o refrão denunciador, que virou febre naquele ano:

Nos três dias de folia,
Seu doutor, não faça isso, por favor,
Na prisão basta só meu coração.

Por isso é que eu peço:
Anistia, anistia...[51]

Enquanto decidia a respeito, Getúlio se permitiu retomar alguns prazeres pessoais a que tivera de abdicar durante o período de guerra. Mesmo aconselhado por sua assessoria militar a não fazer saídas informais à rua para evitar possíveis atentados políticos, não resistiu à tentação: "À noite, fui ao cinema no Palácio Teatro, o primeiro após três meses", escreveu em seu caderninho, na página correspondente à data de 15 de outubro, duas semanas depois da rendição paulista.[52]

Naquele dia, estava em cartaz o longa-metragem *A mulher parisiense dos cabelos de fogo* (*Red-Headed Woman*, no título original), no qual a sensualíssima Jean

Harlow vivia uma ruiva voluptuosa, que exibia decotes ousados para a época, um par de joelhos tentadores e uma boca carnuda pintada de batom que, apesar de a fita ser em branco e preto, dava a entender aos espectadores ser de um vermelho intenso. No anúncio publicado pelo *Correio da Manhã*, a advertência ao público aparecia em cuidadoso destaque, logo abaixo da foto da deslumbrante Harlow: "Impróprio para crianças, menores e senhoritas".[53]

Ao sair do cinema, Getúlio comentou:

"Uma fita vulgar."[54]

Ao contrário do que acontecera na despedida dos atletas brasileiros que foram às Olimpíadas de Los Angeles, dessa vez as arquibancadas do estádio do Fluminense estavam lotadas. Um terço dos lugares era ocupado por estudantes de escola primária, com o fardamento-padrão à época: os meninos, de mangas curtas e gravatinha; as meninas, de caprichosa saia plissada. Os outros dois terços dos lugares disponíveis abrigavam pais, familiares e o público em geral, estimado em cerca de 50 mil pessoas. Mesmo sem ter sido decretado feriado na cidade, muita gente fizera questão de assistir, em plena tarde de terça-feira, à primeira grande solenidade pública na capital da República após o fim da revolta paulista a contar com a presença de Getúlio Vargas.[55]

No camarote presidencial, à beira do campo, Getúlio, ladeado pela esposa Darcy e por autoridades civis e militares, cumprimentou o maestro Heitor Villa-Lobos, que após lhe apertar a mão dirigiu-se à margem oposta do gramado, postando-se diante do lance de arquibancadas onde estavam as crianças em uniforme escolar. Com a cabeça coberta por um exótico chapelão, Villa-Lobos tomou lugar sobre um estrado de madeira e, com os braços erguidos, de batuta à mão, começou a reger um coro de 15 mil vozes infantis. O que se ouviu foi uma compilação de canções ardorosamente patrióticas. As letras falavam de amor à nação, do valor da disciplina, do respeito à bandeira brasileira. Mas, sobretudo, de um "Brasil Novo" que supostamente ali nascia:

> *Pra frente, ó Brasil!*
> *Ó, demos tudo pela Pátria,*
> *filhos, ouro, braços, alma, honra e glória,*
> *damos o nosso amor.*

Damos força, sangue e vida, tudo damos ao Brasil!
Tudo damos com ardor.

E nós marchamos sempre alegres,
*Sempre alegres nós marchamos sem temor.*⁵⁶

A partir daquele ano de 1932, as grandes apresentações cívico-orfeônicas de Villa-Lobos passariam a marcar no Rio de Janeiro as principais datas comemorativas do calendário nacional, a exemplo do Sete de Setembro e do Quinze de Novembro. Mas aquele 24 de outubro tinha também um significado expressivo para Getúlio. Comemorava-se o segundo aniversário da queda de Washington Luís. A ocasião era igualmente festiva para Villa-Lobos. Depois de viver em situação de aflitiva penúria, tendo por várias ocasiões ameaçado abandonar o país ante a dificuldade de ganhar dinheiro com sua música na própria terra, o maestro conseguira convencer Getúlio a instituir a obrigatoriedade do canto orfeônico nos currículos de todas as escolas do Distrito Federal. Para qualificar e treinar os professores encarregados de ministrar a nova disciplina, fundara-se a Superintendência de Educação Musical e Artística (Sema). Villa-Lobos foi logo chamado para dirigir o órgão e, regiamente remunerado, para formular um grande plano educacional de "arte e civismo", voltado à área da música e à disseminação de corais orfeônicos país afora.⁵⁷

"Prometo de coração servir à arte, para que o Brasil possa, na disciplina, trabalhar cantando" — era o juramento exigido aos membros desses grupos que tinham por objetivo, nas palavras do próprio Villa-Lobos, forjar "uma consciência musical no Brasil, para a utilização da música como um fator de educação cívica e disciplina coletiva".⁵⁸ Os objetivos do maestro casaram perfeitamente com os propósitos de Getúlio, interessado em erigir o nacionalismo, a ordem e o trabalho como signos máximos de seu governo.

"Fui recebido festivamente pelo povo", escreveu um exultante Getúlio Vargas em suas anotações pessoais, referindo-se à recepção popular durante a solenidade no campo do Fluminense.⁵⁹

A imagem pública do chefe do Governo Provisório parecia devidamente restaurada. Dali a alguns dias, 30 de outubro, Dia do Comerciário, viria outra confirmação do mesmo fenômeno. Milhares de cidadãos se aglomeraram diante do Catete para saudar Getúlio, agradecendo-lhe a assinatura da lei que limitava em oito horas a jornada diária de serviço. Em seu discurso, da janela do palácio, depois de assinar o decreto com uma caneta de ouro, o chefe de governo agradeceu a aclamação enumerando o conjunto de leis trabalhistas estabelecidas em dois anos de poder:

"A organização sindical, a lei de férias, a limitação das horas de trabalho, as comissões de conciliação, as caixas de pensões, o seguro social, as leis de proteção às mulheres e aos menores realizam velhas aspirações proletárias", citou, para depois fazer uma pausa estudada, logo preenchida pelo aplauso do público.

> Não há nessa atitude nenhum indício de hostilidade ao capital, que, ao contrário, precisa ser atraído, amparado e garantido pelo poder público. E o melhor meio de garanti-lo está, justamente, em transformar o proletariado numa força orgânica de cooperação com o Estado e não o deixar, pelo abandono da lei, entregue à ação dissolvente de elementos perturbadores, destituídos dos sentimentos de Pátria e de Família.[60]

Nos bastidores políticos, o cenário também desanuviara. A vitória sobre São Paulo provocara a completa desarticulação dos oposicionistas. Em novembro, Getúlio se decidiu pela assinatura de um decreto que cassou os direitos civis, por três anos, de cerca de duzentos implicados no levante constitucionalista. A maioria deles passou ao exílio. A extensa lista dos deportados incluiu os nomes de oficiais militares como os generais Isidoro Dias Lopes, Bertoldo Klinger, José Luís Pereira de Vasconcelos, José Sotero de Menezes, Pantaleão Telles Ferreira, Firmino Antônio Borba e Nepomuceno Costa, o coronel Euclides Figueiredo, o tenente-coronel Oswaldo Villa Bella e o primeiro-tenente Agildo Barata. A relação de proscritos também atingiu os jornalistas Júlio de Mesquita Filho, Austregésilo de Athayde, Vivaldo Coaracy, Ernesto Simões Filho e Prudente de Morais Neto, entre outros. Políticos como Artur Bernardes, Pedro de Toledo, Francisco Morato, Manuel Vilaboim e Altino Arantes, além de intelectuais como Guilherme de Almeida e Paulo Duarte, também foram forçados a deixar o país, tendo a maioria se abrigado em Lisboa. Muitos gaúchos, a exemplo de Batista Lusardo, Lindolfo Collor, João Neves da Fontoura e Raul Pilla, preferiram o refúgio em Buenos Aires. Borges de Medeiros, por um pedido pessoal de Flores da Cunha, continuou no Brasil, mantido sob liberdade vigiada no Recife, a conveniente distância do território rio-grandense.[61]

Apesar da debandada compulsória de tantos políticos, nunca a agenda de trabalho de Getúlio esteve tão abarrotada de compromissos palacianos. "Durante o período da luta, quase desapareceram os pedidos de audiência. Passavam-se dias em que, no Catete, eu só atendia os despachos oficiais. Agora, os pedidos de audiência são em tal quantidade que não lhes posso dar vazão", registrou Getúlio.[62]

Muitos dos que o visitavam eram movidos por interesses bem explícitos. As eleições para a Assembleia Constituinte seriam realizadas dali a cerca de cinco meses. De acordo com o que apontavam os trabalhos da subcomissão encarregada do anteprojeto do texto constitucional, os deputados eleitos também teriam como função julgar os atos do Governo Provisório e escolher, pelo sufrágio indireto, o futuro mandatário da República. Depois de exercer por dois anos o poder discricionário, Getúlio já tratava das articulações necessárias para se tornar o novo presidente constitucionalmente eleito.

Contudo, quando indagado a respeito, desconversava. Dizia ter como único objetivo garantir a realização das eleições em 3 de maio e a promulgação da nova Carta Magna. Depois disso, passaria o poder ao seu legítimo sucessor. Finda a ditadura, prometia se retirar à vida privada, no interior do Rio Grande do Sul. Voltaria a ser um simples morador de São Borja.[63] No íntimo, entretanto, alimentava planos bem diversos:

"O ministro José Américo disse-me que antes da revolução paulista achava que minha candidatura à presidência da República não seria possível", deixou escapar Getúlio, em suas anotações. "Mas ele pensa agora que não há outro nome mais em condições para ser candidato do que eu."[64]

7. Getúlio escapa da morte. Para a polícia, foi acidente. Mas havia quem apostasse em atentado (1933)

A ventania na subida da serra era tão forte que parecia querer arrancar fora a capota de lona do Lincoln presidencial conversível, com placa de bronze com o brasão da República de número 84, modelo 164-A, de oito cilindros. Ao volante, o chofer do Catete, Euclides Fernandes, dirigia com toda a cautela possível. A chuva deixara a estrada escorregadia e aquele trecho da Rio-Petrópolis, cheio de abismos e curvas perigosas, se tornava ainda mais traiçoeiro debaixo da densa neblina. Mesmo nas retas e nos pontos de maior visibilidade, Euclides pediu permissão para reduzir a marcha de oitenta para prudentes sessenta quilômetros por hora. Demorariam mais a chegar. Entretanto, chegariam inteiros, argumentou o motorista.[1]

Apesar das más condições de tempo e de todas as recomendações contrárias, Getúlio Vargas insistira em subir ao Palácio Rio Negro no cair da tarde, quando as nuvens cinza-chumbo deixavam antever no horizonte o temporal que enfrentariam pelo caminho. Desde o início do ano despachando na residência oficial de verão, ele descera ao Rio de Janeiro na manhã daquele 25 de abril para tratar de um dente que o incomodava havia uma semana. Darcy aproveitou para também agendar um horário no consultório odontológico que atendia à família, instalado no Edifício Guinle, na avenida Rio Branco. Como companhia, o casal levou o caçula, Getúlio Filho, o Getulinho, então com quinze anos.[2]

Na volta, Getúlio trazia um molar obturado e, no bolso do paletó, o seu novo título de eleitor, entregue horas antes no Catete pelas mãos do juiz eleitoral Frederico Barros Barreto.³ Dali a oito dias, se tudo corresse conforme o previsto, o chefe do Governo Provisório deveria retornar ao Rio para, a exemplo de mais de 1 milhão de brasileiros em todo o país, cumprir a obrigação de depositar, na urna secreta, o seu voto para as eleições à Assembleia Constituinte.

Com o pescoço envolto em um grosso cachecol de lã, Getúlio viajava à direita, no banco de trás do automóvel de sete lugares. À esquerda, seguia Getulinho. Entre os dois, Darcy. Em um dos assentos escamoteáveis da parte central do veículo, imediatamente à frente de Getúlio e atrás do banco reservado ao auxiliar de motorista, seguia o novo ajudante de ordens, Celso Pestana, capitão-tenente da Marinha. Na hora da partida, ainda no Rio, Getulinho quisera viajar no assento vizinho ao do militar, mas a mãe, em um gesto que se revelaria premonitório, pedira para que o filho permanecesse ao lado dela.⁴

Pelas janelas do carro, por trás dos vidros molhados, era possível observar que das reentrâncias dos paredões de granito, talhados de modo perpendicular à rodovia, jorravam autênticas cachoeiras, produzidas pela chuva intensa. Em certos locais, o desabamento de barrancos deixara menos de meia pista livre para o tráfego. As estatísticas de acidentes na Rio-Petrópolis — a primeira estrada asfaltada do país — eram alimentadas por dilúvios de verão como aquele. Não raro, pedras rolavam pela encosta e atingiam automóveis, quase os atirando em direção ao precipício.

Para impor um ambiente menos tenso à viagem, enquanto o motorista Euclides era obrigado a desviar dos galhos derrubados pela força do aguaceiro, Getúlio decidiu puxar conversa com o ajudante de ordens. Indagou-lhe se por acaso estava agasalhado o bastante, já que a temperatura caíra drasticamente à proporção que o automóvel avançara para o topo da serra. O capitão-tenente, de bom humor, respondeu que era gaúcho de Ijuí, cidade de invernos rigorosos. Já enfrentara frios bem piores do que aquele, sorriu.⁵

Pela escala oficial de serviço, Celso Pestana, filho do ex-deputado federal rio-grandense Augusto Pestana, deveria estrear no posto somente dali a algumas semanas. Mas aceitara, de bom grado, trocar de lugar com um colega que solicitara folga por motivo de doença na família. Era, portanto, seu primeiro dia na função. E, por fatalidade, seria o último.⁶

No quilômetro 53, depois de o automóvel alcançar o terceiro dos modernos viadutos da Rio-Petrópolis, ouviu-se um estrondo, como se alguém houvesse lançado uma bomba sobre o carro. Imediatamente, Getúlio sentiu um grande peso lhe esmagando as pernas, que mantivera esticadas sob o assento à frente desde o início da viagem. Como já era quase noite e os últimos raios de sol morriam sob o céu nublado, não conseguiu discernir com nitidez o que acontecera. Apenas sentiu a dor intensa, dos joelhos para baixo — e, ao lado, ouviu os gritos desesperados de Darcy.[7]

Malgrado o susto, Euclides conseguiu manter firme o volante e evitou que o carro derrapasse rumo ao despenhadeiro. Tirou o pé do acelerador e deixou o veículo rodar por cerca de dez metros, antes de pressionar o pedal de freio. Quando o Lincoln presidencial finalmente parou, Euclides olhou para trás, por cima do ombro. No último banco, distinguiu as silhuetas de Getúlio, Darcy e Getulinho recortadas sob o clarão provocado por um relâmpago que riscou o céu. Entretanto, não conseguiu distinguir o vulto de Celso Pestana. O oficial sumira. Euclides chegou a cogitar que o militar houvesse detonado uma granada de mão e pulado do carro em movimento. Afinal, no Rio de Janeiro, às vésperas das eleições, os boatos de um possível atentado contra o chefe de governo pareciam mais histéricos do que nunca.[8]

Atarantado, Euclides desceu do carro e, com uma lanterna a querosene na mão, correu para investigar o ocorrido. O halo de luz iluminou a cena que o paralisou de terror. O cadáver de Celso Pestana, completamente desfigurado, estava derrubado sobre o colo de Getúlio. Parte do rosto do oficial fora arrancada com absurda violência. Um dos olhos saltara fora da órbita, ficando preso à face apenas por um feixe de nervos. O nariz e a boca, esmigalhados, se resumiam a uma pasta vermelha e disforme. Os ossos do crânio, estilhaçados, deixavam entrever grandes porções de massa encefálica, a mesma que salpicara sobre o paletó de Getúlio e o vestido de Darcy.[9]

Ao olhar em direção à primeira-dama, Euclides percebeu que à frente dela, no piso do carro, jazia uma grande pedra de granito, de cerca de cinquenta centímetros de altura por trinta de largura. Depois se saberia que a rocha pesava oitenta quilos e meio. Em um gesto automático, Euclides lançou os olhos para a parte interna do teto do automóvel. Deparou-se então com um enorme rombo na capota. Foi quando finalmente compreendeu o ocorrido.[10]

A pedra caíra em queda livre do alto da montanha e acertara o veículo de chofre, abrindo um buraco na cobertura de lona. Sentado bem abaixo do local onde se dera o choque, Celso Pestana recebeu o pesado bloco na cabeça, tendo morte instantânea. Com a força do impacto, a cadeira onde o oficial estava abancado desabou e vergou para trás, deixando o encosto e o corpo da vítima inclinados sobre Getúlio. Depois de golpear o militar, a pedra rolara à esquerda, sobre o outro assento dobrável, destroçando-o. Como Darcy também viajava com as pernas esticadas, estas ficaram presas sob as ferragens do banco atingido. Getulinho, que tinha as canelas mais curtas, nada sofrera. Se estivesse no local no qual pretendera viajar, teria sido apanhado em cheio pela rocha.[11]

Com algum esforço, Euclides e seu assistente, Ataíde dos Santos, retiraram a pedra de dentro do carro e, depois de colocarem o corpo de Celso Pestana sobre o que restara dos bancos escamoteáveis, conferiram a extensão dos ferimentos de Getúlio e Darcy. No caso dele, uma das pernas, a esquerda, estava visivelmente quebrada, enquanto o tornozelo direito exibia um impressionante hematoma. A situação da primeira-dama era bem mais grave. Um estilhaço da tíbia rompera a carne e despontara, branco e pontiagudo, em meio a uma ferida da qual o sangue não parava de minar.[12]

Getúlio deu ordem para que Euclides retornasse ao volante e seguisse a Petrópolis. Era preciso chegar o mais rápido possível ao hospital. Dar meia-volta, retornar ao Rio de Janeiro, seria o mais indicado se a questão fosse buscar socorro de melhor qualidade. Mas já haviam ultrapassado a metade do caminho e, nesses casos, cada minuto perdido podia complicar o quadro hemorrágico de Darcy.[13]

"O dr. Getúlio, naquele instante de pânico e confusão, conservava uma calma impressionante", diria depois o motorista à imprensa.[14]

Durante o resto do trajeto, Darcy Vargas só parou de chorar e gemer quando finalmente desfaleceu, vencida pela dor. Getulinho, abraçado à mãe desacordada, soluçava e tremia compulsivamente, em estado de choque, consolado pelo pai.[15]

Tudo levava a crer que a queda da rocha tivesse sido obra do acaso, uma tragédia provocada pela ação da chuva. Mas as autoridades policiais não quiseram descartar, de início, a hipótese de atentado. Alguém poderia ter escalado o paredão de granito que margeava a estrada e, lá de cima, deslocado a enorme pedra à passagem do automóvel. Se confirmada a tese de emboscada — e isso só as investigações posteriores iriam indicar —, o criminoso errara o alvo.

Por um átimo, a pedra não caíra sobre Getúlio, em vez de ter atingido o ajudante de ordens. Um instante a mais, quem estaria com a cabeça esmigalhada seria o chefe de governo. Acidente ou cilada, a sorte caprichosamente salvara Getúlio da morte.

No exílio em Buenos Aires, o jornalista Austregésilo de Athayde, ex-diretor do *Diário da Noite*, ao ser informado do ocorrido, escreveu à noiva Maria José, que se encontrava no Brasil:

> Não pensei que o acidente de que foi vítima o Getúlio assumisse a gravidade que teve para a pobre da d. Darcy, que está pagando pelos pecados do marido. Certamente a emoção pública deve ter sido grande e os boatos intermináveis. A colônia de exilados lamentou muito a sorte do ajudante de ordens e da senhora. Devemos, porém, inspirar os nossos pensamentos em fontes mais generosas e esperar que Getúlio colha da lição todo o proveito. Foi uma advertência do Céu, que é preciso atender antes que outras desgraças caiam sobre ele e a nação.[16]

Por um mês inteiro, a sede do governo federal foi transferida para o modesto quarto número 8, de apenas seis por cinco metros, da Casa de Saúde São José, dirigida em Petrópolis por freiras da Congregação de Santa Catarina. Por determinação do paciente, não se fez nenhuma adaptação no aposento com o objetivo de dotá-lo de maior conforto. A única diferença entre aquele cômodo e os demais, dispostos um ao lado do outro ao longo do corredor da ala norte do sanatório, era o vaso de flores sobre a mesinha de remédios, colhidas todas as manhãs no bem cuidado jardim do hospital, que podia ser avistado pela janela do quarto.[17]

Além da cama e da mesinha, o mobiliário se resumia a uma única poltrona, insuficiente ante a demanda das visitas que não paravam de chegar. De pernas engessadas e suspensas por pesos, deitado na cama metálica, Getúlio recebia ministros, assinava decretos, despachava o expediente do dia.

"Eu, com três fraturas sem gravidade, fui estucado em aparelhos de gesso, imobilizado no leito, aguardando a consolidação, obra do tempo. Minha mulher, pobre sofredora, com uma fratura exposta, já com os vibriões da decomposição apurados em exame, ameaçada de gangrena, atravessa o período álgido da observação clínica", anotou Getúlio no diário.[18]

Uma junta médica se debruçou sobre a paciente do quarto 9, Darcy Vargas. Pedro Ernesto, interventor do Rio de Janeiro e clínico de profissão, se revezou com os colegas Haroldo Leitão da Cunha, Castro de Araújo e Florêncio de Abreu nos cuidados à primeira-dama. Foram necessárias duas delicadas intervenções cirúrgicas para limpar a ferida das células necrosadas e controlar a infecção diagnosticada pelos exames do material remetido ao Instituto Manguinhos, no Rio de Janeiro.[19] A amputação chegou a ser cogitada, mas foi descartada uma semana depois, diante da descontinuidade da febre e do recuo do quadro infeccioso, sinais de que as cirurgias conduzidas por Pedro Ernesto haviam sido cercadas de êxito.

"Embora continue a melhora, os médicos adiam o retorno ao Rio, receando que isso prejudique a convalescença de Darcy. Minhas pernas desincharam: alargou-se o espaço entre elas e as botas de gesso", escreveu Getúlio, mais sereno, no dia 13 de maio.[20]

Enquanto os médicos velavam pela recuperação dos acidentados, prosseguiam as investigações criminais sobre o episódio. O trabalho geral da perícia foi coordenado pelo novo chefe de Polícia do Rio de Janeiro, capitão Filinto Müller, substituto de João Alberto (que se desincompatibilizara do cargo para candidatar-se a deputado constituinte por sua terra natal, Pernambuco).

O mato-grossense Müller fora um dos tenentes a participar do levante paulista de 1924, aquele que, ao unir forças com os rebeldes do Rio Grande do Sul, dera origem à Coluna Prestes. Contudo, à época, preferira se exilar na Argentina — onde trabalhou como motorista, lavador de carros e corretor de imóveis — a fazer parte da marcha revolucionária comandada por Luís Carlos Prestes e Miguel Costa, que o expulsaram definitivamente dos quadros do movimento, sob a acusação de ser um desertor e de ter se apropriado de recursos da Coluna. Ao retornar ao Brasil em 1927, fora condenado pelo governo de Washington Luís a dois anos e meio de prisão. Após cumprir a pena, passou a trabalhar como vendedor da Mesbla, até ser beneficiado pela anistia geral decretada por Getúlio após a chegada ao poder em 1930, sendo reincorporado à tropa. Ao envergar novamente a farda, participou da repressão à revolta constitucionalista de 1932 e, ao final do conflito, foi promovido por mérito. Alto, magro, cabelos crespos e bigodinho fino, o capitão Filinto Müller fazia o estilo linha-dura. Prometia inaugurar uma nova era à frente da polícia carioca, tratando os criminosos sem nenhuma complacência, especialmente os enquadrados sob o rótulo comum de "subversivos".[21]

Destacado pela chefatura de Polícia para conduzir o inquérito, o inspetor Toledo Piza fez seguidas diligências ao quilômetro 53 da Rio-Petrópolis. O local exato de onde se desprendera a pedra que matou Celso Pestana foi prontamente identificado, com base na comparação entre as ranhuras do bloco de rocha e aquelas encontradas em um ponto específico do paredão vertical de granito. Os veios e as estrias de ambas as peças se encaixavam perfeitamente. A lenta erosão cindira a aresta pontiaguda ao longo dos anos e o desgaste natural, intensificado pela chuva então recente, ocasionara a queda. Por uma sinistra coincidência, na hora exata em que o fragmento se soltou, o automóvel presidencial passava lá embaixo. Não havia sinais da utilização de explosivos ou de ferramentas que apontassem para uma ação criminosa.[22]

O inspetor Piza concluiu ainda que, mesmo em dias de bom tempo, escalar o íngreme paredão era tarefa de difícil empreitada. Debaixo de chuva, a missão teria sido impossível a presumíveis terroristas. Além do mais, atirar uma pedra daquele peso e dimensão, avaliando a velocidade do deslocamento e o ponto exato em que deveria cair sobre um alvo em movimento, exigiria não só um esforço excessivo, mas também um cálculo matematicamente possível, embora improvável.[23]

Com base em tais evidências, o inquérito foi arquivado. Subsistiria na opinião pública, porém, a desconfiança de que o governo obrigara os jornais a encobrir a verdade dos fatos. A suspeição ganhou algum relevo porque, em outra surpreendente coincidência, cinco dias após o episódio da Rio-Petrópolis, o presidente do Peru, general Luis Miguel Sánchez Cerro, foi morto a tiros dentro de um automóvel, em atentado no hipódromo de Santa Beatriz, em Lima.[24]

Para os adeptos das teorias conspiratórias, um caso só poderia estar relacionado ao outro. O assassinato de Sánchez Cerro ocorreu quando o presidente peruano passava em revista as tropas a serem enviadas ao território de Letícia, situado na fronteira com a Amazônia brasileira e alvo de uma disputa territorial entre Peru e Colômbia que desandara em confronto armado. Por iniciativa de Getúlio, o Brasil vinha tentando mediar a desavença entre as duas nações vizinhas. Após as primeiras rodadas de negociação, o Peru aceitara as bases propostas pelo Itamaraty, mas a Colômbia ainda não se dispusera a fechar acordo. Conjecturava-se que um plano para assassinar os dois chefes de Estado, Getúlio e Sánchez, teria como alegado objetivo impedir o prosseguimento do diálogo diplomático.[25]

Havia quem preferisse, contudo, atribuir o suposto atentado a questões de política interna, embora mesmo aí existissem discordâncias a respeito das possíveis motivações do episódio. Para alguns, o brusco desaparecimento do chefe do Governo Provisório, às vésperas das eleições à Constituinte, interessaria diretamente aos que pregavam o prolongamento do regime discricionário. Outros, ao contrário, consideravam que os rancores produzidos pela derrota da insurreição paulista deviam ter alguma relação com o caso.

Nenhuma dessas teses, contudo, se sustentou à época. Historicamente, pela falta de elementos razoáveis que as amparassem, jamais puderam ser levadas em consideração.[26]

Os jornais, amordaçados pela censura, não tinham como cometer uma única linha de indiscrição a respeito. Mas os oficiais presentes às comemorações do Onze de Junho — data magna da Marinha, na qual se celebra o aniversário da Batalha do Riachuelo — puderam testemunhar que Getúlio, quase dois meses após o acidente, já livre do gesso, ainda não conseguia andar perfeitamente bem. Nos primeiros dias após a alta, Oswaldo Aranha lhe providenciara um par de muletas de madeira, cujas bases foram serradas para se adequar à pequena estatura do usuário.[27]

No desembarque da lancha que o levou à ilha das Cobras, onde assistiu ao desfile da esquadra e depois almoçou com autoridades militares, Getúlio precisou ser amparado por dois jovens marinheiros até a tribuna de honra. Era a primeira vez que aparecia em público desde o acidente em Petrópolis. Já voltara ao Palácio Guanabara, mas ainda não saíra às ruas. "Como me aguentarei?", escreveu, preocupado, no dia anterior à solenidade, durante a qual exibiu claros sinais de abatimento. "Caminhei com alguma dificuldade, sentindo dores nos músculos e articulações", admitiu.[28]

Duas semanas antes, no Guanabara, Getúlio levara um tombo feio. Sentado numa cadeira de rodas, tentara abrir a porta do gabinete de trabalho que dava para a área central do prédio. Na hora de girar a maçaneta, erguera lentamente o corpo, fazendo força para a frente. A cadeira perdera o equilíbrio e virara, derrubando-o. Precisara gritar para que o enfermeiro, na sala ao lado, corresse em seu auxílio. Uma cena semelhante, em solenidade pública, seria um desastre para a imagem do governo.[29]

Por isso, sua fala à Marinha, preparada com uma semana de antecedência, foi curta. Do contrário, o orador não suportaria a obrigação de falar de pé, à mesa de banquete, sem que as pernas enfraquecidas bambeassem sob o peso do corpo. No discurso, Getúlio recapitulou brevemente os acontecimentos do ano anterior e salientou que a vitória sobre o levante paulista servira para consolidar o movimento civil-militar de 1930. "Os sentimentos regionais só podem aumentar o espírito de veneração pelo Brasil uno e indivisível, porque é mister que prevaleça o orgulho de sermos todos brasileiros", afirmou.[30]

O sentido daquelas palavras era límpido. O Catete passara definitivamente a associar a revolta às intenções separatistas de certas frações do movimento fracassado. A versão dos vencedores se impunha, na tentativa de demolir o argumento daqueles que em 1932 disseram lutar pela redemocratização do país. A seu favor, Getúlio lembrou que honrara o compromisso de promover as eleições na data prometida. Da parte dos derrotados, em contraposição, começava a ser construído o discurso autocelebratório de que, se a eleição de fato viera, ela fora obra exclusiva da pressão armada sobre a ditadura. A despeito de São Paulo ter saído vencido dos campos de guerra, erigia-se entre os paulistas a mística triunfalista de que a derrota, no fundo, representara uma honrosa vitória.

O fato é que, em 3 de maio de 1933, um total de 1 226 815 brasileiros (dos 1,4 milhão previamente alistados) foi às urnas para escolher seus representantes à Assembleia Constituinte.[31] Além de significar uma parcela ínfima da população do país (à época, 40 milhões de habitantes), os números do alistamento eleitoral foram mais acanhados do que os registrados em 1930, quando da disputa presidencial entre Júlio Prestes e Getúlio Vargas, que levara cerca de 2 milhões de pessoas às zonas de votação. Se o alistamento não correspondeu à expectativa, em razão da urgência e da exiguidade de tempo no qual foi ultimado, é inegável que a simples efetivação do pleito representou um triunfo da democracia, pois integrantes do alto escalão do governo não escondiam o desejo de barrar — ou pelo menos procrastinar — a reconstitucionalização do país, considerada por eles um retrocesso histórico.

"Ora, a roda da história não anda para trás. Na sua caixa de velocidades não existe a marcha a ré. Forçá-la a isso é insensatez", opinava Afonso Arinos de Melo Franco (filho do ministro das Relações Exteriores, Afrânio de Melo Franco), que então dizia deplorar "a pilhéria do sufrágio universal", "as doutrinas democratescas" e "a rala água com açúcar do liberalismo flor de laranja".[32]

Entre os governistas, não faltavam adeptos de um golpe branco. Mesmo os mais comedidos — a exemplo de Luís Aranha, irmão de Oswaldo — consideravam que Getúlio não deveria ter pudores de dissolver a Assembleia caso os eleitos se revelassem potencialmente hostis ao "espírito revolucionário".[33] Pelos mesmos motivos, o ministro da Viação, José Américo de Almeida, defendera até o último instante que o pleito fosse postergado por mais alguns meses, pelo menos até o governo ter a garantia de uma vitória consagradora.³⁴ O interventor da Bahia, Juracy Magalhães, sustentara que a opção por "uma ditadura prolongada" teria sido muito mais conveniente ao país, e por isso lamentava que "a mentalidade do povo, preparada pelos interesses inconfessáveis de maus patriotas", houvesse levado o Brasil à Constituinte.³⁵

Ao manter o calendário eleitoral, portanto, Getúlio contrariou muitos dos que o rodeavam. Por outro lado, ardilosamente, conseguira se apropriar da principal bandeira de luta dos oponentes. Ninguém mais poderia acusá-lo de querer governar para sempre, com poderes eternos. Restava, para ele, a necessidade de estabelecer mecanismos de controle jurídico sobre o processo gradual de abertura, para que este não lhe escapasse das mãos.³⁶

"Realizou-se o grande pleito. Está cumprida a palavra do Governo Provisório, apesar de todas as descrenças e dos embaraços criados por uma paradoxal Revolução Constitucionalista, feita previamente para realizar uma constitucionalização já com data marcada", festejou.³⁷

No dia das eleições, a grande novidade foi apresentada ao público: a cabine eleitoral. Pela primeira vez, os brasileiros puderam exercer o direito ao voto secreto, uma das promessas básicas da Aliança Liberal e do próprio movimento civil-militar de 1930. O "gabinete indevassável" — um cubículo onde o eleitor entrava e votava protegido por uma cortina — foi saudado pelos governistas como uma conquista histórica, da qual "não há exemplo em 107 anos de regime representativo".³⁸ Como garantia adicional de que a vontade popular viria a ser de fato aferida, extinguira-se a famigerada comissão legislativa de reconhecimento de poderes que, na Primeira República, decidia quais entre os candidatos eleitos eram diplomados ou não. De acordo com o previsto na nova legislação, os votos passaram a ser computados e analisados pela recém-instituída Justiça Eleitoral.

Do exílio, porém, Otávio Mangabeira, ex-ministro das Relações Exteriores no governo de Washington Luís, protestava: "Em 3 de maio não houve eleição no Brasil. Houve um simulacro de eleição". Como os comícios haviam sido tolhidos, os exilados, impedidos de concorrer e os jornais, proibidos de dar voz às oposições, Mangabeira considerava que a votação não passara de um embuste. "O chefe do Governo Provisório é hoje candidato de si mesmo à sucessão de si próprio, não comparecendo em campo raso, face a face dos seus adversários, para submeter-se ao voto livre dos seus compatriotas, mas sufragado por uma Assembleia que foi eleita sob restrições por ele mesmo impostas", contestou.[39]

Mangabeira até poderia ter ampliado a sua crítica, não fosse ele próprio um típico representante das oligarquias regionais sedimentadas nos vícios da Primeira República. Era forçoso reconhecer que o Governo Provisório mantivera inalterado o poderio dos chefes locais, fundamentado na propriedade da terra e na submissão do trabalhador do campo à velha lógica do curral eleitoral.[40] A propósito disso, o jornalista Appárício Torelly, o irreverente Barão de Itararé, afirmou ter descoberto como funcionaria, na prática, o gabinete indevassável. Do lado de fora, pareceria tudo perfeito. O sigilo, garantido. Do lado de dentro, por trás da cortina, um indivíduo apontaria um revólver para o eleitor indefeso e lhe imporia uma cédula já preenchida, com o nome dos candidatos oficiais.[41]

A revista *Careta* também explorou o tema. Mas evitou o tom político e optou pela crítica de costumes. Sugeriu que as cabines secretas, passadas as eleições, fossem aproveitadas nas praias cariocas para que as banhistas do belo sexo pudessem se trocar antes de cair na água com seus graciosos maiôs — que a cada verão estavam mais ousados, deixando antever não só os joelhos e os braços das donzelas, mas também os ombros nus e, suprema audácia, alguns roliços pares de coxas.[42]

Outra novidade da temporada, destacada nas primeiras páginas de todos os jornais, era a presença de mulheres nas filas de votação, conquista ainda não muito bem digerida por boa parte da população masculina. O anteprojeto do código eleitoral previra que o sufrágio feminino ficaria restrito a alguns casos específicos, reservando-se o direito de voto apenas às mulheres que se enquadrassem nas seguintes condições: 1) as solteiras "que tenham economia própria e vivam de trabalho honesto"; 2) as viúvas; 3) as casadas que trabalhassem fora de casa, desde que "devidamente autorizadas pelo marido"; 4) as desquitadas; 5) as que "em consequência da ausência do esposo estiverem na direção da família"; e, por fim, 6) as que foram "deixadas pelo marido há mais de dois anos".[43] Getúlio, entretanto, decidiu simplificar a lei e todas as restrições ao voto feminino foram abolidas.[44]

Além de poderem escolher seus candidatos, as mulheres passaram a ser votadas. Foi assim que naquele ano de 1933 seria eleita a primeira deputada do país, a médica paulista Carlota Pereira de Queiroz, de 41 anos, que no ano anterior, durante a rebelião de São Paulo, formara um grupo de voluntárias para cuidar dos feridos de guerra nas enfermarias das tropas constitucionalistas. Outras senhoras saíram candidatas à Constituinte, caso de uma das pioneiras do movimento feminista no Brasil, Berta Lutz, que alcançou a primeira suplência na bancada do Distrito Federal, assumindo o mandato com a morte de um titular em 1936.[45]

Uma mixórdia de novos partidos, todos de âmbito estadual, surgiu nos meses anteriores às eleições, atestando o esgotamento das organizações tradicionais da Primeira República e, ao mesmo tempo, a permanência dos interesses nitidamente regionais.[46] Nessa constelação de agremiações nascidas no ambiente consentido da rearticulação política, o Partido Comunista continuava, porém, proibido de funcionar.[47] Depois de ter o registro negado pelo Tribunal Eleitoral, os comunistas recorreram à legenda da União Operária Camponesa, desfraldando a bandeira de luta contra a filiação compulsória ao sindicato único por categoria, segundo determinavam as novas leis trabalhistas.[48]

As eleições foram um passeio para o governo federal. Os partidos políticos regionais da base aliada obtiveram ampla vantagem. Com exceção de São Paulo, Rio Grande do Norte e Ceará, as legendas ligadas à situação saíram vitoriosas em todos os demais estados, garantindo ao Catete a maioria na Constituinte. O eleitorado paulista, como era de esperar, conferiu ao governo o revés mais expressivo. Dos 22 deputados a que o estado tinha direito, nada menos de dezessete eleitos pertenciam aos quadros da Chapa Única por São Paulo Unido[49] — grupo oriundo da ex-Frente Única e opositora direta do general Valdomiro Lima, nomeado por Getúlio interventor no estado após a vitória sobre os constitucionalistas, em substituição ao interino Herculano Carvalho e Silva.[50]

A nova legenda paulista — cujo programa destacava a defesa da autonomia federativa dos estados, o restabelecimento do habeas corpus e o retorno das demais garantias constitucionais suspensas por Getúlio — tornou-se a força mais expressiva da oposição, ao derrotar o Partido Socialista e o Partido da Lavoura, ambos fundados em São Paulo sob a égide do general-interventor Valdomiro Lima, que pretendia, a partir desses dois núcleos políticos, formar a base política de sua administração. Brasil afora, entre as agremiações vitoriosas e alinhadas ao Catete se destacavam o poderoso Partido Autonomista (PA), formado no Distrito Federal pelo trio Pedro Ernesto, Góes Monteiro e João Alberto; o Partido Progressista (PP), criado em Minas Gerais por Antônio Carlos Ribeiro de Andrada; e o Partido Republicano Liberal (PRL), organizado no Rio Grande do Sul pela liderança emergente de Flores da Cunha.[51]

As duas únicas agremiações de expressão federal não eram propriamente partidos, mas frentes políticas que congregavam diversas legendas. Caso da União

Cívica Nacional (UCN), dirigida por Luís Aranha e que pretendeu ser, sem muito sucesso, um centro aglutinador dos principais quadros do Governo Provisório, incluindo autonomistas do Distrito Federal, progressistas mineiros, republicanos-liberais gaúchos e, principalmente, elementos vinculados às interventorias tenentistas.[52] Era o caso também da Liga Eleitoral Católica (LEC), que além da seção organizada no Rio de Janeiro pelo cardeal d. Sebastião Leme e pelo advogado e escritor Alceu Amoroso Lima possuía juntas estaduais, municipais e até paroquiais. A LEC recomendava o voto em candidatos comprometidos com um programa mínimo, que incluía a luta intransigente contra a legalização do divórcio e a defesa da instituição do ensino religioso nas escolas públicas.[53]

Além dos 214 deputados eleitos em 3 de maio, a Assembleia Constituinte receberia quarenta "representantes classistas", numa edição revista e abrasileirada do corporativismo fascista de Benito Mussolini. Por meio do dispositivo, foram escolhidos dezoito representantes dos trabalhadores, dezessete dos patrões, três dos profissionais liberais e dois dos funcionários públicos.[54] A existência desses constituintes excepcionais, eleitos por delegados de sindicatos e associações de classe, atendia a uma exigência dos tenentistas e, ao mesmo tempo, a uma das mais firmes convicções de Getúlio.

"Se reproduzirmos simplesmente a velha e desmoralizada democracia liberal, e nada fizermos pela representação das classes, muito pouco teremos modificado a nova organização sobre a velha", argumentava ele.[55]

O sufrágio classista posto em prática pelo Governo Provisório se amparava, sobretudo, no pensamento político de Oliveira Vianna, sociólogo que deixara de ser uma referência apenas teórica para Getúlio e assumira, a seu convite, a função de consultor jurídico do Ministério do Trabalho. Para Vianna, havia uma grave incompatibilidade entre o liberalismo de origem franco-anglo-saxônica e a realidade brasileira, caracterizada por um povo ainda "refratário à solidariedade social". Por consequência, as eleições, os partidos e a democracia representativa seriam apenas miragens políticas entre nós, simples trampolins para a usurpação dos cargos públicos por parte de interesseiros e inescrupulosos. Como terapêutica para os males desse "liberalismo utópico", Vianna defendia que o Estado, "moderno e centralizador", deveria ter como missão induzir as diversas categorias sociais a se organizar em busca de uma sociedade harmônica, solidária e cooperativa. Nesse aspecto, em nome da "coesão nacional", Vianna propugnava que o "anacronismo" do sufrágio universal fosse superado pela instituição do voto corporativo.⁵⁶

Além das questões de fundo ideológico, a representação profissional embutia, na prática, um casuísmo. Estimava-se que os quarenta "classistas" indicados por entidades sindicais tuteladas pelo Ministério do Trabalho — muitas delas de fachada, os chamados "sindicatos de carimbo"⁵⁷ — tenderiam a fechar questão com o governo nas votações mais importantes, acompanhando a orientação da maioria. Assim, dariam ao Catete a segurança necessária de que seus interesses seriam atendidos na Constituinte com suficiente margem de votos, ainda que as oligarquias e os liberais-democratas conseguissem eleger um número considerável de deputados. Quarenta cadeiras significavam quase um quinto da Assembleia, uma base de apoio político que poderia decidir a sorte de emendas constitucionais mais polêmicas.⁵⁸

"A representação classista foi feita a dedo. O que o governo queria era uma massa de manobra dentro da Constituinte", reconheceria o engenheiro Edgard Teixeira Leite, eleito deputado pela representação profissional dos empregadores.⁵⁹

Getúlio Vargas, que a posteridade entronizou como um astuto mestre na arte da política, preferiria conduzir o país sem pisar no terreno movediço das negociações em prol da governabilidade. Entretanto, como ele bem reconhecera numa carta ao interventor do Ceará — o capitão outubrista Carneiro de Mendonça —, a luta já se transferira "do prélio das armas para o das urnas".⁶⁰

Pelo que se pode inferir de seus escritos pessoais, promover a reacomodação de partidos, voltar a administrar os enfrentamentos políticos e os jogos de interesses daí decorrentes não provocavam em Getúlio nenhum grande prazer. Depois de dois anos de governo discricionário, o imperativo da abertura democrática era um estorvo para ele. "Confesso minha repugnância, verdadeira fadiga para tratar desses arranjos, que só a necessidade da defesa do governo me leva a cuidar", escreveu.⁶¹ "As eleições fazem com que as conveniências políticas se vão sobrepondo aos interesses da administração. É o mal que volta."⁶²

Foi naquele mesmo camarote do vapor *Almirante Jaceguay* que, cerca de três anos antes, o então presidente eleito Júlio Prestes partira para os Estados Unidos, em retribuição à visita ao Brasil do também presidente eleito dos Estados Unidos, Herbert Hoover, em fins de 1928.⁶³ Instalado confortavelmente a bordo do mais majestoso dos navios do Lloyd, Getúlio Vargas iniciava uma viagem igualmente histórica.

Jamais um chefe de Estado brasileiro, no pleno exercício do cargo, havia feito uma excursão oficial para os estados do Norte, região então entendida como a porção territorial situada da Bahia para cima. Amparado em uma bengala, Getúlio embarcou na praça Mauá, Rio de Janeiro, em 20 de agosto de 1933, com direito a banda de música, continências militares e escolta de um pelotão da cavalaria trajando uniforme de gala. Da amurada do navio, ao soar o apito de partida, acenou com o chapéu para a multidão delirante, que respondeu com centenas de lenços brancos agitados ao vento.[64]

Getúlio já conseguia se locomover com mais facilidade, embora a bengala de castão dourado ainda fosse um acessório indispensável. Antes de partir, tomara medidas inadiáveis. A vitória avassaladora da Chapa Única em São Paulo o convencera da necessidade de estabelecer uma política de distensão com os paulistas. O primeiro passo nesse sentido foi tentar persuadir o general Valdomiro Lima a se exonerar do cargo de interventor para finalmente se entregar o posto a um paulista e civil, conforme acertado no armistício de 1932. Depois de uma série de consultas, a escolha do Catete recaíra sobre o nome do engenheiro Armando de Sales Oliveira, um dos ex-articuladores da Frente Única, cunhado de Júlio de Mesquita Filho. Valdomiro, todavia, julgou inadmissível passar o bastão a alguém tão umbilicalmente ligado aos homens que haviam patrocinado a revolta constitucionalista. Por isso, ameaçou mobilizar tropas estaduais para permanecer no cargo.

"Estou pronto para entregar o governo a quem o Getúlio quiser, contanto que não seja um inimigo da Revolução de Outubro", fincara pé Valdomiro.[65]

Em resposta, Getúlio chegou a ordenar estado de prontidão no Exército para o caso de se fazer necessária uma nova operação bélica sobre São Paulo, dessa vez, por ironia do destino, em defesa da redemocratização. Entretanto, depois da derrota nas urnas para os candidatos da Chapa Única, Valdomiro Lima percebeu que não teria como se manter sozinho, sem contar com o apoio da opinião pública e ao mesmo tempo do governo central. Saiu espumando, a ponto de quase provocar uma cisão doméstica, dadas as suas relações de parentesco com Darcy.

"Tenho de forçar os próprios sentimentos, porque minha família torce pelo general Valdomiro, achando que ele é vítima de intrigas", lamentou Getúlio.[66]

Removida a dificuldade, Armando Sales assumiu a interventoria paulista em 21 de agosto, não sem antes firmar um acordo de algibeira com Getúlio. Armando teria todas as garantias para exercer o governo paulista livre de pressões federais. Em troca, trabalharia para pavimentar a reaproximação do estado com o Catete, formando um novo partido político com participação na base aliada do governo.

"Vou entregar São Paulo aos que fizeram a revolução contra mim. Não pode haver maior demonstração de desprendimento. Será que estou colocando armas nas mãos dos inimigos? Que farão na Constituinte? O futuro dirá, e muito próximo", avaliou Getúlio.[67]

No plano nacional, o problema mais urgente passara a ser domar os assomos dos tenentistas, insatisfeitos com o "retorno prematuro" à democracia. Desde a eleição, não havia um único dia no qual alguém deixasse de martelar aos ouvidos de Getúlio a advertência de que os "revolucionários autênticos" pretendiam virar a mesa e tomar o poder por meio de um golpe militar. Segundo tais informantes, o próprio general Góes Monteiro estaria envolvido na conspirata. Juarez Távora seria outro sério pretendente a ocupar a cadeira de ditador, no caso de uma reviravolta armada. Ainda de acordo com as mesmas fontes, Getúlio deveria ficar atento às segundas intenções do ministro da Viação, José Américo de Almeida, notório defensor do prolongamento do regime de exceção.

"Não durma para não ser surpreendido. Veja bem o que estou dizendo", advertiu Flores da Cunha, ao receber notícias de que os gaúchos exilados em Buenos Aires — entre eles João Neves, Raul Pilla, Batista Lusardo e Lindolfo Collor — estariam organizando um novo levante contra o governo.[68]

Por mais surpreendente que pudesse parecer, havia indícios de que os proscritos vinham costurando uma aliança junto aos outubristas, seus adversários figadais, com quem teriam uma única causa em comum: arrebatar o poder das mãos de Getúlio.

"A aliança com o Góes vai em marcha. Creio que esta será a solução", revelava uma carta de João Neves a Maurício Cardoso, apreendida pela censura postal e remetida para o devido conhecimento do Catete.[69]

Getúlio, por conseguinte, estava de olhos bem abertos contra o que Flores da Cunha classificava de "alcateia de hipócritas".[70] Sua viagem aos estados nortistas envolvia um propósito não assumido. A intenção de conhecer de perto as diversas realidades regionais era oficialmente apregoada como a única motivação governista em jogo. Mas talvez não fosse mera coincidência o fato de todos os estados do roteiro serem administrados, sem exceção, por interventores ligados diretamente ao movimento tenentista. Além da passagem inicial por Espírito Santo, o extenso percurso previa escalas do *Almirante Jaceguay* na Bahia, Sergipe, Alagoas, Pernambuco, Paraíba, Rio Grande do Norte, Ceará, Piauí, Maranhão, Pará e Amazonas. Ao prestigiar os prepostos locais, Getúlio parecia preparado para lhes ministrar um providencial antídoto contra os descontentamentos pela convocação da Constituinte. Além disso, por meio do corpo a corpo, a viagem consolidaria a influência do Catete sobre as lideranças políticas regionais com assento na Assembleia, costurando desde já os apoios necessários à futura eleição indireta à presidência da República.

"O sr. Getúlio Vargas precisava conhecer in loco em que altura andava o termômetro de sua popularidade; daí essa viagem, que foi, disfarçadamente, uma campanha de essência eleitoral", percebeu Góes Monteiro.[71]

O que o general Góes não compreendeu de imediato foi que também não parecia nada aleatória a escolha dos auxiliares convocados para acompanhar Getúlio no trajeto: José Américo de Almeida, Juarez Távora e ele próprio, Góes Monteiro. Justamente os mais citados pelos informes confidenciais como golpistas em potencial.

Caso fosse indagado a respeito, havia um álibi para Getúlio justificar a inclusão de cada um dos três na comitiva. José Américo era um intelectual paraibano, profundo conhecedor da problemática nordestina. Juarez era cearense, assumira no final do ano anterior o Ministério da Agricultura e, no início do Governo Provisório, fora nomeado delegado militar junto aos dirigentes do então chamado Norte, o que lhe valera o apelido de "vice-rei do Norte". Góes Monteiro era alagoano, descendente de senhores de engenho, e após a vitória de 1932 se tornara o principal interlocutor do Catete no Exército. Nada a estranhar, portanto, que fizessem parte do séquito oficial na visita à região.

É possível especular que por trás do triplo convite estivesse a intenção de manter Góes, Juarez e Américo debaixo de suas vistas durante os cerca de quarenta dias em que Getúlio permaneceria em trânsito, ausente da capital da República. Lançando mão de uma dose extra de contraveneno, Getúlio abordaria Góes Monteiro no meio da viagem para lhe acenar com a possibilidade de fazê-lo ministro da Guerra logo após o retorno ao Rio.[72] Tudo indicava que estava sendo posta em prática a velha máxima de unir-se aos inimigos — fossem eles declarados ou não — ante a impossibilidade de abrir guerra contra eles.

"Eu não compreendia certas maquinações que se desenrolam no cenário político porque, em regra, sou de boa-fé. Foi uma excursão muito agradável", diria Góes Monteiro.[73]

A "excursão muito agradável" confrontou Getúlio com o abandono a que as populações nordestinas estavam relegadas. Em Salvador, não havia água sequer para ele tomar banho, sendo por isso obrigado a ir ao *Almirante Jaceguay* para fazer sua higiene pessoal. Um pequeno vapor da Companhia de Navegação Bahiana levou a comitiva pela baía de Todos os Santos e depois, através do rio Paraguaçu, até cidades do Recôncavo Baiano como Cachoeira, São Félix, São Gonçalo e Santo Amaro da Purificação. "O trabalhador rural ainda vive geralmente mal alimentado, malvestido e morando em casinholas sem conforto, quando não em verdadeiras ruínas", impressionou-se Getúlio Vargas, cuja política trabalhista, com foco no operariado urbano, jamais contemplou o homem do campo.[74]

No Ceará — onde além de Fortaleza visitou Icó, Orós, Choró e Quixadá —, a caravana passou ao largo dos abomináveis "campos de concentração", zonas rurais cercadas, isoladas à margem das cidades e nas quais, na grande seca de 1932, foram confinados em condições subumanas cerca de 70 mil flagelados, entre homens, mulheres e crianças, impedidos de sair do local por soldados da polícia e por ninhos de arame farpado. Adotada como ação de governo contra os efeitos da estiagem, a instalação desses verdadeiros currais humanos mantinha os retirantes longe das áreas urbanas, numa assumida política de higienização social.[75]

Apesar de os interventores procurarem maquiar a brutalidade da miséria nordestina, rodeando Getúlio de banquetes, discursos e solenidades festivas, as adversidades sertanejas eram por demais explícitas para serem ignoradas. "Impressão geral desoladora, de abandono, de pobreza", ele anotou, ao chegar ao Maranhão.[76] "Viagem má, calor, poeira", registrou, na passagem pelo Piauí.[77] A aspereza da paisagem se somava à fadiga daquela maratona sertão adentro, penosa aventura mesmo para quem gozasse de plena capacidade física, quanto mais para alguém que mal saíra de um período de convalescença. "Ainda não refeito do desastre da estrada de Petrópolis, com os pés e pernas inchados pela movimentação excessiva, trôpego, esquecido das coisas, sem aquela segurança antiga apesar do coro de louvores, começo a duvidar de mim, a pensar que o melhor seria recolher-me a um retiro silencioso para descansar."[78]

Enquanto o *Almirante Jaceguay* singrava os mares da costa brasileira, Getúlio aproveitava o tempo livre para pôr as leituras em dia. Nos últimos tempos, lera alguns livros que o tinham impressionado, a ponto de merecerem referência em seu diário. O primeiro era *Conversações com Mussolini*, de Emil Ludwig, na edição francesa, então recém-lançada.[79] O segundo, *Salazar: O homem e sua obra*, de Antônio Joaquim Tavares Ferro, coletânea de entrevistas com o ditador português António de Oliveira Salazar.[80] Durante os últimos dias da viagem, por fim, Getúlio passou a mergulhar nas páginas de *Économie dirigée, économie scientifique*, do francês Charles Bodin, um tratado a respeito da intervenção estatal na economia.[81]

Nos poucos momentos de lazer que lhe restaram, Getúlio aproveitou para descansar nas ensolaradas praias "nortistas".[82] Por isso, apesar de todas as agruras do caminho, voltou ao Rio de Janeiro em 4 de outubro bem-disposto e ostentando um bronzeado pouco habitual, mesmo para os que o conheciam de perto. O retorno, aliás, fora menos traumático. Em vez de fazer todo o longo caminho de volta pelo mar, dispensara o *Almirante Jaceguay* no Recife e subira a bordo do *Graf Zeppelin* — o gigantesco dirigível alemão de 213 metros de comprimento, que fazia a propaganda da pujança aeronáutica germânica e cuja rota entre a Europa e as Américas incluía escalas regulares na capital pernambucana e no Rio. As tardes aprazíveis no litoral, seguidas da deleitosa viagem aérea, quatro vezes mais rápida que a marítima, conseguiram a proeza de modificar radicalmente os humores de Getúlio.

"Não parecia o mesmo homem que partira, pálido, nervoso, inseguro e apoiado numa bengala", surpreendeu-se a filha Alzira, ao ver o pai vestido em um terno de linho branco, chapéu-panamá à cabeça, esbanjando sorrisos.[83]

Ao longo dos 44 dias de viagem, o diário de Getúlio não fizera menção, ainda que sutil, a nenhuma aventura amorosa do seu autor. Entretanto, não se sabe exatamente por quê, Darcy se mostrou incomodada no reencontro com o marido. Ela, que também acabara de chegar de viagem, após uma temporada de repouso nas fontes termais de Poços de Caldas, provavelmente pressentiu algum indício suspeito no semblante revigorado e na pele queimada de sol exibida pelo esposo.

"Chegada de Darcy, dia 5, no regresso de Poços de Caldas. Cenas de ciúmes de sua parte e posterior reconciliação", registrou o caderninho de Getúlio, lacônico, sem fornecer nenhum detalhe sobre os motivos do entrevero conjugal.[84]

Uma charge indiscreta, publicada à época, parecia fornecer uma pista para a solução do enigma. Na ilustração, assinada pelo caricaturista Alfredo Storni, o sorridente Getúlio era retratado a bordo de um navio, despedindo-se das "flageladas do Nordeste". Em vez de mulheres maltrapilhas e estropiadas como sugeria o título da charge, as figuras femininas que apareciam no desenho eram mocinhas bem vestidas e de olhar lânguido, todas chorando rios de lágrimas pela partida do já saudoso visitante.[85]

"Tudo nos une, nada nos separa."[86]
Getúlio Vargas tomou emprestada a célebre frase do então presidente eleito argentino Roque Sáenz Peña quando da sua visita ao Brasil, em 1910, para saudar a chegada do colega portenho Agustín Pedro Justo ao Rio de Janeiro, em 7 de outubro de 1933. Militar de carreira, o general Justo apoiara o golpe de Estado comandado três anos antes contra o presidente constitucional Hipólito Yrigoyen, e sucedera no posto ao também general José Félix Uriburu, simpatizante assumido de Mussolini e do regime corporativo italiano.

Para recepcionar Agustín Justo com todo o esmero que recomendavam aqueles tempos de instabilidade política no continente sul-americano, Getúlio cancelara o último trecho da viagem ao Norte do país, riscando o Amazonas do roteiro oficial de visitas. Foram reservados a Justo todos os rapapés diplomáticos, incluindo a entrega da Ordem do Cruzeiro do Sul — comenda criada ainda nos tempos do Império por d. Pedro I, abolida pela primeira Constituição republicana e ressuscitada às pressas por decreto do Governo Provisório para homenagear o hóspede estrangeiro.[87]

"Tenho uma coleção dessas latas pintadas que fazem as delícias dos nossos diplomatas", dizia Getúlio a respeito desse tipo de condecoração.[88]

No intervalo da intensa programação social montada pelo Itamaraty — que envolveu desde assistir a uma corrida de cavalos no Jockey carioca a disputar uma partida de golfe no aristocrático Gávea Golf and Country Club —, Getúlio Vargas e Agustín Justo encontraram tempo para discutir nos salões do Catete as bases do que realmente importava aos dois países: a assinatura de uma série de protocolos comerciais e de um Tratado Antibélico de Não Agressão e de Conciliação, a ser subscrito, além de Brasil e Argentina, por Chile, México, Paraguai e Uruguai. De acordo com as intenções expressas no documento, os países signatários se comprometiam a resolver, pelas vias da negociação pacífica, quaisquer altercações dali por diante.[89]

Getúlio trabalhava com afinco para que o Brasil viesse a ocupar um lugar de referência no mapa geopolítico do continente, disputando ombro a ombro com a Argentina áreas de influência sobre a América Latina, o que facilitaria sobretudo a abertura de novas frentes para o mercado nacional. Daí a importância histórica desses acordos de cooperação, propostos no momento em que Peru e Colômbia continuavam em litígio pelo território de Letícia e, com ferocidade ainda maior, Paraguai e Bolívia se engalfinhavam na Guerra do Chaco, sangrento conflito decorrente da descoberta de petróleo no sopé dos Andes. Analistas internacionais acreditavam que o continente estava prestes a se lançar a uma conflagração generalizada, perspectiva por demais sombria para os observadores militares do Catete.[90]

"O Brasil não está livre de ser envolvido, contra a sua vontade, em algum conflito armado. Infelizmente, as suas condições são extremamente graves para enfrentar uma eventualidade dessa ordem", advertia o general Góes Monteiro a Getúlio.[91]

As carências de ordem material no Exército, explicitadas no embate com os insurgentes paulistas, deixaram a certeza de que possíveis diferenças com os vizinhos da América hispânica teriam que ser necessariamente resolvidas pelas vias diplomáticas e não pelas armas. A insuficiência bélica não permitiria ao Brasil sustentar uma guerra contra a notória superioridade militar argentina, por exemplo. Desde a chegada ao poder, Getúlio vinha sendo pressionado pela cúpula dos quartéis a cumprir a promessa, feita pela Aliança Liberal ainda em 1930, de reaparelhar e modernizar as Forças Armadas. As providências governamentais nesse sentido, porém, esbarravam em dificuldades financeiras. Os custos com a repressão ao movimento constitucionalista, assim como a remessa de verbas para as obras de emergência de combate à seca nordestina, rasparam o fundo dos cofres do Tesouro.[92]

"Não estou de bom humor. Cansaço, enfaramento, desilusão? O Brasil não tem dinheiro. Não será melhor ir-me embora?", chegou a escrever Getúlio em um momento de maior exasperação.[93]

Decorridas apenas 24 horas da partida de Agustín Pedro Justo, Getúlio recebeu uma má notícia vinda da pequenina e distante São Borja. Seu irmão mais novo, Bejo, havia atravessado de lancha o rio Uruguai e ousado desembarcar na cidade argentina de Santo Tomé, acompanhado de homens armados, no encalço de um inimigo político do clã dos Vargas que se refugiara do outro lado da fronteira. Ao forçar a passagem pela guarda marítima que fazia o policiamento dos limites entre os dois países, Bejo e seus companheiros foram recebidos à bala.

O embaixador platino Ramón José Cárcano exigiu esclarecimentos do governo brasileiro. A Argentina se considerara vítima de uma tentativa de invasão internacional. Pedia a abertura de um inquérito e a punição exemplar dos responsáveis — não importando o fato de o principal implicado, Benjamim Vargas, ser irmão do governante supremo do Brasil. Na verdade, o parentesco era tido como um agravante. Afinal, as assinaturas de Agustín Pedro Justo e Getúlio Dornelles Vargas mal haviam secado no Tratado de Não Agressão.

Getúlio acionou a legação brasileira em Buenos Aires para tentar minimizar o incidente. Só não esperava que Bejo estivesse decidido a ir ainda mais longe. O problema estava apenas começando. E só cresceria de tamanho. As contingências da explosiva política municipal de São Borja ameaçavam, dessa vez, evoluir para um grave incidente diplomático entre Brasil e Argentina.

8. Tiros de metralhadora na fronteira argentina: Bejo Vargas complica a política externa brasileira (1933)

Em meio à escuridão, ouviu-se o resfolegar do motor a gasolina cruzando o rio Uruguai. Eram oito e meia da noite quando a embarcação avançou pelas águas e se aproximou lentamente dos troncos de madeira que faziam as vezes de ancoradouro na margem argentina. Nesse instante, o holofote da guarda marítima iluminou-lhe a proa. O foco de luz revelou que se tratava da lancha *Dois Ases*, dos barqueiros Georg e Josef Rosembeck, imigrantes alemães que ganhavam a vida fazendo a travessia de passageiros entre São Borja e Santo Tomé.[1]

Na tardinha daquele 15 de outubro de 1933, um comunicado da subprefeitura marítima concedera autorização para o desembarque noturno, a ser realizado fora do horário regulamentar de funcionamento do porto. A exceção fora solicitada pelo vice-cônsul brasileiro, Lúcio Schiavo, em cortesia ao grupo de senhores da alta sociedade são-borjense que desejava assistir à atração anunciada pelo Cine Astral nos jornais santotomenhos: *El rey de los gitanos*, de Frank Strayer, estrelado pelo tenor mexicano José Mojica. Uma moderníssima fita sonora, como nunca antes se vira por aquelas bandas.[2]

Enquanto o holofote mantinha o foco sobre a lancha, o cabo argentino Francisco Filimer Verón desceu do posto de vigia, acompanhado do marinheiro Narciso Nuñez, para recepcionar os visitantes. Pelo que puderam perceber, havia cerca de dez homens a bordo. Alguns deles, fardados. Os primeiros a desembarcar foram Odon Sarmanho Mota e Ary Mesquita Vargas, sobrinhos de Getúlio, em roupas civis. Ambos trajavam alinhados paletós cinza-claro, com reluzentes abotoaduras e prendedores de gravata dourados. Benjamim Vargas vinha a seguir, em trajes militares. Ostentava o uniforme de brim cáqui do 14º Corpo Auxiliar de São Borja, o "Catorze-de-pé-no-chão", destacamento responsável pelo policiamento da zona missioneira desde o fim da insurreição paulista.[3]

O cabo Verón se postou no meio do ancoradouro e Nuñez ficou a meia distância, com um lampião de gás na mão, para iluminar o trajeto entre os troncos roliços e o caminho de terra que levava ao posto da guarda, instalado a cerca de duzentos metros acima, numa elevação topográfica do terreno. Verón estranhou o fato de Bejo carregar debaixo do braço uma capa militar, sob a qual se insinuava o volume de um objeto comprido, cujos contornos pareciam sugerir o formato de um rifle ou de um fuzil. O cabo reparou também que os recém-chegados pareciam ter bebido alguns tragos além da conta. Cheiravam a álcool e estavam um tanto quanto trôpegos. Questionado sobre a natureza do artefato que trazia oculto, Bejo desconversou:

"Isso? Ora, isso é uma capa", respondeu.[4]

Verón insistiu. O que ele queria saber era o que estava escondido *debaixo* da capa.

"Nada", sustentou Bejo.[5]

O argentino se colocou imediatamente na frente de Benjamim Vargas, interceptando-lhe a passagem. Se quisessem prosseguir, todos teriam que se submeter à revista obrigatória, antes de serem liberados para subir ao posto da guarda, quando seria feita a conferência dos respectivos documentos de identidade. Com ou sem licença da subprefeitura, não poderiam entrar em Santo Tomé de outro modo. Se estivessem portando quaisquer armas, estas seriam confiscadas durante o tempo que permanecessem em território platino.[6]

Ao avisá-lo disso, Verón exigiu que Bejo lhe entregasse o objeto suspeito, que mantinha encoberto. Ninguém mais desembarcasse ou desse um único passo além daquele ponto. Caso se recusassem à inspeção, os brasileiros deveriam regressar pelo mesmo caminho por onde haviam chegado. Verón sublinhou as últimas palavras levando automaticamente a mão à cinta, como se fizesse menção de que não hesitaria em sacar o sabre-baioneta caso se sentisse obrigado a isso.[7]

Seguiu-se um acalorado bate-boca, no qual sobraram vitupérios para ambas as partes. O cabo não devia saber com quem estava falando, irritou-se Bejo. Com a voz pastosa, identificou-se. Ele era o comandante do 14º Corpo Auxiliar de São Borja, o coronel Benjamim Vargas, irmão de Getúlio Dornelles Vargas, presidente dos Estados Unidos do Brasil. Já fizera aquela travessia milhares de vezes, sem jamais ter sido importunado. Existia um acordo entre ele e o intendente de Santo Tomé para o patrulhamento conjunto das duas margens do rio Uruguai. Do lado argentino, impedia-se a ação dos *montoneros* filiados à União Cívica Radical, grupo de ativistas políticos contrários ao presidente Agustín Pedro Justo. Do lado brasileiro, resguardava-se a fronteira de possíveis investidas dos conspiradores constitucionalistas de 1932, exilados em Buenos Aires.[8]

De modo ríspido, Bejo sugeriu que o sentinela o deixasse seguir ao prédio da subprefeitura, onde esclareceria o caso. Impedi-lo de ir adiante seria no mínimo um desaforo. O presidente Justo acabara de fazer uma visita ao Brasil e fora recebido no Rio de Janeiro com tapete vermelho, declarado general honorário do Exército brasileiro. Não fazia sentido um irmão de Getúlio Vargas ser barrado por marinheiros subalternos. Era um constrangimento desnecessário, uma desfeita inaceitável. O cabo que abrisse caminho. Bejo iria passar, por bem ou por mal.

Afastado cerca de cinco passos, o marinheiro Narciso Nuñez, que iluminava a cena com o lampião, deu o sinal de alerta ao camarada:

"Cuidado, cabo! Ele tem uma arma de fogo!"[9]

Foi o quanto bastou. Odon Mota, que estava ao lado de Bejo, pulou em direção a Verón. Agarrou-lhe pelo lenço do uniforme com a mão esquerda e, com a direita, sacou um revólver da cintura, apontando-o em direção à cabeça do argentino. Este deu um salto para trás na tentativa de se desvencilhar do ataque. Desequilibrado, Verón acabou tombando de costas sobre os troncos escorregadios, exatamente no instante em que Odon puxou o gatilho. Apesar da pequena distância, o movimento brusco o fez errar o alvo. A bala passou raspando o rosto de Verón, chamuscando-lhe a bochecha com a pólvora quente. Caído no escuro, o cabo permaneceu imóvel, e foi dado como morto.[10]

Nuñez, que assistia a tudo, ainda pôde ver quando Bejo jogou a capa ao chão para melhor empunhar a submetralhadora que não mais se preocupou em esconder. Ao avistar a arma, o marinheiro, munido também apenas de um sabre-baioneta a exemplo do colega, tratou de apagar o lampião e correr ao posto da guarda, onde alertou os companheiros sobre o que estava ocorrendo lá embaixo. De súbito, uma saraivada de tiros de fuzil partiu em direção à lancha. Verón, por temer ser alvo do fogo amigo, levantou-se e apertou o passo, escuridão adentro.[11]

A longa sequência de disparos de parte a parte deixou evidente que os homens a bordo da *Dois Ases* também estavam fortemente armados. O tiroteio, ao final, resultaria em dupla tragédia para a família Vargas.

Odon foi o primeiro a ser atingido. Uma bala entrou obliquamente na altura de sua orelha direita, trespassou-lhe a cabeça e saiu pela face, abrindo-lhe um rombo à altura do queixo. O sobrinho de Getúlio caiu ao chão já sem vida, próximo ao local onde antes Verón estivera deitado.

Em revide, Bejo mirou o barracão da guarda marinha. Despejou três rajadas seguidas de metralhadora, o que ofereceu a necessária cobertura para que ele e Ary retornassem à lancha, obrigados a abandonar o corpo de Odon para trás. Na confusão que se seguiu, Ary Vargas também encontraria seu fim. Levou um tiro na testa, já dentro da embarcação. A exemplo de Odon, morreu na hora.

A fuga se deu de forma atabalhoada. A confiar no relato posterior de Benjamim Vargas, o condutor do barco, Georg Rosembeck, estava fora de ação, agonizante, com o pulmão arrebentado por um balaço. Para agravar a situação, o tanque de combustível foi perfurado por um tiro, ocasionando uma grande explosão, quando a *Dois Ases* já se encontrava a poucos metros da margem brasileira. Para escapar do fogo, os passageiros saltaram à água. Tiveram de seguir a nado até São Borja. Mal tiveram tempo para retirar o cadáver de Ary de dentro da lancha em chamas. Ninguém conseguiu fazer o mesmo com Rosembeck, que, se porventura ainda estivesse vivo, morreria devorado pelas labaredas.[12]

Os funerais de Odon Sarmanho e Ary Vargas provocaram imensa consternação em São Borja. O corpo de Odon, que ficara prostrado no local do tiroteio, foi mandado resgatar pelo consulado brasileiro. Junto a ele, encontrou-se o revólver que portava, sujo de barro e sangue. Um Colt Detective de cano curto, calibre 38, com cinco cápsulas deflagradas e apenas uma intacta. Era uma bala "dundum", do tipo previamente preparada para explodir ao penetrar no corpo da vítima. Nos bolsos do paletó, havia mais um punhado de projéteis semelhantes e um maço de cigarros da marca Regência, devolvido à família acompanhado das condolências da prefeitura de Santo Tomé.[13]

O intendente são-borjense, Cleto Dória de Azambuja, telegrafou ao interventor Flores da Cunha para comunicar o ocorrido. A versão de que Bejo e seus sobrinhos teriam sido confundidos com contrabandistas ao tentar desembarcar em Santo Tomé para assistir ao cinema — ou para participar de um inocente baile, segundo outra variante perpetuada pela família[14] — ganhou foros de verdade. "Nada justifica tão inominável atentado que causou profunda revolta no seio da população deste município", dizia a mensagem de Azambuja a Flores.[15]

Em Buenos Aires, na Casa Rosada, o vice-presidente em exercício, Julio Argentino Roca, convocou uma reunião de emergência com os ministros do Interior, Exterior, Guerra e Marinha a fim de discutir a gravidade do caso. Após comunicar o fato por telegrama ao titular Agustín Justo, que espichara a viagem ao Brasil com uma visita oficial ao Uruguai, Roca autorizou um comunicado à imprensa de seu país, expedido com o timbre do Ministerio de las Relaciones Exteriores y Culto. O texto informava que os ocupantes da lancha brasileira, ao serem abordados e intimados a baixar armas, haviam disparado o primeiro tiro. "Uma agressão que foi repelida pelos marinheiros da subprefeitura de Santo Tomé", justificou o documento.[16]

No Rio de Janeiro, a história foi vendida pelo valor de face imposto pelas autoridades são-borjenses. Os dois sobrinhos do chefe do Governo Provisório teriam sido barbaramente assassinados por guardas da fronteira platina, sem que houvessem feito nenhum movimento suspeito. "Vivemos sob a repercussão dos acontecimentos benéficos da visita do presidente argentino, embora um tanto ensombrados pelo atentado de Santo Tomé", lastimou Getúlio.[17]

A imprensa brasileira, por ordem dos censores federais, adotou a tese de atentado e cobriu o episódio com o véu da discrição. O acontecimento foi minimizado, reduzido a mero incidente policial, "sem maiores consequências nas relações diplomáticas entre Brasil e Argentina". Os jornais diziam lamentar profundamente a morte precoce dos dois jovens parentes de Getúlio, mas asseguravam que tudo não passara de um terrível mal-entendido, "desses que mais parecem um capricho do destino".[18]

Por trás das informações apaziguadoras, os relatórios confidenciais que chegavam ao Itamaraty começaram a dar conta de uma narrativa bem diversa. "Recebi informações de São Borja de que os fatos em Santo Tomé haviam ocorrido de uma forma diferente à que foi contada. A história do cinema sonoro não é verdadeira", alarmou-se Getúlio.[19]

Na verdade, Bejo usara tal pretexto para promover uma caçada contra Jovelino de Oliveira Saldanha, jornalista que tempos antes enchera as páginas de *A Fronteira*, de Uruguaiana, com denúncias contra desmandos da família Vargas na condução da política regional. Para corroborar a tese de que o poderoso clã ao qual pertencia o chefe do Governo Provisório nunca encontrara limites na perseguição aos adversários locais, Jovelino desencavou dois casos que pareciam vivos apenas na memória dos mais antigos: a morte do estudante Carlos de Almeida Prado, em Ouro Preto, em 1897, e a do médico Benjamin Torres, assassinado por um matador de aluguel, em São Borja, no ano de 1915.[20]

Após reeditar as denúncias com estardalhaço e publicá-las em capítulos como se fossem folhetins, Jovelino passou a sofrer ameaças de morte. Decidiu então buscar refúgio do outro lado do rio, onde se naturalizou argentino e começou a se assinar Jovelino D'Oliveira Saldaña. Ainda assim, persistiu a escrever artigos contra os Vargas, no diário santotomenho *El Pueblo*, de propriedade do jornalista J. Iturriaga.[21] "O Bejo pretendeu fazer uma incursão em território argentino para trazer de lá, pela força, Jovelino Saldanha e um sr. Iturriaga. Levou, além dos rapazes, uma patrulha do 14º, armada de fuzis e metralhadoras", descobriu Getúlio.[22]

Benjamim Vargas pretendera repetir a façanha de apenas um mês antes, quando lançara mão de expediente idêntico para prender e levar de volta a São Borja outro desafeto dos Vargas, o coronel João Garcia Cony, militar que participara do movimento constitucionalista de 1932. Cony, que também se refugiara em Santo Tomé, fora sequestrado de dentro de um automóvel, sendo então surrado, amarrado e amordaçado por homens supostamente a mando de Bejo, depois transferido para o quartel do 14º, onde ainda se encontrava detido.[23]

Os planos de Benjamim de apanhar Jovelino pelos mesmos métodos começaram a esbarrar nos temores do cônsul, que imaginou ser arrolado como responsável pelo estopim de um conflito internacional. Só após obter a autorização para o desembarque da lancha *Dois Ases* em Santo Tomé, Schiavo tomou conhecimento dos verdadeiros propósitos da excursão. Preocupado, procurou o velho general Manuel Vargas e lhe fez ver o tamanho da confusão em que o filho caçula podia estar envolvido. Entrevado pelo reumatismo, o general nonagenário recorreu a Viriato. Ordenou-lhe que impedisse o irmão mais moço de cometer um desvario. Contudo, uma vez acionado, Viriato alegou ter chegado ao porto de São Borja tarde demais. A lancha acabara de partir. Nada mais pudera fazer a respeito.[24]

A ação tramada originalmente por Benjamim Vargas previa que ele, Odon e Ary fossem ao cinema apenas para sustentar um futuro álibi. Depois do desembarque do trio, a *Dois Ases* seguiria mais alguns metros rio abaixo, despejando os demais passageiros em um trecho além do campo de visão do posto da guarda. Todos se reuniriam por volta da meia-noite, em lugar combinado, após terem localizado e aprisionado Jovelino Saldanha. O plano, obviamente, não tinha nenhuma espécie de sustentação legal. Caso desejasse a detenção de Jovelino, Bejo teria de obedecer aos trâmites necessários, providenciando da parte do governo brasileiro um pedido de extradição baseado em razões jurídicas objetivas e bem fundamentadas.

"O Bejo cometeu uma imprudência", reconheceu, em carta a Getúlio, o enlutado Protásio.[25]

Enquanto a imprensa brasileira relegou o caso ao rápido esquecimento, as investigações do lado argentino prosseguiram. O encarregado do inquérito oficial, o capitão portenho Osvaldo Repetto, secundado pelo diretor de negócios políticos do Ministério das Relações Exteriores do Brasil, Podestá Costa, interrogou testemunhas e procedeu a uma averiguação minuciosa do episódio. Todos os depoimentos apontaram para Benjamim Vargas como responsável pela trama. Um dos ouvidos, o comerciante santotomenho Rafael Sánchez, que estava em São Borja no dia fatídico, revelou que o lancheiro Georg Rosembeck se negara a transportar homens armados a Santo Tomé, mas fora obrigado a fazê-lo por Bejo, que lhe apontara um revólver contra a cabeça, prometendo atirar se o alemão insistisse na recusa. Rosembeck teria chegado a simular uma pane no motor da embarcação, mas o irmão de Getúlio lhe dera dez minutos para fazer a lancha funcionar, caso quisesse continuar vivo.[26]

A investigação pôs também sob suspeita a origem do incêndio da *Dois Ases*, não se descartando a hipótese de que o fogo houvesse sido proposital, para se eliminar possíveis provas materiais da natureza criminosa da ação. Desconfiava-se que Rosembeck poderia ter sido morto pelos próprios brasileiros a bordo, a título de queima de arquivo. A suposição, embora jamais comprovada, se amparava no fato de o assistente de lancheiro, testemunha-chave da qual se sabia apenas o prenome — Cassiano —, ter desaparecido misteriosamente de São Borja, o que também levava os investigadores argentinos a acreditar que o rapaz pudesse ter sido executado, para não revelar a ninguém o quanto sabia.[27]

A perícia realizada no cenário do tiroteio constatou que não era difícil reconstituir a cena com base nas evidências deixadas no local. Os buracos de bala nas paredes no posto da guarda de Santo Tomé evidenciavam que a construção fora alvejada por armas de diferentes calibres, particularmente por disparos de metralhadora, cujas cápsulas vazias foram localizadas no ancoradouro, junto a um pente de vinte tiros, intacto, esquecido no atropelo da fuga.[28]

Chamado a depor, Benjamim Vargas deu a sua versão para a história: o cabo Verón o agredira com palavras de baixo calão. Bejo reconhecia que a contenda tivera início porque ele e os sobrinhos haviam se negado a ser revistados pela guarda marinha argentina. Entretanto, Verón atirara primeiro, de forma intempestiva, para lhes impedir a passagem e convencê-los a retornar à lancha. Questionado sobre o fato de portar uma metralhadora quando desejava apenas ir ao cinema, o caçula dos Vargas negou que estivesse empunhando a arma durante o desembarque. A Hotchkiss estaria a bordo, já que a lancha ficava a serviço do patrulhamento de rotina do rio Uruguai. Depois de serem atacados pelos marinheiros argentinos, teria recorrido a ela, em legítima defesa.[29]

O depoimento de Bejo foi desmontado com a consulta ao registro de entradas e saídas diárias da *Dois Ases* no porto de Santo Tomé, o que demonstrou o seu uso exclusivo como transporte de passageiros e não como veículo militar. Além disso, se a metralhadora fora acionada de dentro da embarcação, conforme jurava Benjamim Vargas, não se justificava a presença de centenas de cartuchos vazios sobre o ancoradouro — nem a existência de um pente de recarga no local.[30]

Com base na robustez dos indícios apontados pela investigação, o relatório final do inquérito policial-militar concluiu que existira a intenção deliberada dos brasileiros de entrar ilegalmente com armas em Santo Tomé. E, ao que tudo indicava, com o propósito de capturar Jovelino Saldanha, autor das graves denúncias sobre o sequestro internacional de Garcia Cony. O responsável pela investigação recomendava o monitoramento e o reforço imediato da guarda marítima da fronteira, pois os precedentes apontavam para a possibilidade de novas tentativas de invasão do território platino por gente de São Borja.[31]

Os receios expressos nas conclusões do inquérito assinado pelo capitão Osvaldo Repetto coincidiram com as desconfianças de Getúlio. Ciente do sangue quente que corria nas veias da família, ele temeu que a situação pudesse se agravar ainda mais. Impetuoso como era, Bejo não se conformaria enquanto não providenciasse o devido troco. Numa terra em que a vingança era um valor quase sagrado — um atestado de macheza e de honra lavada —, a hipótese de desforra era algo mais do que previsível.

As circunstâncias se mostravam especialmente alarmantes porque não paravam de chegar ao Catete novos informes confidenciais da embaixada brasileira em Buenos Aires. Os despachos diplomáticos informavam que o 14º de São Borja, comandado pelo coronel Benjamim Vargas, estaria mancomunado com os *montoneros* da União Cívica Radical, cujos líderes planejavam uma série de ataques a cidades argentinas — Paso de Los Libres, Alvear e Santo Tomé — desfechados a partir de suas respectivas "irmãs fronteiriças": Uruguaiana, Itaqui e São Borja.[32]

O embaixador platino no Rio de Janeiro, Ramón José Cárcano, procurou Getúlio em pessoa, em audiência oficial no Catete, para adverti-lo de que o serviço de inteligência de seu país havia detectado a conivência de tropas rio-grandenses, incluindo o destacamento de São Borja, com radicais argentinos comandados por dois coronéis guerrilheiros foragidos da justiça portenha: Roberto Bosch e Gregorio Pomar. A cumplicidade entre as partes consistiria no intercâmbio de armas e efetivos entre os batalhões provisórios gaúchos e a guerrilha argentina.[33]

Informado da situação, Getúlio se apressou em telegrafar a Bejo, na tentativa de evitar que o irmão cometesse um desatino ainda maior. "Informações de fonte oficial me dizem que os coronéis Pomar e Bosch estão com cerca de duzentos homens armados, próximos a esse município, no lugar denominado Florida, com o propósito de cooperar numa possível alteração da ordem na província de Corrientes", escreveu Getúlio. "Desnecessário dizer-te da grave inconveniência que poderia acarretar a efetivação de qualquer tentativa [de apoio aos guerrilheiros argentinos], que logo seria atribuída a fins de vingança contra os fatos lamentáveis ocorridos em Santo Tomé."

Getúlio recomendava a Bejo que tomasse providências urgentes para desmentir qualquer aproximação com os *montoneros*, que aliás deveriam ser detidos, caso realmente se encontrassem acantonados nas proximidades de São Borja.[34] Como providência adicional, enviou carta a Protásio, que apesar de amargurado pela perda do filho sempre lhe parecera o mais ajuizado dos irmãos. "Não quero crer que o Bejo esteja metido nisso. Ele por certo avalia as dificuldades que tal conduta criaria ao meu governo."[35]

O telegrama de Getúlio a Benjamim Vargas foi enviado na manhã de 30 de outubro de 1933. Às três da tarde do mesmo dia, veio a resposta. "São inexatas as informações de que os coronéis Bosch e Pomar estejam no lugar denominado Florida", comunicou Bejo. "Podeis ficar tranquilo", garantiu. "Não seria este o momento para me deixar levar por interesses subalternos de qualquer espécie, trazendo sérias complicações ao governo."³⁶

Apesar do desmentido, Bosch e Pomar perambulavam pela região missioneira havia mais de um ano, onde instalaram um campo de treinamento militar para adestrar mercenários arregimentados em fazendas gaúchas. Era pouco provável que Bejo não tivesse conhecimento do fato. Outro comandante radical argentino, Pedro Lucas Torres, contrabandista de armas mais conhecido pelo apelido de Don Lucas, era um velho amigo dos irmãos Vargas. Por meio dele, em 1932, o "Catorze-de-pé-no-chão" recebera oitenta carabinas Mauser antes de rumar para a guerra contra os paulistas. Depois de pouco mais de um ano, Don Lucas aguardava a devida retribuição por parte do comandante do 14º Corpo Provisório de São Borja.³⁷

"O radicalismo argentino tem uma dívida de gratidão difícil de saldar com o tenente-coronel Benjamim Dornelles Vargas", diria Don Lucas em suas memórias. No livro *Revoluciones radicales: Missiones/Santo Tomé*, o chefe guerrilheiro deixou referências meticulosas a respeito do planejamento daquilo que classificava como "a Patriada de 1933". "Nos três pontos de ataque sobre o rio Uruguai, amigos rio-grandenses secundariam nosso esforço. [...] Eu atuaria em Santo Tomé, o ponto-chave do setor norte."³⁸

O assalto final já contava com data e hora marcada: o último dia daquele ano, à meia-noite. A chefia da tropa que deveria sair de São Borja para tomar Santo Tomé ficaria confiada ao major guerrilheiro Domingo Aguirre. Os documentos delineando as estratégias da operação, mais tarde apreendidos pelo governo argentino, não deixavam margem a dúvidas. Homens do 14º Corpo Auxiliar, comandado por Bejo Vargas, eram citados nominalmente como envolvidos no apoio tático ao movimento. Pelo combinado, em pleno réveillon, lanchas carregadas de armas e rebeldes soltariam suas amarras na margem brasileira do rio Uruguai, em São Borja, e deslizariam sorrateiramente para a margem oposta, na Argentina.³⁹

Terminado o desembarque, pelotões guerrilheiros marchariam sobre o posto da guarda marinha de Santo Tomé, enquanto outros se esgueirariam para um ataque concentrado contra o prédio da polícia local. Uma sequência de sinais luminosos faria a comunicação entre os dois grupos. Segundo se esperava, ninguém na cidade deveria desconfiar de nada, pois os sinalizadores seriam confundidos com os fogos de artifício das comemorações pelo Ano-Novo.⁴⁰

Estava tudo pronto para a deflagração da ofensiva. Mas Benjamim Vargas continuava negando ao irmão qualquer sinal dos *montoneros* nas imediações dos domínios rurais da família Vargas em São Borja.⁴¹ Em questão de dias, os fatos iriam demonstrar que Bejo não estava falando a verdade.

Foi preciso mandar tirar o pó dos tapetes, limpar o vitral azul da cúpula do plenário, espanar as abóbodas do salão nobre, lustrar a madeira das bancadas. Depois de três anos fechado, o Palácio Tiradentes seria reaberto para dar lugar aos trabalhos da Assembleia Nacional Constituinte. Na sessão inaugural, em 15 de novembro de 1933, Getúlio Vargas, de fraque e cartola, foi recebido com o aplauso das galerias superlotadas. Não precisava mais usar a bengala. Caminhou com seu passo miúdo, mas firme, sempre sorrindo, em direção à tribuna de honra.⁴² A pompa da solenidade foi satirizada pelo Barão de Itararé, que a comparou a um espetáculo circense: DEU-SE A ESTREIA DO CIRCO EQUESTRE TIRADENTES, definiu a manchete de *A Manhã*.⁴³

Sentado à mesa diretora, com sua cabeleira branquíssima, estava o mineiro Antônio Carlos Ribeiro de Andrada, no lugar privilegiado que lhe cabia como presidente da Constituinte. Na primeira fileira de cadeiras do plenário, com o eterno cigarro pendendo dos lábios, podia ser visto o ministro da Fazenda e líder do governo na Assembleia, Oswaldo Aranha — por um artifício do regimento, os ministros tinham assento na casa.⁴⁴ Getúlio bem lembrava do esforço despendido e da barganha necessária para acomodar, no mesmo canto do ringue, aqueles dois inimigos cordiais.

A rixa entre Aranha e Antônio Carlos vinha de longe. Arrastava-se, a rigor, desde o início do Governo Provisório. Mas se agravara a partir de 5 de setembro daquele ano de 1933, com o falecimento de Olegário Maciel, governante de Minas Gerais, encontrado morto na banheira, vitimado por um ataque cardíaco, aos 78 anos.⁴⁵

Antônio Carlos vinha trabalhando para efetivar na interventoria mineira o interino Gustavo Capanema, secretário do Interior de Olegário. Nisso, era apoiado por Flores da Cunha, que considerava prudente para o governo manter Minas Gerais sob o comando da ala que havia ajudado, pela força das armas, a garantir a vitória dos federais sobre os paulistas em 1932. Figura típica de intelectual, óculos de armação de tartaruga e testa larga, Capanema era amigo de escritores como

Pedro Nava, Abgar Renault, Emílio Moura e, em especial, Carlos Drummond de Andrade. As preferências de Oswaldo Aranha, contudo, recaíam sobre outro candidato, Virgílio de Melo Franco (filho do ministro das Relações Exteriores, Afrânio de Melo Franco), integrante do Gabinete Negro e principal elemento de ligação entre gaúchos e mineiros no movimento que depusera Washington Luís.[46]

Dois meses depois dos funerais de Olegário Maciel, Getúlio ainda não decidira o que fazer a respeito do caso, postergando a interinidade de Capanema. Como de hábito, sua tática vinha sendo a de evitar definições, contornar problemas, empurrá-los ao máximo rumo a uma situação-limite. Em mais uma charge antológica de Storni, Getúlio aparecia arquivando o decreto de nomeação do futuro interventor de Minas Gerais numa geladeira.

"É o método dele, esfriar o caso pelo processo de congelamento", dizia a legenda.[47]

Qualquer que fosse a decisão de Getúlio, um racha em Minas poria em risco a tranquilidade nos debates da Constituinte. Pelo critério proporcional à população, a bancada mineira era de longe a maior de todas, com 37 cadeiras, seguida por São Paulo e Bahia, com 22 representantes. Um coeficiente expressivo demais para ser negligenciado. Além do mais, a questão estadual ameaçava se irradiar para o centro nervoso do governo. Tanto os patronos de Capanema quanto os de Virgílio se diziam determinados a entregar os respectivos cargos caso o litígio mineiro não tivesse o desfecho que cada um a seu modo almejava.

"Todos julgam que devo decidir; mas, se nomeio Capanema, renunciam os ministros da Fazenda e Exterior; se nomeio Virgílio, renuncia Flores", inquietava-se Getúlio.[48]

O radicalismo de posições sugeria que, por trás da sucessão mineira, uma prenda mais valiosa estava em jogo. Naquele momento de transição para a abertura, era público que Flores da Cunha e Oswaldo Aranha andavam se acotovelando para saber qual dos dois assumiria o papel de segundo homem do governo, logo abaixo de Getúlio. Flores, que parecia disposto a assumir uma liderança nacional nos moldes imperiais do falecido Pinheiro Machado, desconfiava que Oswaldo estivesse maquinando lançar a própria candidatura à presidência da República. Por essa perspectiva, a hipotética pretensão do ministro da Fazenda teria que passar, obrigatoriamente, pelo aval da numerosa bancada mineira. Instalar um aliado nas Alterosas seria a primeira parte do plano.

Enquanto estudava uma saída para o impasse, sempre explorando divergências e semeando adesões, Getúlio mobilizara a base aliada para fazer de Antônio Carlos presidente da Constituinte. Cumprira assim um acordo estabelecido ainda em abril, um mês antes das eleições, quando viajara a Juiz de Fora para acertar com Olegário os termos da convivência futura entre o Catete e o Palácio da Liberdade. Na ocasião, ficara estabelecido que os mineiros, pela superioridade numérica da bancada, teriam direito à presidência da Assembleia. Em retribuição, Minas trabalharia pelo bom andamento dos trabalhos e pela posterior condução de Getúlio Vargas à presidência constitucional da República, pela via indireta.[49]

A confirmação de Antônio Carlos na presidência da Assembleia só aumentou a expectativa de que Virgílio, para efeitos de ressarcimento político, fosse contemplado com o governo de Minas.[50] Por isso, mesmo contrariado, Oswaldo teria engolido a solução de Getúlio para o comando da Constituinte, contando com a compensação de ter Virgílio dando as ordens no Palácio da Liberdade.

No final de novembro, quinze dias após a abertura da Constituinte, Flores da Cunha recebeu a notícia oficiosa de que o Catete enfim tomara a decisão, embora Getúlio planejasse continuar a mantê-la em segredo por mais algum tempo. De acordo com o que deixara escapar o ministro Afrânio de Melo Franco, o decreto de nomeação do filho já estava pronto, faltando apenas a assinatura oficial do chefe de governo. Afrânio soubera disso pelo próprio Getúlio Vargas, que lhe pedira reserva absoluta, pois planejava anunciar a deliberação só depois de amaciar os defensores da candidatura oponente. O caso, desse modo, prometia um epílogo para breve. Getúlio até já mandara chamar Capanema no palácio para lhe dar a notícia em primeira mão, a fim de que o preterido não ficasse sabendo do fato por terceiros ou pelas notas dos jornais. Afrânio, entretanto, não soube guardar segredo. Antes de viajar para Montevidéu, onde chefiaria a delegação brasileira à VII Conferência Pan-Americana, bancou o falastrão. Em poucas horas, o zum-zum já transpirava pelos principais círculos políticos da capital federal: Virgílio seria o novo governante de Minas.[51]

Flores, inconformado, correu ao Palácio Guanabara para apurar a veracidade da informação. Lá, foi informado pelo ajudante de ordens de que Getúlio assistia a uma das costumeiras sessões de cinema, com toda a família, em um dos salões da residência oficial. Tão logo o chefe de governo apareceu, Flores o abordou, exaltado. Se fosse verdade o que ouvira, se confirmada a notícia da nomeação de Virgílio, Getúlio estaria em grandes apuros, esbravejou. A medida iria provocar o imediato rompimento da maioria da bancada mineira com o governo.

"Adeus eleição do sr. Getúlio Vargas para presidente da República!", dramatizou Flores da Cunha.⁵²

Mesmo desapontado com a evidente indiscrição de Afrânio, Getúlio não perdeu a tranquilidade. Recomendou a Flores que lhe seguisse o exemplo. Ficasse calmo. No fundo, todos os envolvidos eram amigos e precisavam se entender da melhor forma possível. Sugeriu que o interventor gaúcho procurasse Oswaldo Aranha e combinasse com ele uma solução razoável para o problema, sem quebra da harmonia entre colaboradores tão valiosos ao governo. Naquele momento, ele próprio, Getúlio, iria se entender com Gustavo Capanema, que também o aguardava na sala de despachos.⁵³

Enquanto Flores saía do palácio em busca de Oswaldo, Getúlio seguiu ao encontro de Capanema, ainda sob os efeitos da explosão de humores do interventor sul-rio-grandense. Contrariar o conterrâneo daquele jeito não fora bom negócio, pressentiu. Desde o expurgo da Frente Única, o Rio Grande voltara a ser um elemento-chave na estabilidade do governo, não só pelo apoio do Partido Republicano Liberal (PRL) na Constituinte, mas também pela existência persuasória da Brigada Militar gaúcha, a única capaz de rivalizar com as forças do Exército numa imaginada tentativa de golpe armado.

A conversa com Capanema, nessas circunstâncias, prometia ser delicada. Se as insatisfações de Flores se conjugassem às da bancada de Minas, a crise de governabilidade estaria efetivamente estabelecida. Ao entrar no gabinete e abraçar calorosamente o interventor mineiro interino, Getúlio principiou a conversa cauteloso, impondo um rodeio inicial, ao longo do qual se derramou em lamúrias pela morte de Olegário Maciel.

"Que bom amigo perdemos", lamentou Getúlio, antes de continuar falando em círculos, tangenciando a questão que obviamente estava na ordem do dia.⁵⁴ A certa altura, irrequieto com os rumos da audiência que parecia se arrastar para lugar nenhum, Capanema ousou impor um atalho:

"Dr. Getúlio, vamos tratar do nosso assunto. O senhor mandou me chamar aqui e já sei o que vai dizer. Decidiu nomear o Virgílio para interventor e quer, como uma atenção que muito me desvanece, que eu saiba por seu intermédio. Quem me disse isso foi o próprio Virgílio. Almoçamos juntos hoje."⁵⁵

Ao contrário do que se costumava acreditar, a discrição definitivamente não era uma característica extensiva a todos os mineiros, constatou Getúlio. O único remédio, nesse caso, era apelar para o blefe.

"É mentira!", negou, sem enrubescer. "Não pretendo nomear o Virgílio. Meu candidato é o senhor, que está no cargo como interino e tem direito à efetivação. Mas tenho dificuldades. Não posso romper com o Oswaldo. Preciso dele nesse momento. Fique no Rio quantos dias necessite. Procure convencer Oswaldo a aceitá-lo, e será o bastante. Não precisa se valer do apoio de mais ninguém."[56]

Na prática, o escorregadio Getúlio Vargas transferia a terceiros uma responsabilidade que, sob qualquer ponto de vista, era sua. Estava absolutamente claro que continuava sem querer se indispor com nenhuma das correntes em disputa. Sua intenção era prosseguir na estratégia, como ele mesmo definia, do "deixa-como-está-para-ver-como-é-que-fica".

"Com o passar do tempo, as paixões vão-se arrefecendo e as coisas podem mudar", confidenciou a um deputado mineiro, em conversa de bastidores.[57]

O problema é que Capanema não partilhava da mesma paciência. Na audiência, recusou-se a compactuar com o artifício de eterna indefinição. Se nomeado, pretendia montar sua própria equipe de governo, para tomar decisões sem o peso morto do secretariado que herdara de Olegário. Na condição de interino, sentia-se tolhido em sua autoridade para proceder às mudanças que julgava necessárias à máquina administrativa.[58] Tal açodamento levou Getúlio a arriscar um último lance rumo a uma saída negociada. Convocou nova reunião reservada, dessa vez com a presença de Oswaldo Aranha, Flores da Cunha, Virgílio de Melo Franco e Gustavo Capanema. Recebeu, primeiro, Aranha e Flores. Tinha um recado a lhes dar em caráter particular, enquanto a dupla mineira esperava na antessala:

"Quero resolver de uma vez por todas esse caso. Para isso, faço-lhes um apelo: retirem-se do assunto, que deve ser resolvido pelos próprios mineiros, sem a interferência de políticos do Rio Grande."[59]

Lá fora, Virgílio e Capanema andavam de um lado para o outro, indo e vindo em direções opostas, visivelmente nervosos, sem trocar olhares ou palavras, embora quase trombassem entre si.

"Que negócio é esse?", indagou Alzira ao se deparar com a cena, que lhe pareceu bizarra.

"A decisão final é hoje. Os padrinhos — Oswaldo e Flores — estão lá dentro", explicou-lhe o ajudante de ordens.[60]

Quando Virgílio e Capanema finalmente tiveram a entrada liberada ao gabinete, Getúlio avisou que eles próprios teriam que desatar o nó:

"Vocês dois se entendam e me tragam uma solução, que será por mim aceita, qualquer que ela seja."⁶¹

Lançou-lhes, contudo, uma única advertência. Se por acaso não chegassem a um acordo sobre qual deles aceitaria renunciar à candidatura em favor do outro, tratassem de indicar um tertius para pôr fim àquele assunto, sentenciou Getúlio.⁶²

Quarenta e oito horas depois, de volta ao Guanabara, inquiridos sobre o que afinal de contas haviam decidido, Capanema se apressou a ler em voz alta a Getúlio Vargas um documento rabiscado à mão, com o timbre do Hotel Glória. O texto vinha assinado tanto por ele quanto por Virgílio. Em resumo, capciosamente, devolviam a deliberação a Getúlio. Prometiam conformar-se com a solução arbitrada pelo Catete, desde que um deles fosse o ungido: "À vista de ter o chefe do Governo Provisório declarado o seu desejo de nomear um dos dois declarantes, ambos se mostram satisfeitos com essa resolução, preferindo que não se cogite um terceiro nome".⁶³

Sentado por trás do birô, Getúlio ergueu as mãos, unindo-as com as palmas voltadas para cima, como se recebesse uma incômoda oferenda.

"Passaram-me a brasa", suspirou.⁶⁴

De público, não deixou transparecer um milímetro de irritação. Mas, protegido pelo sigilo do diário, deu vazão à enorme revolta: "Os dois candidatos se uniram e me prepararam um golpe, pensando vencer na reunião, restabelecendo o impasse criado pelos seus nomes, para obrigar-me a opinar".⁶⁵

O político Gilberto Amado já dizia que, para aqueles que pretendiam bancar os espertos contra ele, Getúlio Vargas sempre encontrava uma maneira de se revelar esperto e meio.⁶⁶ Assim, convocou Antônio Carlos e solicitou que a comissão executiva do Partido Progressista elaborasse uma lista sêxtupla, composta de deputados da bancada mineira na Constituinte. O novo interventor sairia da relação. Getúlio analisaria o currículo de cada um dos indicados pelo PP e, ao final, anunciaria o escolhido. Detalhe: Capanema e Virgílio não deveriam ser incluídos no rol de candidatos. Teriam forçosamente que se retirar do páreo, em nome da pacificação geral do partido.⁶⁷

No dia seguinte, cumprindo o combinado, Antônio Carlos apresentou uma lista com os nomes de Odilon Duarte Braga, Licurgo Leite, Pedro Aleixo, Augusto Viegas, Raul de Sá e Noraldino Lima, todos garatujados com letra miúda no verso do cartão de visitas do presidente da Constituinte.⁶⁸

Ao final, Getúlio comentou, simulando naturalidade:

"Põe aí também o Benedito Valadares, para completar a lista."[69]

Antônio Carlos Ribeiro de Andrada não era nenhum neófito em matéria de artimanha política. Compreendeu o ardil. Getúlio iria surpreender a todos com uma escolha aparentemente despropositada. Valadares era um deputado obscuro, sem outra experiência administrativa que não a de intendente de sua cidade natal, Pará de Minas. Apoiara o movimento de 30, servira no destacamento federal junto ao túnel da Mantiqueira em 32 e se elegera em 33 por obra e graça do próprio Antônio Carlos, que o indicara para uma das últimas vagas do partido à Constituinte. Seu esquálido currículo se resumia a isso. A maior credencial de que dispunha talvez fosse o fato de ser vagamente aparentado dos Vargas, pois era concunhado de Ernesto Dornelles, primo de Getúlio.[70] A surpresa foi tamanha que teria surgido justamente aí a expressão popular logo incorporada ao idioma: "Mas será o Benedito?".[71]

O que muita gente desconhecia à época era que, menos de uma semana antes, Benedito Valadares estivera no Catete para falar a respeito das dificuldades da sucessão mineira. Na oportunidade, fora convidado a dar sua opinião sobre o tema, tendo respondido de bate-pronto que, no seu entender, a nomeação de Gustavo Capanema seria a mais producente, uma vez que o interventor interino gozava da plena simpatia da bancada estadual na Constituinte. Getúlio então fizera de Valadares um fiel mensageiro, encarregando-o da incumbência de persuadir Capanema a aceitar o prolongamento da interinidade por tempo indefinido. Se até o governo central vinha se autointitulando "provisório" por mais de três anos, não haveria problema nenhum em conferir a mesma fachada de transitoriedade ao comando político de Minas Gerais. O deputado dissesse isso, com toda a sutileza, ao colega de partido. Benedito Valadares foi, repassou o recado e voltou de mãos vazias.

"O Capanema mandou dizer que lamenta muito, mas não pode mesmo continuar desprestigiado como está. Os jornais todos os dias noticiam a saída dele. Por isso, solicita ao senhor a nomeação efetiva", comunicou, no retorno ao palácio.[72]

Getúlio ouviu a resposta em silêncio. Não fez um único comentário. Apenas estendeu a mão para cumprimentar Valadares e o despachou.

"Dr. Getúlio, eu não tenho nada com esse caso de interventor", disse o constrangido pombo-correio, antes de se retirar do gabinete presidencial. "Foi o senhor quem me mandou falar com o Capanema", lembrou, como se pedisse desculpas pelo enigmático silêncio do chefe de governo, que talvez tivesse ficado aborrecido com o insucesso da missão.

Só então Getúlio riu e bateu-lhe de leve no ombro:

"Valadares, estou muito contente com você; prestou-me um grande serviço."[73]

Desde aquele momento, a decisão estava tomada. O discreto Benedito Valadares seria o interventor de Minas Gerais. Se Antônio Carlos pareceu atônito com a notícia, Gustavo Capanema quedou desconsolado. E Virgílio, como se dizia na gíria da época, ficou com sangue nas guelras, decidido a romper com o governo federal. Oswaldo Aranha tomou a frente e resolveu assumir as dores do pupilo:

"Por que você não me avisou que ia colocar o Benedito na lista?", cobrou, zangado, a Getúlio. "Esse rapaz é um incapaz, um completo imbecil", revoltou-se.[74]

"O Valadares é burro só por fora", respondeu Getúlio, enigmático.[75]

Para Oswaldo, já bastava. Esgotara o limite de sua paciência. Aquele governo já fizera trapalhadas demais. Pedia demissão sumária do ministério. E também não exerceria mais o papel de bobo da corte como líder da maioria na Constituinte. Exonerava-se dos dois cargos. Uma das últimas de suas missões à frente da pasta da Fazenda foi o chamado "Esquema Aranha", a reabertura da negociação com os credores internacionais no momento em que o acordo do *funding loan* estava expirando.[76]

"Vivi no governo como um barco no lugar das arrebentações, sem poder fazer-me ao mar, sem poder galgar a terra. Suportei essa posição, batido por todas as ondas, atirado sobre todos os penhascos, como joguete do choque e entrechoque dos interesses e dos homens da revolução. Cortou o Getúlio as amarras, cautelosa e premeditadamente", escreveu Oswaldo. "Nada mais me restava do que afundar, entre as lamentações dos praieiros."[77]

Logo em seguida, Afrânio de Melo Franco tomou idêntica atitude. Pediu dispensa do Ministério das Relações Exteriores.[78] "Perco dois bons colaboradores e dois amigos. Sinto principalmente o afastamento de Oswaldo, cujas qualidades excepcionais dificilmente podem ser supridas. Será definitivo esse afastamento? Quais as suas consequências?", indagava-se Getúlio, que pouco depois acabaria recompensando Oswaldo com o cargo de embaixador brasileiro nos Estados Unidos. "Por que escolhi o sr. Benedito Valadares? Porque todos tinham candidatos e queriam apenas que eu adotasse as preferências alheias. Só eu não podia ter candidato, e pensei que deveria tê-lo. Escolhi esse rapaz tranquilo e modesto, que me procurou antes, sem nunca pensar que seu nome pudesse ser apontado para interventor."[79]

Com Minas Gerais sob o controle de um preposto, Getúlio passou a voltar sua atenção para os recorrentes boatos de conspiração nos quartéis. Se setores mais extremados das Forças Armadas continuavam a considerar a possibilidade de uma solução de força, outros oficiais igualmente inconformados com a abertura do regime passaram a defender um plano ainda mais caviloso: levar Góes Monteiro ao poder pelas vias legais, apresentando-o à Constituinte como um candidato alternativo a Getúlio. Questionado pelos jornalistas, o próprio Góes mantinha uma postura ambígua a respeito do assunto:

"Dentro da democracia-liberal, eu tenho, creio, a liberdade de não dar o meu consentimento à indicação do meu nome. Agora, dentro ainda da democracia-liberal, os outros também têm, creio, a liberdade de escolher seu candidato."[80]

Curiosamente, em vez de minar as prerrogativas militares de Góes Monteiro, Getúlio resolveu agir de modo oposto ao que se poderia esperar em semelhante situação: honrou a promessa de nomeá-lo ministro da Guerra, concedendo-lhe, portanto, poderes ainda mais dilatados. Observadores próximos ao chefe de governo não entenderam a lógica aparentemente suicida da estratégia. Alzira, quando tentou advertir o pai dos rumores que corriam a respeito de uma possível traição por parte de Góes, ouviu uma seca reprimenda:

"Já lhe disse que não gosto de mexericos. Deixem o Góes em paz. Ele sabe o que está fazendo."[81]

Ao contrário de todas as evidências daquele caso específico, Getúlio também sabia.

9. O ditador deixa o poder; o novo presidente assume. Mas eles são a mesma pessoa (1934)

"Vamos degolar!"[1]

Gregório Fortunato, à frente de um grupo de cinquenta são-borjenses armados de rifles, fuzis, revólveres, espadas e granadas de mão, deu ordem para iniciar o combate. O ataque fora antecipado em 24 horas, após os *montoneros* acantonados em Uruguaiana precipitarem a investida sobre Paso de Los Libres, desfechando-a já na madrugada de 29 para 30 de dezembro. A fim de que se mantivessem os assaltos rebeldes à província argentina de Corrientes minimamente concatenados, o major guerrilheiro Domingo Aguirre decidiu não esperar mais pela noite do Ano-Novo, como antes combinado. Nos primeiros minutos do dia 31, um domingo, ordenou também a ofensiva sobre Santo Tomé. Os homens do 14º Corpo Auxiliar de São Borja, o "Catorze-de-pé-no-chão", com os distintivos do uniforme arrancados, coadjuvaram a batalha, sob o comando de Fortunato.[2]

Pego de surpresa, o oficial Armando López Ramírez, líder de uma patrulha avançada da guarda marítima argentina, percebeu que não conseguiria conter os invasores, em maior número e com superior poder de fogo. Sua meia dúzia de comandados seria trucidada em questão de minutos, calculou Ramírez. A única alternativa era debandar.[3]

A correria dos argentinos foi acompanhada por um chuveiro de balas de metralhadora. O matraquear partiu de uma lancha conduzida por João Falkemback, capanga de Benjamim Vargas. Embora não tenha atingido ninguém, as rajadas se encarregaram de desestimular qualquer reagrupamento, possibilitando que as outras lanchas oriundas de São Borja despejassem mais duzentos elementos em terra firme.[4]

A primeira parte da missão estava cumprida. O desembarque, feito na embocadura do arroio Itacuá, ao norte da zona urbana de Santo Tomé, foi mais fácil do que se imaginava. Dali a seis quilômetros, ficava o pontilhão de madeira que dava acesso às cercanias da cidade. Para atravessá-lo, Gregório, Falkemback e seus companheiros só tiveram que enfrentar outra patrulha, também por demais diminuta para oferecer alguma resistência efetiva.[5]

"Vamos degolar! Vamos degolar!", continuava gritando Fortunato, como um alucinado.[6]

Dessa vez, foi o tenente Salomão Morales quem autorizou o salve-se quem puder. Na batida em retirada, dois argentinos foram alvejados pelas costas. Poucos metros à frente, um terceiro tombou morto quando tentou se voltar e apontar o cano da escopeta contra os atacantes. Uma bala dundum o acertou em cheio no rosto. Apesar da ferocidade da ação, as ameaças de degola fanfarreadas por Fortunato não se concretizaram. Era um grito de guerra, lançado mais para intimidar o inimigo do que para ser entendido como ordem literal.[7]

À entrada de Santo Tomé, Fortunato dividiu o grupo em dois pelotões. Um marchou conduzido por Falkemback, outro por ele próprio. O primeiro contornou as ruas à direita até chegar ao Hotel Paris, em cujo telhado foi aninhada uma metralhadora, com a mira voltada para o prédio da polícia. O segundo seguiu pelas ruas à esquerda, estabelecendo o movimento de pinça, cercando a chefatura pelo flanco oposto.[8]

Os sinais luminosos pré-combinados indicavam que, àquela hora, cerca de duas da manhã, o coronel Domingo Aguirre não apenas dominara pessoalmente o posto da guarda e a subprefeitura próximas ao porto, como também já ocupara com cerca de outros duzentos indivíduos as dependências da Escola Normal, no centro da cidade, onde ficou instalado o quartel-general dos rebeldes. Ao todo, eram quase quinhentos invasores contra menos de duas dezenas de homens responsáveis pela guarda local, incluindo policiais e marinheiros.[9]

Alertados pelo ruído dos primeiros tiros, os defensores esboçaram uma reação honrosa. Os reforços prometidos por Buenos Aires não haviam chegado.

Dívidas administrativas da província de Corrientes junto à empresa de transportes Ferrocarril impossibilitaram o fretamento de um comboio para conduzir novos destacamentos a Santo Tomé. A tropa de apoio se resumiu a um capitão, três tenentes, dois sargentos e meia dúzia de praças. Encurralados, estes mantiveram posição no interior da delegacia e rebateram a abordagem, sustentando o tiroteio pelo resto da noite, até esgotar a munição. Às primeiras horas da manhã, Domingo Aguirre enviou um ultimato ao comissário Ramón Corrales, chefe da polícia local. Fariam uma rápida trégua, para que ele e seus companheiros saíssem de mãos para cima.

"Senhor comissário; vocês têm vinte minutos para se render. Caso contrário, atacarei e ordenarei seu imediato fuzilamento."[10]

Meia hora depois, sem nenhuma resposta, Aguirre ordenou a arremetida final. Após um movimento coordenado, o prédio foi invadido. Em vez de fuzilarem Corrales, colocaram-no na cadeia, em companhia dos subordinados. Todos os prisioneiros que se encontravam nas celas, tão logo se viram em liberdade, reuniram-se aos invasores.

"*Viva los brasileños!*", saudaram os recém-libertos.[11]

O brado ilustrava bem a singularidade do momento. Articulada pelo comando *montonero*, a tomada de Santo Tomé foi executada predominantemente por brasileiros. Do meio milheiro de invasores, apenas cinquenta eram de nacionalidade argentina. Os demais não tinham nenhum interesse político naquela luta. Uns, mercenários arregimentados em terras gaúchas, estavam mais preocupados em se apropriar do butim prometido pela guerrilha. Outros, integrantes do 14º, vinham movidos pelo espírito de vingança de seu comandante, Benjamim Vargas — que não participava do assalto em pessoa, mas liberara seus homens para a ação, consentindo que também se apropriassem dos rescaldos do confronto.[12]

Depois de destruírem as instalações da polícia, os agressores partiram para tomar o prédio dos correios, a central telefônica e a estação ferroviária, dominando as comunicações da cidade com o restante do país. A caixa-forte da agência local do Banco de La Nación Argentina, alvo prioritário, permaneceu intacta. O tesoureiro, portador de uma das três chaves necessárias para abrir o cofre, conseguiu fugir da cidade antes de ser localizado pelos salteadores. Nem mesmo dois serralheiros mandados buscar nas redondezas, munidos de maçarico e pé de cabra, conseguiram arrombar a sólida fechadura de segurança.[13]

Como havia o compromisso de remunerar os bandoleiros brasileiros pelos "serviços prestados" à liderança guerrilheira, decidiu-se promover uma arrecadação compulsória entre os aterrorizados moradores de Santo Tomé. Domingo Aguirre ordenou que o gerente e o contador do banco saíssem batendo de porta em porta, arrecadando "donativos" junto à população, até conseguirem reunir um valor suficientemente elevado para ser pago a título de "imposto de guerra".[14]

Nem precisariam ter se dado a semelhante trabalho. Excitados pela vitória e pelos litros de álcool confiscados nos empórios da cidade, os invasores já haviam iniciado um saque generalizado aos lares e comércios. Durante o dia inteiro, Santo Tomé foi alvo da mais escancarada pilhagem. As prateleiras dos armazéns, lojas, bares e mercearias restaram vazias. Residências eram invadidas com violência. Anéis, joias, carteiras e relógios foram arrancados das mãos dos respectivos donos. No meio da tarde, podiam ser vistas sobre as calçadas montanhas de sacas de mantimentos, móveis, máquinas de costura, caixotes com porcelana e prataria, além de feixes de roupas, colchões, cortinas e lençóis — tudo aguardando a vez de ser transportado em barcaças para a margem brasileira. Automóveis e caminhões não escaparam à rapina. Abarrotados de víveres e objetos roubados, também foram conduzidos em balsas com destino a São Borja.[15]

O roubo desenfreado só teve fim quando, já à noite, chegou pelo telégrafo a informação de que as arremetidas previstas pelos *montoneros* nos demais alvos da fronteira haviam fracassado. Segundo os informes, as cidades de Paso de Los Libres e Alvear, assaltadas por contingentes rebeldes a partir de Uruguaiana e Itaqui, tinham resistido ao cerco e conseguido repelir os agressores. No resto do país, os quartéis não haviam se levantado, diferentemente do planejado pelos organizadores da "patriada". Em Buenos Aires, a população não saíra às ruas em protestos diante da Casa Rosada, como esperavam os líderes do movimento. Ao contrário, o presidente Agustín Justo ordenara o deslocamento urgente de efetivos rumo à província de Corrientes, incluindo uma esquadrilha de aviões de guerra, com o objetivo de retomar Santo Tomé dos usurpadores.[16]

A confirmação da notícia acelerou as providências para a travessia do material pilhado rumo ao Brasil. Na pressa, até mesmo armas e munições do 14º foram abandonadas, o que serviria como evidência material da participação de tropas brasileiras no episódio. Na hora da fuga, os saqueadores deram preferência aos bens de maior valor. Embriagados, encontraram tempo, porém, de deixar uma "lembrança" aos vizinhos santotomenhos. Na Plaza San Martín, a mais importante da cidade, o pedestal da estátua equestre do herói nacional argentino virou peça de tiro ao alvo. Ficou inteiramente crivado de balas.[17]

"A Argentina apresentou uma nota de protesto ao governo sobre as atividades de elementos militares brasileiros do 14º Corpo Auxiliar na invasão de território argentino", escreveu um preocupado Getúlio Vargas em seu diário, em 10 de janeiro de 1934.[18] Nos meses seguintes, o caso seria objeto de debates acalorados entre as representações dos dois países. O Itamaraty, por meio do ministro interino das Relações Exteriores, Félix de Barros Cavalcanti de Lacerda — nomeado para o posto após a exoneração de Afrânio de Melo Franco —, tentou contornar as implicações diplomáticas do episódio. Em correspondência à embaixada platina, afirmou que o Brasil estaria "vivamente empenhado em esclarecer os fatos". Como prova disso, o Catete ordenara a abertura imediata de "um rigoroso inquérito policial-militar".[19]

Entretanto, o desenrolar dos acontecimentos mostrou que tal investigação, na prática, resultou apenas em um tímido pedido formal de desculpas ao país vizinho pelo fato de "alguns brasileiros, sem função oficial, felizmente em número muito limitado, se houverem deixado envolver por espírito aventureiro em um ataque levado a efeito por argentinos a uma cidade de sua própria pátria". De acordo com a correspondência oficial enviada pelo ministro Cavalcanti de Lacerda ao embaixador Ramón Cárcano, o governo do Brasil teria tomado todas as providências para a devida punição dos culpados, entretanto, "o inquérito policial-militar não pôde apurar responsabilidades individualizadas".[20]

Os termos da carta do Itamaraty irritaram Cárcano, que a respondeu em tom áspero, dizendo-se "profundamente decepcionado" com a atitude oficial brasileira. O embaixador indagava como fora possível aos *montoneros* reunir, organizar, armar e municiar tão grande número de celerados, em pleno território do Rio Grande do Sul, sem que as autoridades locais tivessem conhecimento. "As armas e munições encontradas em poder dos revolucionários, bem como as lanchas de transporte por eles utilizadas, saíram dos arsenais e quartéis brasileiros", censurou Cárcano. "Foram identificados, com seus respectivos nomes, os cidadãos brasileiros que assaltaram a cidade argentina, assim como vários soldados do 14º, muito conhecidos em uma e outra margem."[21]

A celeuma se arrastaria por mais dois anos, provocando sucessivas arestas entre as respectivas chancelarias. Contudo, logo as contrariedades de Getúlio Vargas em relação aos atos do irmão mais novo foram suplantadas por inquietações de outra ordem, ainda mais graves. Getúlio veraneava em Petrópolis, como sempre fazia a cada começo de ano, quando o chefe da Casa Militar do Governo Provisório, general Pantaleão Pessoa, advertiu-o de que o plano para derrubá-lo já estava em pleno andamento:

"A primeira fase constaria da prisão do senhor aí em Petrópolis. Não creio nessa ousadia, mas acho conveniente andar o senhor prevenido nesses longos passeios", aconselhou Pessoa.[22]

As insatisfações nos quartéis tinham relação direta com a elevação da temperatura nos debates na Constituinte. O anteprojeto da nova Carta Magna fora redigido por um "grupo de notáveis" nomeado pelo Ministério da Justiça e composto de Afrânio de Melo Franco, Agenor de Roure, Antônio Carlos, Artur Ribeiro, Assis Brasil, Carlos Maximiliano, Góes Monteiro, João Mangabeira, José Américo de Almeida, Oswaldo Aranha, Oliveira Vianna, Prudente de Morais Filho e Temístocles Cavalcanti. O texto elaborado pela "Comissão do Itamaraty" — o nome se devia ao fato de as reuniões serem realizadas na sede do Ministério das Relações Exteriores — fora entregue à Assembleia para ser analisado e discutido por uma segunda comissão, composta de um representante de cada bancada estadual e de cada grupo classista, totalizando 26 integrantes. Caberia à "Comissão dos 26" apresentar o substitutivo a ser levado a plenário para votação. A ritualística, obviamente, demandava tempo. E havia gente querendo abreviá-la, a qualquer preço.[23]

Numa clara manobra para beneficiar Getúlio, o novo líder da maioria na Constituinte, o deputado baiano Antônio Garcia de Medeiros Neto, propôs uma reforma no regimento interno da Assembleia, invertendo a ordem dos trabalhos da casa. Medeiros queria antecipar a eleição indireta do presidente da República e só depois cuidar da aprovação do texto final da nova Carta. Os interventores mais próximos a Getúlio, como Flores da Cunha, não só apoiavam o artifício como tentavam convencê-lo a trabalhar no mesmo sentido. O maior interessado, contudo, preferiu assistir a tais articulações a dissimulada — e conivente — distância: "Respondi-lhes que não me opunha, uma vez que a Constituinte assim entendesse fazê-lo, mas como ato espontâneo seu".[24]

Para justificar a inversão dos trabalhos, o líder do governo argumentava que a eleição imediata traria tranquilidade ao espírito público e poria termo às agitações militares, evitando que a sucessão presidencial se transformasse em uma incubadora de crises. Todavia, ao contrário de gerar a pacificação dos ânimos, o requerimento só conseguiu originar um princípio de conflagração entre os próprios deputados:

"Ao fazerem essa inversão seria preferível fecharmos as portas da Constituinte e hastearmos o pavilhão nacional em funeral!", saltou da cadeira o fluminense Acúrcio Torres.[25]

"Não quero ameaçar o Brasil, nem o governo. Prevejo, aviso, mas não ameaço. Desejo expor aqui somente o meu desejo de brasileiro e dizer que aquilo que pratiquei, há dez anos, poderá ser repetido da mesma forma hoje", advertiu João Alberto. "Levanto minha voz para proclamar que, se consumada a providência, a Revolução estará terminada, só me restando a satisfação de sair dela, como nela entrei há catorze anos, altivo e independente."[26]

A reação da imprensa não foi menos indignada: "Eleger um presidente constitucional antes que a Constituição exista é admitir que o filho possa nascer antes da mãe", recriminou *O Estado de S. Paulo*.[27]

Torpedeado por todos os lados, o casuísmo de Medeiros Neto não foi adiante. Mas produziu como efeito colateral a celeridade nas deliberações da Constituinte. Após quatro meses de análise, em março, a Comissão dos 26 apresentou o substitutivo ao anteprojeto do governo, que passaria a ser votado em blocos temáticos, em vez de cada artigo ser dissecado individualmente.[28] O novo texto alterava de modo sensível os propósitos centralizadores do documento original, ao restaurar alguns princípios do regime federativo, concedendo maior autonomia política e administrativa aos estados. A pressão das grandes bancadas conferira certos contornos liberais ao projeto, em detrimento de um Executivo hipertrofiado, como desejava Getúlio. A questão tributária, sobretudo, tornou-se foco de celeuma. Os constituintes de São Paulo, Minas Gerais, Rio Grande do Sul e Bahia, em grupo, passaram a advogar a permanência no âmbito dos estados de impostos que a Comissão do Itamaraty mantivera sob o domínio da União, a exemplo das tarifas sobre exportações, consumo de gasolina e atividades comerciais. Havia também, por parte dos deputados, uma tendência natural de reforçar o papel do Legislativo, aumentando-lhe as prerrogativas e a autoridade de fiscalização sobre atos do presidente da República.[29]

"Fui ler o projeto, do qual não tive boa impressão", desapontou-se Getúlio. "Achei-o muito inclinado ao parlamentarismo, reduzindo muito o poder do Executivo."[30]

Se a fórmula não agradou ao Catete, também não angariou adeptos junto a setores graduados da caserna. Em um primeiro momento, altas esferas do Exército cogitaram atrair o chefe de governo para uma solução armada. Os duelos de retórica travados na Constituinte — não raro derivados para bate-bocas explícitos — eram interpretados pelos militares como manifestações inadmissíveis de anarquia. O general Manuel Rabelo, que desde março de 1933 estava no comando da 7ª Região Militar, no Recife, enviou a Góes Monteiro uma carta na qual sugeria a dissolução da Assembleia, a manutenção de Getúlio como chefe de governo e a aplicação extensiva da Constituição autocrática gaúcha, escrita por Júlio de Castilhos, a todo o país.

"A Constituinte se desmoralizou sem remédio, ficando abaixo das assembleias legislativas que a Revolução derrubou como nocivas ao bem público", expressou-se Rabelo, no rascunho de um manifesto à nação, documento que pretendia divulgar após convencer Góes Monteiro e Protógenes Guimarães a subscrevê-lo.[31]

Quando expôs seus planos ao chefe de governo, Rabelo se deparou com uma reação pouco entusiasmada, ao contrário do que poderia imaginar. Getúlio prometeu examinar o caso com o devido vagar, mas ponderou que talvez fosse mais adequado tentar interferir politicamente no projeto em discussão na Constituinte, por meio de articulações junto à base aliada, em vez de apelar para o recurso extremo das armas.[32] Diante das evasivas do interlocutor, Rabelo foi atrás de outros aliados. Aproximou-se então de uma vertente militar mais radical, que vinculava a necessidade de fechamento imediato da Assembleia à queda simultânea de Getúlio. Em uma de suas idas ao Rio, questionado pelos jornalistas sobre qual seria seu candidato à presidência da República, Rabelo não se conteve:

"Não sou deputado. Por isso, não votarei. Aliás, não quero saber de eleições. Jamais me envolverei na corrupção democrática que os regimes eleitorais representam", rosnou.[33]

Levado ao plenário a partir de março, o substitutivo foi alvo de uma enxurrada de mais de mil emendas. Entre as propostas apresentadas, havia algumas matérias polêmicas, como a indicada pelo deputado paulista Teotônio Monteiro de Barros, que queria barrar a imigração japonesa no Brasil, sob o argumento de que era necessário combater "os quistos amarelos" no país. Monteiro de Barros propunha a criação de um órgão técnico de "controle eugênico da população".[34] Enquanto isso, os deputados Miguel Couto, médico eleito pelo Distrito Federal; Xavier de Oliveira, psiquiatra da bancada cearense; e Artur Neiva, sanitarista filiado ao Partido Social Democrático da Bahia, pretendiam proibir a imigração indiscriminada de asiáticos e africanos, dada a sua "comprovada inferioridade racial".[35]

Outras controvérsias mobilizaram a atenção do plenário. O deputado pernambucano Augusto Cavalcanti tentou aprovar, sem êxito, uma emenda que previa a instauração da pena de morte no Brasil para condenados por traição em tempos de guerra, autores de crimes hediondos e corruptos responsáveis por desvio de dinheiro público.[36] Um grupo de constituintes, encabeçados pelo também pernambucano Agamenon Magalhães, viu derrotada a proposição para se adotar o parlamentarismo no Brasil. E o general Cristóvão Barcelos, eleito pelo Rio de Janeiro, até encontrou eco para a ideia de transferir a capital da República para um ponto central do território brasileiro, fundamentado na tese de que a sede do governo deveria se localizar em região mais protegida sob o aspecto militar, distante do litoral.[37] Apesar de ser aprovado e chegar a integrar o texto final da Constituição, o alvitre de Barcelos não entrou em vigor à época, sendo ressuscitado quase três décadas depois, quando da fundação de Brasília.

Em abril, o substitutivo acrescido das emendas retornou à Comissão dos 26, que o fatiou em oito capítulos básicos, submetendo-os a grupos de trabalho distintos, encarregados de produzir os respectivos pareceres parciais antes de devolvê-los, em maio, para a votação final em plenário.[38] Nessa fase decisiva, acentuaram-se as divergências entre as bancadas dos grandes estados do Centro-Sul (mais poderosos economicamente e, por isso, propensos à defesa do regime federativo) e as minorias representativas do chamado "Norte" (em geral mais afeitas aos princípios tenentistas de centralização política, por causa de sua dependência ao poder central). Seguiu-se uma intensa atividade de bastidores, para aplainar as divergências entre as bancadas majoritárias e os interesses do Catete. As negociações, se por um lado pareciam garantir a Getúlio os votos necessários à permanência no poder, por outro exigiram a renúncia a aspectos programáticos bem caros à centralização inicialmente desejada.[39]

A feição "liberalizante" assumida por alguns capítulos da nova Carta ajudou a manter acesa a centelha da revolta nos quartéis. De Porto Alegre, Flores da

Cunha encaminhou uma série de telegramas alarmados ao Rio de Janeiro. Fontes amigas no Exército lhe haviam revelado que a conspiração alcançara e envolvera um grupo de generais graúdos, composto de Álvaro Mariante, Manuel Cerqueira de Daltro Filho, Constâncio Deschamps Cavalcanti e Manuel Rabelo, respectivamente comandantes da 1ª (Rio), 2ª (São Paulo), 4ª (Juiz de Fora) e 7ª (Recife) Regiões Militares.

"Será possível que a ti venha caber a desonra de nos entregar de braços atados a esses canalhas?", indagou Flores, em mensagem a Getúlio.[40]

Da Bahia, o interventor Juracy Magalhães também inundou a mala postal do Catete com cartas, bilhetes e relatórios a respeito do assunto. Juracy dizia ter infiltrado um espião entre os conspiradores. Por meio desse informante, tivera acesso aos detalhes do planejamento da ação, prevista para ocorrer a qualquer momento. As cópias de uma circular assinada por Valdomiro Lima já andavam de mão em mão, pela cúpula das casernas, conclamando a classe para a formação de um "Conselho de Generais", incumbido de exigir a renúncia do chefe de governo.[41]

"Todo cuidado é pouco", acautelava Juracy, que como medida de prevenção adicionara seis companhias provisórias ao efetivo regular das forças policiais baianas. Esses novos destacamentos, espalhados em pontos diferentes do interior do estado, já estavam em alerta, orientados a rebater quarteladas nas guarnições do Exército. Em Belo Horizonte, Benedito Valadares, ainda se familiarizando com as contingências do cargo, tomara providências semelhantes. Escreveu a Getúlio para dizer que poderia dispor, em caso de necessidade, de milhares de homens da Força Pública mineira, "com boa munição", para fazer frente aos golpistas. No Rio Grande do Sul, Flores da Cunha foi ainda mais enfático. Colocara todos os 20 mil homens da Brigada Militar gaúcha em regime de prontidão, ficando apenas à espera de que o governo federal fizesse soar o toque de reunir para subir em armas rumo ao Rio de Janeiro.

"Vamos espremer o tumor", propôs Flores.[42]

Getúlio não descuidava da rede de informações montada pelos interventores aliados. Mas, como sempre, preferia manter uma postura de expectativa silenciosa, como se não quisesse provocar mais focos de incêndios no setor militar.

"Basta saber com quem contarei no momento oportuno. Portanto, confie e espere, com a mão na rédea e o pé no estribo, para não se deixar surpreender; e não grite, para não despertar o adversário", recomendou a Flores da Cunha, que dizia não conseguir compreender como Getúlio mantinha uma aparente tranquilidade mesmo em face de situação tão adversa e potencialmente explosiva.

Juracy Magalhães era outro que não atinava com os motivos da serenidade demonstrada pelo chefe do Governo Provisório:

"Parece que vossa excelência está excessivamente confiante", telegrafou Juracy a Getúlio. "Dizem que a habilidade do político é ver claro, no meio da confusão. Talvez vossa excelência esteja entendendo tudo. Eu, por mim, confesso que estou enxergando mal."[43]

O estratagema de Getúlio, como de costume, envolvia um risco calculado. Ao entregar o Ministério da Guerra a Góes Monteiro, ele impusera ao general uma situação pública de compromisso, deixando-o moralmente impedido de se lançar numa disputa eleitoral contra o próprio chefe que lhe confiara o posto.[44]

"O general não pode ser candidato. O ditador o enforcou no cordão de seda de uma secretaria de Estado", analisou o jornalista Assis Chateaubriand.[45]

Obviamente, Getúlio não desconhecia as discordâncias de Góes Monteiro em relação ao processo de abertura política. Em seu arquivo, guardava a carta que o general lhe escrevera nos primeiros dias do ano, inconsolável com a reconstitucionalização do país. Góes lamentara que o governo não houvesse posto em prática medidas mais duras para promover a "regeneração" da sociedade e da política brasileira. Por esse motivo, avaliara o ministro da Guerra, Getúlio se vira compelido a optar pelo "processo clássico do liberalismo moribundo", convocando uma Assembleia Constituinte.

Segundo o militar, a experiência de outros povos "mais civilizados do que o nosso" teria demonstrado "os resultados medíocres e algumas vezes mesmo perniciosos da ação de corpos legislativos dessa natureza". Ao final da mensagem, Góes acrescentara um trecho que podia ser lido como uma velada intimidação. As Forças Armadas estavam "dispostas ao ataque", pois o Exército seria o único instrumento capaz de impor a ordem política "quando faltam outros recursos ou quando convém empregar a violência justificada, como medida extrema e salvadora, sem atender a considerações de outra espécie".[46]

A mobilização conspiratória em torno do nome do ministro da Guerra saiu da surdina quando, em 10 de abril de 1934, o Clube 3 de Outubro divulgou um manifesto conclamando os filiados "a não cruzarem os braços ante a iminência do naufrágio nacional" e a cerrar fileiras em torno da indicação do nome do general Góes Monteiro para dirigir os destinos da nação brasileira. De acordo com o documento, "entregar o país às competições da liberal-democracia" seria o mesmo que "determinar a ruptura dos laços já demasiado frágeis da união nacional".[47]

Um dia depois da divulgação do manifesto tenentista, o deputado mineiro Cristiano Machado, que apoiara Virgílio de Melo Franco na disputa contra Gustavo Capanema, surpreendeu tanto a imprensa quanto os colegas de plenário ao também propor, em discurso na Constituinte, a candidatura do ministro da Guerra à presidência da República. Para Machado, o fim da ditadura e o afrouxamento do sistema repressivo, sem os devidos cuidados institucionais, levariam o país ao risco da completa baderna.

"Só as Forças Armadas, como organismo autônomo, respeitado e nacional, serão capazes de manter a ordem, a disciplina e a união da pátria. E só agrupadas em torno de um chefe militar poderão manter-se indissoluvelmente unidas", alegou o mineiro.[48]

O discurso de Cristiano Machado era a comprovação de que os civis insatisfeitos com Getúlio Vargas buscavam aproveitar a tensão na caserna para desestabilizar a candidatura oficial. Com o mesmo propósito, um ainda aborrecido Virgílio de Melo Franco andava angariando assinaturas na Assembleia para tentar aprovar uma emenda que tornaria o chefe de governo inelegível.[49] A proposta de Virgílio não encontrou número suficiente de prosélitos, mas Getúlio achou que era a hora de finalmente sair da penumbra.

Convocou o ministério e anunciou que sua candidatura deveria ser lançada imediatamente, não como uma imposição do Catete ou uma intromissão do Executivo no trabalho dos deputados, mas sim como uma iniciativa espontânea, de aspecto democrático, referendada pelas diversas bancadas partidárias com representação na Constituinte. Em vez de levantar o dedo em riste contra a Assembleia, era o caso de prestigiá-la, saudando-a como legítima expressão da vontade popular. Desse modo, seu nome seria apresentado à nação como o defensor da legalidade, amortizando as críticas pelo continuísmo e, ao mesmo tempo, indispondo a opinião pública contra os golpistas de plantão.[50]

Havia quem especulasse que a candidatura de Góes Monteiro fosse apenas uma dissidência de fachada, produzida no laboratório político do próprio Catete, para dividir e confundir a oposição. De forma subterrânea, o chefe do Governo Provisório teria incentivado o ministro da Guerra a se lançar à disputa, com o objetivo deliberado de criar um falso antagonismo, desestimulando pretendentes reais a entrar numa disputa já polarizada. Na comparação pública entre Góes Monteiro e Getúlio Vargas, o primeiro encarnaria o espírito militar; o segundo, a experiência política. Um simbolizaria o cesarismo de farda, outro, a hegemonia paisana.

"Góes Monteiro é uma janela aberta sobre a Itália de Mussolini, a Alemanha de Hitler. Getúlio Vargas é um Zé Pereira liberal pelos Estados Unidos e a Inglaterra", sintetizou Assis Chateaubriand, abraçando a tese de que os brasileiros estavam mesmo diante de uma escolha plebiscitária entre a ditadura armada ou o regime civil. "Com o general Góes, fazemos uma vigília autoritária e totalitária. Com Getúlio Vargas, tomamos uma pinga de sufrágio universal. Dois potenciais, dois climas diversos que nada têm um com outro", escreveu Chatô.[51] Por esse raciocínio, diante da aparente dicotomia, os deputados da Assembleia Constituinte, responsáveis por decidir a questão, não hesitariam em optar pela segunda alternativa.

Não há comprovação documental a respeito de um presumido acordo entre Getúlio Vargas e Góes Monteiro, embora a própria filha Alzira tenha passado a acreditar na hipótese de que o pai e o ministro da Guerra estivessem agindo de caso pensado e em comum acordo.[52] As cartas e escritos pessoais de Getúlio, contudo, pareciam apontar em outro sentido. "O general Góes é o homem do dia. Em torno dele se tecem todas as intrigas e combinações contra o governo", registrou em seu diário.[53] "Não há dúvida de que ele deseja sua candidatura. Parece haver em tudo isso uma certa tendência para arrebatar minha autoridade."[54]

Entretanto, é perfeitamente possível admitir que, mesmo sem o consentimento do ministro, o chefe do Governo Provisório estivesse manipulando a divergência, de forma hábil, em benefício pessoal. Mais uma vez, Assis Chateaubriand forneceria um pitoresco arsenal de metáforas para ilustrar a situação: "Onde um nordestino ou mesmo um gaúcho aparece de cacete ou de lança, de faca ou de facão, o sr. Getúlio Vargas surge apenas de unha. Ele arranha, e as suas unhadas não matam, mas machucam", comparou Chatô.

> Até hoje, ele não matou um único dos cristãos de sua turma que quiseram judiá-lo com um tiro, uma facada, um soco. As mortes que ele consegue operar, porém, são fortes como capítulos do Purgatório. As almas penam dias, meses, anos seguidos. As suas vítimas são ratinhos, com que ele brinca de arranhar. Quantas dezenas de criaturas ele já não fez de camundongos do seu impassível jogo político![55]

Também apelando para uma analogia zoológica, o jornalista Costa Rego, colunista cativo da página dois do *Correio da Manhã*, comparava o método getulista de fazer política ao de um pescador de pirarucus. Peixe robusto e difícil de se dar por vencido, mesmo depois de arpoado o pirarucu amazônico só cede pela exaustão, após seu contendor lançar e recolher a linha seguidas vezes, numa técnica que alterna movimentos distintos, deixando-a frouxa em um momento, para depois retesá-la com firmeza.

Escreveu Costa Rego:

> Ora, não é senão uma pesca de pirarucu o que o sr. Getúlio Vargas faz, no desdobramento das crises da Revolução. Os homens que ele quer submeter, anular ou proscrever são primeiramente arpoados. Correm. Ao fim da linha, o ditador suavemente os chama. Embora resistindo, eles voltam, presos ao arpão. O sr. Getúlio Vargas larga-os mais uma vez, e só os larga para que voltem, até que extenuados, lhes possa aplicar o macete.
>
> Quem quiser melhores informações pode dirigir-se aos srs. Borges de Medeiros, João Neves da Fontoura, Maurício Cardoso, Lindolfo Collor, Batista Lusardo [...] e outros pirarucus de antigas pescarias.[56]

Estivesse o general Góes Monteiro encarnando o papel de camundongo ou de pirarucu, o fato é que, em 21 de abril, exatos dez dias após a fala de Cristiano Machado na tribuna do Palácio Tiradentes, os jornais noticiaram o lançamento da candidatura oficial, com todos os adornos da retórica democrática. O nome de Getúlio vinha endossado por uma expressiva coligação suprapartidária, formada por deputados oriundos de todas as unidades da federação.

"O dr. Getúlio Dornelles Vargas não é absolutamente candidato de si mesmo. É, sim, candidato nacional, candidato dos partidos regionais, desses partidos que a 3 de maio do ano passado demonstraram a sua pujança e a sua força em pleito deveras memorável", dizia o texto, em tudo sintonizado com o que fora discutido na reunião ministerial.[57]

A despeito de os jornais prosseguirem fazendo elucubrações sobre o assunto, Góes Monteiro continuava sem definir se enfrentaria Getúlio em uma disputa direta. Enquanto as semanas se passavam, os quartéis pareciam aguardar nervosamente a definição do ministro da Guerra para só então desfechar qualquer ofensiva. Em todos os informes secretos que chegavam ao Catete, o general Daltro Filho, da 2ª Região Militar, sediada em São Paulo, era citado como uma das cabeças coroadas da conspiração. Ele próprio não escondia suas convicções ideológicas, dizendo-se partidário de uma "república ditatorial". Para Daltro, a Constituinte era "um ajuntamento amorfo, a debater-se numa agitação estéril".[58]

Em 28 de abril, o general ofereceu o pretexto de que Getúlio precisava para removê-lo do caminho. O comandante da 2ª RM participou, inadvertidamente, de uma manifestação promovida por estudantes paulistanos em homenagem ao coronel Euclides Figueiredo, que acabara de retornar do exílio, ainda com os direitos cassados. Na estação de trem, diante de numerosa assistência, Daltro derramou-se em elogios ao colega contra o qual se batera em armas havia menos de dois anos, no vale do Paraíba.[59]

"O general Daltro comparece em São Paulo ao embarque do coronel Figueiredo, abraça e beija o orador que o saúda, fazendo acusações a mim e a apologia da Revolução de São Paulo", registrou Getúlio, embravecido.[60]

Convocado para uma reunião urgente no Guanabara, Góes Monteiro foi forçado a admitir que o caso podia ser enquadrado na categoria de indisciplina. Daltro faltara com o respeito exigido à figura do chefe da nação, comandante em chefe das Forças Armadas. Sendo assim, o ministro da Guerra não tinha como se opor à exoneração requerida por Getúlio. Contudo, aproveitou para exigir um alto preço pela troca de guarda na 2ª RM.

Góes queria a cabeça de outro general, José Maria Franco Ferreira, comandante da 3ª RM, principal aliado de Flores da Cunha no Rio Grande do Sul. No entender de Góes Monteiro, Franco Ferreira também transgredira a disciplina, ao responder de maneira grosseira a um ofício do ministério que ordenara a concentração das tropas federais gaúchas para fazer frente às mobilizações da Brigada Militar. O general Ferreira se recusara a obedecer, alegando que não competiria ao Exército intervir em decisões do interventor dentro do próprio estado que administrava. A réplica foi considerada um grave desacato por Góes Monteiro, que por isso resolveu endurecer.[61]

"Eu não quero ser o coveiro do Exército", disse Góes aos jornalistas, ameaçando renunciar ao ministério se Franco Ferreira não fosse punido.[62]

Getúlio, contemporizador, aceitou os termos da barganha. A saída abrupta de Góes Monteiro do governo, naquelas circunstâncias, poderia fornecer a senha para o golpe. Se o custo de afastar Daltro Filho das tropas paulistas era rifar o general Ferreira, não havia sequer o que discutir.

"Já venci a primeira etapa contra os adversários, retirando de São Paulo o general Daltro. A segunda é preciso vencê-la contra os amigos, retirando o general Franco Ferreira do Rio Grande do Sul", contabilizou Getúlio, somando as perdas e os ganhos da manobra.[63]

No lugar de Daltro Filho, foi nomeado o general Benedito Olímpio da Silveira, subchefe do Estado-Maior do Exército. Para substituir Ferreira, Getúlio escolheu o legalista João Gomes Ribeiro Filho. Assim, ao mesmo tempo que promovia o rearranjo de forças, o Catete começava a estabelecer um dispositivo militar sólido o bastante para fazer frente aos oficiais mais hostis.

"Começo a conspirar, pela manutenção da ordem, com os generais Andrade Neves, Fontoura, Pantaleão e Dutra", confidenciou Getúlio ao diário.[64]

A "conspiração a favor da ordem" foi de cirúrgica precisão. Andrade Neves, chefe do EME, manteve o conjunto da tropa sob vigilância cerrada. João Guedes da Fontoura, comandante da Vila Militar, reuniu os oficiais que lhe eram subordinados e obteve deles uma declaração unânime de lealdade ao governo. Pantaleão Pessoa, chefe da Casa Militar, continuou fornecendo ao Catete dossiês detalhados sobre as atividades dos colegas suspeitos de subversão. E Eurico Gaspar Dutra, diretor da Aviação, conservou a frota aérea em permanente estado de alerta.

"Consigo retomar os trabalhos", respirou, enfim, Getúlio Vargas. "A situação militar e da ordem do país, em geral, são boas. Os boatos agora vêm da Constituinte."[65]

Como decorrência natural da distensão política, a dois meses da data marcada para as eleições indiretas à presidência da República, Getúlio assinou um decreto anistiando todos os implicados na insurreição paulista de 1932.[66] O fato acelerou o retorno dos exilados ao Brasil, ao passo que expandiu o capital político do governo. Em editorial de primeira página, a *Folha da Manhã* louvou a iniciativa: "O chefe do Governo Provisório veio ao encontro dos anseios do país".[67] *A Noite* também congratulou Getúlio pela medida: "Começamos a vida nova sobre bases novas de solidariedade entre todos os brasileiros".[68]

A nota dissonante ficou por conta do jornalista Costa Rego, no *Correio da Manhã*, jornal que fazia a oposição possível ao Catete, naqueles tempos de censura:

> Um homem que chega a realizar integralmente seus objetivos deseja, antes de tudo, a paz. Ora a paz [para Getúlio] seria impossível com a suspensão dos direitos políticos de seus adversários. O sr. Borges de Medeiros, por exemplo, e os bravos

companheiros que o acompanharam no Rio Grande do Sul obteriam, dentro em pouco, o prestígio do martírio. E isto, cedo ou tarde, aconteceria em relação aos adversários do governo em todos os outros estados. O restabelecimento dos seus direitos políticos tira-lhes um símbolo de valor indiscutível. Pode, em certos casos, prejudicar a articulação de um forte partido oposicionista. O sr. Getúlio Vargas é um temperamento defensivo. Tem a superioridade de não acalentar amigos; tem ainda a inteligência de não cultivar inimigos. Assim, revogando a suspensão dos direitos políticos, ele, na verdade, não anistiou ninguém; anistiou-se.[69]

Sem ter chegado a confrontar a candidatura de Góes um só momento, Getúlio conseguira restaurar o controle da situação. O próprio general, que já dera várias declarações públicas contra a abertura política do país, sentiu-se obrigado a encerrar o assunto. A apenas uma semana da eleição, veio a público para informar que não era "candidato a nada". Haveria uma incompatibilidade entre suas convicções pessoais e a ideologia democrático-liberal que salvaguardava a existência da Constituinte.

"Como aceitar o mandato de uma Assembleia, tendo eu ideias diversas dessa mesma Assembleia?", explicou.[70]

Getúlio, mais uma vez, fizera do tempo o seu cúmplice. Ao perceber que a candidatura do ministro da Guerra estava definitivamente sepultada, os oposicionistas constataram que não teriam mais a oportunidade de encontrar um candidato forte o suficiente para dividir e fragilizar o governo. À última hora, à falta de alternativa mais viável, recorreram ao nome de Borges de Medeiros, o ex-presidente do Rio Grande do Sul, que a anistia tornara apto a concorrer ao cargo. Era quase uma anticandidatura, um protesto simbólico contra o titular do Catete.

Favorito absoluto em todas as bolsas de apostas, Getúlio só se preocupava com as limitações que o texto da nova Carta lhe imporia em um breve futuro.

"Com a Constituição que está para ser votada, talvez seja preferível que outro governe. Não tenho dúvidas sobre as dificuldades que vou enfrentar."[71]

Foi de ouvido colado ao rádio e junto à família que Getúlio acompanhou, no Guanabara, a transmissão histórica, realizada direto do Palácio Tiradentes.[72] Na sessão de 17 de julho de 1934, depois de oito meses de reuniões, a Assembleia cumpria a derradeira tarefa: eleger o futuro presidente da República. Na véspera, a nova Constituição fora oficialmente promulgada. Três dias antes, um decreto pusera fim à censura prévia aos jornais.[73] O Brasil, portanto, passaria a viver sob o regime de plenitude legal. O poder discricionário estava no fim. A ditadura experimentava os seus estertores.

A Carta aprovada — assinada por Antônio Carlos com a mesma caneta com que Prudente de Morais, presidente da primeira Constituinte republicana, firmara a de 1891[74] — refletia as contradições políticas do momento, ao incorporar certas aspirações tenentistas e, em simultâneo, apontar para a restauração de alguns princípios básicos da democracia liberal. Ao longo de seus minuciosos 187 artigos — contra os 91 da Constituição anterior —, instituiu-se no país o conceito de "segurança nacional", regularizou-se a federalização das minas, jazidas minerais e quedas-d'água, aprovou-se a expulsão de estrangeiros "perigosos à ordem pública" e se reconheceu o direito dos trabalhadores a férias remuneradas, salário mínimo e limite diário na jornada de trabalho. Nas disposições transitórias, os atos do Governo Provisório foram aprovados constitucionalmente, definindo-se que não poderiam ser alvo de posteriores contestações judiciais.

Em compensação, dali por diante, o Executivo prestaria contas ao Legislativo, que retomava também seu papel de elaborar leis e fiscalizar os atos do presidente da República. Este ficava passível de responder por crimes de responsabilidade, no caso de descumprimento de medidas judiciais e de desrespeito às normas orçamentárias. O Senado, em particular, conquistava a prerrogativa de suspender a concentração de forças militares em qualquer unidade da federação. Já o Tribunal de Contas ganhava a condição de órgão independente, cujas decisões eram declaradas irrevogáveis, a salvo das pressões e influências do gabinete da presidência da República. O mandato presidencial teria quatro anos e era vedada a reeleição.[75]

"Creio que serei o primeiro revisor dessa Constituição", desabafou um contrariado Getúlio Vargas, na segunda-feira, tão logo foi informado da promulgação do texto, que classificou de "monstruoso".[76]

Às três horas da tarde da terça, pontualmente, Antônio Carlos deu início ao processo de votação para a escolha do novo chefe de governo. Pelo artigo 1º das disposições transitórias, previa-se o sistema de voto secreto. Cada constituinte seria chamado, nominalmente, para receber o envelope rubricado pelos secretários da mesa. Depois, o deputado se encaminharia para uma cabine reservada, onde introduziria no envelope a cédula com o nome do candidato de sua escolha.

Por último, retornaria à mesa, para assinar o livro de registro e assentar seu voto na urna.[77]

Por volta das cinco da tarde, todos os sufrágios já tinham sido depositados na caixa negra de madeira entregue a Antônio Carlos, responsável pela contagem final dos resultados. Dali a poucos minutos, rompido o lacre da urna, o primeiro voto apurado foi para Getúlio Dornelles Vargas. Uma ruidosa salva de palmas se ouviu nos quatro cantos do plenário. O segundo, o terceiro, o quarto e o quinto votos também foram todos para o candidato oficial. No sexto, enfim, apareceu o nome de Borges, que foi ovacionado de modo mais discreto.[78] Todos notaram que, ao abrir cada envelope e anunciar ao microfone o conteúdo das cédulas, o presidente da Constituinte impunha uma entonação irônica à leitura:

"Getúlio *Dor Neles* Vargas!", exclamava, para o júbilo da maioria.[79]

Quando o voto era para Antônio Augusto Borges de Medeiros, o mineiro abreviava o nome do candidato para A. A. Borges de Medeiros, mas transformando as duas iniciais em uma discreta gargalhada:

"*Ah! Ah!* Borges de Medeiros!"[80]

Quando a votação de Getúlio alcançou o 125º sufrágio, garantindo a maioria dos escrutínios, o deputado gaúcho Demétrio Xavier soltou o grito da vitória:

"Viva o novo presidente do Brasil! Viva o dr. Getúlio Vargas!"[81]

Ao final da apuração, 175 deputados votaram em Getúlio. Apenas 59, em Borges. Outros quatro preferiram Góes Monteiro e dois, Protógenes Guimarães, que não eram candidatos oficiais. Do mesmo modo, Raul Fernandes, Artur Bernardes, Plínio Salgado, Oscar Weinschenck, Paim Filho, Afrânio de Melo Franco e o próprio Antônio Carlos Ribeiro de Andrada receberam um voto cada.[82]

Em 20 de julho, Getúlio tomou posse como presidente constitucional do Brasil. A faixa verde-amarela que trazia ao peito era novinha em folha. A antiga, cujo último usuário fora Washington Luís, ficara escondida desde 1930, em poder de um simples zelador do Catete, Albino José Fernandes, antigo servidor do palácio. No dia em que foi derrubado pela junta militar que passou o poder a Getúlio, o então presidente Washington incumbira Albino da guarda do simbólico objeto, orientando-o a só entregá-lo a um novo presidente legalmente eleito.[83]

A confiar na versão narrada por Alzira Vargas em suas memórias, durante quatro anos o zelador mantivera a faixa com o escudo de ouro cravejado de brilhantes oculta sob o uniforme de trabalho. Com medo de que seu segredo fosse descoberto, o consciencioso funcionário chegava a dormir com ela debaixo do pijama. A poucos dias da posse constitucional de Getúlio Vargas, Albino considerou que finalmente chegara a hora de entregá-la a quem conquistara o direito de ostentá-la.[84]

Ao que consta, Getúlio ficou impressionado com o gesto. Mas doou a faixa original ao Instituto Histórico. Não era exatamente um homem supersticioso. Contudo, por via das dúvidas, preferiu mandar confeccionar uma nova faixa, menos amarfanhada e ainda não maculada pela má sorte de um antecessor derrubado do poder por um golpe de força.[85]

"Nunca, direta ou indiretamente, insinuei o desejo de receber essa investidura. Submeti-me, apenas, ao imperativo categórico do momento, derivado da própria Revolução, que impunha o prosseguimento da sua obra, iniciada no período ditatorial", discursou Getúlio, na solenidade em que, por intermédio da Assembleia, transmitiu a si mesmo a presidência da República. "Nunca me seduziram as regalias do poder. Aceitando a indicação do meu nome pela Constituinte, curvei-me ante o dever de completar o programa esboçado nesses três últimos anos, pois outro propósito não poderia ter quem sabe das agruras e inquietudes peculiares à vida pública."[86]

Em seu juramento de posse, de acordo com o protocolo, o novo presidente do Brasil leu o compromisso solene aos deputados, que se puseram de pé para ouvi-lo, imediatamente antes da execução do Hino Nacional:

"Prometo manter e cumprir, com lealdade, a Constituição Federal."[87]

Getúlio, alguns já desconfiavam, não parecia inclinado a cumprir a promessa.

"As constituições são como as virgens, nasceram para ser violadas."[88]

A frase, que as más línguas atribuíam a Getúlio, não demoraria muito a ser posta em prática.

10. A Lei Monstro é aprovada:
"Não teremos mais direito de pensar em voz alta" (1934-5)

Depois de jurar fidelidade a seu fundador e líder supremo — o jornalista e escritor Plínio Salgado —, milhares de filiados à Associação Integralista Brasileira (AIB) deixaram a sede da entidade, na avenida Brigadeiro Luís Antônio, e saíram em marcha com suas características camisas verde-musgo pelas ruas do centro de São Paulo, rumo à praça da Sé. Da avenida Paulista até a rua Riachuelo, já nas imediações da catedral, a massa humana se estendia por uma extensão de quase dois quilômetros. Nas bandeiras e flâmulas que os integralistas empunhavam, assim como nas braçadeiras dos respectivos uniformes, distinguia-se a letra grega sigma (Σ) grafada em negro, símbolo da organização. O rufar dos tambores e o passo em estilo militar conferiam aspecto marcial ao desfile, efeito reforçado pela saudação do braço direito em riste, variante dos inconfundíveis cumprimentos nazifascistas.[1]

"Anauê!", saudavam-se os integralistas, repetindo a interjeição indígena que, segundo traduziam, significava "Você é meu irmão!", referência à "grande família dos camisas-verdes".

Os organizadores da concentração popular da AIB trabalhavam com a expectativa de reunir, naquela tarde, 10 mil associados. A "Marcha dos Dez Mil" representaria uma grande demonstração de força política e de controle do espaço público justamente na data em que se completava o segundo aniversário do "Manifesto de outubro", documento lançado em 1932 por Plínio Salgado e que propugnava a busca pelo Estado Integral — antítese do estado liberal —, livre de todo e qualquer princípio de divisão, sem partidos políticos, lutas de classes e regionalismos.

"Pretendemos insuflar energia aos moços, arrancá-los da descrença, da apatia, do ceticismo, da tristeza em que vivem; ensinar-lhes a lição da coragem, incutindo-lhes a certeza do valor que cada um tem dentro de si, como filho do Brasil e da América", dizia o manifesto, redigido em tom ufanista. "Para isso, combateremos os irônicos, os *blasés*, os desiludidos, os descrentes, porque nesta hora juramos não descansar um instante, enquanto não morrermos ou vencermos, porque conosco morrerá ou vencerá uma Pátria."[2]

Desde que o jornal integralista *A Offensiva* estampara as primeiras convocações para o evento na praça da Sé, esquerdistas dos mais variados matizes idealizaram uma contramanifestação, combinada propositalmente para o mesmo dia, horário e local. "És amigo da liberdade? Queres que o Brasil marche para a paz e o progresso? Repugna-te o crime e a bandalheira? És amante da arte, da ciência e da filosofia? Pois, então, guerra ao integralismo com todas as tuas energias", incitava um panfleto da Federação Operária de São Paulo, de orientação anarquista. "Todos os homens de brio devem comparecer à praça da Sé, no dia 7 de outubro, para impedir o desfile dos bárbaros."[3]

Diante da perspectiva de confronto, os integralistas divulgaram nota oficial para avisar aos adversários que, por medida de precaução, uma "tropa de choque formada por quinhentos homens admiravelmente disciplinados e eficientes", provenientes das fileiras cariocas da entidade, estaria em São Paulo para "manter a ordem" a qualquer custo. "Integralistas, armai-vos!", dizia um anúncio da AIB, em mensagem nada subliminar, a pretexto de divulgar o lançamento do livro *Brasil, país dos banqueiros*, escrito por um de seus ideólogos mais proeminentes, o escritor cearense Gustavo Barroso — ex-presidente da Academia Brasileira de Letras e antissemita assumido, tradutor para o português de *Os protocolos dos sábios de Sião*, obra que denunciava um complô mundial organizado pelos judeus para conquistar o mundo.[4]

O embate entre esquerdistas e integralistas, previamente anunciado, foi fatal. As primeiras escaramuças ocorreram quando os pelotões dos seguidores de Plínio Salgado adentraram a praça da Sé em fila tripla e desfilaram em frente ao Palacete Santa Helena, prédio de fachada art déco que era um símbolo da moderna arquitetura paulista e abrigava ateliês de artistas plásticos e sedes de vários sindicatos operários.[5]

"Morra o fascismo!", gritou um sindicalista, provocando o princípio de balbúrdia generalizada.

Manifestantes de ambos os lados trocaram socos, safanões e bengaladas. Os cavalarianos da Força Pública, postados estrategicamente nos quatro cantos do logradouro, receberam ordens para entrar em ação. Houve corre-corre e, segundo a versão publicada pelos principais jornais da cidade, um indivíduo em fuga, na tentativa de escapar das patas dos cavalos, teria tropeçado numa metralhadora da polícia colocada sobre um tripé ao lado do oitão da catedral. Ao despencar no solo, a arma começara a disparar sozinha, atingindo três guardas civis, matando um deles de modo instantâneo. O soldado encarregado pela metralhadora pulou então sobre ela e, segurando-a pelo cano, fez com que o resto dos projéteis se perdessem no ar.[6]

"O pipocar involuntário da metralha foi como um chamado à luta", recordaria o jornalista, médico, escritor e militante esquerdista Eduardo Maffei, que em suas memórias do episódio admitiria qual era o alvo preferencial dos contramanifestantes:

"Plínio Salgado deveria morrer", resumiu.[7]

Por isso, mal a metralhadora silenciou, ouviram-se novos tiros. Os contramanifestantes tentavam tomar a praça à força e, mesmo debaixo do fogo aberto, proferiram discursos e gritaram palavras de ordem contra os adversários:

"Anauê, Anauê, prepara as pernas pra correr!"[8]

De súbito, uma chuva de balas partiu do alto de um dos prédios situados em torno do logradouro — e desabou sobre a aglomeração de integralistas, que procuravam se abrigar como podiam e, entre uma correria e outra, revidavam com disparos de revólver, embora nem sempre conseguissem identificar a origem exata do ataque.[9]

Depois de dez ou quinze minutos de tiroteio, houve rápida trégua. Os camisas-verdes se reagruparam então defronte à catedral, tremulando suas bandeiras e cantando hinos cívicos, em sinal de resistência. Mais uma vez, porém, irrompeu a fuzilaria, dessa feita de diversas procedências. O fogo mais pesado, constatou-se, partia das janelas dos edifícios situados na esquina da Barão de Paranapiacaba, da sobreloja da confeitaria A Preferida e do próprio Palacete Santa Helena. Ainda sem visualizar perfeitamente os atiradores, os integralistas responderam mais uma vez com tiros a esmo, disparados contra as fachadas dos três prédios.[10]

Postos no centro do fogo cruzado, os soldados da Força Pública e os milicianos da guarda civil também começaram a atirar, sem alvo definido. "É fácil de se imaginar o quadro dantesco que se estabeleceu na grande praça. Deitados no chão, rastejando, os camisas-verdes atiravam ou fugiam. Populares, apanhados no meio do furacão de balas, também corriam à doida, tropeçando, tombando", descreveu a *Folha da Manhã*. "Aqui e ali, caía alguém, ficava rígido ou estrebuchava, nas vazões da agonia."[11]

O saldo final da tragédia foi de seis mortos e pelo menos cinquenta feridos. Os detalhes do embate que passaria à história nacional como a "Batalha da Praça da Sé" seriam reconstituídos em diferentes versões, de acordo com a posição ideológica dos narradores. Cada lado em disputa tratou de fazer sua crônica parcial do episódio — e de eleger seus respectivos mártires. "Não houve batalha nenhuma, mas tocaia suja, com os agressores bem protegidos, alvejando do alto das janelas moços inermes e desprevenidos", denunciou Miguel Reale, então estudante de direito, secretário da AIB e futuro catedrático da Faculdade do Largo São Francisco.[12]

As esquerdas, ao contrário, comemoraram o fato como uma vitória histórica sobre o fascismo e apelidaram o confronto de "A revoada das galinhas verdes", alusão à correria dos inimigos durante o tiroteio. Muitos, no afã da fuga, despiram as características camisas integralistas e as abandonaram no chão da praça, depois recolhidas como troféus de guerra. O marxista *Jornal do Povo*, que assim como *A Manha* era dirigido pelo Barão de Itararé, abriu foto enorme na primeira página, com cinco colunas de largura debaixo da seguinte manchete: UM INTEGRALISTA NÃO CORRE... VOA. Na legenda, lia-se a descrição: "A debandada integralista foi na mais perfeita desordem. Vê-se à esquerda um galinha-verde atrás do poste e, no centro da praça, vários outros acocorados. A retirada dos 10 mil... Salve-se quem puder!".[13]

Nas hostes integralistas, os militantes Jayme Barbosa Guimarães e Caetano Spinelli, mortos durante o embate, receberam honras póstumas e foram imortalizados como heróis pela AIB. Do lado dos contramanifestantes, um acadêmico de direito de 22 anos, Décio Pinto de Oliveira, integrante da Juventude Comunista, fulminado por um tiro na nuca, foi transformado em ícone da luta antifascista. Ninguém reivindicou para si, contudo, a memória e os cadáveres dos três guardas civis — Hernani Dias de Oliveira, José dos Santos Rodrigues Bonfim e José Nogueira Cobra, tidos como truculentos perseguidores do movimento operário — que morreram no mesmo episódio.[14]

"Joguei dominó com minha mulher até tarde. Terminei mal-humorado ou, pelo menos, desgostoso do tempo perdido com essa banalidade", escreveu Getúlio Vargas em seu diário, três dias depois dos trágicos acontecimentos da praça da Sé. "Preciso aproveitar melhor o tempo, dividi-lo melhor, tomar várias iniciativas, sacudir, empreender."[15]

O desabafo de autocensura contrastou com a firmeza exibida por Getúlio logo na manhã do dia seguinte, 11 de outubro de 1934, quando o governo acordou com outra má notícia estampada nos principais jornais do Rio. Uma batida policial na sede do Sindicato dos Garçons, na praça dos Arcos, na Lapa, terminara em nova cena de sangue. Tudo começara quando a Delegacia Especial de Segurança Política e Social (DESPS), a polícia política do Distrito Federal, criada em janeiro de 1933 e dirigida por Filinto Müller, recebera denúncias de que organizações esquerdistas haviam marcado para o lugar uma reunião geral, convocada pela Frente Única Proletária (FUG), entidade clandestina que participara do ataque aos integralistas na praça da Sé.[16]

Os agentes da DESPS enviados para acompanhar o evento tentaram impedir a realização da assembleia e ameaçaram de prisão os oradores inscritos. Mas os sindicalistas se recusaram a obedecer à ordem de dispersar. Reagiram gritando palavras de ordem genéricas contra o capitalismo e, em particular, contra Getúlio. O entrevero descambou para o tiroteio, ao final do qual tombou morto com uma bala de revólver no peito o imigrante italiano Luis Bordinalli, 26 anos, ajudante de garçom. No bolso do infeliz, os policiais encontraram o exemplar de um jornal comunista. "Só os sovietes podem trazer o bem-estar e a tranquilidade ao operariado faminto e farto de promessas! Abaixo Getúlio Vargas!", lia-se no artigo principal.[17]

Enquanto o corpo de Bordinalli era levado ao necrotério, cerca de outros vinte trabalhadores, todos feridos à bala ou a golpes de cassetete, seguiam em ambulâncias para a Assistência Pública. Os demais participantes da reunião — cerca de cinquenta homens — acabaram presos e conduzidos ao prédio da DESPS, na rua da Relação, para interrogatórios pouco ortodoxos, após passarem por um corredor polonês e serem jogados no interior dos "tintureiros", os camburões policiais da época. Na sede do sindicato (cujas dependências ficaram com os móveis destruídos e o piso respingado de sangue), apreenderam-se pilhas de boletins que defendiam a organização livre dos trabalhadores e criticavam a tutela governamental do Ministério do Trabalho sobre as associações de classe.[18]

Entre os detidos encontravam-se vários jornalistas encarregados de cobrir a reunião das esquerdas. O jovem repórter Moacir Werneck de Castro, então com dezenove anos e a serviço do *Jornal do Povo*, foi um dos profissionais que não conseguiram voltar para a redação naquela noite. Sem obter informações sobre Werneck na própria delegacia de polícia, a direção do periódico decidiu publicar uma nota de repúdio à ação policial: "Desde já responsabilizamos o ministro da Justiça, Vicente Rao, pelo que possa ter acontecido ao nosso redator".[19]

Com o noticiário do dia ainda lhe queimando as mãos, Getúlio mandou chamar Vicente Rao ao Guanabara, em caráter de urgência. Fez o mesmo com Agamenon Magalhães, ministro do Trabalho. Recebeu os dois ao mesmo tempo, antes dos despachos previamente agendados pela secretaria do Palácio. Diante deles, folheou os jornais postos sobre a mesa. O duplo atentado em Marselha contra o rei Alexandre I da Iugoslávia e Louis Barthou, ministro do Exterior francês, obra de um militante búlgaro que foi linchado pela multidão logo após cometer o crime, monopolizava as primeiras páginas. Mas as informações sobre a pancadaria no Sindicato dos Garçons no Rio e os ecos do tiroteio da praça da Sé em São Paulo, assim como as notícias de uma greve dos barqueiros da Companhia Cantareira de Niterói, inundavam as páginas internas de todas as publicações.[20]

No *Correio da Manhã*, os ativistas de esquerda do movimento anarcossindicalista — boa parte deles imigrantes — eram descritos como "aventureiros e criminosos, a maioria corridos a chicote e a pata de cavalo pelos policiais dos seus próprios países de origem", mas que viviam no Brasil "a preparar um plano audacioso e sinistro de destruição das instituições brasileiras, levando o pavor ao seio das famílias". Segundo o jornal, "esses aventureiros e criminosos estrangeiros, graças a umas tantas leis de facilidades que inexplicavelmente estão em vigor, associaram-se a outros nacionais, tão nocivos quanto eles, e estão a criar focos de desordem e anarquia".[21]

Getúlio estava convicto de que o clima de radicalização política dos últimos meses fazia parte de uma grande orquestração bolchevique para desmoralizar o governo. "A greve da Cantareira ameaça estender-se a outras empresas de transportes. Há intenso trabalho de comunistas na Central, nos ônibus, entre os *chauffeurs*, padeiros, marceneiros etc.", registrara em seu diário.[22] "O governo necessita de leis que o fortaleçam contra essa onda dissolvente de todas as forças vivas da nacionalidade", avaliava.[23] "A polícia sente-se vacilante na repressão aos delitos, pelas garantias dadas pela Constituição à atividade dos criminosos e o rigorismo dos juízes em favor da liberdade individual."[24]

Dito de outro modo, o anticomunista Getúlio planejava endurecer o jogo contra os ativistas de esquerda. Por isso mandara chamar Vicente Rao e Agamenon Magalhães, novatos no cargo. Precisava sintonizá-los com o pensamento geral do governo. Com a assinatura da nova Constituição, houvera uma reestruturação geral do gabinete. As contingências para se estabelecer uma rede de apoio junto aos governos e bancadas estaduais resultara no loteamento do ministério entre as principais expressões da base aliada. A política de reaproximação com São Paulo respondera pela escolha de Rao, uma das lideranças civis mais destacadas da Revolução Constitucionalista, para a pasta da Justiça. O nome saíra direto do bolso do colete do interventor Armando Sales, com quem o Catete vinha tentando manter uma relação de aberta cordialidade. Os paulistas, inimigos de véspera, também ficaram com o Ministério das Relações Exteriores, confiado a José Carlos de Macedo Soares — irmão de José Eduardo, proprietário do *Diário Carioca*, o jornal empastelado pelos tenentes em 1932, também já reconciliado com o governo.[25] No final de 1933, Getúlio pusera em ação um plano de Reajustamento Econômico, por meio do qual as dívidas contraídas pelos cafeicultores junto a fornecedores e ao sistema financeiro foram perdoadas em 50%, além de recontratadas com o prazo de dez anos, o que ajudou a esfriar rancores e aparar divergências.[26]

O pernambucano Agamenon Magalhães fora empossado no Ministério do Trabalho pela necessidade de se ampliar o apoio político no "Norte", região favorecida ainda com a pasta estratégica da Viação e Obras Públicas, destinada ao advogado soteropolitano João Marques dos Reis. "Preferia um engenheiro, mas como não foi fácil conciliar este desejo com o critério político, escolhi o deputado baiano", reconhecera Getúlio, rendendo-se às circunstâncias da chamada governabilidade.[27] Mesmo com a batida em retirada de Oswaldo Aranha, o Rio Grande do Sul continuara com o Ministério da Fazenda, entregue ao gaúcho Artur de Sousa Costa, antes presidente do Banco do Brasil. Coube a Minas Gerais as pastas da Agricultura, concedida ao deputado Odilon Duarte Braga, e da Educação e Saúde Pública, oferecida a Gustavo Capanema, num claro ressarcimento por este ter sido preterido na sucessão estadual. "Tenho que seguir um critério um tanto impessoal, temperando o das forças políticas com o das competências", definira Getúlio.²⁸

Na reunião com Magalhães e Rao, Getúlio chamou a atenção para a forma como grupos esquerdistas estavam aparelhando as associações operárias. Era preciso mais rigor para coibir os sindicatos independentes e fiscalizar a infiltração comunista nas entidades reconhecidas pelo governo, exigiu. No que cabia à alçada de Vicente Rao, Getúlio cobrou sugestões objetivas para a implantação de mecanismos legais, portanto dentro dos limites da Constituição, capazes de impor freios aos extremistas. A nova Carta Magna garantia a ampla liberdade de reunião e de manifestação pública, mas o governo precisava estabelecer dispositivos jurídicos e normativos para se preservar contra a subversão. Uma saída seria aproveitar a brecha legal oferecida pelo parágrafo nono do artigo 113 da Constituição. Ao mesmo tempo que garantia ser "livre a manifestação de pensamento, sem dependência de censura", o citado artigo ressalvava que não seria tolerada a "propaganda de guerra ou de processos violentos para subverter a ordem política ou social". Como os comunistas pregavam a revolução como forma de chegar ao poder, seus prosélitos podiam ser enquadrados — e silenciados — nos termos estritos da lei.

Após dispensar Magalhães e Rao para que ultimassem as providências cabíveis ao caso, Getúlio recebeu o general Góes Monteiro, mantido na pasta da Guerra durante a reforma do ministério, do mesmo modo que o almirante Protógenes Guimarães permanecera à frente da Marinha. Getúlio discutiu com Góes o avanço da propaganda comunista nos meios operários e na imprensa. O general, que compartilhava das preocupações do presidente quanto à "ameaça vermelha", aproveitou a ocasião para dissertar sobre a suposta onda de bolchevização em curso no interior da própria caserna.²⁹

Os tenentistas, alijados do poder desde a reconstitucionalização do país, estavam divididos em dois grandes blocos distintos, de perfis ideológicos antagônicos. Uns haviam explicitado sua vocação à direita, tendo muitos deles se convertido ao catecismo de Plínio Salgado — opção que encontrou guarida entre altas patentes dos quartéis, caso do próprio general Pantaleão Pessoa, chefe da Casa Militar da presidência da República. Embora tenha passado o resto da vida negando sua ligação com a AIB, Pessoa chegou a escrever no jornal oficial da agremiação e, em suas memórias, elogiou a "esplêndida campanha cívica" da legião fundada por Plínio Salgado.³⁰

Todavia, os serviços de informação do governo tinham notícias seguras de que outros oficiais identificados com o Clube 3 de Outubro andavam em conversações suspeitas com elementos reconhecidamente subversivos para a composição de uma nova organização política civil e militar, de caráter esquerdista. Na opinião de Góes, era "imprescindível e inadiável" aplicar medidas de contrapropaganda e, acima de tudo, pôr em prática uma estratégia de repressão aos movimentos operários e aos perturbadores em geral.

Naquele mesmo dia, minutos depois de receber os ministros em audiência, chegou às mãos de Getúlio um bilhete assinado pelo chefe de Polícia do Distrito Federal, Filinto Müller. "Tenho a honra de comunicar a vossa excelência que, baseado no que estabelece o artigo 113, nº 9, *in finis*, da Constituição da República, determinei a suspensão do periódico *Jornal do Povo*, devido à propaganda subversiva da ordem pública que, pelo mesmo, vem sendo feita ultimamente."[31]

Apenas na manhã seguinte, após a intervenção da Associação Brasileira de Imprensa, o jornalista Moacir Werneck de Castro reapareceria, com um grande mostruário de hematomas espalhados pelo corpo. Passara duas noites incomunicável, em um cubículo da DESPS, onde ficou amontoado a um grupo de operários, todos submetidos a uma ração intragável, obrigados a dormir sob o chão frio.[32]

As prisões de jornalistas e de trabalhadores suspeitos de subversão iriam se tornar frequentes. No geral, as abordagens policiais dispensariam as formalidades previstas em lei. Dali a uma semana, o próprio Appar ício Torelly, o Barão de Itararé, seria sequestrado por cinco homens armados, que depois se descobriu serem oficiais da Marinha. Ameaçado de morte, Torelly foi espancado, teve os cabelos tosquiados com máquina zero e depois foi deixado apenas de cuecas em um local deserto, nas imediações de Jacarepaguá.

"Responsabilizamos pelo acontecido e por suas consequências os srs. Getúlio Vargas, Vicente Rao e Protógenes Guimarães", protestou o comitê de redação do *Jornal do Povo*.[33]

Um Getúlio Vargas sorridente posou para as câmeras dos fotógrafos na sessão eleitoral instalada na Escola Rodrigues Alves, próxima ao Palácio do Catete. No instante em que ia depositar seu voto, demorou-se alguns segundos a mais, em atitude de espera pelos flashes, a mão parada, segurando o envelope já colocado pela metade na pequena abertura da urna. "A fisionomia do presidente da República espelhava intenso júbilo", descreveu o redator de *A Noite*.[34]

Getúlio sabia da simbologia daquela imagem. Era a segunda vez, em exatos dois anos, que os brasileiros compareciam às urnas. Dessa vez, para eleger os deputados federais que substituiriam os constituintes, além dos deputados estaduais e vereadores encarregados de elaborar as constituições estaduais e as leis municipais — uma vez formalizada a democratização no plano federal, chegara a hora de estendê-la aos demais níveis de poder.

"Vossa excelência está satisfeito com a marcha que tiveram os trabalhos eleitorais?", indagou um repórter a Getúlio.

"Acho que os resultados obtidos com essa segunda experiência eleitoral após a Revolução serão suficientes para consagrá-la como uma grande força renovadora dos nossos costumes políticos", respondeu o eleitor mais ilustre do país. Ao dizer isso, Getúlio fez uma breve pausa. Segundo o jornalista, levou o charuto à boca e, depois de soltar uma substanciosa baforada, prosseguiu: "Se a Revolução não tivesse realizado tantas reformas em vários ramos da administração pública, apenas essa — a reforma eleitoral — bastaria para justificá-la".[35]

Os sorrisos e as palavras ditas aos jornalistas não condiziam com o verdadeiro estado de espírito de Getúlio. Nas anotações pessoais referentes àquele 14 de outubro de 1934, ele lamentava que a reintrodução da democracia no país, por meio da consulta às urnas, o obrigasse ao velho artifício das manobras políticas, que "deturpam ou sacrificam quase tudo para vencer".[36] A respeito da reconstitucionalização, Getúlio também não tinha opiniões favoráveis. "Ela teria de ser feita. Era natural e lógico. Mas, primeiro, era necessário o saneamento da vida financeira, o equilíbrio orçamentário. No momento, só a manutenção da ditadura, livre das peias políticas, poderia fazê-lo."[37]

Getúlio estava bastante preocupado com o veredicto popular que sairia das cabines secretas de votação:

"Prevejo, e oxalá me engane, que a oposição terá maior número nas eleições."[38]

O pessimismo do chefe de governo foi desfeito com a ampla vitória dos candidatos oficiais nas eleições parlamentares. De norte a sul do país, o Catete obteve indiscutível maioria. Sentindo-se autorizado pelo resultado das urnas, Getúlio convocou uma reunião geral do ministério para comunicar aos auxiliares a decisão de municiar ainda mais o Estado contra a ação e a propaganda extremista. Caberia ao ministro da Justiça, Vicente Rao, elaborar um projeto de lei a ser apresentado ao Congresso com o propósito de cercear de uma vez por todas as ações subversivas. Pela mesma linha de raciocínio, o governo apressaria a formação de um Conselho Superior de Segurança Nacional, a ser presidido pelo próprio presidente da República, com a participação conjunta de todos os ministros e dos chefes dos estados-maiores do Exército e da Marinha.[39]

Ao decretar sua cruzada anticomunista, Getúlio planejava fazer dos discípulos de Plínio Salgado seus aliados táticos. "O integralismo é uma forma orgânica de governo e uma propaganda útil no sentido de disciplinar a opinião", definiu, em suas anotações pessoais. Entretanto, ao passo que admitia a "utilidade" das palavras de ordem do integralismo na luta para frear o avanço das esquerdas, o sempre cauteloso Getúlio mantinha prudente distância em relação aos organizadores do movimento: "Não confio muito nos seus dirigentes, nem eles têm procurado se aproximar do governo de modo a inspirar confiança".[40]

O que ninguém desconhecia era a influência declarada dos integralistas em instâncias superiores da Igreja Católica. Os camisas-verdes partilhavam de um vasto ideário em comum com a instituição religiosa, a exemplo do combate ao comunismo, ao "judaísmo internacional", ao protestantismo, ao liberalismo, ao espiritismo e à maçonaria. Enfim, a todos os *Inimigos do Sigma*, título do livro escrito por outro nome de proa da biblioteca básica integralista, Custódio de Viveiros. "Deus, Pátria e Família", aliás, era o lema máximo dos integralistas.[41]

Se por um lado demonstrava certa dose de desconfiança em relação aos integralistas, por outro Getúlio vinha construindo relações cada vez mais estreitas com a Igreja. Anticlerical na juventude, homem essencialmente cético, passara a utilizar a religião como instrumento político na luta contra o fantasma comunista. Pragmático, desde sua chegada ao poder tomara uma série de medidas que o fizeram gradativamente conquistar a simpatia e a adesão do clero a seu governo.

No início, a aproximação fora costurada pelo católico Francisco Campos, ex-ministro da Educação, artífice do decreto do Governo Provisório que, em abril de 1931, consentira na inclusão da educação religiosa nas escolas[42] — contrariando as teses que o então deputado federal Getúlio Vargas defendera ao liderar o movimento contra as "emendas católicas" na reforma constitucional de 1926.[43] Menos de um mês depois da assinatura do decreto, ao lado do cardeal d. Sebastião Leme e de todos os bispos do país, Getúlio participou na Esplanada do Castelo das festividades pela consagração de Nossa Senhora Aparecida como "Rainha e

Padroeira do Brasil". E ainda naquele mesmo ano de 1931, em outubro, prestigiou a inauguração da colossal estátua do Cristo Redentor, no topo do Corcovado.[44]

Depois de quatro anos de governo, Getúlio continuava com sua política de cumplicidade estratégica com a Igreja. Uma semana após as eleições parlamentares, de casaca e cartola, comandou uma grande solenidade nos salões do Itamaraty em homenagem ao secretário de Estado do Vaticano, cardeal Eugenio Pacelli (futuro papa Pio XII), em visita ao Brasil na volta de um Congresso Eucarístico Internacional em Buenos Aires.

"Alto, esguio, ágil, inteligente, culto e discreto, tem uma figura de asceta moderno, muito diferente do tipo bonacheirão e bem nutrido da maioria de seus colegas", descreveu Getúlio.[45]

Durante as 48 horas em que Pacelli permaneceu no país, a agenda presidencial se amoldou por inteiro à do cardeal italiano, hóspede de honra do Palácio do Catete. "Nesses dois dias, encontramo-nos oficialmente seis vezes", contabilizou Getúlio. "Recebi da parte dos padres, em geral, muitos cumprimentos pelo discurso que pronunciei no Itamaraty. Foi mesmo um discurso do Itamaraty, que eu apenas retoquei em alguns pequenos exageros ou impropriedades."[46]

Como Getúlio não guardou o texto original que norteou a sua fala, não se tem notícias de quais seriam os tais "exageros e impropriedades" a que fez referência em seus apontamentos. Na íntegra do discurso publicado pela imprensa, constava, entre outras teses, a de que seria "sobre a sólida formação cristã das consciências de um povo que repousam as garantias mais seguras de sua estrutura social e as esperanças mais fundadas da grandeza, estabilidade e desenvolvimento de suas instituições".[47] Para quem, anos antes, no discurso acadêmico de formatura, dissera que o cristianismo representava um atraso para a história da humanidade, tais palavras soavam como uma espantosa conversão.[48]

Dali a menos de dois meses, Getúlio tiraria quinze dias de folga com a mulher e as duas filhas, Alzira e Jandira. Viajaria com elas para Porto Alegre, a bordo do hidroavião Junkers JU-52, Anhangá, da Condor, e de lá seguiria para São Borja em dois pequenos aviões da Varig, a pretexto de celebrar o aniversário paterno de noventa anos. "Integrei-me rapidamente à vida campesina, montando a cavalo todos os dias", festejou.[49] Mas além de cavalgar pelas coxilhas, comer quilos de churrasco e rever os parentes são-borjenses, Getúlio aproveitou o reencontro com os cenários de infância e juventude para se dedicar a um surpreendente compromisso religioso.

Nem mesmo os jornalistas que acompanharam a viagem presidencial a São Borja ficaram sabendo o que se passou naquele 11 de dezembro de 1934, uma terça-feira, na estância Santos Reis. Logo pela manhã, Getúlio pediu aos repórteres que deixassem a família a sós. Alegou que iriam planejar a comemoração, em particular, de mais um aniversário, o de Darcy, que ocorreria no dia seguinte. Mas o motivo era outro, conforme ficou registrado no diário íntimo do presidente da República.

"Esses dias foram pontuados de fatos interessantes. No primeiro casei-me... religiosamente. Não o havia feito ainda, por ausência eventual do padre na época do casamento civil, e por um caso de consciência", revelou Getúlio. "Fi-lo agora para atender minha mulher, e também por um caso de consciência... transformação lógica de pensamento. O padre da sede, Petit-Jean, foi trazido à tarde pela mulher do Protásio, e o casamento realizou-se em segredo, com conhecimento de poucas pessoas."[50]

Em vez de desfrutar de uma possível segunda lua de mel, o casal retornou ao Rio logo em seguida, onde passou em família as tradicionais festas de final de ano. Mas em janeiro, no início do verão, os dois tomaram direções opostas. A primeira-dama, Darcy, seguiu de avião com os filhos Alzira e Getulinho para uma temporada de águas em Poços de Caldas. Getúlio preferiu manter sua excursão anual a Petrópolis. Levou com ele Jandira e seu oficial de gabinete, Luís Simões Lopes. Este, devidamente acompanhado da esposa, Aimée.[51]

Não é possível afirmar se até aquele momento o marido traído sabia da relação proibida entre a esposa e Getúlio. Mas os encontros de Aimée com o presidente da República se tornariam cada vez mais assíduos daí por diante. Integrada à vida palaciana, ela passara a ser o centro de todas as atenções.

"À noite, recepção e baile. Mas a outra, que veio, era a mais bela flor da festa. Estava elegantíssima. Houve muita alegria e animação", escreveu Getúlio no diário, após uma festa no Guanabara.[52]

Às oito horas, pontualmente, todas as manhãs, a pilha de cartas e mensagens telegráficas era posta sobre a mesa de trabalho de Getúlio Vargas. De rosto barbeado, a essa altura ele já tomara os primeiros goles de chimarrão e lera os jornais do dia. Depois de entregar a correspondência, o secretário Luiz Vergara apanhava a pasta que deixara no gabinete na tarde anterior e que retornava, invariavelmente, abarrotada de bilhetes escritos em lâminas de papel pautado, destinados aos ministros, assessores e auxiliares.⁵³

Getúlio tinha uma disciplina quase obsessiva. À noite, não podia restar um único papel solto sobre sua mesa. Os despachos mais urgentes ou menos importantes eram assinados na hora. Os que requeriam maior reflexão recebiam lembretes com o nome do auxiliar a quem seriam pedidos mais esclarecimentos ou informações.⁵⁴ Tudo escrito a lápis. O presidente não usava caneta-tinteiro, a não ser quando precisava assinar documentos ou escrever uma carta mais longa, de próprio punho. Em um ou outro caso, a letra saía clara e sóbria, escorreita, sem garranchos. Não usava máquina de escrever. A moderna impessoalidade da datilografia não o seduzia.⁵⁵

Em Petrópolis, na residência oficial de verão, os jornais cariocas chegavam com justificado atraso. Por esse motivo, na quarta-feira, 28 de março de 1935, só horas depois de ter esvaziado a cuia de erva-mate Getúlio pôde passar os olhos nas páginas do *Correio da Manhã*. "Como está redigido o monstro que a República Nova vai dar ao país", dizia um dos títulos. Em fins de janeiro, o Catete remetera à Câmara uma Lei de Segurança Nacional (LSN), que após célere tramitação iria ser votada em plenário exatamente naquela dia. A matéria do *Correio*, ilustrada com a foto dos integrantes da Comissão de Justiça reunidos em torno de um birô, trazia a íntegra do texto da nova legislação — a "Lei Monstro", conforme classificava a imprensa e as organizações operárias independentes.⁵⁶

O apelido pegara. Desde o começo do ano, era dessa forma que os jornais oposicionistas vinham se referindo ao projeto elaborado por Vicente Rao e que previa punições a "crimes contra a ordem política e social" — inovação jurídica que garantia o controle e a repressão mais eficazes sobre os inimigos do regime. A Constituição promulgada poucos meses antes recebia assim a primeira agressão, capaz de mandar para um longo tempo na cadeia toda uma extensa lista de ocasionais oponentes.

O rol de penalidades alcançava todos os que ousassem "aliciar ou articular pessoas", "fazer funcionar estações radiotransmissoras clandestinas", "instigar desobediência coletiva ao cumprimento da lei", "incitar militares à indisciplina", "distribuir entre soldados e marinheiros quaisquer papéis, impressos, manuscritos, datilografados, mimeografados ou gravados em que se contenha material subversivo", "divulgar notícias falsas", "insuflar o ódio entre as classes sociais", "preparar a paralisação de serviços públicos" e "dirigir agremiações cuja atividade se exerça no sentido de modificar a ordem política ou social". Com a Lei Monstro, esses e outros crimes passavam a ser considerados inafiançáveis. Jornais podiam ser tirados de circulação, livros, confiscados, revistas, apreendidas. Os infratores seriam submetidos a um rito sumário, sem as garantias processuais de ampla defesa.[57]

"Não teremos mais sequer o direito de pensar em voz alta", protestou o jornal esquerdista *A Platéa*, que se anunciava como "um jornal popular e anti-imperialista". "Companheiros, a Lei de Segurança Nacional é a maior e mais hedionda ameaça que já pesou sobre os trabalhadores. É o regime do despotismo policial, de opressão e de misérias maiores de que já temos sofrido. As nossas mínimas conquistas serão destruídas. As nossas reivindicações, irrealizáveis."[58] Nas páginas de *A Manha*, o incorrigível Apparício Torelly preferia, como sempre, o viés do escárnio. Para ele, a LSN era "filha putativa do exmo. sr. ministro da Justiça e de dona Constituição de tal — uma formosa jovem que foi há pouco violada, conforme escândalo que vem despertando comentários em todas as camadas sociais".[59]

Na prática, a LSN devolvia ao governo boa parte dos poderes discricionários que a reconstitucionalização lhe arrebatara. Getúlio convencera os deputados a subscrever o projeto de lei, que ia na contramão dos conteúdos liberalizantes incluídos na nova Carta. Os homens que haviam elaborado a Constituição que tanto desgostara o governo eram os mesmos que iriam aprovar, naquele dia, a Lei Monstro, pela esmagadora maioria de 116 votos contra 26. Em meados do ano anterior, um artifício regimental prorrogara o mandato dos constituintes até julho de 1935, quando só então tomariam posse as novas bancadas eleitas em outubro de 1934. À época, mesmo dentro dos altos escalões do governo houve quem acusasse Getúlio de ter tramado o alongamento dos mandatos, em troca do apoio prévio da Assembleia à sua eleição como presidente constitucional.

"Era a volta ao passado da maneira mais flagrante e um triste exemplo para as gerações do futuro", diria o general Góes Monteiro a respeito da prorrogação. "Insurgi-me, mas debalde. O próprio presidente pediu-me para aceitar o fato consumado, pois, do contrário, o voto secreto e as complicações poderiam pôr em risco sua eleição."[60]

A dilatação dos mandatos recebeu críticas acerbas da imprensa, mas a transformação temporária da Assembleia em parlamento ordinário foi minimizada por Antônio Carlos, presidente da casa:

"Afinal, para que Assembleia já mais ordinária do que esta?", indagou.[61]

Para aprovar a Lei de Segurança Nacional com tão larga vantagem no plenário da Câmara, Getúlio capitalizou o clima de radicalismo ideológico em que o país se encontrava. Estava evidente que a legislação trabalhista, sozinha, não conseguia mais represar as demandas do movimento operário. Uma série de greves, tanto no setor público quanto no privado, sacudia as grandes cidades e expressavam as insatisfações dos trabalhadores com os baixos salários, a elevação do custo de vida e a obrigatoriedade do sindicato único. Os movimentos paredistas aterrorizavam o empresariado e as classes médias urbanas, que começaram a clamar por atos mais decididos do governo em nome da manutenção da ordem. Em quatro anos, de 1930 a 1934, com base na ideia de "expulsar do território nacional os estrangeiros perigosos à ordem pública ou nocivos ao interesse do país", 178 líderes do movimento operário já haviam sido banidos do Brasil.[62]

A articulação dos discípulos de Plínio Salgado — que já chegavam a 150 mil membros oficiais — provocou a consequente mobilização de seus principais adversários, reunidos em uma frente única antifascista, batizada de Aliança Nacional Libertadora (ANL). A frente foi tornada pública em janeiro daquele ano de 1935, em um discurso do deputado paraense Abguar Bastos na Câmara Federal. Segundo Bastos, a ANL surgia com o intuito de ser "um amplo movimento popular, nascido da necessidade em que se acham os brasileiros de emancipar-se economicamente do jugo estrangeiro e de libertar-se da Lei Monstro, já em votação no parlamento".[63]

O primeiro diretório da ANL era formado por nomes identificados com o tenentismo, a exemplo de Hercolino Cascardo, capitão-tenente da Marinha; e Carlos Amoreti Osório, capitão do Exército, presidente e vice-presidente da entidade. O capitão Cascardo escrevera a Getúlio:

> Como revolucionário e velho companheiro das horas incertas, fica-me a tristeza de vê-lo definitivamente perdido para a causa que defendíamos. Se a Constituição foi a vala comum de todas as nossas aspirações, a organização do ministério e a volta à política dos grandes estados encerraram, sob forma irrisória, o ciclo de nossas reivindicações. Deixemos a Revolução [de 1930]. Ela está morta e qualquer tentativa de ressuscitá-la deve ser forçosamente recebida com desconfianças.[64]

Uma faísca prometia acender o pavio curto dos quartéis: desde a soldadesca aos generais mais graduados, os militares cobravam em uníssono as promessas getulistas de revalorização das Forças Armadas e, em especial, como ponto de honra, exigiam um aumento significativo nas remunerações da tropa. Uma comissão de oficiais do Exército e da Marinha, liderada pelo general Guedes da Fontoura, comandante da Vila Militar, elaborou e apresentou à Câmara uma tabela de reajustes que, se aprovada, praticamente dobraria os soldos de todo o efetivo nas duas armas.[65]

Getúlio estrilou. "O projeto de aumento dos vencimentos é que é monstruoso, pelo que pretende arrancar do Tesouro, pelas regalias de que se cerca e pela sem-cerimônia com que um grupo de militares fixa os vencimentos com que pretende ser pago", considerou. "Quando ditador, recusei-lhes um aumento mais modesto; como presidente constitucional, devo enviá-lo ao Congresso. Vamos experimentar a capacidade deste em engolir sapos."[66]

O clamor dos militares serviu de exemplo a outras categorias, resultando em novo encadeamento de greves por melhores salários. Os funcionários dos correios e os marítimos, por exemplo, cruzaram os braços, imobilizando as comunicações e o sistema de transporte naval do país. Até os juízes do Supremo Tribunal Federal fizeram coro à grita geral por reajustes.

Mesmo que quisesse, Getúlio não poderia atender às reivindicações salariais que brotavam por todos os lados. O país não dispunha de recursos em caixa para tanto. O governo tinha determinado cortes radicais nos orçamentos dos ministérios, o que provocara assumido desalento nos titulares das pastas estratégicas. "Não há dinheiro, a exportação declina, a moeda se desvaloriza, não podemos mais atender ao pagamento das dívidas externas", sintetizou Getúlio. "Se continuarmos a pagar os esquemas das dívidas, não poderemos fornecer câmbio para as transações comerciais; se atendermos a estas, não poderemos pagar as dívidas."[67]

Ao anistiar os rebeldes de 1930 e 1932, o governo inflara o corpo de oficiais do Exército. Em vez dos 5485 homens previstos no orçamento para o setor, havia 6173 na ativa.[68] A conta não fechava. Para Getúlio, os brados por aumento apenas serviam de máscara para os que tencionaram perturbar a tramitação da Lei de Segurança Nacional. No seu entender, o inconformismo dos radicais da ANL produzira um efeito deletério sobre a corporação, alastrando-se como um câncer pelo conjunto da tropa. Semelhante a um processo de metástase, o mal avançara, ultrapassara o muro dos quartéis e contaminara toda a sociedade. A única solução à vista, além da coação pura e simples, seria fabricar um antídoto permanente de apoio popular ao governo, tornando-o imune às flutuações e volubilidades da opinião pública.

Os modelos estavam à vista, mundo afora, para qualquer observador mais atento. Em viagem então recente pela Europa, Simões Lopes, secretário de gabinete da presidência da República, voltara contando maravilhas do que testemunhara no Velho Mundo: "O que mais me impressionou em Berlim foi a propaganda sistemática, metodizada, do governo e do sistema de governo nacional-socialista. Não há em toda a Alemanha uma só pessoa que não sinta, diariamente, o contato do nazismo ou de Hitler", escreveu a Getúlio. "A organização do Ministério da Propaganda alemão fascina tanto que eu me permito sugerir a criação de uma miniatura dele no Brasil."[69]

Getúlio Vargas já pensava de modo parecido. De início, cogitou entregar a tarefa de organizar o Departamento de Propaganda e Difusão Cultural (DPDC) ao diplomata e escritor modernista Ronald de Carvalho. Mas a morte precoce do chamado "príncipe dos poetas brasileiros" em um acidente automobilístico impediu a consecução do plano. Outro sondado para a função foi o escritor Monteiro Lobato, que chegou a ser convocado ao Guanabara para ouvir — e rejeitar — a proposta de Getúlio.

"Meditei longamente sobre as ideias que vossa excelência me manifestou, dum serviço de propaganda", escreveu Lobato, que em vez de aceitar o encargo preferiu submeter ao presidente uma exposição escrita sobre a viabilidade da exploração de petróleo no Brasil. A papelada foi ignorada. Sem saber se a mensagem chegara ao destinatário, o escritor enviou ao Guanabara uma segunda mensagem.

> Dr. Getúlio, eu tenho a desgraça de ser sincero e ingenuamente franco num mundo onde só valem a mentira e a astúcia. Perdoe-me, pois. Cumpri meu dever mandando aquela exposição e agora vou cumprir outro, depondo nas mãos de vossa excelência um rápido esboço da revolução econômica que ao meu ver o Brasil está clamando, em gemidos.[70]

Em anexo, dessa vez Lobato inseriu um cartapácio no qual denunciava que a norte-americana Standard Oil estava se assenhoreando das terras potencialmente petrolíferas do país. Mais uma vez, o libelo ficou sem resposta.

"Chamei o escritor Monteiro Lobato para entregar-lhe a direção do Serviço de Propaganda, mas encontrei-o muito absorvido pelas suas sondagens em busca de petróleo", desdenhou Getúlio.[71]

A escolha, enfim, recaiu sobre Lourival Fontes, jornalista sergipano, formado pela Faculdade de Direito do Distrito Federal e fundador da revista de ensaios *Hierarchia*, publicação que contava entre seus colaboradores com Oliveira Vianna, Octavio de Faria, San Tiago Dantas e Tristão de Athayde, plêiade do pensamento conservador brasileiro. No primeiro número, de 1931, o próprio Fontes assinara o artigo "O sindicato no Estado fascista", no qual se podia ler a seguinte louvação ao regime instaurado por Benito Mussolini na Itália:

> O Estado fascista não é nem capitalista, nem proletário, nem tentativa socialista, nem reação burguesa, nem dialética liberal. É o Estado que assegura o bem-estar a todos os cidadãos, eleva as suas condições sociais, o seu padrão de vida, a sua conduta moral, o seu teor político dentro do desenvolvimento de potência nacional.[72]

Getúlio encomendou a Lourival Fontes um relatório circunstanciado a respeito do formato que poderia vir a tomar o DPDC, departamento até ali ainda sem titular, mas criado desde o ano anterior, subordinado ao Ministério da Justiça e planejado inicialmente para exercer quatro competências básicas: a) estudar a utilização do cinema e do rádio como meio de difusão e publicidade governamental; b) estimular a produção e a exibição de "filmes educativos" por meio de "prêmios e favores fiscais"; c) classificar e censurar as obras cinematográficas; d) orientar a cultura física.[73]

O objetivo, estava claro, era submeter as manifestações audiovisuais e radiofônicas a uma orientação cívica e nacionalista, em tudo semelhante à que nortearia, a partir daquele ano de 1935, o disciplinamento do Carnaval carioca — a festa, antes espontânea, começara a ser subvencionada pela prefeitura do Rio de Janeiro, então Distrito Federal, introduzindo-se a premiação oficial e a obrigatoriedade do registro das escolas de samba na polícia. Um gênero musical antes marginalizado era convenientemente domesticado e passava a gozar do status de trilha sonora ideal para a "festa máxima da brasilidade", para os "cortejos baseados em motivos nacionais", conforme carta enviada pelo presidente da recém-fundada União das Escolas de Samba, Flávio Paulo Costa, ao prefeito carioca Pedro Ernesto.[74]

Ao escolher Lourival Fontes para o DPDC, Getúlio sabia que estava optando por alguém com estreita ligação com a Igreja Católica. O novo auxiliar era simpatizante do Centro Dom Vital, associação civil de cunho religioso que orbitava em torno da figura do cardeal d. Sebastião Leme e tinha no combate ao comunismo uma de suas principais diretrizes. Não por coincidência, nos escritos íntimos do cético Getúlio, a referência a Deus começava a despontar aqui e ali, em trechos esparsos, de início apenas para sublinhar uma ou outra ideia com frases feitas — "só Deus sabe", "queira Deus" —, de inspiração mais retórica do que literal.

Entretanto, em pleno feriado da Semana Santa — 19 de abril, data em que ele também comemorava seu aniversário de 53 anos —, depois de proceder a um inventário particular do início da crise político-militar enfrentada pelo governo naquele fatídico ano de 1935, registrou: "Eis o resumo da situação, um apanhado rápido que faço, enquanto pela frente do palácio desfila a procissão da Sexta-Feira da Paixão. Cristo, que é a imagem do sofrimento e da resignação, deve, num dia como este, dar alento para a resistência e não para o desânimo".[75]

No sábado de Aleluia, 20 de abril, durante um churrasco oferecido a Getúlio na inauguração do estande de tiro do 1º Batalhão de Caçadores, em Petrópolis, o general Góes Monteiro reclamou do naco de carne que lhe haviam posto no prato. Getúlio, sentado na cadeira ao lado, mandou o garçom trazer de volta o espeto fumegante. Então cuidou, ele próprio, com habilidade típica de bom gaúcho, de empunhar a faca e talhar uma porção mais apetitosa para servir ao ministro da Guerra. Nem assim Góes se deu por satisfeito. Olhou para a carne e teve a ousadia de perguntar se por acaso alguém ali podia lhe servir um prosaico frango frito.

"Parece que o senhor não gostou do osso que lhe dei", brincou Getúlio.

"Não é a primeira vez que o senhor me presenteia com um osso duro de roer", devolveu Góes.[76]

Os militares presentes à cena, obviamente, atinaram para o sentido das provocações de parte a parte. Na segunda-feira da semana anterior, 8 de abril, o ministro da Guerra reunira em seu gabinete, a portas fechadas e durante cerca de uma hora e meia, um seleto grupo de generais. Foi um encontro nervoso, de pauta única. Em discussão, a polêmica sobre o reajuste dos vencimentos nas Forças Armadas. Tal matéria assumira proporções inquietantes.

O general Guedes da Fontoura, relator da comissão militar que enviara o pedido de aumento à Câmara Federal, andara tentando intimidar os deputados. Em conversa áspera com Antônio Carlos, chegara a dizer que ou a tabela de reajustes era aprovada de imediato pelo Legislativo ou ele, Fontoura, comandante da Vila Militar, não poderia mais responder pela manutenção da ordem no Distrito Federal — e nem mesmo prometia segurar seus homens em um presumível protesto armado. Ele próprio estaria disposto, se preciso fosse, a liderar os manifestantes.

"Estou defendendo os interesses da classe, e, agora, nem que seja com dez homens, irei para a rua!", bradara Fontoura.[77]

Para embaraçar ainda mais a situação, na terça-feira, dia 9, chegara ao Catete a cópia de uma circular cifrada do Ministério da Guerra distribuída à cúpula dos quartéis. Endereçada por Góes Monteiro aos colegas de farda de todo o país, a mensagem anunciava que, caso o reajuste continuasse sendo protelado, ele pediria exoneração do cargo de ministro. Por dever de solidariedade e em sinal de protesto, nenhum outro general deveria aceitar substituí-lo. "Tais deliberações, tomadas em reunião de generais nesta capital, visam salvaguardar a disciplina e os brios militares", justificava a circular secreta.[78]

A eventual acefalia no Ministério da Guerra lançaria o Exército à anarquia e, por consequência, tenderia a provocar a queda de Getúlio Vargas. Advertido por Juracy Magalhães, que também recebera uma cópia do documento reservado, Getúlio registrou: "A situação adquire um aspecto desagradável". E deduziu: "Ora, o Fontoura, no caso, é um simples testa de ferro, agindo com o consentimento do próprio ministro da Guerra. A medida teria de ser mais radical. É oportuno? Veremos".[79]

De acordo com o alarme expedido por Juracy, o movimento conspiratório estaria de tal forma maduro que já existiria até mesmo confabulações a respeito dos nomes que formariam uma junta militar assim que Getúlio fosse apeado do poder. Por trás da ofensiva, ocultavam-se os interesses contrariados de velhos conspiradores derrotados em 1932, como Bertoldo Klinger e Euclides Figueiredo.

"Parece-me que chegou o momento culminante do seu governo. Vossência ou tomará atitude enérgica, negando ou concedendo o aumento dos vencimentos, mas de qualquer forma mostrando agir com sua reconhecida coragem e patriotismo, ou seu governo soçobrará com a própria nação", previu Juracy.[80]

Informantes na Vila Militar davam conta de reuniões nada furtivas entre Fontoura, Klinger e Figueiredo, em plena residência oficial do comandante. O ministro da Marinha, almirante Protógenes, já ouvira até mesmo rumores de um plano rocambolesco — nunca executado — para o sequestro da primeira-dama em Poços de Caldas, com o objetivo de forçar a renúncia presidencial.[81] De Porto Alegre, posto a par da situação, Flores da Cunha telegrafou para declarar fidelidade a Getúlio — e para pôr a Brigada Militar estadual e todos os corpos provisórios gaúchos a serviço do Catete.

"Faço apelo fraternal, veemente, para que comeces a agir. Qualquer demora será a perdição. Afetuosos abraços, Flores."[82]

Getúlio, como de hábito, procurou manter a serenidade.

"Estou acompanhando os acontecimentos", telegrafou de volta, aparentemente tranquilo.[83]

Na quinta-feira, 11 de abril, recebeu Góes Monteiro para o despacho semanal e, afável o bastante para não aparentar alarme, mas firme o suficiente para não parecer vendido à situação, cobrou-lhe as devidas explicações. O ministro, para sua surpresa, não estremeceu. Confirmou, sem abalo, a reunião com os generais e a autenticidade da circular. Entretanto, argumentou que o documento fora mal interpretado. De fato, recebera colegas para uma conversa reservada na sede do ministério. Durante o encontro, não escondera o desapontamento pelas seguidas protelações que vinha sofrendo o projeto dos vencimentos militares. Afirmou na ocasião que, se os poderes públicos continuassem a desprezar as "justas aspirações dos quartéis", ele estaria moralmente coagido a pedir demissão do governo. Entretanto, não solicitara a solidariedade de ninguém. O seu gesto se caracterizava como simples atitude pessoal, sem quebra de disciplina ou atentado à hierarquia. Foram os próprios generais que deliberaram entre si, espontaneamente, que nenhum deles assumiria em seu lugar, alegou Góes.[84]

"Pediram-me, então, para transmitir aos demais colegas aquela deliberação. Foi o que fiz", justificou-se.[85]

O caso era intrincado. Não se tratava apenas de mais uma das tantas crises políticas que Getúlio aprendera a administrar desde sua chegada ao poder em 1930. Dessa vez, a questão excitara as estrepitosas suscetibilidades dos militares. "Seria rematada loucura resistir, nesse momento grave e prenhe de incertezas, às justas pretensões das Forças Armadas: muito mais dispendiosa para o país seria uma insurreição do que a elevação do soldo", avaliava o procurador-geral da República, Carlos Maximiliano Pereira dos Santos.[86]

Sem dúvida, as atitudes de Fontoura representavam uma afronta inadmissível à autoridade máxima do presidente da República. Era preciso, de alguma forma, enquadrá-lo, mas de modo que isso não o transformasse em mártir de uma causa.

"A questão dos vencimentos transformou-se em conspiração", definiu Getúlio.[87]

No entender de Góes, para manter as tropas sob controle, o mais recomendável era atender primeiro aos clamores por aumento, para só então castigar os rebeldes. "O general Góes não quer punir o general Guedes da Fontoura porque pretende para si a glória do plano, e quer marchar à frente deste na corrida de gansos", interpretou Getúlio. "Recebo cartas e telegramas angustiosos do Flores e do Juracy, dizendo que se trama uma revolução, que é preciso tomar medidas etc. [Mas] ainda estou confiando no general Góes." Em outras palavras, Getúlio passara a acreditar que, em vez de testa de ferro, o comandante da Vila Militar era um marionete involuntário nas mãos do ministro da Guerra. "O Góes não gosta do general Fontoura e, para melhor golpeá-lo, enfunou-lhe as velas, soprou-as e jogou-as à tempestade."[88]

Podia fazer algum sentido. Mas na sexta-feira, 12 de abril, Getúlio foi surpreendido por uma entrevista de Góes aos jornais, dando publicidade ao assunto. O ministro mais uma vez não contivera a própria língua. Aos repórteres, confirmou que deixaria o governo caso o aumento dos militares não fosse aprovado. Mas seu alvo preferencial foi o parlamento.

"Se a Câmara atual, desconhecendo as nossas dignas aspirações, não as atender, naturalmente que eu nada mais tenho a fazer senão abandonar o ministério", declarou o general, com a indiscrição que sempre fizera a festa de repórteres à caça de manchetes explosivas.[89]

"O ministro da Guerra declarou aos jornais que, se não passasse o reajustamento, pediria demissão do cargo. Isto, com a notícia boquejada da reunião dos generais, agrava a situação", ajuizou Getúlio.[90]

Diante da nova circunstância, a secretaria da presidência da República liberou uma nota oficial à imprensa. Publicada no dia 13, sábado, com amplo destaque na primeira página dos jornais, a nota afirmava que o presidente era simpático à ideia de aumento no soldo dos militares, mas as condições financeiras do país recomendavam tratar a matéria com a merecida cautela e responsabilidade. O Ministério da Fazenda iria estudar quais as fontes de receita capazes de cobrir os novos encargos decorrentes do reajuste, solução que desde logo ficaria condicionada à impossibilidade de se majorar a carga de impostos que recaíam sobre o conjunto da população. O governo daria prioridade ao caso dos subalternos e dos oficiais com patente até capitão. Os situados no topo da hierarquia teriam que aguardar estudos mais detalhados sobre o impacto econômico da medida.[91]

Quando Góes leu a nota, solicitou uma audiência urgente com Getúlio. O texto, divulgado sem o conhecimento do general, fora nitidamente escrito para angariar o apoio da população civil, já por demais sobrecarregada pela carga tributária, e para fazer média com a base da caserna. Isso, entendia Góes, poderia indispor perigosamente os recrutas e oficiais subalternos contra os superiores. Getúlio mandou informar que não poderia receber o general naquele dia. Alegou estar de cama, gripado, atormentado por uma feroz enxaqueca. O ministro da Guerra o procurasse na segunda-feira, quando então voltariam a debater o assunto.[92]

Góes passou o fim de semana sendo fervido em fogo brando, ao mesmo tempo que Getúlio aproveitava para sondar a firmeza do terreno no qual estava pisando. Primeiro obteve do comandante do Distrito de Artilharia de Costa da 1ª Região Militar, general José Pessoa Cavalcanti de Albuquerque (irmão do falecido João Pessoa), o compromisso de rebater a circular de Góes Monteiro. Depois, da parte do comandante da Região, general João Gomes Ribeiro Filho, arrancou a promessa de que, numa eventual quartelada, este marcharia ao lado da legalidade. De São Paulo e de Minas Gerais, recebeu informes de que as guarnições locais ficariam de sobreaviso para conter qualquer assomo dos conspiradores. Por fim, em conversa reservada com Protógenes Guimarães, ouviu do almirante que a Marinha não embarcaria em nenhuma aventura golpista. Tais declarações de fidelidade deram a Getúlio a confiança para seguir desarmando a bomba-relógio.[93]

Na manhã de segunda, dia 15, finalmente recebido no Rio Negro, Góes se adiantou a dizer que, caso o governo considerasse que ele estava agindo de modo contrário aos interesses do país, o presidente deveria dispensá-lo sem demora. Getúlio, afável, mandou-o voltar ao posto e retornar ao trabalho.[94] Como resposta, à tarde, Góes convocou nova reunião de generais no Ministério da Guerra. Tomando para si a palavra, Guedes da Fontoura prometeu colocar a tropa na rua e fazer uma parada militar até o Palácio Tiradentes, sede do Legislativo, com o objetivo de encurralar os deputados.

"Se preciso for, vamos fechar aquela gaiola!", teria vociferado Fontoura.[95]

Quando a conversa parecia desandar para um toque de reunir contra o Congresso e o governo, o general João Gomes interveio, enquadrando o comandante da Vila Militar com palavras duras. Não se sabe ao certo a natureza dos desaforos trocados na queda de braço entre os senhores generais naquela reunião que poderia ter decidido os destinos de Getúlio. Mas a ordem do dia baixada por Gomes não deixou dúvidas à opinião pública quanto ao dissídio aberto no seio dos quartéis. "Que a nação continue a depositar confiança no seu Exército, tendo a certeza de que as armas que lhe foram confiadas estarão prontas para a defesa de sua honra e integridade, e nunca contra ela", dizia o texto. "Nunca nos transformaremos em janízaros ou opressores dos nossos patrícios."[96]

Ao final da reunião, cercado pelos repórteres, Góes Monteiro saiu de fininho, contrariando seu estilo espalhafatoso:

"A hora é de ação; não darei mais entrevistas", declarou, desvencilhando-se dos jornalistas que o aguardavam do lado de fora da sala.[97]

Ao confrontar o superior João Gomes na frente de testemunhas tão graduadas, Fontoura dera a Getúlio, de bandeja, o pretexto que este precisava para afastá-lo da direção da Vila Militar. A partir daquele ponto, tudo parecia sugerir um desenlace rápido e sem traumas adicionais. Com a intenção de preparar o terreno e auscultar o sentimento da oficialidade, Gomes visitou a Vila pessoalmente. Saiu de lá convencido de que ninguém tomaria partido do comandante em vias de ser exonerado. A rebelião, pelo visto, acabara antes mesmo de começar.[98]

Mas, inesperadamente, na quinta-feira, 18 de abril, Góes foi interpelado por um telegrama coletivo, subscrito por um grupo de oficiais da guarnição de Cachoeira, Rio Grande do Sul. A mensagem defendia a necessidade do aumento nos soldos, mas criticava de forma desabrida a condução do Ministério da Guerra no desenrolar de toda a celeuma. "Uma questão moral, levantada dentro das classes armadas, jamais poderá colidir com os interesses da nação", expunha o telegrama, que exigia de Góes uma declaração objetiva, sem rodeios, sobre se ele continuava ou não ao lado de Getúlio. "Aguardamos, pois, que vossa excelência se manifeste de modo claro nesse sentido."[99]

Para Góes, a maior de todas as insolências era o nome do oficial que encabeçava a lista de assinaturas ao final da mensagem: o do capitão Ciro Carvalho de Abreu, cunhado do chefe da Casa Militar, Pantaleão Pessoa, e, até a antevéspera, ajudante de ordens do Ministério da Guerra. A reação óbvia de Góes foi determinar ao comando da 3ª Região, sediado em Porto Alegre, a prisão por trinta dias de todos os que haviam endossado o telegrama. Antes que a ordem pudesse ser cumprida, mensagens idênticas começaram a ser disparadas na sexta-feira, 19 de abril, por integrantes de outros quartéis sediados em território gaúcho.

Flores da Cunha, entusiasmado, partiu para a ofensiva:

"A hora não é mais de recriminações nem de lamentações. Nunca te faltou até agora nosso apoio. Queremos, porém, dizer-te que ou são demitidos os generais Góes e Guedes da Fontoura ou não poderás contar mais com nossa solidariedade", escreveu Flores a Getúlio, declarando apoio aos oficiais ameaçados de punição disciplinar pelo ministro. "Estamos aparelhados para iniciar o movimento antes que os masorqueiros o façam. Desejamos e estamos no firme propósito de continuar te amparando, mas sob a condição de serem adotadas aquelas medidas."[100]

Por várias vezes Getúlio já demonstrara não se dobrar a ultimatos de qualquer espécie, mesmo quando provenientes de eventuais aliados. Caso cedesse aos destemperos de Flores da Cunha, ficaria refém dele — e, o que era mais ameaçador, do poderio das forças militares gaúchas. Se acatasse a imposição de Flores, o governo talvez até resolvesse os problemas com as ambiguidades de Góes; mas, por certo, potencializaria outros graves incidentes. Quando menos, permitiria que Flores passasse a lhe ditar regras de conduta dali por diante. Cioso de sua autoridade, Getúlio decidiu enviar uma resposta lacônica ao governante do Rio Grande do Sul:

"Não convém precipitar acontecimentos."[101]

Na tréplica, contudo, Flores da Cunha subiu de tom:

"Agirei em conformidade com os ditames do dever patriótico, só me submetendo pela força das armas."[102]

Getúlio remeteu-lhe uma segunda mensagem, escrita na forma de um apelo amistoso à razão, embora o conjunto do texto não deixasse de lembrar quem de fato mandava no governo:

"Insisto com todo o afeto do amigo, e em virtude [da] função [que] exerço, para que faças calar nossos amigos aí. Aguarde. Acontecimentos estão se desenrolando. Solução tem de ser dada por mim — e eu a darei."[103]

Era a forma, bem peculiar, de Getúlio falar grosso.

Os acontecimentos das duas semanas anteriores explicavam a falta de apetite de Góes Monteiro. Naquele Sábado de Aleluia, em Petrópolis, dia de malhar Judas, não era apenas o churrasco que para ele se tornara difícil de engolir. Góes rompera relações com Pantaleão Pessoa — a quem culpou pelas ousadias do cunhado Ciro Carvalho de Abreu. Sentindo-se ultrajado também pela reação em cadeia produzida nas guarnições do Rio Grande do Sul, pedira demissão do cargo. Getúlio, pacificador, respondeu que os dois tratariam do assunto no início da semana seguinte, quando retornassem ao Rio de Janeiro.

"Os motivos da saída do general Góes não poderiam obedecer a imposições do Flores, a que eu não me submeteria", explicitou Getúlio, embora, no íntimo, já se sentisse propenso a dispensar o ministro da Guerra.[104] "Estou me convencendo de que, para dar mais firmeza e eficiência à disciplina no Exército e na Marinha, é preciso substituir os bois do arado."[105]

Após o churrasco no Batalhão de Caçadores de Petrópolis, Getúlio se reuniu no Rio Negro com Góes Monteiro e João Gomes, com o objetivo de traçar medidas para conter a maré de agitações no Exército. Na noite anterior, na sede da polícia do Rio de Janeiro, o general Gomes havia elaborado com Filinto Müller e o ministro da Justiça, Vicente Rao, uma lista de nomes confiáveis e não confiáveis ao regime. Gomes, que subira a serra durante a madrugada, tirou do bolso a dupla relação e a submeteu a Getúlio. Não houve nenhuma surpresa quando o primeiro a constar no rol dos necessários expurgos era o do general João Guedes da Fontoura.[106]

"Como eu estava demissionário, não discuti o caso", recordaria Góes Monteiro.[107]

Getúlio examinou a relação e concordou com ela, de alto a baixo. Apenas considerou que o melhor nome para substituir Fontoura não era o do general José Antônio Coelho Neto, da 5ª Brigada de Infantaria, de Santa Maria (RS), conforme proposto na lista. Em vez disso, preferia que o novo comandante da Vila Militar fosse o general Eurico Gaspar Dutra, chefe da aviação. Naquela semana, Dutra dera mais uma demonstração de lealdade a Getúlio, ao destituir aviadores que haviam manifestado a resolução de não combater os companheiros da Vila Militar, em caso de levante.[108]

Com o aval silencioso de Góes, o ato de substituição de Fontoura foi lavrado no mesmo dia. No domingo, ao ser informado da troca, ele ainda esboçou um princípio de reação:

"Eu não lhe passo o comando", disse, ríspido, a Eurico Gaspar Dutra. "Se quiser, ocupe o quartel-general. Estou desgostoso com o Exército. E farto de traidores."[109]

Após deixar a Escola de Aviação em estado de alerta para o caso de alguma eventualidade, Dutra resolveu adentrar os portões e tomar posse, mesmo sem a tradicional solenidade de troca da guarda.

Não houve resistências. A Vila Militar ficou ao lado de Getúlio Vargas.

No dia 27 de abril, no último dia do mandato estendido dos congressistas, foi aprovada uma bonificação mensal a ser adicionada aos soldos de todos os servidores federais. Getúlio vetou a parte relativa à concessão do bônus aos funcionários públicos civis, garantindo apenas a gratificação extra aos militares. Nessa mesma data, um sábado, deixou Petrópolis e voltou ao Rio. Sua primeira audiência no retorno ao Guanabara foi com Góes Monteiro.

"Recebi o general Góes. Estava calmo, parecendo-me até um pouco deprimido", reparou.[110]

Três dias depois da aprovação do bônus salarial oferecido aos quartéis, Getúlio Vargas finalmente aceitou o pedido de demissão do ministro da Guerra. Em sua carta de despedida, Góes rendeu homenagens protocolares ao presidente da República, se disse grato pela confiança nele depositada durante o desempenho da missão e desejou que seu substituto pudesse contribuir para a restauração moral, profissional e material do Exército.

"Góes saiu de bem comigo e será oportunamente aproveitado em outra função", considerou Getúlio. "Enfim, tudo passou."[111]

Além de Guedes da Fontoura, Flores foi o segundo grande derrotado em todo o imbróglio. O governante gaúcho sofreu duro revés quando seus dois indicados para assumir a vaga de Góes Monteiro — os generais Andrade Neves e Franco Ferreira — foram preteridos por Getúlio.[112] Em 9 de maio, o general João Gomes foi empossado ministro da Guerra. Na dança das cadeiras, o lugar consequentemente aberto no comando da 1ª RM foi preenchido pelo general Dutra, que assim mal teve tempo de esquentar a cadeira de comandante da Vila Militar. De uma só tacada, Getúlio abortara uma conspiração armada, libertara-se da influência dúbia de Góes, pusera um legalista notório no Ministério da Guerra, alçara o amigo Dutra ao controle da mais importante concentração de tropas do país e, por último, não menos importante, neutralizara o voluntarismo de Flores da Cunha.

No novo dispositivo militar de Getúlio, não havia mais nenhum grande representante do movimento vitorioso de 1930. À época da queda de Washington Luís, o general João Gomes fora alvo de suspeição por parte dos sediciosos e Dutra chegara a participar da defesa do presidente deposto. "Dava-se início às substituições mais importantes dos revolucionários de 30 nos diversos postos do Exército e a reintegração dos elementos que o presidente Getúlio Vargas antes chamava de reacionários", criticou Góes Monteiro.

Repetia-se, na esfera militar, o fenômeno ocorrido antes em relação a alguns dos mais destacados protagonistas civis de 1930 — João Neves da Fontoura, Batista Lusardo, Lindolfo Collor, Artur Bernardes, Virgílio de Melo Franco, Borges de Medeiros, Raul Pilla, Assis Brasil —, todos de um modo ou de outro rompidos ou mantidos à fria distância do governo federal.

"O Getúlio, depois que cuidadosamente afastou de junto de si seus sinceros e incômodos amigos, quer se acabar como uma pedra de gelo exposta ao sol: derretido", comentava, a propósito, o capitão João Alberto, revolucionário histórico.

11. O serviço secreto britânico adverte Getúlio: espiões e terroristas soviéticos estão no Brasil (1935)

O tiro foi à queima-roupa. No momento em que Getúlio deixou a tribuna de honra e seguiu na companhia do presidente uruguaio Gabriel Terra para o almoço no restaurante do hipódromo de Maroñas, em Montevidéu, um homem se aproximou dos dois chefes de Estado com um revólver oculto no bolso do paletó. Os seguranças não perceberam o gesto suspeito do indivíduo que, cortando caminho na arquibancada em meio à multidão, postou-se diante da comitiva oficial, já no último degrau do lance de escadas que dava acesso ao salão com vista panorâmica para a pista de corridas.[1]

A falha de segurança foi inexplicável. Dias antes, o Itamaraty mandara um alerta de emergência às autoridades uruguaias sobre a descoberta de um suposto plano terrorista para assassinar Getúlio e Terra. O duplo atentado, segundo os informes, marcaria o início de uma vasta operação do Komintern — a Internacional Comunista — no Cone Sul. Estariam previstos ainda ataques à bomba contra embaixadas no Rio de Janeiro, Buenos Aires e Montevidéu, com o objetivo de gerar atritos entre os governos do Brasil, Uruguai e Argentina, no exato momento em que Getúlio Vargas, Gabriel Terra e Agustín Pedro Justo costuravam uma aproximação do bloco continental.[2]

O presidente Terra até estranhou a presença ali, no hipódromo, de Bernardo

García, ex-deputado nacionalista e adversário do regime. Mas fez de conta que não o viu. Desviou os olhos e seguiu caminhando normalmente, conversando com Getúlio. O ativista tirou então a arma do bolso e a apontou contra Terra. Estavam a poucos passos um do outro. Seria impossível errar o tiro. Nesse ínterim, porém, um dos seguranças uruguaios, em ato reflexo, se deu conta da iminência da situação e segurou o braço do atirador, alguns milésimos de segundos antes de se ouvir o disparo seco. A bala teve sua trajetória alterada e se encravou no ombro esquerdo do presidente do Uruguai.[3]

"Fui ferido!", ele gritou.[4]

Enquanto o autor do atentado era imobilizado por integrantes da escolta presidencial, formaram-se dois cordões de isolamento em torno de Getúlio e Terra, respectivamente. O som do tiro provocou um princípio instintivo de pânico. Os espectadores que haviam acabado de assistir a um grande prêmio de turfe em homenagem ao visitante brasileiro se atropelaram na busca de alguma rota de fuga. Segundo as primeiras versões divulgadas pela imprensa uruguaia, o escudo humano em torno do presidente do Brasil teria se rompido e ele, no tumulto, caído ao chão, sendo pisoteado pelos populares.[5]

Mais tarde, essa última informação seria desmentida pelos assessores do departamento brasileiro de propaganda. Segundo a versão oficial, Getúlio se desvencilhara de propósito do cordão de isolamento, por ter feito questão de permanecer junto a Gabriel Terra, que foi socorrido e levado, sangrando, para uma ambulância estacionada fora do hipódromo. Por ter aberto passagem sozinho em meio à turba, o presidente Vargas estaria com os cabelos desgrenhados e o terno amarfanhado quando tomou lugar no veículo que conduziu o baleado até o hospital.[6]

Getúlio acompanhou, dentro da sala de cirurgia, a intervenção a que Gabriel Terra precisou ser submetido. A bala penetrara apenas superficialmente, alojando-se pouco abaixo do tecido cutâneo, sem ter atingido camadas mais profundas de nervos ou carne. Minutos depois, o presidente uruguaio deixou o pronto-socorro andando, pela porta da frente, disposto a honrar o restante da agenda prevista para aquele 2 de junho de 1935. À noite, ainda jantou com Getúlio a bordo do encouraçado *São Paulo*, o navio de guerra de bandeira nacional responsável pelo transporte do séquito brasileiro. O cardápio ficou aos cuidados da cozinha do Copacabana Palace, contratada para servir a caravana presidencial durante toda a excursão. Como lembrança do incidente ocorrido pela manhã, Gabriel Terra ofereceu a Getúlio o projétil que os médicos haviam lhe extraído do corpo.[7]

"Ainda não foi dessa vez que conseguiram me matar", disse Terra aos jornalistas.[8]

Eleito presidente em 1931, Gabriel Terra comandara um golpe de Estado em 1933, quando dissolveu o parlamento, amordaçou a imprensa e passou a perseguir ferozmente os adversários políticos. A despeito disso, o atirador, Bernardo García, alegou na prisão que não tivera o propósito de assassinar o ditador uruguaio. Também não fazia parte de nenhuma orquestração comunista internacional, jurou. Sua questão era de política interna. E seu intuito, conforme declarou à polícia, seria apenas alvejar Terra em uma das pernas, o suficiente para tirar o presidente de circulação por uns tempos e provocar uma crise institucional no país. Por lhe segurarem o braço com violência, errara a pontaria. Acertara o ombro da vítima involuntariamente, declarou.[9]

Dois dias depois do atentado, sem ter modificado em nada o cronograma original da viagem, Getúlio retornou ao Brasil. A visita ao Uruguai teve como objetivo estreitar os laços políticos, comerciais e econômicos com o país irmão. O Itamaraty se lançara em um esforço sistemático para que os vizinhos da bacia do Prata adotassem uma atitude anticomunista e antissoviética, evitando qualquer aproximação com o regime de Ióssif Stálin.[10] Antes de Montevidéu, por idêntico motivo, Getúlio estivera em Buenos Aires, a pretexto de retribuir a visita que o presidente argentino Agustín Pedro Justo fizera ao Rio de Janeiro. "As viagens foram de largo efeito como política de aproximação, de conhecimento recíproco e de melhor compreensão. Para simpatizar, é preciso compreender", escreveu Getúlio em um novo caderno de anotações, que não esquecera de incluir na bagagem de sua primeira viagem internacional como chefe de governo.[11]

Se o atentado contra Gabriel Terra empanou o programa elaborado pelo governo uruguaio para saudar o presidente do Brasil, na Argentina, ao contrário, a recepção fora apoteótica. Getúlio passara duas semanas em Buenos Aires, sendo alvo de seguidas homenagens. O roteiro incluíra almoços e jantares solenes, queima de fogos em frente ao Teatro Colón, o recebimento do título de doutor honoris causa pela Universidade Nacional, a apresentação de um coro de mil normalistas cantando os hinos brasileiro e argentino na Plaza del Congreso e, por fim, um baile de gala na Casa Rosada.[12]

O anfitrião, Agustín Justo, não economizou recursos para cercar o hóspede de amabilidades. No último dia da visita, 29 de maio, foi decretado feriado nacional na Argentina, para que os festejos pudessem contar com a presença ainda mais maciça de público. "Recebi grande número de presentes, que procurei recusar, constrangido. Alguns por serem de uso puramente pessoal. Com menos constrangimento, aqueles que posso incorporar ao patrimônio do Estado, através dos museus, dos estabelecimentos de ensino etc.", registrou Getúlio.[13]

Enquanto o presidente brasileiro permaneceu em solo argentino, o jornal *El Pueblo* publicou uma página diária em português, como deferência ao visitante. O *La Nación* preferiu pedir à assessoria do Catete um perfil de Getúlio, para estampá-lo em edição especial. O texto, curiosamente, foi encomendado pela secretaria do palácio a um antigo adversário, o ex-deputado Gilberto Amado, um dos "carcomidos" da Primeira República. Amado, que no novo regime conseguira sair do ostracismo por meio de uma nomeação para o cargo de consultor jurídico do Itamaraty, redigiu um retrato falado que, a despeito do viés chapa-branca, foi absolutamente preciso ao sublinhar algumas das características mais notórias do perfilado. A posterior edição em plaqueta comemorativa, com o selo do departamento de propaganda do governo, confirmaria a capacidade de Getúlio converter velhos antagonistas em aliados de ocasião:

> Em contraste com a quase totalidade dos brasileiros, que são nervosos e movediços, às vezes mesmo excitados, o sr. Getúlio Vargas move-se com lentidão e mesmo com demora. Em meio às maiores agitações, quando a atmosfera do país eletrizada pelo choque das correntes está a arrebentar em tempestade, o sr. Getúlio Vargas conserva-se tranquilo.
>
> Para alguns, essa tranquilidade tem alguma cousa de angustiante. Temem que o irremediável se produza antes que o presidente tome a solução conveniente. Receiam que a oportunidade passe sem que o presidente dela se aproprie. Para outros, esta tranquilidade tem alguma cousa de mórbido. Nessa tranquilidade, que os amigos procuram compreender, veem os inimigos uma espécie de indiferença prejudicial ao próprio presidente.
>
> O fato é, porém, que as circunstâncias têm dado razão ao sr. Getúlio Vargas. Sua Excelência, até agora, não tem perdido por haver dado tempo ao tempo. As crises se levantam, engrossam, avolumam-se, ameaçam e se impõem um instante. Diante da impassibilidade do presidente — que não lhe arremete com o peito em desafio nem lhes opõe uma resistência de antemural — elas começam a cair, a reduzir-se a nada diante dos seus pés, quando não se esfarelam entre os seus dedos. Suas mãos

possuem uma espécie de magia, por virtude da qual, desde que elas a toquem, tudo se asserena e se aplaca no momento oportuno.[14]

Nos largos espaços editoriais dedicados à visita de Getúlio ao país, a imprensa portenha não tratou, em uma única linha que fosse, da polêmica sobre a invasão de Santo Tomé, ocorrida cerca de dois anos e meio antes. A propósito, no retorno ao Brasil, além dos presentes oficiais e da bala que recebera de lembrança do uruguaio Gabriel Terra, Getúlio trouxe quatro acordos de cooperação assinados com a Argentina. Um deles versava sobre a colaboração mútua no caso de conflitos e guerras civis ocorridas em qualquer um dos lados da fronteira.[15]

Ambos os países se comprometiam, a partir daquela data, a estreitar a relação entre suas polícias políticas e notificar um ao outro a respeito de futuras alterações na ordem interna, provocadas por conspiradores e guerrilheiros em suas respectivas zonas limítrofes. "O governo requerido usará de todos os meios disponíveis para impedir que em sua jurisdição se equipe, se arme ou se adapte qualquer embarcação para uso bélico, quando, por motivos fundamentados, se acredite que ela seja destinada a operar em favor dos eventuais rebeldes", rezava um dos artigos.[16]

Estava claro que os termos previstos no documento remetiam à política em curso de repressão aos movimentos comunistas no continente, mas era também uma forma indireta de aludir ao rumoroso episódio no qual homens do 14º Batalhão Provisório de São Borja coadjuvaram, com lanchas, efetivos e armas, os montoneros argentinos no ataque a Santo Tomé. Segundo consta, nas conversas preliminares para a assinatura do acordo, o governo brasileiro aceitara pagar uma indenização à Argentina de 130 contos de réis, por meio de verbas orçamentárias oriundas do Departamento Nacional do Café, a título de ressarcimento pelos estragos causados por Gregório Fortunato e seu bando do outro lado do rio Uruguai.[17] O valor era superior à receita anual de cem contos de réis provenientes de todas as caixas de aposentadorias e pensões gerenciadas pelo Conselho Nacional do Trabalho, uma das vitrines da política trabalhista de Getúlio.[18]

Os papéis das negociações diplomáticas finais relativas ao caso da invasão de Santo Tomé, porém, desapareceram para sempre. No Departamento de Comunicações e Documentação (DCD) do Ministério das Relações Exteriores, não restou uma única lauda a respeito. Há um intrigante vácuo cronológico nos arquivos referentes a 1935. A própria direção do órgão presume que os documentos tenham sido sumariamente destruídos.[19]

O embaixador inglês no Brasil, Sir William Seeds, de viagem marcada para o retorno a Londres, foi despedir-se de Getúlio no Palácio Guanabara e aproveitou para levar informações ultraconfidenciais ao governo. O setor de inteligência do serviço secreto britânico, mais conhecido como Military Intelligence, Section 6 (MI6), possuía indícios seguros de uma conflagração comunista a ponto de arrebentar no Brasil.[20]

Um espião do MI6, na verdade um agente duplo cooptado pelo Reino Unido e infiltrado nos quadros do inimigo, dera ciência do plano aos seus superiores, alertando-os para o estado avançado da operação. Um grupo de terroristas enviados pelo Komintern já se encontrava em território brasileiro, treinando pessoal e articulando o golpe subversivo. Um verdadeiro "comitê russo" estaria agindo no Rio de Janeiro, em estreita articulação com o clandestino Partido Comunista do Brasil (PCB), informou o embaixador a Getúlio.[21]

Os funcionários da alfândega brasileira não haviam feito perguntas indiscretas ao sr. e sra. Franz Paul Gruber, cujos documentos apresentados no desembarque do navio francês *Florida*, em janeiro daquele ano, asseguravam que eram austríacos e estavam de férias no Brasil. A camuflagem de turistas extasiados com a paisagem carioca encobria as identidades dos alemães Johann Heinrich Amadeus de Graaf, especialista em explosivos e sabotagem, e Helena Kruger, datilógrafa e motorista.

Tampouco o sr. e a sra. Harry Berger geraram alguma desconfiança de que não fossem mais que um típico casal de norte-americanos, como simulavam seus passaportes. Mas eles eram alemães e se chamavam, respectivamente, Arthur Ernest Ewert e Elise Saborovsky. Mr. Berger, um veterano de missões internacionais, já estivera na China e nos Estados Unidos, sempre atuando como representante graduado do Komintern. Sua nova missão era coordenar a equipe de espiões enviados ao Brasil.

Em abril, foi a vez de o portenho Luciano Busteros descer do *S. S. Western World* de braços dados com a esposa e se hospedar inicialmente na rua Marquês de Abrantes, não muito distante do Palácio do Catete. A aparência de um casal elegante, bem vestido, com sinais exteriores de riqueza, era mais uma vez o disfarce perfeito para preservar a identidade de dois ativistas radicais, Rodolfo José Ghioldi e Carmen de Alfaya Ghioldi, integrantes do Partido Comunista argentino e membros destacados do Bureau Sul-Americano (BSA) do Komintern. Já os "belgas" Leon e Alphonsine Julles Valée, também desembarcados havia pouco tempo no Brasil, eram os ucranianos Pável Vladímirovitch Stutchevski e Sófia Semiónova Stutchevskaia, respectivamente agentes da Naródni Komissariat Vnútrennikh Diel (a NKVD, polícia secreta soviética) e do 4º Departamento do Estado-Maior do Exército Vermelho.

Por fim, um empresário português baixinho e de rosto anguloso, Antônio Vilar, e sua mulher, Olga Bergner, também ingressaram no país sem enfrentar maiores contratempos. Qualquer brasileiro que lhe dispensasse um olhar mais demorado não deixaria de reconhecer certa familiaridade nas feições escanhoadas do sr. Vilar. Contudo, sem a barba que ostentara nos tempos da Coluna, Luís Carlos Prestes passou incólume à vigilância. E Olga Bergner não era sua esposa. Chamava-se, na realidade, Olga Benario. Alemã, ela recebera intenso treinamento militar. Estava apta a pilotar aviões e saltar de paraquedas, caso necessário. Também atirava extraordinariamente bem. Sua missão era garantir a segurança pessoal de Prestes, o camarada brasileiro que o Komintern desejava instalar no poder após a queda de Getúlio Vargas.

Dois dias depois de receber a desconcertante visita do embaixador inglês, Getúlio reuniu o ministério. Era um sábado, 22 de junho. Na ocasião, retransmitiu a seus auxiliares a notícia confiada a ele, na antevéspera, por Sir William Seeds. Filinto Müller já fora acionado, e elaborara um relatório inicial sobre a ação e o presumível paradeiro dos espiões russos no país. Ao ler o cartapácio preparado pelo chefe de Polícia, Vicente Rao, titular da Justiça, considerou que o mais indicado era seguir acompanhando em silêncio o movimento dos comunistas, passo a passo, em vez de desfechar uma ofensiva imediata. Poderia haver mais gente envolvida, e somente um plano bem urdido pegaria todos de uma única vez.

Houve controvérsias. Alguns ministros tinham opinião contrária. Consideraram que o mais seguro era agir preventivamente, antes que o inimigo criasse força e consistência. Como de costume, Getúlio falou apenas ao final, depois de sopesar as opiniões divergentes. "Expus, então, o plano que deveríamos adotar

— ação enérgica de repressão e reação pela propaganda, criando um ambiente propício à ação do governo", registrou, ao final do encontro.[22]

A propaganda antecedeu a repressão. Na quarta-feira seguinte, 26 de junho, *O Globo* publicou uma manchete explosiva, em letras maiúsculas: SOVIETES NO BRASIL! A matéria, endossada em editorial pelo próprio diretor da publicação, o jornalista Roberto Marinho, denunciava a existência de agentes russos no Rio de Janeiro e dizia que o governo deitara a unha em um documento sigiloso, produzido por Moscou, contendo os planos de uma revolução marxista a ser desfechada no país de modo "rápido e violento". Os oficiais militares que opusessem alguma reação ao movimento subversivo, de acordo com tais planos, deveriam ser fuzilados na porta de casa. A confiar ainda nos trechos do documento apresentados pelo jornal, a "estratégia vermelha" pretendia atrair os quadros da Aliança Nacional Libertadora para a causa. Com esse objetivo, seguindo ordens ditadas pela União Soviética, as conclamações públicas em prol da insurreição evitariam referências explícitas ao internacionalismo comunista, adotando, ao contrário, um discurso de forte matiz nacionalista, apenas "para ludibriar e agradar as massas".[23]

Na quinta-feira, a Aliança Nacional Libertadora, por meio de seu órgão oficioso, *A Manhã*, desmentiu com veemência a seriedade de tais informações, classificadas como uma "ignóbil vilania da imprensa de aluguel". Em resposta à manchete do periódico da família Marinho, o jornal da ANL estampou um petardo, redigido igualmente em letras graúdas: O GLOBO AÇULA A POLÍCIA POLÍTICA CONTRA O POVO! No texto, que ocupou toda a primeira página da edição, o documento publicado por Roberto Marinho era classificado como uma "grosseira mistificação", uma "invencionice forjada pelo departamento de publicidade da Light", empresa que estaria "a serviço de magnatas estrangeiros e do imperialismo norte-americano e britânico".[24]

Nunca se comprovou a autenticidade do tal plano gestado por Moscou e citado pelo *O Globo*. Mas visivelmente a reportagem se baseava em murmúrios repassados por elementos do governo ou por gente muito próxima à fonte original da notícia. A propósito, *A Manhã* tinha razão ao apontar a Light como instância diretamente envolvida no assunto. O superintendente da companhia de energia no Rio de Janeiro, Alfred Hutt, era, de fato, o principal agente do serviço secreto britânico no Brasil. Hutt abastecia a embaixada inglesa no Rio de Janeiro com as informações recebidas do agente duplo infiltrado na estrutura do Komintern, no caso, Johann de Graaf, ou simplesmente Johnny, o especialista em explosivos que entrara no país sob a falsa identidade do austríaco Franz Gruber. Sem que seus camaradas desconfiassem de nada — e mesmo sem o conhecimento da própria esposa —, Johnny mantinha o MI6 a par de tudo o que acontecia.[25]

Além da revelação de que existiam agentes do Komintern disfarçados no Brasil, havia pelo menos outra informação procedente na matéria de *O Globo*: a tática de aproximação dos comunistas com a ANL já era um fato. Ela visava conferir uma fachada legal ao movimento conspiratório e fazia parte de uma estratégia mais ampla, oficializada poucos meses depois, durante o VII Congresso da Internacional Comunista, realizado em Moscou, entre o final de julho e início de agosto daquele ano de 1935. Até então o Komintern proibia qualquer tipo de aliança com partidos ou agremiações não comunistas. Mas a ascensão de um inimigo comum — o nazifascismo — forçara uma reavaliação de cenário e se traduzira em um novo modo de ação política, consubstanciado na composição de frentes amplas nacionais antifascistas.[26]

Quando os agentes estrangeiros desembarcaram no Brasil, essa guinada teórica já se encontrava em plena execução prática, embora ainda não estivesse referendada pelo Congresso da Internacional (que existia justamente para sancionar as decisões tomadas, por antecipação, pela cúpula). É o que se depreende dos telegramas cifrados remetidos pelo Comitê Executivo do Komintern às lideranças do PCB, recomendando o abandono temporário dos jargões mais radicais — como "ditadura do proletariado" — em troca da adesão momentânea às bandeiras genéricas da Aliança Nacional Libertadora: reforma agrária, combate ao fascismo, não pagamento da dívida externa e luta pelas liberdades democráticas. Em vez de pregar a revolução comunista, os militantes do Partido deveriam fazer a defesa de um "governo popular nacional revolucionário", de caráter democrático-burguês, capaz de aglutinar as forças antifascistas contra Getúlio. No lugar do tradicional TODO PODER AOS SOVIETES!, a palavra de ordem deveria ser TODO PODER À ANL![27]

A propaganda anticomunista desencadeada pelo governo ganhou ainda mais fôlego com a divulgação, pelo *Jornal do Brasil*, de duas cartas interceptadas pela polícia de Pernambuco e endereçadas a Silo Meireles, membro do comitê central do PCB, homem de confiança de Luís Carlos Prestes e encarregado de estabelecer as bases do levante no "Norte" do país.[28] A primeira carta era assinada por Fernandes, um dos codinomes utilizados por Prestes, mas também empregado por Antônio Maciel Bonfim, secretário-geral do Partido. A outra vinha subscrita, sem subterfúgios, pelo próprio Luís Carlos Prestes, embora datada de Barcelona, provavelmente para confundir possíveis interceptadores.[29]

"O movimento da ANL é bastante amplo para que nele caibam todos os que queiram lutar contra o imperialismo, contra o feudalismo e pelos direitos democráticos; todos os que queiram lutar por um governo realmente popular e revolucionário", dizia uma das cartas, a que tinha Prestes por remetente. "As lutas no interior precisam começar o quanto antes. Muitas vezes a luta pela terra não é imediatamente possível nem compreensível para as massas do campo. Mas o assalto de armazéns das fazendas é sempre possível e simpático às massas. E com Lampião, como vão as coisas? É necessário agir. Empreguem o nome de Prestes; pode ser que Lampião também adira", dizia a outra, assinada por Fernandes, ou seja, Bonfim.[30]

As mensagens apreendidas em Pernambuco continham, em síntese, as principais recomendações do Komintern à cúpula do PCB: unir forças à ANL e acelerar a luta no campo. A sugestão de atrair para a causa o bandido mais procurado do país, Virgulino Ferreira da Silva, o Lampião, também estava entre as determinações de Moscou. Era preciso, segundo os ditames do comitê central da Internacional Comunista, "empenhar-se na tarefa de estabelecer contatos mais estreitos com as massas de grupos de cangaceiros; postar-se à frente de sua luta, dando-lhe o caráter de luta de classes, e em seguida vinculá-los ao movimento geral revolucionário do proletariado e do campesinato brasileiro".[31]

Foi Luís Carlos Prestes quem convenceu o Komintern do fantasioso potencial revolucionário dos bandoleiros da caatinga. Um ano antes, quando se encontrava na União Soviética, Prestes publicara um artigo no qual afirmava que os cangaceiros "vivem do dinheiro e das mercadorias arrancados dos grandes proprietários de terra e dos comerciantes ricos".[32] Essa visão idealizada de que Lampião era uma espécie de Robin Wood sertanejo, um "bandido social", plantou raízes no imaginário das esquerdas, mas ignorou todo o conjunto de violências praticadas pelo Rei do Cangaço e seu bando contra a população mais pobre da região — e também sua cumplicidade estratégica com poderosos coronéis, a quem ofereciam o serviço de milícia em troca de proteção contra a perseguição policial.[33]

Ao saber que mensagens trocadas entre figuras expressivas do PCB haviam caído em mãos erradas, o Komintern expediu um telegrama de advertência a seus agentes. "Quanto à apreensão pela polícia de correspondência em Pernambuco e a comunicação do BSA de que a embaixada inglesa está informada sobre nossos planos, recomendamos energicamente medidas urgentes para garantir a segurança dos dirigentes do Partido, sobretudo Prestes e Miranda [outro dos codinomes de Antônio Maciel Bonfim]."[34]

O telegrama recomendava particularmente a Prestes que tentasse descobrir qual era a fonte da embaixada inglesa, ou pelo menos tratasse de saber "se ela era brasileira ou estrangeira". Após determinar que todos os aparelhos utilizados até então fossem trocados por novos abrigos clandestinos, o Komintern aconselhava: "Tomem as medidas necessárias de precaução pensando na possibilidade de que a polícia, que conhece vossos planos e talvez vossas ligações, retarde as prisões para desorganizar o movimento justamente no último momento".[35]

Com efeito, ao telefonar para o escritório da Light e indagar a Alfred Hutt se as autoridades londrinas iriam deixar a conspiração seguir seu ritmo ou tomar providências junto ao governo brasileiro para neutralizar o movimento o quanto antes, o agente duplo Johnny ouviu a seguinte resposta: "Segure firme e avise sobre o progresso em desenvolvimento".[36] Era praticamente o mesmo teor de uma mensagem enviada por Juracy Magalhães a Getúlio, um dia após a publicação no *Jornal do Brasil* da íntegra das cartas interceptadas em Pernambuco: "Percebo que vossa excelência está deixando as cobras se desenvolverem. Parece mesmo disposto a colocá-las numa vinha, para aguardar o resultado".[37]

Isso não significava, pela lógica getulista, simplesmente cruzar os braços. Na intenção de promover uma ampla corrente nacional contra os planos do Komintern, Getúlio pediu a Assis Chateaubriand que intermediasse um jantar entre ele e figuras expressivas do empresariado brasileiro. Depois de se verem em flancos opostos em 1932 durante a eclosão da revolta paulista, Chatô havia feito as pazes com Getúlio no bojo da anistia e da reconstitucionalização do país.

"O patrão quer que você junte seus tubarões", teria dito Alzira Vargas, emissária do presidente, a Chateaubriand.[38]

O jantar foi realizado na casa de Guilherme Guinle, diretor do Centro Industrial Brasileiro (CIB), embrião da futura Federação das Indústrias do Rio de Janeiro (Firjan). Getúlio saiu decepcionado do encontro. Em vez de conseguir a adesão dos convidados de Guinle para uma cruzada contra o comunismo, passou a noite inteira ouvindo queixas e reclamações dos empresários à política trabalhista do governo.

"Eu estou tentando salvar esses burgueses burros e eles não entendem", desabafou Getúlio, já no automóvel, ao ajudante de ordens.³⁹

No dia 5 de julho — aniversário das revoluções tenentistas de 1922 e 1924 —, o Rio de Janeiro amanheceu com o sol reluzindo sobre o capacete das centenas de soldados espalhados pelas ruas e avenidas centrais da cidade. Nas proximidades do Catete, havia investigadores da polícia distribuídos em cada esquina. Nenhum automóvel seguia adiante sem passar por uma minuciosa revista. Os túneis que davam acesso a Copacabana e ao Leme estavam guarnecidos por forças do Exército, enquanto fuzileiros navais resguardavam os prédios das repartições públicas.⁴⁰

Desde a meia-noite do dia anterior, por ordem do ministro da Guerra, os quartéis foram declarados em estado de prontidão. Ao longo da madrugada, policiais haviam varejado a sede dos sindicatos operários, apreendido material considerado subversivo e feito cerca de quinhentas prisões. Os detidos ficariam mantidos incomunicáveis por 24 horas, amontoados nas celas da DESPS. Nas primeiras horas da manhã, tão logo os jornais começaram a ser apregoados pelos gazeteiros, uma nota oficial podia ser lida no alto das primeiras páginas:

> Portaria da Chefia de Polícia
>
> A fim de evitar possíveis agitações, esta chefia não permitirá, durante o dia de amanhã (5), manifestação alguma em praça pública, permitindo, entretanto, reuniões em recintos fechados, mediante prévia autorização da Delegacia Especial de Segurança Política e Social. Publique-se.
>
> O chefe de Polícia, Filinto Müller⁴¹

Portanto, o grande comício da Aliança Nacional Libertadora, marcado para aquela data, não poderia mais ser realizado no Estádio Brasil, em São Cristóvão, conforme previsto. Como a nova portaria desautorizava até mesmo reuniões em praça pública, o meeting teria de ser reduzido à capacidade de espaço da própria sede da ANL, no primeiro andar do prédio de número 1 da avenida Almirante Barroso, vizinho ao largo da Carioca, lugar que antes abrigara o Clube 3 de Outubro.⁴²

Os jornais alinhados ao governo, a exemplo de *A Noite*, tentaram fazer parecer aos leitores que aquele era um dia como qualquer outro do calendário. As principais notícias da edição tratavam do grande concerto orfeônico a ser realizado dali a dois dias, no domingo, sob a regência de Villa-Lobos, e da possível contratação pelo Vasco da Gama do centroavante Ruy Araújo, artilheiro do Sporting de Lisboa e titular absoluto da seleção portuguesa.[43] No sentido contrário, a imprensa oposicionista aproveitava a efeméride para evocar a memória dos Dezoito do Forte e exaltar os feitos da legendária Coluna Prestes. O editorial de *A Manhã*, assinado pelo diretor de redação Pedro Mota Lima, recorria à mística do "glorioso 5 de julho" para afirmar que Getúlio havia traído os ideais tenentistas que teriam inspirado o movimento que o alçara ao poder:

"Desde as conspirações de 1930, e durante os primeiros anos de seu governo, o sr. Getúlio Vargas não fez outra coisa senão mistificar os elementos sinceros da corrente revolucionária", acusou Mota Lima. "Já no Catete, o despistamento tomava as mais variadas formas. Aos que revelavam apetite, o ditador empanturrava com as guloseimas de cargos rendosos e concessões a terceiros. Aos tidos como ingênuos e utopistas, entretinha com a adoção da fraseologia oca, em manifestos solenes, em discursos preparados para as datas comemorativas dos feitos revolucionários." O final era ainda mais incisivo: "Hoje, o sr. Getúlio Vargas aparece tal qual é, tal qual sempre foi — um reacionário dissimulado, um inimigo do povo, intrometido no movimento libertador para melhor servir às camorras de que provinha".[44]

Ao longo do dia, como numa reação em cadeia, começou a chegar ao Catete uma enxurrada de telegramas e memorandos de protesto, enviados por organizações operárias. Todos, sem exceção, reclamavam da truculência policial desfechada, à margem da lei, contra seus militantes. O Sindicato dos Trabalhadores em Marcenaria, que teve a sede invadida e vários filiados presos, foi um dos primeiros a se manifestar. A União Feminina do Brasil denunciou a prisão arbitrária de algumas de suas integrantes, incluindo parte da diretoria. O presidente e o primeiro secretário da União dos Trabalhadores do Livro e do Jornal, depois de espancados, foram arrastados para a cadeia, sob a acusação comum de "extremismo", comunicaram seus representantes legais. O Sindicato dos Bancários, que também tivera o prédio invadido pelos homens de Filinto Müller, informou que entrara com um mandado de segurança para tentar libertar os cerca de duzentos associados detidos pela DESPS. E os líderes do Sindicato dos Choferes, em telegrama endereçado diretamente a Getúlio, acusavam os policiais de terem apreendido, além de documentos contábeis, dinheiro em espécie nas gavetas de seu departamento financeiro.[45]

"Querem transformar o Brasil num imenso cárcere!", definia *A Manhã*.[46] No mesmo jornal, o poeta, cronista e jornalista Álvaro Moreyra preferiu extravasar sua indignação em versos, apelando, em vão, para o passado tenentista do chefe de Polícia:

Saia daí, irmão!
O seu lugar não é aí.
Você não nasceu para prender,
Você nasceu para ser preso.
Venha!
Filinto Müller, nós esperamos você.[47]

Depois de cumprir os despachos do dia, Getúlio saiu do palácio no meio da tarde para inaugurar uma escola batizada com seu nome, em Bangu. Estava bem-humorado e não dava sinais de preocupação. Cortou a fita inaugural e percorreu todo o prédio, na companhia do prefeito do Rio, Pedro Ernesto, e do diretor de Instrução Pública do Distrito Federal, Anísio Teixeira. Pelos pátios e corredores, beijou crianças e cumprimentou professores. Quando um repórter se aproximou para lhe indagar qual o motivo de toda aquela concentração de forças na cidade, ele desconversou:

"Não há nada...", sorriu.[48]

Na véspera, porém, Getúlio ordenara a Filinto Müller e ao ministro da Guerra, João Gomes, que tomassem todas as providências para conter ocasionais distúrbios da ordem pública. O apelo cívico do "5 de julho" ainda despertava forte comoção popular e, por via das dúvidas, era melhor prevenir incitações subversivas a pretexto da data. O governo tinha conhecimento de que a diretoria da ANL iria divulgar um manifesto assinado por Luís Carlos Prestes conclamando a população à luta. Por mais que os investigadores tenham se esforçado e pressionado militantes para obter uma cópia antecipada do texto, o conteúdo do documento ainda era um completo mistério.[49]

Quando Getúlio enfim retornou ao palácio após inaugurar a escola primária em Bangu, já passava das sete da noite. Minutos depois disso, pontualmente às oito horas, na avenida Almirante Barroso, teve início o encontro dos simpatizantes da Aliança Nacional Libertadora. Havia investigadores da DESPS disfarçados em meio à numerosa assistência. Por isso, antes da meia-noite, Getúlio receberia um dossiê completo, datilografado, sobre tudo o que ocorrera no evento. Quem entrasse no prédio, subisse ao primeiro andar e se dirigisse ao salão principal veria a bandeira brasileira encobrindo um quadro na parede que, conforme foi anunciado aos presentes, seria inaugurado após a execução do Hino Nacional Brasileiro. Coube ao capitão Henrique Cordeiro Oest, ex-membro do Clube 3 de Outubro e um dos signatários da ata de fundação da ANL, descerrar a bandeira auriverde e, por trás dela, revelar o retrato de Luís Carlos Prestes em pose solene e uniforme do Exército. A multidão que se comprimia no local ergueu os punhos cerrados para o ar e começou a gritar, em uníssono, o nome do comandante da Coluna Invicta.[50]

Em seguida, um rapaz magro, de rosto comprido, olhos quase saltando das órbitas, subiu em uma mesa com um calhamaço de papel nas mãos. Fez-se absoluto silêncio. Estudante de direito que trocara as aulas da faculdade pela militância estudantil, filho do tribuno Maurício de Lacerda, ele fora escolhido para ler o tão aguardado manifesto de Prestes. Apesar da pouca idade, 21 anos, seus dotes de oratória já eram conhecidos e celebrados pelos colegas do centro acadêmico e pela ala moça da ANL. Com uma entonação vibrante, o franzino Carlos Lacerda contagiou a plateia:

"O duelo está travado. Os dois campos definem-se cada vez com maior clareza para as massas. De um lado, os que querem consolidar no Brasil uma ditadura fascista, liquidar os últimos direitos democráticos do nosso povo e acabar a venda e a escravização do país ao capital estrangeiro", leu o ardente orador. "Do outro, todos os que, nas fileiras da Aliança Nacional Libertadora, querem defender de todas as maneiras a liberdade nacional do Brasil, com pão, terra e liberdade para seu povo."

A cada parágrafo lido, os aplausos cresciam de volume.

"Brasileiros!", continuou o jovem Carlos Lacerda. "Vós, que nada tendes para perder e a riqueza imensa de todo o Brasil a ganhar, arrancai o Brasil das garras do imperialismo e de seus lacaios! Todos à luta pela libertação nacional do Brasil! Abaixo o fascismo! Abaixo o governo odioso de Vargas! Por um governo popular nacional revolucionário! Todo o poder à Aliança Nacional Libertadora!"[51]

Quando, na segunda-feira, Viriato Vargas chegou ao Guanabara para uma visita de cortesia ao irmão, encontrou-o debruçado sobre a mesa de trabalho, fazendo cortes e alterações na minuta do decreto que o ministro da Justiça lhe entregara pouco antes. A leitura do manifesto de Luís Carlos Prestes, feita pelo estudante Carlos Lacerda na sexta-feira, fornecera ao governo o motivo para mandar fechar as portas da ANL com base na Lei de Segurança Nacional. O assunto fora discutido em reunião extraordinária, da qual participaram Vicente Rao, Filinto Müller e o líder da maioria na Câmara, o deputado fluminense Raul Fernandes. Por recomendação de Getúlio, o decreto em preparo seria lacônico, sem muitos artigos, para evitar entrelinhas e subentendidos. Apenas três curtos parágrafos. Um, estabelecendo a proibição das atividades da Aliança dali por diante. Outro, atribuindo ao Ministério da Justiça as providências legais para o caso. O último, determinando que o decreto passaria a vigorar imediatamente, logo após a assinatura presidencial.[52]

Ao entrar no gabinete, Viriato notou que, na intimidade, Getúlio não exibia a mesma resiliência que tanto vinha se esforçando por demonstrar em público. Após o bombardeio de críticas na imprensa e da chuva de discursos no parlamento contra a prisão em massa dos líderes sindicais, o presidente ostentara surpreendente leveza no domingo, ao prestigiar o concerto orfeônico regido por Villa-Lobos. As vozes de 20 mil crianças, acompanhadas de uma orquestra composta por 1200 músicos, embalaram os sorrisos de Getúlio durante toda a solenidade em São Januário. Animado, ele chegou a quebrar o protocolo ao pedir a inclusão de uma música extra no programa, "Hino ao sol do Brasil", de Lucilia Villa-Lobos, esposa do maestro.[53]

Foi prontamente atendido. Um dia depois, porém, escreveria: "Minha saúde não é boa. A velha aortite entrou num período de descompensação, dores, cansaços, pulsação irregular, enfim, vários fenômenos pouco tranquilizadores que observo e que me previnem, mas que recebo com indiferença fatalista e até sem tristeza", admitiu. "Estou ficando velho, e a vida assim é uma contínua decadência."[54]

Getúlio pôs de lado os papéis nos quais vinha trabalhando e, enfim, voltou suas atenções para Viriato. O irmão de 63 anos, dez a mais que ele, parecia revigorado. A despeito da careca proeminente e dos tufos grisalhos tomando conta dos poucos cabelos que lhe restavam à altura das têmporas, o primogênito do general Manuel Vargas ostentava naquela noite um êxtase quase juvenil. Tinha seus motivos. Acabara de ser empossado ministro do Tribunal de Contas do Estado do Rio Grande do Sul.⁵⁵

Conhecedor do passado acidentado do requerente, o governo gaúcho hesitara em aprovar o pedido pessoal de Viriato. Chegara a fazer uma consulta preliminar aos Vargas, pois sabia existir uma antiga pendenga doméstica, jamais cicatrizada, no seio do poderoso clã de São Borja. Desde que fora alijado do comando municipal, Viriato rompera relações com os demais irmãos, mantendo contatos esporádicos e minimamente civilizados apenas com Getúlio. Ainda assim, o caçula Benjamim Vargas, eleito deputado estadual nas eleições de outubro de 1934, não titubeou em dar seu aval à entrada de Viriato no Tribunal de Contas. "Não devemos pôr obstáculo algum, pois, além de vir a acirrar ainda mais as indisposições pessoais entre nós, [a nomeação] tem a vantagem de afastá-lo de São Borja, tirando-o daquele meio onde já se acostumou a fazer imperar a sua vontade, *por la razón o la fuerza*", opinou Bejo, em carta a Getúlio.⁵⁶

Protásio, do mesmo modo, não interpôs dificuldades, embora fosse ainda mais amargo nos conceitos emitidos sobre Viriato, a quem passara a se referir apenas como "o Coronel", e não mais pelo nome de batismo. "Este homem é um doente, para os que o conhecem de perto", definiu, também em correspondência a Getúlio. "Não preciso dizer-te mais a respeito. Não tenho outro propósito senão desabafar contigo, pois tenho sofrido muito com esse monstro, que tem sido o contrapeso da carga que normalmente conduzimos em nossa existência."⁵⁷

Após a anuência da família e, em especial, o beneplácito do irmão presidente da República, Viriato Dornelles Vargas não encontrou mais obstáculos para se efetivar ministro do Tribunal de Contas do Rio Grande. Uma coincidência histórica marcaria sua chegada ao cargo. No mesmo instante em que Getúlio referendava a sinecura para o mano Viriato, o escritor Augusto de Lima Júnior recorria às influências do Catete para pleitear uma vaga na Academia Brasileira de Letras (ABL). Ninguém na família Vargas esquecera que o autor de *Visões do passado* era filho do também escritor e jurista Augusto de Lima, o responsável, em 1897, pelo arquivamento do inquérito relativo ao assassinato do estudante paulista Carlos de Almeida Prado, em Ouro Preto.⁵⁸

"Sob tão certo patrocínio, a vitória será matematicamente certa", vangloriou-se Lima Júnior em bilhete a Getúlio, no qual dizia "não ter palavras para agradecer" a ingerência do presidente junto aos amigos do governo com assento na confraria literária.⁵⁹ Nesse caso específico, porém, mesmo tendo cabulado votos abertamente para o afilhado, o ilustre padrinho não foi bem-sucedido. Apesar das recomendações expressas de Getúlio aos imortais, o poeta mineiro não conseguiu os sufrágios suficientes para sentar na cadeira número 2 da ABL, a mesma que um dia pertencera ao fundador Coelho Neto.

Na contagem final, nenhum dos candidatos — entre os quais se incluíam o historiador e folclorista Basílio de Magalhães e o poeta Leão de Vasconcelos — conseguiu a maioria absoluta dos votos, mesmo após a realização de quatro escrutínios sucessivos. Conforme previam os estatutos da Academia, a eleição foi anulada. Abriram-se então novas inscrições para a vaga, mas a disputa só voltaria a ocorrer no ano seguinte, em 1936.[60]

Até lá, muita coisa iria ocorrer no país. E, na ocasião, por motivos que de novo se situariam para muito além da política literária, o candidato preferido de Getúlio ao fardão não seria mais Augusto de Lima Júnior.

Enquanto os jornalistas não o descobriram, Getúlio pôde desfrutar, sem incômodos, da paz e sossego oferecidos pela bucólica Fazenda São Mateus, em Juiz de Fora. Mas bastou vazar no Rio de Janeiro a informação de que ele tirara dez dias de folga e seguira com destino a Minas Gerais para que os repórteres e fotógrafos começassem a chegar, um após outro. Todos os jornais queriam declarações do presidente sobre o fechamento da ANL e sobre a repercussão do episódio nos meios políticos da capital da República. A questão vinha mobilizando a Câmara Federal, com discursos inflamados e apartes violentíssimos entre a bancada governista e a oposição. Os deputados da minoria exigiam que o governo tornasse públicos os documentos supostamente apreendidos pela polícia e citados pelo jornal *O Globo*.

"Toda vez que um governo necessita de leis de exceção, acusa os adversários de comunistas. O governo afirma que possui documentos. Nada mais natural: queremos conhecê-los de perto, examiná-los, apalpá-los, como são Tomé", cobrara o deputado federal gaúcho Barros Cassal, rompido com Getúlio desde 1932, quando pedira demissão da chefia da Imprensa Nacional após o empastelamento do *Diário Carioca*.[61] Outros conterrâneos e ex-aliados do governo com mandato na Câmara, a exemplo de João Neves da Fontoura, líder da minoria, e Batista Lusardo, autor de um novo epíteto — "Vargas, o grande tapeador" —, também subiram à tribuna para deixar registrados seus protestos nos anais da casa.[62]

"A oposição rio-grandense — João Neves e Batista Lusardo — abriu as baterias contra mim. O primeiro é um pequeno frasquinho de veneno manejando brilhante capacidade oratória; o segundo, com a má-fé inconsciente dos espíritos obtusos, mal se equilibra entre as contradições da sua palavra e as dos seus atos", desdenhou Getúlio.[63]

Não obstante, preferiu guardar tais juízos para as páginas do diário, evitando fazer declarações de idêntico teor aos jornalistas que o acossavam em Juiz de Fora. Dirigiu-lhes a palavra apenas para pedir que o deixassem desfrutar de alguns poucos momentos de privacidade e descanso. Aceitara o convite do amigo João Tostes, dono da São Mateus, para uma pequena pausa na agenda oficial. Queria aproveitar ao máximo aquele breve interregno, dedicando-se apenas a cuidar da saúde, andar a cavalo, passear de barco e caçar caititus no matagal que rodeava os cafezais da propriedade.[64]

Todas as manhãs, os empregados da fazenda soltavam uma parelha de porcos do mato no terreno e esperavam até que eles se enfurnassem em alguma touceira das cercanias. Em seguida, com o auxílio de uma espingarda e de uma matilha de cães treinados, Getúlio seguia no rastro dos animais. No primeiro dia, matou os dois primeiros caititus, cujos pernis foram servidos à hora do almoço. Nos dias seguintes, a caçada se tornou mais árdua, e por isso mesmo mais emocionante. Os bichos demoraram a sair das furnas, desafiando a proverbial paciência de seu caçador. "Pela tarde, nova investida na furna dos catetos [o outro nome pelos quais são conhecidos os caititus], que ainda dessa vez não quiseram sair. Estão amuados", comentou Getúlio.[65]

Os assuntos de governo reclamavam providências e, em mais de uma ocasião, Getúlio precisou abdicar do prazer de perseguir caititus no meio do mato para escrever telegramas ao Rio de Janeiro com instruções aos ministros relativas a entreveros na política externa e interna. Em um momento de polarização ideológica mundial, o Brasil selara um acordo para o pagamento de parte do serviço da dívida com os banqueiros ingleses, e se encontrava em plena negociação com o Congresso para ratificar um grande convênio comercial com os Estados Unidos, envolvendo reduções de alíquotas e isenções tarifárias. A assinatura final do tratado, porém, vinha esbarrando na pressão norte-americana para que o governo brasileiro abandonasse o comércio de compensação com a Alemanha de Hitler, que adquiria arroz, algodão, café, carne, couro, laranja e tabaco nacionais em troca de produtos manufaturados germânicos, o que fazia do país o parceiro comercial mais importante do Reich na América Latina.[66]

Algo similar ocorria em relação à Itália. Uma prometida encomenda de 20 mil toneladas de carne nacional e um grande embarque de matérias-primas agrícolas deveriam entrar como contrapartida na aquisição de uma frota de submarinos italianos de segunda mão para a Marinha brasileira. Os Estados Unidos, mais uma vez, ensaiaram represálias.[67] As exigências norte-americanas se tornaram mais contundentes após a Liga das Nações cogitar infligir sanções aos países que seguiam negociando com Mussolini, no momento em que já era iminente uma invasão das tropas fascistas à antiga Abissínia (Etiópia)[68] — episódio que viria a marcar o início da política expansionista italiana no período anterior à Segunda Guerra Mundial. O característico pragmatismo getulista tentara conduzir a questão sem maiores solavancos, aproveitando-se até então da relativa tolerância de Washington, Roma e Berlim, interessadas em constituir blocos de poder e zonas de influência ao redor do mundo. "Antes da aprovação do tratado americano, não é conveniente a encomenda de submarinos à Itália", instruiu Getúlio, habituado a administrar os limites de sua margem de manobra.[69]

No plano interno, existiam ainda as dificuldades históricas da política regional. A substituição dos interventores por governadores eleitos pelas assembleias estaduais trouxera graves transtornos ao governo, tendo sido registrados tiroteios, agressões físicas e mesmo assassinatos em várias capitais.[70] No estado do Rio de Janeiro, o candidato favorito do Catete, o ministro da Marinha, Protógenes Guimarães, encontrara um adversário à altura de sua elevada patente, o general Cristóvão Barcelos, que se dizia pronto a ir às últimas consequências — inclusive "até a inimizade com o presidente da República" — para fazer valer seu direito de disputar o governo fluminense.[71]

Embora a eleição no Rio de Janeiro só estivesse marcada para setembro, Getúlio não gostou de saber que Flores da Cunha, já eleito governador do Rio Grande do Sul, decidira apoiar, à distância, a pretensão do general Barcelos. Sem que aparentemente o assunto lhe dissesse respeito, Flores anteviu que o resultado da sucessão fluminense prometia ser peça fundamental no jogo de composições políticas a ser armado dali a pouco mais de dois anos, quando das eleições diretas para a presidência da República, marcadas para o início de 1938. Getúlio, ao pressentir que Flores da Cunha se insinuava como um virtual candidato ao Catete, criticou sua "mania de estar lá de Porto Alegre pretendendo dirigir a política federal, agitando antecipadamente a questão da sucessão presidencial e intervindo na política de outros estados".⁷²

Como se não bastassem as agruras da política interna e externa, existiam ainda os aborrecimentos de natureza íntima. O próprio fato de o presidente viajar sozinho para a Fazenda São Mateus, desacompanhado da mulher, era mais um indicativo de que o casamento com Darcy se resumira ao cumprimento das conveniências sociais. "Tenho me sentido um pouco só, mal ajudado e aborrecido. Obrigado a procurar derivações perigosas em carinhos mais ou menos mercenários", chegaria a revelar Getúlio ao único confidente no qual de fato confiava, o seu caderno de anotações.⁷³

Na véspera de retornar ao Rio de Janeiro, ele enfim resolveu falar à imprensa. As perguntas, como esperado, giraram em torno do mesmo tema: o fechamento da ANL. E as respostas, com tempo suficiente para serem ensaiadas diante do espelho, saíram padronizadas. "Com o mesmo espírito com que aplaudi e me esforcei por ver aprovados os dispositivos asseguradores do prestígio da família e da educação religiosa, alicerces de nossa vida nacional e elos poderosos da unidade racial e da pátria, continuarei a defendê-los contra o exotismo destruidor dos aventureiros filosofantes", justificou aos jornalistas, em tom propositadamente formal. "As explorações que se tentaram fazer contra o meu decreto fechando a Aliança Nacional Libertadora ficaram reduzidos ao que realmente eram: pretexto para explosões de ódios pessoais."⁷⁴

O próprio governo parecia ter se surpreendido com a ausência quase absoluta de reações populares à proibição da Aliança. Com exceção dos discursos furibundos da oposição na Câmara e de uma grande passeata de protesto organizada em São Paulo por Miguel Costa e pelo historiador Caio Prado Júnior (que em 1933 publicara sua obra de estreia, *Evolução política do Brasil*), o fechamento compulsório dos quatrocentos núcleos da ANL espalhados pelo país foi marcado pela passividade do movimento operário. Uma anunciada greve geral não se concretizou. Os trabalhadores, ao contrário do que conjecturaram as lideranças do PCB, não se mobilizaram para defender a Aliança Nacional Libertadora. As classes médias urbanas, que haviam enchido praças públicas para ouvir os oradores aliancistas, também não reagiram. Os camponeses, menos ainda.⁷⁵

"Da greve geral, aqui no Rio, nada se moveu. Nem um pio. Nem uma carranca. Nem um movimento de mau humor por parte do proletariado", lamentou em carta a Luís Carlos Prestes um integrante do Bureau Sindical do PCB, o jornalista Barreto Leite Filho.[76]

Para Getúlio Vargas, a grande incógnita passara a ser identificar o momento exato em que os espiões russos finalmente sairiam da sombra. Como os agentes do Komintern continuavam no Brasil, a conspiração seguia em curso. Entre julho e setembro, outros funcionários enviados pela União Soviética desembarcaram no país. Era o caso do norte-americano Victor Allen Baron, especialista em radiotelegrafia, incumbido de montar uma estrutura de comunicação segura entre o Rio de Janeiro e Moscou; do italiano Amleto Locatelli, instrutor militar, encarregado de auxiliar os trabalhos de Johnny de Graaf, e do polonês Mendel Mirochevski, com larga experiência conspiratória junto aos movimentos sindicais.

Por meio de telegramas remetidos ao Komintern, os coordenadores gerais Luís Carlos Prestes e Arthur Ernest Ewert superestimavam as próprias forças, afirmando que em meados de dezembro, ou no máximo até janeiro, eles estariam devidamente preparados para desencadear o levante. De acordo com tais informes, as condições objetivas para a revolução já estavam dadas: o governo de Getúlio parecia enfraquecido, sem conseguir mais agrupar em torno de si "as diversas facções da burguesia dominante". Além disso, os conflitos nos estados expunham a fragilidade do poder central — e essas insatisfações locais, se bem canalizadas, poderiam converter-se em focos revolucionários.[77] Para completar, ainda segundo o diagnóstico triunfalista de Prestes e Ewert, o Exército e a Marinha tenderiam a marchar ao lado dos insurgentes. Na capital da República, cerca de 10 mil soldados da Vila Militar estariam sendo trabalhados para aderir ao movimento, enquanto a Escola de Aviação já se encontraria sob a influência de uma célula comunista fortemente estabelecida. Do mesmo modo, nas principais fortificações do Rio, o trabalho de proselitismo caminharia de forma promissora.[78]

"Mesmo não havendo uma grande onda de lutas de trabalhadores e camponeses, existe perspectiva de vitória com um levante militar que imediatamente será apoiado pelas massas", garantiam.[79]

Getúlio, paciente, esperava.

"Estamos no limiar de acontecimentos maiores", escreveu, no dia 6 de novembro de 1935.[80]

Era como se aguardasse, de espingarda em punho, os caititus saírem da toca.

12. Sete mil presos políticos lotam os porões do regime. Há graves denúncias de tortura. Getúlio nega (1935-6)

Getúlio foi tirado da cama às quatro da manhã. O ajudante de ordens em serviço, capitão João Garcez do Nascimento, recebera um telefonema do general Pantaleão Pessoa orientando-o a apagar todas as luzes do Palácio Guanabara. O movimento comunista explodira cerca de uma hora antes, em duas unidades do Exército na capital federal: a Escola de Aviação, no Campo dos Afonsos; e o 3º Regimento de Infantaria, na Praia Vermelha. As medidas de emergência já haviam sido tomadas, mas não custava prevenir possíveis ataques aéreos à residência presidencial. Por isso, era prudente deixar o palácio às escuras.[1]

Embora o general Pantaleão houvesse garantido que a situação estava sob controle, e portanto não se faria necessário sequer acordar o presidente, o capitão Garcez preferiu subir ao segundo pavimento e bater à porta do quarto principal. Mal trocou o pijama pelo paletó, Getúlio seguiu para o gabinete e, contrariando seus hábitos, pendurou-se ao telefone. A primeira ligação foi para o comandante da 1ª Região Militar, general Eurico Gaspar Dutra, que lhe confirmou as informações repassadas por Pantaleão ao ajudante de ordens. Os dois levantes tinham rebentado praticamente ao mesmo tempo. Dutra já ordenara o deslocamento imediato de uma companhia motorizada de metralhadoras e de uma bateria de obuses para a Praia Vermelha. Em simultâneo, determinara ao comando da Vila

Militar que cercasse a Escola de Aviação e disparasse sobre as cabeceiras da pista, a fim de impedir a saída de qualquer aparelho de guerra pilotado pelos rebeldes.[2]

Getúlio permaneceu colado ao telefone até amanhecer, quando enfim se certificou de que as demais guarnições do Rio de Janeiro se conservavam leais ao Catete. A manutenção da ordem na maioria das unidades era resultado de uma manifesta falta de coordenação dos insurgentes. Mas, também, consequência de uma eficiente rede de informações a serviço do governo, o que possibilitou o ataque instantâneo aos dois únicos focos da rebelião. Antes de rebentarem os distúrbios, fontes oficiais já estavam devidamente informadas. O agente duplo Johann de Graaf alertou o superintendente da Light, Alfred Hutt, que por sua vez consultou Londres e, depois, preveniu Getúlio.

"Deixe estourar" — foi a recomendação que Johnny recebeu dos interlocutores britânicos.[3]

O prefeito do Rio de Janeiro, o médico Pedro Ernesto — um simpatizante da ANL que Luís Carlos Prestes tentou até o último instante atrair para a sublevação —, era outro informante de Getúlio. Embora não soubesse dos detalhes nem tivesse conhecimento do cronograma exato da operação, na tarde do dia imediatamente anterior Ernesto acautelara o presidente de que "se tramava qualquer coisa contra o governo".[4]

Entretanto, foi a delação involuntária por parte de um conspirador mais afoito que ajudou o Catete a se antecipar de forma precisa à ação revolucionária: também na véspera do levante, um oficial do 2º Regimento de Infantaria da Vila Militar, o primeiro-tenente Augusto Pais Barreto, tentou aliciar um colega para o combate que ocorreria dali a poucas horas, mas acabou sendo preso, recolhido ao 1º Regimento de Cavalaria. Sua detenção fez soar definitivamente o toque de alerta.[5]

Getúlio estava tão seguro da situação que, por volta das seis da manhã, mal o dia clareou, decidiu vistoriar pessoalmente as áreas conflagradas. Sem nenhuma escolta especial, na companhia apenas do motorista e do ajudante de ordens, seguiu de automóvel em direção à Praia Vermelha.[6] Ao chegar lá, soube que Dutra enviara um emissário aos rebeldes a fim de propor a rendição, mas recebera como resposta um bilhete desaforado, em estilo telegráfico, escrito pelo capitão Agildo Barata, que se assinou "comandante do 3º RI Popular Revolucionário": "O regimento sob nosso comando não se renderá antes vermos governo esfomeador Getúlio derrubado".[7]

O rompante da mensagem era inversamente proporcional à capacidade de resistência dos amotinados. O quartel, incrustrado em uma nesga de praia espremida entre dois grandes morros de pedra — o Babilônia e o da Urca —, tinha como única via de acesso a avenida Pasteur, gargalo bloqueado pelas forças legalistas que não paravam de cuspir balas e bombas em direção aos paredões de estuque que um dia abrigaram a Escola Militar. As granadas disparadas pelos obuses logo incendiaram o madeiramento da estrutura do velho prédio e transformaram o local em um alçapão em chamas. Em certos pontos, o teto cedeu e paredes inteiras ruíram. A área central do grande pavilhão ficou reduzida a uma cratera fumegante. O vitral da cúpula, onde antes havia uma alegoria que representava a Pátria Brasileira, converteu-se em um conjunto de ferros retorcidos. O Clube Hípico, ao lado do quartel, foi alvo indireto da artilharia. Dez cavalos de raça, incluídos alguns campeões nacionais, jaziam entre poças de sangue.[8]

À altura do Hospício da Praia Vermelha (a cerca de seiscentos metros do 3º RI), Getúlio foi informado de que não era aconselhável seguir adiante. Os revoltosos sob o comando de Agildo Barata estavam varrendo o terreno defronte ao quartel com rajadas de metralhadoras, o que vinha impedindo o ataque definitivo.[9]

Sem ter conseguido manter contato direto com Dutra, o presidente decidiu cruzar a cidade e se dirigir à sede do Ministério da Guerra, na praça da República, para obter mais informações sobre a situação geral. Lá, encontrou o titular da pasta, general João Gomes, e o general Pantaleão Pessoa, pouco antes nomeado chefe do Estado-Maior do Exército. Os dois estavam agastados um com o outro. Pantaleão considerava que Gomes quase pusera tudo a perder, ao não ter lhe dado ouvidos na noite anterior, quando telefonara para adverti-lo de que a revolta explodiria naquela mesma madrugada.[10]

"Então você está melhor informado do que a polícia. Ela não sabe de nada disso", teria respondido um incrédulo ministro da Guerra.[11]

Se percebeu os olhares enviesados entre os dois generais, Getúlio preferiu nada comentar. Parecia bem mais interessado em descobrir como estava se desenrolando o assalto à Escola de Aviação, no Campo dos Afonsos. Foi Pantaleão Pessoa quem lhe deu a notícia. Acabara de falar ao telefone com o tenente-coronel Eduardo Gomes, comandante do 1º Regimento de Aviação, e este lhe dissera que a revolta se encontrava praticamente debelada. Depois de dominar o quartel por algumas horas, os rebeldes ficaram acuados pela resposta enérgica da Vila Militar. A escola, naquele instante, sofria intenso bombardeio. A maioria dos amotinados, consciente da derrota, debandara em direção ao matagal do morro da Roça. A luta ficaria resolvida em questão de minutos, previa Gomes.[12]

Ao receber tais informes, Getúlio finalmente lembrou que ainda não tomara um único gole de café naquele dia. Aceitou uma xícara quente servida pelo copeiro do Ministério e retornou ao carro. Quando indagou as horas ao ajudante de ordens, constatou que ainda era bastante cedo. Passava pouco de sete da manhã. Em vez de voltar ao Palácio Guanabara, quis então conferir as instalações do quartel do Grupo-Escola de Artilharia, de onde estavam sendo coordenados os bombardeios contra o Campo dos Afonsos. Garcez lhe sugeriu mudar de ideia. Para chegarem à Vila Militar, teriam que contornar a estrada contígua à escola rebelada. Talvez ficassem expostos à linha de tiro, lembrou o capitão.[13]

Getúlio insistiu. O ajudante de ordens não discutisse. Tocasse o carro para o subúrbio.[14]

No caminho, encontraram levas de soldados desarmados, vagando ao léu, um tanto ou quanto atarantados. Todos eram muito jovens, provavelmente alunos da Escola de Aviação. Logo Getúlio compreendeu que eram revoltosos em fuga. Um grupo cercou o automóvel presidencial e pareceu surpreso ao constatar que era o próprio presidente da República que estava lá dentro. "Rodearam meu auto com uma aparência de quem realmente não sabia o que estava fazendo", registraria depois Getúlio. Não o incomodaram. Deixaram-no seguir adiante.[15]

Nas cercanias do Regimento de Aviação, já não se ouvia o rugido do canhonaço. A situação parecia dominada. Eduardo Gomes, com um ferimento de rifle na mão, bateu continência ao presidente e confirmou que o tiroteio havia cessado. O prédio da escola apresentava alguns pavilhões em chamas, mas não se perdera um único avião. Na hora do embate, os inimigos tentaram se apoderar dos aparelhos. Ficaram frustrados ao perceber que nenhum deles tinha uma só gota de gasolina no tanque. O comando, alertado de que a rebelião ocorreria naquela data, providenciara a retirada do combustível de todos os equipamentos.[16]

À tarde, depois de tomar banho e almoçar no Guanabara, Getúlio ainda fez uma segunda visita de inspeção à Praia Vermelha. Encontrou o local em relativa calma, embora a destruição houvesse sido completa. "Era um espetáculo desolador: o quartel ainda em chamas, a crepitação do incêndio, o fumo espesso, as cinzas batidas pelo vento e uma chuva miúda que caía tornavam o ambiente desagradável", descreveu.[17]

Quase não sobrara nada da construção. Após abafado o levante no Campo dos Afonsos, os mesmos aviões de guerra que haviam permanecido em solo foram reabastecidos e levantaram voo em missão de bombardeio sobre o 3º RI — onde Agildo Barata tentara manter a resistência a qualquer custo. Bastaram as primeiras descargas aéreas para selar a sorte da insurreição. Por volta de meio-dia, os sitiados depuseram as armas e, de braços dados, numa só corrente, deixaram o prédio que ficara reduzido a escombros.[18]

Quando os revolucionários se dirigiam aos automóveis que os levariam presos pelas tropas de ocupação, alguém no meio do grupo soltou um palavrão cabeludo em tom de desabafo. Todos riram. Um fotógrafo presente ao local flagrou a cena que seria posteriormente utilizada pelo governo como suposta demonstração do "cinismo e escárnio dos comunistas". O repórter David Nasser, encarregado pelo *O Jornal* de fazer a cobertura da rendição, recordaria: "E assim acabou-se, em preto e branco, mais uma revolução brasileira".[19]

No fim da tarde, Getúlio despachou normalmente no Catete, recebendo um grande número de deputados e senadores que foram lhe prestar homenagens pela vitória.

"Tenho a impressão de que o prestígio do governo cresceu", registrou à noite, pouco antes de deitar. "Fui dormir tranquilo."[20]

Uma sucessão de erros e contratempos determinou a derrota precoce do movimento planejado por Luís Carlos Prestes, o até então imbatível líder da Coluna Invicta. Na fase preparatória, as avaliações exageradamente otimistas do PCB contribuíram em muito para o fracasso da investida contra Getúlio. Em vez de uma ação de massas, o ensaio de tomada de poder não passara de mais uma quartelada tenentista. Prestes calculara que a sublevação inicial das unidades do Exército sediadas no Rio de Janeiro despertaria o entusiasmo coletivo, espalhando a centelha da rebeldia pelas ruas, fábricas, escolas e campos de todo o país. A direção revolucionária não soubera aferir os limites e o alcance de suas precárias forças militares. Não existia uma mobilização real na caserna, assim como não havia uma coordenação efetiva entre as lideranças do levante e a base da tropa. Tudo fora arranjado na base do improviso. Segundo informações que inclusive o governo detinha, a insurreição estava prevista para explodir somente dali a alguns meses. A esperança de que em dezembro ou janeiro o terreno estivesse preparado para deflagrar a ofensiva já era por demais fantasiosa. Imaginar que ainda em novembro houvesse alguma chance de êxito para o levante foi, por conseguinte, uma avaliação algo próxima do desatino.[21]

Acontecimentos distantes do Rio de Janeiro responderam pela antecipação quase suicida dos planos. No dia 23, sábado, estourara em Natal uma rebelião no 21º Batalhão de Caçadores. No domingo, 24, ocorrera o mesmo no 29º BC, do Recife. Na capital potiguar, cabos e praças tomaram o quartel e os comunistas aproveitaram a situação para marchar à frente do movimento, mobilizando militantes que ocuparam repartições públicas e depuseram as autoridades locais. Chegou-se a montar um governo revolucionário, um soviete formado por um sapateiro, um funcionário da polícia civil, um sargento músico da banda do 21º BC, um empregado dos Correios e Telégrafos e um estudante secundarista. A junta decretou o confisco de automóveis particulares e o arrombamento dos cofres do Banco do Brasil, da Recebedoria de Rendas e do Banco do Rio Grande do Norte. Parte do dinheiro foi distribuída à população, que, não satisfeita, promoveu um saque generalizado ao comércio da cidade. Na capital pernambucana, após chegarem notícias sobre o ocorrido em Natal, o secretariado regional do PCB decidiu apoiar os camaradas potiguares e, depois de tomado o 29º BC, entregou 6 mil armas à população civil.[22]

Nos dois casos, a repressão foi instantânea. Em Natal, o movimento durou quatro dias. No Recife, apenas um. O governo federal deslocou tropas dos estados vizinhos e, com base na gravidade do momento político, Getúlio conseguiu fazer o Congresso aprovar às pressas, já na segunda-feira, 25 de novembro, o estado de sítio em todo o país, por um prazo de noventa dias. Deputados da bancada gaúcha, sob a influência direta de Flores da Cunha, votaram contra. Mas a mensagem do governo passou com facilidade na Câmara, por 172 votos a 57 — e com folga ainda maior no Senado, onde encontrou apenas um voto em contrário. "O Flores está agindo de má-fé, cavilosamente, procurando organizar elementos de resistência para me fazer oposição", comentou Getúlio. "A bancada paulista a meu lado; e a gaúcha, contra. Ironias mordentes da sorte."[23]

Na madrugada de terça para quarta-feira, quando Luís Carlos Prestes resolveu desencadear a revolta no Rio em solidariedade aos camaradas nordestinos, já derrotados no Recife e praticamente batidos em Natal, o Brasil vivia em pleno estado de sítio, com todas as Forças Armadas postas em prontidão. Filinto Müller pusera seus agentes na rua e centenas de militantes comunistas foram presos. Do mesmo modo, sem aviso prévio, o comando de várias guarnições militares determinara a detenção de oficiais, cabos e praças suspeitos de simpatizar com a conjura. Não houve meios para a direção revolucionária sequer comunicar aos aliados que a revolta, prevista para o final do ano ou para o início de 1936, fora antecipada para dali a poucas horas.²⁴

"Posso afirmar a você que a maioria esmagadora dos membros do Partido não sabe uma palavra sobre esse golpe, e se soubesse o condenaria. Será, pois, um simples motim de quartéis, uma conspirata vulgaríssima, como aquelas que você tanto atacou. Você quer participar nisso?", indagou a Prestes o jornalista Barreto Leite, membro do PCB.²⁵

Prestes, talvez confiando na poderosa mística em torno do seu nome — e impregnado do voluntarismo tenentista que jamais o abandonara —, manteve a ordem de atacar. Ernest Ewert e Rodolfo Ghioldi, os agentes do Komintern que compunham o núcleo dirigente da conspiração, fecharam questão com ele. A inexplicável confiança na vitória era tamanha que os diretores do jornal *A Manhã* mandaram imprimir uma edição especial, para circular no dia seguinte, 27 de novembro, quando se imaginava que o país inteiro estaria mergulhado numa grande maré vermelha. CARLOS PRESTES À FRENTE DA INSURREIÇÃO ARMADA NO RIO!, dizia a manchete daquele que seria o último número do jornal dirigido por Pedro Mota Lima. SOB O SEU COMANDO LEVANTOU-SE, ESTA MADRUGADA, A GUARNIÇÃO DESTA CAPITAL, completava a segunda chamada de capa. "O movimento estende-se a todo o território do país: em São Paulo, o comando das forças revolucionárias foi assumido pelo general Miguel Costa", lia-se a seguir, em letras menores.²⁶

Nenhuma das profecias do jornal se concretizou. Pela manhã, Luís Carlos Prestes soube que sua instrução para que destacamentos do 3º RI sublevado tomassem respectivamente os palácios do Catete e do Guanabara jamais poderia ser cumprida. Mesmo assim, enquanto Getúlio telefonava para Dutra e, impávido, resolvia seguir de automóvel na companhia apenas de seu ajudante de ordens para a Praia Vermelha, Prestes, no QG da rebelião, numa casa em Vila Isabel, ainda acreditava na vitória. Chegou a sugerir que a motorista Helena Kruger, a esposa do agente Johnny, o levasse até a Vila Militar, onde o Cavaleiro da Esperança pretendia sublevar a soldadesca com o simples condão de sua presença. Ewert aconselhou-o a se acalmar. Não havia mais o que fazer. Estavam derrotados. Só lhes restava desmontar os aparelhos e apagar os rastros que poderiam conduzir a polícia até eles.²⁷

Por volta do meio-dia — na mesma hora em que Getúlio, já de banho tomado, sentava tranquilamente à mesa para o almoço no Guanabara —, chegou enfim a Prestes a notícia de que o 3º RI ficara em ruínas, arrasado pelos bombardeios aéreos. Os aviões de guerra do Campo dos Afonsos, a grande esperança dos revoltosos, ajudaram a apressar a morte da insurreição.[28]

"Estávamos inteiramente sós. E chegávamos a uma posição impossível de sustentar", reconhecera Agildo Barata.[29]

O *Correio da Manhã* definiu a fisionomia de Getúlio como "transfigurada". Ao som de marchas fúnebres tocadas pela banda de música do Corpo de Bombeiros, ele desceu as escadarias do Clube Militar empunhando uma das alças do caixão do major Misael Mendonça, um dos 22 mortos nos combates de novembro (quatro em Natal, um no Recife e dezessete no Rio de Janeiro).[30] Depois que os esquifes foram postos nos carros funerários, o cortejo seguiu lentamente pela avenida Rio Branco em direção ao Cemitério São João Batista, em Botafogo. No portão do cemitério, Getúlio voltou a conduzir o ataúde de Misael, ajudando a levá-lo até a sepultura. Alguns acompanhantes se prontificaram a lhe tomar o lugar durante o percurso.[31]

"Estou bem", disse, dispensando auxílios.[32]

A comoção em torno do velório coletivo seria fomentada pela informação de que muitas vítimas tinham morrido na cama, dormindo, executadas pelos colegas de armas. Nos dezessete volumes que compõem o inquérito policial conduzido pelo delegado Eurico Bellens Porto, contudo, não houve nenhuma menção ao fato de os revoltosos terem cometido assassinatos a sangue-frio contra companheiros adormecidos, ao contrário da versão que se perpetuou no meio das Forças Armadas. Todos os homens que tombaram no conflito, rigorosamente de acordo com o que ficou documentado no calhamaço publicado no ano seguinte pela Imprensa Oficial, pereceram acordados, embora pelo menos um deles estivesse de fato desarmado.[33]

"Não acredite vossa excelência que oficiais do Exército matem os seus colegas dormindo — não é verdade. É desculpa dos fracos, dos vacilantes, que não tomaram no momento atitude precisa, e depois passaram a descrever cenas dantescas para se defenderem das acusações que sobre eles pesam", escreveu a Getúlio o capitão Trifino Correia, ex-integrante da Coluna Prestes, revolucionário em 1930 e membro da proscrita ANL. "Vítimas houve em todas as revoluções. Houve em 30, houve em 32. Deve estar vossa excelência lembrado que, em 30, em Porto Alegre, no assalto ao 7º Batalhão de Caçadores, morreram oficiais — e se não morreram todos foi porque houve rendição imediata. Nesse assalto, as tropas atacantes foram munidas até de lança-chamas", rememorou Trifino. "Sabe vossa excelência o que é um lança-chamas? É um aparelho que, conduzido nas costas de um homem, com capacidade para dezoito litros de um líquido inflamável, lança chamas a cinquenta metros de distância, liquefazendo o ferro, encandecendo a pedra, reduzindo a cinzas corpos humanos."[34]

Apesar dos desmentidos e das evidências em contrário, Getúlio continuou abraçando a tese oficialesca de que os legalistas foram eliminados de forma torpe, enquanto dormiam. "A reação do espírito público contra os rebeldes e as crueldades praticadas está a exigir um castigo exemplar", registrou em seu diário.[35] "A Constituição, porém, não permite várias medidas aconselhadas. Só suspendendo parcialmente os efeitos da própria Constituição."[36]

Aquelas anotações, tomadas no calor da hora, eram apenas o prenúncio do ciclone político e institucional que muito em breve assolaria o país. Em um balanço elaborado por Filinto Müller para a leitura e avaliação de Getúlio, o chefe de Polícia, em absoluta sintonia com o pensamento do presidente da República, lamentava que, "na repressão, temos de nos conformar, de acordo com a Constituição, aos limites estabelecidos em lei". Müller sugeria que a solução definitiva para os casos de subversão implicaria "profundas modificações do estatuto político brasileiro, a fim de que o governo seja dotado de meios rápidos e enérgicos para a repressão do extremismo".[37] Em outras palavras, mesmo a Lei de Segurança Nacional, a famigerada Lei Monstro, era considerada leve demais para castigar os insurgentes.

A questão foi posta em debate no dia 3 de dezembro numa reunião de cúpula do Exército, com a presença de 25 generais, convocados pelo ministro da Guerra, João Gomes. O resultado dessa assembleia de alto coturno se materializou numa moção de solidariedade à presidência da República e no parecer unânime dos chefes militares: era preciso agir com implacável rigor. O general Góes Monteiro, presente ao encontro, decidiu documentar sua opinião por escrito: "Com a atual Constituição, o passado se repetirá, o mal se agravará, sucumbiremos proximamente. O governo, então, deve, substancialmente, cuidar de não nos deixar perecer".[38]

Os comandantes militares estavam dando o aval para Getúlio agir com toda a energia que julgasse necessária. Dessa vez, o presidente não desperdiçou tempo.

Na mesma data, reuniu-se com o ministro da Justiça, Vicente Rao, e com o deputado Pedro Aleixo, novo líder da maioria. A três, discutiram os termos de uma emenda constitucional que permitisse meios "rápidos e enérgicos" — a mesma expressão contida no relatório de Filinto Müller — para não só punir os envolvidos no levante, como também para erradicar em definitivo o movimento comunista no país.[39] Em seguida, reunido com todo o ministério, Getúlio comunicou as providências que decidira tomar.

"Quem estiver de acordo, que me siga; quem não estiver, se afaste" — era o recado que tinha a dar aos aliados.[40]

Para promover alterações radicais no texto constitucional, Getúlio precisava ganhar duas novas batalhas prévias. A primeira, a da opinião pública. A segunda, a do debate parlamentar. Não encontrou problemas em nenhuma das duas frentes de ação. Com o fechamento dos principais jornais oposicionistas por força da LSN, a grande imprensa ficou integralmente ao lado do governo. A "ameaça vermelha" serviu de mote para que editoriais e manchetes se posicionassem a favor da política de combate inabalável aos comunistas, a despeito do preço que o país certamente haveria de pagar por isso. Periódicos das mais variadas correntes proclamaram sua concordância com os propósitos da cruzada antibolchevique.

"Não possuímos legislação que permita realizar as medidas necessárias à profilaxia social? Não hesite em decretá-las o poder Legislativo, certo de que nesse momento, diante dos dolorosos exemplos recentes de que todos fomos testemunhas, terá o apoio e o aplauso unânime da opinião pública", defendeu *O Estado de S. Paulo*.[41] "Enquanto não se instituir a república ditatorial, continuará a mesma alternativa de tiranias e revoltas", pregou o positivista Reis Carvalho, nas páginas do *Correio da Manhã*.[42] "A repressão ao comunismo tornou-se uma obrigação nacional", exigiu por sua vez o *Jornal do Brasil*. Mesmo as charges políticas das revistas satíricas eram integralmente favoráveis ao endurecimento do regime. Na capa da *Careta*, Getúlio aparecia dirigindo um tanque de guerra que avançava contra uma árvore frondosa, tombando-a no chão até deixá-la com as raízes à mostra. Era a árvore do comunismo, explicava a legenda. "É isso mesmo, excelência! O mal tem que ser arrancado pela raiz", dizia o Jeca, assistindo à cena.[43]

Os diretores de redação mais reticentes logo seriam convencidos por métodos já usuais nos bastidores do poder. Getúlio sabia muito bem como "alimentar certas convicções jornalísticas e entusiasmos políticos", conforme ele próprio definia.[44] "O jornalista Macedo Soares, que tem um irmão ministro, lançou o primeiro artigo de ameaça de oposição. Procurei saber o motivo. Os ministros da Fazenda e da Justiça negaram-se a lhe fornecer quatrocentos contos que ele pleiteava receber pelo Departamento Nacional do Café, dizem, para comprar a máquina para o *Diário Carioca*. Está certo. A culpa deve ser minha", ironizou Getúlio.[45] "Recebi também o jornalista Assis Chateaubriand, inteligente, ágil, debatendo questões de interesse social, mas tendo sempre, no fundo, um interesse monetário. Deve ter sangue judeu", registrou, alguns dias depois.[46]

No auge da crise, a Associação Brasileira de Imprensa (ABI), que acabara de receber verbas oficiais para começar a construir a sede própria na rua Araújo Porto Alegre, 71, ofereceu a Getúlio em penhorada retribuição o título de sócio benemérito. "Quando se tornou necessário assegurar a integridade da pátria, não foram menos bravos os combatentes da pena, cerrando fileiras em torno do poder público, prestigiando-o, esclarecendo a opinião e repelindo, com energia, a audácia dos executores do plano arquitetado e custeado por estrangeiros para transformar o Brasil em colônia de Moscou", agradeceu o homenageado, justamente quando a censura de Filinto Müller impunha o silêncio irrestrito às poucas vozes dissonantes.[47]

Para dar conta da tarefa de persuadir as bancadas parlamentares, Getúlio resolveu pôr em ação uma política de aproximação corpo a corpo com os deputados. "Se a Câmara recusar minhas emendas, será muito desagradável", aventou.[48] A notícia de que o governo estava negociando apoios no Congresso inflou a agenda presidencial com uma cordilheira de pedidos de audiência. "A insistência de ver e falar ao chefe do governo sobre futilidades, impertinências, pedidos de empregos causa irritação, por maior que seja o nosso reservatório de paciência", desabafou Getúlio.[49]

Pelas regras constitucionais, o Catete precisava obter dos congressistas o alvará para atropelar a própria Constituição. Para alguns, talvez fosse mais fácil recorrer à clássica solução caudilhista latino-americana: fechar o Congresso e impor a vontade do governo à força. Mas Góes Monteiro desaconselhou o presidente a apelar para tal recurso extremo, pelo menos naquele momento. As Forças Armadas estavam coesas em torno da fobia comunista, mas ainda não necessariamente dispostas a reconhecer um ditador civil.[50]

Em 17 de dezembro de 1935, após uma reunião que Getúlio classificou de "sessão memorável", a Câmara aprovou três emendas propostas em regime de urgência pelo governo.[51] Para manter os ares de legalidade, o estado de sítio foi momentaneamente suspenso no dia da votação, para não se ferir o artigo 178 da Carta Magna, que vedava qualquer reforma no texto constitucional durante a vigência de períodos de exceção.⁵²

"Respondam pela disciplina nas Forças Armadas que eu cuido do resto, conheço os bois com que estou lavrando", mandou dizer Getúlio aos militares, enquanto cuidava de conseguir apoio político às emendas.⁵³

A primeira delas, aprovada por 210 votos contra 59, autorizava o presidente da República a equiparar a então "comoção intestina grave" ao estado de guerra, o que quando posto em prática significaria a abolição de praticamente todas as garantias constitucionais. A segunda emenda, que passou com 216 votos a favor e 53 contra, determinava a perda de patente e de posto, por decreto do Executivo, de qualquer oficial da ativa ou da reserva que houvesse praticado crime de subversão. A terceira, por fim, aprovada com 216 sufrágios contra 51, definia que os funcionários públicos acusados de crimes políticos também estavam sujeitos à demissão sumária.⁵⁴

Tão logo conseguiu aprovar as três emendas, Getúlio restabeleceu o estado de sítio, prorrogando-o por mais noventa dias, período durante o qual os quartéis, as delegacias de polícia e os presídios do país ficaram abarrotados de inimigos — reais e imaginários — do governo. Foi preciso ultimar a criação de cinco novas colônias penais agrícolas para dar conta do grande número de prisioneiros considerados "perigosos socialmente".⁵⁵

Na noite de Natal daquele ano de 1935, o capitão-tenente Hercolino Cascardo, ex-presidente da ANL, escreveu uma carta pungente ao deputado Augusto do Amaral Peixoto — irmão de Ernani do Amaral Peixoto, ajudante de ordens da presidência da República e futuro marido de Alzira Vargas. "No momento, só me interessava ser posto em liberdade. Enquanto tal não se dá, aceitaria com prazer a possibilidade de me avistar com minha mulher e meus filhos, que devem estar sofrendo com minha separação e que constituem, com o Brasil, a única razão de ser de minha existência." Cascardo, detido a bordo do *Pedro I*, convertido em prisão flutuante temporária, jurava que desde a interdição da Aliança Nacional Libertadora se afastara completamente das atividades políticas — o que lhe valera o rótulo de traidor e covarde por parte dos velhos companheiros. "A polícia gerou o pavor e está sendo vítima da autossugestão", considerava o prisioneiro, tentando convencer Amaral Peixoto de sua inocência. "Esta carta é secreta e exclusivamente para você. Mas peço dares conhecimento dela ao dr. Getúlio e pedir-lhe, se os meus serviços anteriores ainda lhe merecem consideração, que me ouça."[56]

No dia 26, numa residência da rua Paul Redfern, em Ipanema, Filinto Müller conseguiu pôr as mãos em Ernest Ewert, o principal agente do Komintern no Brasil. Posto no banco de trás do "tintureiro", o alemão teve suas mãos manietadas enquanto um dos policiais, sadicamente, lhe estraçalhou o polegar esquerdo com um quebra-nozes.[57] A esposa de Ewert, Elise Saborovsky, foi presa na mesma ocasião. A empregada da casa, Deolinda Dias, revelou à polícia que os patrões se encontravam constantemente com outro casal que morava a poucas quadras dali, na rua Barão da Torre. Era o aparelho de Luís Carlos Prestes, que conseguiu fugir pouco antes da chegada da polícia. Olga Benario, que se dirigia a uma reunião com Ewert, percebeu o que estava ocorrendo, deu meia-volta e tratou de avisá-lo.[58]

Quando os investigadores chegaram ao esconderijo do líder esquerdista, não encontraram ninguém. Mas, nas duas casas de Ipanema, na de Ewert e na de Prestes, confiscaram alentados arquivos, com mais de mil documentos cada um. Os papéis comprovavam a ligação dos agentes da Internacional Comunista com o levante e a existência do Bureau Sul-Americano do Komintern. Prestes havia encomendado a Johnny, o agente duplo especializado em bombas, um dispositivo que explodisse caso alguém não autorizado tentasse abrir o armário onde estava guardada a sua documentação pessoal. O artefato, entretanto, não funcionou. A polícia já sabia como ter acesso ao conteúdo do móvel sem mandar a casa pelos ares.[59]

A papelada de Ewert e Prestes forneceu pistas preciosas à polícia. Cópias de alguns documentos — os que diziam respeito às atividades comunistas em Montevidéu — foram remetidas ao presidente Gabriel Terra, gesto que acarretaria o rompimento das relações diplomáticas do Uruguai com a União Soviética. O governo brasileiro, que não mantinha relações oficiais com Moscou, denunciou à comunidade internacional a conivência de uma nação estrangeira em um golpe tramado para destituir as autoridades locais. O comissário para assuntos externos da União Soviética no Conselho das Nações protestou. Disse que o Brasil já era um país com largo histórico de "desordem, levantes, motins, revoluções, conspirações e golpes de Estado", para então rememorar a todos que o próprio Getúlio Vargas havia subido ao poder por meio de um levante. "Espero que pelo menos essa revolta [a Revolução de 30] não seja atribuída à União Soviética", escarneceu.[60]

No plano interno, a prisão de Ewert era o ingrediente que faltava para convencer a opinião pública de que o país estivera a ponto de ser engolfado por uma convulsão bolchevique. As quarteladas de Natal, Recife e Rio de Janeiro ganharam contornos hiperbólicos, explorados com habilidade pela máquina de propaganda montada por Lourival Fontes. Transformou-se uma ameaça real, mas incapaz de solapar o poder em termos objetivos, em um perigo anômalo, com potencial incomensurável para os destinos da nação.

"Forças do mal e do ódio campearam sobre a nacionalidade, ensombrando o espírito amorável da nossa terra e da nossa gente", discursou Getúlio em cadeia de rádio, à meia-noite do dia 31 de dezembro de 1935, na saudação de Ano-Novo aos trabalhadores brasileiros. "Alicerçado no conceito materialista da vida, o comunismo constitui-se o inimigo mais perigoso da civilização cristã. À luz de nossa formação espiritual, só podemos concebê-lo como o aniquilamento absoluto de todas as conquistas da cultura ocidental, sob o império dos baixos apetites e das ínfimas paixões da humanidade."[61]

Depois de insistir na tese de que os revoltosos haviam cometido "o assassínio frio e calculado de companheiros confiantes e adormecidos", o discurso de Getúlio prometia-lhes o devido troco: "A punição dos culpados e responsáveis pelos acontecimentos de novembro impõe-se como ato de estrita justiça e de reparação, como exercício legítimo do direito de defesa da sociedade, em face da atividade criminosa e organicamente antissocial dos inimigos declarados e conhecidos". Getúlio deixou claro que os responsáveis diretos pelos levantes não seriam os únicos a pagar pelo episódio.

> Torna-se indispensável também fazer obra preventiva e de saneamento, desintoxicando o ambiente, limpando a atmosfera moral e evitando principalmente que a mocidade, tão generosa nos seus impulsos e tão impressionável nas suas aptidões de percepção e de inteligência, se contamine e se desvie do bom caminho ao influxo e sob o exemplo dos maus e dos falsos condutores, em geral mesquinhos, perversos e pedantes.[62]

Estava dada a senha para uma campanha sistemática de prisões arbitrárias e de perseguição a jornalistas, professores e intelectuais. Entre os prisioneiros do regime, logo se incluiria o nome do escritor Graciliano Ramos, que legou à posteridade um eloquente testemunho do obscurantismo político em que então vivia o país, nos dois volumes de seu já clássico *Memórias do cárcere*. "Começamos oprimidos pela sintaxe e acabamos às voltas com a Delegacia de Ordem Política e Social", deplorou Graciliano.[63]

A médica Nise da Silveira, uma das pioneiras no tratamento humanitário de esquizofrênicos e de outros pacientes com distúrbios psiquiátricos no país, também foi mandada para a cadeia, denunciada por participar da União Feminina do Brasil e por possuir livros marxistas em sua biblioteca particular.[64] O escritor Jorge Amado, que havia lançado seu quarto romance, *Jubiabá*, foi outro a ser preso. O professor e pedagogo Anísio Teixeira, um dos maiores nomes da história da educação no país, terminou afastado do cargo de secretário de Educação e Cultura do Distrito Federal por suspeita de ligação com os comunistas.[65] O cronista Rubem Braga, para continuar a sobreviver como jornalista, recorreu a pseudônimos, disfarces e esconderijos na casa de amigos e parentes.[66]

"Não prendi nem mandei prender ninguém, individualmente", justificou-se Getúlio à filha Alzira, quando esta lhe indagou a respeito da detenção de um grupo de professores da Faculdade de Direito. "Acredito que dentro da precipitação e do medo muitas injustiças tenham sido cometidas. É necessário, primeiro, dar tempo para que os ânimos se acalmem", ele argumentou.[67]

Os ânimos, entretanto, não se acalmaram. Ao contrário, acirraram-se ainda mais quando Getúlio instalou uma Comissão Nacional de Repressão ao Comunismo, que incentivava, em caráter oficial, as delações públicas de adversários políticos — ou mesmo de simples desafetos. A comissão, que passaria a funcionar no sétimo andar do Ministério da Marinha, tinha por objetivo receber denúncias e propor a detenção de qualquer pessoa cuja atividade fosse reputada como potencialmente "prejudicial às instituições políticas e sociais do país".[68] Não havia necessidade de provas sólidas ou mesmo de se verem respeitados os ritos próprios à Justiça. A simples denúncia originava a prisão imediata do suspeito. Não era a certeza da prática efetiva do crime, mas a mera possibilidade de um delito vir a ser praticado que determinava o encarceramento de um indivíduo.[69] O deputado gaúcho Adalberto Correia, nomeado presidente desse organismo de inspiração inquisitorial, justificava: "As medidas de repressão ao comunismo não podem estar sujeitas a delongas que, em geral, se verificam nos processos judiciários, destinados a garantir a defesa dos acusados". No entender de Correia, era "melhor fazer uma ou mais prisões injustas do que permitir que se ensanguente de novo o Brasil".[70]

Depois de ler as atribuições do novo órgão, Getúlio as encaminhou a Vicente Rao, para que o ministro da Justiça lhes desse formatação legal.

"O Rao me disse que, se eu te der aquelas atribuições, poderás meter até mesmo a mim e a ele na cadeia", brincou Getúlio, ao receber em audiência o presidente da Comissão de Repressão ao Comunismo.

"Tem razão", respondeu Correia. "Tomei todas as precauções, porque, se fosse necessário para o bem do país, eu faria isso mesmo."[71]

Ao longo dos seis meses seguintes, em meio a uma onda incontrolável de histeria e clamor popular anticomunista, a polícia política faria um total de 7056 prisões, conforme as estatísticas oficiais apresentadas com orgulho pelo próprio Filinto Müller.[72] Como muitos suspeitos foram presos sem a devida formalização da queixa-crime, os números verdadeiros por certo atingiram índices muito maiores. Homens com passagem pela polícia eram preventivamente de novo trancafiados, como se fossem presos políticos, embora nem ao menos soubessem por que estavam sendo detidos. "Assim agi a fim de evitar que estes elementos perniciosos fossem aproveitados como instrumentos no momento da confusão, ou se valessem da confusão para aumentar suas atividades criminosas invadindo lares, assaltando e depredando", justificou Müller.[73]

Nesse clima generalizado de caça às bruxas, as denúncias de maus-tratos contra prisioneiros eram constantes. No Rio de Janeiro, o caso mais brutal de que se tinha notícia era o de Ernest Ewert, colocado em uma espécie de jaula, no socavão debaixo de uma escada, de onde não podia sair um único instante a não ser para ser interrogado — e torturado. Ewert foi vítima sistemática de choques elétricos na cabeça, no pênis e no ânus, além de sofrer queimaduras com pontas de cigarro e charuto por todo o corpo. Dormia no chão, onde era obrigado a comer em meio aos próprios excrementos. Não podia tomar banho e jamais lhe permitiram trocar de roupa. Sua esposa, Elise, foi arrastada pelos cabelos até a sala de interrogatório, onde chegou a ser estuprada repetidas vezes na frente do marido. Um era obrigado a assistir às mortificações infligidas ao outro.[74]

"Nada falarei, nem mesmo que venham me dizer que serei fuzilado amanhã!", resistiu o alemão.[75]

Ewert talvez não imaginasse que o ministro da Guerra, João Gomes, chegara mesmo a cogitar submeter os cabeças do movimento ao pelotão de fuzilamento. A revelação foi feita pelo então oficial de gabinete do Palácio do Catete, Luiz Vergara, no livro *Fui secretário de Getúlio Vargas*. Conforme o relato de Vergara,

Getúlio discordou do ministro, acionou Eurico Gaspar Dutra para dissuadir Gomes de "tamanha barbaridade" e depois deu instruções expressas para que o episódio jamais fosse divulgado. "Fez-se completo silêncio", escreveu o autor.[76] Mais tarde, Dutra negaria tal fato, atribuindo-o a um erro involuntário de Luiz Vergara, provocado pelas armadilhas do tempo a que estava sujeito qualquer memorialista.[77] Mas o próprio Getúlio, em entrevista concedida à *Revista do Globo*, em 1950, confirmaria a informação: "O ministro da Guerra, João Gomes, foi um dos que mais insistiram [no estabelecimento do 'paredão']. Não aceitei, porém, as razões que me apresentaram".[78]

Se evitou a execução sumária dos prisioneiros, Getúlio não impediu a instituição da tortura como método investigativo nos porões de seu governo. Nenhuma denúncia de violência contra os milhares de homens e mulheres postos sob a custódia do Estado naquela época foi devidamente apurada. O próprio assistente da embaixada dos Estados Unidos no Brasil, Theodor Xanthaky, constatou a situação deplorável de Ernest Ewert após os primeiros vinte dias de confinamento do alemão na gaiola que lhe servia de cela. "Ele estava esgotado e tinha marcas nos braços e nas costas, demonstrando que fora severamente espancado", relatou Xanthaky a seus superiores, após uma visita ao quartel da Polícia Especial para conhecer o homem que se dizia norte-americano e se chamar Harry Berger.[79]

Quando o senador paraense Abel Chermont tentou divulgar em plenário as graves acusações de tortura nas prisões políticas brasileiras, foi desmentido pelo colega Leopoldo Tavares Cunha Melo, representante do Amazonas: "Harry Berger está com todas as costelas", zombou Cunha Melo. "As queimaduras com pontas de cigarros não foram encontradas pelo juiz Ribas Carneiro [que indeferira um pedido de habeas corpus em favor do preso]. Elas reduziram-se a queimaduras de sol nos banhos em Copacabana", tripudiou.[80]

A Ordem dos Advogados do Brasil (OAB) indicou o defensor Heráclito Fontoura Sobral Pinto para responder pelos interesses do detento Arthur Ernest Ewert. Homem de rígida formação católica, mesmo um anticomunista como Sobral Pinto ficou escandalizado com as circunstâncias em que encontrou o prisioneiro. "Nem eu nem você nos permitiríamos dispensar a um cão lazarento das nossas casas o tratamento que vem sendo dado a Harry Berger", escreveu ele ao ministro da Justiça.[81]

Para chamar a atenção pública para as desventuras de Ewert, Sobral Pinto evocou um decreto presidencial assinado por Getúlio, em 1934, que previa multas e pena de prisão para quem infligisse maus-tratos a animais. Se era crime açoitar uma criatura irracional, o que diria então aplicar semelhantes suplícios a um ser humano? — indagou. Foi ignorado.[82] Como resultado das surras e da pressão psicológica a que ficou submetido durante os mais de seis anos em que permaneceria preso, Arthur Ernest Ewert enlouqueceu. Foi mandado mais tarde para um manicômio judiciário e "medicado" com doses cavalares de testosterona, insulina e anticonvulsivos. Jamais recuperaria a sanidade mental.[83]

Enquanto Ewert recebia novas descargas elétricas que findaram por lhe fritar o cérebro, os demais agentes do Komintern no Brasil iam sendo capturados, um após outro, pelos investigadores de Filinto Müller. No dia 3 de janeiro de 1936, a polícia prendeu o casal de ucranianos Sófia e Pável Stutchevski, numa casa situada à rua Prudente de Morais, Ipanema. No dia 5, os investigadores chegaram a Johnny e Helena Kruger. Levado à sede da DESPS, o alemão pediu para falar pessoalmente com Müller. Antes que lhe tocassem um único dedo, cuidou de apresentar suas credenciais.[84]

Chamado à sede da Polícia Central, o superintendente da Light, Alfred Hutt, confirmou que Johnny era o agente duplo infiltrado na conspiração. Para manter as aparências, o sr. e a sra. Kruger passaram a noite encarcerados. Pela manhã, foram gentilmente liberados, com um afável pedido de desculpas da parte do próprio chefe de Polícia. Receberam vistos de saída e passaportes limpos para poderem deixar o país sem levantar suspeitas.[85] Johnny passaria um tempo na Argentina e, pouco depois, retornaria a Moscou — sozinho. Antes de providenciar a volta à União Soviética, assassinou a esposa em Buenos Aires, forjando uma cena de suicídio. A polícia portenha aceitou a tese de que Helena havia se matado com um tiro de rifle na barriga, após uma discussão motivada por ciúmes.[86]

Os próximos agentes da Internacional Comunista a cair nas garras da polícia brasileira foram os argentinos Rodolfo e Carmen Ghioldi, detidos em 21 de janeiro no interior de um vagão de trem, quando tentavam fugir do cerco montado contra eles embarcando para São Paulo. Uma semana depois, dia 29, Victor Allen Baron, o especialista em comunicação e rádio, também seria capturado. Baron foi submetido a injeções de álcool na língua e teve os testículos esmagados, para que confessasse o paradeiro de Luís Carlos Prestes. A polícia descobrira que ele fora um dos últimos contatos do líder comunista após a queda do esconderijo na rua Barão da Torre.[87]

Victor Baron resistiu o quanto pôde. Preservar os camaradas era uma questão de honra pessoal e ética partidária. Além disso, entre os comunistas, existia um severo código de conduta contra delatores. A jovem brasileira Elvira Copello Coloni, codinome Elza, 21 anos, sofreu as trágicas consequências de ser incluída na lista de supostos alcaguetes da polícia. Companheira de Antônio Maciel Bonfim, Elza havia sido presa junto com o secretário-geral do PCB, no dia 13 de janeiro, no apartamento em que moravam, na avenida Paulo de Frontin, no Rio Comprido. Sem razão aparente, foi devolvida à rua apenas algumas horas depois. Enquanto Bonfim era submetido a sessões de tortura que lhe fizeram perder um dos rins, a moça permaneceu transitando livremente pela cidade, levando mensagens secretas do alquebrado companheiro para os camaradas de militância. Os policiais que a seguiam esperavam que ela, de forma inadvertida, os conduzisse até o refúgio de Prestes.[88]

A liberdade dos movimentos de Elza intrigou os dirigentes do PCB que ainda permaneciam livres. Eles deduziram que a companheira de Bonfim só podia ser uma informante da polícia. "Com plena consciência da minha responsabilidade, desde os primeiros instantes tenho dado a vocês minha opinião sobre o que fazer com ela", escreveu Prestes aos colegas de Partido. "Ou bem vocês concordam com as medidas extremas, e neste caso já as deviam resolutamente ter posto em prática, ou então discordam. Assim não se pode dirigir o partido do proletariado, da classe revolucionária."[89]

No dia 2 de março, Elvira Copello Coloni foi assassinada em um aparelho no bairro de Deodoro, pelas mãos de Francisco Natividade Lira, o Cabeção, 53 anos, militante comunista. Cabeção estrangulou Elza com uma corda de varal de roupas e depois lhe quebrou os ossos das pernas e dos braços, para inserir o corpo em um saco de estopa, enterrado em cova rasa, no quintal de casa.[90]

Na manhã de 5 de março, a polícia finalmente localizou Prestes e Olga em uma casa no Méier. Uma hora depois, Victor Allen Baron foi encontrado sem vida no chão de cimento do pátio da sede da Polícia Especial. Segundo a versão divulgada por Filinto Müller, ele se suicidara, pulando de uma janela do terceiro andar do prédio, após pedir a um investigador para ir ao banheiro. Embora se tratasse de um comunista, Baron era um legítimo cidadão norte-americano, e por isso o embaixador dos Estados Unidos, Hugh Gibson, interessou-se pelo caso. Constrangido, Filinto reconheceu ao diplomata que o prisioneiro sofrera alguns "apertos" durante os interrogatórios. O embaixador enviou um relatório completo a Washington, informando que Baron passara por "medidas de terceiro grau", um eufemismo para definir tortura.[91]

Numa conversa particular com o embaixador brasileiro Oswaldo Aranha na Casa Branca, o próprio presidente dos Estados Unidos, Franklin Delano Roosevelt, mandou um recado pacificador a Getúlio, de quem aliás costumava receber caixas de charutos brasileiros produzidos na Bahia: "[Roosevelt] adiantou-me, no caso do suicídio do americano, que não lhes cabe examinar o assunto, uma vez que a defesa da ordem pública de um país é um direito que exclui todos os demais", repassou Aranha, em carta confidencial, ao presidente do Brasil.[92]

O representante brasileiro em Berlim, José Joaquim Moniz de Aragão, ficou encantado com o tratamento que Adolfo Hitler lhe dispensou quando foi lhe apresentar as credenciais diplomáticas. "O Führer conversou comigo durante um longo tempo, tendo mesmo excedido ao que normalmente é concedido para audiências do gênero", relatou, em despacho oficial ao Ministério das Relações Exteriores. "Pediu-me sua excelência para agradecer vivamente ao excelentíssimo sr. Getúlio Vargas aos cumprimentos que lhe transmiti em seu nome e, outrossim, encarregou-me de apresentar ao nosso presidente da República as suas mais efusivas congratulações por ter podido dominar o recente movimento comunista que irrompeu no Brasil."[93]

Hitler não precisou se esforçar para convencer o germanófilo Moniz de Aragão de que a experiência alemã contra os esquerdistas poderia ser de extrema utilidade para o governo de Getúlio. O Führer sugeriu um intercâmbio entre as autoridades policiais brasileiras e a Geheime Staatspolizei — a temida Gestapo, a polícia secreta nazista.[94] A permuta de informações vinha ao encontro dos planos do ministro brasileiro das Relações Exteriores, José Carlos de Macedo Soares, que desejava aproximar o Itamaraty de organizações internacionais de combate ao comunismo — a exemplo da Entente Internationale contre la Troisième Internationale, entidade de extrema direita sediada em Genebra.[95]

Macedo Soares criara no organograma da pasta o Serviço de Estudos e Investigações (SEI), que passou a recolher e catalogar dados sobre brasileiros e estrangeiros suspeitos de subversão, com o objetivo de manter abastecidos e atualizados os arquivos policiais do país. Ainda em fevereiro, a Gestapo encaminhou ao Brasil, por meio de Moniz de Aragão, a ficha completa de Arthur Ernest Ewert, na qual este era descrito como um sujeito extremamente perigoso, acusado de alta traição pelo Reich, alvo de inúmeros processos criminais por suas atividades comunistas em Berlim. "Junto vossa excelência encontrará fotografias de Arthur Ewert, sua ficha policial e impressões digitais", escreveu Aragão a Soares.⁹⁶

Foi também a Gestapo quem ajudou Filinto Müller a identificar a companheira de Prestes. Nos interrogatórios, ela se negara a revelar quem era e de onde viera, afirmando apenas ser "Maria Prestes". Moniz de Aragão apresentou aos alemães recortes de jornais brasileiros enviados pelo Itamaraty, nos quais a foto de Olga aparecia em destaque, após a prisão no Rio de Janeiro.

> Depois de apuradas as sindicâncias, o serviço secreto alemão informou-me ter podido identificar Maria Prestes, que aí se intitula esposa de Luís Carlos Prestes. [...] Ela é Olga Benario, agente comunista da Terceira Internacional, deveras eficiente, de grande inteligência e coragem. É de raça israelita, tendo nascido em 12 de fevereiro de 1908, em Munique, na Baváría.⁹⁷

O intercâmbio entre a DESPS e a Gestapo não se resumiu à mera troca de informações arquivísticas. Em março, o capitão Afonso de Miranda Correia, delegado especial, homem de confiança de Filinto Müller, embarcou rumo a Berlim, após receber o convite oficial do governo alemão para fazer um estágio de um mês na polícia nazista. Lá, Miranda Correia se familiarizou com as técnicas, métodos e procedimentos da Gestapo, instituição que se notabilizou pelo amplo repertório de martírios cominados aos judeus que passaram por suas tenebrosas salas de interrogatório. "O governo brasileiro estimaria que o capitão Miranda Correia pudesse estudar, durante sua estada na Alemanha, tudo que diz respeito ao combate e à desarticulação da propaganda comunista", agradeceu o representante oficial brasileiro em Berlim, Moniz Aragão.⁹⁸

Os investigadores da DESPS, porém, prescindiam de mestres estrangeiros. Não eram meros aprendizes no ofício. Enquanto o delegado Miranda Correia cumpria seu estágio probatório no circo de horrores germânico, seus subordinados e colegas de repartição continuavam cometendo atrocidades no Brasil. Em março, o deputado Otávio da Silveira, da bancada do Paraná, remeteu a Getúlio um telegrama em forma de súplica, comunicando que dois prisioneiros, Adalberto Fernandes e Clóvis Araújo Lima, estavam sendo barbarizados havia mais de trinta dias nos calabouços da DESPS. "Isso sei por informações seguras, bem como [sei que] o soldado Abesguardo Martins morreu vítima de espancamentos da Polícia Especial", revelou Silveira. "Levo esses fatos ao seu conhecimento porque tenho certeza de que vossa excelência não os apoia, nem consentirá que sob seu governo e sob sua ciência se cometam tais crimes."[99]

Mais uma vez, não foi aberto nenhum inquérito para se apurar a veracidade da informação. A deliberação de Getúlio foi providenciar para que a denúncia fosse investigada pelo próprio denunciado. "Ao senhor chefe de Polícia", encaminhou o presidente, com lápis azul, à altura do cabeçalho da mensagem.[100] Pouco antes, em carta pessoal a Oswaldo Aranha, o mesmo Getúlio elogiara o trabalho da DESPS e a obra de seu titular: "A atividade do Filinto Müller, na Chefia de Polícia, tem sido incansável. Sereno e persistente, sabe conduzir a ação policial, obtendo resultados felizes sem necessidade de excessos".[101]

Em discurso à nação, Getúlio reforçaria: "Posso afirmar-vos que até agora todos os detidos são tratados com benignidade, atitude essa contrastante com os processos de violência que eles apregoam e sistematicamente praticam. Esse procedimento magnânimo não traduz fraqueza. Pelo contrário, é próprio dos fortes, que nunca se amesquinham na luta e sabem manter, com igual inteireza, o destemor e o sentimento de justiça humana".[102]

Não era por acaso que o deputado Adalberto Correia, presidente da Comissão de Repressão ao Comunismo, vinha sendo apelidado de "Robespierre burlesco".[103] No dia 19 de março, reunido no gabinete presidencial com Filinto Müller, Vicente Rao, Agamenon Magalhães e os ministros militares, ele tentou convencer Getúlio a aceitar o alvitre de João Gomes: decretar a lei marcial e fuzilar os líderes da chamada "Intentona Comunista", o rótulo com que os levantes de novembro passariam a ser mencionados pela historiografia oficial — nos dicionários, intentona significa "intento louco". Correia estava indignado com os "tropeços criados pelo Judiciário", ou seja, com os habeas corpus concedidos por alguns juízes a determinados prisioneiros.[104]

O jacobino Adalberto Correia queria a cabeça de gente graúda e bem próxima ao governo. Dizia ter recebido informações consistentes que incriminavam Eliézer Magalhães, irmão de Juracy, e Odilon Batista, filho de Pedro Ernesto, não só como simpatizantes da ANL, mas como cúmplices do levante de novembro. O próprio Ernesto figurava na lista negra da Comissão, acusado de beneficiar a

Aliança com doações em dinheiro, conforme davam a entender os papéis encontrados no aparelho de Prestes.[105]

Menos de 48 horas depois da tensa reunião com Correia, Getúlio decretou o estado de guerra, pondo fim ao brevíssimo interlúdio democrático que o país vivera entre julho de 1934 e aquele sinistro março de 1936. Suspensas as garantias constitucionais, inclusive as prerrogativas parlamentares, o Congresso Nacional foi invadido pela polícia. O senador Abel Chermont, junto com os deputados federais Abguar Bastos, Domingos Velasco e Otávio da Silveira, que haviam feito denúncias de tortura contra prisioneiros políticos, foram presos como subversivos. Na cadeia, não tiveram direito sequer ao banho de sol. Pelo menos um deles, Chermont, garantiu ter sido espancado pelos policiais.[106]

Em 4 de abril, a casa de saúde mantida por Pedro Ernesto recebeu a visita nada amigável do capitão Riograndino Kruel, que vinha dar voz de prisão ao prefeito do Rio de Janeiro. Ernesto estava de jaleco, atendendo os pacientes, quando foi levado para a sede da Polícia Especial.[107] "No dia combinado, realizou-se a prisão de Pedro Ernesto", escreveu Getúlio. "Embora as circunstâncias me forçassem a consentir nessa prisão, confesso que o fiz com pesar. Há uma crise na minha consciência. Tenho dúvidas se este homem é um extraviado ou um traído, um incompreendido ou um ludibriado", observou o presidente a respeito do médico que havia salvado Darcy da amputação de uma perna após o acidente automobilístico em Petrópolis.[108]

A partir desse ponto, velhos aliados passaram a considerar que o remédio ministrado em doses maciças estava sendo mais nocivo ao doente do que o próprio veneno. "O governo já começa a ser vítima daquela delação mercenária que transforma cada habitação em um cárcere, que enche as prisões de inocentes e que termina por levantar a bandeira da guerra social, de consequências e extensões imprevisíveis", escreveu Virgílio de Melo Franco a Getúlio.[109]

De Washington, em carta pontuada por exclamações, o indignado Oswaldo Aranha também procurava alertar Getúlio sobre os perigos da escalada repressiva:

> Foram apontados, e até presos como comunistas, deputados supernacionalistas! Não é tudo, os professores de direito e medicina foram presos como autores morais de novembro! Mas, Getúlio, tudo isso ou é inconsciência ou loucura, ou maldade do teu ministro [da Justiça] e de teus policiais! Em que influíram esses professores ou esses deputados no ânimo dos militares que tomaram parte do movimento? [...]

Não creio, Getúlio, que possas concordar com tantos desacertos, cujos resultados são vivermos hoje de incertezas e sobressaltos. [...] Talvez não fiques satisfeito com estas minhas observações. Eu as faço porque na pior hipótese, ainda contrariado um pouco com o teu amigo, sei que farás uma revisão dos fatos e acontecimentos — e isto já é uma vitória para quem, como eu, confia na segurança das tuas opiniões e juízos.[110]

Getúlio não parece ter se impressionado com as palavras de advertência de Virgílio e Aranha. Ao contrário, logo em seguida enviou para o Congresso a proposta de criação de um Tribunal de Segurança Nacional (TSN), uma corte extraordinária, concebida para julgar especialmente os que haviam sido apanhados pelos tentáculos da Comissão de Repressão ao Comunismo. Grande parte dos detidos nem sequer tinha processos abertos contra si. Estavam presos sem acusação formal, por simples ato de força do estado de exceção. Vergado após as prisões de seus representantes, o Legislativo dobrou-se mais uma vez, aprovando a instalação do Tribunal, sem impor nenhuma ressalva.[111]

Presidido pelo desembargador Frederico de Barros Barreto, o TSN tinha por procurador Honório Himalaia Virgulino e dois militares em seu corpo de juízes. O capitão de mar e guerra Alberto Lemos Basto e o coronel de cavalaria Luís Carlos da Costa Neto, anticomunistas ferrenhos, dividiam com os civis Raul Campelo Machado e Antônio Pereira Braga a tarefa de julgar, à base do rito sumário, os réus apontados pela Comissão de Repressão ao Comunismo. O julgamento seria regido pelo sistema conhecido na linguagem dos tribunais como "íntima convicção": os juízes arbitrariam de acordo com suas certezas pessoais, sem necessidade de fundamentar os votos em provas concretas. Os advogados de defesa teriam apenas trinta minutos para tentar convencer os magistrados da inocência de seus representados, sobre quem, aliás, recaía o ônus da culpa presumida: até que se provasse o contrário, eram todos considerados culpados.[112]

Getúlio recebeu pilhas de mensagens escritas por militantes e organizações esquerdistas de várias partes do mundo, com pedidos para a libertação de Luís Carlos Prestes. A esposa de um membro da Câmara dos Lordes da Grã-Bretanha atravessou o Atlântico e desembarcou no Rio de Janeiro para conferir as denúncias de tortura no Brasil. Christina Hastings e sua cunhada, Marion Cameron, foram mantidas sob cerrada vigilância por Filinto Müller, suspeitas de serem as mais novas enviadas do Komintern ao país.[113]

"Os comunistas do mundo inteiro, menos da Rússia, continuam a bombardear-me com telegramas e cartas intimidativas, exigindo a libertação de Prestes e seus sequazes. Trata-se de uma campanha sistematizada", irritou-se Getúlio, que se disse pasmo com "a audácia de duas ladies inglesas, comunistas disfarçadas, que vieram ao Brasil para fazer um inquérito sobre o tratamento aos presos do movimento de novembro e que a polícia delicadamente convidou a voltarem a Londres pelo primeiro vapor".[114]

Em 23 de setembro, um dia antes da instalação do Tribunal de Segurança Nacional, Elise Ewert e Olga Benario foram deportadas para a Alemanha, onde já vigoravam as primeiras leis antissemitas do regime nazista de Hitler, as chamadas Leis de Nuremberg (1935), que proibiam o casamento entre judeus e cidadãos de sangue alemão e impediam que famílias judias pudessem ter criados arianos.[115] De nada adiantou a carta escrita pelo advogado Heitor Lima e endereçada à primeira-dama, Darcy Vargas, intercedendo por Olga. "Em nome das mães brasileiras que me procuraram, insisto pela vossa interferência. O Brasil já se habituou a considerar-vos uma figura tutelar, pronta sempre a cooperar em todas as iniciativas humanitárias", apelou Lima, após informar Darcy que a companheira de Luís Carlos Prestes estava grávida.[116]

A criança, uma menina, nasceria em 27 de novembro de 1936, exatamente no primeiro aniversário da revolta comunista. O bebê, que receberia o nome de Anita Leocádia, seria mais tarde entregue à avó paterna. Em 1940 e 1942, respectivamente, Elise e Olga, ambas judias, morreriam nos campos de concentração nazistas, cuja terrível função como centros de extermínio da "raça impura" ainda não fora revelada à opinião pública mundial — embora a perseguição aos judeus já fosse de amplo conhecimento público, o que resultara em milhões de refugiados do regime hitlerista espalhados pelo mundo.[117]

O TSN, por sua vez, condenou os principais implicados nos levantes de 1935. Pedro Ernesto foi sentenciado a três anos e quatro meses de prisão. Antônio Maciel Bonfim e Honório de Freitas Guimarães, dirigentes do PCB, pegaram quatro anos e quatro meses, a mesma punição conferida ao argentino Rodolfo Ghioldi. Agildo Barata recebeu condenação de dez anos. Ernest Ewert, de treze anos e quatro meses. Luís Carlos Prestes ficou com a pena mais alta de todas: dezesseis anos e oito meses de cadeia.[118]

"Prestes talvez não seja tão perigoso como supõem ou como talvez ele próprio se julgue. Perigosa é a legenda que criaram em torno do seu nome", avaliou Getúlio.[119]

"Chegou o homem", escreveu Getúlio Vargas em seu diário, a 27 de novembro de 1936, dia em que o presidente dos Estados Unidos, Franklin Delano Roosevelt, desembarcou no Rio de Janeiro.[120] O destino final do cruzador *Indianapolis – CA-35* era Buenos Aires, onde Roosevelt participaria da Conferência Interamericana de Consolidação da Paz, convocada pelos Estados Unidos para tratar da formação de um bloco continental em defesa de objetivos comuns e a favor de "uma democracia solidária na América".[121] O presidente norte-americano, que passaria apenas um dia no Brasil, estava atento à marcha do nazifascismo na Europa e, cauteloso, queria blindar os interesses de seu país junto aos vizinhos da banda oeste do Atlântico. "Se vocês, brasileiros, conservarem a forma democrática de governo, não precisarão temer os choques de ideias sociais extremistas" — era o recado que Roosevelt tinha a dar a Getúlio.[122]

A "chegada do campeão da democracia" — como definiu *A Noite*[123] — foi cercada por um grande aparato festivo. No desembarque, Roosevelt seria saudado pelos característicos grupos de estudantes com bandeirinhas do Brasil e dos Estados Unidos. As principais avenidas da capital federal foram adornadas por ramalhetes, guirlandas e fitas entrelaçadas nas cores das duas nações. Das sacadas dos prédios públicos, pendiam as respectivas bandeiras oficiais. De ambos os lados da avenida Rio Branco, ao longo do trajeto por onde passou o landau preto que conduzia o visitante estrangeiro e o presidente do Brasil, militares em traje de gala lhes prestaram continência. ROOSEVELT CHOROU DE EMOÇÃO!, lia-se na manchete de *A Noite*, embora a foto em destaque, estampada de uma ponta a outra da página, exibisse o norte-americano sorrindo no banco traseiro do automóvel, ao lado de um também esfuziante Getúlio.[124]

Durante as 24 horas em que permaneceu em solo brasileiro, o presidente dos Estados Unidos procurou disfarçar as sequelas deixadas pela poliomielite que o acometera de forma tardia, aos 39 anos de idade. Os jornalistas que o aguardavam para uma coletiva só tiveram permissão de entrar no recinto quando Roosevelt já se encontrava devidamente sentado, diante de uma mesa guarnecida por flores brancas. Mais tarde, ao discursar durante o banquete oferecido em sua homenagem no Itamaraty, apoiou-se o tempo todo no espaldar da cadeira.[125]

"A impressão deixada pelo homem foi realmente profunda e agradável: de uma simpatia irradiante, de um idealismo pacifista sincero, o próprio defeito físico que o torna um enfermo do corpo aperfeiçoa-lhe as qualidades morais e aumenta o interesse por sua pessoa", observou Getúlio.[126]

Em sua fala, Roosevelt louvou as belezas naturais do Rio de Janeiro, destacou a relação de amizade entre os dois países e fez referências explícitas à política de boa vizinhança (*good neighbor*) — a estratégia norte-americana de aproximar a América Latina dos Estados Unidos pelas vias política, econômica e cultural.

"Depois da franca conversa que mantive com o presidente Vargas, sei que iremos à Conferência Interamericana profundamente compenetrados das nossas responsabilidades e da necessidade de trabalharmos no mais perfeito entendimento com todas as repúblicas deste hemisfério", discursou Roosevelt. Voltando-se então para Getúlio, com um gesto cortês, prosseguiu: "A vossa primeira preocupação, como a nossa, é a paz, porque sabemos que a guerra destrói não apenas as vidas humanas e a felicidade dos homens, mas também, e do mesmo modo, os ideais da liberdade individual e a forma democrática do governo representativo, que é a aspiração de todas as repúblicas americanas".[127]

Roosevelt falava de corda em casa de enforcado, mas Getúlio não perdeu o sorriso. Como o Brasil se encontrava em estado de guerra interna, o anfitrião precisava escolher as palavras mais convenientes para retribuir a saudação do colega estadunidense. Em vez de celebrar os valores democráticos mencionados na preleção do convidado, Getúlio optou por ressaltar os predicados políticos do idealizador do New Deal, o programa implementado a partir de 1933 para tentar reerguer os Estados Unidos do atoleiro da Grande Depressão. Por meio de um amplo pacote de medidas intervencionistas — que envolviam desde o investimento maciço em obras públicas ao controle sobre preços e excedentes da produção, passando pelo amparo social aos trabalhadores —, Roosevelt criara as bases para a recuperação econômica de seu país, contrariando, aliás, o receituário do liberalismo clássico, avesso à ingerência do Estado na esfera econômica.

"A obra de vossa excelência ficará como um exemplo na América. Se as transformações sociais e econômicas obedecem na vida dos povos a um lento e penoso processo de elaboração coletiva, nem por isso prescindem da ação decisiva de um homem", argumentou Getúlio. "Este homem providencial surge do imperativo das circunstâncias, como consequência dos fatos, para empolgar e conduzir os acontecimentos. Tal foi o papel que o destino reservou a vossa excelência", disse, referindo-se a Roosevelt, que em troca dedicou ao anfitrião uma cortesia histórica, até hoje exaltada pelos getulistas mais ardorosos e sinceros: "Foram duas as pessoas que inventaram o New Deal — o presidente do Brasil e o presidente dos Estados Unidos".[128]

Roosevelt fizera uma analogia gentil entre seu próprio pacote de intervenções na economia norte-americana e a política levada a cabo por Getúlio no Brasil. Uma visão desapaixonada dos fatos, porém, mostraria que as diferenças entre os respectivos contextos eram abissais. Quando Franklin Delano Roosevelt começou a encontrar resistências jurídicas para ver implantada a estrutura legal do New Deal, ameaçou contornar a dificuldade inflando o número de integrantes da Suprema Corte, para garantir a necessária maioria às medidas planejadas pelo Executivo. Contudo, a pretensão de aumentar o corpo de juízes foi derrubada no Congresso e provocou uma grita geral na imprensa republicana. Diante disso, Roosevelt precisou recorrer a composições no parlamento e a acomodações no próprio Poder Judiciário.[129]

Para evitar uma dificuldade semelhante, Getúlio Vargas, à época do Governo Provisório, aposentara compulsoriamente seis juízes do Supremo Tribunal Federal, decretara a censura aos jornais e mandara fechar o Poder Legislativo. E no momento em que recebia Roosevelt no Rio de Janeiro, já gestava um novo golpe. Três meses antes da chegada do presidente norte-americano, Getúlio debatera o assunto com Góes Monteiro, a quem encomendou um memorando em que fossem traçadas as linhas gerais para a formação de um Estado ditatorial. Góes cumpriu a tarefa com assumido agrado. Reavaliara os cenários e passara a considerar que as novas circunstâncias, decorrentes do sucesso da cruzada anticomunista, se mostravam plenamente favoráveis à completa abolição do já frágil aparato constitucional do país.

"O que devo fazer se o Congresso Nacional criar obstáculos?", indagou Getúlio ao general.

"Dissolvê-lo", respondeu Góes, sem pestanejar.[130]

Getúlio Vargas pediu a Francisco Campos que trabalhasse no esboço de uma nova Constituição para substituir a natimorta Carta Magna de 1934.[131] Era inevitável, portanto, associar o louvor de Getúlio à figura de "um homem providencial", citado na saudação a Roosevelt, à palestra realizada pouco antes pelo mesmo Campos sobre o futuro da política mundial naqueles anos de incertezas e radicalismos ideológicos. Ao se dizer descrente do "otimismo beato do sistema liberal-

-democrático", Francisco Campos teorizara a respeito do suposto esgotamento do Poder Legislativo: "Uma sala de parlamento tem hoje a mesma importância de que uma sala de museu", comparara, para então defender o governo unipessoal como o único modelo disponível para se combater "o cafarnaum de problemas" que julgava indissociável dos regimes democráticos.

"O regime político das massas é o da ditadura. Não há, a estas horas, país que não esteja à procura de um homem, isto é, de um homem carismático ou marcado pelo destino para dar às aspirações das massas uma expressão simbólica", argumentara Campos. "Não há hoje um povo que não clame por um César. Quem quiser saber qual o processo pelo qual se formam efetivamente hoje em dia as decisões políticas, contemple a massa alemã, medusada sob a ação carismática do Führer", sugerira o homem encarregado por Getúlio de elaborar, sozinho, uma nova Constituição para o país.[132]

Enquanto isso, o próprio Getúlio Vargas continuava a cultivar suas célebres ambivalências. A visita de Roosevelt não alterou em nada os movimentos pendulares da política externa brasileira. Em carta endereçada ao presidente norte-americano quando da assinatura do tratado de cooperação entre os dois países, Getúlio salientara a "vocação histórica do Brasil pelo liberalismo tradicional, cada vez mais enraizado no coração e no espírito de nosso povo", criticando por consequência as nações europeias que haviam optado por se tornar "autarquias orgulhosas de economias dirigidas".[133] Em seu diário, destacara a Conferência Interamericana como uma oportunidade histórica para o estabelecimento de um bloco continental coeso, sob a órbita dos Estados Unidos.[134] "Não devemos esquecer que os Estados Unidos poderiam ter um bom auxiliar no Brasil, como abastecedor e como base no Atlântico Sul", argumentou ainda em mensagem a Oswaldo Aranha. "Seríamos sempre um aliado a considerar. Essa circunstância justificaria a conveniência de nos auxiliarem militarmente."[135]

Em contrapartida, Getúlio autorizava a assinatura de mais um tratado comercial com a Alemanha, consolidando o país como principal parceiro mercantil do Terceiro Reich nas Américas,[136] ao passo que a Marinha brasileira negociava a compra de destróieres norte-americanos — sem com isso abrir mão da aquisição dos submarinos italianos, cujo acordo seguia sendo objeto de barganhas com os fascistas.[137] Mussolini, que enviara um telegrama de felicitações a Getúlio para expressar sua "sincera admiração pela coragem e firmeza pessoais" do presidente brasileiro no combate ao comunismo, mostrava-se agradecido pelo fato de o

Brasil não ter dado ouvidos às sanções sugeridas pela Liga das Nações à política expansionista italiana.[138] Para o Duce, a entidade internacional não passava de um satélite de Moscou.

"Há várias semanas o sr. Rosenberg, novo secretário soviético na Liga das Nações, tomou posse de seu cargo. Ele é israelita, e já transformou o seu *Bureau* em verdadeira sucursal da Internacional Comunista, agindo ostensivamente", escreveu Mussolini ao ministro brasileiro das Relações Exteriores, José Carlos de Macedo Soares. "O maior apoio com que Rosenberg conta em suas atividades é o do sr. [Marcel] Hoden, chefe de gabinete do sr. [Joseph] Avenol, secretário-geral da Liga das Nações. Hoden, judeu também, é o traço de união entre os comunistas conhecidos e os sancionistas de boa-fé", definiu, associando a ameaça vermelha ao suposto complô judaico para dominar o mundo.[139]

"O destino da Itália e o de Mussolini são confusos demais para misturarmos o futuro do Brasil com suas incertezas e perigos", ponderava Oswaldo Aranha.[140]

O ministro das Relações Exteriores pensava de modo radicalmente oposto. Macedo Soares defendia que o Brasil se posicionasse a favor da anexação da Abissínia por Mussolini e, mais que isso, aproveitasse o ensejo para declarar neutralidade em relação à Guerra Civil Espanhola, o que equivaleria a prestar solidariedade indireta às tropas nacionalistas do general Francisco Franco, então em combate contra o governo do presidente Manuel Azaña. Getúlio esquivou-se de entrar nesse tipo de controvérsia internacional, alegando que tais assuntos não diziam respeito ao Brasil e, portanto, o Catete não deveria se pronunciar sobre eles, nem mesmo para adotar uma posição oficial de neutralidade.[141] Na surdina, porém, não hesitou em aprovar uma doação secreta de café e açúcar às forças do general Franco. "No momento, e cumprindo os desejos de vossa excelência, tão importante donativo será mantido dentro da mais estrita reserva até que as circunstâncias permitam dar-lhe publicidade", agradeceu o futuro ditador espanhol.[142]

Quando descobriu que o Catete planejava um golpe em cumplicidade com Góes Monteiro e Francisco Campos para impor ao Brasil um governo de colorações fascistas como os que ganhavam vulto na Europa, Juracy Magalhães tratou de pedir uma audiência ao presidente da República. Ao ser recebido no palácio, disse a Getúlio que não concordava com tais planos.

"Juracy, esta é uma hipótese que eu só aceitaria com o consenso dos meus amigos. Desde que você veta, a hipótese está afastada", rebateu Getúlio.

"Não, presidente, não estou vetando; eu sou contra. Sou contra, porque se eu aceitasse colaborar com o senhor, o senhor ficaria regendo sua orquestra e, de repente, ouviria um instrumento desafinar."

Getúlio voltou a tranquilizar o governante baiano. Um regime fascista estava fora de seus planos, garantiu. No entanto, tão logo Juracy Magalhães se despediu e desapareceu porta afora do gabinete, Getúlio pegou o telefone e ligou para Francisco Campos.

"Despistei o Juracy", informou.[143]

O ano de 1936 chegava ao fim e deixava atrás de si um rastro de indefinições e boatos. Em 16 de dezembro, Getúlio — de luto pela morte da mãe, dona Candoca — conseguira arrancar do Congresso o prolongamento do estado de guerra por mais noventa dias. De acordo com as regras constitucionais ainda em vigor, os pretendentes ao posto de presidente da República deveriam se desincompatibilizar de qualquer cargo público pelo menos um ano antes da data marcada para as eleições. Como a escolha do novo governante do país continuava prevista para 3 de janeiro de 1938, isso significava que os eventuais aspirantes ao Catete teriam que renunciar às suas funções até o dia 2 de janeiro de 1937.[144]

Até ali Getúlio evitara desencadear a corrida sucessória, sob a justificativa de que ela apenas contribuiria para abreviar o poder efetivo do governo contra a ameaça comunista. Uma vez lançadas à rua, as candidaturas tenderiam a atrair a atenção pública para as demandas eleitoreiras, tirando o foco prioritário dos problemas de segurança nacional, argumentava. Alzira Vargas, contudo, percebia que o cenário caminhava para o vazio político que acomete todo governo próximo de seu término. Era o que ela, Alzira, definia como "a crise do sol poente": os aliados iam sumindo, os pedidos de audiência diminuindo, até o café passava a ser servido frio. "Da parte de certos empregados e funcionários efetivos do palácio, os sinais ainda eram mais claros. Nós passaríamos, como outros já haviam passado, e eles continuariam. Alguns já não se davam sequer ao trabalho de levantar para responder ao bom-dia dos oficiais de gabinete."[145]

O congelamento da sucessão embutia, portanto, uma manobra política. Getúlio já deliberara qual seria o seu modo de agir nas semanas seguintes: "Não forçar o problema da sucessão, deixando-se escoar o presente ano, o que incompatibilizará os governadores para candidatos, simplificando o problema".[146] Francisco Campos achava a ideia perfeita: "É muito fácil o Getúlio evitar a sucessão.

Os candidatos surgem e ele cruza os braços. Neste país, ninguém pode ser candidato sem o apoio do governo".[147]

Ainda assim, os balões de ensaio já alçavam voos. Existiam nomes dados como certos em uma futura disputa nas urnas. Caso do governador de São Paulo, Armando Sales, tido como candidato natural em face da tradição política e da força econômica da oligarquia paulista. Antônio Carlos era outro pré-candidato com boa cotação em todas as bolsas de apostas, devido ao largo coeficiente eleitoral de Minas Gerais. Juracy Magalhães buscava articular as forças do Nordeste ao redor de uma terceira via, insuflando as pretensões do presidente do Senado, o baiano Medeiros Neto, que aparecia correndo por fora. O paraibano José Américo de Almeida, dada a proximidade com o Catete, sonhava com a hipótese de ser o ungido por Getúlio, enquanto Oswaldo Aranha não escondia de ninguém o desejo de voltar ao Brasil e tomar assento na cadeira presidencial. Para congestionar ainda mais o páreo, havia as eternas maquinações de Flores da Cunha, a probabilidade sempre presente de um nome saído da caserna e até mesmo o factível lançamento de uma candidatura — ou mesmo de uma anticandidatura — germinada no seio das minorias. Uma enquete promovida pelo jornal *A Noite* apontava, porém, um franco favorito entre os leitores da publicação: Plínio Salgado, o chefe dos integralistas. Existia, assim sendo, "um surto prematuro de candidatos", nas palavras do contrariado Getúlio Vargas.[148]

"Muito pouca gente se considera habilitada para ser pedreiro, pintor, mecânico etc., mas para presidente da República todos se julgam aptos", impressionava-se Alzira.[149]

Sempre que interrogado a respeito, Getúlio garantia que seu único desejo era cumprir o último ano que lhe restava de mandato. Findo o prazo legal, faria as malas e retornaria ao Rio Grande do Sul, para desfrutar de uma aposentadoria serena em São Borja. Até já mandara construir uma nova casa na fazenda da família, para onde dali a pouco tempo deveriam seguir os livros e objetos pessoais que pedira para serem encaixotados no Guanabara.[150] Reeditava assim a mesma promessa feita em 1934, quando acabou quebrando a jura e se lançando candidato na eleição indireta que lhe garantiu o direito de passar a faixa presidencial a si mesmo.

"Quando eu terminar o mandato, serei um vivo-morto, como tantos outros que andam por aí", previu.[151]

No entanto, como já estava claro para a maioria dos brasileiros, Getúlio

Dornelles Vargas não tinha nenhuma vocação para zumbi político. Até mesmo uma marchinha da dupla Antônio Nássara e Cristóvão de Alencar — gravada por Silvio Caldas em novembro de 1936 — arriscava um prognóstico. Paródia da cantiga de roda "Teresinha de Jesus", a canção vaticinava:

A menina Presidência
Vai rifar seu coração
E já tem três pretendentes,
Todos três chapéu na mão.

E quem será?
O homem quem será?

Será seu Manduca [Armando Sales]?
Ou será seu Vavá [Oswaldo Aranha]?
Entre esses dois
Meu coração balança,
Porque...
Na hora H quem vai ficar
É seu Gegê! [152]

13. "Os satélites começam a girar em torno do Sol", diz Getúlio, após tirar de órbita os candidatos a presidente (1936-7)

"Terminado o expediente, saí à tardinha para um encontro longamente desejado", escreveu Getúlio em seu diário, após deleitar-se por algumas horas na companhia de Aimée. Darcy estava longe, na Europa — em companhia das filhas Alzira e Jandira —, representando o marido na inauguração do pavilhão brasileiro na Feira Internacional de Amostras de Milão, na Itália de Mussolini. De lá, a primeira-dama passaria uma semana em Berlim, recebida como hóspede de honra pelo governo nazista e acomodada na suíte imperial do luxuoso Hotel Adlon.[1] A ausência da esposa — convidada a visitar as instalações da organização do trabalho feminino hitlerista[2] — liberou Getúlio para uma maratona de compromissos mal dissimulados.

"Um homem no declínio da vida sente-se num acontecimento destes como banhado por um raio de sol, despertando energias novas e uma confiança maior para enfrentar o que está por vir. Será que o destino, pela mão de Deus, não me reservará um castigo pela ventura deste dia?"[3]

Darcy passou quase dois meses fora do Brasil. Depois de visitarem a Itália e a Alemanha, ela e as filhas esticaram a viagem até a Áustria, país que se encontrava sob a mira dos planos expansionistas de Adolf Hitler, sendo anexado dali a cerca de um ano como mais uma das províncias do Reich. A última escala de

Darcy, Alzira e Jandira em sua excursão europeia foi Budapeste, onde o primeiro-ministro Kálmán Darányi punha então em prática as primeiras leis húngaras que limitavam o acesso de judeus a determinados ofícios e profissões. Na véspera do regresso de Darcy, após uma movimentada manhã de despachos no Catete e de um almoço com Antônio Carlos para troca de ideias sobre os rumos da sucessão presidencial, Getúlio desapareceu por alguns momentos, antes de seguir para o Guanabara.

"Tive uma deliciosa hora, talvez de despedida", revelou, em seu caderno de anotações.[4]

Os apelos do desejo estavam suplantando as recomendações da prudência. Nem mesmo o retorno de Darcy conseguiu fazê-lo resistir à tentação de continuar reencontrando Aimée, quase sempre no meio da tarde, a intervalos cada vez mais frequentes da agenda presidencial.

"Uma ocorrência sentimental de transbordante surpresa e alegria", registrou, um dia antes de seu 55º aniversário.[5]

A paixão tardia costuma transformar homens maduros em indivíduos sedentos de alguma espécie de elixir da juventude. Getúlio jamais fora um tipo atlético e nunca demonstrara desenvoltura dentro da água. Mas passou a se dedicar a exercícios de natação e ao poder revigorante dos banhos de mar, encarados por ele como paliativos à sua presumida aortite.[6] Nessa época, as sessões de cinema no Palácio Guanabara também experimentaram considerável inflexão no repertório. Em vez dos épicos e documentários de praxe, Getúlio quis assistir à versão que o diretor norte-americano George Cukor fizera do clássico shakespeariano *Romeu e Julieta*, com o britânico Leslie Howard e a canadense Norma Shearer nos papéis do célebre casal romântico às voltas com um amor proibido.[7] A propósito, a crítica da época estranhou o fato de atores tão maduros — Howard tinha então 43 anos; Shearer, 35 — terem sido escalados para encarnar dois jovens enamorados.[8]

Pelo que deixava transparecer nas anotações de seu diário, o cinquentão apaixonado não conseguia mais ocultar da esposa o motivo de suas escapadelas vespertinas: "Cena doméstica de ciúmes, porque saí à tarde".[9] Bastava algum lapso de tempo mais dilatado longe dos braços da amada para despontarem crises recorrentes de mau humor. "Um pouco de inquietação íntima e irritabilidade reprimida por fatos que não afetam o interesse público", registrou Getúlio, após quase um mês sem registros de encontros com Aimée.[10] "Fiz um passeio, dissipou-

-se a irritabilidade que me oprimia", tornou a escrever, exatamente um dia após Darcy ter viajado mais uma vez, com destino a Poços de Caldas.[11]

Além da vigilância da esposa, era preciso enfrentar as possíveis desconfianças do marido ofendido, Luís Simões Lopes, nomeado para a presidência do então recém-criado Conselho Federal de Serviço Público Civil (CFSPC) — órgão responsável por uma ampla reforma administrativa do funcionalismo brasileiro.[12]

"Renova-se a aventura, beirando o risco de vida, que vale a pena corrê-lo",[13] avaliou Getúlio, em uma anotação que precedeu uma série de outros comentários a respeito de "encontros felizes", "horas furtivas" e "passeios compensadores", minutados nas páginas do caderninho por semanas sucessivas, culminando numa declaração explícita de felicidade: "Após os despachos, fui ao encontro de uma criatura que, de tempos para esta parte, está sendo o encanto de toda a minha vida", derramou-se Getúlio.[14]

Os carinhos de Aimée serviam de lenitivo a um homem enfronhado em graves deliberações políticas — ou, como ele preferia definir, de "derivativo para uma vida de trabalhos e hostilidades".[15]

Por mais que Getúlio tenha tentado postergar o lançamento de candidaturas à sucessão presidencial, elas haviam saído da zona de controle do Catete. O governador de São Paulo, Armando Sales, desincompatibilizara-se a tempo e já estava em aberta campanha, apoiado por uma frente suprapartidária, a União Democrática Brasileira (UDB) — constituída por egressos do Partido Constitucionalista de São Paulo, do Partido Republicano Liberal do Rio Grande do Sul e do Partido Republicano Mineiro, além de lideranças políticas da Bahia, Ceará, Paraná, Rio de Janeiro e Santa Catarina que defendiam o respeito à Constituição e denunciavam os rumores de um golpe continuísta em gestação.

A hipótese autoritária estava tão incrustada na opinião pública que uma anedota passara a circular pelas esquinas da capital da República: "Sabe por que o Getúlio mandou tirar os espelhos do Catete?", perguntava-se. "Porque ele não gosta de olhar para seu sucessor o dia inteiro!" — era a resposta.[16]

Ainda às vésperas do Natal de 1936, quando Darcy cuidava dos preparativos para a tradicional distribuição de presentes às crianças pobres, Armando Sales procurara o presidente no Guanabara para avisar que sairia candidato. Getúlio tentara convencê-lo da "inoportunidade" da realização de eleições, ante o clima de radicalização política decorrente da cruzada anticomunista.[17] A confiar no que Sales relataria mais tarde, o presidente lhe propôs, em troca da desistência da candidatura, a prorrogação dos mandatos de todos os governadores e, como bônus, a volta da titularidade do Ministério da Fazenda e da presidência do Banco do Brasil para a cota política de São Paulo.[18]

A oferta teria sido rechaçada. Em 29 de dezembro, Armando Sales renunciou ao Campos Elíseos, tornando-se assim elegível à presidência da República e demarcando seu afastamento em relação a Getúlio. Simultaneamente, os dois paulistas do ministério, Vicente Rao, da Justiça, e José Carlos de Macedo Soares, das Relações Exteriores, entregaram os respectivos cargos. Rao, em solidariedade a Armando Sales; Macedo Soares, porque também decidiu se lançar candidato a presidente — uma pretensão discretamente insuflada por Getúlio, com o intuito de dividir as forças de São Paulo e enfraquecer os armandistas em seu próprio território.[19]

Oswaldo Aranha compreendeu que precisava se cacifar o quanto antes, sob pena de vir a ser ultrapassado pelos demais contendores na corrida presidencial. Como embaixador, não precisava seguir a regra da desincompatibilização imposta aos que exerciam cargo eletivo ou governamental no país. Em janeiro, de volta da Conferência Interamericana em Buenos Aires, ele decidira se demorar mais algumas semanas no Brasil, antes de retomar o posto em Washington. O objetivo era claro: articular para si a condição de candidato oficial do Catete.

"À noite, jantaram comigo o Oswaldo e sua mulher. Sente-se que ambos têm alguma esperança na possibilidade de uma candidatura presidencial", escreveu Getúlio, após a conversa com o casal.[20] "[Oswaldo] sonha, talvez, com a possibilidade de ser candidato."[21]

Para aspirar a alguma chance de êxito, o representante brasileiro nos Estados Unidos considerava que sua primeira providência deveria ser reagrupar a força eleitoral do Rio Grande e trazer de volta o estado para o arco de alianças do governo. Isso significava, pelos cálculos meticulosos de Aranha, promover as pazes entre Getúlio e o governador Flores da Cunha, que já ameaçava se bandear para os lados de Armando Sales — após ter se tornado evidente que ele, Flores, jamais seria o indicado do Catete.

"Não perca o pé no Rio Grande em hipótese alguma. Se isso vier a suceder, as dificuldades opostas a teu governo serão crescentes e, talvez, invencíveis", recomendou Oswaldo Aranha ao presidente.[22]

Todavia, Getúlio não tinha o mais remoto interesse em arriscar uma recomposição política com Flores. Ao contrário, sua maior preocupação passara a ser justamente minar o poderio do conterrâneo, o adversário militarmente mais forte do governo, general honorário do Exército e comandante em chefe da Brigada Militar — cujos efetivos e armamentos, quando somados aos dos corpos provisórios gaúchos, eram superiores aos da própria 3ª RM.[23] Não se tratava, portanto, de uma mera intriguelha paroquial. As oposições nacionais a Getúlio, fragilizadas desde a decretação do estado de guerra e acuadas pela incerteza da realização das eleições, viam na figura intempestiva de Flores da Cunha o último bastião da legalidade no país.[24]

"É de salientar a quase obsessão do Flores pela sucessão", queixou-se Getúlio em carta ao irmão Protásio. "Nenhum dos governadores ou dos políticos que me apoiam se havia ocupado disso e já o Flores andava num verdadeiro fuxico de comadre mexeriqueira", qualificou. "Se lhe dissesse — 'não, seu Flores, o candidato deve ser você' — então certamente tudo teria acabado e o homem se acalmaria. Mas eu não disse. Afinal, para fazer-me compreender que não estava satisfeito, começou a me dar coices."[25]

A afinidade entre os dois rio-grandenses se deteriorara por definitivo quando Flores fizera a revelação pública de que Getúlio o convidara para um golpe de Estado, nos termos mais ou menos semelhantes à proposta que teria sido feita a Amando Sales: as eleições nacionais seriam canceladas, Getúlio permaneceria no Catete e Flores ficaria no controle integral do Rio Grande, que por sua vez teria aumentada a representação no primeiro escalão do governo. Além de recusar a alegada oferta, o chefe gaúcho concedera uma entrevista ao *Correio do Povo* para trombetear a denúncia. Conforme afirmou à imprensa, faria tudo o que estivesse a seu alcance "para tirar da cabeça de certas pessoas a ideia de implantar mais uma ditadura, não importa a coloração".[26]

Getúlio, a partir desse ponto, passara a se referir a Flores da Cunha com uma gradação de adjetivos que ia de "intrigante" a "mentiroso". "Flores é tão volúvel e farsante que o melhor é não me preocupar muito com a sua pessoa", expunha.[27] "Ele espalha que desejo permanecer no poder além dos quatro anos da eleição, e que se oporá. Sempre esteve nos meus propósitos, findo o quatriênio, transmitir pacificamente o governo ao meu substituto e ir descansar", continuava jurando Getúlio.[28]

De todo modo, para fazer frente à hipótese de Flores lançar a Brigada Militar e os batalhões provisórios gaúchos contra o governo federal, Getúlio cuidou de organizar uma operação militar preventiva. Aprovou um crédito suplementar ao Ministério da Guerra para atender à necessidade de movimentação de tropas e de compras de armas, ao passo que encomendou a Góes Monteiro um vasto plano de operações, abrangendo forças terrestres, aéreas e navais, com vista a uma possível ofensiva sobre o Rio Grande. Para Góes, havia um sabor adicional de vingança envolvendo a querela. Era uma oportunidade de ir à forra menos de dois anos após ter sido afrontado pelo mesmo Flores — que em 1935 pedira seu afastamento do comando do Ministério da Guerra.[29]

"Primeira remessa fuzis partiu ontem trem Passo Fundo, destino Santa Maria", telegrafou Getúlio ao novo comandante da 3ª Região Militar em Porto Alegre, general Emílio Lúcio Esteves, após este ter solicitado o despacho de canhões, armas automáticas e munição pesada. "Determinei ao ministro da Guerra que atendesse a todos os seus pedidos", informou o presidente.[30]

Para que Góes Monteiro pudesse desempenhar a missão a contento, Getúlio o nomeou inspetor do Segundo Grupo das Regiões Militares — com jurisdição sobre Goiás, Mato Grosso, Minas Gerais, Paraná, Rio Grande do Sul, Santa Catarina e São Paulo. Porém, quando Góes solicitou ao Ministério da Guerra carta branca para mobilizar todo esse conjunto de forças, lançando mão até mesmo das polícias estaduais como corpos auxiliares, o general João Gomes refugou.[31]

"Gente difícil, esses militares", desabafou Getúlio em seu diário.[32]

O ministro disse não ver com simpatia a ideia de permitir semelhante ataque contra um estado da federação para depor um governador constitucionalmente eleito — embora já fosse evidente que Flores também estivesse reaparelhando o Rio Grande do Sul no campo bélico, por meio da compra de armas contrabandeadas da Polônia e da Tchecoslováquia, via Paraguai, conforme atestavam relatórios reservados do próprio Ministério da Guerra.[33]

Se ainda precisava de algum outro motivo para tirar Gomes do caminho e garantir a futura execução do plano, Getúlio ficou à vontade quando recebeu um dossiê preparado por Filinto Müller sobre os hábitos pessoais do general. "O chefe de Polícia esteve me informando sobre os desmandos da vida amorosa do ministro da Guerra, dominado por um grupo de raparigas casadas e bonitas, mulheres de oficiais, que ele frequenta com assiduidade, entrega-se a prazeres e atende ao que estas lhe pedem em matéria de administração", deliciou-se Getúlio.[34]

Dez dias depois, um constrangido João Gomes pediu demissão do ministério, sendo substituído pelo general Eurico Gaspar Dutra, amigo do presidente da República e principal responsável pelo sufocamento do Putsch comunista de 1935.[35]

Em paralelo à ofensiva militar, Getúlio também procurava costurar adesões civis em seu estado natal, para neutralizar Flores da Cunha na área administrativa. Por obra dessas reviravoltas que só a dinâmica da política é capaz de explicar, o Catete encontrou apoio em ex-amigos que um dia haviam se tornado adversários, mas que voltavam a se tornar úteis como aliados: João Neves da Fontoura, Batista Lusardo e Maurício Cardoso, os cardeais da Frente Única Gaúcha, agremiação que apoiara os constitucionalistas de São Paulo em 1932.

As reses desgarradas voltavam à sombra acolhedora do governo, desligando-se oficialmente da oposição e lavrando um manifesto no qual justificavam a atitude como um ato de civilidade e patriotismo, "para que o sucessor do atual presidente da República seja escolhido num ambiente de tranquilidade, sem as lutas partidárias que o momento não comporta". Segundo o texto, redigido por João Neves, "uma luta de candidaturas seria uma porta aberta à anarquia".[36]

No reencontro com Lusardo, após quatro anos de rompimento, Getúlio brincou:

"Você tem de me agradecer, Lusardo; conheceu a Europa graças a mim!", disse, referindo-se ao período de exílio do interlocutor em Lisboa.[37]

No caso de João Neves, Getúlio reservara ao antigo colega de faculdade um mimo especial: o apoio a sua candidatura à Academia Brasileira de Letras. Dessa vez, com a intelectualidade sitiada pelo regime de exceção, a ABL não ousou contrariar a vontade do Catete. Neves foi tranquilamente eleito para a cadeira que pertencera a Coelho Neto, derrotando o ex-apadrinhado do presidente, Augusto de Lima Júnior, que jamais entraria no clube dos imortais.[38]

Curiosamente, entre as obras de João Neves contavam-se dois libelos contra Getúlio: *Por São Paulo e pelo Brasil*, de 1932, e *Accuso!*, de 1933. "Getúlio Vargas, na estação política do ano terrível de 1929, era um fardo pesado que os amigos arrastavam ladeira acima, a trancos e barrancos, para afinal metê-lo no Catete, de onde agora ele nos insulta e persegue", lia-se na introdução de *Accuso!*, livro no qual o autor relatava a gênese de seus antigos desentendimentos com o presidente da República. "Tivemos que fazer com este homem a cópia de certas imagens de madeira perfurada, ainda existentes nas igrejas de São Borja, e de dentro das quais missionários audazes falavam para impressionar a sugestiva receptividade dos catecúmenos."[39]

Mas o fiel procurador de Getúlio na estratégia de dividir o cenário político gaúcho foi mesmo seu mano caçula, o deputado estadual Benjamim Vargas. A tarefa de Bejo era semear a discórdia e provocar a cisão na Assembleia do Rio Grande do Sul, abrindo caminho para um pedido de intervenção federal com base nas denúncias de que Flores estaria comprando armamento e mantendo corpos provisórios irregulares, cadastrando os voluntários de guerra como trabalhadores de obras rodoviárias.

"Necessário iniciar campanha Assembleia, ação progressiva", telegrafou Getúlio a Bejo, instruindo-o a respeito dos modos de ação.[40]

"A situação não poderia ser melhor para desferir o golpe no bamba", respondeu o irmão, anunciando que estava pronto para orquestrar uma fanfarra de discursos contra os gastos militares do governo rio-grandense.[41]

"Podem ir começando escaramuças", autorizou Getúlio, "não convindo que tomes parte saliente por enquanto, a fim de evitar que digam que sou eu que estou instigando", recomendou.[42]

Ainda que não se falasse de outra coisa em todo o país, Getúlio Vargas decidira não mais tolerar que as conversas durante os despachos ministeriais se embrenhassem pelos caminhos sinuosos da política. Quando algum auxiliar ousava pôr em pauta os rumos da sucessão, o presidente mudava de assunto, circunscrevendo-se aos temas relativos à pasta.[43] No fim de janeiro, o titular da Agricultura, Odilon Braga, insistira em aproveitar o horário semanal no Catete para extrair alguma palavra sobre a questão. Getúlio simplesmente levantara da cadeira e, invertendo os papéis, como se ele próprio tivesse de se retirar, despediu-se do ministro.[44]

Mineiro, Braga tinha interesse em saber se a sucessão presidencial passaria pelas Alterosas, como muitos queriam acreditar. O deputado federal Djalma Pinheiro Chagas, do PRM, era um dos que consideravam ter Getúlio Vargas a obrigação moral de indicar o nome do presidente da Câmara, o velho Antônio Carlos Ribeiro de Andrada, como seu sucessor no Catete. Quando menos, fora Antônio Carlos o primeiro político de expressão nacional a apoiar, em 1929, a candidatura de Getúlio, possibilitando a formação da histórica Aliança Liberal.[45]

Não parecia haver dúvidas de que o descendente dos Andradas, a essa altura quase um septuagenário, nutria semelhante ambição. "Antônio Carlos deve estar com o coração aos pulos, as narinas vibrando, dilatadas, com essas últimas notícias a respeito de sua candidatura", supunha Afonso Arinos de Melo Franco em artigo publicado à época no jornal *Estado de Minas*. "Acenar-lhe alguém com a presidência da República é como chegar-se uma tábua ao náufrago exausto, como encostar-se o tubo do balão de oxigênio ao asfixiado que se contorce nos horrores da dispneia."[46]

Getúlio alimentou o quanto pôde as ilusões do presidente da Câmara. Ao chamar Antônio Carlos ao Palácio Guanabara em um dia particularmente chuvoso, recebeu-o de propósito em uma saleta infestada de goteiras.

"Estou deixando esse telhado para você consertar...", prometeu.[47]

Demonstrações de camaradagem à parte, o plano para alijar o candidato de currículo mais extenso e respeitável entre todos os outros pretendentes já estava em pleno curso. Benedito Valadares, contrariando aqueles que o consideravam um sujeito politicamente obtuso, demonstrou extrema argúcia ao ajudar Getúlio a implodir as aspirações de Antônio Carlos. O governador mineiro, obviamente, tinha interesses particulares em tela: sepultar o poderio do velho correligionário em Minas Gerais para se apropriar de seu espólio eleitoral e se afirmar como líder efetivo do estado.[48]

Em sintonia com o Catete, Valadares articulou uma aliança regional que, em primeiro lugar, tirou das mãos de Antônio Carlos a liderança da bancada mineira na Câmara, reduzindo-lhe o patamar de influência. Em maio, quando o Congresso retornou do recesso parlamentar, Getúlio fez sua parte: apoiou outro mineiro, Pedro Aleixo, na eleição para a presidência da Casa.

A cabala para reforçar o desprestígio e impedir a recondução de Antônio Carlos ao posto incluiu a mobilização da bancada classista e até mesmo o concurso dos republicanos paulistas, outrora adversários do governo. Na negociação, o Catete entregou ao empresário e engenheiro agrônomo Fernando Costa, ex-secretário da Agricultura de Júlio Prestes e revolucionário constitucionalista em 1932, a presidência do Departamento Nacional do Café. Com um só gesto, Getúlio riscava o nome do concorrente mineiro do páreo e beneficiava a corrente política oponente a Armando Sales em São Paulo.[49]

Na eleição para o comando da Câmara, Pedro Aleixo, de apenas 35 anos de idade, bateu o veterano Antônio Carlos, de 67, por 152 votos contra 131. Apesar da vitória, Getúlio não ficou satisfeito com o placar apertado.

"A diferença é decepcionante", considerou, decerto imaginando que o governo disporia de uma maioria mais folgada — e mais leal — no Legislativo. A constatação de que o presidente da República fora traído por parlamentares que lhe haviam prometido votar em Aleixo fez soar o gongo de alerta.

"Agiram fatores ocultos, à sombra do voto secreto", calculou Getúlio.[50]

O ministro do Trabalho, Agamenon Magalhães, acumulando as funções políticas da pasta da Justiça após a saída de Vicente Rao, informou a Getúlio que o governador de seu estado, Carlos de Lima Cavalcanti, comandara a defecção na bancada pernambucana. Agamenon, antagonista de Cavalcanti na política regional, apresentou ao presidente cópias de cartas assinadas pelo governador recomendando aos correligionários carrearem votos a favor de Antônio Carlos. "À noite, recebi o ministro Agamenon", relatou Getúlio no diário. "Tratamos da traição preparada por Lima Cavalcanti. Combinamos as medidas a tomar contra ele."[51]

Na semana seguinte, o governador pernambucano foi denunciado pelo procurador do Tribunal de Segurança Nacional, Himalaia Virgulino, sob a acusação de proteger comunistas e de ter apoiado o levante do Recife em novembro de 1935. Uma das "provas" mais robustas a respeito da conjecturada ação subversiva de Lima Cavalcanti — usineiro, dono de jornal e proprietário de terras — era o fato de ele ter manifestado naquele ano o desejo de conhecer a União Soviética. "Nenhuma acusação concreta poderá ser apresentada contra mim", telegrafou a Getúlio. "A denúncia decorre apenas de circunstâncias da política partidária", protestou.[52]

Indiciado, Cavalcanti passaria o resto do ano tentando provar sua inocência perante o TSN. Terminou absolvido por absoluta insuficiência de provas. "O governador de Pernambuco desmentiu todas as acusações que lhe fizeram e refirmou sua solidariedade, sua lealdade e sua amizade para comigo. Convém acreditar. Para que alimentar desconfianças e ressentimentos? Visivelmente, os satélites começam a girar em torno do Sol", ponderou Getúlio.[53]

A metáfora astronômica era apropriada. A figura centralizadora de Getúlio Vargas procurava, de todas as maneiras, manter a agenda política sob sua mais estrita órbita. Em março, quando se aproximara a data do julgamento de Pedro Ernesto pelo TSN, temendo a possível absolvição e o retorno do réu à prefeitura, o Catete se apressou em decretar a intervenção no Distrito Federal — logo depois de conseguir aprovar no Congresso mais uma prorrogação do estado de guerra no país, por outros noventa dias.[54]

O presidente da Câmara dos Vereadores do Rio, o cônego Olímpio de Melo, foi oficializado temporariamente no cargo, sendo substituído pouco depois pelo deputado Henrique Dodsworth — mais um político que apoiara a Revolução Constitucionalista e que, pelas circunstâncias do pragmatismo getulista, passava a integrar as forças de apoio do governo federal. Em Minas, Antônio Carlos, o velho aliado, tolhido em seu poder efetivo, incorporou-se à campanha do presidenciável oposicionista, Armando Sales. Parecia assim cada vez mais evidenciada a situação que um dia Getúlio sugerira ao escritor Emil Ludwig: não havia inimigos tão fortes que não pudessem se tornar amigos; nem amigos tão sólidos que não viessem a se tornar inimigos.[55]

Cientes da obstinação de Getúlio em não permitir a abertura das discussões a respeito do quadro sucessório, certas forças políticas deliberaram aventar uma candidatura de conciliação nacional, à revelia dos silêncios do presidente da República. O governador Juracy Magalhães, um dos patronos da iniciativa, calculou que fazer um nome de consenso entre as múltiplas correntes do cenário político do país, para depois apresentá-lo a Getúlio como candidato único, seria a forma de impedir os efeitos colaterais da disputa eleitoral que o presidente dizia querer evitar.[56]

No período de duas semanas no qual Getúlio se ausentou do Rio de Janeiro e viajou a Poços de Caldas para desfrutar de uma estação de águas, Juracy ultimou os contatos necessários e deu início às confabulações. Até Flores da Cunha e Armando Sales foram convidados para o conclave de lideranças. Como nada parecia escapar ao conhecimento do onisciente Getúlio, ele escreveria em seu diário, com indisfarçado acento irônico: "Na minha ausência, Juracy, Flores, Oswaldo e os representantes dos dois partidos de São Paulo tentaram escolher um candidato, mas não conseguiram, porque uns queriam *ser* o candidato e outros queriam *fazê-lo*".[57]

Constatada a impossibilidade de políticos de ideias e interesses tão distintos chegarem a um denominador comum, Juracy ainda tentou conceber uma lista tríplice — formada por Medeiros Neto, Armando Sales e José Américo de Almeida —, a ser submetida a Getúlio.[58]

"Se o presidente não aceitar pelo menos um deles, é porque não quer mesmo nenhum candidato", analisou Juracy.[59]

"Esse negócio é muito bonito, mas significa colocar os três em um só barco. Getúlio fura o barco e a gente vai para o fundo", avaliou Armando Sales, retirando-se do acordo e reafirmando sua candidatura de oposição.[60]

Numa última tentativa de viabilizar as próprias aspirações, Oswaldo Aranha convenceu Flores da Cunha a se encontrar com Getúlio Vargas, para juntos, quem sabe, sorverem o chimarrão da paz. Para surpresa de Flores, a proposta foi aceita de imediato pelo presidente da República, que o recebeu cordialmente em Petrópolis, no Palácio Rio Negro. A conversa, porém, não avançou. Girou sobre o próprio eixo, sem sair do lugar, como um parafuso espanado. Getúlio preferiu se manter fiel a uma de suas máximas prediletas: "Não fazer propostas, para não receber condições".[61]

Sem se darem conta, Oswaldo Aranha e Flores da Cunha haviam sido atraídos para uma cilada. Ao mesmo tempo que mantinha Flores no Rio de Janeiro, amornando-o com uma possibilidade de entendimento que nunca viria, Getúlio telegrafava para Porto Alegre, autorizando Benjamim Vargas a se valer da ausência do governador para desferir um golpe na eleição da mesa diretora da Assembleia. A fim de convencer indecisos e garantir a maioria contra Flores, qualquer tática era válida. Essa foi a informação enviada pelo emissário do governo federal ao Rio Grande, Batista Lusardo.[62]

Bejo, ao que parece, entendeu bem o recado:

"Peço comunicares chefe que é preciso fazer imediatamente nomeação dr. Ayrton Tavares Py, filho [do deputado estadual] Aurélio Py, para médico do Instituto dos Comerciários. Deves compreender, portanto. Não preciso dizer mais nada da urgência", telegrafou Bejo ao oficial de gabinete da presidência da República, o tio Walder Sarmanho.[63]

Não se tratou de um caso isolado. Os jornais de Porto Alegre denunciaram que outros deputados da base aliada de Flores da Cunha estariam sendo persuadidos a votar contra o governador, uns com ameaças, outros com benesses distribuídas a parentes e afins.[64]

Quando Oswaldo Aranha e Flores da Cunha perceberam o alçapão para o qual tinham sido aliciados, já era tarde demais. Um desgostoso Aranha ainda tentou pedir ao presidente da República para mediar, como demonstração de boa-fé, um acordo na eleição da Assembleia sul-rio-grandense, em favor do governo estadual.

"Neguei-me a fazê-lo", registrou Getúlio, laconicamente.[65]

Flores decidiu retornar imediatamente a Porto Alegre para conferir o tamanho do prejuízo político do qual fora vítima. Oswaldo Aranha, desiludido com a possibilidade de se lançar candidato oficial, resolveu enfim retornar aos Estados Unidos. "A nota do dia foi o regresso em avião do Oswaldo e do Flores. Um para o Norte, outro para o Sul...", escreveu Getúlio, com reticências que denotavam um mordaz regozijo.⁶⁶

Um dia depois, os dissidentes gaúchos sob a coordenação de Bejo Vargas conseguiram fazer a maioria da Casa, elegendo o médico são-borjense Viriato Dutra presidente do Legislativo estadual. Dali a pouco, dizendo-se impossibilitada de trabalhar devido a pressões do governo local, a mesa diretora da Assembleia solicitou garantias à 3ª RM, que enviou dois destacamentos armados para escoltar as sessões parlamentares.⁶⁷

O objetivo era irritar Flores ao máximo, para tirá-lo do sério, até que ele respondesse de forma destemperada ou mesmo com alguma violência, o que ofereceria o pretexto para uma intervenção federal.

"Necessário conduzir acontecimentos de modo a provocar desmandos governador por atos ou através de sua imprensa", instruiu Getúlio, em telegrama ao irmão.⁶⁸

A esse ponto, o Catete já havia preparado um decreto retirando de Flores da Cunha boa parte de seus poderes, ao transferir a execução do estado de guerra no Rio Grande do Sul, do âmbito do governo estadual, para o do comando da 3ª Região Militar. Ao receber tal incumbência, o general Lúcio Esteves solicitou que Flores recolhesse todo o armamento em poder dos corpos provisórios.⁶⁹

"Vocês estão sendo os arquitetos da próxima ditadura brasileira", predisse Oswaldo Aranha, censurando os deputados estaduais comandados por Bejo.⁷⁰

Quando faltavam apenas oito meses para a eleição presidencial, Getúlio percebeu que não podia mais simplesmente fazer de conta que o assunto não era com ele. Confiou a Benedito Valadares — o homem que o ajudara a demolir a candidatura de Antônio Carlos — a tarefa de coordenar as providências relativas à sucessão.⁷¹

Dias antes, o paraibano José Américo de Almeida estivera no Guanabara para consultar o presidente a respeito da possibilidade de o governo federal vir a apoiá-lo. Em fins de dezembro, Américo se desincompatibilizara do cargo de ministro do Tribunal de Contas da União e estava apto à disputa. "Disse-lhe que nenhuma oposição faria a seu nome, considerava-o até uma reserva para a qual poderia eventualmente apelar no sentido de resolver o caso", escreveu Getúlio a respeito do encontro.⁷²

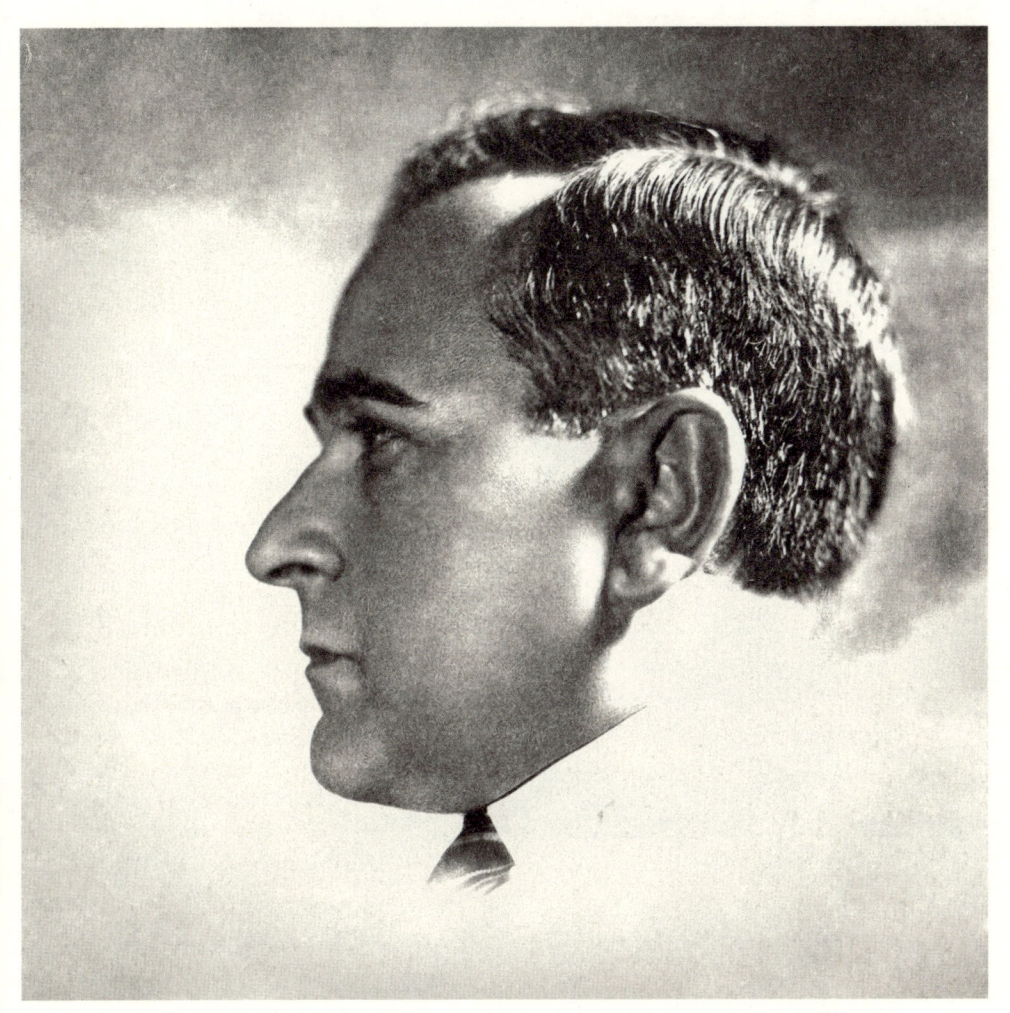

Busto fotográfico oficial de Getúlio Vargas nos primeiros anos do Governo Provisório.

Com o general Manuel do Nascimento Vargas em visitas a São Borja: acima, o abraço entre pai e filho; ao lado, os dois na companhia de Viriato Vargas.

A cavalo, com o general Vargas e um peão da estância Santos Reis.

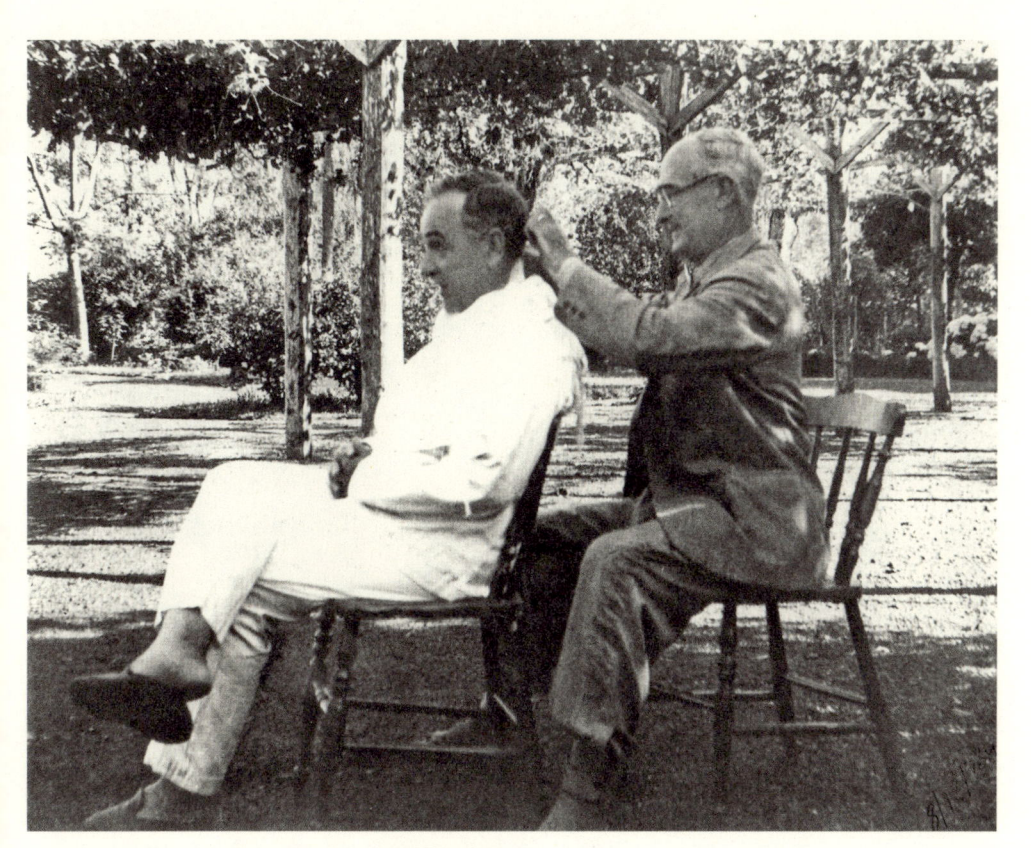

Acima, o irmão Protásio corta os cabelos de Getúlio na propriedade gaúcha da família. O tradicional chimarrão seria um hábito jamais esquecido pelo presidente (ao lado).

Com Darcy, a bordo de uma lancha, após descer do hidroavião, em viagem a Porto Alegre.

A mãe, com as filhas Alzira e Jandira (acima), e com os filhos Lutero, Manuel Antônio e Getulinho (ao lado).

A "Bem-Amada", Aimée, amante de Getúlio, casada com Luís Simões Lopes, auxiliar de gabinete da presidência e posteriormente nomeado chefe do Dasp.

Getúlio e Darcy em momento de descontração.

Getúlio e uma de suas paixões: os cavalos de raça.

Descendo de um hidroavião da Varig, em 1934.   No convés do navio *Eastern Prince*, em 1935.

A família lê *A Noite*, jornal governista.

Com a inseparável cuia de chimarrão.

Quando a situação política complicava, Getúlio procurava exibir tranquilidade passeando pelas ruas.

Exemplos da propaganda do Estado Novo: cartões-
-postais e estatueta de Getúlio (de bronze e pedestal
de madeira), com dez centímetros de altura.

Charges publicadas pela imprensa da época satirizam o presidente da República.

O primeiro bilhete de suicida, escrito por Getúlio ainda em 1932, quando da eclosão da revolta paulista: "Reservava para mim o direito de morrer como soldado, combatendo a causa que abraçara. A ignomínia duma revolução branca não mo permitiu. Escolho a única solução digna para não cair em desonra, nem sair pelo ridículo".

Numa manifestação pública, em Porto Alegre (acima), e depositando o voto na urna após a reconstitucionalização do país, em 1934 (ao lado).

Desfile em carro aberto, em Buenos Aires, ao lado do presidente argentino Agustín Pedro Justo.

Recepção ao presidente norte-americano Franklin Delano Roosevelt.

Getúlio Vargas e outro de seus prazeres habituais, além do chimarrão e do charuto: um bom café (acima) após o churrasco (abaixo).

Acima, com o governador gaúcho Flores da Cunha, antes da ruptura que faria o ex-correligionário exilar-se em Montevidéu. Ao lado, com um dos principais braços armados do golpe que levou ao Estado Novo: o general Góes Monteiro.

Getúlio lê, em cadeia nacional de rádio, a proclamação do Estado Novo, em novembro de 1937.

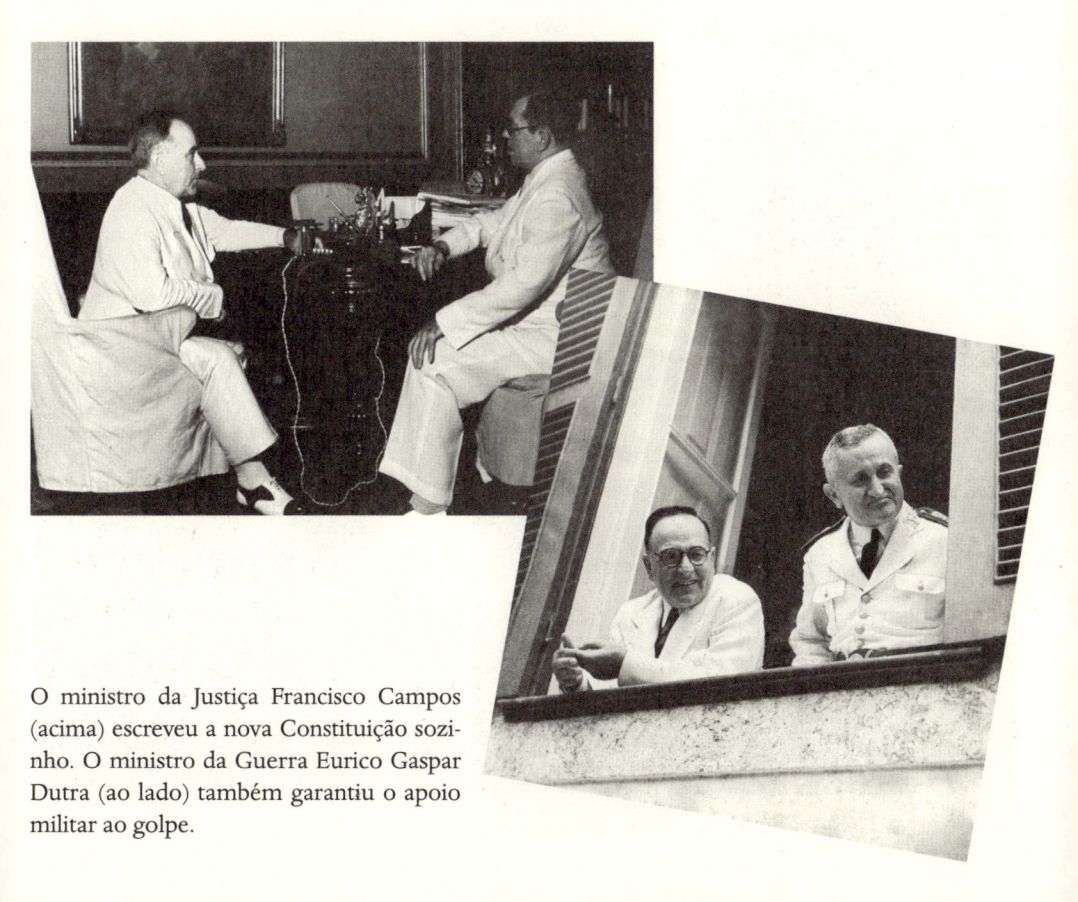

O ministro da Justiça Francisco Campos (acima) escreveu a nova Constituição sozinho. O ministro da Guerra Eurico Gaspar Dutra (ao lado) também garantiu o apoio militar ao golpe.

O sorriso de Getúlio em viagem a São Lourenço, no interior de Minas Gerais.

Enquanto acalentava os sonhos de José Américo, Getúlio Vargas já recebera, no final de abril, o primeiro esboço do novo texto constitucional encomendado a Francisco Campos, que propunha um estado ditatorial para o país.[73] Para preparar os ânimos do Exército, o presidente vinha tratando de solidificar uma boa relação com os quartéis, por meio de discursos e declarações públicas simpáticas ao sentimento geral da caserna.

"Encarai com orgulho a nossa bandeira e atentai na sua beleza simbólica. Ela é verde e encerra todas as nossas esperanças; é pequena mas cobre todo o nosso vasto território", discursou, em homenagem que lhe foi prestada pelo 1º Batalhão de Caçadores de Petrópolis. "As Forças Armadas jamais permitirão que outras bandeiras tremulem mais alto do que a nossa."[74]

Getúlio fazia alusão às ameaças de separatismo que sempre acompanharam, em maior ou menor aspecto, os movimentos regionalistas de São Paulo e do Rio Grande do Sul. No momento em que o governo federal se preparava para isolar política e militarmente o gaúcho Flores da Cunha e via na candidatura do paulista Armando Sales um estorvo a ser removido, era mister solidificar o discurso da unidade nacional, em detrimento dos arroubos regionalistas.[75]

O ministro da Guerra, Eurico Gaspar Dutra, estava vigilante. Embargara dois grandes suprimentos bélicos negociados pelo governo paulista a indústrias armamentistas europeias e norte-americanas. Só no primeiro lote, São Paulo encomendara 372 metralhadoras automáticas à firma dinamarquesa Madsen; 2 mil revólveres e 200 mil balas às norte-americanas Colt e Winchester, além de 10 milhões de cartuchos, mil pistolas e 7 mil fuzis à alemã Mauser-Werke. As armas foram interceptadas e requisitadas por Dutra, que as repassou aos depósitos bélicos da 2ª Região Militar.[76]

"Meu propósito é o da manutenção da ordem, pois não desejo que se reproduza o que ocorreu em 32 com a Revolução Paulista", disse Getúlio ao deputado Valdemar Ferreira, justificando a apreensão do material.[77]

Ao mesmo tempo, Dutra exigiu que o armamento recolhido junto aos corpos provisórios gaúchos por determinação do general Lúcio Esteves também fosse entregue aos paióis do Exército — e não à Brigada Militar, como queria o governador Flores da Cunha. Até mesmo o general Esteves receou pôr em prática a medida, por considerá-la politicamente arriscada. Flores denunciou a manobra como uma humilhação ao povo do Rio Grande e, pela imprensa de Porto Alegre, esboçou um princípio de reação. Dutra insistiu, reforçando as ordens.[78]

"O governador, conhecendo os preconceitos e os sentimentos do seu povo, tem procurado fazer constar, por todos os meios a seu alcance, que se pretende ferir a autonomia estadual e humilhar os rio-grandenses", disse Dutra em boletim informativo do Ministério da Guerra. "Parece evidente que o governador do estado do Rio Grande do Sul, apoiado ou não por elementos de outros estados da federação, prepara um movimento armado contra o governo federal."[79]

O ministro da Guerra denunciava em documento oficial do Exército o que, de resto, Flores da Cunha já admitia de público: havia um pacto de solidariedade firmado entre os estados de São Paulo, Rio Grande do Sul, Bahia e Pernambuco. No caso de uma intervenção federal em qualquer um deles, os demais dispararíam uma ação conjunta, rebatendo a agressão.[80]

Dada a gravidade do momento, começaram a despontar no meio das Forças Armadas as primeiras vozes discordantes de uma ação armada contra Flores — a começar pelo próprio comandante da 3ª Região Militar, Lúcio Esteves, que passou a questionar o sentido político da operação. O general João Guedes da Fontoura, comandante da 5ª Região Militar, sediada em Curitiba, também discordou do ataque, divergindo do plano de se utilizar o território paranaense como corredor para a movimentação de tropas federais em direção ao Rio Grande do Sul.[81]

"Após as audiências e despachos normais, procurou-me o ministro da Guerra para informar-me que fora procurado por alguns generais, alarmados com a situação criada no Rio Grande e querendo pacificar", detalhou Getúlio em seu diário. "Pobre gente! Parece mesmo que o Flores é mais general do que eles. Seria preferível que, em vez de espada, lhes dessem uma almofada para bordar."[82]

Getúlio continuava a tensionar a questão, com o propósito deliberado de forçar Flores a disparar o primeiro tiro. Mas, de modo surpreendente, depois de registrar seus protestos pelos jornais e emissoras de rádio locais, o governador gaúcho fez um recuo tático, amainando o tom das declarações, o que serviu para desconcertar os adversários. Era uma forma hábil de o Rio Grande ganhar tempo em relação à entrega das armas, pendenga que passou a ser objeto de negociação com o Ministério da Guerra.[83]

"A besta bufou ruidosamente, mas encolheu suas garras", lamentou Bejo Vargas em telegrama ao Catete.

Em editorial intitulado "O pulo do gato", a revista *Careta* explicou a situação aos leitores, com sua linguagem peculiar:

O sr. Getúlio Vargas levou oito anos a ensinar a seus correligionários os seus pulos e acrobacias, inclusive a ginástica de ficar parado para melhor se defender. O general Flores da Cunha, que frequentou com assiduidade a sua escola, parece ter assimilado todas aquelas artes, inclusive a de não querer brigar, ainda que provocado.[84]

Em 15 de maio, Getúlio mandou chamar Benedito Valadares ao palácio. Comunicou-lhe que Góes Monteiro já estava com tudo arranjado para movimentar as primeiras tropas no Sul do país, malgrado as resistências dos generais Esteves e Guedes da Fontoura. Nessa circunstância, Minas teria que dar sua cota de sacrifício em nome da unidade nacional, pondo a Força Pública à disposição do Ministério da Guerra e do inspetor do Segundo Grupo das Regiões Militares. Caberia à polícia mineira colaborar na concentração de forças que seria enviada à Mantiqueira, na divisa com São Paulo, para coibir possíveis reações do governo paulista à eventual intervenção gaúcha.[85]

Em suas memórias, Valadares contaria:

> Fui para o hotel abalado. Deitei-me e fiquei revolvendo-me na cama até meia-noite. No meu cérebro passavam as coisas mais desencontradas. Um ponto, porém, era certo: eu não poria a Força Pública à disposição do governo federal. [...] Tínhamos saído de uma revolução na qual os mineiros foram vitoriosos e os paulistas ficaram profundamente magoados, mas a ferida achava-se em período de cicatrização.[86]

Insone, Benedito Valadares levantou-se e, apesar do horário, telefonou para o novo presidente da Câmara, Pedro Aleixo, e para o líder da maioria, o também mineiro Carlos Luz. Convocou-os para uma reunião madrugada adentro e disse-lhes que não atenderia ao pedido de Getúlio. Cooperar para uma guerra civil, explicou Valadares, equivaleria a mandar o calendário eleitoral pelos ares. Caso sua recusa implicasse a tentativa de uma intervenção também em Minas, ele resistiria, de armas na mão.[87]

No dia seguinte, Valadares mandou comunicar a Armando Sales e Flores da Cunha sobre a decisão e pediu que os dois lhe enviassem representantes autorizados a analisar a conjuntura.[88]

Depois disso, Valadares alugou um táxi, cruzou a divisa mineira e voltou às pressas para Belo Horizonte. De lá, preparou duas mensagens, uma para Dutra, outra para Getúlio. Na primeira, deu resposta negativa ao ofício do ministro da

Guerra que solicitava a entrega de três batalhões da polícia estadual. Optava por manter a Força Pública mineira dentro de seu território, para "não reavivar contra Minas animosidades trazidas pelas revoluções de 1930 e 1932", informou.[89] Na segunda, jurou gratidão e lealdade ao presidente da República, mas reforçou o ponto de vista divergente. "Não posso, digo-o com franqueza e inspirado no mais alto patriotismo, concordar com a maneira por que se está procedendo a fim de se evitar ou perturbar a sucessão", escreveu. "O momento não explica nem justifica movimentos quaisquer no sentido de se implantar no país o regime ditatorial."[90]

À noite, o Palácio Guanabara se encheu de políticos e militares fiéis a Getúlio Vargas. Correra a informação de que, exatamente às 22h30, Benedito Valadares faria um discurso, transmitido pela Rádio Inconfidência, rompendo com o governo federal. Antes, ele debatera com os emissários de São Paulo e do Rio Grande do Sul — os deputados federais Henrique Baima, paulista, e João Carlos Machado, gaúcho — uma decisão conjunta. Getúlio tentara uma ligação telefônica com o Palácio da Liberdade, mas o governador mineiro se recusara a atendê-lo. As versões a respeito do que ocorreu no intervalo de tempo entre aquele telefonema frustrado e o início da transmissão do discurso de Valadares são divergentes.

De acordo com Henrique Baima e João Carlos Machado, Benedito Valadares lera para eles o rascunho de um discurso cujos termos tornariam claro o rompimento com o Catete, deixando Getúlio em situação fragilizada, sem o apoio das forças majoritárias dos cinco estados mais populosos da federação: Minas Gerais, Rio Grande do Sul, São Paulo, Bahia e Pernambuco.[91] Em suas recordações do episódio, porém, o governador mineiro diria que Baima, o representante de São Paulo, insistira que ele declarasse voto em Armando Sales. Valadares teria se recusado a fazê-lo, por ainda acreditar na probabilidade de uma candidatura de conciliação nacional.[92]

Na verdade, um telegrama de Getúlio, posterior ao telefonema, desarmou a bomba: "Tudo indica chegaremos solução conciliatória ou se a esta não chegarmos teremos contudo uma solução legal em pleito regular", prometia a mensagem.[93]

Os paulistas, gaúchos, pernambucanos e baianos que se postaram ao pé do rádio na expectativa de um discurso explosivo do líder dos mineiros ficaram frustrados. A fala de Valadares foi uma sucessão de platitudes. A única frase digna de nota na transmissão foi a de que no dia 25 de maio haveria uma convenção nacional para se escolher o candidato oficial à presidência da República, conforme entendimentos anteriores mantidos entre Valadares e o chefe da nação.[94]

"Foi uma guampada [chifrada] de boi manso", definiu Getúlio, apelando para um gauchismo que seria incorporado para sempre ao anedotário político nacional.[95]

No fim de maio, conforme prometido, Benedito Valadares reuniu no Palácio Monroe, a sede do Senado, no Rio de Janeiro, políticos de todo o país para sagrar, por unanimidade, o nome de José Américo de Almeida como candidato à sucessão de Getúlio Vargas. Em um gesto solene, os convencionais aplaudiram de pé a proclamação. Uma charge de Alfredo Storni publicada à época refletia a reconhecida desconfiança popular a respeito do panorama político. Com o título de "A voz do morro", a ilustração mostrava dois eleitores trocando ideias sobre o assunto.

"Afinal, você é pelo Américo ou pelo Sales?"

"Nem por um nem por outro; não gosto de pirarucu..."[96]

No dia 2 de junho, uma quarta-feira, às nove da noite, Getúlio chamou Góes Monteiro e Eurico Gaspar Dutra ao Guanabara, para uma análise da situação. Na antevéspera, os jornais do Rio de Janeiro haviam publicado notas evasivas, dando conta de uma pretensa reunião secreta na casa do general José Pessoa Cavalcanti de Albuquerque. Temerosos de que a ação armada contra Flores da Cunha derivasse para a guerra civil, quinze generais não teriam concordado com os planos do governo federal e do Ministério da Guerra, prestando consequente solidariedade aos colegas Guedes da Fontoura e Lúcio Esteves, que continuavam a questionar as ordens de bombardear o Rio Grande.[97]

"Estão atraindo o raio contra nossas cabeças", advertiu Góes, que acusou o tio de Darcy, Valdomiro Lima, de ser um dos presentes ao tal convescote de generais.[98]

Na avaliação de Góes Monteiro, o incidente expunha uma cisão no Exército, contra a qual Getúlio precisaria tomar providências urgentes. Caso a onda de insatisfação militar não fosse jugulada a tempo, as consequências seriam imprevisíveis. Na esfera civil, ainda de acordo com o julgamento do general, o quadro não se revelava menos inquietante. A maioria no Congresso era perigosamente incerta, o que ficara comprovado durante a eleição de Pedro Aleixo por uma margem de votos tão estreita. A atitude gelatinosa de Benedito Valadares, quase fechando um acordo com São Paulo e Rio Grande do Sul para não entregar os batalhões da Força Pública, seria outra comprovação tácita de que o terreno que estavam palmilhando era movediço.[99]

"Confusão política e anarquia militar", sintetizou Getúlio quando Góes Monteiro terminou sua exposição. "Qual a solução que o senhor propõe?", indagou.[100]

Góes recomendava que, antes de tudo, não desperdiçassem forças atuando em duas frentes simultâneas. O governo deveria adiar o cerco final ao Rio Grande, deixando o caso sob cautelosa observação, para concentrar o foco nos generais rebeldes. Como primeira opção para neutralizá-los, Góes sugeria ele mesmo se demitir, dando declarações públicas fortes o suficiente para fazer recair sobre seus ombros toda a responsabilidade pelo plano de ataque a Flores da Cunha, isentando o Catete de qualquer acusação. Seria erguida assim uma oportuna cortina de fumaça até que Getúlio encontrasse meios de restabelecer o equilíbrio de forças políticas. Depois que a tática diversionista surtisse os efeitos desejados, voltariam a encurralar Flores.[101]

Getúlio exigiu outra solução. Não concordava com a demissão do general. "Nesse caso, resta a solução à Floriano", retrucou Góes Monteiro.[102]

Em 1892, o marechal Floriano Peixoto se vira alvo de contingência parecida, por ocasião da divulgação pública do célebre "Manifesto dos treze generais": um grupo de oficiais do topo das Forças Armadas contestara sua autoridade, criticara-lhe a condução da política nos estados e exigira eleições imediatas para a presidência da República. A resposta de Floriano foi reformar e mandar prender alguns dos treze generais. Nem se fez preciso estender a punição a todos. Bastou admoestar os primeiros, os demais baixaram a crista.

"Prefiro a solução à Floriano", decidiu Getúlio.[103]

Seguiu-se, pois, o exemplo do Marechal de Ferro. Valdomiro Lima, que recebera o comando da 1ª RM e estava sendo preparado para assumir o Estado-Maior do Exército, foi considerado incurso em ato de transgressão disciplinar, destituído da Região e preso por quatro dias. Como represália adicional, em seu lugar, o próprio Góes Monteiro foi nomeado novo chefe do EME. O general José Pessoa, que tentou se defender em carta a Getúlio atribuindo a Góes "uma campanha insidiosa de intriga e inveja", pegou seis dias de cadeia e foi transferido para o Mato Grosso — destino comum dos condenados ao ostracismo no Exército. O duplo corretivo, aplicado a um tio da primeira-dama e a um irmão do falecido João Pessoa, serviu como demonstração de que divergências daquele tipo não seriam mais admitidas nas Forças Armadas, não importava de onde partissem.[104]

Para que não restassem quaisquer dúvidas a respeito, Getúlio procedeu a mais um rodízio nos comandos. Lúcio Esteves foi afastado do Rio Grande do Sul e mandado para a 4ª RM, em Juiz de Fora. Em seu lugar, assumiu o general Manuel Cerqueira de Daltro Filho, notório defensor dos regimes de exceção. A nota curiosa era que, em 1934, Daltro conspirara contra o governo por se opor à reconstitucionalização. Com a perspectiva de um golpe iminente, voltava a ser prestigiado. Outro a cair em desgraça foi o general Guedes da Fontoura, obrigado a deixar Curitiba, depois de substituído pelo general José Meira de Vasconcelos, colaborador da revista integralista *A Offensiva* e à época um dos mais ardorosos defensores da implantação da Lei de Segurança Nacional.[105]

Enquadrados os militares, Getúlio se voltou para a área civil. Tão logo a candidatura de José Américo foi oficializada, o presidente mandou chamar de volta o ex-ministro José Carlos de Macedo Soares, que havia se desincompatibilizado da pasta das Relações Exteriores para concorrer às eleições. Getúlio entregou a Macedo Soares o Ministério da Justiça e combinou uma série de ações, com o declarado objetivo de "bem impressionar a opinião pública".[106] As primeiras atitudes de Macedo Soares no exercício da pasta, em junho, foram providenciar a libertação de mais de três centenas de prisioneiros sem processo formado e preparar o terreno para um conjecturado retorno à ordem constitucional, com a devida suspensão do estado de guerra.[107]

Filinto Müller não gostou de liberar os detidos, mas acabou cedendo, após ficar estabelecido que, em vez dos comunistas e dos militares encarcerados como subversivos, seria colocada na rua uma leva de prisioneiros comuns. "Foram soltos trezentos e tantos presos, na qualidade de presos políticos", comentou Getúlio em suas anotações. "Na verdade, tratava-se de simples batedores de carteira e punguistas, que o estado de guerra permitia sequestrar."[108]

Com o mesmo propósito de desanuviar o panorama político, Macedo Soares se reuniu com os diretores de jornais do Rio de Janeiro e comunicou-lhes que as regras da censura seriam relativamente afrouxadas. Pediu, entretanto, que evitassem a "publicação de boatos suscetíveis de provocar agitação ou desordem" e, sobretudo, os "comentários visando intrigar as Forças Armadas com a nação".[109]

Em conversas com parlamentares, Soares informou que o Catete não mais pleitearia a prorrogação do estado de exceção, a expirar naquele mês, para que a campanha eleitoral pudesse se dar em regime de plenitude democrática. Como derradeira comprovação de que o governo desejaria corrigir os abusos cometidos durante os meses anteriores, o ministro resolveu atender aos apelos do advogado Sobral Pinto e ordenar a transferência de Luís Carlos Prestes e Ernest Ewert para uma detenção com melhores condições de salubridade.[110]

"Verifiquei pessoalmente a péssima situação moral e material de uma multidão de prisioneiros, a maior parte dos quais sem processo", escreveu Macedo Soares ao ministro da Guerra, Eurico Gaspar Dutra. "As violências corporais, as brutalidades de toda ordem resgatavam pelo martírio de um suspeito, talvez inocente, a culpa de muitos criminosos."[111]

A liberalidade do novo ministro da Justiça, em vez de pacificar os ânimos, contribuiu para reacender a discussão contra os perigos do espectro comunista. Filinto Müller, que havia cedido de má vontade à libertação dos prisioneiros, se opôs frontalmente às transferências de Prestes e Ewert. "Faço os prognósticos mais sombrios sobre o futuro de nosso país, em face da orientação que se vem tendo em relação a criminosos de lesa-pátria", queixou-se o chefe de Polícia em relatório confidencial a Getúlio.[112]

Dutra dava-lhe inteira razão. "Se continuar esse estado de coisas, o germe da desagregação tentará reentrar no organismo já ameaçado do Exército, levando--nos talvez a uma situação de muito maior gravidade", previu o general, em carta indignada a Macedo Soares. "Perdoar erros será uma virtude; mas perdoar crimes não é justiça. A verdadeira justiça deve ser inflexível às lamúrias e fingidas lágrimas do criminoso", sentenciava Dutra.[113]

Para discutir o impasse, Getúlio convocou uma reunião extraordinária com a presença de Müller, Dutra e Soares, além do ministro da Marinha, almirante Henrique Aristides Guilhem — que assumira o posto em 1935, substituindo o colega Protógenes Guimarães, eleito para o governo do estado do Rio de Janeiro. As divergências entre o titular da Justiça e os ministros militares, coadjuvados no encontro pelo chefe de Polícia, ficaram escancaradas. A conversa foi tão dura que Macedo Soares decidiu procurar o presidente da Câmara, Pedro Aleixo, para avisá-lo de que a pretensa redemocratização do país corria grande perigo.[114]

"O ministro da Justiça estomagou-se", resumiu-se a descrever Getúlio.[115]

Enquanto se instalava a desarmonia de interesses em pleno ministério, Getúlio autorizava Dutra a retomar a ofensiva contra Flores da Cunha. Dois dias depois da reunião da qual Macedo Soares saíra com o firme pressentimento de que o regime estava próximo ao fechamento definitivo, Getúlio despachou a sós com o ministro da Guerra. Ordenou-lhe que fizesse chegar um carregamento de armas para o governador de Santa Catarina, Nereu Ramos, que por sua vez trataria de repassá-las a caudilhos adversários de Flores nos limites estaduais com o Rio Grande. Legalista, Dutra estranhou a solicitação. Góes Monteiro também achou a medida contraproducente.[116]

"Adverti que de modo algum concordaria, pois tal iniciativa seria uma contradição, um desmentido ao que eu vinha pregando no seio do Exército e que era, exatamente, acabar com o abscesso dos corpos provisórios", recordaria Góes. "Não podia, pois, contrapor outros provisórios para esse fim, em vez de tropa regular."[117]

Dutra recomendou que seguissem os ritos legais. Getúlio recuou um passo, para avançar dois. Naquela mesma semana, o governo federal exigiu que o Rio Grande do Sul devolvesse todo o armamento fornecido ao estado quando da repressão ao movimento paulista de 1932. O arsenal, segundo os registros detalhados do Exército, seria composto de 82 metralhadoras pesadas, 147 fuzis-metralhadoras, 11523 fuzis Mauser, 3004 mosquetões, 13700 sabres, 2323 espadas e 519 lanças.[118]

"As cifras alarmantes a que sobem as novas e imprevistas exigências do governo federal colocam o meu estado na contingência insolúvel de devolver o que não recebeu, de dar o que não tem", contestou Flores.[119]

A oportunidade para Getúlio unir as duas pontas do novelo veio quando o ex-capitão Trifino Correia, cassado de sua patente após ser preso como cúmplice do levante de 1935, foi visto em Porto Alegre, em colóquios no palácio do governo estadual. Trifino escapara do hospital em que estava internado e por isso era considerado foragido da justiça. Seus encontros com Flores da Cunha foram propagandeados pelo governo como a prova indiscutível de que o Rio Grande estaria conspirando contra o Catete, mancomunando-se até mesmo com notórios comunistas. Foi o quanto bastou para os últimos hesitantes no Alto-Comando do Exército passarem a aceitar a intervenção federal no estado como uma medida indispensável à manutenção da ordem pública.[120]

No dia 26 de agosto, em novo despacho no Catete, Dutra ouviu de Getúlio que a intervenção teria de ser feita, de uma forma ou de outra. Segundo o presidente, o ato de força poderia desencadear três situações alternativas, com maiores ou menores consequências ao governo e às instituições do país. Na primeira hipótese, Flores da Cunha submeter-se-ia à intervenção e a paz seria prontamente restabelecida. Na segunda, Flores poderia esboçar algum tipo de reação, fazendo com que o Exército fosse impelido a entrar em combate. Na terceira e última possibilidade, ante uma reação armada dos gaúchos, corria-se o risco de o Exército se recusar a cumprir as ordens do Catete.

"Se ocorrer esta última hipótese, eu renuncio", ameaçou Getúlio.[121]

"Eu sou o candidato dos pobres", proclamou José Américo de Almeida no lançamento nacional de sua candidatura, distinguido por um grande discurso na esplanada do Castelo, no Rio de Janeiro. "Procurarei assegurar, além de vida mais fácil, uma justiça igual e mais liberdade individual, porque aos pobres quase tudo é proibido."[122]

Para os apoiadores de um postulante à presidência da República que se pretendia da situação, o discurso soou hostil. Como agravante, ao dizer que uma de suas prioridades, se eleito, seria intensificar a construção de habitações populares, José Américo denunciou: "E o dinheiro? É sempre a mesma pergunta mais desanimada, a pergunta que fica no ar. É fácil. É facílimo. Eu sei onde está o dinheiro. Em vez de um arranha-céu, serão duzentas casas".[123]

Os mais conservadores ficaram escandalizados. Quando o candidato começou a fazer comícios e a convocar concentrações populares em favelas e subúrbios, não tardou que o chamassem de comunista. Pela imprensa, Assis Chateaubriand, pondo seus jornais a serviço da campanha de Armando Sales, amplificou a acusação: "José Américo. Só José Américo. Exclusivamente José Américo. É este o nome que pede a Aliança Nacional Libertadora. Não é outro o nome que reclama Moscou", acusava Chatô.[124]

Quanto mais tentava rebater as críticas, mais o político paraibano se enredava nas próprias palavras. "Desde que falei na necessidade de se dar moradia aos pobres que me chamam de comunista. É esse o meu comunismo: desejar que todos sejam felizes, que todos compartilhem nem que seja duma pequena parcela de felicidade", disse aos jornalistas durante uma excursão política à Bahia.[125] Ao ser cobrado de não evocar o sentimento religioso do povo brasileiro durante seus discursos, complicou-se ainda mais: "Querem que eu faça de Deus o meu grande eleitor. Eu, que tenho pudor de cabalar os homens, não precisaria pedir as bênçãos do Altíssimo para a minha vitória".[126]

Getúlio acompanhou com atenção os "bestialógicos" — a definição era dele[127] — do homem que pretendia substituí-lo no Catete. A cada nova declaração pública de José Américo, crescia a insatisfação nas alas governistas. Oswaldo Aranha, que em despacho oficial festejara a indicação do candidato, voltou a escrever de Washington, mas dessa feita para lamentar os rumos da campanha. "Getúlio, cá entre nós, a cousa é de arrepiar...", considerou Aranha. "Confesso-te que estou perplexo e aturdido, e que essa peça oratória produziu o efeito de uma pancada no cérebro, dessas que nos deixam chocado e sem sentido", comparou, após ler os recortes de jornais com a íntegra da fala de Américo na esplanada do Castelo.[128]

Benedito Valadares, na condição de articulador político para a sucessão, voou de Belo Horizonte ao Rio de Janeiro no início de setembro com o firme intento de combinar com Getúlio uma forma de enquadrar a campanha em termos mais aceitáveis. Segundo os jornais, a última de José Américo fora dizer, na Bahia, que as eleições presidenciais ocorreriam nem que se fizessem "debaixo de bala". Em um momento político no qual os murmúrios de um golpe eram incessantes, a frase repercutiu como um desafio direto do paraibano ao presidente da República.[129]

"O José Américo é doido", foi o comentário de Getúlio a Valadares.[130]

O diagnóstico liberou o governador de Minas Gerais para articular, à undécima hora, um novo nome para substituir o presidenciável escolhido em convenção. Sob o consentimento do Catete, Valadares combinou um encontro secreto com o paulista José Joaquim Cardozo de Melo Neto, que assumira o governo de São Paulo após a desincompatibilização de Armando Sales. A reunião para tratar de uma candidatura alternativa foi marcada no célebre Clube dos Duzentos, hotel situado na divisa de São Paulo com o Rio de Janeiro — palco histórico de reuniões políticas sempre que os protagonistas queriam despistar tanto a imprensa paulista quanto a carioca. A conversa precisou ser remarcada por duas vezes. Em ambas, Cardozo de Melo Neto mandou pedir desculpas ao colega mineiro por não poder comparecer, devido a compromissos imprevistos.[131]

"Fica aí esperando, você gosta do Rio", recomendou Getúlio a Benedito Valadares.[132]

* * *

Nesse ínterim, os acontecimentos se precipitaram. No feriado nacional de Sete de Setembro, Getúlio Vargas ainda procurou fazer o país acreditar que haveria eleições livres dali a quatro meses e que, assim, ele já estava praticamente se despedindo do cargo. "É pela última vez, com as responsabilidades de chefe da nação, que vos dirijo a palavra nesta data magna", garantiu, em um discurso que depois seria suprimido da obra *A nova política do Brasil*, coletânea das falas públicas de Getúlio, publicada pela editora José Olympio. "O país adquiriu apreciável experiência do regime democrático. Passamos da Monarquia representativa e parlamentar à República presidencialista, mantendo inalterável a estrutura institucional alicerçada no direito de representação, que é o próprio esteio da democracia", historiou. "Essa tradição continua viva e cada vez mais fortalecida."[133]

José Américo de Almeida, alarmado com os boatos de que as eleições seriam suspensas, correu ao Catete para saber se havia algum fundo de verdade nas reiteradas insinuações de golpe.

"Tire essa ideia da cabeça", disse-lhe Getúlio. "Ative sua campanha. Isso é intriga dos outros, dos seus adversários..."[134]

No dia 13 de setembro, Eurico Gaspar Dutra recebeu a visita do ministro Agamenon Magalhães, que foi sondá-lo a respeito das reações do Exército a um possível novo remendo na Constituição, um casuísmo que permitisse o prolongamento do mandato de Getúlio Vargas por mais dois anos. Dutra respondeu que pessoalmente não se oporia — e as Forças Armadas também não teriam como se opor —, desde que uma reforma constitucional fosse aprovada pelo Congresso, preservando-se os ritos legais.[135]

Quarenta e oito horas depois, o coronel Argemiro Dornelles, aparentado dos Vargas e chefe do estado-maior da 3ª Divisão de Infantaria, sediada em Porto Alegre, viajou ao Rio de Janeiro para propor ao Catete, por meio do ministro da Guerra, o que julgava ser uma "saída honrosa" para o caso do Rio Grande do Sul. O governo federal cessaria as hostilidades contra Flores da Cunha e, em troca, o estado daria a Getúlio, ao fim de seu mandato presidencial, uma cadeira no Senado. A proposta, é claro, não foi sequer levada em consideração. Serviu apenas para Getúlio aferir o nível de desespero e fragilidade dos adversários.[136]

Nesse mesmo dia, depois de remarcar pela terceira vez o encontro no Clube dos Duzentos, Cardozo de Melo Neto mandou dizer a Benedito Valadares por meio de um emissário, o escritor e senador paulista Alcântara Machado, que não estava em condições de firmar nenhum pacto que implicasse a renúncia da candidatura paulista de Armando Sales.

"Pois bem, o senhor agora vai dizer ao governador Cardozo de Melo Neto que se prepare, porque ele vai se encontrar comigo, não no Clube dos Duzentos, mas na Mantiqueira!", bradou Valadares, dando a entender que acabara de aderir ao golpe.[137]

A situação estava assim definida quando Getúlio afinal decidiu abrir o jogo com Dutra. No dia 18 de setembro, ele chamou mais uma vez o ministro da Guerra ao Catete e estabeleceu o resumo da situação. A proposta de revisão constitucional era remota, pois o governo não tinha nenhuma segurança de conseguir os necessários dois terços do Congresso para aprovar uma emenda daquela magnitude. A candidatura oficiosa entrara em franca decomposição, após as declarações de José Américo. A possibilidade de um tertius era nula, pois nem Armando Sales nem José Américo se mostravam dispostos a abdicar das respectivas aspirações. A complicar o quadro, surgira mais um concorrente, Plínio Salgado, lançado oficialmente candidato pelo movimento integralista.

"Devemos, portanto, reagir contra a situação que se desenha", argumentou Getúlio, aludindo à presumível vitória de Sales ou de Salgado. A proposta que o presidente tinha a fazer ao ministro da Guerra era simples: "Uma revolução de cima para baixo, isto é, desencadeada pelo próprio governo".[138]

"Comigo o senhor pode contar; mas pelo Exército eu não posso garantir nada", acautelou Dutra.[139]

Sem nenhum outro motivo aparente a não ser gerar um novo fato político e provocar comoção imediata nos quartéis, decidiu-se antecipar para 22 de setembro as homenagens oficiais às vítimas do levante de 1935 — episódio que só completaria o segundo aniversário dali a mais de dois meses, em 27 de novembro. O Ministério da Guerra distribuiu mensagem convocando a comunidade militar para uma romaria ao túmulo dos soldados e oficiais mortos "pela rajada nefasta do comunismo, acolhido por um pequeno número de tresloucados e mercadejado por maior porção de pescadores de águas turvas".[140]

Por determinação do Ministério do Trabalho, foi decretado ponto facultativo em todas as repartições públicas federais, a fim de que os servidores pudessem participar da solenidade marcada para as nove horas da manhã, no Cemitério São João Batista. Os sindicatos operários, sob controle do governo, negociaram com as entidades patronais a liberação dos trabalhadores da iniciativa privada, reforçando a ocorrência de público. Os bancos, por sua vez, anunciaram que só funcionariam no expediente da tarde, para que clientes e funcionários comparecessem ao evento. O Sindicato dos Lojistas seguiu-lhe o exemplo, mantendo fechadas as portas do comércio até o meio-dia.[141]

A União Beneficente dos Choferes, por iniciativa de seus associados, disponibilizou duzentos automóveis aos oficiais que desejassem ser conduzidos ao cemitério. O diretor do tradicional Colégio Pedro II, Raja Gabaglia, cancelou as aulas do primeiro turno e nomeou uma comissão de professores e alunos para representar a escola, enquanto o presidente do Instituto Histórico, Afonso Celso, autor do laudatório *Por que me ufano do meu país*, convocou todos os sócios da entidade a prestigiar a solenidade.[142]

"Foi verdadeiramente notável, muito além dos cálculos mais otimistas, a afluência popular ao São João Batista", noticiou o *Correio da Manhã*.

> Desde cedo, todos os bondes e ônibus que se destinavam a Botafogo passavam completamente cheios, apinhados de passageiros nos estribos. Nessa vaga humana, que de vários pontos convergia para o portão principal da cidade dos mortos, viam-se civis, soldados do Exército, marinheiros, fuzileiros navais e militares da polícia, de permeio com oficiais dessas corporações e senhoras e moças, todos fraternizados na mesma finalidade, de homenagear os que tombaram no heroico cumprimento do dever.[143]

De paletó escuro, Getúlio chegou ao local ladeado pelos ministros da Marinha e da Guerra, para atestar a identidade de pensamento entre os poderes militar e civil. O presidente depositou flores amarelas sobre os túmulos dos homenageados e pronunciou um discurso rápido e duro.

"Esta romaria é uma lição e uma advertência. É uma lição porque significa que para a defesa de um ideal, de uma nacionalidade, e para a vitória de uma pátria nem sempre é preciso matar. Basta, às vezes, que se saiba morrer", iniciou. "É uma advertência, porque significa que o povo brasileiro, as forças armadas do Exército e da Marinha estão vigilantes na defesa da pátria", concluiu. Nesse exato momento, aviões de guerra fizeram evoluções sobre o São João Batista, arrancando brados de exclamação dos presentes.[144]

Os deputados governistas desempenharam o papel que lhes cabia no roteiro previamente estabelecido. Tentaram fazer incluir, nos anais da Câmara, a transcrição dos discursos pronunciados na véspera pelas autoridades civis e militares, sendo prontamente contestados pela bancada da oposição. A fala do general Newton Cavalcanti diante dos túmulos dos mortos de 1935 estabeleceu o cerne da polêmica. O general — que comandara as tropas de ocupação ao 3º RI da Praia Vermelha — dissera que o arcabouço constitucional brasileiro, com suas "leis magnânimas", se transformara no principal incentivo para a propagação do comunismo no país. "Não consentiremos nunca que o judeu moscovita faça deste Brasil invejável o mercado sórdido e infame do nosso caráter, das nossas tradições e de nossa dignidade", declarou.[145]

Na Câmara, o deputado Mota Lima, encabeçou os protestos:

"Segundo se diz e é voz corrente — e o único interessado não desmentiu —, o general Newton Cavalcanti é integralista!"[146]

Houve um vendaval de apartes. Os governistas acusavam Mota Lima de conluio com os comunistas, enquanto a oposição chamava a atenção para o fato de a romaria ao São João Batista ter atraído uma multidão de camisas-verdes, o que representaria uma aliança perigosa entre o Exército e as forças paramilitares de Plínio Salgado.

"Em vez de uma demonstração de patriotismo, assistimos a uma manifestação integralista dentro do São João Batista", definiu o deputado João Café Filho, ao anunciar que votaria contra a inserção da íntegra do discurso do general Newton Cavalcanti nos anais da Casa. "Aliás, eu não absolvo o próprio senhor presidente da República como responsável pela revolução de 1935. Sua excelência contou com a comunicação prévia do levante, que era para dias imediatos, e não tomou providências para evitar o derramamento de sangue!", acusou Café Filho.[147]

O país voltava a respirar uma densa atmosfera de radicalização política, opondo esquerdistas e integralistas. Em seu diário, Getúlio anotou: "Estes dias foram de intensa atividade. Recebi grande número de pessoas, informando-me, dando instruções, observando". E acrescentaria: "As forças militares agitam-se em torno dos chefes, no sentido de defesa e de ação. As coisas parecem definir-se".[148]

Os parlamentares continuaram a se digladiar nas sessões subsequentes. Como as agressões mútuas recebiam larga cobertura da imprensa, o general Newton Cavalcanti procurou o ministro da Guerra para adverti-lo de que o Exército não suportaria mais ofensas contra a corporação, partissem da "bancada vermelha" ou dos "sovietes" abrigados nas redações dos jornais. Segundo o general, a suspensão do estado de guerra estava atiçando os comunistas, que precisavam ser prontamente contidos.

"Há uma corrente, um agrupamento comunista dentro do próprio Congresso Nacional. As manifestações são ostensivas, os nomes são conhecidos", insinuou Cavalcanti, na conversa com Dutra.[149]

Além da libertação dos presos, do abrandamento da censura e da interrupção do estado de exceção, um documento apócrifo também estava por trás do recrudescimento da polarização ideológica. Desde o início de setembro, começara a circular nos meios militares cópias de um hipotético plano subversivo de tomada do poder, que teria sido descoberto pelo serviço de informações do Estado-Maior do Exército. O chamado Plano Cohen — o nome judaico era particularmente sugestivo — detalhava as supostas ações que os comunistas estariam planejando para instituir um governo de extrema esquerda no Brasil. Ao longo de dezoito tópicos, as diretrizes da insurreição preveriam, entre outros itens, "regras para o trabalho de agitação das massas", "organização de marchas coletivas de todo o operariado", "incentivos a saques e depredações", "desencadeamento de uma greve geral" e "formação de comitês de incêndio contra prédios públicos". No caso de fracasso do levante, o texto recomendava o fuzilamento sumário de militares e civis situados em posição de destaque na hierarquia governamental.[150]

O Plano Cohen era flagrantemente falso. Fora escrito no final de agosto pelo então coronel Olímpio Mourão Filho, chefe do serviço secreto da Associação Integralista Brasileira. De acordo com o que admitiria mais tarde o próprio Mourão, o texto teria sido redigido por ele a pedido de Plínio Salgado, mas como um exercício teórico. Tratava-se de um boletim aos integrantes do movimento dos camisas-verdes, composto de dois capítulos. No primeiro, faziam-se recomendações gerais à militância integralista; no segundo, para efeito didático, mimetizava-se um plano de operações comunista, livremente baseado em um artigo da publicação francesa *Revue des Deux Mondes* a respeito do levante húngaro de 1919, comandado por Béla Kun. O primeiro capítulo foi suprimido do conhecimento público e o segundo, tratado à época como documento autêntico. Na condição de novo chefe do EME, Góes Monteiro fez chegar cópias do falso plano a Getúlio, Dutra e Filinto Müller, como evidência de que os comunistas preparavam uma versão revista e ampliada da "intentona" de 1935.[151]

Mourão Filho levaria anos na tentativa de provar ao alto-comando do Exército que não tivera a intenção de cometer a fraude histórica. Segundo alegava, apenas mostrara os originais do texto ao seu padrinho de casamento, general Álvaro Mariante, ministro do Supremo Tribunal Militar, que, mesmo advertido do caráter fantasioso do segundo capítulo, lhe pedira o documento emprestado e, em seguida, o repassara a Góes Monteiro.[152] O general Góes afirmaria em suas memórias que, ao contrário disso, o próprio Mourão lhe teria entregado o material e, ainda por cima, assegurado a autenticidade do calhamaço.[153]

O fato é que, na manhã do dia 27 de setembro, cinco dias após a homenagem aos mortos de 1935, Dutra convocou em seu gabinete uma reunião de cúpula que contou com as presenças de Góes Monteiro, Newton Cavalcanti e Filinto Müller, além dos generais Almério de Moura, comandante da 1ª Região Militar, e Coelho Neto, diretor da Aviação. Segundo ficou registrado na ata do encontro, ante a existência de "documentos comunistas copiosos e precisos", todos os participantes concordavam que era necessário tomar providências enérgicas em nome "do Exército, das instituições democráticas, da sociedade e da família brasileira".[154]

O general Cavalcanti, o mais exaltado de todos, aconselhou:

"É preciso agir, mesmo fora da lei, mas em defesa das instituições e da própria lei deturpada."[155]

Ao final da reunião, ficou acertado que os generais assegurariam a Getúlio o necessário apoio militar para a volta imediata do estado de guerra, sem restrições de qualquer espécie.

"Impõe-se o emprego de meios violentos, lançados de surpresa, capazes de frustrar o movimento articulado que todos percebem prestes a explodir", considerou Cavalcanti.[156]

No dia 28, antes de seguir para a rotina diária de despachos no Catete, Getúlio recebeu no Palácio Guanabara a visita dos dois ministros militares, Eurico Gaspar Dutra e Aristides Guilhem. Ambos vinham lhe prestar solidariedade e comunicar que as Forças Armadas, em peso, diante da nova ameaça comunista, lhe recomendavam o restabelecimento do regime de exceção. Em uma exposição de motivos entregue ao presidente e posteriormente transmitida em cadeia nacional de rádio, justificaram: "A nação já conhece o plano de ação comunista desvendado pelo Estado-Maior do Exército. É um documento cuidadosamente arquitetado, cujo desenvolvimento meticuloso vem da preparação psicológica das massas, ao desencadear o terrorismo sem peias".[157]

O memorial assinado por Dutra e Guilhem argumentava ainda que era necessário abolir o quanto antes os protocolos judiciários e as garantias individuais previstas na Constituição: "Em face do arcabouço jurídico atualmente em prática no Brasil e diante das travas criadas pelo formalismo processual, é impossível impedir a conspiração".[158]

No apontamento sucinto que deixou sobre a conversa, Getúlio registrou: "Recebi os ministros militares, que vieram falar sobre a necessidade de restabelecer o estado de guerra. Concordei".[159]

Em 30 de setembro, trechos selecionados do Plano Cohen foram divulgados pelo programa de rádio *Hora do Brasil* — instituído em 1935 pelo Departamento de Propaganda e Difusão Cultural, comandado por Lourival Fontes — e em seguida reproduzidos nos principais jornais do Rio.[160] O país quedou escandalizado ante a estrepitosa "revelação". Perante o estado de comoção pública, o Congresso aprovou a volta do estado de guerra por larga margem de votos. Na Câmara, 138 deputados votaram a favor; 52, contra. No Senado, foram 21 favoráveis e apenas três contrários.[161]

"À noite, o ministro da Justiça trouxe-me o decreto para assinar", comemorou Getúlio.[162]

Estavam devidamente eliminados todos — ou quase todos — os empecilhos para o golpe que Getúlio sugerira a Dutra. Para "salvar o Brasil do comunismo", o Exército e a Marinha dariam amparo completo à "revolução de cima para baixo, desencadeada pelo próprio governo". Faltava apenas cuidar do último obstáculo a ser removido: Flores da Cunha. A tarefa se revelou mais simples do que muitos esperavam, após a prisão do ex-capitão Trifino Correia em pleno território gaúcho, em 5 de outubro — o que ofereceu a Getúlio o argumento propício para relacionar Flores com os alegados planos subversivos descritos no Plano Cohen.[163]

À prisão de Trifino seguiu-se um decreto presidencial, datado de 14 de outubro, federalizando a Brigada Militar do Rio Grande do Sul e a Força Pública de São Paulo. Flores da Cunha ameaçou reagir, mas, além de ter perdido a maioria na Assembleia, já perdera também o domínio sobre as tropas estaduais, cujos principais comandantes acataram a determinação federal e deixaram o governador rio-grandense sem outra saída senão a renúncia. No dia 18, Flores, despojado das condições objetivas de se contrapor ao Catete, abandonou Porto Alegre. Tomou um avião para o interior do estado e, de lá, seguiu para Montevidéu. A fuga foi facilitada por recomendações de Getúlio a Bejo Vargas. A aeronave fora deixada de propósito à disposição do governador, para evitar que sua detenção — ou, pior, sua possível morte no caso de vir a reagir à voz de prisão — o transformasse em mártir.[164]

Getúlio registrou em seu diário:

A renúncia de Flores teve uma larga repercussão no espírito público. Ainda é cedo para calcular o mal ou o bem desse acontecimento. Estou convencido de que foi um bem. [...] Os fatos estão ocorrendo, e também é cedo para verificar suas consequências: a resistência caudilhesca, desagregadora, regionalista, contra a tendência centralizadora e coercitiva do poder central. Se esse regionalismo caudilhesco pôde resistir tanto tempo, é que ele se apoiava nos próprios elementos militares desviados de sua missão.[165]

Em conversa reservada com Dutra, Getúlio observou que, a despeito do aval militar, era necessário garantir também uma razoável base política para o golpe que se desenhava. A aprovação do restabelecimento do estado de guerra lhes oferecia um índice seguro de que o governo não encontraria mais barreiras no Congresso — que, aliás, já estava com seus dias contados. Mas era preciso evitar novas defecções nos estados e construir uma rede de apoio civil, a quem caberia a imperiosa tarefa de gerir a máquina burocrática do futuro regime. Assim, enquanto o ministro da Guerra mantinha o Exército de prontidão para o caso de uma reação armada nas unidades federativas que haviam firmado o pacto com Flores da Cunha, Getúlio nomeou um representante seu para ir ao "Norte", em missão secreta: a de aferir a receptividade dos demais governadores e chefes políticos regionais à decretação de um governo ditatorial.[166]

A incumbência foi confiada ao deputado mineiro Francisco Negrão de Lima, que partiu do Rio de Janeiro em um avião da Condor, em 28 de outubro. Negrão

— ironicamente, secretário-geral do comitê de propaganda da candidatura de José Américo — levava uma carta de Benedito Valadares, escrita em nome de Getúlio aos governadores, em que se informava que o Catete, "por pressão dos militares", dissolveria o Legislativo nas semanas seguintes. Os termos da consulta aos chefes estaduais acenavam com a proposta de prorrogação do mandato do presidente da República por tempo indeterminado e a dilatação dos períodos administrativos dos governadores por seis anos.[167]

Em simultâneo, Getúlio autorizou Francisco Campos a obter também a adesão de Plínio Salgado — líder da única força civil organizada em termos nacionais, com cerca de 1,5 milhão de filiados, segundo os cálculos da própria agremiação. Campos mostrara a Salgado o rascunho da nova Constituição, prometera-lhe que o integralismo seria o pilar de sustentação do novo regime e dissera-lhe que o próprio presidente gostaria de conversar com ele a esse respeito. O consequente encontro entre o chefe da AIB e Getúlio Vargas ocorreu justamente na véspera da partida de Negrão de Lima. Na ocasião, Getúlio garantiu a Plínio Salgado que, ao contrário do que dizia a carta levada por seu emissário, os governadores seriam gradativamente substituídos após o golpe, pois o país precisaria "de gente nova, com nova mentalidade".[168]

Como prenda irrecusável para selar um acordo com os camisas-verdes, Getúlio ofereceu a Salgado a pasta da Educação, ministério que ficaria responsável dali por diante pela organização cívica da juventude brasileira nos moldes das milícias integralistas. A oferta foi prontamente aceita.[169]

"Encontrei-me com Plínio Salgado", escreveu Getúlio em seu caderninho. "Caipira astuto e inteligente, mas entendemo-nos bem."[170]

No dia 1º de novembro, um batalhão de pelo menos 20 mil integralistas — pelas contas de Salgado foram 50 mil — desfilou diante do Palácio do Catete, em continência ao presidente da República, para confirmar que a organização estaria do lado de Getúlio na hora do golpe.[171] O acordo com Plínio Salgado só seria revelado alguns meses depois, mas o sigilo da operação Negrão de Lima teve prazo de validade bem mais curto. No dia 5, o *Correio da Manhã* publicou em sua última página, reservada às notícias chegadas à hora do fechamento da edição, um pequeno texto de pouco mais de cinquenta linhas, sob o seguinte título: OS OBJETIVOS DA VIAGEM DO SR. NEGRÃO DE LIMA. Embora diminuta, a notícia provocou grande escândalo, ao tornar públicos os planos de continuísmo.[172]

"Como a censura deixou publicar? Quem foi o responsável pela nota e pela publicação?", indagou Getúlio, que depois disso retirou o controle da imprensa do âmbito do Ministério da Justiça e o repassou à chefatura de Polícia.[173]

Ato contínuo, o ministro Macedo Soares pediu demissão. Em seu lugar, foi nomeado Francisco Campos, encarregado de dar os últimos retoques na Constituição que vinha preparando havia alguns meses. Naquele mesmo dia, deputados e senadores acorreram em manada ao Catete, para saber se o presidente confirmava a denúncia do *Correio*. Getúlio procurou tranquilizá-los. Negou a existência de qualquer movimento golpista em andamento. Disse-lhes que a consulta aos governadores envolvia um propósito diametralmente oposto, qual seja, o de buscar uma nova candidatura de conciliação nacional, dentro das normas legais então em vigor.[174]

"Não é mais possível recuar. Estamos em franca articulação para um golpe de Estado", registrou, em contraste, no seu caderno de anotações.[175]

No dia 9 de novembro de 1937, Getúlio passou boa parte da tarde entregue aos braços de Aimée. Quando enfim retornou ao Guanabara, já era noite.[176] Os auxiliares o aguardavam, apreensivos. O paulista Armando Sales, candidato das oposições, lançara um manifesto na forma de carta aberta aos chefes militares do país.

"Outros graves perigos, além do comunismo, conspiram contra o Brasil", acusava o texto, lido naquela tarde pelo deputado gaúcho João Carlos Machado, no plenário da Câmara, e pelo paulista Paulo de Morais Barros, na tribuna do Senado. "Se alguma força poderosa não intervir a tempo de impedir que se cumpram os maus pressentimentos que hoje anuviam a alma brasileira, um golpe terrível sacudirá de repente a nação, abalando os seus fundamentos até as últimas camadas e mutilando cruelmente as suas feições", expressava o manifesto.

> Não é possível que o Exército e a Marinha fiquem indiferentes diante da injustiça que, com o amparo do seu nome, se comete contra esse povo. Generaliza-se a convicção de que não haverá eleições a 3 de janeiro. Só não vê claro quem não quer. Está em marcha a execução de um plano longamente preparado, que um pequeno grupo de homens, tão pequeno que se pode contar nos dedos de uma só mão, ideou para escravizar o Brasil.[177]

Ao tomar conhecimento do teor da carta aberta de Armando Sales aos militares, Eurico Gaspar Dutra comentou:

"Ou o dr. Getúlio desencadeia o golpe hoje, ou não mais poderá fazê-lo."[178]

Originalmente, o movimento estava previsto para estourar no dia 15 de novembro, de modo a coincidir com a data máxima do calendário republicano. Em seguida, em face do vazamento da missão Negrão de Lima, fora antecipado para o dia 11. Mas a situação provocada pelo manifesto de Sales exigia nova e urgente revisão de planos. "Era preciso precipitar o movimento, aproveitando a surpresa", escreveu Getúlio. "Mandei chamar o chefe de Polícia e o ministro da Justiça. Com este e o ministro da Guerra, combinamos todas as medidas."[179]

Nas primeiras horas da manhã do dia 10, Getúlio Vargas reuniu o ministério e pediu a Francisco Campos que apresentasse o texto final da nova Constituição, a ser publicada naquele mesmo dia. A Carta, lida e aprovada por antecipação pelos ministros da Guerra e da Marinha, ampliava sobremaneira as atribuições do Executivo e determinava a completa centralização administrativa, retirando dos estados inclusive o direito de possuir bandeira, hino e escudo oficial. Na reunião ministerial, Getúlio comunicou aos auxiliares que os prédios da Câmara e do Senado haviam amanhecido fechados e cercados pela polícia. Todos os partidos políticos estavam oficialmente extintos.[180]

Os governadores seriam mantidos, na função de interventores federais, com exceção dos da Bahia e de Pernambuco, onde Juracy Magalhães e Lima Cavalcanti seriam afastados, por discordarem da nova orientação política do governo. Em São Paulo, Cardozo de Melo Neto, depois de receber o comunicado oficial sobre o golpe, apressou-se a telegrafar ao Catete para dizer que o novo regime podia contar com sua total colaboração. No estado do Rio, o almirante Protógenes Guimarães, que solicitara várias licenças para tratamento de saúde nos meses anteriores, foi substituído pelo ajudante de ordens do presidente da República, Ernani do Amaral Peixoto. Um único ministro, o mineiro Odilon Braga, não concordou com a nova ordem e pediu demissão da pasta da Agricultura.[181]

Às oito horas da noite, ao microfone do Departamento de Propaganda e Difusão Cultural, Getúlio leu em cadeia nacional de rádio uma proclamação aos brasileiros, ao longo da qual pretendeu justificar seus últimos atos.

"As exigências do momento histórico e as solicitações do interesse coletivo reclamam, por vezes, imperiosamente, a adoção de medidas que afetam os pressupostos e convenções do regime, os próprios quadros institucionais, os processos e métodos de governo", argumentou. "A organização constitucional de 1934, vazada nos moldes clássicos do liberalismo e do sistema representativo, evidenciara falhas lamentáveis", por "desacordo com o novo espírito do tempo."

Depois de ressaltar a vagarosidade dos processos legislativos e a necessidade de se ultimar leis complementares que hibernavam havia quase três anos nas comissões técnicas do Parlamento, Getúlio afirmou que era preciso elevar o Brasil à categoria de país civilizado, por meio da instalação de uma grande indústria siderúrgica, obra a ser viabilizada a partir de um ousado plano de colaboração com o capital estrangeiro.

> Para reajustar o organismo político às necessidades econômicas do país e garantir as medidas apontadas, não se oferecia outra alternativa além da que foi tomada, instaurando-se um regime forte, de paz, de justiça e de trabalho. [...] Prestigiado pela confiança das forças armadas e correspondendo aos generalizados apelos de meus concidadãos, só acedi em sacrificar o justo repouso a que tinha direito, ocupando a posição em que me encontro, com o firme propósito de continuar servindo à nação.[182]

Ao ouvir aquelas palavras pelo rádio, Plínio Salgado ficou indignado. Além de ninguém ter lhe avisado que o golpe sofreria uma antecipação, ele não conseguiu decifrar nas entrelinhas do discurso nem o mais vaporoso sinal de que o movimento do Sigma seria a base do novo regime, conforme lhe fora prometido. "Nessa noite fiquei completamente convencido de que fôramos enganados. Não houve uma palavra de carinho para o integralismo ou para os integralistas", revoltou-se.[183]

Getúlio, mais uma vez investido nos amplos poderes de ditador, acabara de fazer de um potencial aliado um inimigo confesso. Mas, dessa vez, o oponente era o *condottieri* de uma legião radical e apaixonada, cujos adeptos não hesitariam em seguir seu líder, se preciso, até a morte.

14. Menção honrosa no concurso infantil de frases patrióticas: "Getúlio Vargas é maior que o Tarzan das Florestas" (1937-8)

A gigantesca bandeira brasileira, com cerca de vinte metros de comprimento, foi estendida na vertical por trás do altar católico a céu aberto. O crucifixo dourado cintilava sob o sol e grandes vasos adornados por lírios brancos ladeavam a mesa da celebração, a ser conduzida pelo arcebispo do Rio de Janeiro, d. Sebastião Leme. A praia do Russell — mais tarde subtraída da paisagem do Rio pela construção do Aterro do Flamengo — estava coalhada de gente.

Desde as primeiras horas da manhã, milhares de pessoas se dirigiram para o lugar, a fim de assistir à grande solenidade cívico-religiosa em homenagem ao pavilhão nacional. Aquela seria a primeira de uma série de cerimônias espetaculosas que, ao reunir multidões e apelar para uma profusão de símbolos patrióticos, dariam o tom e comporiam a estética do novo regime. Três mil crianças com uniformes de escola tomavam assento no local reservado à apresentação de canto orfeônico preparada pelo maestro Villa-Lobos. "O Altar da Pátria era ao mesmo tempo o Altar da Igreja; ali se confundiam os supremos amores", resumiu o *Correio da Manhã*.[1]

Às 9h20, o carro presidencial escoltado pelos Dragões da Independência contornou a esplanada e estacionou no lugar reservado. Getúlio desceu do automóvel acompanhado da esposa. Ele vestia terno escuro e apresentava um semblante sério, adequado à circunstância; ela, de vestido negro, exibia uma estola de raposa e uma boina de feltro, a despeito do calor carioca. Ministros, autoridades civis e militares, corpo diplomático e convidados de honra saudaram o chefe de Estado, que depois dos habituais cumprimentos ocupou o espaço central do palanque. "Logo que a multidão divisou o presidente da República, ouviram-se aclamações a seu nome partidas do público que ali se comprimia, ocupando enorme extensão da praia", relatou o *Correio*.[2]

Segundo o periódico, a missa campal celebrada por d. Leme foi acompanhada por um reverente silêncio da assistência, quebrado apenas pelos cânticos religiosos, entoados em coro pelos presentes. De início agendada para 19 de novembro — o Dia da Bandeira —, o evento na praia do Russell precisou ser adiado por causa das chuvas que caíram naquela data sobre o Rio de Janeiro. Aproveitou-se a ocasião para fazê-lo coincidir, a 27 do mesmo mês, com o terceiro aniversário do levante comunista de 1935. "A Bandeira do Brasil e os que morreram em seu holocausto: duas datas que se encontram diante do Altar da Pátria", exaltou a manchete de *A Noite*.[3]

Após a missa, um contrito Getúlio deixou o palanque e, mais expansivo, encaminhou-se ao mastro central onde hastearia uma grande bandeira do Brasil — menor do que aquela colocada por trás da mesa de celebração, mas pelo menos duas vezes maior do que as outras 22, todas idênticas, içadas em mastros secundários dispostos em semicírculo e cujos cordéis seriam manejados por crianças de escolas públicas. Juntas, simbolizavam a União e os vinte estados, mais o território do Acre e o Distrito Federal. Como determinava o protocolo, o hasteamento coletivo foi feito ao som do Hino Nacional, executado por bandas militares e cantado pelo coral infantil regido por Villa-Lobos. Ao final da execução, fogos de artifício arremessados por girândolas armadas à beira-mar explodiram no céu e, durante a queima, deixaram cair sob a plateia uma miríade de bandeirinhas verde-amarelas, que desceram lentamente até o chão, amparadas por minúsculos paraquedas.[4]

Seguiu-se o ponto culminante da solenidade, registrada minuto a minuto em película cinematográfica pelos técnicos do Departamento de Propaganda. Vinte e duas jovens, trajando vestido branco, conduziram em fila indiana as tradicionais bandeiras estaduais para junto de uma pira acesa no meio da praça. Uma a uma, as flâmulas foram depositadas sobre as chamas, para serem incineradas, em sacrifício ao nacionalismo unitário e indissolúvel.

Pode-se imaginar o que significou, para indivíduos e povos de sentimento regionalista mais empedernido, a queima das bandeiras dos seus respectivos estados. Getúlio, como bom gaúcho, sabia da veneração dos conterrâneos pelas três cores da Revolução Farroupilha e da então já quase mítica República de Piratini. O conhecido nativismo paulista, acirrado pelas batalhas cruentas da revolta de 1932, também não assistiu com prazer à profanação das treze listras em preto e branco, flanqueadas pelo retângulo vermelho que, de acordo com a descrição oficial, simbolizaria o "heroico sangue bandeirante".

"Não há lugar para outro pensamento no Brasil, nem espaço para outra bandeira que não seja esta, hasteada hoje por entre as bênçãos da Igreja e a continência das espadas, a veneração do povo e os cânticos da juventude", discursou o ministro da Justiça, Francisco Campos, apontando para a flâmula verde-amarela.[5]

Em formação, a massa estudantil desfilou perante Getúlio, numa demonstração de "ordem", "disciplina" e "patriotismo" — as três palavras mais citadas pelos oradores do dia. Cada criança agitava uma bandeirinha brasileira de papel. O efeito de milhares delas, em conjunto, era quase hipnótico.

"Honrai a vossa bandeira, juventude do Brasil. A vocação da juventude deve ser a vocação do soldado. Que cada um, na sua escola, seja um soldado possuído do seu dever, obediente à disciplina, sóbrio e vigilante, duro para consigo mesmo. Isto é o que o Brasil pedia — e é isto o que o Brasil conquistou", concluiu Campos, exortando os presentes a aplaudir o grande pavilhão nacional, que tremulava ao vento, hasteado pelo presidente da República.[6]

A repercussão internacional do golpe variou conforme os interesses e expectativas dos observadores. Na Alemanha, a imprensa nazista saudou Getúlio e dedicou generosos espaços ao assunto, traçando perfis simpáticos do presidente brasileiro, ilustrados com fotografias fornecidas pelo serviço diplomático. O embaixador em Berlim, Moniz de Aragão, expôs ao secretário de Estado alemão, Hans Georg von Mackensen, as diretrizes da nova orientação política nacional e, em troca, recebeu os cumprimentos oficiais do Reich.

"O secretário de Estado pediu-me, insistentemente, para felicitar o senhor presidente da República pela maneira como agiu", escreveu Aragão em despacho ao Itamaraty, anexando um alentado volume de recortes de jornais germânicos.[7]

O ministro italiano do Exterior, Galeazzo Ciano, genro de Mussolini, ficou tão entusiasmado com as notícias recebidas da embaixada de seu país no Rio de Janeiro que imaginou a adesão imediata do governo brasileiro ao Pacto Anti-Komintern, selado originalmente no final de 1936 entre Japão e Alemanha — e, naquele final de 1937, também referendado pela Itália, dando origem ao grupo de nações que ficaria conhecido como as Potências do Eixo. O acordo entre Berlim, Tóquio e Roma dispunha que nenhum dos signatários firmaria tratados comerciais e políticos com a União Soviética, sob a justificativa de combater o inimigo comum, o comunismo. Ciano imaginava que, caso o Brasil aderisse ao grupo, toda a América Latina seguiria seu exemplo, alinhando o continente aos regimes de força europeus.[8]

De Washington, Oswaldo Aranha escreveu telegrama confidencial a Getúlio para lastimar os rumos que o governo havia tomado e, por consequência, para informar sua renúncia ao cargo de embaixador nos Estados Unidos. Uma entrevista concedida por Francisco Campos a jornalistas estrangeiros, publicada pelo *New York Times*, constrangera Oswaldo. Entre outros pontos, o ministro da Justiça sugerira aos correspondentes internacionais que a "ignorância do povo brasileiro" era o principal impeditivo à prática da democracia no país. Acrescentara que por esse motivo o Brasil desejava ser incluído no rol dos "modernos Estados corporativos", nos quais o voto direto era substituído pela representação profissional. Campos coroou sua fala com uma alfinetada nos brios norte-americanos, ao argumentar que a legislação do New Deal, idealizado pelo presidente Franklin Delano Roosevelt, também teria sido plasmada em moldes intervencionistas e, portanto, autoritários.[9]

"A terceira afirmação, Getúlio, só se explicaria pelo desejo de romper de vez com o governo deste país", considerou Oswaldo.[10]

Getúlio insistiu que o amigo permanecesse à frente do posto. Argumentou que a mudança da Constituição fora uma imposição da ordem, com ampla aceitação popular, e gerara uma impressão geral de tranquilidade no espírito público nacional. Desmentiu que houvesse alguma intenção de romper com Washington e, mais ainda, de aderir ao bloco nazifascista, como pareciam querer entender Francisco Campos e os próprios alemães e italianos. Ao contrário, Getúlio dizia necessitar do apoio de Oswaldo para estabelecer um programa de aproximação definitiva do Brasil com os Estados Unidos. O plano seria empregar capitais norte-americanos na formação de indústrias de base e na construção de uma grande siderúrgica nacional, além de adquirir junto aos Estados Unidos o material necessário ao reaparelhamento militar do país.[11]

"Oswaldo, você não pode nos deixar, isto seria uma tragédia!", disse-lhe por telefone o ministro da Fazenda, o gaúcho Artur de Sousa Costa.[12]

"Esta Constituição é um atentado à liberdade", retrucou Oswaldo, de acordo com a transcrição do telefonema entregue pelos órgãos de segurança para o conhecimento do gabinete da presidência da República. "Estou de acordo com o golpe de Estado, mas não com uma Constituição que elimina o voto, que elimina tudo e legisla contra a liberdade."[13]

Com a intenção de intermediar o mal-estar provocado pela entrevista de Campos, Getúlio convidou jornalistas estrangeiros para uma coletiva no Catete. Na ocasião, entre baforadas de um legítimo havana, disse aos repórteres que a nova Constituição significara apenas um freio providencial "na campanha insidiosa financiada pelo Komintern". Conforme já expressara ao embaixador norte-americano Jefferson Caffery, o governo brasileiro não ensaiava nenhuma inflexão totalitária. A Itália e a Alemanha, alegou, não teriam oferecido a mais leve contribuição para a execução do golpe, ao contrário do que cogitavam os jornais de Washington e Nova York.[14]

"Seria absurdo atribuir o que está sendo feito aqui a influências ou sugestões lá de fora", assegurou.[15]

A entrevista produziu o efeito calculado. As declarações tranquilizaram Oswaldo Aranha e o fizeram interceder junto ao subsecretário de Estado norte-americano, Sumner Welles, no sentido de convencer a Casa Branca a aguardar a evolução dos acontecimentos, antes de Roosevelt se pronunciar a respeito do novo modelo de governo brasileiro. Os esforços diplomáticos de Oswaldo se refletiram em uma palestra de Welles na Universidade George Washington sobre o tema "A necessidade de um espírito de tolerância nas relações interamericanas". Durante a exposição, o subsecretário defendeu que a imprensa de seu país estava sendo precipitada ao interpretar o momento brasileiro como uma guinada em direção ao nazifascismo.[16]

"Só o tempo dirá o que está verdadeiramente ocorrendo no Brasil", ponderou Welles.[17]

Mesmo assim, a desconfiança persistiu. O *Evening Star*, de Washington, discordou da avaliação e estampou um editorial crítico, no qual confrontava a análise do subsecretário com fatos objetivos: "Se as ocorrências do Rio de Janeiro não significam um transplante do fascismo para o solo sul-americano, elas pelo menos guardam uma incrível semelhança com as ditaduras implantadas em Roma e Berlim", assinalou o jornal.[18]

Para impor um dique às críticas na imprensa dos Estados Unidos, a embaixada brasileira chegou a exigir da *Life*, uma das principais revistas semanais norte-americanas, a retratação por um texto publicado em suas páginas no qual o articulista criticava a Goodyear e a Ford pelo fato de ambas comprarem borracha de um país "ditatorial e fascista". As direções das duas empresas foram interpeladas por representantes do Brasil e, depois disso, ameaçaram suspender seus anúncios nas principais publicações do grupo editorial que reunia — além da *Life* — a *Time* e a *Fortune*. Henry Luce, fundador do conglomerado de comunicação, procurou o embaixador Oswaldo Aranha, em pessoa, para pedir desculpas pelo episódio.[19]

Como demonstração de que estaria verdadeiramente interessado em estabelecer uma sólida relação de confiança com o governo norte-americano e as democracias em geral, Getúlio convidou Oswaldo Aranha para assumir o comando do Itamaraty, promovendo-o de embaixador a ministro das Relações Exteriores. A oferta, após algum esboço de hesitação, foi aceita.[20]

"A verdade, meu amigo, é que sob o governo de Vargas não é possível outro regime que não o liberal", tornou a escrever Oswaldo Aranha a Sumner Welles. "Toda a sua vida é um nobre exemplo de tolerância no poder."[21]

Getúlio, como de praxe, jogava com a ambiguidade. Desde meados do ano anterior, o Brasil começara a restringir oficialmente a entrada de judeus no país. A circular secreta 1127, datada de 7 de junho de 1937, expedida pelo Itamaraty, determinava aos consulados brasileiros a recusa do visto no passaporte "a toda pessoa de quem se saiba, ou por declaração própria, ou por qualquer outro meio de informação seguro, que seja de origem étnica semítica". Caso houvesse alguma suspeição de que o requerente fosse judeu, deveria ser-lhe exigida a certidão do batismo católico, como documento obrigatório para a emissão do visto.[22]

Do mesmo modo, não podia haver dúvidas a respeito da vocação autoritária do texto constitucional elaborado por Francisco Campos. A própria forma de elaboração do documento contrariara a tradição de se confiar tão importante tarefa a uma Assembleia Constituinte. Por essas e outras, a nova Carta Magna foi apelidada de "Polaca", referência à Constituição outorgada e imposta pelo marechal Józef Piłsudski à Polônia, em 1921 (o epíteto terminou por ganhar conotação ainda mais pejorativa, ao aludir às prostitutas europeias que, a despeito de sua verdadeira nacionalidade, eram tratadas à época, no Brasil, como polonesas — ou "polacas").[23]

Ao longo dos 187 artigos redigidos por Francisco Campos, existiam influências notórias da italiana Carta del Lavoro, editada na Itália por Mussolini, particularmente no que dizia respeito à organização da economia e da política por meio de corporações profissionais. Entretanto, o corporativismo propriamente dito jamais seria implantado por Getúlio no Brasil, do mesmo modo que a prática nazifascista do partido único não vingaria durante o Estado Novo — este sim, um nome decalcado da ditadura portuguesa de António de Oliveira Salazar.[24]

O peculiar Estado Novo brasileiro, inaugurado com o golpe de 10 de novembro de 1937, em vez de se amparar na influência da AIB e transformá-la no grande partido nacional monopolista — como prometera Francisco Campos a Plínio Salgado —, cuidou de eliminá-la. O decreto assinado por Getúlio que extinguiu todos os partidos políticos foi redigido com o propósito deliberado de ser extensivo aos prosélitos do Sigma. Além das agremiações partidárias com registro na Justiça, ficavam da mesma forma proibidas as "milícias cívicas de qualquer espécie", sendo terminantemente vetado o uso de uniformes, estandartes, distintivos e outros símbolos dessas agremiações. Para continuar subsistindo, tais associações teriam que se converter, no máximo, em sociedades civis de caráter cultural, educacional e beneficente, registradas com outro nome, distinto do original.[25]

A proibição dos partidos tinha por finalidade extirpar, em definitivo, a política tradicional da vida brasileira. Erradicar aquilo que nas palavras do próprio Getúlio era definido como "o ranço democrático"[26] — ou "as filigranas doutrinárias e as falsas noções de liberdades públicas".[27]

A exemplo do ocorrido após a vitória do movimento de 1930, o discurso da morte da política ganhava contornos institucionais. Getúlio, em seus pronunciamentos, reforçava a tese de que todos os males históricos do país seriam originários das lutas eleitoreiras e da ocupação do Estado pelos políticos profissionais. O novo regime, ao banir os interesses partidários, fechar o Legislativo e transformar governadores e prefeitos em simples funcionários a serviço da União, teria supostamente eliminado o mal pela origem, submetendo as resoluções da administração ao primado da razão técnica.

"O Estado, segundo a ordem nova, é a Nação, e deve prescindir, por isso, dos intermediários políticos", justificava.[28]

Por definição, não existiria lugar no Estado Novo para estruturas de organização civil similares ao integralismo, com alto grau de mobilização popular, mas alheias ao controle do governo.[29] Getúlio comunicara isso a Plínio Salgado cerca de uma semana antes da assinatura do dispositivo que abolira os partidos e, por consequência, pusera fim à AIB. Ele sugerira a Plínio que a entidade se convertesse em associação meramente cultural, sob nova denominação, conforme facultava o texto do decreto.[30]

"A proibição dos gestos, uniformes e distintivos integralistas vai ferir fundamente a massa de mais de 1 milhão de brasileiros que me acompanha", avisara Plínio Salgado, que saíra da conversa espumando.[31]

Getúlio prometera ao líder da AIB que falaria a respeito com o ministro da Justiça, para que fossem feitos os ajustes necessários ao decreto, de modo a não provocar maiores constrangimentos aos camisas-verdes. Malgrado a combinação, logo as sedes da AIB começaram a ser fechadas em todo o país, por meio de ações violentas. Muitos dos escritórios da organização foram depredados pelas forças policiais. Em alguns deles, os filiados testemunharam o retrato de Plínio Salgado ser arrancado da parede e queimado na calçada. A revista *Anauê* foi impedida de circular e os jornais mantidos por seus sócios e simpatizantes ficaram sob cerrada censura. Obras de autores integralistas eram sumariamente retiradas das prateleiras de bibliotecas e livrarias.[32]

"No estado do Rio, chegaram a confiscar os livros de minha autoria que nada tinham a ver com o integralismo: romances, ensaios, literatura em geral, com prejuízos financeiros para os meus editores e para mim", protestou Plínio Salgado, em carta a Getúlio.[33]

Decepcionado com a repressão desencadeada contra o Sigma, o general Newton Cavalcanti decidiu escrever ao ministro da Guerra para registrar seu protesto pelo fechamento da AIB — e para afirmar que, a exemplo dos integralistas, sempre trabalhara em defesa da sociedade e da família brasileiras, "contra as investidas subterrâneas do mal judaico". Ao expressar sua indignação, Cavalcanti solicitou dispensa do cargo de comandante da 1ª Brigada de Infantaria. Por ordem de Getúlio, não só o pedido de demissão foi acolhido, como o general terminou reformado compulsoriamente.[34] Outro militar que formalizou seu protesto ao ministro da Guerra, o general Pantaleão Pessoa, mereceu idêntico tratamento. No caso do general Pantaleão, as críticas se concentravam em dois artigos da Polaca que garantiam a Getúlio a prerrogativa de declarar o estado de guerra sem autorização de ninguém e, nesse caso, revogar qualquer trecho da Carta também por seu único alvitre.

"Custa-me crer que vossa excelência ou outro general do Exército tenha aprovado tal retrocesso", expôs Pantaleão, em mensagem a Dutra.[35]

Ao receber uma cópia da carta, Getúlio se considerou vítima da mais solerte ingratidão:

"Quando assumi o governo, este oficial era major. Elevei-o até general de divisão. Fi-lo chefe da minha Casa Militar, levei-o em minha viagem à Argentina como representante do Exército e fi-lo, depois, chefe do Estado-Maior do Exército", escreveu, no mesmo dia em que obrigou Pantaleão Pessoa a trocar o uniforme pelo pijama.[36]

Certos dispositivos da Polaca jamais seriam cumpridos. O texto previa a criação de um novo Poder Legislativo, tripartite, formado pelo Parlamento (Câmara dos Deputados e Conselho Federal), pelo Conselho de Economia Nacional (órgão que reuniria representantes dos patrões e trabalhadores) e, o que era mais sui generis, pelo próprio presidente da República. Todavia, nunca foram convocadas eleições para o mencionado Parlamento, o Conselho de Economia se reuniu de modo esporádico apenas para referendar decisões do Executivo, e Getúlio seguiu governando por decreto.[37]

Do mesmo modo, nos capítulos relativos à ordem econômica, previa-se a nacionalização progressiva de minas, jazidas mineiras, quedas-d'água e indústrias básicas. Bancos e seguradoras teriam que pertencer obrigatoriamente a brasileiros, e as concessionárias de serviço público não poderiam ser administradas por estrangeiros. Contudo, ao contrário desse assomo nacionalista, os bancos e indústrias internacionais continuaram atuando normalmente no Brasil, enquanto o capital externo seguiu administrando empresas como a Light, principal fornecedora de energia elétrica do país.[38]

Um dos mais importantes artigos da nova Constituição, incluído nas disposições transitórias, igualmente não seria respeitado: aquele que prometia a submissão da própria Carta a um plebiscito nacional, a fim de legitimá-la pela vontade popular. Diante de tantas omissões e lacunas, o país viveria sob um regime constitucional indefinido, sem estrutura legal fixa, no qual boa parte dos mecanismos previstos pela Carta ficaria sem aplicação concreta — ou aplicados apenas na medida em que se ajustavam aos interesses imediatos do regime.[39]

"Estou cansada dessa história de só te chamarem de ditador, usurpador, continuísta, oportunista", cobrou Alzira, em conversa com o pai no mirante do Palácio Guanabara. "Queria saber por que ainda não fizeste o plebiscito para dar a essa Constituição foros de legalidade."[40]

Getúlio, segundo narraria a própria filha, continuou concentrado na pilha de documentos à frente, como se alheio à pergunta, com o charuto aceso entre os dedos. Só depois de organizar as folhas de forma metódica e arranjá-las dentro de uma pasta de couro, levantou os olhos e respondeu:

"O golpe de 10 de novembro foi justamente para evitar qualquer movimento eleitoral, e agora me perguntas sobre plebiscito?"[41]

Getúlio, depois de reacender o charuto que havia se apagado entre uma e outra baforada, procurou explicar à filha que o texto redigido por Francisco Campos seria apenas "uma experiência transitória, para atravessar a tempestade que se aproxima com o mínimo de sacrifícios possível".

"Digamos que é um meio para atingir um fim, e não um fim em si próprio", definiu Getúlio.[42]

A resposta não satisfez Alzira, que redarguiu:

"Essa Constituição não me preocupa, pelo menos enquanto o chefe de governo fores tu. Não és vingativo, nem perseguidor, nem opressor por temperamento, feitio, formação familiar ou seja lá o que for. Mas já te passou pela cabeça o que pode acontecer se ela cair nas mãos de Fulano, Sicrano ou Beltrano?"[43]

Getúlio continuou escutando, de cabeça baixa, fingindo não ouvir. Alguns segundos depois, sorriu e ergueu mais uma vez o olhar:

"Ficaste obtusa de repente? Ainda não entendeu por que não determinei a realização do plebiscito? Já não te disse que a Constituição é apenas uma tentativa, uma experiência? Se der resultado, o povo terá tempo suficiente para saber, depois de passado o perigo, se a quer como definitiva ou não..."[44]

A Constituição fora desenhada para perdurar somente o lapso de tempo em que Getúlio permanecesse à frente do cargo. Entretanto, como a Polaca estabelecia que o mandato presidencial seria prorrogado até a realização do plebiscito, bastava não realizar a consulta popular para o maior interessado ir se perpetuando, indefinidamente, no poder.

O general Manuel Vargas estava praticamente cego de um olho. Um quadro de irritação crônica evoluíra para uma infecção que se alastrara pelo globo ocular, provocando supurações e sangramentos internos. Desde a morte de Candoca, a saúde do velho começara a definhar. O reumatismo lhe tolhera parte dos movimentos e ele mal podia com o próprio corpo. Não fosse pelo filho Protásio, que permanecia em São Borja cuidando dos negócios da família, a estância estaria em abandono. Além de gerenciar as operações de compra e venda de gado na propriedade dos Vargas, era Protásio também quem respondia pelos cuidados com o pai. Aos 93 anos, Manuel precisava de ajuda para as tarefas cotidianas mais comezinhas: fazer a barba, lavar-se, ir ao banheiro.[45]

"Ele pouco vê e pouco ouve. Vai lhe faltando o tato e a memória. Está se tornando uma criança", escreveu Protásio a Getúlio.[46]

A inauguração da pedra fundamental de uma ponte sobre o rio Uruguai, ligando as cidades de Uruguaiana, do lado brasileiro, e Paso de Los Libres, na margem argentina, ofereceu a Getúlio a oportunidade de ir ao Rio Grande do Sul, em viagem oficial de trabalho. Aproveitaria a ocasião para rever o pai e, ao mesmo tempo, para conferir de perto a temperatura da política gaúcha.[47] Após a derrubada de Flores da Cunha, o governo estadual passara às mãos do general Daltro Filho, comandante da 3ª Região Militar. Mas este, com pouco mais de um mês no papel de interventor, precisara se afastar do cargo, depois de os médicos lhe diagnosticarem um câncer de bexiga em estado avançado.[48]

O clima de indefinição pairava sobre os pampas. Maurício Cardoso, secretário do Interior, fora nomeado interventor interino. Uma solução que não agradara às demais correntes políticas locais, particularmente aquelas ligadas aos velhos libertadores e às dissidências do extinto PRL. O plano de Getúlio era encontrar um nome alheio às querelas locais, de preferência um militar de alta patente, capaz de manter adormecidos os antagonismos históricos do Rio Grande.[49]

A viagem foi agendada para uma quinta-feira, 6 de janeiro de 1938 — três dias depois, portanto, da data anteriormente marcada para o pleito presidencial que o golpe do Estado Novo impedira.

"Era o dia em que se deviam realizar as eleições. E em geral ninguém se apercebeu disso", comentou Getúlio.[50]

Ele, Darcy, Alzira e Jandira, acompanhados dos auxiliares de gabinete e de dois ajudantes de ordens, seguiram para Porto Alegre no hidroavião *Tupan*, da Condor, que partiu do Rio de Janeiro às nove da manhã e, após duas escalas — uma em Santos, outra em Florianópolis —, chegou à capital gaúcha às 3h30 da tarde.[51] Como a solenidade em Uruguaiana só estava marcada para o domingo,

Getúlio teve tempo de se demorar em Porto Alegre, para sondar melhor o terreno político. Visitou Daltro Filho no hospital e foi informado de que o interventor não teria mais condições de reassumir o posto. Na verdade, segundo os médicos, o general poderia morrer a qualquer momento. Tinha poucos dias de vida, disseram.[52]

"Se um rio-grandense pode governar o Brasil, por que um brasileiro não pode governar o Rio Grande?", indagou Getúlio, durante discurso pronunciado da janela do palácio do governo gaúcho. Era uma forma de preparar os conterrâneos para a nomeação de um novo interventor, estranho ao estado. A reação popular à frase foi glacial. Ninguém a aplaudiu.[53]

No dia seguinte, ao comparecer a um banquete oferecido pela classe empresarial gaúcha, um preocupado Getúlio Vargas sentou-se ao lado do chefe do Estado-Maior da 3ª RM, o coronel Osvaldo Cordeiro de Farias — antigo revolucionário da Coluna Prestes que aderira ao movimento de 30, lutara em São Paulo contra os constitucionalistas de 32 e combatera os comunistas no Rio de Janeiro em 35. Na intenção de puxar conversa com o presidente, Cordeiro de Farias perguntou-lhe sobre a viagem a São Borja. Getúlio confirmou que, após a solenidade em Uruguaiana, pretendia veranear na terra natal por uns dez dias.

"É curioso, conheço todo o Rio Grande, menos a terra em que nasci, pois saí de lá muito pequeno", emendou o militar.

"Mas você é do Rio Grande?", indagou Getúlio, surpreso, e vivamente interessado.

"Sim, sou de Jaguarão", respondeu Cordeiro.[54]

A informação mudou o humor de Getúlio. Ao final do jantar, ele tratou de contar a novidade à filha Alzira.

"Tu sabes, rapariguinha, que fiz uma grande descoberta? O Cordeiro de Farias, chefe do Estado-Maior do Daltro e homem de confiança dele, nasceu por acaso no Rio Grande...", disse, com sorriso malicioso.[55]

Alzira compreendeu o recado. Estava resolvido o problema gaúcho. Cordeiro seria o novo interventor. Ninguém precisava ficar sabendo ainda da decisão presidencial, mas no domingo, dia 9, um já radiante Getúlio se encontrou com o colega argentino Agustín Justo no lançamento das duas pedras fundamentais da ponte a ser erguida sobre o rio Uruguai. Em Uruguaiana, o marco foi assentado por Justo. Em Paso de los Libres, por Getúlio. A cerimônia teve que ser curta, pois uma tempestade de verão se anunciou, ameaçadora, no horizonte. As duas comitivas se despediram rapidamente e embarcaram nos respectivos aviões. Getúlio e sua família voaram por entre nuvens negras em direção a São Borja, a cerca de 180 quilômetros dali. Mas um dos aparelhos que tomaram o rumo de Buenos Aires não chegaria ao destino: seria derrubado pela borrasca. Nele viajavam oito passageiros, entre eles o filho do presidente argentino, Eduardo Justo, de 27 anos. Ninguém a bordo sobreviveria ao desastre.[56]

A despeito da comoção provocada pelo acidente aéreo, Getúlio passou dias tranquilos em São Borja. Reviu parentes, vestiu bombachas, tomou litros de chimarrão e posou para fotografias ao lado de velhos peões da fazenda, os mesmos que conhecera ainda menino. A presença do filho presidente levantou o velho Manuel Vargas da cadeira de balanço e o fez arriscar até mesmo uma leve cavalgada.[57] Quando os jornalistas que acompanhavam a viagem presidencial indagaram ao pai de Getúlio como ele estava vendo a situação do país sob o novo regime, o general nonagenário não resistiu ao chiste.

"Mal, muito mal", disse, por trás dos óculos escuros. "Afinal, estou vendo tudo pela metade", brincou, aludindo ao olho doente.[58]

Getúlio retornou ao Rio de Janeiro em 19 de janeiro. Na mesma data, na capital gaúcha, morria o general Daltro Filho. Em respeito ao luto oficial, o presidente deixou o Rio Grande do Sul sem anunciar a nomeação de Cordeiro de Farias como interventor. Políticos rio-grandenses de todos os matizes procuraram Viriato Vargas, na esperança de que o irmão do presidente deixasse escapar alguma pista a respeito do caso.

"O que te disse o Getúlio?", perguntou o próprio Maurício Cardoso, na vã esperança de ser mantido no cargo.

"Tu sabes que o Getúlio nunca adianta coisa alguma. Ele só diz e só age no momento preciso...", respondeu Viriato.

"Mas, o que é que tu pensas?", insistiu Maurício.

"Penso que ele vai deixar como está para ver como é que fica..."

"Não entendo..."

"Ora, é muito claro. Se vocês acertarem o passo e seguirem bailando no compasso, ele deixa como está, sem nada alterar. Mas se continuar a politicagem e vocês se arranharem uns aos outros, ele manda um mestre-sala, para acertar o passo de vocês."[59]

No dia 4 de março, o mestre-sala Cordeiro de Farias tomou posse como interventor do Rio Grande do Sul.

***

Na capital da República, não havia mais dúvidas de que o Catete faria silenciar qualquer voz dissonante. A polícia do Estado Novo estava autorizada a agir da forma que lhe conviesse para cercear os opositores, catalogados sob a categoria comum de subversivos e inimigos do regime. Não havia nenhuma transparência em relação ao financiamento das ações repressivas, acobertadas pelo buraco negro das verbas secretas, destinadas pela letra da lei a "despesas de caráter reservado". A Polícia Especial, uma truculenta tropa de elite composta de indivíduos musculosos arregimentados em equipes de remo, clubes de boxe e academias de luta-livre, atuava como um pelotão de choque pronto para intervir em situações críticas, nas quais a "ordem pública" se visse ameaçada.[60]

Com Francisco Campos à frente do Ministério da Justiça, os códigos de Processo Civil e Penal passaram por revisões históricas, que aprofundaram as medidas de segurança e o rigor da ação repressiva do Estado. Foram reduzidos consideravelmente os direitos individuais, sob o pretexto de "neutralizar os indesejáveis" e eliminar as "garantias" que, em tese, beneficiavam os malfeitores. No caso do Código Penal, o modelo que serviu de inspiração à reforma brasileira foi o Código Rocco, da Itália fascista.[61]

A imprensa, além de subjugada pela censura, começara a ser coagida a reproduzir, como material editorial, textos saídos direto das máquinas de escrever dos redatores da Agência Nacional, um dos órgãos do Departamento de Propaganda. A convocação de "entrevistas coletivas" com o presidente da República passou a se resumir à distribuição de declarações previamente escritas pelos secretários do palácio, com a devida orientação de que fossem transcritas na íntegra, linha por linha.[62] No caso de algum diretor de redação esboçar discordância quanto às regras estabelecidas, a publicação ficaria exposta, além da visita intimidadora dos censores, a retaliações de ordem financeira: o jornal perdia automaticamente a isenção tributária sobre a compra de papel. Com a principal matéria-prima excessivamente onerada, ficava impedido de circular.[63]

Para ajudar a manter a imprensa sob controle, Getúlio regulamentou pela primeira vez no país a profissão de jornalista, oferecendo benefícios básicos à categoria, como a limitação da jornada de trabalho a sete horas diárias e o estabelecimento de uma folga por semana. Em contrapartida, para a expedição do registro profissional, passou a ser exigida do pretendente uma folha corrida na polícia, para que atestasse nunca ter respondido a processo por crime contra a segurança nacional — o que na prática vetava o retorno ao ofício de centenas de repórteres perseguidos pelo regime desde 1935.⁶⁴

Uma carta escrita a Getúlio nessa época pelo jornalista Geraldo Rocha, proprietário de *A Noite*, era o melhor exemplo da inegável conivência entre os grandes veículos da imprensa e o Estado Novo. Rocha destacou um repórter, Leal de Souza, para acompanhar o presidente em todas as viagens e solenidades públicas dali por diante, "com o intuito de criar a mística em torno do chefe, fator ao nosso ver imprescindível para a felicidade de nossa pátria no momento em que vivemos". Segundo Rocha, seria "indispensável que Leal possa se acercar de vossa excelência para descrever aos nossos leitores como vive o responsável pelos seus destinos, [...] a fim de criarmos a auréola com que se circundam todos os condutores dos povos".⁶⁵

As reportagens de Leal de Souza para *A Noite* foram a gênese de um livro publicado à guisa de biografia — e às expensas do Departamento de Propaganda — intitulado *Getúlio Vargas*. Ao comparar o presidente do Brasil com o positivista Júlio de Castilhos, matriz ideológica de toda uma geração de republicanos gaúchos, o jornalista escreveu: "Castilhos foi um precursor. Getúlio, como Hitler, Salazar, como Mussolini são missionários com afinidades peculiares à época e representam sistemas oriundos de necessidades e aspirações nacionais".⁶⁶

Enquanto isso, escolas e bibliotecas eram inundadas com folhetos e cartilhas verde-amarelas, em que sobressaíam as mensagens ufanistas. Biografias edulcoradas do presidente da República, a maioria destinada ao público infantojuvenil, eram produzidas em série. Concursos para a escolha de cartazes cívicos também se tornaram rotineiros. Apenas nos dois primeiros anos do Estado Novo, entre 1937 e 1939, o serviço de divulgação do governo imprimiria e distribuiria 90 mil retratos, cartões-postais e pôsteres de Getúlio, além de um total de 45 livros doutrinários, com tiragens que variavam de 10 mil a 75 mil exemplares cada.⁶⁷ Em 1938, sairiam pela editora José Olympio os cinco volumes em capa dura de *A nova política do Brasil*, reunião dos discursos de Getúlio desde a formação da Aliança Liberal e a chegada ao poder, em 1930.⁶⁸

A revista *Tico-Tico*, pioneira na publicação de histórias em quadrinhos no Brasil, realizou uma promoção entre seus pequenos leitores, convidando-os a resumir, em uma única frase, suas opiniões sobre o presidente da República. O ganhador foi o menino carioca Joppert da Costa, que enviou a seguinte definição:

"Getúlio Vargas é o despertador do gigante". O segundo lugar ficou com o garoto pernambucano Carlos Alberto Carneiro Leão, autor da frase "O nosso querido presidente é o novo Papai Noel das crianças do Brasil". Um dos finalistas, o mineirinho Reinaldo R. B. de Oliveira, recebeu menção honrosa ao comparar o chefe de Estado a um famoso herói dos gibis: "Para mim, Getúlio Vargas é maior do que o Tarzan das Florestas".[69]

Além do culto à personalidade de Getúlio — que incluiu a cunhagem de sua efígie no verso das moedas em circulação —, o ideário estado-novista buscava se autolegitimar por meio de um discurso com ênfase na justiça social e no incentivo à modernização da sociedade brasileira. A valorização do trabalho e da capacidade produtiva seriam, em tese, os princípios orientadores de um sistema que prometia atuar, sem reservas, na promoção da cultura moral e cívica da pátria. A retórica do engrandecimento pessoal pela via do esforço derivou para a crítica ao "intelectualismo ocioso" e para o "controle oficial da malandragem". Estabeleceu-se um assédio policialesco contra os desempregados, mendigos e vadios em geral, sujeitos a penas elevadas de multa e reclusão, por serem considerados indivíduos nocivos à sociedade.[70]

"A ordem e a tranquilidade públicas serão mantidas sem vacilações. O governo continua vigilante na repressão ao extremismo e vai segregar, em presídios e colônias agrícolas, todos os elementos perturbadores, reconhecidos pelas suas atividades sediciosas ou condenados por crimes políticos", advertiu Getúlio em seu tradicional discurso de Ano-Novo, pronunciado pelo rádio à meia-noite do dia 31 de dezembro de 1937. "Não consentiremos que o esforço e a dedicação patriótica dos bons brasileiros venham a sofrer inquietações e sobressaltos originados pelas ambições personalistas ou desvarios ideológicos de falsos profetas e demagogos vulgares."[71]

Demagogo vulgar. A carapuça pareceu servir sob medida a Plínio Salgado, que manifestou a Getúlio sua insatisfação pelo tratamento que vinha recebendo da imprensa do Rio.

"Os jornais, havendo censura oficial, começaram a atacar-me, a ridicularizar o movimento integralista", protestou. "Alguns diretores de jornais informaram-me que receberam ordens diretas de autoridades para abrir fogo contra nós."[72]

Em revide à suposta campanha de difamação orquestrada contra o líder, os integralistas passaram a hostilizar o presidente da República, aproveitando-se de todas as oportunidades para lhe manifestar desagrado. No final daquele ano de 1937, na cerimônia de formatura de Alzira, realizada no Teatro Municipal, metade dos bacharelandos da Faculdade de Direito se voltou para a plateia e, com o braço levantado, pronunciou o "Anauê" em altos brados. Getúlio havia se retirado antes do fim do evento, para não testemunhar o silêncio dos colegas de turma da filha durante a execução da segunda parte do Hino Nacional — os camisas-verdes não reconheciam o trecho que iniciava com o verso "Deitado eternamente em berço esplêndido".[73]

Com o diploma na mão, Alzira foi oficializada como funcionária do gabinete do pai, recebendo a recomendação expressa de confinar à última gaveta de seu birô — na qual eram depositados os documentos destinados ao lento esquecimento — o projeto da Organização da Juventude Brasileira, idealizada por Francisco Campos com o objetivo de adestrar crianças e adolescentes no formato das milícias paramilitares fascistas.[74]

A progressiva insatisfação dos filiados da proscrita AIB começou a gerar uma onda incontrolável de boatos, e não demorou muito para surgirem sussurros de que se planejava um atentado contra Getúlio. No início de 1938, ao embarcar em um pequeno bimotor para uma de suas viagens de rotina, o presidente foi advertido por uma mensagem anônima de que o avião teria sido alvo de uma presumida sabotagem. O recado dizia que o piloto era simpatizante do integralismo e tinha como missão provocar um acidente aéreo, fazendo a aeronave explodir no ar.[75]

"Deixem de fantasias", desdenhou Getúlio. "Se o avião estourar, o piloto também morre, e não me parece que ele tenha desprendimento pela vida", disse aos parentes que lhe recomendaram trocar de aparelho ou, pelo menos, adiar o voo.[76]

Após quarenta minutos de viagem, o avião fez um ruído estranho, diminuiu de altitude, inclinou para a direita e realizou uma curva em direção ao ponto de partida. Questionado, o piloto informou que um dos motores estava engasgando e, assim, precisavam retornar o quanto antes à base. O pouso de emergência foi realizado sem maiores incidentes, mas posteriormente seria identificada certa quantidade de água em um dos tanques de combustível, por motivos jamais esclarecidos.[77]

"Nunca fiquei sabendo se havia algum fundamento para o susto, pois papai não tocou mais no assunto, nem cogitou apurar responsabilidades", recordaria

Alzira. "Manteve sua confiança nos pilotos brasileiros até o fim. Não admitia a hipótese de uma deslealdade da parte deles."[78]

Se Getúlio Vargas confiava cegamente nos ases de nossa aviação militar, seus auxiliares sugeriam manter redobrado alerta em relação aos oficiais da Marinha. As forças navais concentravam grande contingente de integralistas, estimando-se que mais da metade dos efetivos daquela corporação nutrisse alguma simpatia pela AIB, incluindo o próprio ministro Aristides Guilhem.[79]

Mesmo assim, Getúlio não dava sinais de assombro. Seus adversários podiam acusá-lo de tudo, menos de que se acovardasse ante ameaças e advertências de perigo. No dia 11 de março de 1938, desprezou os reiterados avisos de que se preparava um atentado contra ele, a ser desfechado com arma branca durante um almoço na ilha das Cobras, na baía de Guanabara, por ocasião da chegada de três submarinos italianos adquiridos pelo Brasil e aqui rebatizados com os nomes de *Tupi*, *Timbira* e *Tamoio*. Segundo informações da Casa Militar, o próprio comandante da flotilha, o capitão de mar e guerra Fernando Cochrane, militante da AIB, seria o artífice da emboscada.[80]

Na véspera, com efeito, a polícia desbaratara os preparativos de um motim integralista, arquitetado com o apoio de guardas-marinhas e oficiais da Escola Naval, coadjuvados por policiais militares e integrantes do Exército. Fora apreendida enorme quantidade de armas, incluindo punhais com a marca do Sigma. O clima de tensão não impediu Getúlio de desafiar os conspiradores. Desceu ao interior de um dos três submarinos, fazendo questão de cumprimentar o capitão Cochrane e congratulá-lo pela viagem de travessia atlântica. No dia seguinte, os jornais cariocas trouxeram a foto do presidente, de terno branco e chapéu de palhinha, apertando a mão do oficial com um sorriso despreocupado.[81]

"A grande virtude nacional, neste momento histórico, deve ser a disciplina", discursou Getúlio, mantendo o sangue-frio, antes de determinar a detenção de Cochrane.[82]

Dezenas de outros suspeitos de envolvimento na conspiração foram presos. Nem todos eram integralistas. Muitos haviam se aproximado dos camisas-verdes para somar forças contra Getúlio. Caso de Otávio Mangabeira, ex-ministro de Washington Luís e um dos articuladores da frustrada candidatura presidencial de Armando Sales, bem como do coronel Euclides Figueiredo, eterno conspirador desde 1932. Ambos foram recolhidos a um hospital militar, onde ficaram internados sob custódia, por alegarem problemas de saúde.[83]

Desde o início do ano, Mangabeira e Figueiredo vinham mantendo reuniões secretas com líderes integralistas, articulando um contragolpe para restaurar a Constituição de 1934. Liberais como os irmãos Francisco e Júlio de Mesquita Filho, diretores de *O Estado de S. Paulo*, apoiavam a iniciativa. Flores da Cunha, do exílio uruguaio, ajudava a financiar o movimento, remetendo dinheiro de Montevidéu. Plínio Salgado, que presidira várias dessas conversas reservadas, depois das primeiras prisões resolveu se refugiar na capital paulista, para dirigir os fatos de longe, evitando que também o capturassem no Rio.[84]

Apesar das detenções, a conspiração prosseguiria, sob a coordenação civil de Belmiro Lima Valverde, membro do Conselho Supremo da extinta AIB, e a cooperação militar do general João Cândido Pereira de Castro Júnior, um dos oficiais superiores que haviam se oposto à deposição de Flores da Cunha. Em vez de servir de alerta aos responsáveis pela segurança presidencial, as ameaças frustradas de atentado surtiram o efeito contrário. Relaxou-se a vigilância presidencial, talvez por se considerar que os integralistas não teriam coragem suficiente para executar os planos.

Um erro de avaliação que, como iria se verificar, por pouco não custou a vida de Getúlio — e de quase toda a sua família.

15. Getúlio enfrenta metralhadoras e fuzis, mas sucumbe ante um adeus da Bem-Amada (1937-8)

Já era perto de uma da manhã quando Getúlio se recolheu ao quarto, no andar superior do Palácio Guanabara. Estava deitado, mas ainda desperto, quando foi surpreendido pelo barulho seco de um tiro. A princípio, não deu muita importância ao caso. Era comum que os sentinelas do palácio efetuassem, por acidente, disparos isolados na madrugada. No cômodo ao lado, Alzira também escutou o ruído, mas igualmente o ignorou. Bastava a arma de um dos guardas cair ao chão, por descuido, para que o sono dos moradores fosse perturbado por estampidos do gênero.[1]

Mas, à primeira detonação, seguiu-se outra. E uma terceira. Em questão de segundos, ouviu-se o característico matraquear de uma metralhadora. Jandira, sobressaltada, acendeu as luzes e entreabriu a janela, com a intenção de averiguar o que se passava. Duas balas partiram em sua direção, alojando-se poucos centímetros abaixo do peitoril de mármore, arrancando pedaços do reboco da parede externa do prédio.[2]

Pelas venezianas, Alzira olhou para o jardim lá embaixo e avistou um grupo de homens fardados atirando contra o palácio. Abriu então a porta interna que dava para o quarto de Jandira, apagou as luzes, cerrou as cortinas e correu para o dormitório dos pais. Entrou justamente na hora em que Getúlio, sentado na cama, retirava um revólver da gaveta da mesinha de cabeceira e o colocava na cintura, deixando o cabo de madrepérola por cima da camisa do pijama.[3]

"Estão atacando o palácio!", gritou Alzira.

"Não nos renderemos!", teria respondido Getúlio.[4]

Enquanto o pai espiava pelas frestas da janela, a filha desceu as escadarias internas e correu para o pavimento inferior, onde um dos investigadores policiais de plantão, munido de uma submetralhadora, avisou que estava saindo para saber o motivo pelo qual a guarda palaciana, sob o encargo dos fuzileiros navais, não estava revidando a agressão.[5]

O inspetor só conseguiu dar algumas dezenas de passos após fechar a porta atrás de si. Foi cercado ao pé da escada que dava acesso ao saguão de entrada. Mandaram-no erguer as mãos e largar a arma. Feito prisioneiro, acabou conduzido para o posto da guarda, onde o grupo de fuzileiros estava sob a mira dos invasores. Minutos antes, dois caminhões haviam despejado pouco mais de vinte homens na esquina da rua Pinheiro Machado com a Farani, a cerca de 150 metros do portão principal. Todos trajavam uniformes falsos dos fuzileiros navais e estavam armados. Desconfiado com o movimento incomum àquela hora, o sentinela acionara o alarme. Entretanto, sozinho, não pôde fazer frente à primeira investida. Foi derrubado por uma descarga de fuzil.[6]

A cumplicidade de um dos fuzileiros se encarregou de franquear a entrada aos falsos colegas. O tenente Júlio Barbosa do Nascimento, oficial do dia, deixara aberto um portão secundário e, para sabotar o poder de fogo dos camaradas, abastecera previamente a tropa com apenas um único pente de balas para cada homem. Quando os encarregados pela segurança do prédio precisaram recorrer ao posto da guarda em busca de mais munição, foram rendidos por companheiros que haviam aderido ao ataque.[7]

"Não derramem seu sangue que este governo já está deposto", gritou-lhes o líder do assalto, o tenente Severo Fournier, ajudante de ordens do coronel Euclides Figueiredo durante a revolta paulista de 1932.[8]

Fournier não era integralista. Sua presença à frente do grupo era o indicativo de que a agressão, embora planejada e executada com o auxílio material dos seguidores de Plínio Salgado, realmente fazia parte de uma conspiração mais ampla, envolvendo diversas lideranças contrárias a Getúlio.

No interior do Guanabara, a situação era desesperadora. Às escuras, o capitão-tenente Isaac Luiz da Cunha Júnior, oficial da Casa Militar de serviço naquela noite, distribuiu os poucos revólveres e pistolas disponíveis entre serventes, contínuos e garçons do palácio. Em face da precariedade do aparato de defesa, parte da família de Getúlio precisou entrar em ação. Alzira e Maneco pegaram as próprias armas, com as quais costumavam praticar tiro ao alvo.

O irmão mais velho, Lutero, recém-formado em medicina, saíra mais cedo e ainda se encontrava na rua. Não podiam, portanto, contar com ele. Jandira, trêmula, estava sem condições emocionais de reagir. Mandada para o interior da biblioteca, ficou amparada pela mãe. Ambas foram orientadas a deitar no chão, para se resguardar das balas que sibilavam em seus ouvidos. Walder Sarmanho também empunhou um 38 e se dirigiu para a parte posterior do prédio, em companhia do ajudante de ordens.[9]

Era impossível prever por quanto tempo aquela guarda improvisada conseguiria se contrapor à investida. As portas envidraçadas do Guanabara não ofereceriam maiores chances de resistência caso os agressores decidissem forçar a entrada em grupo ou por vários pontos simultâneos. Durante cerca de uma hora, a artilharia prosseguiu intensa, respondida na medida do possível pelos que estavam do lado de dentro. Um dos balaços atingiu a janela do gabinete de Getúlio, estilhaçou a vidraça, passou pela cadeira onde ele costumava sentar para despachar papéis e se cravou na estante de livros.[10] A encadernação em couro do exemplar de *Sob o fogo invisível*, de André Carrazzoni, futuro biógrafo oficial de Getúlio Vargas, recebeu o petardo na lombada.[11]

Estavam atirando para matar. Mais tarde, em depoimento à polícia, o sargento Manuel Pereira Lima, integralista, elemento de ligação entre Severo Fournier e o fuzileiro Barbosa do Nascimento, afirmaria: "Ficou combinado que o presidente deveria ser sumariamente eliminado, não ficando entretanto atribuída a missão de assassiná-lo a qualquer pessoa particularmente".[12]

Getúlio tentou fazer contato com o mundo externo, mas a linha telefônica estava cortada. Quando Alzira se esgueirou, de gatinhas, para tentar alcançar outro aparelho, destinado a ligações diretas com a cúpula civil e militar do governo, veio a grata surpresa. O telefone oficial estava funcionando. Não haviam conseguido bloquear a central subterrânea de emergência estabelecida apenas algumas semanas antes.[13]

Alzira ligou de imediato para o chefe de Polícia, Filinto Müller, que lhe garantiu ter enviado para o Guanabara um destacamento da Polícia Especial tão logo soubera do ocorrido por meio do seu serviço de informações. Os homens, portanto, deveriam chegar a qualquer momento. Aguentassem firme e esperassem por eles.[14]

O próprio Müller também quase fora pego em armadilha semelhante. Descobrira um plano de sublevação na chefia de Polícia naquela noite, mas tomara providências a tempo de evitar a concretização do motim. Um aspirante de plantão tinha sido cooptado para abrir as portas do edifício a um grupo armado. Descoberta a cilada, Müller mandou colocar uma metralhadora em cada janela do prédio, desestimulando os assaltantes.[15]

A segunda ligação de Alzira foi para a residência do chefe do Estado-Maior do Exército. Do outro lado da linha, Góes Monteiro lamentou não poder fazer nada a respeito. Disse que estava sendo vítima de uma tentativa de invasão. Cerca de vinte homens tinham cercado o edifício onde morava, em Copacabana, enquanto pelo menos outros dez já haviam subido até a porta de seu apartamento. Não teriam conseguido arrombá-la ainda graças aos ferrolhos e fechaduras de segurança. Góes permaneceria sitiado por algumas horas, até que uma patrulha do Forte de Copacabana chegasse ao local para libertá-lo.[16]

Quanto ao Guanabara, este permaneceria, de modo inexplicável, desguarnecido por toda a noite. Após o primeiro chuveiro de balas, houve uma trégua repentina. Ergueu-se uma misteriosa muralha de silêncio fora do prédio. Getúlio calculou que isso não representava, necessariamente, uma boa notícia. Os agressores talvez estivessem apenas economizando munição — ou se preparando para a invasão final. Quem sabe esperavam que ele se entregasse, humilhado, de mãos para cima. Mas isso ele jamais faria. Não desfraldaria a bandeira branca. Se quisessem, viessem caçá-lo lá dentro, onde seriam enfrentados a bala.[17]

A calmaria provisória foi quebrada pelo ronco de um motor de automóvel entrando, a toda a velocidade, pelo portão principal do jardim. O carro, onde se encontrava Benjamim Vargas com um grupo de amigos, foi recepcionado por uma descarga de fuzis integralistas. Bejo, que estava no Rio de Janeiro desde o fechamento da Assembleia gaúcha, soubera do ocorrido e viera para junto da família, arriscando uma entrada tão perigosa quanto triunfal. Por sorte, conseguira entrar no palácio sem sofrer um único arranhão.[18]

"Se o tio Bejo conseguiu entrar, por que os reforços enviados pela polícia não conseguem fazer o mesmo?", indagou Alzira ao pai, intrigada.[19]

Ficou no ar a desconfiança de que havia algo de muito estranho em toda aquela situação. O Palácio Guanabara estava sendo atacado por algumas poucas dezenas de atiradores, e não existia nenhuma evidência de que os milhares de homens das tropas oficiais do Rio de Janeiro estivessem sendo mobilizados para esmagar o levante.

"Vai para o telefone que eu fico aqui", disse Bejo à sobrinha, tomando-lhe o lugar, com o revólver engatilhado. "Vê se falas com esses trompetas que não mandam socorro. O que estão fazendo enquanto o presidente da República continua prisioneiro?"[20]

Alzira olhou por uma das janelas ainda intactas para ver se localizava algum dos quepes vermelhos dos elementos da Polícia Especial. A única coisa que conseguiu divisar, no entanto, foi alguém no gramado com a arma apontada em sua direção. Por instinto, ela se abaixou, a tempo apenas de ouvir a saraivada de tiros e o estalido dos vidros que se despedaçavam acima de sua cabeça. Com o movimento brusco, bateu o queixo na quina do patamar da janela, o que originou um ferimento que lhe deixaria uma discreta cicatriz para o resto da vida.[21]

A essa altura, a Rádio Mayrink Veiga, tomada pelos revoltosos, começou a anunciar que o presidente Getúlio Vargas estava cercado e em vias de se render. Chegou-se a anunciar que uma junta militar assumiria o governo nas próximas horas. De acordo com a emissora, Getúlio deveria ser preso e conduzido ao cruzador *Bahia* — já ancorado nos fundos do Catete —, onde permaneceria detido até ser entregue às novas autoridades do país. O triunvirato encarregado de substituí-lo seria formado pelo general Castro Júnior, o integralista Belmiro Valverde e o almirante Raul Tavares, ministro do Supremo Tribunal Militar.[22]

A verdade, porém, era mais confusa do que fanfarreavam os insurgentes. A agressão ao palácio foi precedida de uma série de contratempos. Dos 150 voluntários arregimentados para o assalto, menos de trinta se apresentaram ao local combinado. A maioria preferiu ficar em casa, em segurança, aguardando as notícias pelo rádio. Outros 26 foram presos quando se dirigiam em comboio pela avenida Vieira Souto, a caminho dos demais alvos estabelecidos pela coordenação do movimento. A pequena parcela que atendera ao chamado jamais havia empunhado uma arma na vida. Para complicar, foram esquecidos dentro dos caminhões o feixe de machadinhas e o arsenal de dinamite preparado para a invasão. Quando o grupo deu pela falta do material, os veículos já haviam partido.[23]

Um plano para libertar Otávio Mangabeira e o coronel Euclides Figueiredo do hospital militar também padeceu da falta de organização. Dois integralistas — um disfarçado de oficial do Exército, outro com um distintivo de investigador policial — requisitaram os prisioneiros em nome do governo. O médico desconfiou do estratagema e acionou um piquete da cavalaria, que recapturou os fugitivos quando estes vagavam pela rua a esmo, à procura de uma condução — o táxi reservado para a fuga havia ido embora antes da hora.[24]

Como se não bastassem os erros tragicômicos de planejamento, os encarregados de sequestrar o ministro da Guerra simplesmente não o reconheceram quando Eurico Gaspar Dutra saiu de casa e passou à paisana diante deles, que estavam de tocaia em um bar vizinho. Alertado do ataque ao Guanabara, Dutra foi até o Forte do Leme, reuniu uma dúzia de soldados e rumou, às pressas, em direção ao palácio. Seria o único comandante militar em todo o Rio de Janeiro a comparecer ao local — fato que um agradecido Getúlio jamais esqueceria.

"Eu sou o ministro da Guerra e vou entrar!", gritou, em frente ao portão.[25]

No primeiro choque com os invasores, o general recebeu um ferimento de raspão na orelha e perdeu dois de seus homens, feridos em combate.[26] Mas o simples anúncio da presença de Dutra no palco de batalha foi suficiente para produzir as primeiras deserções entre os agressores. Sem saber ao certo a quantidade de soldados que acompanhavam o ministro da Guerra, muitos integralistas desistiram do combate e trataram de escapar pelos fundos do palácio, embrenhando-se no matagal que circundava o morro Mundo Novo. Quando finalmente começaram a chegar os primeiros reforços da Polícia Especial, Dutra considerou que a situação logo ficaria sob controle — e assim decidiu subir na garupa de uma motocicleta policial e se encaminhar à sede do Ministério da Guerra, para articular a retomada do prédio da Marinha, ocupado pelos rebeldes no início da madrugada. As sirenes à frente do Guanabara intimidaram outra leva de integralistas, que sumiram pelo mesmo caminho dos anteriores.[27]

Nesse meio-tempo, a esposa do almirante Aristides Guilhem ligou para a mulher do general, Carmela Teles Leite Dutra, mais conhecida como dona Santinha.

"O Aristides ia para o Ministério da Marinha, mas não conseguiu passar do túnel", disse ela.

"Pois o Dutra passou. Se não passasse, eu o pegava pelo braço e o obrigava a passar. Mas não foi preciso fazer isso", rebateu dona Santinha, desligando o telefone.[28]

Enquanto isso, no Guanabara, persistia o suspense. Os funcionários continuavam guarnecendo o andar de baixo, enquanto no topo da escada que dava acesso aos dormitórios se formaram duas alas sucessivas de defesa. Bejo estabeleceu posição na primeira linha de tiro, assegurando que só passariam por ele depois de matá-lo. Ao seu lado, postou-se um ex-comandado dos tempos do batalhão de provisórios de São Borja, Júlio Santiago. Alzira e Maneco se postaram alguns metros atrás. Caso Bejo e Santiago tombassem, os dois irmãos defenderiam o pai, se preciso, com o sacrifício da própria vida.[29]

Getúlio, com o revólver na mão, andando de um lado para outro, não se continha na retaguarda, rompendo o cordão de isolamento estabelecido pelos filhos.

"Papai, pelo menos senta. Não fica por aí servindo de alvo, e logo em frente à janela!", suplicou Alzira.[30]

Por volta das cinco da manhã, com o dia já prestes a clarear, as tropas de ocupação finalmente adentraram o palácio, utilizando uma passagem reservada que dava para o campo do Fluminense, vizinho ao Guanabara. O comando da força de resgate foi confiado por Dutra ao coronel Osvaldo Cordeiro de Farias, recém-nomeado por Getúlio interventor do Rio Grande do Sul. A convocação de Cordeiro, que apenas por coincidência se encontrava no Rio, revelava a absoluta descoordenação das forças legalistas. Em tese, não caberia a um interventor de outro estado a chefia de semelhante missão na capital federal. Porém, na surpreendente ausência de outros comandantes disponíveis para agir naquela situação de emergência, a presença do coronel revelou-se a única alternativa.[31]

Ao cumprimentar Cordeiro de Farias, que chegou acompanhado de Lutero Vargas, Getúlio não deixou transparecer a menor sombra de nervosismo. Conforme relembraria Cordeiro, o presidente da República mais parecia o estar recebendo para uma audiência de rotina.

"Presidente, o senhor pode subir que eu tenho homens suficientes para resistir. Como o tiroteio diminuiu, acredito que muitos já tenham fugido", frisou o coronel.

"É bom mesmo, porque estou cansado", resumiu-se a comentar Getúlio, colocando o revólver na cintura e rumando para o quarto.[32]

Especulou-se que a inércia das forças militares durante a madrugada fora fruto de uma sinistra manobra política. Se os integralistas houvessem conseguido matar Getúlio, o Exército e a Marinha provavelmente teriam tomado conta do poder, aproveitando-se da desarticulação política que reinava no país. Segundo os adeptos da teoria conspiratória, apenas isso poderia explicar a displicência exibida pelas Forças Armadas em relação ao ataque à residência presidencial. As principais suspeitas recaíam sobre o general Góes Monteiro, o almirante Aristides Guilhem e o próprio Filinto Müller, embora Getúlio jamais tenha demonstrado concordar com tal hipótese, mantendo inalterada a cúpula dos quartéis e da polícia, a despeito do perigo que correra.[33]

"Se o Brasil fosse mesmo um país totalitário, o ministro da Marinha, o chefe de Polícia, entre outros, teriam sido fuzilados no mesmo dia", comentou o então interventor do estado do Rio de Janeiro, Amaral Peixoto, que além das estreitas ligações políticas com Getúlio estava prestes a entrar na família Vargas, por ter acabado de ficar noivo de Alzira.[34]

Pela manhã, Dutra retornou ao Guanabara quando o presidente já se recolhera à cama para tentar recuperar a noite de sono perdida. O ataque fora debelado. Os últimos a se entregar ainda tentaram, de modo patético, esconder-se por trás dos arbustos e no topo das árvores, sendo aprisionados.[35]

O episódio, entretanto, não terminaria sem mais uma nota polêmica, oferecendo elementos para eternas controvérsias. Enquanto conversava na secretaria do palácio sobre as ocorrências da noite, o ministro da Guerra escutou uma série de novos disparos, vindos dos fundos do prédio. As descargas de fuzilaria despertaram Góes Monteiro, que chegara havia poucas horas e ressonava numa cadeira ao lado. Dutra olhou pela janela tentando identificar a origem dos disparos, mas foi tranquilizado pelo tenente Eusébio de Queiroz Filho, comandante da Polícia Especial.

"Estamos apenas descarregando algumas armas", justificou o tenente.[36]

Correria mais tarde a informação de que um grupo de nove integralistas, depois de desarmado, fora colocado em um paredão e espingardeado, por ordens de Bejo e Queiroz. Com a imprensa sob censura, não foi publicada à época nenhuma palavra sobre o assunto. Em suas memórias, contudo, o general Góes Monteiro afirmaria que o próprio Eurico Gaspar Dutra lhe teria confirmado o fuzilamento dos rebeldes.[37]

Dutra, por sua vez, nas recordações pessoais do ocorrido, preferiu abordar o tema de forma evasiva. "Ouvimos dizer que teriam ocorrido fuzilamentos, pela manhã, no Palácio Guanabara. Nenhuma providência nos competia tomar. O fato, caso se confirmasse, se passara na residência do presidente da República, e não nos constava estar qualquer elemento militar nele envolvido."[38]

Não era uma confirmação. Mas também não se tratava propriamente de um desmentido formal. Somente em 1986 a verdade viria à tona. Amaral Peixoto, em depoimento ao Centro de Pesquisa e Documentação de História Contemporânea do Brasil (CPDOC), da Fundação Getúlio Vargas, ratificaria a informação. Um grupo de integralistas foi de fato fuzilado, naquela manhã, nos fundos do Guanabara. O executor teria sido Júlio Santiago, braço direito de Bejo Vargas.[39]

"O presidente acabou de sair."
Alzira não acreditou no que estava lhe dizendo o contínuo do Guanabara.
"Saiu, sim senhora. Foi para o Catete a pé!"[40]
Decorridas poucas horas do ataque, Getúlio cumpriu o ritual que gostava de repetir em momentos de crise. Deixou o palácio caminhando, acompanhado apenas do ajudante de ordens. Dispensou o automóvel oficial, andou por cerca de 850 metros pela rua Paissandu até a altura da Marquês de Abrantes, dobrou à esquerda e percorreu cerca de mais um quilômetro, para enfim chegar ao Catete. O trajeto foi seguido passo a passo pelos jornalistas, que ficaram impressionados com o desprendimento de um homem capaz de se expor daquela maneira, depois de quase ter sido morto, junto com toda a família. No caminho, Getúlio foi aplaudido por populares, que consideraram seu gesto a manifestação superior de uma alma intrépida.[41]

O expediente no Catete, naquele dia, seria curto. Ao fim das três primeiras horas de despacho, Getúlio mandou chamar o amigo Iedo Fiúza, diretor-geral do Departamento Nacional de Estradas de Rodagem (DNER), órgão criado pelo governo federal no ano anterior para modernizar a malha rodoviária do país. O que ninguém sabia era que o discreto Fiúza tinha outras atribuições paralelas ao cargo oficial. Era ele quem servia de motorista para os encontros amorosos do presidente da República com a bela Aimée.[42]

Fiúza conhecia o lugar onde o casal de amantes marcava suas escapadelas vespertinas e, sem fazer perguntas, conduzia o passageiro para o chamado "ninho de amor" — a expressão com a qual Getúlio se referia à garçonnière mantida exclusivamente para receber em segredo a sra. Luís Simões Lopes.[43]

"Fui ver a Bem-Amada. Fui só, acompanhado por um amigo, como de costume. As emoções sofridas e recalcadas precisavam de uma descarga sentimental", escreveu ele, na anotação relativa à data.[44]

No início do ano, Simões Lopes enfim descobrira que a esposa o traía. Chegara a enviar uma carta dolorida a Getúlio, sem nenhuma alusão ao fato de o destinatário da mensagem ser o agente motivador de sua desventura conjugal. Abalado, Lopes escrevera para informar que, momentaneamente, não estaria em condições de saúde nem com disposição mental para dirigir o Conselho do Serviço Público. Sairia em viagem de repouso, por tempo indeterminado. "Esta tem o fim de reiterar-lhe as minhas despedidas e de agradecer-lhe a hospedagem que me ofereceu aí em Petrópolis, no momento em que, desfeito o meu lar, me vi envolvido em justificada mágoa, como homem de coração que sou."[45]

Ao longo das quatro páginas da carta, não ficou nenhum indício de que o marido ultrajado responsabilizasse Getúlio pelo fim do casamento. Se soubera de toda a verdade, optara por não tocar em assunto tão melindroso — e, uma vez aceita tal hipótese, não relacionara as traições de Aimée com nenhum impeditivo moral para se conservar no governo. "Espero que a viagem me restabeleça e, nesse caso, estarei pronto a retomar o trabalho, tanto mais que hoje exerço minhas funções dentro do regime político que sempre esperei para o Brasil."[46] Com efeito, após alguns meses na Itália, Simões Lopes reassumiu o cargo. Com a criação do Departamento Administrativo do Serviço Público (Dasp), em junho daquele ano, ele foi nomeado por Getúlio presidente do novo órgão, ficando assim responsável pela grande reforma administrativa implementada durante a vigência do Estado Novo.[47]

A chegada da sentida mensagem de Simões Lopes coincidiu com o instante em que Getúlio seguia com a família para São Lourenço, a fim de desfrutar de uma estação de águas nas famosas termas da cidade mineira. Aimée, separada do marido, foi convidada a integrar a excursão familiar. Durante o mês inteiro em que permaneceram em Minas Gerais, o romance clandestino atingiu o paroxismo. Getúlio desabafou em seu diário:

Estou inquieto, perturbado com a presença daquela que me despertou um sentimento mais forte do que eu poderia esperar. O local, a vigilância, as tentações que a rodeiam e assediam não permitem falar-lhe, esclarecer situações equívocas e perturbadoras. Amanhã, talvez, um passo arriscado ou uma decepção. O caminho se bifurca — posso ser forçado a uma atitude inconveniente.[48]

Na anotação seguinte, rabiscou linhas mais aliviadas: "O encontro realizou-se, a inquietação passou. A bondade divina não me abandonou. Amanhã deverei novamente enfrentar o risco que a força incoercível de um sentimento me inspira".⁴⁹

A cada nova página do caderno escrita em São Lourenço, a temperatura dos comentários subia a níveis quase febris.

> Levanto-me cedo e vou ao rendez-vous previamente combinado. O encontro deu-se em plena floresta, à margem de uma estrada. Para que um homem de minha idade e da minha posição corresse esse risco, seria preciso que um sentimento muito forte o impelisse. E assim aconteceu. Tudo correu bem. Regressei feliz e satisfeito, sentindo que *ela* valia esse risco — e até maiores.⁵⁰

Cedo ou tarde, porém, um assunto potencialmente tão escandaloso tenderia a cair no conhecimento público. Um amigo não identificado telefonou para Minas e procurou advertir Getúlio de que começara a circular, no Rio de Janeiro, insinuações maldosas sobre seu romance com a ex-esposa de Luís Simões Lopes. Segundo tal informante, Oswaldo Aranha estaria preocupado com a repercussão negativa de um caso de adultério envolvendo a figura do presidente da República. Por esse motivo, o mesmo Oswaldo se dizia propenso a aconselhá-lo a afastar-se de Aimée.⁵¹

Getúlio ouviu o recado e deu de ombros. Se aquilo fosse verdade, o eventual conselheiro não estaria em condições de repreendê-lo. Sabia-se que a cantora lírica Iolanda Norris estava grávida de um relacionamento extraconjugal com Oswaldo, um homem casado havia mais de vinte anos com dona Vindinha, com quem tinha quatro filhos legítimos.⁵² Além do mais, outros que rodeavam a família Vargas também não eram nenhum exemplo de fidelidade matrimonial.

"O [Walder] Sarmanho foi ao Rio a serviço, enquanto a mulher se regala com o novo amante, um rapazote chamado Homero [de Souza e Silva], do gabinete do prefeito de Poços de Caldas, a quem ela mandou chamar", frisou Getúlio.⁵³

Um dia depois, o presidente e a amante sumiram misteriosamente por algumas horas do hotel onde estavam hospedados, despertando suspeitas gerais. Darcy ficou arrasada ao perceber que o marido, sempre pontual e aguardado para o início de uma partida de golfe, estava demorando mais do que o costume. A ausência simultânea de Aimée serviu para corroborar as desconfianças da esposa e provocar um visível constrangimento entre os presentes.⁵⁴ Contrariada, Darcy retornou ao Rio de Janeiro antes dos familiares.⁵⁵

Apesar dos imperativos do desejo, Getúlio pouco a pouco tomava consciência de que não poderia sustentar aquela "paixão alucinante e absorvente", conforme ele mesmo descrevia, de maneira indefinida: "Sinto que isso não pode durar muito. Este segredo tem no seu bojo uma ameaça de temporal que pode desabar a cada instante".[56]

O caso seguiu sob relativo sigilo. Mas, cerca de um mês depois do retorno ao Rio de Janeiro, Aimée revelou a Getúlio que estava de partida do Brasil. Determinada a mudar de ares — e para evitar que o estigma de mulher desquitada a marcasse de forma perene —, resolvera se mudar para um lugar mais civilizado e cosmopolita. Iria morar em Paris com a irmã, Vera. Desse modo, o encontro reconfortante no início de maio, logo após o ataque integralista ao Palácio Guanabara, seria um dos últimos entre Aimée e Getúlio.

"Amanhã casa minha filha Jandira e parte a Bem-Amada. Dois acontecimentos com repercussões diferentes", escreveu ele no diário em 30 de maio de 1938.[57]

Jandira se casou com o aviador Rui da Costa Gama, em cerimônia celebrada por d. Sebastião Leme no Palácio Guanabara. O casamento duraria treze anos. As crises emocionais da filha de Getúlio conduziriam a relação matrimonial para um caminho de desavenças constantes e, em 1951, o casal se separaria. Sem condições psicológicas de criar os dois filhos, Jandira entregaria um deles, Getúlio Vargas da Costa Gama, de dez anos, aos cuidados do avô; o outro, a menina Edith Maria Vargas Costa Gama, de nove anos, ficaria com a tia, Alzira, então já casada com Amaral Peixoto.[58]

Quanto à "Bem-Amada", ela viveria uma primeira temporada na França e depois embarcaria para os Estados Unidos. Lá se casaria com o milionário Rodman Arturo de Heeren, herdeiro das lojas de departamentos Wanamaker. A sra. Aimée de Heeren, dona de mansões em Biarritz, Palm Beach, Nova York e Paris, seria eleita pela *Time*, em 1941, uma das três mulheres mais elegantes e mais bem vestidas do mundo, atrás apenas de Wallis Simpson, a duquesa de Windsor, e de Barbara Cushing, editora de moda da *Vogue* norte-americana.[59]

"Trabalhadores do Brasil!" — Getúlio inaugurou naquele 13 de maio de 1938 o bordão que viria a se tornar, ao lado do charuto e do sorriso, outra de suas marcas registradas. Segundo propagou a imprensa, nunca o pronunciamento de um presidente da República conseguira reunir tanta gente nas imediações do Catete. Passadas apenas 48 horas do assalto ao Guanabara, o governo convocara a população para uma grande solenidade pública, na qual seria oficializada uma série de medidas em prol da classe trabalhadora — entre elas, o decreto que regulamentava o salário mínimo, implantado de fato somente dali a dois anos, em 1940.

A multidão se estendeu por mais de dois quilômetros quadrados, desde o largo do Machado até as proximidades da ladeira da Glória, da praia do Flamengo até próximo às Laranjeiras. Alto-falantes distribuídos pelas ruas e praças amplificavam os discursos pronunciados da sacada principal do prédio do governo. Na lista dos oradores destacavam-se representantes das associações patronais e dos principais sindicatos operários com registro no Ministério do Trabalho.[60]

A data de 13 de maio não fora escolhida de modo aleatório. Na simbologia estabelecida pelo cerimonial, exatos cinquenta anos após a assinatura da Lei Áurea, os brasileiros de todas as cores e raças se libertavam da escravidão imposta pelas injustiças sociais, por meio da instituição de um "salário digno" — a ser fixado posteriormente em 240 mil-réis, então cerca de doze dólares, supostamente capaz de suprir as necessidades básicas de alimentação, habitação, vestuário, higiene e transporte de toda uma família. Getúlio, decerto, não deixaria escapar a oportunidade para trazer à baila as ocorrências da antevéspera. Acusou o ataque integralista de ser obra de "fanáticos desvairados", financiados por interesses estrangeiros.[61]

Foi aplaudido como nunca. Elevado à condição de herói nacional pela forma como enfrentara "o ódio faccioso dos inimigos da Pátria", Getúlio começava a desfrutar de uma popularidade inédita, nem de longe igualável por qualquer outro chefe de Estado em toda a história política brasileira até então. Mesmo esquerdistas que estavam na cadeia, padecendo nas masmorras do regime, iriam lhe enviar da Casa de Detenção uma carta coletiva de solidariedade, "na condição de cidadãos brasileiros, e não como presos", para declarar que estavam "ao lado do governo", na luta "contra o integralismo e seus mandantes e adjutores estrangeiros".[62]

A suspeita generalizada de que os camisas-verdes haviam recebido ajuda material e logística da Alemanha e da Itália se consolidou rapidamente na opinião pública, sustentada por setores estratégicos do governo. Tais suposições se fizeram ainda mais palpáveis quando o capitão Severo Fournier, após um mês foragido, foi transportado escondido no porta-malas de um carro para a representação italiana no Rio de Janeiro. Em despacho a Roma, o embaixador Vincenzo Lojacono alegou que dera asilo ao comandante do atentado contra o presidente brasileiro "pela ajuda moral que o fascismo deve conceder ao integralismo".[63]

Getúlio, que no dia da reaparição de Fournier estava passando o domingo numa chácara do interior fluminense, teve de voltar urgente ao Rio, pois havia um detalhe a embaraçar a questão. Um dos três oficiais do Exército que conduziram Fournier clandestinamente até a embaixada da Itália era ninguém menos do que o capitão Manuel Aranha, irmão do ministro das Relações Exteriores. Dutra exigira a prisão e a reforma administrativa do trio de militares envolvidos, ameaçando com o próprio pedido de demissão se a ordem fosse alvo de algum entrave oficial. Quando Getúlio fez ver a Oswaldo que a determinação teria que ser cumprida, foi a vez deste de pedir exoneração do ministério, do mesmo modo que havia feito em 1934, quando acabou indo para a embaixada dos Estados Unidos, e em 1937, quando ameaçou deixar o governo após a decretação do Estado Novo.[64]

"Refresca a cabeça, descansa um pouco e volta ao trabalho, porque não dou a tua demissão", disse-lhe Getúlio, que apesar do consagrador apoio popular também vinha deixando transparecer, nos últimos dias, certos sinais de abatimento e cansaço.[65] Em seus escritos pessoais, queixava-se repetidas vezes de uma fadiga constante, acompanhada de crises de insônia, palpitações, mal-estares e resfriados recorrentes.

"Devo estar doente", comentava.[66] "Passei mal esta noite. Não pude dormir. Levantei-me e fui trabalhar até às três da madrugada. Provavelmente o excesso de fumo e café."[67]

Getúlio, na verdade, somatizava a ausência de Aimée. Por mais de uma vez retornou ao "ninho de amor" já deserto, tendo invariavelmente permanecido lá dentro, solitário, por algumas horas. Não resistia à tentação, pegava o telefone e ligava para Paris, na tentativa de mitigar as saudades e de receber notícias da ex-amante, para quem remeteu dinheiro nas primeiras semanas após a despedida. A imagem de um homem sozinho, sentindo-se abandonado diante de uma cama vazia, transparece em vários momentos das anotações do diário de Getúlio ao longo de todo o segundo semestre de 1938. O vácuo sentimental deixado por Aimée demoraria a ser preenchido, apesar das muitas tentativas em contrário.

"Após as audiências, retiro-me e vou a uma visita galante. Saio um tanto decepcionado. Não tem o mesmo encanto. Foi-se o meu amor, e nada se lhe pode aproximar."[68]

★ ★ ★

O asilo de Severo Fournier na embaixada italiana roubaria mais algumas noites de sono a Getúlio. Depois de convencer Aranha a aceitar a reforma compulsória do irmão Manuel, foi preciso administrar o vespeiro diplomático criado em torno do assunto. O embaixador Vincenzo Lojacono parecia decidido a não entregar o capitão Fournier. "Nossa posição diante do integralismo e dos italianos no Brasil sofreria um golpe fatal", explicou o diplomata a seus superiores, em Roma.[69]

O histórico da correspondência trocada entre Lojacono e o ministro fascista do Exterior, Galeazzo Ciano, não deixava dúvidas de que a AIB sempre recebera subvenções do governo de Benito Mussolini.[70] Com a instalação do Estado Novo, porém, essa cooperação financeira fora suspensa, já que Roma interpretara o golpe de Getúlio como um evento positivo para os interesses do *fascio*. Após o fracasso do levante integralista, Mussolini não teve mais dúvidas de que era preferível apoiar o governo brasileiro a insistir na ajuda aos decaídos seguidores de Plínio Salgado.

"O asilo não deve (repito, não deve) ser concedido", determinou um comunicado urgente de Ciano a Lojacono.[71]

Não obstante, a Itália se utilizaria do episódio para arrancar de Getúlio alguns dividendos paralelos. O acerto para a entrega do militar foragido incluiu uma cláusula comercial oportunista. Na barganha pela cessão de Fournier às autoridades brasileiras, foi autorizado o desbloqueio de parte dos fundos italianos congelados no país.

"Troque o homem pelo dinheiro", teria ordenado Benito Mussolini.[72]

Para que não restassem maiores sequelas após a consignação do acordo, o mesmo Mussolini convocou o adido comercial brasileiro na Itália, Luís Sparano, para que este retransmitisse a Getúlio uma série de recados amigáveis.

"O Brasil deve ser a sentinela da América e deverá fechar em suas mãos toda a política sul-americana", disse o *Duce* a Sparano. "Para isso, eu e o meu governo estamos prontos, e com entusiasmo fraterno, para contribuir com todas as nossas forças. Diga isso ao caro presidente Getúlio, e diga-lhe também que a minha simpatia pessoal acompanha todos os movimentos do seu governo."[73]

Fournier foi recolhido ao Forte da Lage, na ilha de mesmo nome, a cerca de três quilômetros da praia da Urca. Tuberculoso, seu estado de saúde pioraria sensivelmente na prisão, onde foi barbaramente torturado e da qual só sairia em

1945, um ano antes de morrer por complicações da doença decorrentes dos reiterados maus-tratos. Cerca de quatrocentos acusados de envolvimento com o levante foram detidos. Muitos seriam submetidos às chamadas "sessões espíritas", nome pelo qual ficaram conhecidos os "interrogatórios" comandados por notórios torturadores, entre estes um certo Emílio Romano — anos mais tarde julgado e condenado pelo espancamento de presos. Outro que se notabilizou pela crueldade de seus "métodos de investigação" durante o Estado Novo passou à história apenas pelo codinome de Buck Jones, descrito por testemunhas como um mulato grandalhão com enorme cicatriz na face esquerda, lembrança de uma navalhada desferida por um assaltante. Buck, que tomara o apelido emprestado de um célebre caubói do cinema, utilizava uma motocicleta suspensa em cavaletes para abafar os gritos dos interrogados.[74]

Na esteira da repressão aos integralistas — e em face da suposta ingerência nazifascista no ataque ao Guanabara —, Getúlio decidiu instituir a pena de morte no Brasil, aplicável aos que atentassem dali por diante contra a vida do presidente da República e contra a soberania nacional, particularmente se por meio de ações articuladas com Estados estrangeiros ou organizações internacionais.[75] Uma das principais evidências que pesavam contra os camisas-verdes nesse sentido era o fato de Fournier ter adquirido parte das armas e munições utilizadas no levante junto a empresas alemãs com escritórios instalados no Brasil.[76]

O embaixador germânico, Karl Ritter, considerou imperdoável a acusação de que cidadãos alemães haviam financiado a tentativa de golpe integralista e, por essa razão, recomendou aos nazistas que desencadeassem uma campanha de opinião contra o Estado Novo, chegando a sugerir a adoção de manchetes sensacionalistas nos jornais germânicos: "Ditador sanguinolento no Brasil" e "Terror policial [no Rio de Janeiro]" foram algumas de suas propostas à imprensa de Berlim.[77]

As crescentes insatisfações de Ritter com o governo brasileiro datavam ainda do início do ano, quando Getúlio assinara um pacote de decretos considerados desrespeitosos pelo representante do Reich. Em nome do projeto nacionalista posto em prática pelo novo regime brasileiro, ficava vedado aos estrangeiros residentes no país exercer qualquer atividade de natureza política, bem como organizar desfiles e manter publicações impressas de cunho ideológico. Apesar de extensiva a todos os imigrantes, a medida atingira sensivelmente a colônia alemã, que mantinha em funcionamento células do Partido Nazista em vários estados, sobretudo no Paraná, Santa Catarina e Rio Grande do Sul, onde era acentuada a presença teutônica em meio à população local. Ritter pedira uma audiência com Getúlio para tratar do tema, e na oportunidade recorrera a uma linguagem bem pouco diplomática.

"O Partido Nazista é a própria Alemanha", reclamara. "Todos os ataques que são dirigidos ao Partido, portanto, são considerados também ataques diretos ao Reich."[78]

Getúlio contra-argumentara, procurando explicar ao embaixador que jamais poderia autorizar o funcionamento de uma sucursal do Partido Nazista no país, pelo simples fato de ter dissolvido todos os partidos políticos nacionais. Abrir uma exceção de tal ordem seria conceder aos alemães uma prerrogativa da qual os próprios brasileiros não mais dispunham. O Brasil, comparado à Alemanha, era um país economicamente fraco, mas ainda assim era uma nação soberana, com suas leis e especificidades, e desejava ser respeitado por isso.[79]

A conversa endurecera, segundo a reconstituição do diálogo feita tanto pelas anotações de Getúlio quanto pelo ofício confidencial do embaixador a Berlim. Ritter teria advertido Getúlio de que as relações comerciais entre os dois países estariam, dali por diante, condicionadas à solução do problema relativo ao funcionamento das células nazistas. Como um dos principais fornecedores externos do Brasil (detendo cerca de 25% das importações do país), e na posição de cliente privilegiado dos produtos brasileiros (responsável sozinho por quase 20% das exportações nacionais), a Alemanha gostaria de discutir o caso com tais números postos sobre a mesa. As duas nações haviam acabado de fechar um contrato para a aquisição de canhões Krupp para o Exército, o que também poderia ser revisto e contestado, dependendo dos caminhos que tomasse aquela audiência.

"Ora, não devemos comprometer uma grande questão com outra menor", contemporizara Getúlio.[80]

"Se o senhor considera a proibição do Partido Nazista no Brasil uma questão pequena, não vejo então por que insiste nela. Os temas políticos são fundamentais para o Führer. E os nossos negócios, mesmo os mais consideráveis, não têm qualquer importância se comparados aos assuntos supremos do Partido."[81]

A desarmonia se agravou quando começaram a ser aprisionados imigrantes alemães e brasileiros de origem germânica que insistiam em portar a suástica e manter ativa a militância nacional-socialista. Em simultâneo, o Estado Novo apertou o cerco contra as escolas mantidas por imigrantes no Sul do país que adotavam o idioma alemão como língua oficial no currículo. Para sublinhar a insatisfação germânica quanto às medidas, Karl Ritter recusou o convite feito por Oswaldo Aranha para um baile no Itamaraty oferecido ao ministro das Relações Exteriores do Chile, José Ramón Gutiérrez. Conforme argumentou Ritter, não seria digno para um representante do Reich dançar em uma festa organizada por um país que humilhava cidadãos nazistas e perseguia inocentes crianças de ascendência ariana.[82]

Informes secretos do Itamaraty ajudavam a desvendar a raiz das cautelas do governo brasileiro em relação aos alemães. Conjecturava-se que Hitler quisesse aplicar às colônias de imigrantes do Sul do Brasil a mesma lógica que utilizara para justificar a anexação da Áustria e da região dos Sudetos, na Tchecoslováquia, territórios então recém-ocupados sob o argumento de que possuíam maioria étnica germânica e, portanto, deveriam ficar subordinados à jurisdição do Reich. Temia-se o projeto de criação de um Estado alemão em plena América do Sul, desmembrado do território brasileiro. Por isso, Getúlio insistia na nacionalização de todas as escolas do Paraná, Santa Catarina e Rio Grande, impondo-lhes regras nacionalistas inflexíveis, que iam da adoção do português como língua única à obrigatoriedade de que os professores primários fossem brasileiros natos.[83]

Getúlio não estava imaginando assombrações em plena luz do dia. Membros do Partido Nazista residentes no Brasil sugeriram a Berlim, por meio da embaixada no Rio, o desmembramento dos três estados sulistas do restante do território nacional como única forma de garantir a homogeneidade da cultura colona. Em julho, quando a família Vargas ainda se recuperava do susto provocado pelo assalto ao Guanabara, um conjunto de documentos apreendidos pela polícia do Estado Novo revelou a estreita ligação entre Karl Ritter e certo Círculo de Juventude Germano-Brasileira, entidade nacional-socialista proibida pelo decreto que vetava a participação de estrangeiros em agremiações políticas no país. Em setembro, depois de Oswaldo Aranha consultar Getúlio sobre as implicações do caso, Ritter foi declarado oficialmente persona non grata pelo Itamaraty. A título de represália, o Ministério das Relações Exteriores da Alemanha exigiu a retirada simultânea do embaixador Moniz de Aragão da representação brasileira em Berlim.[84]

O entrevero diplomático coincidiu com a interceptação pelo comando regional do Exército em Curitiba de um relatório elaborado por um oficial-general do Exército alemão, Heinz von Hontz, chefe do serviço de espionagem do Reich no Brasil. O texto expunha um plano para depor Getúlio e relatava a existência de uma rede de informações entre a embaixada e diretores de firmas alemãs, destinada ao estabelecimento de um depósito de armas e o recrutamento de integralistas e militares do Exército brasileiro.[85]

"Talvez recrudesçam os boatos da minha eliminação por um golpe de surpresa. Esta ameaça repetida não me impressiona, nem preocupa. Trabalho em benefício do país. E se for eliminado à traição ou por surpresa? Não seria um meio de sair dignamente da vida?", perguntava-se Getúlio.[86]

Os acontecimentos pareciam empurrar o governo brasileiro para a órbita dos Estados Unidos, exatamente quando o secretário de Estado daquele país, Cordell Hull, fazia a convocação geral para a VIII Conferência Pan-Americana, a ser realizada no final do ano em Lima, no Peru. Preocupada com o expansionismo hitlerista na Europa e devidamente informada das atividades de agentes alemães e italianos na América Latina, a Casa Branca pretendia reafirmar a hegemonia continental e estabelecer um acordo de solidariedade mútua, no caso de ataque externo a qualquer uma das nações americanas. Numa frase, Hull queria "defender o mundo ocidental do perigo representado pelo Eixo".[87]

A ameaça de uma guerra na Europa toldava o horizonte. A hipótese de um novo conflito armado, com repercussão mundial, monopolizou os debates do encontro pan-americano. Ao final da Conferência, na última semana de dezembro, Afrânio de Melo Franco, chefe da delegação brasileira, elaborou um relatório detalhado das discussões ocorridas em Lima para a análise do presidente da República. Mas, naquele momento, as preocupações de Getúlio estavam divididas entre as contingências do cargo e as agruras de ordem afetiva. Sua última anotação relativa àquele ano não diria respeito às graves questões da administração interna e muito menos às incertezas da política internacional.

"À noite, houve a clássica ceia em família", escreveu ele, a 31 de dezembro. "Assim passou-se para mim o ano de 1938, tendo uma ponta de amargura por alguma coisa longínqua, que era a minha fina razão de viver."[88]

16. A Segunda Guerra Mundial estoura na Europa. "Estou só e calado, para não demonstrar apreensão" (1939-40)

Quando Getúlio empunhou o taco, flexionou os joelhos e girou os quadris para fazer a bolinha de golfe voar para perto do próximo buraco, sentiu a dor se irradiando pelas costas, subindo da base da coluna ao pescoço. Não conseguiu prosseguir. Foi forçado a abandonar o campo e, caminhando com dificuldades pelo gramado, pediu para o conduzirem de volta ao Guanabara.[1]

Nos últimos meses, seu maior deleite vinha sendo essas visitas domingueiras ao Itanhangá Golf Club, elegante centro desportivo entre o Alto da Boa Vista e a lagoa da Tijuca, então um trecho desabitado e longínquo da paisagem urbana carioca. Para aliviar as dores, o médico particular de Getúlio, Jesuíno Carlos de Albuquerque, recomendou-lhe compressas quentes e repouso. Pequenas caminhadas e algumas noites reparadoras de sono também lhe fariam se sentir melhor, sugeriu o doutor.

"Nos dias de golfe sofro de insônias, e os sonos são curtos e agitados. Deve ser a minha aortite, que não se dá bem com esses exercícios. É uma das poucas distrações que ainda me restam. Valerá a pena suprimi-la, para alongar a vida?", questionava-se Getúlio.[2]

No fim de semana seguinte, lá estava ele de novo a caminho do Itanhangá, com a indumentária habitual de domingo: sapatos baixos, camisa branca de mangas curtas, calças largas de cor creme presas pelo cinto afivelado muito acima da linha da cintura. Não esquecia o chapéu, para resguardar do sol o início de uma careca rosada. Antes de sair, substituía os óculos de aros finos de metal, de leitura, por outros de armação de tartaruga, com lentes para longe.

As dores e as noites mal dormidas retornariam, com azucrinante recorrência. Naquele ano de 1939, a rotina de Getúlio seria alterada pelas baterias de exames clínicos e pelas recomendações de diminuição do ritmo de trabalho. Foi orientado a viajar a Caxambu, Minas Gerais, para se submeter a um tratamento especial à base de duchas, massagens e banhos de imersão em águas sulfurosas. Em vez de aortite, fora diagnosticado um quadro crônico de fadiga. Porém, mesmo durante os quinze dias de ausência do Catete, não se permitiu abandonar as atividades intrínsecas ao cargo, embora procurasse adaptá-las ao receituário do dr. Jesuíno.

> A minha vida normalizou-se e adquiriu método. Levanto-me às sete horas da manhã e começo a trabalhar. Ligeiro *lunch* de frutas, *toilette*, almoço. Após este, passeio a pé, regresso ao quarto, repouso e, às quatro e meia, no parque das águas, me submeto às massagens e duchas. À noite, jantar, passeio rápido e despacho de expediente com um dos oficiais de gabinete que me acompanham.[3]

Getúlio regressou ao Rio de Janeiro revigorado, mas com uma enorme lista de interdições médicas a observar. Nada de trabalhar até alta madrugada. Dormisse cedo, comesse bem, evitasse contrariedades. Poupasse o organismo de extravagâncias. Como não gostava de beber, a lei seca prescrita pelo médico não seria propriamente um problema. Contudo, não abdicaria dos charutos. Do golfe, também, não abriria mão. Jamais dispensaria seus fumegantes havanas, assim como não abandonaria os tacos e as bolas inglesas de estimação, nos quais mandava gravar o próprio nome em tinta vermelha.[4]

Era um jogador mediano, mas aplicado. Irritava-se quando errava um lance considerado fácil, a poucos centímetros do buraco. Jogava exatamente para adestrar os nervos, explicava aos parceiros mais frequentes, Antônio Ferraz, presidente do Itanhangá, e Valentim Fernandes Bouças, consultor técnico do Conselho Federal de Comércio Exterior, primeiro órgão brasileiro de planejamento econômico. Não se tratava apenas de um jogo, teorizava. Havia certas particularidades que deveriam ser observadas antes de uma simples tacada. Definir a postura correta do corpo, estabelecer a equação perfeita entre direção e distância, idealizar a trajetória do lançamento, ensaiar movimentos prévios no vazio, avaliar a intensidade da batida, tudo isso para só então lançar a bola. Um rito que envolvia golpe de vista, concentração, domínio, habilidade e fino cálculo. Mais do que um derivativo da política, "o esporte da serenidade e da força" era um exercício de autocontrole.[5]

"Fui ao golfe, onde passei o dia. Não me senti bem", escreveu dali a algumas semanas.[6]

Os incômodos físicos coincidiam com o momento no qual Getúlio mais precisava exercer o senso de equilíbrio e a destreza pessoal. No final de janeiro, Oswaldo Aranha seguira para os Estados Unidos a bordo do *S. S. New Amsterdam*, após Roosevelt convidá-lo para uma rodada de conversas em Washington. Na pauta, assuntos políticos, econômicos e militares. Os estrategistas norte-americanos estavam preocupados com a posição geográfica do Brasil, caso o conflito que ameaçava rebentar na Europa viesse a se estender para o lado ocidental do Atlântico. Devido às oscilações da política externa do Estado Novo, bem como em face da flagrante inferioridade militar brasileira, o país poderia se constituir na porta de entrada dos nazifascistas no hemisfério. Por isso a Casa Branca queria garantir a permanência do Brasil no arco de alianças continental.[7]

Getúlio atendera à sugestão de Roosevelt e autorizara a viagem de Oswaldo, que levara consigo um calhamaço de cerca de quinhentas páginas, elaborado pela Seção de Estudos Econômicos e Financeiros do Ministério da Fazenda, com base em relatórios fornecidos pelas demais pastas. A papelada continha os itens de uma agenda mínima para a assinatura de parcerias com os Estados Unidos. Os itens enumerados no documento abrangiam desde o pedido de financiamento para obras de infraestrutura à solicitação de equipamento militar em troca de matérias-primas nacionais. Mas o tópico considerado prioritário pelo governo era o eventual apoio norte-americano à implantação de uma grande siderúrgica no Brasil.[8]

"Sem uma estrutura de ferro e aço, seremos um país sem defesa e um povo votado à pobreza e às privações", dizia um estudo assinado por Francisco Campos e defendido com fervor quase religioso por Getúlio.[9]

"A siderurgia era a 'menina dos olhos' de papai", sintetizava Alzira.[10]

Baseado nas instruções que recebera, Oswaldo Aranha não esperou o desembarque nos Estados Unidos para elaborar um primeiro memorando aos norte-americanos. No texto rascunhado no convés do navio a caminho de Nova York, já advertia aos interlocutores que as três potências totalitárias — Alemanha, Itália e Japão — teriam condições efetivas de viabilizar o projeto siderúrgico acalentado por Getúlio. Oswaldo preferia não imaginar que tal probabilidade viesse a ocorrer, mas não podia deixar de lançar mão da hipótese como um argumento a favor de seu plano de aproximar o Rio de Janeiro de Washington.[11]

"Se não puder contar com a colaboração dos Estados Unidos para a realização desse empreendimento tão vital ao seu desenvolvimento, nosso país será forçado a aceitar a de um outro país industrial", prevenia.[12]

Em meados de março, Getúlio recebeu os primeiros relatórios remetidos por Oswaldo Aranha. O ministro do Exterior se encontrara com Roosevelt, que estava de cama, enfermiço.[13]

"Achei o presidente avelhantado e com aspecto febril", descreveu Oswaldo, após uma conversa de duas horas com o norte-americano.[14]

Roosevelt mandara um recado a Getúlio: a guerra europeia parecia inevitável. Os Estados Unidos fariam tudo para não se envolver diretamente no conflito, mas estariam preparados para agir, caso necessário. O Brasil poderia contar com o empenho pessoal dele, Roosevelt, para se defender de qualquer agressão externa.

"Diga ao Vargas que se prepare para essa eventualidade, pois a guerra está realmente próxima e terá repercussão universal."[15]

Em termos práticos, a chamada Missão Aranha conseguiu um crédito de 19,2 milhões de dólares junto ao Eximbank para liquidar dívidas comerciais brasileiras, em troca da promessa de o país relaxar o controle cambial e retomar o pagamento dos juros da dívida externa, suspenso unilateralmente desde a instituição do Estado Novo.[16] A depender de futuros acertos, o Tesouro norte-americano acenava com a possibilidade de fornecer mais 50 milhões, destinados ao fundo de reserva para a criação de um Banco Central no Brasil, antiga sugestão dos parceiros de comércio internacional. Ficou apalavrado ainda o incentivo à composição de empresas binacionais para o beneficiamento de matérias-primas brasileiras com garantia de mercado nos Estados Unidos. Mas a proposta que mais seduziu Getúlio foi a de um empréstimo de outros 50 milhões de dólares, também provenientes do Eximbank, para financiar a implantação da siderurgia. Tomado de entusiasmo, Oswaldo Aranha saudou o pacote de intenções como um "New Deal interamericano".[17]

"Recebi um cifrado do Oswaldo sobre as conversações em Washington: promessas lisonjeiras", comentou Getúlio, em tom um pouco mais comedido.[18]

O importante, para ele, era não queimar pontes, naquela quadra de indefinição e instabilidade mundial. O Brasil estava por receber o primeiro carregamento dos canhões Krupp comprados da Alemanha, e a diplomacia do Reich ensaiara um movimento de distensão com o Itamaraty. Os solavancos diplomáticos provocados pelo embaixador Karl Ritter estavam sendo substituídos por uma gradativa política de reaproximação. Para azeitar as relações entre os dois países, o governo nazista sugerira a aquisição de grandes quantidades de café e algodão brasileiros, com o objetivo de reforçar os estoques germânicos e evitar desabastecimentos em caso de guerra.[19]

Por isso, a expectativa de Getúlio em relação às negociações com os Estados Unidos era resumida por ele a uma única frase:

"Encontrar uma fórmula que constitua uma promessa, sem importar propriamente em um compromisso."[20]

Conselheiros políticos do governo vinham insistentemente recomendando que o Brasil mantivesse conveniente distância dos Estados Unidos. A jornalista e poeta Rosalina Coelho Lisboa, militante da causa feminista e simpatizante do integralismo, era uma das interlocutoras mais assíduas de Getúlio nesse período. Em visitas sistemáticas ao Catete, ela arriscara costurar um novo acordo entre o presidente e Plínio Salgado — que após a derrocada do movimento dos camisas-verdes passara a viver no exílio, em Lisboa. Todas as investidas de Rosalina nesse sentido, contudo, haviam sido em vão. Sem desistir da causa maior, aproximar o Brasil do Eixo, ela continuava tentando persuadir Getúlio a rechaçar as ofertas norte-americanas.

"O State Department visa nos explorar hoje para melhor nos comer depois", argumentava Rosalina. "Em breve [os Estados Unidos] tentarão levar vossa excelência a modificar a Constituição, convocar eleições, fazer pactos defensivos que semelhem uma pré-aliança em caso de guerra", previa. "Tudo isso debilitará o seu governo pessoal, e se vossa excelência não tiver ao seu lado uma força mística capaz de orientar a opinião pública no sentido nacionalista, a propaganda pró-democracia, que é a nova máscara comunista, dentro em pouco estará vitoriosa no Brasil."[21]

De forma sintomática, no mesmo dia em que Oswaldo Aranha assinou a declaração de intenções em Washington, Getúlio deu um passo no sentido oposto. Autorizou o reconhecimento oficial por parte do Brasil do governo ultranacionalista de Francisco Franco — um mês antes da queda definitiva de Madri e do consequente encerramento da Guerra Civil Espanhola.[22]

Nessa data, Oswaldo telegrafou ao Catete para informar que não repercutira bem nos Estados Unidos a informação de que Lourival Fontes ordenara o corte de trechos de um documentário norte-americano, exibido nos cinemas nacionais, contendo uma fala de Roosevelt denunciando a perseguição nazista aos judeus. A tesoura da censura brasileira determinara, textualmente, que fossem suprimidas do filme "todas as cenas ofensivas à Alemanha, à Itália e ao Japão".[23]

Mas nada poderia ser mais ilustrativo das ambivalências do presidente brasileiro do que o fato de dois de seus filhos, o mais velho, Lutero, e o mais novo, Getulinho, estarem estudando fora do Brasil em situações frontalmente opostas. Um, na Alemanha; outro, nos Estados Unidos. O caçula parecia bem adaptado ao estilo de vida norte-americano e cursava química industrial na Johns Hopkins University. O primogênito, ao contrário, fora mandado para a Europa, onde estudara primeiro em Paris e, depois, faria um curso de especialização no Instituto Anatômico de Berlim.

Do campus universitário em Baltimore, Getulinho escreveu a Alzira para que a irmã intercedesse junto ao pai, de modo que ele pudesse continuar morando nos Estados Unidos por mais algum tempo. "Advoga por mim para me deixarem aqui. Estou vivendo como uma pessoa qualquer, aqui não sou filho do presidente", justificava. "Imagina o que será isso para minha educação em química. Cada vez mais me convenço que o curso daqui é muito superior ao do Brasil."[24]

Em contrapartida, na temporada de estudos na Alemanha, Lutero Vargas foi aluno do dr. Ernst Ferdinand Sauerbruch, membro do Reichsforschungsrat, o conselho de pesquisa alemão que apoiou os experimentos com cobaias humanas nos campos de concentração nazistas. Em paralelo, Lutero iniciou um romance com uma alemã alta, loura e de cintilantes olhos azuis, Ingeborg ten Haeff.[25]

Os dois se conheceram em um restaurante à margem do Wannsee, durante um almoço oferecido por um grupo de amigos em homenagem ao artista Hugo von Habermann, que havia pintado o retrato da moça. Embora Lutero gaguejasse apenas algumas palavras em alemão rudimentar e Ingeborg não compreendesse nada em português, os dois se entenderam muito bem. Uma característica específica daquele brasileiro baixinho e de cabelos brilhantinados conquistou o coração da súdita do Reich.

"O sorriso dele era campeão", deslumbrava-se Ingeborg.[26]

* * *

"Gosto mais de ser interpretado do que me explicar", ressalvou Getúlio ao jornalista André Carrazzoni durante caminhada pelas ruas de Petrópolis. Gaúcho de Santana do Livramento, ex-diretor do *Correio do Povo* de Porto Alegre, Carrazzoni se propusera a escrever mais uma biografia oficial do presidente, e por isso desejava obter informações direto na fonte. Foi convidado por Getúlio a acompanhá-lo em um passeio após o almoço no Palácio Rio Negro. No caminho, trocariam ideias a respeito do livro.[27]

O candidato a biógrafo conhecia bem os meandros da vida do biografado. Os dois eram próximos desde os tempos em que ainda viviam em Porto Alegre — um ocupando o palácio do governo estadual, outro trabalhando como repórter na imprensa diária rio-grandense. Em 1932, Carrazzoni se transferira para o Rio de Janeiro, onde ocuparia cargos de chefias nas redações de diferentes jornais governistas, até ser contratado em 1938 pelo Departamento de Propaganda, para as funções de censor teatral e cinematográfico.[28]

A biografia *Getúlio Vargas*, assinada por Carrazzoni, saiu naquele mesmo ano pela José Olympio. Publicado sob a chancela do Estado Novo, o livro priorizou a grandiloquência dos adjetivos à informação substantiva. Nos arquivos de Getúlio, ficariam guardadas três folhas de papel — duas escritas à mão, uma datilografada — com as notas iniciais de Carrazzoni relativas à orientação a ser dada ao volume. O autor deliberara o critério de "se impessoalizar por completo, de modo a ficar invisível".[29]

Episódios vividos ou testemunhados por ele seriam narrados em terceira pessoa, atribuídos a outrem e, na maior parte das vezes, a "um amigo":

> Um amigo, que foi o visitar, admirado do desembaraço com que se conduzia nos tumultos, disse-lhe:
> "Já sei que o seu autor de cabeceira é Maquiavel."
> O presidente sorri da "descoberta" e contesta:
> "A informação não é certa..."
> O amigo, mais admirado, pergunta-lhe:
> "Como o senhor aprendeu a lidar com os homens?"
> Novo sorriso e satisfação da curiosidade:
> "Apenas lidando com eles..."

Ele é uma aula diária de psicologia. Uma de suas forças, para deslizar entre os fatos e os homens, é o mistério — o sorridente mistério das suas reticências e dos seus silêncios.[30]

Ao discorrer sobre o advento do Estado Novo, Carrazzoni evitou temas controversos e, logicamente, não retratou a cisão radical que prevalecia no governo. Embora houvesse um empenho de propaganda para unificar o discurso em torno de premissas básicas — culto ritualístico à pátria, responsabilidade financeira, modernização da máquina pública, combate às injustiças sociais —, as diferenças internas de opinião eram intransponíveis. Nas entrevistas aos jornais da época, Dutra e Góes não dissimulavam as simpatias pela potência bélica germânica. Oswaldo Aranha, no flanco oposto, procurava doutrinar os jornalistas em temas como pan-americanismo e alinhamento continental.

"O grande esforço será americanizar ou pan-americanizar o Brasil, antes que ele se europeíze, hitlerize ou mussolinize de todo", sustentava Oswaldo, em mensagem ao próprio Getúlio.[31]

Na primeira reunião ministerial após o retorno dos Estados Unidos, Oswaldo Aranha se viu no centro de um tiroteio verbal. O general Dutra e o almirante Guilhem consideravam "ínfimos" os benefícios da Missão Aranha, pois ela não teria representado nenhum passo adicional em relação ao ponto que julgavam mais estratégico: o reaparelhamento das Forças Armadas. Para manifestar o desdém pelo trabalho de aproximação com os Estados Unidos, os chefes militares não haviam sequer comparecido à recepção oficial a Oswaldo, dois dias antes. A título de provocação, preferiram transformar, na mesma semana, a chegada da remessa de canhões Krupp da Alemanha em um grande evento cívico, com direito a desfile e exibição do material comprado aos nazistas.[32]

Dutra e Guilhem — assim como Góes Monteiro — também discordavam quanto à promessa feita aos norte-americanos de retomar o pagamento da dívida externa. No entender dos chefes militares, cada níquel extra no orçamento deveria ser investido na compra de armas, de preferência alemãs. Nesse ponto, durante a reunião ministerial, contaram com o apoio do ministro da Fazenda, Souza Costa, que também julgou impertinente incluir o item relativo à dívida na assinatura da declaração de intenções em Washington.[33]

"Mas que declaração tu querias que eu assinasse?", perdeu a paciência Oswaldo. "O governo dos Estados Unidos diz que vai nos dar isso e aquilo, e nós não damos nada em troca?"³⁴

Getúlio, que não era de esmurrar a mesa, decidiu encerrar a reunião para evitar o bate-boca.³⁵ Porém, especialmente o ministro da Guerra não mais perderia oportunidades para medir forças com o colega do Exterior. Era como se o general Eurico Gaspar Dutra quisesse averiguar de que lado Getúlio ficaria caso as diferenças se acentuassem a um ponto de animosidade extrema. O confronto entre Dutra e Oswaldo passou por um novo round quando o general exigiu o cancelamento da VIII Conferência Mundial de Educação, prevista para acontecer no segundo semestre daquele ano no Rio de Janeiro. Oswaldo Aranha era um dos maiores entusiastas da ideia e conseguira fazer Getúlio assinar um decreto destinando verba extraorçamentária para a realização do evento.³⁶

Dutra alegou que a entidade organizadora, a Federação Mundial das Associações de Educação, sediada em Washington, seria na verdade um organismo infiltrado por radicais e "elementos dissolventes". Assim sendo, a Conferência representaria uma forte ameaça à segurança nacional. O general não achava conveniente permitir a reunião no Brasil de mais de 5 mil professores de todo o mundo — "oriundos de todos os climas, dotados de todos os credos, de todas as ideologias políticas e das mais variadas culturas". A diversidade étnica e cultural, pelo que entendia o general, era um incentivo à subversão. Oswaldo Aranha ficou decepcionado quando soube que Getúlio, depois de ouvir Dutra, tomara a decisão de cancelar o evento.³⁷

Havia motivações não confessadas para a atitude de Getúlio. Em suas anotações pessoais, ele dizia temer a perda de autoridade sobre a equipe. Mesmo no interior da ala germanófila do governo, começavam a aparecer graves fissuras. Góes Monteiro e Filinto Müller continuamente o advertiam sobre rumores de que o ministro da Guerra estaria planejando um golpe para instaurar uma ditadura militar.³⁸ De Montevidéu, por meio de uma carta aberta a Dutra, Flores da Cunha insuflava os boatos e recomendava que os militares destronassem Getúlio.

"O homúnculo que finge exercer as funções de chefe de governo já não esconde os temores que lhe causam as atitudes de vossa excelência", incitava Flores, na mensagem ao ministro da Guerra. "Seria muito mais digno e proveitoso para o país que o Exército assumisse desde logo a inteira e plena responsabilidade da suprema direção dos negócios públicos, alijando, de uma vez por todas, das funções que degrada, o tiranete e usurpador ambicioso e inepto."³⁹

Os eternos rumores de rebelião nos quartéis não haviam cessado. O retrato posterior de um Getúlio onipotente, manejando os cordéis da história com sobranceira desenvoltura, não encontrava correspondência nas páginas do diário. Bem longe disso, as hesitações e angústias do presidente ficaram todas registradas, muitas vezes redigidas em inconfundível tom aflito.

"Confesso que estou apreensivo com essas conspirações e com a falta de coesão entre os elementos que apoiam o governo. Estou à mercê do Exército, sem força que o controle, e sem uma autoridade pessoal e efetiva sobre ele."[40]

O Estado Novo impusera-se à nação com o apoio das Forças Armadas — e eram elas que continuavam a garantir a efetiva sustentação do regime.

"Estou só e calado, para não demonstrar apreensão. As próprias pessoas da minha família passeando, na maior despreocupação. O inimigo esparso e difuso procura diluir as resistências. Veremos o que está para acontecer."[41]

Por uma dessas espantosas particularidades da então política externa brasileira, a noite de 27 de maio de 1939 ficaria marcada como aquela na qual a filha do ditador italiano, Edda Ciano Mussolini, arriscou uns passinhos de samba diante do chefe do Estado-Maior do Departamento de Guerra dos Estados Unidos, George Catlett Marshall, Jr., em pleno Palácio Guanabara.[42] A coincidência de datas entre a visita da herdeira do Duce ao Brasil e a chegada de uma missão militar norte-americana ao Rio de Janeiro, por si só, revelava o ecumenismo político-ideológico do anfitrião. Mas o convite simultâneo para que Edda Mussolini e o general Marshall participassem do mesmo baile, no salão nobre da residência oficial, era tão desconcertante que só mesmo a decantada "neutralidade brasileira" poderia justificar uma cena que, de outro modo, deveria ser encarada como uma gafe diplomática.

A intenção de Getúlio, estava claro, era enfatizar — para o pasmo de muitos — a política de equidistância que vinha defendendo em discursos e entrevistas. Na Conferência Pan-Americana de Lima, realizada no final do ano anterior, já prevalecera entre a delegação brasileira a tônica de não tomar partido quanto à situação europeia, embora o país tenha endossado a tese de cooperação continental, proposta pelos Estados Unidos.[43] Cinco meses depois do evento, no instante em que a Alemanha invadia o restante da Tchecoslováquia e a Itália ocupava a Albânia, não restavam mais esperanças de que a guerra pudesse ser de algum modo evitada. Era isso que justificava a presença de Edda Mussolini no Rio de Janeiro, enviada pelo pai como uma espécie de embaixadora cultural do fascismo ao Brasil. Era isso também que explicava a viagem de Marshall, destacado para a missão de tentar criar laços entre o Exército norte-americano e as Forças Armadas brasileiras.[44]

Getúlio, com dotes de malabarista, destinou a Edda a mesma cortesia que dedicou ao general Marshall. Os jornais sob censura não citaram nenhuma situação de constrangimento durante a dupla recepção, mas as entrelinhas das notícias publicadas no dia seguinte serviam para os leitores mais atentos intuírem o mútuo desconforto. Durante quase toda a noite, notaram os jornalistas, o militar preferiu concentrar o grupo de oficiais que o acompanhava no jardim de inverno do palácio, mantendo assim uma distância regulamentar do salão, onde Edda dançava animadamente com o encarregado de negócios da embaixada alemã no Brasil, Werner von Levetzow, membro graduado do Partido Nazista.[45]

Com um vestido negro e um arranjo de flores no chapéu, a esbelta Edda Mussolini despertou comentários e arrancou suspiros masculinos. Mas o único que conseguiu se aproximar dela de verdade foi o irmão mais novo de Getúlio. Bejo Vargas não se intimidou com o fato de aquela jovem e atraente senhora, de 29 anos, ser a esposa do conde Galeazzo Ciano, ministro do Exterior da Itália. Durante as duas semanas em que permaneceu no Rio de Janeiro, Edda, de braços dados com Bejo, protagonizou uma série de noitadas homéricas, frequentando os principais restaurantes, cassinos e boates da capital da República. O flerte culminou com uma tórrida madrugada nas areias de Copacabana, quando os dois resolveram tomar banho de mar completamente nus, para escândalo dos moradores dos prédios cujas janelas davam para a orla.

"Eu não me contive, tchê!", teria justificado Bejo, quando Getúlio lhe pediu explicações.[46]

"O milagre do século." Foi assim que os jornais definiram aquela extraordinária caixa de madeira, "com forma de uma vitrola grande, cuja tampa suspensa apresenta ao fundo uma placa ou espelho onde se refletem imagens", segundo detalhou o *Correio da Manhã*.[47] "É semelhante a uma eletrola, porém com uma diferença, no lugar do disco há um pequeno quadro de vidro fosco, pelo qual se vê imagens em movimento", comparou a revista *Carioca*. A "caixa mágica", um televisor Telefunken, de fabricação alemã, foi a principal vedete da Feira Internacional de Amostras, montada próximo ao Aeroporto Santos-Dumont, no Rio de Janeiro. A iniciativa de trazer o aparelho para o Brasil fora do Ministério dos Correios da Alemanha, por meio de uma parceria com o Departamento de Propaganda e Difusão Cultural, de Lourival Fontes.[48]

Getúlio compareceu à abertura da exposição e se divertiu ao assistir a números musicais apresentados por artistas que estavam em um estúdio ao lado. Diante de um projetor de luz, cantores como Francisco Alves, Dalva de Oliveira e Marília Batista se revezavam ao microfone, tendo por trás de si o painel branco simulando um fundo infinito. Uma câmera captava as imagens e as transmitia ao vivo para cerca de uma dúzia de aparelhos receptores, instalados logo na abertura da Feira de Amostras. Getúlio quis entender melhor como funcionava a nova maravilha e, colocando-se diante da lente, dirigiu-lhe um aceno. O gesto foi captado, multiplicado pelo conjunto de televisores e retribuído pelo público presente, que estava de olhos magnetizados nas telinhas luminosas.[49]

O Reich já compreendera o poder da nova invenção, fruto de experimentos simultâneos em outros países como Estados Unidos, Inglaterra e França. Desde 1935, o governo alemão mantinha um serviço regular de tevê pública, tendo realizado já no ano seguinte a transmissão das Olimpíadas de Berlim. A televisão estava devidamente integrada à máquina de propaganda nazista e, no Brasil, a novidade chegava junto com Curt Prüfer, o substituto de Karl Ritter à frente da embaixada alemã no Rio de Janeiro.

O currículo de Prüfer indicava que Berlim não mandara um neófito para refazer os laços de amizade com o Brasil. O novo embaixador, com larga experiência diplomática, doutor em estudos internacionais, servira no serviço germânico de Inteligência na Palestina e na Síria. Promovido por Hitler ao cargo de diretor de pessoal do Ministério das Relações Exteriores da Alemanha, comandara o expurgo de todos os funcionários que apresentassem ligação familiar com judeus. Sua nova missão era conter, naquilo que estivesse a seu alcance, as aproximações do governo brasileiro com os Estados Unidos.[50]

"O pan-americanismo serve apenas à hegemonia da camarilha judaica em torno de Roosevelt", definia Prüfer.[51]

O desembarque do novo embaixador alemão no Rio de Janeiro coincidiu também com uma mudança de foco no tratamento reservado pelo governo brasileiro à imigração dos judeus refugiados da Europa. Por razões de pragmatismo, o Itamaraty, sob a gestão de Oswaldo Aranha, expedira novas instruções para "disciplinar" a emissão do visto a semitas. Em vez da proibição pura e simples, ficou estabelecido que o documento poderia ser concedido em situações específicas. Teriam direito ao visto os turistas com licença de retorno válida por seis meses; os cônjuges ou parentes consanguíneos de estrangeiros residentes legalmente no país; os cientistas e artistas de reconhecido valor internacional; os técnicos requisitados oficialmente pelos governos estaduais; e os capitalistas e industriais que desejassem fundar negócios no Brasil — neste último caso, desde que os solicitantes se comprometessem a transferir para cá um capital mínimo de quinhentos contos de réis, por intermédio do Banco do Brasil.[52]

As novas condições se coadunavam com um estudo produzido pelo governo nessa mesma época e arquivado nos papéis de Getúlio: o esboço de um "Plano de redução da dívida externa brasileira através de uma política de imigração". O trabalho sugeria que a solução para um dos grandes problemas nacionais estaria no incentivo à entrada de 200 mil estrangeiros — "indivíduos que constituam as minorias étnicas ou religiosas nos países de regime totalitário". O projeto previa que, se cada um desses novos imigrantes desembolsasse a quantia de 1350 libras esterlinas em títulos brasileiros (o equivalente a 112 contos de réis), o país receberia um total de 270 milhões de libras, ou seja, o valor integral da dívida externa.

"A população do Brasil, calculada em 45 milhões de habitantes, pouco ou nada será afetada em seus caracteres étnicos, bem como em suas concepções políticas ou religiosas, por uma adição de 200 mil indivíduos de origens e raças variadas, pois tal não representará sequer 0,5% de sua população", dizia o texto.[53]

O projeto não foi levado adiante e encontrou forte resistência entre interlocutores próximos a Getúlio. Mais uma vez, a jornalista e poeta Rosalina Coelho Lisboa escreveu ao presidente para cumprir seu papel de conselheira informal do governo. "Os judeus milionários que fugidos de várias pátrias europeias vão dar no Brasil deixam seu capital nos Estados Unidos", argumentou. "Que ganhamos nós com gente deste jaez? Um elemento rivalizador do mulato para estragar a raça. Mais brasileiros pobres para que existam judeus ricos."[54]

Em vez de incentivar a imigração judaica, as novas regras do Itamaraty tinham como objetivo declarado reduzi-la drasticamente. "O número de indivíduos de origem semita entrados no Brasil em 1939 foi de 2289, o que representa uma diminuição considerável em relação aos números anteriores, 4900 em 1938; 9263 em 1937", expôs Oswaldo ao novo embaixador brasileiro em Berlim, seu primo

Ciro de Freitas Vale, que se queixava da "displicência" com que o governo estaria tratando a "invasão de judeus no Brasil".[55]

"Só nos apercebemos do problema quando a corrente da imigração semita para o nosso país já se tinha avolumado, tendo entrado de 1934 a 1937, de acordo com o Departamento de Imigração, 58 mil indivíduos de origem semita", justificou Oswaldo. "Esse estado de coisas perdurou até a minha vinda para o Itamaraty", garantiu. "Assim, fica bem claro que não tens razão quando afirmas que os judeus continuam a entrar em número crescente no Brasil e que o Itamaraty tem agido nessa questão com displicência."[56]

O mesmo Oswaldo Aranha que anos mais tarde, em 1947, presidiria a Assembleia Geral da ONU que aprovou a formação do Estado de Israel, durante o Estado Novo impôs um dique à imigração judaica no Brasil. Essa faceta menos edificante de sua trajetória política, desprezada por biógrafos oficiais, ficou largamente registrada em sua correspondência pessoal — na qual Oswaldo chegou a atribuir aos judeus a formação de "quistos raciais" e a considerar os semitas "um iniludível perigo para a homogeneidade futura" do povo brasileiro.[57]

Nos documentos oficiais do Itamaraty também ficaram arquivados vários registros de vetos à entrada de famílias israelitas que, fugidas do nazismo, pretendiam se fixar no país. Entre outros tantos casos, foi negado um pedido à embaixada brasileira em Washington, assinado pelo cientista Albert Einstein, em favor de Selma Moss, judia que estava prestes a ser enviada pela Alemanha para um campo de concentração. Einstein intercedeu junto ao embaixador Carlos Martins Pereira e Souza para tentar conseguir um visto brasileiro para Moss, de 64 anos. O caso foi submetido ao Ministério das Relações Exteriores, no Rio de Janeiro, que indeferiu o pedido nos seguintes termos:

"No momento, em vista das disposições em vigor, é de todo impossível atender às solicitações daquele professor."[58]

Subitamente, os salões da ala residencial do Palácio Guanabara ficaram grandes — e vazios — demais para Getúlio. Sem a presença dos filhos, os espaços pareciam ter crescido de tamanho. Jandira estava casada. Lutero e Getulinho continuavam estudando fora do país. Maneco, depois de se formar em agronomia, transferira-se para São Borja, onde passara a auxiliar o tio Protásio na condução da estância e dos negócios familiares. Dali a poucos dias, Alzira também mudaria de casa. Trocaria o Guanabara pelo Palácio do Ingá, sede do governo fluminense. Após alguns namoricos sem maiores consequências — um deles com o então jovem advogado e empresário Walter Moreira Salles, futuro embaixador e banqueiro —, estava de casamento marcado com o interventor do estado do Rio de Janeiro, Amaral Peixoto.

"Bem falta ela vai me fazer, mas eu nada digo", lamentava Getúlio, nas páginas do diário.[59]

Alzira espantara vários pretendentes anteriores. Moreira Salles confessaria, anos depois, por qual motivo o romance não seguiu adiante:

"Ela era a filha predileta do homem mais poderoso do Brasil. Eu seria sempre o genro."[60]

No dia em que Alzira convidou Moreira Salles a comparecer a uma recepção oficial do governo, ele simplesmente não apareceu. O convite soara quase como uma intimação, o que assustou o interessado. Foi o fim da relação.[61]

"A maioria já desistiu", dizia Alzira, a respeito dos aspirantes a noivo. "Independente, teimosa, bacharel em direito e tua filha? Não é qualquer um que vai me aturar — e eu também não aturo qualquer um", reconhecia a "topetudazinha", como continuava a chamá-la Getúlio.[62]

As afinidades entre Alzira Vargas e Ernani do Amaral Peixoto foram despontando em meio aos despachos do interventor com o presidente da República. Passaram a sair juntos, ainda como amigos, e sempre na companhia de outras pessoas, pois à época não pegava bem para uma moça solteira passear sozinha com um homem. Em pouco tempo, assumiram o namoro, que se estendeu por quase dois anos, sem nenhum dos dois falar em noivado — fato que levou muita gente a sugerir que Amaral Peixoto apenas se prevalecia da situação para usufruir as benesses do poder. Na verdade, ocorria justamente o oposto. No entender do novo namorado de Alzira, o compromisso só deveria ser oficializado após Getúlio Vargas deixar o governo. Isso evitaria comentários maledicentes de que estivesse bancando o oportunista.[63] Uma anedota da época, aliás, atribuía a Getúlio a seguinte frase, que teria sido dita por ele à filha:

"Esse rapaz não está com boas intenções com você, porque só quer ficar noivo no fim do governo..."[64]

Como o Estado Novo não tinha prazo para acabar, significava que o casamento nunca ocorreria. Certo dia, porém, Amaral Peixoto ligou para a secretaria do Guanabara, pedindo uma audiência extraordinária. Avisou a Alzira que, de preferência, marcasse um horário à noite na agenda do presidente, pois logo depois de falar com Getúlio ele pretendia também conversar com ela.[65] Embora agendar audiências não fosse uma das atribuições de Alzira Vargas no palácio, ela seguiu o protocolo exigido aos secretários em casos assim. Datilografou em uma folha de papel a solicitação de Amaral Peixoto e, discretamente — Getúlio detestava ser interrompido no meio de um despacho —, entrou no gabinete presidencial. Sem dizer nenhuma palavra, colocou o pedido sobre a pasta de trabalho do "patrão". Minutos depois, foi chamada de volta. O pai queria saber detalhes sobre a solicitação do interventor do Rio.

"Se não me engano, ele tem estado todas as noites aqui. E não é para falar comigo. Que história é essa de pedir audiência?"

Ao ver que a filha ficara desconcertada, emendou:

"Está bem. Só não quero que estragues o meu interventor. Estou muito satisfeito com a atuação dele. Tem revelado mais capacidade do que muitos com maior experiência. Pode dizer que eu o recebo hoje, depois do expediente."

Quando a filha já ia saindo, Getúlio acrescentou:

"Convide-o para jantar."[66]

Ernani do Amaral Peixoto era o que, naquela época, se chamava de "rapaz velho", ou seja, um solteirão. Aos 34 anos, apenas levemente mais alto que Getúlio, um pouco rechonchudo e também dado aos charutos, tinha quase dez anos a mais que Alzira. Na audiência daquela noite no Guanabara, levou papéis relativos aos contratos do terminal Leopoldina, que fazia a ligação ferroviária do Rio de Janeiro com Petrópolis, e da estação de barcas da Cantareira, responsável pelo transporte de passageiros para Niterói. Mas o verdadeiro objetivo da reunião era outro. Amaral Peixoto ia pedir a mão da filha do presidente em casamento.

"Entre os papéis da Cantareira e da Leopoldina, você foi também", brincou depois Getúlio com Alzira.[67]

A cerimônia foi realizada no dia 26 de julho de 1939, no próprio Palácio Guanabara. Festa para poucos convidados, conforme as exigências da noiva. A lua de mel, em Nova York, provocou dissabores inesperados à família. Uma notícia publicada no *Globo* sugeriu que os recém-casados haviam viajado com verbas oficiais do governo.

"Estupidez da censura", definiu Getúlio, indignado com o fato de a nota ter sido veiculada apesar das restrições impostas aos órgãos de imprensa.[68]

O Globo foi apreendido e o jornalista responsável pela matéria, Mário Tarquínio de Souza, demitido e preso. Roberto Marinho sentiu-se na obrigação de redigir um pedido de desculpas a Getúlio, em carta publicada no dia seguinte, na primeira página do jornal: "Sinto o dever de me apressar em externar a vossa excelência a minha profunda e sincera revolta contra o embuste de que foi vítima a direção do *O Globo*, e a própria censura policial, com a publicação da notícia estampada em alguns exemplares de uma das edições de hoje".[69]

A ausência da filha, após a partida para a viagem de núpcias, provocou forte depressão em Darcy. Segundo conta a tradição familiar, ela teria se trancado no quarto e chorado uma semana inteira. O único apelo capaz de tirá-la do estado de torpor foi o anúncio de estreia do espetáculo de revista *Joujoux e Balangandãs*, no Teatro Municipal, com bilheteria revertida em favor de duas obras assistenciais da primeira-dama, a Cidade das Meninas e a Casa do Pequeno Jornaleiro — instituições destinadas à formação escolar e profissional de crianças órfãs, pobres e abandonadas.[70] A marchinha que dava título ao espetáculo era de Lamartine Babo, mas a grande estrela da apresentação, prestigiada pela alta sociedade carioca, foi um então jovem cantor e compositor baiano, Dorival Caymmi, que cantou duas músicas de sua autoria, "O mar" e "O que é que a baiana tem?".[71]

A lua de mel de Alzira e Amaral Peixoto seria abreviada por um acidente automobilístico envolvendo o casal, que resolvera estender a viagem, por terra, até o Canadá. Alzira estava ao volante, dirigindo a caminho de Toronto, quando uma das rodas do carro se desparafusou e o veículo perdeu o controle, caindo em uma vala à beira da estrada. Ela sofreu apenas leves escoriações, mas o marido, que foi cuspido para fora do automóvel, teve sete costelas quebradas e um grande ferimento na coxa, o que o deixou hospitalizado em Kingston, no estado canadense de Ontário.[72] Diante da emergência, Darcy largou tudo e viajou também para lá, deixando Getúlio pela primeira vez completamente só no Guanabara.[73]

Getúlio e Darcy viviam sob o mesmo teto, mas estavam cada vez mais distantes. Após o retorno da primeira-dama, não demoraria muito e os dois passariam a utilizar quartos separados. Uma gripe do presidente da República serviu de pretexto para a adoção de camas diferentes — as tosses e espirros não incomodariam a esposa, insinuou Getúlio. Entretanto, mesmo depois de restabelecido, ele preferiu continuar usando o outro dormitório. Nunca mais dormiriam juntos.[74]

As recepções organizadas pela primeira-dama na residência oficial eram motivo de constantes aborrecimentos para o marido. Quando isso ocorria, ele costumava se isolar em alguma parte do prédio, mantendo conveniente distância dos salões de festa. Dificilmente aparecia para conversar com os convidados ou, no máximo, exercia a obrigação protocolar de cumprimentá-los de forma polida, para depois se enfurnar no quarto ou no gabinete de trabalho. Nos dias quentes, fugia para o mirante nos fundos do Guanabara.

Não existe, nas anotações do diário de Getúlio Vargas, nenhuma referência a relacionamentos extraconjugais ou novas aventuras amorosas nesse período específico de sua vida. Ao contrário, ele parecia entregue a um estado progressivo de debilidade física e esgotamento emocional: "Todos passeiam, vão aos teatros, divertem-se. Eu fico só, trabalhando. Não me queixo, nem maldigo a sorte. Sorrio apenas dos que supõem que este posto seja um gozo, e que eu esteja aqui para servir-me e não para servir".[75]

"Não se deve ser pessimista quanto à marcha dos negócios públicos. O mesmo não poderei dizer na vida particular", escreveu, de outra feita. As insônias e a ausência de Aimée ainda o torturavam. "A velha moléstia crônica progride, acrescida de agudos motivos sentimentais. Mas tudo isso é comigo e, se escrevo aqui, não falo a ninguém."[76]

Semana após semana, os comentários sobre as audiências e os compromissos de rotina na agenda presidencial foram alternados com observações pessoais do mesmo teor.

"Saí com o ministro da Agricultura e visitamos a Cooperativa de Ovos, entreposto construído pelo governo federal. [...] Continuo não me sentindo bem. Há uma descompensação orgânica. Não chamo médico. Retomo o trabalho normal, mas faço-o um tanto mecanicamente, sentindo as pulsações descompassadas do coração."[77]

Ao levantar da cama, no dia 1º de setembro de 1939, Getúlio recebeu a notícia de que Hitler invadira a Polônia.[78] A manchete do *Correio da Manhã* resumia a situação com uma única e significativa palavra, estampada de ponta a ponta da primeira página: GUERRA.[79]

Dali a dois dias, depois de lançarem, em vão, um ultimato para que a Alemanha retirasse as tropas do território polonês, a França e o Reino Unido declarariam o bloqueio naval ao Reich. Começava ali a Segunda Guerra Mundial, o conflito que se estenderia até 1945 e mataria um total de quase 60 milhões de pessoas.

Em reunião ministerial no Palácio do Catete, Getúlio anunciou que o Brasil manteria a posição de país neutro e permaneceria afastado do confronto. Depois de duas horas e meia de conversa a portas fechadas, foi aprovada uma sintética nota oficial à imprensa.[80] "Os ministros deram o aplauso e testemunho de sua cooperação às diretrizes traçadas pelo chefe de governo", dizia o texto lacônico, distribuído pelo Departamento de Propaganda.[81] No mesmo dia, Getúlio assinou um decreto instituindo as regras gerais de neutralidade, dispostas em trinta artigos. Em resumo, elas determinavam que o país se abstesse de qualquer ato que facilitasse, auxiliasse ou hostilizasse a ação dos beligerantes.[82]

"O Brasil não é inglês nem alemão, é um país soberano", proclamou Getúlio.[83]

Pelos termos do decreto, o território brasileiro, incluindo o espaço aéreo e as águas continentais, não poderia servir de cenário a qualquer ato considerado incompatível com a declarada neutralidade. No caso de aviões ou navios estrangeiros de guerra penetrarem de forma hostil em zona de jurisdição nacional, o governo brasileiro providenciaria para que estes fossem retidos e desarmados. A decisão foi reafirmada internacionalmente naquele mesmo mês, quando da realização da Primeira Reunião de Consulta dos Ministros das Relações Exteriores dos Países Americanos, no Panamá, durante a qual o Brasil anunciou o estabelecimento de uma faixa marítima de segurança de 360 milhas.[84]

Em dezembro, a presença ostensiva no porto do Rio de Janeiro de duas embarcações de guerra britânicas — o cruzador *HMS Shropshire* e o navio auxiliar *RFA Olynthus*, a caminho das ilhas Falklands — provocou uma nota de protesto da embaixada germânica, que interpretou o episódio como uma violação do princípio de equidistância assumido pelo Brasil. O caso se complicou quando dois barcos alemães, o encouraçado de bolso *Graf Spee* e o navio mercante *Wakama*, foram afundados pela própria tripulação, também na zona de segurança latino-americana, para não caírem nas mãos de cruzadores da Marinha britânica. No caso do *Graf Spee*, após o naufrágio voluntário, o comandante Hans Langsdorff suicidou-se, numa demonstração de que os combatentes do Terceiro Reich, conforme ele deixara registrado em um bilhete de despedida, estavam "prontos para morrer em honra de sua bandeira".[85]

Era um domingo, e Getúlio Vargas estava jogando golfe no Itanhangá quando Oswaldo Aranha o interrompeu para dar a notícia do afundamento do navio germânico. Nada irritava mais Getúlio do que alguém lhe levar assuntos de governo para seus breves momentos de lazer. Mas, nesse caso, o motivo era mais do que compreensível. Encerrou a partida e, a contragosto, voltou para o Guanabara, a fim de discutir os desdobramentos do fato com o ministro do Exterior.[86]

Se por um lado a declaração de neutralidade permitia ao Brasil uma margem de manobra para barganhar vantagens indistintas com os países beligerantes, por outro, provocava situações complexas numa perspectiva diplomática. A Alemanha ameaçava suspender a entrega da segunda remessa dos canhões Krupp, alegando que o transporte do material, devido ao bloqueio inglês, se tornara inexequível. O cancelamento resultaria em um enorme prejuízo financeiro, pois as peças que estavam por chegar eram imprescindíveis para a montagem dos equipamentos bélicos já expedidos na primeira remessa.[87]

Getúlio autorizou o início de negociações junto a Londres, para que o embargo fosse excepcionalmente suspenso e a encomenda feita à Krupp, que estava estocada nos galpões do porto italiano de Gênova, pudesse atravessar o Atlântico sem problemas, a bordo do navio *Almirante Alexandrino*. Mas o governo britânico não parecia propenso a abrir precedentes, em especial em face da natureza do produto a ser transportado. Somente após uma complicada negociação diplomática a embarcação foi liberada, sob a advertência de que novas exceções não seriam toleradas.[88]

Os alemães faziam as contas e temiam a perda de um potencial aliado estratégico. Os números da balança comercial brasileira mostravam que os negócios entre Berlim e o Rio de Janeiro tinham sido afetados de modo sensível com a decretação do bloqueio. O volume das importações brasileiras à Alemanha no primeiro semestre de 1940, quando comparadas ao mesmo período do ano anterior, caiu de 585 mil contos de réis para apenas 80 mil. As exportações, de 420 mil contos de réis, despencaram para pouco mais de 100 mil. No caso destas últimas, o governo brasileiro ainda recorreu ao artifício de aumentar a venda de matérias-primas à Itália — o governo de Mussolini ainda não havia entrado oficialmente no conflito —, depois trianguladas para o território germânico.[89]

Nesse meio-tempo, Getúlio continuava a enfrentar outra guerra, travada contra o próprio organismo. Ávido por alguma espécie de alívio físico, submetia-se a massagens localizadas, fisioterapia, injeções musculares e a um coquetel de medicamentos que conjugava tônicos revigorantes e anti-inflamatórios. Nada disso parecia estar surtindo efeito significativo.

"Tenho melhorado pouco", queixava-se. "Ainda continuo doente."[90]

No mesmo dia em que rabiscou essa anotação, Getúlio recebeu em audiência o engenheiro civil e empresário Guilherme Guinle, presidente da recém-criada Comissão Executiva do Plano Siderúrgico Nacional — grupo de trabalho organizado para estabelecer metas e planos de financiamento do projeto que se tornara prioritário para o governo.[91] A United States Steel Corporation, principal empresa norte-americana do setor, de início se mostrara interessada no assunto e até enviara um corpo de técnicos ao Rio. Mas inesperadamente desistira do negócio, alegando que a suspensão unilateral do pagamento da dívida externa seria um impeditivo para a chancela do acordo.[92]

O revertério fez Getúlio se voltar para a Krupp, que também manifestara interesse em financiar a siderúrgica brasileira. Uma mensagem dele ao embaixador brasileiro em Washington, Carlos Martins, expôs a questão em termos categóricos: "Temos *vários* [a palavra estava sublinhada, no original] oferecimentos de colaboração de outros países que não condicionam o assunto dívida externa ao problema siderúrgico", ressalvou Getúlio. "Se os Estados Unidos desejam o fortalecimento econômico com o Brasil, preferimos contar com a colaboração de capitais norte-americanos. Mas se neles não encontrarmos apoio, examinaremos outras possibilidades que se apresentam."[93]

A hipótese de o Brasil vir a fechar contrato com a empresa germânica — fabricante de armas com ampla experiência também na produção de aço — inquietou Washington.[94] Uma notícia publicada pelo *New York Times*, a respeito da existência de propostas germânicas para financiar a siderúrgica brasileira, fez o chefe da Divisão das Repúblicas Americanas do Departamento de Estado, Laurence Duggan, telefonar aflito para o secretário do Tesouro dos Estados Unidos, Henry Morgenthau Jr. Um acordo desse nível entre Rio de Janeiro e Berlim, assegurou Duggan, seria extremamente danoso aos planos de Roosevelt para a América do Sul.[95]

Getúlio, por meio de sua equidistância pragmática, explorou o impasse.[96] O general Góes Monteiro, chefe do Estado-Maior do Exército, estivera nos Estados Unidos a convite do general Marshall e retornara com a promessa do governo norte-americano de atender ao duplo anseio brasileiro: modernizar as Forças Armadas nacionais e viabilizar o projeto siderúrgico. Os Estados Unidos pretendiam instalar bases militares em pontos nevrálgicos do litoral brasileiro, especificamente no Rio Grande do Norte e em Fernando de Noronha, considerados alvos potenciais de ataque a partir de Dacar, no Senegal — então colônia francesa —, dada a relativa pequena distância do continente africano com a costa do Nordeste. A evidência de que a invasão da França já constava dos planos dos nazifascistas não autorizava ninguém, à época, a considerar tal perspectiva como um exercício de má futurologia.[97]

As negociações com os Estados Unidos esbarravam, entretanto, em limitações objetivas. Não só a legislação estadunidense proibia a venda de armamento de ponta a nações estrangeiras, como a Casa Branca receava ferir a suscetibilidade dos demais países latinos, particularmente a Argentina, caso Washington viesse a conferir um tratamento preferencial ao Brasil. Além do mais, parecia temerário municiar um país que tinha, no comando de suas Forças Armadas, evidentes germanófilos.[98] Por isso, no Rio de Janeiro, crescia a suspeita de que os norte-americanos pareciam propensos a prometer muito mais do que pretendiam cumprir. Isso levou Oswaldo Aranha a procurar o embaixador Jefferson Caffery para adverti-lo em linguagem franca.

"Vocês, americanos, mantêm conversações conosco, enquanto os alemães nos dão armas", afirmou Aranha a Caffery, ressalvando que ou os Estados Unidos propunham algo de mais concreto ou, do contrário, os chefes militares empurrariam o Catete para o colo de Hitler.[99]

Getúlio, o homem discreto que sempre evitava gestos extremos e grandes arroubos de retórica, decidiu que o momento exigia uma providência imediata — e mais drástica.

"É preciso sacudir com força as árvores, a fim de caírem as folhas secas", definiu.[100]

Por volta de uma da tarde do dia 11 de junho de 1940, uma terça-feira, Getúlio subiu a bordo do encouraçado *Minas Gerais* para prestigiar o almoço comemorativo da mais tradicional data da Marinha brasileira, o aniversário da Batalha do Riachuelo. Embora fosse um compromisso rotineiro na agenda anual da presidência da República, dessa vez o evento seria revestido de um significado explosivo.

No bolso, Getúlio levava quatro folhas de papel dobradas, com o texto de um discurso no qual começara a trabalhar cerca de 72 horas antes. No sábado anterior, após assistir à clássica sessão de cinema no Guanabara, iniciara a redação do documento, a ser lido na presença dos militares mais graduados do país. No domingo — exatamente quando a Itália entrara na guerra ao invadir o sul da França —, ele dera os últimos retoques nos apontamentos, depois de ter passado o dia inteiro jogando golfe no Itanhangá.[101]

Os acontecimentos internacionais pareciam indicar uma nítida inclinação da conflagração europeia a favor do Eixo. Entre abril e maio, as tropas de Hitler haviam iniciado uma ofensiva fulminante e invadido sucessivamente a Noruega, Dinamarca, Bélgica, França, Luxemburgo e Países Baixos. Na chamada "Evacuação de Dunquerque", quase 340 mil soldados britânicos, franceses e belgas, encurralados pelos bombardeios alemães, se retiraram do território da França e atravessaram o canal da Mancha, rumo a Dover, na Inglaterra. Deixaram para trás veículos, tanques, peças de artilharia. No início de junho, os nazistas já assediavam Paris. Em suas anotações pessoais, Getúlio acompanhara passo a passo o andamento das batalhas e registrara suas impressões a respeito dos destinos do confronto.

"As notícias sobre a guerra apresentam-se sob o aspecto de uma verdadeira derrocada para os Aliados. O povo, por instinto, teme a vitória alemã; os germanófilos exaltam-se. Mas o que ressalta evidente é a imprevidência das chamadas democracias liberais."[102]

A terça-feira consagrada às festividades da Marinha amanheceu com um sol radiante. A solenidade começou com um desfile náutico, em plena baía de Guanabara, dos principais vasos de guerra nacionais. Terminada a revista à tropa, Getúlio dirigiu-se à mesa de banquete no *Minas Gerais*. Na hora do champanhe, retirou os papéis do bolso, desdobrou-os e iniciou a leitura.[103] Muitos ficaram escandalizados com o que ouviram. Outros comemoraram o que pareceu uma declaração formal de apoio ao Eixo.

> Marchamos para um futuro diverso de quanto conhecíamos em matéria de organização econômica, social ou política, e sentimos que os velhos sistemas e fórmulas antiquadas entram em declínio [...]. Assistimos à exacerbação dos nacionalismos, as nações fortes impondo-se pela organização baseada no sentimento da pátria e sustentando-se pela convicção da própria superioridade. Passou a época dos liberalismos imprevidentes, das demagogias estéreis [...]. Na comemoração de tão gloriosa

data, vejo a melhor oportunidade para apontar aos brasileiros o caminho que devemos seguir, e que seguiremos vigorosamente.[104]

As reações foram contraditórias. Nos Estados Unidos, o *New York Times* considerou que aquele era "o primeiro discurso francamente fascista feito por um presidente sul-americano", enquanto o *New York Herald Tribune* reproduziu trechos da fala de Getúlio sob um título crítico: VARGAS DEFENDE O USO DA FORÇA. A Associated Press distribuiu material telegráfico deplorando o texto lido pelo presidente brasileiro, "um homem que decreta neutralidade, mas defende os ditadores".[105]

O embaixador norte-americano no Brasil, Jefferson Caffery, telegrafou a Washington para comentar que a entrada da Itália no conflito europeu e as sucessivas vitórias do *Blitzkrieg* — a guerra-relâmpago posta em ação pelos alemães — haviam comprometido o equilíbrio de forças no seio do governo brasileiro. Na avaliação de Caffery, os sucessos do expansionismo nazifascista teriam obrigado Getúlio a tentar apaziguar os líderes militares e a ceder terreno para os germanófilos com assento no governo.[106]

Na Itália, ao contrário, o discurso foi amplamente comemorado. Benito Mussolini enviou mensagem ao Catete, por meio da embaixada no Rio de Janeiro, para dizer que havia recebido "com interesse e profunda satisfação" as palavras do presidente brasileiro. "Tal discurso é digno do homem de Estado que vê a nova realidade histórica europeia como realmente é, e não como querem as chamadas democracias", festejou o Duce.[107]

A representação germânica em Buenos Aires remeteu comunicado aos jornais argentinos para dizer que a Alemanha também se congratulava com a mensagem de Getúlio. "Não é uma casualidade que essas valentes palavras tenham sido ditas pelo homem que é chefe de uma das mais adiantadas nações do continente americano — sobre a original terra do Brasil ergueu-se um Estado jovem e forte, cujos povoadores se tornaram livres de preconceitos." A Rádio de Berlim, em suas transmissões para a América Latina, informou aos milhões de ouvintes espalhados pelo continente que Getúlio Vargas era "o primeiro estadista americano a reconhecer e proclamar a fraqueza das democracias e o vigor dos regimes totalitários".[108]

No plano interno, o capitão Felisberto Batista Teixeira, delegado especial de segurança política e social, elaborou um minudenciado relatório para o chefe Filinto Müller, no qual descreveu a recepção popular ao discurso pronunciado por

Getúlio a bordo do encouraçado *Minas Gerais*. De acordo com Teixeira, "o discurso do presidente, claro, conciso e forte, marcou, de forma categórica, novos rumos para o país, até então politicamente mergulhado em certa penumbra que impedia ver claro a direção dos acontecimentos". Segundo o relatório do capitão Teixeira, no setor militar a repercussão teria sido extremamente positiva.

> A maioria da oficialidade do Exército comenta, da maneira mais elogiosa, a oração presidencial, afirmando que jamais o Brasil teve um chefe de Estado que expressasse, com tanta coragem e independência, o pensamento de seu povo; na Marinha, o efeito foi ainda mais entusiástico — a marujada foi sacudida por intensa vibração patriótica.[109]

O que mais causava espécie aos partidários de uma possível aliança do Brasil com os Estados Unidos era o fato de o discurso de Getúlio Vargas ter sido pronunciado um dia após Franklin Delano Roosevelt ter se dirigido ao povo de seu país com uma mensagem de sentido exatamente oposto. No dia 10 de junho, Roosevelt afirmara que os Estados Unidos se sentiam no dever de auxiliar a Inglaterra e a França, "nações que estão dando seu sangue no combate contra a agressão fascista". Por efeito comparativo, a fala do presidente brasileiro parecera uma resposta deselegante às declarações feitas na véspera pelo norte-americano.[110]

Exposto às críticas dos jornais estadunidenses, Getúlio escreveu ao embaixador brasileiro em Washington, Carlos Martins, para esclarecer que não tentara contestar as afirmações de Roosevelt, até porque não tomara conhecimento prévio delas. No mesmo dia, mandou o Departamento de Propaganda publicar uma nota oficial nos jornais do Rio de Janeiro, na qual ressalvara que o discurso no *Minas Gerais*, na verdade, não representara nenhuma modificação na atitude do Catete diante do quadro mundial. Teria sido apenas um chamamento aos brasileiros para preveni-los contra o desânimo e o pessimismo.

"A política externa brasileira é de inteira solidariedade americana na defesa comum do continente contra qualquer ataque vindo de fora. O nosso país, por sua vez, não intervém em conflitos europeus, mantendo estrita neutralidade", dizia a nota.[111]

Em particular, Getúlio ficara bastante irritado com o tratamento conferido a ele pela imprensa norte-americana. Por esse motivo, planejava realizar um novo pronunciamento público, durante o qual faria dois esclarecimentos que julgava imprescindíveis. Em primeiro lugar, ratificaria a defesa incondicional do pan-americanismo. Mas por outro lado, como segundo ponto a ser ressaltado, pretendia dizer que advogar a comunhão continental não significava, de modo algum, admitir intrusões e palpites externos quanto a assuntos relativos à soberania nacional. A imprensa estrangeira não tinha o direito de opinar sobre o regime político que o Brasil escolhera para si.[112]

Para Getúlio, suas palavras originais haviam sido distorcidas e propositalmente mal interpretadas. Acusá-lo de germanófilo, alegou, era "uma insensatez".[113] Sua intenção fora enfatizar a independência brasileira, bem como destacar o papel do Estado Novo na condução dos destinos nacionais. Por isso, não conseguia compreender como os admiradores de Roosevelt, "um reformador de métodos e de ideias antiquadas", pudessem ter a petulância de acusá-lo do contrário.[114]

"Temos total liberdade de adotar o sistema de governo que julgamos mais adequado à nossa situação — e de ter nossa própria interpretação de democracia", disse a Oswaldo.[115]

"Getúlio, nesta hora, toda discussão que aumente a polêmica e reacenda as divergências entre os brasileiros em torno da situação mundial não me parece aconselhável", avaliou o ministro do Exterior.[116]

A ponderação de Oswaldo Aranha, porém, foi desconsiderada. No dia 29 de junho, Getúlio aproveitou uma homenagem que lhe seria prestada pela Federação dos Marítimos para retornar ao assunto. Na ocasião, reafirmou tudo o que dissera a bordo do *Minas Gerais*.

"Foi bem claro, no pensamento e na forma, o meu discurso naquele dia memorável. E não é com o comentário falseado e a publicação tendenciosa de frases isoladas que se pode interpretá-lo", afirmou. "Não volto atrás, não me retrato de nenhum dos conceitos emitidos. Antes, só tenho motivos para reafirmá-los integralmente."[117]

Em seu diário, comentou:

"É tarde para recuar. Só Deus sabe o futuro."[118]

17. Getúlio toma a decisão sobre a guerra. Mas avisa: "Não sobreviverei a um desastre para minha pátria" (1940-1)

Os índios, nus, pintados de urucum, jenipapo e fuligem de carvão, se acercaram de Getúlio, curiosos, quando ele desceu do pequeno Lockheed e pisou na pista de pouso na ilha do Bananal — a maior ilha fluvial do mundo, com 20 mil quilômetros quadrados de extensão, encravada em terras na época pertencentes a Goiás e que hoje fazem parte do estado de Tocantins. Situada na zona de transição entre a floresta amazônica e o cerrado, a ilha sempre foi o lar dos carajás e javaés, povos que vinham mantendo contatos sistemáticos com os brancos desde o século XVI.

"Papai Grande!", eles saudaram Getúlio.[1]

Uma equipe avançada chegara com antecedência de uma semana para preparar o acampamento. Meia dúzia de barracas de lona estavam armadas às margens do rio Araguaia e, em uma delas, o Exército instalara uma estação radiotransmissora. Ao lado da fileira original de malocas indígenas fora construída uma cabana de toras de madeira, destinada a abrigar a comitiva presidencial durante os dois dias em que ela permaneceria isolada do mundo, internada no coração da selva. Os móveis disponíveis eram rústicos, apenas pequenos bancos feitos com troncos de árvore, além de algumas poucas camas de campanha.[2]

O pajé Ataul, líder espiritual da aldeia Hawaló (Santa Isabel do Morro, na denominação oficial), tomou a frente dos demais e cumprimentou o presidente da República, que desembarcou do avião seguido por um pequeno cortejo. Iam com ele o irmão Bejo Vargas; o interventor de Goiás, Pedro Ludovico Teixeira; o ajudante de ordens, capitão Manoel dos Anjos; e o chefe da então recém-criada Comissão de Defesa da Economia Nacional, João Alberto (um dos poucos egressos do movimento tenentista ainda com cargo de proeminência no governo).

Getúlio sacou um de seus havanas e ofereceu ao anfitrião.

"Dá fogo!", exigiu Ataul, sem nenhuma cerimônia.

Getúlio não conseguiu evitar a gargalhada e, tirando a caixa de fósforos também do bolso, acendeu-lhe o charuto.

"Você é o feiticeiro da tribo?", indagou.

"Nada! Nada! Nada!", contradisse o pajé, altivo. "Ataul é *doutô*, não feiticeiro..."[3]

Getúlio riu de novo. Seguiu-se uma farta distribuição de facões, machados, miçangas e espelhinhos. Decorridos mais de quatrocentos anos desde os primeiros encontros com os nativos, os brancos ainda recorriam aos mesmos expedientes dos colonizadores portugueses para demonstrar que vinham em paz. Ataul mereceu um presente especial: uma faca de aço brilhante, em cuja lâmina estava gravado o nome do presidente em letras de caligrafia rebuscada. Em retribuição, os carajás ofereceram arcos, flechas e cocares decorados com penas de aves coloridas.[4]

Getúlio foi recepcionado com uma apresentação de danças nativas e, logo depois, teve direito a assistir a exibições de luta corporal entre os jovens guerreiros carajás e seus vizinhos, os javaés. Segundo a descrição elaborada pelo Departamento de Propaganda distribuída aos jornais do Rio de Janeiro, "bizarros representantes das tribos carajás e javaés, completamente destituídos de vestes, com tórax decorados em várias cores, entoavam seu canto onomatopaico, pulando e dançando".[5]

A viagem de Getúlio ao Araguaia fazia parte de uma grande campanha oficial batizada "Marcha para o Oeste". O objetivo era promover a ocupação do vasto território dos estados de Goiás e Mato Grosso, por meio de uma política de colonização intensiva, primeiro passo da "arrancada de progresso" rumo à região amazônica. O projeto envolvia programas de incentivo à migração interna, criação de colônias agrícolas, construção de rodovias e estímulo à produção agropecuária. A própria construção da cidade de Goiânia — então apenas um enorme canteiro de obras, localizado a 580 quilômetros em linha reta dali — estava inserida nesse processo de povoar os "enormes vazios demográficos" e "levar a civilização" ao "sertão primitivo e atrasado". Uma missão que se coadunava perfeitamente ao ideário nacionalista do Estado Novo e elegera a inserção do índio à sociedade como símbolo máximo da cruzada desenvolvimentista.[6]

"O verdadeiro sentido de brasilidade é a Marcha para o Oeste", pregava Getúlio. "Lá teremos de ir buscar, dos vales férteis e vastos, o produto das culturas variadas e fartas; das entranhas da terra, o metal com que forjar os instrumentos de nossa defesa e do nosso progresso industrial."[7]

Curiosamente, os antigos bandeirantes, que haviam fornecido aos constitucionalistas de 1932 o arquétipo do desbravador intrépido e se tornado ícones da autonomia paulista, eram reapropriados pela propaganda estado-novista como construtores da unidade brasileira. Os modernistas de São Paulo, particularmente os da ala nacionalista ligados aos grupos literários Verde-Amarelo e Anta, trataram de adequar a imagem mítica dos bandeirantes aos propósitos oficiais. Naquele mesmo ano de 1940, o escritor Cassiano Ricardo lançava *Marcha para o Oeste*, livro no qual comparava o cabo de tropa das antigas bandeiras ao "criador do governo forte, corajosamente americano".[8]

De botas, bombachas, camisa branca de mangas arregaçadas e aberta ao peito, Getúlio posou para fotos ao lado dos índios da ilha do Bananal, dormiu de rede e singrou o Araguaia a bordo de um pequeno barco de madeira com motor na popa. Dispensou as garrafas de água mineral que lhe haviam reservado e preferiu se servir, com as mãos em concha, na própria correnteza do rio. Utilizando um galho de árvore como cajado, percorreu a aldeia e comandou uma excursão selva adentro, para uma caçada de jacarés. Na ocasião, ao se sentar em um tronco de árvore próximo à margem, foi surpreendido pelo súbito movimento de um dos animais, que ameaçou sair da água e partir em sua direção. Um tiro certeiro de fuzil, disparado por João Alberto, fez o bicho retroceder, rolar sobre si mesmo e estrebuchar de patas para cima — e na mesma hora foi devorado por um cardume de piranhas.[9]

"Em meio a todo esse desconforto, o sr. Getúlio Vargas sorria alegremente, comentando os incidentes da viagem", descreveu o jornal *A Noite*.[10]

Ao sobrevoar a serra do Roncador, com o auxílio do binóculo, Getúlio constatou a existência de outras tribos até então completamente isoladas da civilização. Em seu diário, o antropólogo acidental registraria as impressões de viagem: "Essa região é ocupada pelos xavantes, índios bravios e ariscos, que não querem contato nem com os civilizados nem com os outros índios".[11]

Nunca Getúlio viajara tanto como naqueles idos de 1940 e 1941. Prova de inegável recuperação física e mental, sua peregrinação incluiu visitas ao Paraguai e à Bolívia, únicas viagens internacionais — além das que fizera à Argentina e ao Uruguai, em 1932 — de todo o seu longo período à frente do Catete. No Brasil, percorreu nesse período o Amazonas, Pará, Piauí, Ceará, Paraíba, Pernambuco, Alagoas e Bahia, além de São Paulo, Minas Gerais e Rio Grande do Sul. Entre tantas idas e vindas, conheceu as plantações de seringueiras do milionário norte-americano Henry Ford na paraense Belterra, testemunhou os esforços da colonização japonesa em Parintins, implantou açudes no semiárido, inaugurou usinas de açúcar e álcool no agreste, prestigiou a abertura de institutos de pesquisas agronômicas, granjas-modelo e vilas operárias em diversos pontos do território brasileiro.[12]

Desde a partida de Aimée, jamais demonstrara tamanha disposição e bom humor. Em suas anotações, entre uma viagem e outra, estavam de volta as alusões a "agradáveis passeios" no meio da tarde, embora a partir daí sem nenhuma pista mais objetiva que permitisse a identificação das novas eleitas — de onde se presume que não tenha se fixado em uma única companhia, e sim preferido alternar paixões mais ocasionais e fugazes.

Muito se especulou sobre o possível *affair* de Getúlio com a poeta Adalgisa Nery — esposa de Lourival Fontes —, beldade que também arrebatara o coração do poeta Murilo Mendes e era descrita pelo crítico de arte e literatura Mário Pedrosa como "uma jovem mulher, bela como um jarro de flores". Dotada de uma beleza clássica, olhos negros, cabelos curtos, sempre muito elegante, era presença obrigatória nas rodas literárias da Livraria José Olympio, principal centro aglutinador de escritores à época — participar do grupo que se reunia na sede da livraria, à rua do Ouvidor, era um passaporte garantido para ser admitido e legitimado como literato na então capital da República. Adalgisa passava horas conversando sobre arte e poesia com intelectuais do porte de Carlos Drummond de Andrade, José Lins do Rego e Graciliano Ramos (depois da temporada nas prisões do Estado Novo, o autor de *Vidas secas* conseguira um emprego federal de inspetor de ensino no Rio de Janeiro). Anos mais tarde, um repórter mais chegado a Getúlio, Armando Pacheco, aproveitou um momento de bom humor do presidente e se atreveu a indagar se era verdade que mantivera um romance com Adalgisa.[13]

"Não. Isso, com certeza, deve ser gabolice do Lourival...", brincou.[14]

Com suas viagens Brasil adentro, Getúlio se tornou ele próprio o maior divulgador da ideologia da integração nacional, propugnada pelo governo e amplificada pelo Departamento de Imprensa e Propaganda (DIP), criado no final de 1939 em substituição ao anterior Departamento de Propaganda e Difusão Cultural. Alçado ao status de ministério e subordinado diretamente à presidência da República, o DIP permaneceu sob o comando do cada vez mais influente Lourival Fontes e expandiu consideravelmente o controle do Estado sobre as comunicações, ao contar com cinco divisões específicas — Divulgação, Radiodifusão, Cinema e Teatro, Turismo e Imprensa. Um sexto departamento, o de "Serviços Gerais", movimentava um orçamento ancorado nas famigeradas "verbas secretas", pelas quais eram pagos os jornalistas, escritores, artistas, fotógrafos e intelectuais cooptados pelo regime.[15]

A excursão ao Araguaia, pelo ineditismo e pela simbologia que agregava, mereceu tratamento especial do Departamento de Propaganda. Enquanto a imprensa de todo o país acompanhava passo a passo as aventuras da comitiva na ilha do Bananal por meio de textos e fotografias fornecidos pelo DIP, Getúlio teve de suportar dois dias sem notícias impressas — algo que para ele, leitor compulsivo de jornais, não era nada fácil. As únicas informações que chegavam à aldeia pelo rádio do Exército eram captadas com alguma dificuldade, intercaladas por chiados e ruídos de estática.[16]

Assim, Getúlio não ficou sabendo de pronto que, exatamente no último dia de sua estada no Centro-Oeste brasileiro, a principal revista semanal norte-americana, a *Time*, começara a circular com uma fotografia do presidente brasileiro estampada na capa. Enquadrado pelo clássico retângulo vermelho que sempre caracterizou a publicação, o *portrait* de Getúlio era assinado por John Phillips — um pioneiro do fotojornalismo mundial, que viria a ficar célebre por seus flagrantes da Segunda Guerra.

"Como americanos, somos fortes", dizia a legenda.[17]

Os leitores da *Time* foram informados de que Getúlio Dornelles Vargas, o presidente do Brasil, merecera dos próprios auxiliares, no início de seu governo, em 1930, o apelido de "chuchu". Isso por ser, aparentemente, um líder insípido e inodoro. As aparências eram enganosas, garantia o texto.

Vargas, o homem a quem todos no Brasil, incluindo seus inimigos, chamam com intimidade apenas de Getúlio, não é tão inteligente quanto Hitler, nem teatral como Mussolini, mas é um político astuto, um oportunista honesto, dono de um sincero desejo de melhorar a sorte de seu povo, embora não tenha muitos escrúpulos quanto aos meios que emprega.[18]

A *Time* dizia que o primeiro brasileiro a ilustrar a capa da revista detestava o fato de a imprensa norte-americana o considerar um mero fantoche do possível expansionismo nazifascista no hemisfério.

A verdade é que, internamente, o Estado Novo de Vargas é autárquico e autoritário; mas nas relações externas o Brasil não almeja conquistar territórios. Ao contrário, precisa de proteção, e está com fome de capital estrangeiro — e isso se encaixa perfeitamente com a política externa dos Estados Unidos, o que faz do sr. Vargas um amigo de Washington.[19]

Comparou a *Time*:

Vargas gosta de pensar em si mesmo, aliás, como o "amigo sul-americano" de Franklin Delano Roosevelt. Ele já se encontrou com Roosevelt, publicou seus discursos em cinco volumes, como Roosevelt, até parece vagamente com Roosevelt. Há também muitas semelhanças entre os objetivos sociais do Estado Novo e do New Deal — e a política externa dos dois presidentes difere bem pouco. Vargas precisa da ajuda dos Estados Unidos para manter o Brasil na mão dos brasileiros, ou seja, dele próprio e de seus amigos. E os Estados Unidos, desconfortavelmente cientes da proximidade do Brasil com a África e a Europa, precisam de um amigo forte ao sul do equador.[20]

A reportagem terminava afirmando que Getúlio gostava de lançar mão de frases de nítida inspiração fascista — "povos vigorosos, aptos para a vitória", "o começo tumultuoso e fecundo de uma nova era" —, mas parecia empenhado em construir uma aproximação do Catete com a Casa Branca. A questão, para a *Time*, seria imaginar como o governo norte-americano aprenderia a lidar com as dubiedades e astúcias de um homem cujos compatriotas consideravam "um mestre na arte de tirar as meias sem descalçar os sapatos".[21]

Os brasileiros adoram fazer piadas sobre Vargas. Aos domingos, ele próprio se diverte ao tomar conhecimento das últimas anedotas criadas em torno de sua figura pública, enquanto joga golfe com o amigo Valentim Bouças, representante da International Business Machines [IBM] no Brasil.

Uma dessas histórias conta que Getúlio foi para o céu e encontrou são Pedro sentado ao portão.

"São Pedro", disse ele, "posso entrar?"

"Não", respondeu são Pedro. "Se eu deixar, você vai tomar o meu lugar."[22]

A publicação da reportagem sobre Getúlio na *Time* vinha ao encontro dos interesses do governo brasileiro. Enquanto o presidente caçava jacarés e fumava charutos com os índios do Araguaia, um comitê especial nomeado por ele se revezava entre Washington e Nova York para tentar levantar os empréstimos necessários à implantação da siderúrgica nacional.

"Os Estados Unidos estão pletóricos de dinheiro e demonstram boa vontade para conosco. Precisamos tirar proveito dessa situação", escreveu Getúlio ao embaixador Carlos Martins.[23]

A incumbência de convencer os capitalistas de Wall Street a meter a mão no bolso foi entregue a Guilherme Guinle, que viajou para a América do Norte na companhia de dois outros integrantes da Comissão Executiva do Plano Siderúrgico Nacional, os engenheiros Ari Frederico Torres e Edmundo de Macedo Soares (primo do ex-ministro José Carlos de Macedo Soares e do jornalista José Eduardo Macedo Soares, proprietário do *Diário Carioca*). Para o embaixador Carlos Martins, a maior dificuldade a ser enfrentada pela missão seria o absoluto desconhecimento que os americanos tinham a respeito do Brasil.[24]

"Os Estados Unidos ainda não conhecem devidamente nosso país; a nossa propaganda aqui tem sido malconduzida. Nota-se uma ignorância quase total sobre o que somos e o que podemos ser", respondeu Martins a Getúlio. "No entanto, em nenhum outro país os jornais têm tanta força, a publicidade tão rápido efeito. Temos um exemplo com Carmen Miranda, que rapidamente saltou do anonimato para a celebridade."[25]

Em sua permanência nos Estados Unidos, Edmundo de Macedo Soares precisou explicar aos interlocutores, por mais de uma vez, que nem todos os brasileiros eram "selvagens botocudos" ou descendentes diretos de africanos. Sua mulher, Alcina, ficava constrangida ao ter que esclarecer às esposas dos homens de negócios norte-americanos que, ao contrário do que muitas imaginavam, as brasileiras não usavam turbante nem andavam com um balaio de frutas à cabeça, como Carmen Miranda. O texano Jesse Jones Holmes, presidente da Reconstruction Finance Corporation (RFC), agência responsável pelos programas implementados pelo New Deal, chegou a indagar a Macedo Soares sobre quantas horas de trem seriam necessárias para viajar do Brasil à Alemanha.[26]

"Tem um oceano inteiro separando o meu país da Europa", respondeu Macedo Soares, atônito com a estupidez geográfica de um dos homens mais ricos e poderosos do mundo.[27]

Desde que a United Steel desistira do investimento, Getúlio Vargas se convencera de que o Brasil, conforme pensavam também os militares que ofereciam sustentação armada ao governo, não poderia ficar na incômoda dependência de uma empresa estrangeira para concretizar o projeto siderúrgico. Em vez de ceder terreno a uma multinacional em esfera tão estratégica à economia e à segurança nacionais, Getúlio passara a defender que o mais conveniente seria fundar uma empresa genuinamente brasileira, viabilizada por meio de auxílio técnico e empréstimos externos. Pelo mesmo motivo, para evitar que o capital estrangeiro viesse a dominar as atividades de mineração e metalurgia no país, Getúlio firmou um novo Código de Minas, que restringiu esse tipo de operação a empresas nacionais, controladas por sócios e acionistas brasileiros. Os ministros militares assinaram, ao pé da letra, embaixo do decreto que instituiu tal monopólio.[28]

As regras e deliberações nacionalistas do governo confrontavam as pretensões do capitalista norte-americano Percival Farquhar — o mesmo que o então deputado estadual Getúlio Vargas definira, em 1921, como um especulador "ganancioso" e "predatório". À época, Getúlio defendera a encampação pelo governo estadual das obras da barra e do porto da cidade de Rio Grande, revogando o contrato com a Compagnie Française, administrada por Farquhar. Quase vinte anos depois, o magnata planejava fazer valer as cláusulas de outro contrato, assinado ainda nos tempos da presidência de Epitácio Pessoa, que concedera à Itabira Iron Ore Co. — mais uma das inumeráveis empresas controladas pelo milionário — o direito de extrair e exportar minério de ferro proveniente das jazidas de Minas Gerais.[29]

Mais uma vez, Getúlio colocou-se no caminho de Percival Farquhar. Declarou que o acordo com a Itabira Iron caducara e, por esse motivo, o antigo contrato era considerado juridicamente nulo.[30]

Nem assim o empresário desistiu dos planos de explorar o ferro do promissor vale do rio Doce e enviá-lo para o exterior pelo litoral do Espírito Santo. Em época de guerra, o ferro, matéria-prima de canhões e outros artefatos bélicos, era mais precioso do que o ouro, compreendia Farquhar. Para se amoldar ao novo Código de Minas — que classificara de "xenófobo" —, recorreu a sócios laranjas. Fundou com parceiros brasileiros uma empresa de fachada 100% nacional, a Companhia Brasileira de Mineração e Siderurgia, da qual ele próprio controlava, na surdina, a maioria das ações. Enquanto Farquhar iniciava uma maratona de negociações para levantar recursos junto a investidores dos Estados Unidos para tocar o negócio, Getúlio autorizava Guinle, Torres e Macedo Soares a fazer o mesmo, mas com a intenção de criar o que viria a ser a Companhia Siderúrgica Nacional (CSN).[31]

O discurso a bordo do *Minas Gerais* destravara algumas amarras e inaugurara diferentes perspectivas. Incentivado pela possibilidade de atrair o Brasil para o arco de alianças do Eixo, o governo alemão autorizara o embaixador Curt Prüfer a solicitar audiência a Getúlio, para lhe oferecer propostas tentadoras de cooperação econômica. Berlim não apenas se dizia disposta a duplicar o comércio com o Rio de Janeiro — comprando mais algodão, café e outros produtos agrícolas nacionais —, como também se propunha a executar o contrato siderúrgico que tanto seduzia Getúlio, aceitando como forma de pagamento apenas matérias-primas, dispensando dinheiro vivo. A única ressalva era que, por efeito do bloqueio marítimo imposto pelos ingleses ao Atlântico, tais acordos só poderiam ser implementados a partir do final da guerra — algo que Hitler considerava estar próximo, a julgar pelas vitórias retumbantes dos nazistas na Europa. Como precondição, o Reich exigia apenas que o Catete mantivesse temporariamente a declaração de neutralidade, recusando possíveis influências inglesas ou norte-americanas.[32]

"Evite dar a impressão de que estamos correndo atrás dos brasileiros por estarmos aflitos por essas influências", dizia o telegrama enviado ao embaixador por Emil Karl Joseph Wiehl, diretor do Departamento de Política Econômica do Ministério do Exterior alemão.[33]

Wiehl orientou Prüfer a deixar subentendido que a Alemanha, a despeito da queda abrupta no movimento da balança comercial entre os dois países, se encontrava em posição de franca superioridade em relação ao Brasil. Era preciso dar a entender a Getúlio que os brasileiros tinham supostamente mais interesse em selar o acordo do que eles, germânicos.

"[Faça vê-lo que] nem a Inglaterra nem os Estados Unidos comprarão do Brasil mercadorias que anteriormente eram compradas por nós, ao passo que poderemos obter os mesmos produtos que eles produzem de outros países, como, por exemplo, o algodão, na Rússia", norteou Wiehl.[34]

No diário de Getúlio há uma breve menção à audiência concedida a Prüfer, dez dias após o discurso no *Minas Gerais*. Na sucinta anotação, ele fez referência aos termos do acordo apetitoso proposto por Berlim e relatou as queixas do embaixador quanto à continuidade das perseguições a imigrantes germânicos no Rio Grande do Sul e em Santa Catarina. "Prometi providenciar", anotou Getúlio.[35] No relatório enviado à Alemanha para comunicar a realização do encontro, porém, Prüfer foi mais detalhista.

"Vargas ressaltou-me sua firme intenção de manter a neutralidade e declarou-me sua simpatia pessoal pelas nações autoritárias, lembrando o discurso que recentemente fizera", informou o embaixador nazista. "Ele exprimiu abertamente sua aversão pela Inglaterra e pelo sistema democrático."[36]

O comunicado originou uma animada troca de correspondência entre Berlim e a embaixada no Rio, por meio da qual o Reich confirmou o interesse em "colaborar com o desenvolvimento dos grandes recursos naturais do Brasil", uma vez que o mercado alemão crescera de tamanho com a conquista dos novos territórios europeus e o país precisava ampliar, por consequência, as cotas de seus fornecedores. "De 65 milhões de consumidores, agora somos mais de 90 milhões", detalhou uma dessas mensagens.[37]

O grande entrave, para Getúlio, era que o Brasil não podia aguardar o final da guerra para só então dar início às transações com a Alemanha — ou com qualquer outra potência mundial. O maior trunfo do país decorria justamente da existência do confronto bélico. Em tempos normais de paz, o Brasil não teria uma margem de negociação privilegiada ou argumentos sólidos o suficiente para se impor perante as nações mais poderosas. O momento de excepcionalidade, no qual a posição geográfica do país vinha sendo tratada como moeda forte, dava ao Catete um decisivo poder de barganha: trocar a promessa de alinhamento pela siderurgia.[38]

De todo modo, o aceno germânico serviu como um elemento de pressão a mais para que o Itamaraty — leia-se Oswaldo Aranha — persuadisse os Estados Unidos a encerrar a fase de promessas vagas e começar a agir de modo mais objetivo. Não parece haver dúvidas de que o discurso "ameaçador" de Getúlio no *Minas Gerais* e os alertas de Oswaldo aplainaram o caminho de Guinle, Torres e Macedo Soares em Washington e Nova York. Pouco depois de um mês da partida do trio, o Congresso norte-americano aprovou a subscrição de capital que permitiu a assinatura do primeiro acordo efetivo entre o Brasil e os Estados Unidos para a construção da usina siderúrgica.

Previa-se um investimento inicial de 45 milhões de dólares, sendo 20 milhões financiados pelo Eximbank e os demais 25 milhões sob responsabilidade do Tesouro brasileiro — o valor depois subiria para 90 milhões de dólares, cabendo a cada parte envolvida o aporte de 45 milhões. A quantia que cabia ao Brasil era elevada, mas Getúlio considerou o negócio extremamente vantajoso, diante do retorno financeiro que, a médio prazo, ele traria ao país.[39]

"A solução do caso da siderurgia, comunicada de Washington e divulgada pelos jornais, está tendo uma larga e benéfica repercussão", celebrou.[40]

Como os Estados Unidos permaneciam oficialmente afastados do confronto europeu, a assinatura do acordo não comprometia, naquele momento, a política de neutralidade adotada por Getúlio. Contudo, parecia cada vez mais óbvio que, cedo ou tarde, o cenário tenderia a sofrer uma radical e decisiva alteração. Tudo indicava que os norte-americanos seriam os próximos a entrar na guerra. Roosevelt fornecera cinquenta torpedeiros à Inglaterra, em troca da instalação de oito bases aeronavais em territórios e ilhas cedidas aos Estados Unidos pelo Império Britânico: Antígua, Bahamas, Bermudas, Guiana Inglesa, Jamaica, Terra Nova, Trinidad e Santa Lúcia. Com isso, um círculo de proteção passou a garantir o policiamento no Atlântico Norte, mas o Atlântico Sul permanecia desguarnecido. Uma situação que continuaria a representar um perigo real para o continente, a menos que o Brasil também aceitasse ceder pontos estratégicos em seu litoral.[41]

"Os americanos querem construir bases navais e aéreas em nosso território e ocupá-las com tropas suas", comentou Getúlio, preocupado, situando a questão sob o prisma da soberania nacional. "Querem nos arrastar à guerra na Europa sob o pretexto de defesa da América", detalhou.[42] "Isso dá ao caso um aspecto grave, porque não é uma colaboração, é uma violência."[43]

Dois dias após a assinatura do acordo prévio com os Estados Unidos para a construção da siderúrgica brasileira, firmava-se em Berlim o chamado "Pacto

Tríplice", por meio do qual Alemanha, Itália e Japão estabeleciam tratados de mútua cooperação militar, política e econômica. Entre outros itens, o Japão reconhecia o domínio da Alemanha e da Itália sobre a Europa, enquanto estas aceitavam a supremacia nipônica sobre o Extremo Oriente. No caso de agressão a qualquer uma das três nações por uma potência alheia ao conflito europeu — o que implicava dizer, pelos Estados Unidos —, as outras duas se obrigavam a responder em conjunto.

ASSINADO UM PACTO PARA ASSEGURAR O DOMÍNIO DO MUNDO, resumiu no dia seguinte a manchete do jornal carioca *Diário de Notícias*.[44]

Com o objetivo de ganhar de vez o Catete para a causa aliada, os Estados Unidos ultimaram um generoso pacote de concessões econômicas e militares ao Brasil, discutidas pelos dois países em uma comissão mista de trabalho. Além do empréstimo destinado ao projeto siderúrgico, Roosevelt prometeu ampliar a compra de algodão nacional, estabelecer cotas favoráveis para o café brasileiro no mercado norte-americano e importar ao país toneladas de minérios considerados estratégicos em tempos de guerra, como manganês, níquel, bauxita e cromo. Por intermédio do chamado Lend-Lease Act — programa de ajuda de fornecimento de armas e suprimentos bélicos para as nações aliadas —, Washington se comprometia ainda a remeter nada menos de 100 milhões de dólares em equipamentos bélicos para o Brasil.[45]

"Podem contar conosco", disse enfim Getúlio ao embaixador Jefferson Caffery, após este lhe indagar qual seria, depois disso, a atitude brasileira no caso de os Estados Unidos virem a se envolver oficialmente no conflito.[46]

A promessa de Getúlio seria eternizada em bronze. Roosevelt mandou o escultor Jo Davidson — premiado pela National Academy of Design, de Nova York — percorrer vários países latinos para esculpir o busto dos principais chefes de Estado cujas nações estavam na área de interesse tático dos Estados Unidos. Uma de suas escalas foi o Rio de Janeiro. Durante cinco dias, Getúlio utilizou os preciosos intervalos entre os despachos oficiais e posou para Davidson preparar a escultura em argila que serviu de molde à obra em metal.

"Sempre que posso, evito essas poses, que acho muito desagradáveis. Mas este escultor veio oficialmente, enviado pelo presidente Roosevelt e prestigiado pela embaixada americana", justificou-se Getúlio.[47]

A guerra total parecia tão iminente que, segundo consta, Mussolini telegrafara para Getúlio e sugerira que Lutero Vargas retornasse o quanto antes ao Brasil. Segundo o próprio Lutero, o episódio não aconteceu exatamente assim. A iniciativa de voltar ao país teria sido dele, e a decisão, tomada logo após a retirada das tropas inglesas de Dunquerque. O fato é que, em uma deferência especial ao presidente brasileiro, o Duce providenciou que um avião da Ala Littoria — a companhia nacional italiana — conduzisse o primogênito de Getúlio ao Rio de Janeiro. O piloto encarregado de efetuar a travessia atlântica seria o capitão Bruno Mussolini — filho do líder fascista, que estivera por aqui em 1938, em um raide ao lado dos colegas Attillio Biseo e Antonio Moscatelli.[48]

Lutero pegou um trem de Berlim para Roma e, depois de ter sido recebido em audiência por Mussolini, seguiu de avião até a ilha do Sal, no arquipélago do Cabo Verde, onde Bruno o aguardava para transportá-lo ao Brasil. À última hora, contudo, houve uma troca de pilotos, pois o Duce teria chamado o filho para comandar outra missão urgente da Força Aérea fascista. Na véspera do desembarque, os principais jornais do Rio de Janeiro noticiaram que Lutero chegaria na companhia de Bruno Mussolini, mas quem apareceu comandando o avião foi o coronel Attillio Biseo.[49]

Lutero Vargas deixou em Berlim a namorada alemã, Ingeborg, a Inge, como a chamava. Ela chegaria ao Rio dali a três meses, após o primeiro secretário da embaixada brasileira, Sérgio Alvarenga, bater-lhe à porta com um telegrama na mão, por meio do qual o filho de Getúlio a pedia em casamento. As autoridades nazistas colocaram obstáculos iniciais para fornecer o visto de saída a uma súdita do Reich que desejava deixar a Alemanha com o intuito de casar com um não ariano do outro lado do mundo. Um acordo cerzido entre as embaixadas, porém, eliminou o impasse. Inge conseguiu embarcar em um avião que a levou inicialmente a Roma e, depois, a Lisboa, onde então tomou o vapor *Bagé*, do Lloyd Brasileiro, com destino final ao Rio.[50]

Na chegada, o apaixonado Lutero preparou uma surpresa para a amada. Pôs o mesmo terno que vestira na despedida em Berlim, ordenou que o *Bagé* ancorasse fora do porto e tomou uma lancha da Marinha do Brasil que o transportou até próximo ao navio, para que Inge descesse ao seu encontro, pela escadinha de cordas desenrolada pela tripulação. A aventura e a originalidade do desembarque derreteram ainda mais o coração germânico de Ingeborg ten Haeff. Era exatamente isso, além do "sorriso campeão", o que tanto a atraía em Lutero.

Ao contrário dos rapazes de gelo que conhecera na Alemanha, o namorado brasileiro era um impetuoso, um *Verruecktchen*, isto é, um "doidinho", como ela mesma dizia.[51]

Dadas as indefinições políticas do momento, Getúlio não aprovou muito a ideia de ver um filho casado com uma alemã. Previu que as más línguas poderiam fazer ilações venenosas a respeito do caso — como de fato fizeram —, transformando uma questão essencialmente privada em assunto de Estado. Segundo contaria mais tarde Lutero, o pai passou alguns dias aborrecido, sem falar com ele, ao receber a notícia de que seria sogro de uma estrangeira. Mas os encantos pessoais da moça afrouxaram a resistência paterna.[52]

"Conheci hoje a noiva do Lutero, uma moça alemã que ele conheceu naquele país e tomou-se de amor por ela, mandando buscá-la, com o nosso consentimento", registrou Getúlio. "Preferiria que casasse com brasileira, mas, em assuntos desta natureza, a oposição pode trazer a infelicidade. E tive uma boa impressão da futura nora."[53]

Aos 24 anos, Inge parecia pessoalmente ainda mais bonita do que nas fotos que Lutero trouxera na carteira. Além de bela, era inteligente e interessada em esportes, arte e cultura. Logo iria se tornar frequentadora assídua dos camarotes do Teatro Municipal. Faria amizade com artistas de renome no país, como o pintor Candido Portinari (que lhe pintou um belo retrato), e o músico Patrício Teixeira (que lhe ministrou as primeiras aulas de violão e lhe apresentou um repertório de músicas brasileiras, pelas quais se apaixonou).[54]

A presença marcante de Ingeborg nas reuniões sociais do Rio de Janeiro impressionou a todos. Houve quem atribuísse a ela o papel de espiã do Reich infiltrada em plena família Vargas. Outros, escandalizados pelo comportamento de mulher moderna e independente, que ousava vestir calças compridas e andar acompanhada de artistas em uma sociedade machista e provinciana, começaram até mesmo a questionar sua feminilidade. A própria Inge, décadas adiante, rechaçaria com veemência, em entrevista, as suspeições a respeito de suas pretensas atividades políticas e de sua sexualidade. "Fui casada com três homens e, nos intervalos, tive alguns amantes, todos do mesmo gênero", diria uma já nonagenária Ingeborg, radicada nos Estados Unidos, ao lado do terceiro marido, John Githens.[55]

O casamento de Lutero e Ingeborg ocorreu três dias após a chegada dela ao Brasil, em 20 de setembro de 1940. A cerimônia civil teve lugar no Palácio Guanabara, enquanto a solenidade religiosa foi oficiada no Convento de Santa Teresa.

No início de outubro, Getúlio assinou um decreto naturalizando-a brasileira, após o casal retornar da lua de mel em Petrópolis e ir morar em uma casa espaçosa no bairro da Urca. Lutero passou a trabalhar no Centro Médico Pedagógico Oswaldo Cruz, atendendo no ambulatório de ortopedia. Naquele mesmo mês, Inge ficou grávida de uma menina, que ao nascer receberia o nome de Cândida Darcy, dupla homenagem à bisavó e à avó paternas.[56]

O outro filho de Getúlio Vargas que estudava no exterior, Getulinho, também estava de volta ao Brasil. Chegara dos Estados Unidos, diplomado em engenharia química pela Johns Hopkins University. Mas trouxe o organismo debilitado por uma misteriosa enfermidade que o deixou de cama praticamente desde o desembarque no Rio de Janeiro. O diário de Getúlio ficou pontuado por anotações relativas à saúde precária do caçula, então com 22 anos. "Getulinho, doente há vários dias, está melhorando. Darcy passa os dias e as noites ao seu lado", escreveu, em dezembro de 1940.[57]

Aparentemente recuperado, Getulinho chegou a se alistar no 1º Grupo de Artilharia da Costa, sediado no Forte de Copacabana. O exame biométrico a que foi submetido no quartel atestou que o cabo inscrito sob o número 399, Getúlio Vargas Filho, gozava de excelente saúde, recebendo a anotação "Ótimo" na ficha médica.[58] Após a breve passagem pelo Exército, Getulinho viajou para São Paulo, onde trabalhou na Companhia Nitro Química Brasileira e presidiu a Federação Paulista de Futebol.[59]

Na capital paulista, porém, uma série de recaídas manteve o rapaz prostrado ao leito, atormentado por febres, dores de cabeça, mal-estares e vômitos. Os sintomas evoluiriam para um quadro geral de fraqueza muscular e de perda de sensibilidade nas pernas e pés, atingidos por formigamentos e dormências. Os médicos diagnosticaram polineurite, uma inflamação difusa nos nervos periféricos.

Mas o irmão médico, Lutero, passou a recear que estivessem diante de um caso de poliomielite, avaliação que depois viria a ser corroborada por especialistas norte-americanos.[60]

Além das más notícias sobre a saúde de Getulinho, São Paulo era motivo de outras graves preocupações para Getúlio. A unidade federativa que mais viria a se beneficiar com a política de industrialização inaugurada pelo Estado Novo mantinha uma atitude de desconfiança permanente em relação ao governo. Desafiando a rigidez da censura, o jornal *O Estado de S. Paulo* se tornara um dos únicos porta-vozes da oposição. Fato que levou o diretor Júlio de Mesquita Filho a ser preso catorze vezes em dois anos, antes de seguir para o exílio na França.[61]

Mesmo após o afastamento do proprietário, o *Estadão* continuou refratário ao governo. Sob a direção de Francisco Mesquita, irmão de Júlio, seguiu dando trabalho aos censores até que, em março de 1940, uma batida da polícia determinou o fechamento da gráfica e da redação. Durante a operação coordenada por Filinto Müller, consta terem sido encontradas metralhadoras no forro do prédio, supostamente escondidas com o objetivo de serem utilizadas numa conspiração para depor Getúlio. As autoridades chegaram à conclusão oficial de que a família Mesquita estaria em conluio com perigosos grupos comunistas, preparando um movimento subversivo para reeditar 1932, em versão revista e ampliada.[62]

Francisco Mesquita e vários diretores foram presos. O jornal sofreu intervenção federal e passou a ser controlado pelo governo, que nomeou o advogado e jornalista Abner Mourão como novo diretor. Um processo aberto pelo Tribunal de Segurança Nacional atestaria a improcedência das denúncias — as armas, ao que tudo indica, haviam sido plantadas no local pela própria polícia —, mas somente bem mais tarde, em dezembro de 1945, após a queda de Getúlio, o *Estado de S. Paulo* voltaria às mãos da família Mesquita.[63]

Os próprios amigos do governo também eram fonte de contratempos em São Paulo. Após a implantação do Estado Novo, o médico Ademar Pereira de Barros, até então sem nenhuma experiência administrativa, fora nomeado interventor. A escolha de Getúlio recaíra de propósito sobre um ilustre desconhecido, hipoteticamente maleável aos interesses do governo federal. Ao assumir o posto, Ademar de Barros marginalizara as lideranças tradicionais do estado e construíra a própria máquina política. Ao nomear o engenheiro Francisco Prestes Maia para a prefeitura paulistana, implantou uma fase de intensa renovação urbana na cidade, fundamentada no alargamento de avenidas, abertura de praças e construção de pontes e viadutos. Em contrapartida ao surto desenvolvimentista, Ademar de Barros colecionou inúmeras denúncias de corrupção nessa sua primeira passagem pelo governo paulista (a segunda ocorreria entre 1962 e 1964, quando seria cassado pelo então presidente Castello Branco).[64]

Getúlio recebeu quilos de documentos contra o interventor, postos em uma mala arrastada até o Guanabara pelo advogado Epitácio Pessoa Cavalcanti de Albuquerque, o "Epitacinho", filho do falecido João Pessoa. O farto material daria origem a um livro bombástico, *A administração calamitosa do sr. Ademar de Barros em São Paulo*, publicado por Epitacinho sob o pseudônimo de João Ramalho.⁶⁵

Nos arquivos de Getúlio Vargas ficou um dossiê confidencial de 72 páginas, elaborado pelo ex-secretário da Fazenda de São Paulo, Coriolano de Góis, contendo um arrazoado de informações sobre as alegadas negociatas de Ademar de Barros. Os papéis indicavam, entre outras irregularidades, indícios de desvio de recursos oficiais, recebimento de propinas e ligação com o jogo ilícito.⁶⁶ Ante o vendaval de acusações, Getúlio resolveu exonerar o interventor e pôr em seu lugar o engenheiro agrônomo Fernando Costa, que vinha exercendo o cargo de ministro da Agricultura desde a implantação do Estado Novo. Como primeira providência ao assumir a interventoria, Costa determinou a abertura de um inquérito para averiguar as denúncias contra o antecessor, mas a investigação não seguiu adiante. Por decisão pessoal de Getúlio, o processo contra Ademar de Barros foi arquivado.⁶⁷

Meses depois, as frequentes hostilidades dos paulistas contra o governo federal produziram outro episódio turbulento, que resultou no cancelamento, à última hora, de uma viagem presidencial ao estado. Getúlio programou uma visita à Universidade de São Paulo para receber o título de doutor honoris causa, a ele outorgado pela instituição atendendo à proposta de Cásper Líbero, proprietário do jornal *A Gazeta* e presidente da Federação Nacional da Imprensa. Mas uma greve estudantil de protesto pela escolha do homenageado evoluiu para nova crise política no estado.

"Os mesmos professores que nos ensinaram a pegar num fuzil em 1932 agora nos traem", protestou um dos líderes dos estudantes, Wilson Coury Rahal, futuro deputado estadual pelo Partido Socialista.⁶⁸

Os alunos da Faculdade de Direito cobriram com tecido preto o monumento aos acadêmicos mortos em 32 e a estátua de um dos ex-alunos mais célebres, o abolicionista José Bonifácio — apelidado de "O Moço", para diferençar do tio-avô homônimo, Patriarca da Independência. Piquetes impediram que os fura-greves assistissem às aulas, e o reitor, Jorge Americano, decidiu fechar a instituição por tempo indeterminado. O impasse só foi solucionado com a ingerência do ministro da Educação, Gustavo Capanema, que viajou a São Paulo para selar um acordo com os estudantes. Pelo que ficou combinado, nenhum aluno seria punido, e Getúlio declinaria do título honorífico.⁶⁹

O movimento, entretanto, extrapolou os limites da universidade e resultou numa sequência de passeatas contra Getúlio na capital paulista. O fato, embora periférico, serviu para o governo perceber que o Estado Novo, alicerçado na coerção e na propaganda, não eliminara em definitivo as tensões internas.[70]

O humor de Getúlio, apesar da fleuma exibida em público, oscilava de acordo com os acontecimentos ao redor. "Foi um dia de pequenas coisas desagradáveis — burrices, intervenções indébitas, falham-me pessoas a quem procuro, deslealdades etc. Encerro o dia zangado", escreveu, numa dessas ocasiões em que os eventos pareciam não se amoldar à sua vontade.[71] "Não se deve, porém, evitar os incômodos, quando se age na convicção de fazê-lo com acerto. Paciência. Não tenho, às vezes, para juiz, senão Deus e a minha consciência."[72]

Quando o bispo d. Joaquim Mamede da Silva Leite elevou a hóstia, o presidente e a primeira-dama se ajoelharam em contrição. Um coro infantil de 2 mil vozes entoou hinos religiosos em louvor ao aniversário de dez anos da Revolução de 30. A cerimônia na praia do Russell, em 3 de outubro de 1940, contou com todos os aparatos habituais do Estado Novo: bandas militares, celebração religiosa, exibição de esquadrilhas aéreas, profusão de estandartes e bandeiras, desfiles estudantis.[73] Mas, como era domingo, Getúlio apenas esperou terminar a missa campal para retornar ao Palácio Guanabara, trocar de roupa e seguir para o Itanhangá.[74]

"Permaneci esse tempo todo [no poder] não por amor ao governo, mas pelo desejo de servir ao meu país, de realizar um plano de administração e de criar a estrutura de um regime e de uma mentalidade que melhor se adaptem às condições de vida e às razões do seu triunfo", registrou.[75]

A efeméride era mesmo propícia a balanços e autoavaliações. O fato de estar uma década inteira no controle do Catete, sem dar chances para as alternâncias naturais dos regimes democráticos, não constrangia Getúlio. Para ele, o melhor exemplo de longevidade no poder vinha de cima, dos Estados Unidos, e oferecido justamente por Franklin Delano Roosevelt, o "campeão da democracia". Por coincidência, um dia após as comemorações brasileiras pelo decênio revolucionário inaugurado em 1930, Roosevelt concorreu às eleições que lhe garantiram o terceiro mandato consecutivo na presidência dos Estados Unidos.

O fato de Franklin Delano Roosevelt seguir as regras do jogo eleitoral, entretanto, não parecia um detalhe tão relevante, na percepção de Getúlio. Para um herdeiro da tradição castilhista-borgista do Rio Grande do Sul, não havia dúvida de que o voto continuava sendo um ritual questionável, se aplicado ao contexto brasileiro. A justificativa de que éramos um país socialmente imaturo, e que o povo precisava ser educado o suficiente para só depois conseguir a efetiva emancipação, continuava a servir de discurso legitimador ao regime.

"De 1930 a 1934, o Brasil foi uma democracia exercida por um ditador, colocado e mantido no poder pela vontade do povo", avaliava Alzira Vargas. "De 1934 até 1937, tornou-se uma democracia constitucional, exercida por um presidente eleito pelo Congresso. De 1937 em diante, foi, na pior das hipóteses, uma timocracia [governo dos 'mais capazes', na definição clássica de Platão e Aristóteles] dirigida democraticamente por um déspota esclarecido."[76]

O austríaco Paul Frischauer, autor da primeira biografia internacional de Getúlio, argumentava de modo semelhante. Para ele, o chefe de Estado brasileiro seria "um ditador a serviço da democracia".[77] Contratado pelo DIP para escrever o laudatório *Presidente Vargas* — publicado na França com o título de *Getulio Vargas: Un Portrait sans retouches* —, Frischauer era tido pelo compatriota Stefan Zweig como o "protótipo do charlatão". De acordo com Zweig, o escritor pago por Lourival Fontes para biografar Getúlio se especializara em negócios literários pouco transparentes: "Quanto mais sujas as águas, melhor ele nada".[78] De todo modo, no livro escrito sob encomenda para o DIP, Frischauer comparava o presidente brasileiro ao ultranacionalista Engelbert Dollfuss, o ditador da Áustria que reprimira um golpe de esquerda e acabara assassinado em um fracassado golpe nazista em 1934. "Getúlio Vargas [como Dollfuss] é acoimado de ditador", escreveu o biógrafo. "Uma única diferença: Dollfuss sucumbiu, Vargas esmagou a sedição [integralista]."[79]

O apoio das Forças Armadas — autoinvestidas da missão de ser o "grande árbitro da política nacional" — reforçava a vocação de um governo assumidamente despótico, mas que se julgava a expressão fidedigna do desejo popular. "O Estado Novo foi instituído por vós, e para a sua sustentação está empenhada a vossa responsabilidade", falou certa vez Getúlio aos militares. "O governo, instituído por um movimento que encontrou a maior ressonância na opinião pública do país, sente-se cada vez mais apoiado nas Forças Armadas, reivindicando, como o seu mais alto objetivo, o de aparelhá-las, para que possam exercer a sua grande missão cívica e moral."[80]

A frase era reveladora. Getúlio reconhecia, com todas as vogais e consoantes, que sua manutenção no poder dependia da capacidade de responder ao desafio de reaparelhar ou não o Exército. Assim sendo, seguia empenhado em manter a política externa em permanente estado de indefinição. A questão siderúrgica já parecia bem encaminhada com os Estados Unidos, mas ainda faltava garantir a efetiva modernização do parque bélico nacional, exigência básica da cúpula dos quartéis.

"O Exército não é pró-Estados Unidos nem pró-Alemanha, mas pró-armamento", definia o ministro da Guerra, Eurico Gaspar Dutra.[81]

No final de 1940, um terceiro carregamento de peças de canhões Krupp, posto a bordo do navio *Siqueira Campos*, fora desviado de sua rota original pelos britânicos, em direção a Gibraltar. As autoridades da Inglaterra argumentaram que abrir nova exceção para o Brasil significaria a desmoralização do bloqueio marítimo, além do fortalecimento dos germanófilos encastelados no governo de Getúlio Vargas.[82]

"O material bélico que encomendamos é nosso e custou nosso dinheiro", protestou Getúlio. "Seria uma violência aos nossos direitos querer impedir que ele venha até nós. E quem o tentar não poderá esperar de nós atos de boa vontade e espírito de colaboração amistosa."[83]

Em correspondência ao subsecretário de Estado norte-americano, Sumner Welles, Oswaldo Aranha se esforçou para obter a liberação das armas retidas no Mediterrâneo. O argumento fundamental de Oswaldo era que o contrato com a Krupp fora assinado antes da declaração da guerra europeia, e o Brasil pagara pelo carregamento em data anterior à decretação do bloqueio. Além disso, havia quatrocentos passageiros a bordo, todos civis, submetidos a condições subumanas, devido à impossibilidade de reabastecimento de víveres.

"A atitude britânica favorece apenas a Alemanha e seus aliados, que graças aos ingleses ficarão com o dinheiro e os armamentos, pertencentes ao Brasil", ponderou Oswaldo, em mensagem a Welles.[84]

Getúlio decidiu, sub-repticiamente, forçar a resolução do problema. Autorizou o DIP a divulgar o aprisionamento do *Siqueira Campos*, assunto que até então não chegara ao conhecimento dos brasileiros, por força da censura. A veiculação da notícia de que um navio de bandeira nacional, com passageiros a bordo, estava retido em porto estrangeiro desencadeou uma onda de editoriais indignados. Ao mesmo tempo, foram proibidas em caráter temporário quaisquer referências elogiosas à Inglaterra nos jornais do país. A intenção era demonstrar ao poderoso Império Britânico que a opinião pública interna podia ser facilmente mobilizada contra os interesses de Londres.⁸⁵

O general Góes Monteiro, que chegou a propor a Getúlio o rompimento diplomático com a Inglaterra, procurou a embaixada dos Estados Unidos no Rio de Janeiro para insinuar que a população nacional talvez se revoltasse contra as sedes das empresas inglesas sediadas no Brasil, promovendo quebra-quebras irreprimíveis.

"Os alemães não precisam mais fazer propaganda entre nós, pois os ingleses já estão trabalhando muito bem por eles", ironizou Góes Monteiro, em conversa com William Carter Burdett, encarregado de negócios dos Estados Unidos no Brasil. "Os britânicos, por acaso, estão esquecendo dos grandes interesses que possuem aqui?", inquiriu o general, para então citar a São Paulo Railway, a Western Telegraph, o London Bank, entre outras empresas e instituições com negócios no país. Em caso de rompimento oficial entre as duas nações, o Estado Novo desapropriaria todas elas, advertiu Góes.⁸⁶

"A Inglaterra está mesmo jogando o Brasil nos braços da Alemanha", advertiu Oswaldo Aranha a Burdett.⁸⁷

A combinação de intimidação psicológica e pressão diplomática deu resultado. Em 15 de dezembro de 1940, após injunções do Departamento de Estado norte-americano, a Inglaterra comunicou ao Itamaraty que o navio brasileiro seria finalmente liberado.

"Foi solto o *Siqueira Campos*", comemorou Getúlio. "Um alívio e uma alta emoção. Eu estava resolvido a uma atitude extrema para desagravar o país, mas não desejava tomá-la; compreendia os prejuízos que poderia acarretar e preferia uma solução pacífica."⁸⁸

Menos de uma semana depois do término do incidente, um contrariado Eurico Gaspar Dutra pediu demissão do cargo de ministro da Guerra. Alegou a Getúlio que não tinha esperanças de os Estados Unidos fornecerem ao Brasil as armas necessárias ao reaparelhamento do Exército. Dutra não ficara nada satisfeito com a constatação de que os acordos militares com a Alemanha teriam que ser encerrados em face da obstinação britânica em manter o bloqueio marítimo.

"Eu nada espero dos Estados Unidos", declarou Dutra.⁸⁹

Getúlio, ciente do risco que resultaria para o governo a perda do apoio estratégico do general, solicitou que ele permanecesse no cargo:

"A questão do armamento do Exército não é um programa de sua pasta, mas do meu governo. Eu tenho o mesmo empenho que o senhor nesse assunto."[90]

Dutra não se convenceu. Queria a demissão imediata.

Getúlio contemporizou. Pediu mais uma vez que ficasse.

O general, reticente, se retirou do gabinete presidencial. Não parecia convencido a continuar, mas também não mais voltou a falar em exoneração.[91]

Eurico Gaspar Dutra passara a ser um dos maiores pontos de interrogação para Getúlio. Para complicar o quadro, Góes Monteiro também ameaçava sair. Em síntese, a sustentação militar do Estado Novo parecia a ponto de desabar.

"Há dúvidas sobre a atitude do ministro da Guerra. Só não há dúvidas de que estamos atravessando um momento grave sobre a sorte do Brasil", escreveu Getúlio.[92]

O desenhista Lee Blair, dos estúdios de Walt Disney, passou horas flanando pelo Jardim Botânico do Rio de Janeiro, rabiscando esboços de espécimes da fauna e da flora brasileira. Chamou-lhe a atenção sobretudo um papagaio verde e amarelo, animalzinho que serviria de primeiro modelo para o Zé Carioca, uma das futuras estrelas dos desenhos animados *Alô, amigos* e *Você já foi à Bahia?*.[93]

Naquele agosto de 1941, o próprio Disney também estava no Brasil, por sugestão do multimilionário Nelson Aldrich Rockefeller, diretor do Office of the Coordinator of Inter-American Affairs (OCIAA), agência criada pelo governo norte-americano para desenvolver projetos relacionados à chamada Política da Boa Vizinhança. A tarefa de Disney era pesquisar temas e cenários para produzir um filme de animação passado em pleno território brasileiro. Como não poderia deixar de ser, o famoso criador do Mickey Mouse e do Pato Donald incluiu na agenda carioca uma visita ao Catete, para cortejar Getúlio.

O DIP registrou o encontro e distribuiu fotografias do presidente sentado ao lado de Walt Disney e John Hay Withney, diretor do Departamento de Cinema do OCIAA e um dos empresários que haviam financiado o clássico *...E o vento levou*. Eles tinham trazido ao Brasil uma equipe de dezesseis pessoas, incluindo os principais desenhistas, roteiristas e animadores dos estúdios Disney. O grupo passou cerca de um mês no Rio de Janeiro, esbaldando-se na noite carioca e colhendo imagens, fazendo croquis e tomando anotações a respeito da paisagem local.[94]

Lourival Fontes não pareceu dar maior importância à visita de Disney a

Getúlio. O material fornecido pelo Departamento de Imprensa e Propaganda aos jornais se resumiu a uma fotografia protocolar e algumas poucas linhas que mal descreviam, burocraticamente, o que se via na imagem: "Walt Disney foi recebido no Catete. Esteve no palácio, sendo recepcionado pelo presidente Getúlio Vargas. Disney transmitiu suas impressões do Brasil ao presidente, confessando o seu encantamento pela nossa terra, nos seus aspectos materiais, intelectuais e artísticos. A fotografia é um flagrante da visita".[95]

O DIP demonstrou muito mais interesse em outra audiência concedida por Getúlio, no mesmo dia, ao escritor e jornalista português Antônio Joaquim Tavares Ferro, autor de *Salazar: O homem e a sua obra* e diretor do Secretariado de Propaganda Nacional (SPN), organismo responsável pelo controle da informação na ditadura salazarista. Nacionalista exacerbado, entusiasta declarado de Hitler e Mussolini, António Ferro idealizara a "Política do espírito", um amplo projeto de promoção do civismo e do culto a Salazar junto ao povo lusitano.[96]

A reunião com Getúlio resultou na assinatura de um programa de intercâmbio intelectual e artístico entre os dois países, no qual ficou assentado que o DIP teria um delegado permanente na seção brasileira do SPN — e vice-versa. Também ficou acertada a publicação de uma revista binacional, *Atlântico*, editada em parceria pelas duas organizações. O material relativo ao acordo luso-brasileiro foi enviado à imprensa com a recomendação de ser publicado com destaque nas edições do dia seguinte.[97]

Se dependesse de Lourival Fontes, portanto, a Política da Boa Vizinhança, arquitetada pelos Estados Unidos para toda a América Latina, não encontraria maior ressonância no Brasil. A conjuntura internacional fornecia argumentos "razoáveis" ao chefe do DIP. O avanço nazista rumo ao leste, com a invasão da União Soviética em meados de 1941, prenunciava uma imaginada invencibilidade de Hitler. Os repetidos êxitos germânicos pareciam corroborar a superioridade da máquina de guerra da Alemanha sobre os demais exércitos do mundo, enchendo de razões os simpatizantes do Reich nas Forças Armadas brasileiras.

"Acentua-se a vitória alemã sobre a Rússia. Isto se reflete na situação interna: liberais e comunistas, que andavam arrogantes e espalhando boatos, se retraem", constatou Getúlio. "Os integralistas, animados, procuram reorganizar-se", escreveu, tão logo soube da existência de um manifesto redigido em Lisboa por Plínio Salgado, recomendando aos antigos seguidores do Sigma que esquecessem os "mútuos agravos e divergências" com o governo e declarassem apoio ao Estado Novo.[98]

Getúlio não deu maior importância ao texto de Plínio. Desde o Putsch de maio de 1938, os principais líderes dos camisas-verdes estavam presos ou no exílio. No entanto, para alguns auxiliares e pessoas próximas a Getúlio, parecia um contrassenso atirar-se a uma política de aproximação com Washington, exatamente quando as forças do Eixo impunham a primazia totalitária sobre a Europa continental, parte considerável da Ásia oriental e grande porção do norte da África. "Duas novas bandeiras levantam-se ante o arriar dos guiões conhecidos: o fascismo e o nazismo, buscando coordenar as garantias do ressurgimento da Europa", exaltava a poeta Rosalina Coelho Lisboa, em artigo para *A Manhã*.[99]

Em 10 de novembro de 1941, nas comemorações do quarto aniversário do Estado Novo, houve um almoço solene na sede do Ministério da Guerra, ocasião na qual Getúlio pronunciou um discurso que apontou no sentido exatamente oposto a tudo que dissera menos de um ano e meio antes, a bordo do navio *Minas Gerais*.

> A nossa posição em face dos problemas internos e em relação aos acontecimentos mundiais está claramente definida. Somos uma democracia estruturada sobre novas bases, aberta à evolução dos princípios de autoridade e liberdade. [...] Já não pode restar dúvidas quanto à unidade de ação das Américas, que passou do domínio das convenções para o da realidade. Onde estiver qualquer nação americana, deverão estar as nações irmãs do hemisfério, e nós estaremos entre elas, prontos a empenhar-nos na defesa comum.[100]

Nem todos ficaram satisfeitos com palavras tão categóricas a favor do pan-americanismo. Eurico Gaspar Dutra considerou que o presidente, no mínimo, fora imprudente. "Disseram-me que o ministro não gostou do meu discurso", comentou Getúlio no diário.[101] Góes Monteiro também não recebeu bem a nova orientação assumida pelo governo. "À noite, recebo o general Góes. Mostra-se apreensivo com a marcha das negociações da Comissão Mista Brasileiro-Americana. Informa que ele e o ministro da Guerra, em nome de quem também fala, estão prontos a deixar os postos, para não criarem dificuldades."[102]

Cerca de um mês depois, em 7 de dezembro de 1941, o ataque japonês à base naval norte-americana de Pearl Harbor, na ilha de Oahu, no Havaí, marcou a entrada definitiva dos Estados Unidos na guerra. O saldo de onze navios e 188 aviões destruídos — e a morte de quase 2,5 mil pessoas, entre civis e militares — levou o Congresso dos Estados Unidos a aprovar a declaração de guerra contra o Japão, ato que provocou imediata reação da Alemanha e da Itália, que declararam, por sua vez, guerra aos Estados Unidos. No dia seguinte ao massacre de Pearl Harbor, Getúlio reuniu os auxiliares e comunicou que passaria um telegrama a Roosevelt, reafirmando o apoio brasileiro.[103]

"O presidente da República reuniu hoje o ministério para examinar a situação internacional à vista dos últimos acontecimentos, ficando resolvido por unanimidade declarar solidariedade aos Estados Unidos, coerente com os nossos compromissos continentais", dizia uma nota oficial distribuída à imprensa após a reunião.[104]

Malgrado o tom taxativo da nota, o encarregado da comissão militar norte-americana no Rio de Janeiro, Lehman W. Miller, remeteu um relatório pouco animador às autoridades de seu país. A declaração formal de solidariedade brasileira não viera acompanhada, ainda, do rompimento das relações diplomáticas do Rio de Janeiro com Berlim, Roma e Tóquio. Miller temia que a disposição de Getúlio esbarrasse na má vontade explícita de Dutra e Góes.[105]

As preocupações de Lehman W. Miller levaram Oswaldo Aranha a prevenir Getúlio de que os Estados Unidos, muito provavelmente, só liberariam o armamento e as vantagens prometidas após o Catete providenciar a substituição do ministro da Guerra e do chefe do Estado-Maior do Exército. Roosevelt jamais colocaria uma quantidade tão grande de armas nas mãos de quem não confiasse plenamente, prognosticou Oswaldo. Essa perspectiva, entretanto, enraiveceu Getúlio. Para ele, havia um limite a partir do qual o alinhamento se transformaria em submissão.

"Não vou substituir nenhum auxiliar meu por causa de imposições estranhas", rebateu. "Se os americanos não confiam no meu governo, então nos deixem em paz."[106]

O subsecretário de Estado norte-americano Sumner Welles, formado em literatura, economia e cultura ibérica em Harvard, era um tipo curioso. Alto, rico, poliglota, vestia ternos bem cortados, usava sapatos reluzentes e não largava sua bengala de castão prateado, características que lhe conferiam certo ar de lorde e levaram o *New York Times* a afirmar que ele mais parecia um vice-rei da Índia do que um diplomata.[107] Enviado ao Rio de Janeiro com o propósito de negociar os detalhes da adesão brasileira aos Aliados, Welles foi recebido por Getúlio no mirante do Palácio Guanabara, em 19 de janeiro de 1942, para uma conversa decisiva.[108]

Naquela mesma semana, fora instalada na capital brasileira a III Conferência Extraordinária dos Ministros das Relações Exteriores das Repúblicas Americanas. O evento, convocado pelos Estados Unidos, fazia parte da estratégia norte-americana de arrancar o compromisso de todos os países do continente de romper, em conjunto, relações diplomáticas e comerciais com o Eixo. Getúlio discursara na abertura da Conferência, realizada nos salões aristocráticos do Itamaraty, quando então dissera que o ataque a Pearl Harbor havia inaugurado uma nova fase no confronto, que, iniciado na Europa, se tornara mundial.

"Não deixaram os agressores, com seu ato, outra alternativa para os povos continentais, nem mesmo para os seus admiradores ou adeptos", assinalara Getúlio. "Nenhuma medida deixará de ser tomada a fim de evitar que, portas adentro, inimigos ostensivos ou dissimulados se abriguem e venham a causar dano, ou pôr em perigo a segurança das Américas."[109]

Na reunião reservada com *mister* Vargas, Welles pretendia ver tais palavras transformadas em ações concretas. Os Estados Unidos queriam acelerar a implantação de bases militares no litoral brasileiro, para garantir a patrulha antinazista nas águas do Atlântico Sul. Além da simples declaração de solidariedade continental, era indispensável que o Catete confirmasse que estava disposto a romper relações com as forças totalitárias.

Getúlio, cauteloso, avisou que tinha algumas considerações prévias a fazer sobre o assunto. Em primeiro lugar, não poderia arriscar o destino da nação sem antes obter garantias efetivas de segurança. Reconhecia que seus dois principais líderes militares vinham tentando dissuadi-lo da "ideia maluca" de romper relações com o Eixo. Os generais Dutra e Góes argumentavam que, apesar de todas as promessas anteriores, o Brasil ainda não recebera nenhum material bélico dos Estados Unidos e, nessa circunstância, o país ficaria fatalmente desprotegido ante presumíveis ataques nazifascistas tão logo declarasse o rompimento oficial. Além do mais, seria humilhante aceitar o desembarque de soldados norte-americanos em território nacional, como se fôssemos uma mera ilhota perdida no meio do mar como as Bermudas, Bahamas ou Trinidad.[110]

Welles concordou com a pertinência das ponderações apresentadas e informou a Getúlio que, naquele mesma manhã, telegrafara para Roosevelt sobre o caso. Na mensagem à Casa Branca, argumentara que o Brasil jamais poderia ser equiparado a uma das pequenas possessões britânicas do Atlântico Norte, onde os Estados Unidos haviam instalado as primeiras bases aeronavais. O país, pelas próprias dimensões territoriais, necessitaria de aviões, tanques e material de artilharia próprios, em quantidades compatíveis com seus 8,5 milhões de quilômetros quadrados e seus quase 7,5 mil quilômetros de litoral.[111]

O diálogo evoluiu para uma análise geral do continente e, em particular, para a situação duvidosa do principal vizinho brasileiro no Cone Sul. A Argentina era a maior adversária de uma declaração coletiva de rompimento continental com o Eixo. Buenos Aires não desejava abrir mão dos tratados comerciais firmados com Berlim e, por isso, estava propensa a defender a manutenção da neutralidade a todo custo. A participação argentina na reunião dos chanceleres vinha sendo marcada pela recusa intransigente em assinar uma declaração conjunta de afronta a Alemanha, Itália e Japão.[112]

Welles aproveitou a deixa para fazer um comentário que poderia ser entendido, indiretamente, como uma advertência velada ao próprio Getúlio. Se a Argentina — ou qualquer outro país latino — não concordasse com o que deveria ficar acertado ao final do encontro no Rio, os Estados Unidos simplesmente cortariam todo e qualquer auxílio político, econômico e militar a ela. Como o bloqueio britânico inviabilizaria a probabilidade de ligação direta do continente com as nações totalitárias, nenhum governo local se manteria por muito tempo de pé caso ousasse adotar uma atitude isolacionista, contrária aos interesses de Washington.[113]

O encontro terminou com essa dissimulada ameaça lançada no ar. Getúlio e Welles deixaram então o mirante e rumaram para os salões nobres do palácio, onde estava sendo oferecida uma recepção festiva aos participantes da conferência pan-americana. Entre taças de champanhe e canapés, no jardim de inverno decorado com cascatas de luz, o ministro argentino do Exterior se aproximou de Getúlio e indagou se o Brasil assinaria a declaração final do encontro, pois ele não pretendia fazê-lo, de acordo com as instruções recebidas de Buenos Aires.[114] Getúlio, escorregadio, preferiu enveredar por temas correlatos.

"Fui criado na fronteira gaúcha com a Argentina", disse. "Acostumei-me a reconhecer o povo de seu país como amigo. A tendência natural de argentinos e brasileiros é de estima mútua", comentou, sem esticar o assunto.[115]

Getúlio não permaneceu até o final da recepção, que se estenderia muito além da meia-noite. Pediu licença aos convidados e se recolheu aos seus aposentos, onde atualizou o diário, relatando os detalhes da conversa com Welles. "Ao escrever essas linhas, ainda ouço a música da festa, que continua", escreveu. "[Sumner Welles] disse-me que o assunto era de natureza capital para os Estados Unidos e que ele jogava nisso sua própria posição. Respondi que ele poderia contar com o Brasil, mas que, nessa decisão, eu jogava a minha própria vida, pois não sobreviveria a um desastre para a minha pátria."[116]

Submetido à dupla pressão, Getúlio tentou estabelecer um plano mirabolante que, hipoteticamente, em caso de sucesso, evitaria o confronto direto entre os Estados Unidos e a Alemanha. Os documentos diplomáticos alemães atestam que Getúlio chegou a sugerir ao embaixador Curt Prüfer que sondasse o Reich a respeito de um possível tratado de não agressão assinado entre Berlim e Washington, intermediado pelo Rio de Janeiro. Caso Hitler aceitasse a proposta, o próprio Getúlio iria aos Estados Unidos tratar do assunto com Roosevelt.

Afinal, o presidente norte-americano vinha fazendo reiterados convites para que visitasse Washington. Getúlio sempre evitara semelhante viagem, alegando sua proverbial resistência a excursões internacionais e a necessidade de permanecer em território nacional em um instante tão crítico quanto aquele. Contudo, uma vez que recebesse sinal verde da Alemanha, pegaria um avião e partiria rumo à Casa Branca, com o objetivo de sondar o terreno e negociar a paz. Fica a dúvida se estava blefando ou se de fato supervalorizava seu poder de persuasão. De todo modo, o balão de ensaio teve vida curta.

"A Alemanha não tem a menor razão para querer qualquer iniciativa no sentido de propostas de mediação", respondeu Prüfer, encerrando o assunto, após receber orientação dos superiores na Alemanha.

Os Estados Unidos acusavam Hitler de querer retalhar a América Latina após uma presumível vitória final dos nazifascistas. No final de 1941, Roosevelt fizera um pronunciamento pelo rádio, no qual denunciara a existência de um alegado mapa secreto nazista, onde a América do Sul aparecia dividida em apenas quatro países e uma colônia, todos sob o domínio germânico. Pelo desenho atribuído aos alemães, o Brasil engoliria parte da Bolívia; a Argentina absorveria Uruguai, Paraguai e outra porção do território boliviano; o Chile anexaria Peru e Bolívia;

a "Nova Espanha" aglutinaria Colômbia, Venezuela, Equador e Panamá; enquanto as Guianas seriam integradas e transformadas em um único estado colonial. O Reich reagira à acusação e classificara o tal mapa, supostamente apreendido por agentes do serviço secreto britânico, como uma falsificação "ridícula e absurda".

Do lado oposto havia a firme desconfiança de que os Estados Unidos planejavam invadir o Brasil, caso os esforços diplomáticos e as ações da Política da Boa Vizinhança não surtissem os resultados esperados. Um memorando escrito pelo general norte-americano Leonard Townsend Gerow, assistente da Divisão de Planejamento de Guerra dos Estados Unidos, previra a ocupação militar de trechos do litoral nordeste brasileiro, à revelia do Catete e a despeito da aprovação ou não de Getúlio.

"Isso se assemelha à história do lobo metido na pele de cordeiro, e parece muito perigoso, capaz de produzir uma reação muito desfavorável no Brasil, assim como em toda a América Latina", desaconselhara o general Lehman W. Miller, encarregado da comissão militar norte-americana no Rio de Janeiro.

Na véspera do encerramento da III Conferência Extraordinária dos Ministros das Relações Exteriores das Repúblicas Americanas, em 27 de janeiro de 1942, Getúlio voltou a reunir o ministério para comunicar a decisão mais importante de toda a história de seu governo até aquele momento. Recebera um telegrama de Roosevelt assegurando que os Estados Unidos iniciariam o envio imediato de equipamento militar para o Rio de Janeiro. A fim de acertar os detalhes dos acordos econômicos paralelos decorrentes do alinhamento com os norte-americanos, o ministro da Fazenda, Sousa Costa, viajaria para Washington. Getúlio estava ali para comunicar à equipe de governo que o Catete resolvera aceitar os termos propostos pelos Estados Unidos. O Brasil iria romper as relações diplomáticas e comerciais com os nazifascistas.[117]

"Autorizei o ministro do Exterior, Oswaldo Aranha, a declarar o rompimento na sessão de encerramento da Conferência. Tomo sobre meus ombros a responsabilidade dessa atitude", disse, antes de passar a palavra a cada um dos presentes.[118]

A única voz discordante veio de Dutra. O general alegou, mais uma vez, que o Brasil não estava preparado para entrar numa guerra contra Hitler e Mussolini.

Entretanto, como demonstração de fidelidade hierárquica ao presidente da República, chefe supremo das Forças Armadas, acataria a decisão oficial do governo. Solidarizava-se com Getúlio. Nada tinha mais a opor nesse sentido. Esperava apenas que os Estados Unidos cumprissem a parte que lhes cabia no acordo.[119]

O discurso de Oswaldo Aranha no final da reunião dos chanceleres monopolizou a atenção do país. Em sua fala, Oswaldo informou que, por ordem do presidente da República, os embaixadores do Brasil na Alemanha, Itália e Japão haviam entregado seus passaportes aos governos desses respectivos países, junto com uma nota oficial comunicando que, em virtude do que ficara acertado no encontro das Américas, o Brasil declarava irrevogavelmente rompidas as relações diplomáticas e comerciais com o Eixo.

"Estamos dispostos a todos os sacrifícios para a nossa defesa e a defesa da América", declarou Oswaldo.[120]

Devido à resistência argentina, o documento final da Conferência apenas indicou o rompimento como uma recomendação geral ao continente, cabendo a cada governo decidir se a adotava ou não. Como resultado, as delegações da Argentina e do Chile não a acataram de imediato, o que gerou visível incômodo da parte de Sumner Welles. Em contrapartida, a pronta definição brasileira resultaria em uma série de vantagens para o país, consubstanciadas nos chamados Acordos de Washington, assinados pelo ministro Sousa Costa durante a viagem aos Estados Unidos. Entre outros pontos, os Estados Unidos decidiram comprar toda a produção excedente de borracha do Brasil, fixar cotas favoráveis ao café nacional, apoiar técnica e financeiramente projetos de desenvolvimento econômico no país e, em especial, elevar para 200 milhões de dólares o crédito aberto para a aquisição de equipamento de guerra pelas Forças Armadas.[121]

Ao tomar conhecimento da nota entregue pelos embaixadores brasileiros, os países totalitários europeus tiveram reações idênticas, de aberta indignação. Berlim ordenou que Prüfer deixasse prontamente o país e seguisse para Buenos Aires. Em Roma, Mussolini mandou que o genro Galeazzo Ciano, ministro fascista do Exterior, encaminhasse mensagem ao Rio de Janeiro com um recado sinistro:

> O Duce tem memória de elefante. Chegará o dia em que ele fará o Brasil pagar caro por essa decisão.[122]

18. Preso a uma cama, Getúlio administra a crise do regime, enquanto os nazistas iniciam o "alegre massacre" (1942-3)

Euclides, o motorista oficial do Catete, acionou a buzina quando viu a luz vermelha do semáforo acesa, no cruzamento da rua Silveira Martins com Praia do Flamengo. O Cadillac presidencial, que desfrutava de preferência no trânsito do Rio de Janeiro, estava atrasado — e Getúlio, sabia-se, tinha verdadeira obsessão pela pontualidade. Segundo a filha Alzira, quatro tipos de gente o tiravam do sério, em ordem crescente de irritabilidade: as que lhe contavam sempre as mesmas histórias, as muito burras, as demasiadamente prolixas e, em especial, as que se atrasavam.

"Sempre se espera pela pior ovelha", costumava repetir.[1]

Era 1º de maio e, como todos os anos, uma multidão o aguardava no estádio do Vasco da Gama, onde ele pronunciaria o tradicional discurso em homenagem ao Dia do Trabalho. De acordo com o programa oficial do evento, Getúlio deveria chegar às quinze horas, logo após o encerramento de uma partida de futebol entre equipes formadas por operários das indústrias de calçados, metalúrgicos, trabalhadores do setor de tecelagem e ferroviários da Central do Brasil. Como o presidente vinha direto de Petrópolis e ainda teria que passar no Palácio Guanabara para tomar banho e trocar de roupa, o chofer insistiu na buzina e avançou, com a intenção de virar à direita.[2]

O guarda que controlava o semáforo manual acionou a manivela para alternar as cores das sinaleiras e abrir a luz verde para o Cadillac. Mas um automóvel particular que trafegava no sentido contrário, proveniente de Botafogo, não brecou a tempo. O Nash modelo 1941, de quatro portas, chapa 22149, dirigido pelo jovem médico Amadeu Ludovico Carmelo Centolla, 26 anos, continuou a marcha normal e se interpôs na frente do carro onde Getúlio, sentado no banco de trás, viajava ao lado do ajudante de ordens, capitão-tenente Isaac Cunha.[3]

O experiente Euclides girou o volante e evitou o choque frontal, mas não impediu que os dois veículos se esbarrassem lateralmente, de raspão. O médico conseguiu parar o carro, que ficou apenas com os para-lamas amassados. O automóvel presidencial, entretanto, continuou fritando os pneus por mais alguns metros. Só não trombou com uma pilha de pedras de uma obra da prefeitura porque Euclides fez outro rápido movimento na direção e desviou no último instante. Porém, ao se livrar do primeiro obstáculo, colidiu com o poste de ferro onde estava instalado o semáforo, derrubando-o. Dada a violência do impacto, a ponta do eixo dianteiro do Cadillac se despedaçou.[4]

Getúlio foi jogado contra o encosto do banco dianteiro e fraturou a mão e o maxilar inferior. A intensidade do choque também lhe provocou a quebra do fêmur, em uma região do osso próxima à fratura que sofrera no acidente de nove anos antes, na estrada Rio-Petrópolis. O motorista e o ajudante de ordens não tiveram ferimentos graves, apenas leves escoriações. Imediatamente se formou uma aglomeração de curiosos em torno dos dois veículos abalroados. Quando se percebeu que o presidente da República estava entre os acidentados, a afluência aumentou. Ônibus e bondes pararam no local e um carro que passava pelo cruzamento foi orientado a conduzir Getúlio ao Palácio Guanabara, onde ele recebeu os primeiros socorros.[5]

Às 15h45, o sistema de som do estádio do Vasco da Gama deu a notícia às cerca de 40 mil pessoas presentes. Por motivo de força maior — um "leve acidente automobilístico" — o presidente não poderia participar da solenidade, para a qual estava programada uma série de exibições de canto orfeônico, evoluções de esquadrilhas e exercícios com canhões de defesa antiaérea, além de um desfile cívico com moças conduzindo um gigantesco retrato de Getúlio Vargas para uma volta olímpica em torno do gramado. O programa original seria mantido, embora sem o chefe da nação. O novo ministro do Trabalho, o paulista Alexandre Marcondes Machado Filho, ficou encarregado de ler o discurso do presidente. Houve um súbito silêncio de consternação em todo o estádio, seguido de uma onda de ansiedade nas arquibancadas. A leitura dos primeiros boletins médicos procurou transmitir tranquilidade ao público. Era sexta-feira, e a assessoria do governo garantia que Getúlio voltaria a despachar normalmente no início da semana seguinte.[6]

Não foi, contudo, o que aconteceu. Getúlio ficou preso à cama durante três meses, com a perna imobilizada, suspensa por pesos, e o braço engessado. A reconsolidação dos ossos quebrados durante o acidente exigira a aplicação de uma peça de platina na cabeça do fêmur esquerdo, o que provocou um desnível entre os membros inferiores de cerca de dois centímetros, deixando-lhe uma perna mais curta do que a outra. Para o resto da vida, a diferença precisaria ser compensada com a adoção de pares de sapatos com saltos de alturas diferentes, o que no início fez Getúlio manquitolar por falta de prática.[7]

Por dentro da boca, uma prótese e fios metálicos prendiam a arcada superior à inferior, dente por dente.[8] Deprimido, com o rosto inchado, sem poder falar, não aceitou receber ninguém nos primeiros quinze dias de convalescença, apesar de terem sido organizadas verdadeiras romarias de solidariedade ao Guanabara.[9]

Milhares de pessoas, homens, mulheres e crianças, das mais diferentes idades e classes sociais, foram ao palácio para desejar boa sorte ao presidente. Delegações sindicais enviaram representantes, escolas mandaram alunos uniformizados e de bandeirinhas na mão, igrejas destacaram sacerdotes para rezar pelo acidentado. Os que queriam ver Getúlio eram orientados a apenas assinar o livro de visitas e deixar mensagens com votos de recuperação para o enfermo. Os telegramas também não paravam de chegar, originários de todos os recantos do país e retransmitidos pelo DIP aos jornais, como prova de que o Brasil inteiro estava comovido com o desastre.[10]

O escritor Cassiano Ricardo, impressionado com uma dessas mensagens — um menino desejara melhoras ao presidente e se referira a ele como "meu grande e querido amigo dr. Getúlio" —, redigiu uma crônica especial para *A Manhã*, jornal do qual era diretor.

> O presidente Getúlio Vargas sempre despertou, como amigo dos garotos — que o cercam na rua, em seus passeios de Petrópolis — e em contato com a classe operária, quando em visita a centros fabris ou bairros pobres, esse encantamento matinal com que os meninos brasileiros também aplaudem a sua figura nas telas dos cinejornais e nas páginas das revistas fotográficas. [...] Somos, por assim dizer, um po-

vo-menino, em meio dos povos decrépitos, atravancados de problemas e ódios milenares. E enquanto, alhures, os césares caricatos abrem sepulturas, semeando a orfandade, aí está o quadro que o Brasil nos apresenta: o de um presidente amigo do povo e das crianças, amparando as novas gerações.[11]

A mística de um Getúlio "pai dos pobres", construída pela máquina de propaganda do Estado Novo, soube capitalizar e reverter a favor do governo aquele instante de intensa comoção nacional. O vácuo deixado pela ausência de informações era preenchido pela divulgação da agenda de centenas de missas de ação de graças celebradas em prol da saúde do presidente. Editoriais exaltavam as qualidades de estadista e o vigor físico de um homem que chegara aos sessenta anos sem dar demonstrações — pelo menos, públicas — de que a idade constituía, para ele, um terrível fardo.[12]

"As lesões não apresentam gravidade, mas impõem repouso, no leito. Dentro de alguns dias voltará o presidente à atividade administrativa. Condições que lhe permitam locomover-se normalmente exigem, porém, prazo mais prolongado", admitiu uma nota da secretaria da presidência, decorrida uma semana do acidente. Embora os informes oficiais tenham procurado esconder da população o verdadeiro estado de saúde de Getúlio, a demora para que ele voltasse a aparecer em público deixou claro que o quadro clínico era bem mais complicado do que se anunciava.[13]

A censura às informações sobre a extensão dos traumatismos estendeu-se à correspondência familiar. Os irmãos no Rio Grande do Sul também não recebiam notícias precisas a respeito. O DIP recomendara que o assunto não fosse objeto sequer de telegramas privados. Não se queria correr o risco de vazar a hipótese de Getúlio vir a ficar para sempre adstrito a uma cadeira de rodas e com a face deformada. "Só agora, há uma semana, tive notícias exatas tuas. Embora tivesse telegrafado ao Bejo e Alzira, eles nada me informaram", queixou-se Protásio. "O primeiro não me respondeu, o que não me surpreende. A Alzira fê-lo, porém sem descrever a extensão do acidente."[14]

Os ministros não tinham acesso ao quarto principal do Guanabara. Os amigos foram igualmente mantidos à distância. Apenas os médicos e enfermeiras, além de Darcy e dos filhos, se revezaram em torno da cabeceira de Getúlio. A agenda oficial de audiências e despachos foi suspensa. A Polaca estabelecia, no caso de impedimento temporário do titular, que o próprio presidente teria o direito de indicar um ocupante provisório para o cargo, escolhido entre os membros do Conselho Federal, órgão equivalente ao Senado. Entretanto, como nunca haviam sido convocadas eleições para o tal Conselho, não existia também a quem passar legalmente o bastão em caráter interino — nem Getúlio demonstrou algum interesse em fazê-lo.

A ausência do chefe do Executivo provocou cisões definitivas no governo. Sem a mediação de um homem acostumado à política de transigências e contemporizações, o Catete viveu um momento particular de autofagia. Os antagonismos entre Oswaldo Aranha e a ala germanófila, representada por Góes, Dutra e Filinto, atingiram o clímax. Espalhou-se o boato de que uma pancada na cabeça, sofrida durante o acidente, teria comprometido o poder de discernimento e prejudicado as faculdades mentais de Getúlio. Assim, os lados em confronto teriam tentado se apoderar da direção do governo e lhe impor rumos próprios. Segundo Getúlio avaliaria mais tarde em entrevista, a orquestração para derrubá-lo do poder começara justamente ali, quando estava fragilizado, submetido a uma dieta alimentar restrita a líquidos, ingeridos por um canudinho de refresco.[15]

Em 3 de junho, pouco mais de um mês depois do acidente, uma concentração de cerca de 10 mil alunos das escolas públicas do Distrito Federal homenageou o presidente com um desfile em frente ao Palácio Guanabara. Uma comissão de seis pequenos estudantes teve permissão para entrar e entregar a Getúlio, em mãos, uma mensagem escrita em um rolo de pergaminho, assinada pelos demais colegas.

"Os meninos e meninas do Rio desejam que o presidente fique bom depressa", disse uma das crianças, de apenas seis anos, ao cumprimentá-lo.[16]

Para convencer a opinião pública de que ele não estava demente ou inválido como tanto se especulava, foi autorizada a divulgação de uma fotografia do encontro. A imagem de um Getúlio sorridente, deitado na cama — de pijama, com o rosto desinchado e a perna acidentada coberta por um lençol —, foi estampada pela imprensa no dia seguinte como um atestado de que a pior fase da convalescença já fora superada.[17]

Seriam necessários mais dois meses para que Getúlio retornasse, de fato, à rotina normal de trabalho. Como em 1933, após retirar os aparelhos e o gesso prescritos para a redução da fratura, precisou ser submetido a intenso tratamento fisioterápico, a fim de recuperar todos os movimentos e, como ele mesmo dizia, "reaprender a andar". Infelizmente, o lapso decorrido entre o acidente e o regresso ao Catete passaria à história sem o testemunho do seu protagonista. Enquanto permaneceu acamado, Getúlio interrompeu as anotações do diário e, quando se sentiu com forças suficientes para retomá-las, não quis mais fazê-lo. Deu por encerrados, para sempre, aqueles registros cotidianos colhidos ao correr da pena, que resultaram na coleção de treze cadernos tão pouco atraentes a uma leitura rápida — mas extremamente reveladores quando lidos com a atenção voltada para as entrelinhas e para a sutileza dos detalhes.

"Quantos acontecimentos de grande transcendência ocorreram na vida do Brasil", reconheceu Getúlio, aludindo ao período no qual ficou preso à cama. "Para que continuá-las [as anotações], após tão longa interrupção?", indagou-se. "A revolta e o sofrimento também mudaram muita coisa dentro de mim", desabafou. Foi a derradeira anotação, no último caderno, de tamanho grande e capa verde.[18]

A coincidência, quando divulgada, assombraria a todos. Os relógios marcavam cerca de quinze horas quando o Cadillac presidencial se chocou contra o poste no cruzamento da Silveira Martins com a Praia do Flamengo. Quase no mesmo instante, no mar do Caribe, um torpedo disparado pelo submarino alemão *U-162* abriu um rombo no costado de um dos maiores navios mercantes do Lloyd Brasileiro, o *Parnaíba* — que partira do Rio de Janeiro um mês antes, levando 41 mil sacas de café, 30 mil de cacau, 27 mil de farelo e 25 mil fardos de couro, com destino a Nova York. A explosão atingiu em cheio a casa de máquinas, matando o maquinista, três foguistas e dois carvoeiros. Com o cargueiro prestes a vir a pique, ao largo da costa leste de Trinidad e Tobago, o capitão Raul Francisco Diégoli ordenou que as baleeiras de salvamento fossem lançadas ao mar e a tripulação evacuasse o navio.[19]

Na sequência, um segundo torpedo atingiu o vapor, acelerando o naufrágio. Um dos radiotelegrafistas não conseguira saltar a tempo para as balsas. Pulou para a água e, auxiliado pelo colete salva-vidas, nadou até alcançar uma delas. Antes que pudesse subir a bordo, foi abocanhado e arrastado para o fundo do mar por um tubarão. Depois da madrugada inteira à deriva, o grupo de sobreviventes foi localizado na manhã seguinte por um hidroavião norte-americano, que forneceu as coordenadas para a consequente operação de resgate.[20]

Já era o sexto navio brasileiro afundado por submarinos alemães desde a declaração de rompimento das relações diplomáticas e comerciais com o Eixo. Em 16 de fevereiro, numa segunda-feira de Carnaval, o nazista *U-432* havia torpedeado o primeiro deles, o *Buarque*, também do Lloyd, que fazia a rota Rio-Nova York, abatido próximo à costa da Carolina do Norte (Estados Unidos). Dali a mais dois dias, foi a vez do *Olinda*, da Companhia Carbonífera Rio-Grandense, ser atacado pelo mesmo submarino e afundar, ao largo do litoral da Virgínia. Ainda em fevereiro, uma terceira embarcação, o *Cabedelo*, sumiu sem deixar vestígios em algum lugar do mar do Caribe, incluindo toda a tripulação, composta de 54 homens. O navio retornava do porto da Filadélfia, trazendo carvão mineral para o Rio de Janeiro.[21]

"Procure com urgência o governo americano, em meu nome, e solicite providências que garantam a segurança de nossos navios mercantes que fazem o tráfego entre o Brasil e os Estados Unidos contra os ataques de que vêm sendo vítimas", escrevera então Getúlio ao embaixador em Washington, Carlos Martins. "Parece-me necessário que os vapores sejam imediatamente comboiados, fornecendo o governo americano canhões e guarnições de artilharia. Informem-me minuciosamente o resultado da demanda."[22]

Em 7 de março, o *Arabutã*, outro cargueiro do Lloyd, sucumbiu aos torpedos do submarino alemão *U-155*, após levar toneladas de algodão para os Estados Unidos e tentar retornar carregado de carvão para a Central do Brasil. Foi afundado a 81 milhas náuticas (cerca de 150 quilômetros) do cabo Hatteras, em águas norte-americanas. No dia seguinte, o *Cairu*, mais um navio de carga do Lloyd, ficou partido em dois ao ser atingido por um torpedo disparado pelo *U-94* que o levou rapidamente ao fundo, a 130 milhas (240 quilômetros) de Nova York. Apenas 28 dos 75 tripulantes e oito dos catorze passageiros sobreviveram. Os demais morreram na hora da explosão ou, em seguida, de hipotermia, no interior dos botes salva-vidas.[23]

Em represália, Getúlio assinara em 11 de março um decreto determinando que os bens dos alemães, italianos e japoneses residentes no Brasil passariam a cobrir os prejuízos provocados pelo Eixo contra o patrimônio nacional. Um percentual de até 30% dos depósitos bancários ou de propriedades de valor igual ou superior a dois contos de réis dos imigrantes oriundos de qualquer um desses três países sofreria transferência compulsória para o Banco do Brasil.[24] "Medida oportuna, justa e necessária", definiu *A Noite*, em editorial de primeira página.[25]

O decreto se fizera acompanhar de uma ofensiva contra as atividades de espiões nazifascistas. Até então, com a conivência passiva de Filinto Müller, agentes alemães, italianos e japoneses atuavam livremente no Rio de Janeiro e nas principais capitais do país. Uma ação coordenada pelo norte-americano Federal Bureau of Investigation, o FBI, resultou na prisão de 36 indivíduos acusados de trabalhar no Brasil a serviço do Eixo. Entre os detidos constava um certo Franz Wasa Jordan, agente especial germânico, supostamente enviado ao Rio pelo próprio Heinrich Himmler, o comandante da temida Schutzstaffel — a SS, força paramilitar nazista —, com a missão específica de assassinar Oswaldo Aranha.[26]

Numa casa da rua Campos de Carvalho, no bairro carioca do Leblon, foi preso o espião Josef Jacob Johannes Starziczny, engenheiro eletrônico alemão com ampla experiência na montagem de estações radiotransmissoras. No local, a polícia encontrou uma parafernália de equipamentos utilizados por Starziczny: máquinas fotográficas, teleobjetivas, filmadoras e transmissores de rádio. Dentro de uma caixa de madeira havia relatórios e tabelas datilografadas que especificavam datas e horários de entradas e saídas dos navios do porto do Rio de Janeiro. O nível de detalhamento mencionava a tonelagem, a carga e a rota prevista de cada embarcação.[27]

Com base no material apreendido, soube-se que os nazistas haviam recebido transmissões minuciosas sobre o trajeto de um transatlântico britânico, o *Queen Mary*, que partira dois dias antes do Rio de Janeiro com destino à Austrália. Avisada a tempo, as embaixadas dos Estados Unidos e da Inglaterra providenciaram a alteração da rota do navio, o que o salvou do provável torpedeamento. Starziczny confessou à polícia a existência de um cofre no Banco de Crédito Mercantil, que guardava uma coleção de documentos secretos: chaves de decodificação de mensagens cifradas, cópias de cartas e registros das atividades de outros espiões a serviço de Berlim. Um total de 128 acusados de fornecer informações de rotas navais ao Reich seriam presos a partir das pistas obtidas.[28]

Intensificava-se a caçada aos "quintas-colunas", termo usado à época para designar indivíduos que trabalhavam a favor dos nazifascistas, por meio de sabotagens, tráfico de informações, difusão de boatos e quaisquer outras ações que facilitassem os movimentos do Eixo em território nacional. A expressão fora cunhada durante a Guerra Civil Espanhola para fazer referência aos que, em Madri, apoiaram as quatro colunas do líder fascista Francisco Franco na marcha contra o governo do presidente Azaña.

Doze diretores da representação da Química Bayer no Brasil foram indiciados, sob a acusação de confeccionar boletins e panfletos pró-nazismo. Em São Paulo, anunciou-se que a Hermann Stoltz, empresa de navegação e agência de viagem que negociava passagens aéreas da Condor, também fornecia informações a Berlim sobre o tráfego de navios nos portos de Santos e do Rio de Janeiro.[29] As companhias de aviação estrangeiras foram alvo de investigações específicas, que resultaram no cancelamento das concessões tanto da Condor, subsidiária da germânica Lufthansa, quanto da Lati (Linee Aeree Transcontinentali Italiani), empresas que dominavam o transporte aéreo no país.[30]

O serviço secreto britânico apelou para um artifício capcioso a fim de convencer o governo brasileiro a cancelar as licenças dessas empresas e, assim, tapar a última brecha relativa ao bloqueio entre América e Europa.[31] Forjou-se uma carta, atribuída ao presidente da Lati em Roma, general Aurelio Liotta, e endereçada ao diretor no Rio de Janeiro, Vincenzo Coppola, com referências pouco elogiosas a Getúlio Vargas e ao país. "Não pode haver dúvidas de que o gordinho [Getúlio] está caindo nas mãos dos americanos e que somente uma intervenção violenta por parte dos nossos amigos camisas-verdes pode salvar a situação", dizia um trecho da falsa mensagem. "E se é verdade que o Brasil é uma nação de macacos, não é necessário dizer que são macacos dispostos a servir a quem tiver as rédeas nas mãos."[32]

As delações contra a Lati — cujos funcionários, de fato, violavam o sigilo do malote diplomático entre o Itamaraty e a embaixada em Roma[33] — respingaram em um agregado dos Vargas, o aviador Rui da Costa Gama, marido de Jandira, filha de Getúlio. Rui, diretor técnico da companhia, foi considerado um espião em potencial pelos ingleses, embora tal suspeita não tenha sido levada em maior consideração pelo sogro e pelo resto da família.[34]

A rio-grandense Varig também foi objeto de investigações. O fundador da empresa, Otto Ernst Meyer, alemão naturalizado brasileiro e amigo de Getúlio desde os tempos em que este governara o Rio Grande do Sul, seria afastado da direção dos negócios, após ser detido para averiguações e interrogatórios. Meyer negou qualquer ligação direta com o Partido Nazista, mas admitiu já ter colaborado para instituições relacionadas ao Reich, como a Frente de Trabalho Alemão (originalmente, Deutsche Arbeitsfront, a DAF), que reunia entidades sindicais nacional-socialistas. Também escrevera artigos doutrinários no jornal porto-alegrense *Neue Deutsche Zeitung*, publicado pela colônia teutônica. Na correspondência pessoal que mantinha com Ernest Dorsch, subchefe do movimento nazista no Rio Grande, invariavelmente encerrava as mensagens com a fórmula "Heil, Hitler!".[35]

A Varig passou por uma transferência de controle acionário e começou a ser dirigida por um novo presidente, Ruben Berta, funcionário mais antigo da empresa. Para tentar apagar o histórico e a origem alemã, a Condor se converteria, por sua vez, na Cruzeiro do Sul, enquanto a Lati encerraria suas atividades no país. A maior parte das rotas aéreas antes pertencentes às duas companhias estrangeiras foi incorporada pela Panair do Brasil, subsidiária da Pan American Airways, a Panam, e mais tarde nacionalizada, em 1961, quando passou às mãos dos empresários Celso da Rocha Miranda e Mário Wallace Simonsen.[36]

O cerco aos espiões nazistas, contudo, não amainou a ofensiva de submarinos alemães contra embarcações brasileiras. Entre maio e julho, enquanto Getúlio continuava impossibilitado de levantar da cama, mais sete navios mercantes de bandeira nacional foram afundados no Atlântico Norte: *Gonçalves Dias*, *Alegrete*, *Paracuri*, *Pedrinhas*, *Tamandaré*, *Barbacena* e *Piave*. Os ataques já haviam produzido até então quase duzentas mortes, se contados os desaparecidos do *Cabedelo*.[37]

Ficava patente que a Marinha dos Estados Unidos não tinha condições objetivas de patrulhar o Atlântico de maneira eficaz. O afundamento de cargueiros em águas continentais norte-americanas era uma demonstração inconfundível de que o perigo nazista estava mais próximo do que se imaginara. O propalado cordão de isolamento marítimo acima da linha do equador se revelara imperfeito. Ao sul, onde a costa brasileira permanecia praticamente desguarnecida, a situação tendia a se tornar ainda mais crítica.

"A fase de euforia atravessada por ocasião da Conferência [dos chanceleres] e do rompimento das relações diplomáticas com o Eixo foi brilhante, porém curtíssima", escreveu uma indignada Alzira Vargas ao embaixador brasileiro nos Estados Unidos.

> Que submarinos do Eixo possam atuar livremente a poucas milhas de Nova York é inacreditável. Que nenhuma medida seja tomada para impedi-los de molestar uma navegação essencial, tanto para o Brasil quanto para a América, parece-nos brincadeira de criança ou vontade de dar razões aos inimigos comuns.[38]

O torpedeamento do vapor *Comandante Lira* pelo submarino italiano *Barbarigo*, a 180 milhas náuticas (333 quilômetros) do arquipélago de Fernando de Noronha, sinalizou que as águas do litoral nordestino também haviam entrado no alvo dos nazifascistas. O navio não afundou. Ficou em chamas até ser socorrido por um cruzador, dois destróieres e um rebocador norte-americano, que apagaram o incêndio, recolheram a tripulação e conduziram a embarcação avariada até Fortaleza.[39]

Um avião bombardeiro B-25 Mitchell, de fabricação norte-americana e incorporado à então recém-criada Força Aérea Brasileira (FAB), partiu no encalço do *Barbarigo*, chegando a atacá-lo entre Fernando de Noronha e o atol das Rocas. A imprensa carioca anunciou que a aeronave, pertencente a uma unidade de treinamento coordenada por oficiais dos Estados Unidos, atingira e destruíra o submarino italiano. Como medida preventiva, determinou-se que os navios mercantes de bandeira nacional passariam a navegar camuflados de cinza e com as luzes apagadas, para evitar novos torpedeamentos.[40]

A sombra tenebrosa da guerra, enfim, chegara ao Atlântico Sul. Em meados de junho, Hitler se reuniu com o almirante Erich Raeder, ministro da Marinha alemã, e autorizou novos ataques a vapores de bandeira brasileira, em águas territoriais do próprio Brasil. No início de julho, um grupo de dez submarinos nazistas, fortemente armados, partiu da costa francesa (a França continuava ocupada pelo Reich) para cumprir a missão secreta. Tinham ordem de torpedear, inclusive, embarcações de passageiros.[41]

Teria início a fase mais sangrenta da operação de afundamento de navios nacionais. Uma intervenção militar que receberia, por parte dos agressores, o arrepiante qualificativo de "alegre massacre".[42]

Dentro da jaula montada sobre o carro alegórico iam três estudantes fantasiados, respectivamente, de Hitler, Mussolini e Hirohito. Faziam caretas, movimentos de ginástica sueca e saudações nazifascistas, arrancando gargalhadas do público. Logo atrás, em cima da carroça puxada por um burrico pintado de verde e com a braçadeira da cruz suástica presa em uma das patas, o caldeirão abarrotado de galinhas depenadas representava os "quintas-colunas integralistas". O carro seguinte trazia uma esfinge egípcia, cuja face exibia um bigodinho e uma mecha de cabelo caindo sobre a testa, simulando as feições do Führer. Um painel com outra imagem do líder nazista o mostrava de boca escancarada, olhos esbugalhados, tentando engolir um bolo em forma de globo terrestre. "Ele se engasgará", lia-se numa faixa, à guisa de legenda.[43]

Um a um, entre vaias, risos e gritos de sarcasmo, os carros alegóricos foram se sucedendo na avenida Rio Branco, que amanhecera decorada de ponta a ponta com cartazes alusivos à guerra. "Morra o nazifascismo!", "Abaixo a quinta coluna!" e "Estamos com as democracias!" — eram os dizeres mais frequentes. Panfletos que circulavam de mão em mão davam vivas a Getúlio Vargas, Oswaldo Aranha e Franklin Delano Roosevelt. Apesar da chuva fina e renitente, ninguém se dispersou.[44]

Promovida pela União Nacional dos Estudantes (UNE) — organização fundada em 1937 e reorganizada no ano seguinte tendo como patronos Getúlio e o ministro Capanema —, a passeata antitotalitária reuniu 15 mil pessoas no dia 4 de julho, data escolhida para coincidir com o aniversário da independência dos Estados Unidos. O governo do estado do Rio e a prefeitura do Distrito Federal apoiaram a iniciativa, fornecendo recursos financeiros para a confecção das alegorias e tomando providências para bloquear o trânsito das ruas centrais da cidade. Bandeiras brasileiras e dos Estados Unidos dividiam espaço com flâmulas em que se via estampada uma mão fazendo o "V" da vitória — referência ao gesto original do primeiro-ministro britânico Winston Churchill transformado em símbolo da guerra contra o Eixo.[45]

Getúlio, ainda em processo de recuperação, foi obrigado a administrar, da cama, com a perna presa por trações, a crise política que a manifestação estudantil abriu no núcleo duro do governo. Filinto Müller se negara a dar autorização para o evento. Disposto a impedir a passeata da UNE — e indignado com a ajuda que o interventor Ernani Amaral Peixoto, genro de Getúlio, oferecera aos estudantes —, foi chamado ao Ministério da Justiça. Segundo argumentou Müller, os "subversivos" poderiam aproveitar a ocasião para se infiltrar entre os estudantes e perpetrar graves atentados contra a ordem pública.[46]

O titular da pasta da Justiça, Francisco Campos, estava afastado do posto desde o ano anterior, quando pedira licença para se submeter a tratamento médico e posterior cirurgia de tireoide. Quem vinha respondendo pelo expediente era o chefe de gabinete do ministério, Vasco Leitão da Cunha, diplomata de carreira, que não concordou com as razões apresentadas pelo chefe da Delegacia Especial de Segurança Política e Social. Por isso determinou que os policiais, em vez de reprimir, deveriam dar cobertura e garantias ao evento, coibindo a ação de imagináveis provocadores.[47]

Filinto Müller ficou exasperado com o que ouviu. Com um revólver na cintura, ameaçou contrariar as deliberações do ministério, ao qual estava subordinada a chefia de Polícia. Não se sabe ao certo quais foram as palavras — ou palavrões — ditas pelo chefe de Polícia ao ministro interino, mas este as interpretou como um desacato. Em revide, Leitão da Cunha simplesmente lhe pôs a mão no ombro e anunciou:

"O senhor está preso."

Müller fez menção de puxar a arma e se opor à voz de prisão.

"Não aceito! Sou um oficial do Exército", contrapôs.

"Vá para casa e passe a chefia de Polícia ao seu substituto", instruiu Leitão da Cunha, determinando-lhe prisão domiciliar por 48 horas.[48]

Quando Filinto Müller saiu apressado da sala, o coronel Odílio Denys, comandante da Polícia Militar do Distrito Federal, recebeu instruções de segui-lo.

"Se ele está alegando a condição de militar para eximir-se de qualquer medida relativa ao seu comportamento, o senhor é coronel e pode prendê-lo, pois ele é apenas major. Faça-o executar o que mandei", orientou Vasco Leitão da Cunha.[49]

Poucos minutos depois, o telefone do ministério tocou. Um dos secretários de Getúlio ligava para avisar que o presidente já fora informado do incidente e que manteria a ordem de prisão de Filinto por dois dias — ao fim dos quais o chefe de Polícia deveria ser licenciado do cargo. Os estudantes, ao saberem do ocorrido, levaram à avenida uma faixa que resumia, em linguagem futebolística, o resultado da discussão entre o ministro interino e o chefe de Polícia: "Vasco 1 × 0".[50]

Precavido, Getúlio resolveu equilibrar o placar e exonerou a ambos. Ainda tentou convencer o titular Francisco Campos a retornar ao cargo, mas este se negou a assumir a pasta em semelhantes condições. Em consequência, Campos também foi dispensado, em definitivo, do ministério. Getúlio aproveitou a ocasião para fazer um necessário rearranjo na equipe, demitindo o até então intocável Lourival Fontes do comando do DIP, pois os dois principais chefes militares do país, Dutra e Góes, consideravam que em tempos de guerra a propaganda oficial deveria ficar sob responsabilidade de um colega de farda.[51]

Todos os exonerados mereceram elogiosas cartas de despedida assinadas pelo presidente. Nenhum deles caiu em verdadeira desgraça. Foram apenas afastados da linha de frente do governo e passaram a atuar em posições de menor visibilidade. Filinto Müller, após ordenar a incineração de grande parte dos arquivos policiais produzidos em sua gestão, foi nomeado oficial de gabinete do Ministério da Guerra, atendendo a pedido expresso de Dutra. Lourival Fontes passou a representar o Brasil no Conselho Administrativo do Bureau Internacional do Trabalho. E Francisco Campos assumiria a presidência da Comissão Jurídica Interamericana.[52]

"Quero agradecer os bons serviços que, no seu desempenho, prestou ao meu governo e ao país", escreveu Getúlio a Lourival.[53] "Sua atuação foi sempre serena e eficiente, e se exerceu pertinaz, enérgica e sem excessos, contra todos os agentes criminosos da anarquia e desordem", elogiou, na carta a Müller.[54] "Quero, nestas palavras de despedida, registrar o desejo de vê-lo ainda colaborando em qualquer outra espécie de atividade pública", afirmou, na mensagem a Campos.[55]

Seja como for, o desfecho da crise consolidou a influência de Oswaldo Aranha — que, aliás, nomeou Leitão da Cunha como chefe de gabinete do Ministério das Relações Exteriores. Em contrapartida, o principal crítico do Itamaraty na equipe de Getúlio, o general Dutra, conseguiu fazer o novo diretor do DIP, o major Antônio José Coelho dos Reis. No parte e reparte, para manter o eterno jogo de compensações, Getúlio escolheu para o lugar de Müller na chefia de Polícia um nome próximo a Oswaldo, o coronel gaúcho Alcides Etchegoyen, integrante do comando revolucionário no Rio Grande do Sul em 1930.[56]

A saída repentina de Lourival Fontes, Francisco Campos e Filinto Müller do governo foi interpretada pelos Estados Unidos como um importante momento de inflexão na política interna brasileira. Por isso mesmo, foi duramente criticada nas transmissões da Rádio Berlim para a América Latina. "Pode haver uma prova mais incontestede que o Brasil passou a ser uma colônia, um protetorado da América do Norte?", indagava a emissora, que acusava Aranha de ter sido "comprado, e muito bem pago", pela Casa Branca.[57]

A visão era no mínimo chocante. Dezenas de cadáveres de homens, mulheres e crianças, a maioria com marcas de queimaduras e mordidas de peixes, amanheceram espalhados pelas areias da praia próxima à vila de Mosqueiro, em Aracaju. Destroços de um paquete — navio de cargas e passageiros — podiam ser distinguidos junto aos corpos mutilados, estendendo-se por larga faixa do litoral.

Não foi difícil para a população da capital sergipana deduzir as razões da tragédia. A guerra chegara às ensolaradas praias nordestinas.[58]

Após deixar o porto de Salvador no dia 15 de agosto, sábado, para mais uma escala da viagem iniciada no Rio de Janeiro, o *Baependi* rumava ao destino seguinte, Maceió, quando foi torpedeado duas vezes seguidas, no meio da noite, pelo submarino alemão *U-507*, na costa de Sergipe. Os disparos não deram chances para as vítimas. O primeiro atingiu as caldeiras da embarcação, provocando uma explosão instantânea. O segundo, dali a menos de um minuto, mirou os tanques de combustível, originando labaredas que se elevaram à altura dos mastros. Das 306 pessoas a bordo, 270 morreram.[59]

Os náufragos que ainda conseguiram se agarrar a tábuas e a outros estilhaços do *Baependi* puderam testemunhar, cerca de duas horas depois, um gigantesco clarão no horizonte. Era o *U-507* que bombardeava outro paquete brasileiro, o *Araraquara*, com 142 pessoas a bordo. Mais uma vez, dois torpedos quase simultâneos contrariaram as leis de guerra, não permitindo que fossem acionados os botes salva-vidas. Dessa vez, apenas onze pessoas conseguiram sobreviver. Como era tarde, a maioria dos passageiros já havia se recolhido às cabines. Muitas das 131 vítimas morreram queimadas ou afogadas no interior dos camarotes, quando o *Araraquara* afundou, rapidamente, cinco minutos após os disparos.[60]

No dia seguinte, 16 de agosto, domingo, o *U-507* prosseguiu a carnificina. Pôs a pique um terceiro paquete na costa de Sergipe, o *Aníbal Benévolo*, que transportava 154 pessoas. Só quatro delas escaparam com vida. A estatística macabra não parou por aí. Na segunda-feira, o *Itagiba* navegava a trinta milhas náuticas de Salvador quando foi atingido e afundado no momento em que era servido o almoço aos passageiros, produzindo um saldo de 36 mortos. Uma hora depois, a equipe do cargueiro *Arará* tentava recolher os náufragos do *Itagiba* quando avistou, sob as águas, o rastro de um torpedo que se aproximava, a toda a velocidade, em sua própria direção. O impacto praticamente partiu o cargueiro ao meio. Contabilizaram-se outras vinte mortes.[61]

Em um intervalo de apenas cinco dias, o Eixo matara mais 607 brasileiros. No dia 18 de agosto, terça-feira, tão logo o DIP divulgou uma nota oficial sobre as ocorrências, uma onda espontânea de indignação tomou conta do país. No Rio de Janeiro, logo pela manhã, um pequeno grupo de pessoas começou a se reunir nas imediações da Galeria Cruzeiro, na avenida Rio Branco. Improvisou-se uma tribuna com alguns caixotes de madeira, e oradores voluntários passaram a fazer discursos veementes contra a ação dos nazifascistas. Em questão de minutos, a aglomeração já se estendia até o outro lado da calçada, interrompendo o trânsito.[62]

Os manifestantes, cantando o Hino Nacional e fazendo com os dedos abertos o "V" da vitória, resolveram sair em passeata até a praça Mauá. No caminho, foram ganhando a adesão de mais populares, que em poucas horas já somavam algumas centenas. De lá, rumaram pela rua Marechal Floriano, fazendo uma pausa diante do prédio do Itamaraty, onde deram vivas a Oswaldo Aranha e pronunciaram nova rodada de discursos. No mesmo instante, outro grupo se reuniu na Cinelândia, próximo ao Teatro Municipal, logo ocupando a praça de ponta a ponta.[63]

"Estudantes, anciãos, moças, operários, todas as almas patrícias se achavam ali representadas", descreveu o *Correio da Manhã*. "O povo deixava o trabalho, os restaurantes e os cafés. Derivava em massa, galvanizado num mesmo propósito — repulsa, revolta e pesar."[64]

Mais concentrações foram brotando a cada minuto, diante de prédios públicos como a Central do Brasil, a Faculdade Nacional de Direito, a sede do Lloyd, a chefatura de Polícia, o Ministério da Justiça, o Palácio do Catete. Onde houvesse um tamborete e alguém disposto a subir nele para gritar palavras de ordem contra a matança indiscriminada dos brasileiros, formava-se um comício e um novo amontoado de gente. Quando se anunciou que uma multidão estava marchando em direção ao Guanabara, os grupos saíram também em múltipla caravana rumo ao bairro das Laranjeiras.[65]

À entrada do palácio, os milhares de manifestantes foram recepcionados pelos integrantes dos gabinetes civil e militar da presidência da República. Obtiveram então a informação de que Getúlio não só ordenara a abertura dos portões da residência oficial como ele próprio sairia à sacada, para fazer a primeira aparição pública desde o acidente.[66]

A visão de Getúlio caminhando, ladeado por Darcy e Alzira, provocou um desvario de aplausos. Ele estava mais magro, com um ar um tanto abatido. Manquitolava de leve, amparado por uma bengala. Mas sorria. "A manifestação recebida pelo presidente foi indescritível. Durante muitos minutos o povo aclamou, vibrante, o seu nome. Sorrindo a princípio, emocionadíssimo logo depois, o chefe de governo acenava em agradecimento", descreveu a imprensa. Quando se fez silêncio, um estudante da Faculdade de Direito, representando a UNE, adiantou-se e providenciou a saudação a Getúlio.[67]

"A emoção de ver vossa excelência de pé, como sempre esteve, só se iguala àquela que o povo brasileiro sentiu ao ter notícias das últimas agressões ao Brasil", discursou o rapaz. "Aqui estão o povo, as classes trabalhadoras e os estudantes brasileiros, todos reunidos, para protestarmos contra tais agressões e para trazer a nossa integral solidariedade a vossa excelência."[68]

Getúlio contrariou os hábitos e respondeu com um discurso de improviso.

> A agressão não ficará impune. [...] Os quintas-colunas, os espiões, todos aqueles que tenham traído os interesses brasileiros e tenham sido os denunciantes das partidas dos navios afundados, irão de enxadão, pá e picareta ao ombro cortar estradas no interior do Brasil. [...] Regressem todos vocês aos seus lares, com a consciência tranquila e a cabeça erguida. As ocorrências que se registraram nos últimos dias não afetarão o coração do Brasil. Porque, acima de tudo, o Brasil é imortal. Viva o Brasil![69]

"Viva!", respondeu a multidão, a uma só voz.[70]

No sábado, 22 de agosto, atendendo ao clamor popular, Getúlio reuniu os ministros e comunicou-lhes que o país se via obrigado a reconhecer o estado de beligerância com a Alemanha e a Itália (como o Japão não participara do torpedeamento dos navios nacionais, a medida não se estendeu a ele). Getúlio mostrou à equipe um telegrama que recebera de Roosevelt — "Estou chocado e amargurado com a notícia dos navios brasileiros", dizia a mensagem[71] — e orientou Oswaldo Aranha a enviar uma circular oficial às missões diplomáticas do país em todo o continente. Dizia o comunicado:

> Desta vez, em que o número das vítimas foi de várias centenas, compreendendo mulheres e crianças, a agressão foi dirigida contra nossa navegação essencialmente pacífica. [...] À vista disso, o governo brasileiro fez saber aos governos da Alemanha e da Itália que, a despeito de sua atitude sempre pacífica, não há como negar que esses países praticaram contra o Brasil atos de guerra, criando uma situação de beligerância que somos forçados a reconhecer, na defesa de nossa dignidade.[72]

Na segunda-feira seguinte, 24, a Rádio Berlim deu o troco. Em transmissões para a América, atribuiu a culpa pelos ataques ao próprio Brasil. O Reich alegava "legítima defesa". Dizia apenas ter respondido às violações dos interesses de súditos alemães e italianos no país, alvo do confisco de bens e de prisões arbitrárias. O fato de os navios afundados estarem sem bandeira e camuflados de cinza faria deles embarcações não identificadas e, portanto, suspeitas. A presença de destróieres norte-americanos em águas do Atlântico Sul e o ataque de um avião da FAB a um submarino italiano já teria caracterizado, previamente, a beligerância, alheia à vontade de Hitler e Mussolini.[73]

"O Brasil, com isso, perdeu a amizade das potências decisivas na Europa. A Europa estará fechada para o Brasil, e para sempre", reforçou um telegrama de Curt Ritter, o ex-embaixador nazista no Rio de Janeiro, enviado de Buenos Aires às representações germânicas da Argentina e do Chile, países que ainda se mantinham em posição oficial de neutralidade.[74]

Em 31 de agosto, um decreto de Getúlio formalizou a declaração de guerra aos nazifascistas. A Rádio Berlim, imediatamente, voltou à carga: "A conta terá de ser paga pelo povo brasileiro. Pois o Brasil mina a sua própria liberdade política e econômica. Nunca mais vai se livrar do envolvimento com os Estados Unidos e cairá para uma situação de vassalo permanente do imperialismo norte-americano e da plutocracia nova-iorquina", disse um comentarista da emissora. "Sem razões, o Brasil, a mando de Washington, coloca-se em oposição à Nova Europa, cujos imensos mercados estariam a seu inteiro dispor."[75]

A viagem foi cercada pelo mais absoluto sigilo. No dia 26 de janeiro de 1943, o embaixador norte-americano no Brasil, Jefferson Caffery, escreveu ao subsecretário do Departamento de Estado em Washington, Sumner Welles, para avisar que partiria, no dia seguinte, "com o patrão do Oswaldo, para encontrar você-sabe-quem".[76] O "patrão do Oswaldo", logicamente, era Getúlio. E o "você-sabe-quem" era Franklin Delano Roosevelt. Os presidentes das duas maiores nações do continente tinham um encontro secreto marcado em Natal, Rio Grande do Norte.

Na tarde do dia 27, Getúlio pegou um avião no Aeroporto Santos-Dumont, no Rio de Janeiro, acompanhado de Caffery e dos contra-almirantes Augustin Beauregard, adido naval norte-americano, e Jonas Howard Ingram, comandante de uma força-tarefa deslocada pelos Estados Unidos para o Atlântico Sul em meados do ano anterior, com a missão de patrulhar as águas continentais abaixo da linha do equador. Após o afundamento dos navios nacionais e a declaração de guerra ao Eixo, o norte-americano Ingram passara a coordenar oficialmente as forças navais e aéreas brasileiras, com o devido assentimento de Getúlio. Ao chegar a Natal, durante o anoitecer, o grupo foi transferido de imediato, e ainda em caráter estritamente confidencial, para o destróier *Jouett*, de bandeira americana.[77]

No Brasil, a imprensa presumia que Getúlio ainda estivesse em São Paulo, onde passara os dias anteriores, sob o pretexto de assistir às comemorações do aniversário da fundação da cidade, mas cumprindo uma agenda também reservada, de natureza familiar. O estado de saúde de Getulinho se agravara consideravelmente no início de janeiro, e uma junta médica estava debruçada sobre o leito do caçula do presidente da República. O rapaz, atacado pela poliomielite, perdera por completo o movimento das pernas e dos braços. O ortopedista Lutero Vargas convencera a equipe clínica a submeter o irmão a um tratamento baseado nos métodos controversos da australiana Elizabeth Kenny — enfermeira que vinha provocando polêmica no mundo da medicina ao substituir a imobilização dos membros afetados pela pólio por massagens musculares e exercícios fisioterápicos.[78]

Os procedimentos recomendados por "Sister Kenny" representavam a última esperança da família antes de recorrer ao chamado *iron lung* – ou "pulmão de aço", como ficou popularmente conhecido o cilindro metálico no qual pacientes acometidos de poliomielite eram colocados, de corpo inteiro, ficando apenas com a cabeça do lado de fora. O aparelho tinha bombas de ar que exerciam pressão sobre o peito do doente para manter a respiração de forma mecânica, nos casos em que os pulmões também eram paralisados pela doença.[79]

"Vou te revelar um segredo do qual, no momento, somente eu e Roosevelt somos sabedores: devo encontrar-me com ele em Natal. Mas não desejo sair daqui sem ter a certeza de que meu filho está passando bem", dissera Getúlio a Lutero. "Se ele estiver em perigo de morte, não irei."[80]

O primogênito, entretanto, tranquilizara o pai:

"Meu irmão não está sofrendo dores, e pode ter a certeza que aqui o encontrará, se não demorar."[81]

Aflito com o quadro gravíssimo do filho, Getúlio passou a noite de 27 de janeiro em Natal, sozinho, trancado numa cabine do *Jouett*. Às oito horas da manhã seguinte, a população da cidade testemunhou a descida nas águas do rio Potengi do colossal Boeing B-314, que trazia, sem que ninguém soubesse disso, o presidente norte-americano para o encontro com o colega brasileiro. O quadrimotor da Pan American Always, pesando quarenta toneladas e medindo 32 metros de comprimento por 46 de envergadura, viera do Marrocos, onde Roosevelt participara com Winston Churchill da Conferência de Casablanca, reunião na qual ficou acertada uma ofensiva aliada contra as forças do Eixo.[82]

Roosevelt e Getúlio se encontraram a bordo de outro destróier norte-americano ancorado ao largo de Natal, o *Humboldt*. A intensa movimentação de aviões e navios estadunidenses próximo à capital potiguar, a propósito, não era mais nenhuma novidade. O Rio Grande do Norte passara a abrigar uma importante base aeronaval dos Estados Unidos em território brasileiro, ponto de escala e trampolim para aeronaves e vasos de guerra que partiam do hemisfério Norte com destino à África. Depois de muito relutar em ceder trechos do território nordestino a uma nação estrangeira — ato inicialmente considerado "uma violência contra a soberania nacional" —, Getúlio enfim sucumbira às injunções de Washington, impondo o financiamento da siderurgia como uma contrapartida honrosa.[83]

No início, as obras de construção da base norte-americana (a cerca de doze quilômetros do centro da capital do Rio Grande do Norte, em Parnamirim) foram camufladas, para evitar reações ao fato de Forças Armadas de outra nação estarem trabalhando ostensivamente em nosso país. Para todos os efeitos, o serviço seria de completa responsabilidade da Pan American Airways, como parte de um plano geral de reforma e ampliação dos aeroportos comerciais brasileiros em benefício da aviação civil.[84] Entretanto, uma vez constituída, foi impossível ocultar da opinião pública a verdadeira função da "Parnamirim Field", devido ao fluxo permanente de aviões de guerra e à inserção de centenas de soldados americanos no cotidiano da pequena e provinciana Natal.

Ao meio-dia de 28 de janeiro, Getúlio e Roosevelt almoçaram juntos e trocaram impressões sobre a guerra. Ao sentarem à mesa, ambos vestiam paletó de linho branco e gravata preta. Roosevelt estava com uma tarja negra em torno do braço, em sinal de luto pela queda de um avião de sua comitiva.[85] Parte do diálogo foi feita em francês, língua que os dois dominavam.[86] Outra parte foi mediada por um intérprete, pois Getúlio não falava inglês. No Rio de Janeiro, quando necessitava confabular com algum interlocutor americano ou britânico, ele quase sempre recorria aos serviços da filha, Alzira, que era fluente no idioma e por várias vezes ficara encarregada de traduzir para ele trechos de livros e reportagens publicadas sobre o Brasil por correspondentes estrangeiros.

"Não confio muito em tradutores oficiais", dizia o desconfiado Getúlio.[87]

Ao longo da conversa, o presidente norte-americano tentou a todo custo convencê-lo a negociar um pacto com o ditador português, António Salazar, para o envio de forças brasileiras aos Açores e à ilha da Madeira, a fim de substituir soldados lusitanos ali baseados e que, segundo alegava Roosevelt, seriam muito mais úteis na defesa continental europeia.[88] Devido aos laços históricos entre os dois países, a presença de tropas do Brasil nas ilhas não despertaria reações desfavoráveis em Portugal, acreditava o norte-americano. Salazar, entretanto, estava submetido a dupla pressão. Apesar das afinidades ideológicas com os fascistas, temia uma presumível invasão alemã na península Ibérica e, ao mesmo tempo, receava que os Estados Unidos se apoderassem de suas ilhas no Atlântico para transformá-las em ponta de lança geográfica para a Europa. Posto entre as duas possíveis ameaças, Salazar se esforçava em manter uma frágil e reticente política de neutralidade.[89]

Getúlio, porém, estava mais interessado em discutir outros temas. Em seus arquivos, ficou uma anotação escrita a lápis, em folha de papel timbrado da secretaria da presidência da República, com alguns breves apontamentos a serem consultados durante a reunião. Entre os itens rabiscados por ele com letra firme e fluente podiam ser destacados alguns pontos cruciais: "Encontro Roosevelt — sua finalidade". "Que pretendem de nós. Nosso apoio, considerações sobre outros países da América. O Brasil em primeiro lugar, estamos ao seu lado, possibilidade de mandarmos tropas para a África." "Apoio sem restrições, o que precisamos — Exército, Marinha e Aeronáutica — preparação econômica e mundial."[90]

As anotações de Getúlio, além de fazerem referência explícita às compensações militares e financeiras que estavam em jogo, revelavam que o Brasil já cogitava o envio de soldados para a guerra, mais especificamente para o front africano. Roosevelt, contudo, confidenciara ao embaixador Jefferson Caffery que os Estados Unidos não tinham nenhum interesse em ver brasileiros desembarcarem de fuzil em punho no norte da África, onde a guerra entrara em um período de definição favorável aos Aliados. O antigo temor de um ataque nazista a partir de Dacar, afinal, parecia superado.[91]

Pelo que se podia depreender da correspondência diplomática norte-americana, o maior empenho dos Estados Unidos era garantir a manutenção das bases aeronavais nordestinas como ponto de estacionamento para seus navios e aviões — bem como a permanência do Brasil na posição de parceiro confiável em um trecho do continente sujeito às indefinições escorregadias do Chile e, em particular, da Argentina. Telegramas trocados entre Caffery e o Departamento de Estado atestam também que Roosevelt acenou para Getúlio a hipótese de o país vir a ter assento permanente no conselho de um futuro organismo internacional a ser criado, após o fim da guerra, em substituição à Liga das Nações.[92]

Contudo, o comunicado conjunto da reunião em Natal, assinado pelos dois governos, priorizou obviedades genéricas. "A força está na unidade. O Brasil e os Estados Unidos procuram tornar o oceano Atlântico livre de perigo para todas as demais nações", dizia o documento distribuído depois à imprensa. "Agradecemos sinceramente a cooperação que os nossos vizinhos, quase unanimemente, estão prestando à grande causa da democracia em todo o mundo."[93]

Após o almoço a bordo do *Humboldt*, a presença dos dois presidentes no Rio Grande do Norte foi revelada aos jornalistas e à atônita população natalense. Getúlio, Roosevelt e o contra-almirante Jonas Ingram subiram em um jipe Willys e, conduzidos por um oficial com o uniforme da Marinha dos Estados Unidos, foram vistoriar a base militar de Natal. Os potiguares ficaram surpresos ao reconhecer os dois chefes de Estado, de chapéu-panamá e com roupas praticamente idênticas, trafegando em um automóvel sem capota pelas ruas da cidade.[94]

No trajeto, Getúlio não largou a bengala, pois mesmo oito meses depois ainda não estava completamente refeito das sequelas do acidente. Roosevelt, como sempre, evitou que o público o visse ser carregado nos braços pelos auxiliares ao ser tirado e colocado na cadeira de rodas. Não se sabe se por acaso, em algum momento daquele encontro histórico, os dois presidentes tiveram oportunidade para conversar a respeito da terrível coincidência que então os aproximava: a poliomielite, que um dia acometera Roosevelt, estava prestes a roubar a vida, em São Paulo, do filho mais moço de Getúlio.

Getúlio Vargas Filho morreu, aos 23 anos, em 2 de fevereiro de 1943, dois dias depois do retorno do pai ao Rio de Janeiro. Na véspera, o quadro clínico apresentara uma piora definitiva, o que levou Getúlio a embarcar para São Paulo às pressas, depois de ter concedido uma entrevista à imprensa para relatar os detalhes da conversa com Roosevelt. Chegou à capital paulista a tempo apenas de acompanhar as últimas horas de vida de Getulinho.

Lutero Vargas escreveu em suas memórias:

Meu pai voltou para estar ao pé do leito, enquanto o filho morria. [...] A dor e o choque que sofremos foram tremendos. Minha mãe acabou-se, era como se tivesse morrido também e acompanhado seu filho. Mais de ano passou-se sem que ela retomasse o trabalho. Quando eu lhe dizia, "mas, minha mãe, ainda lhe sobram outros filhos, pense em nós", respondia-me: "Jamais imaginei que ia perder um filho sem que ele pudesse pelo menos me abraçar antes de morrer".[95]

Darcy e Getúlio enfrentaram a dor de modo distinto. Ela, segundo os que a conheceram de perto, não só envelheceu a olhos vistos, ficando com os cabelos grisalhos de um momento para outro, como passou a relativizar sua religiosidade, até então inabalável. Darcy dizia estar revoltada com Deus, por lhe levar o filho tão cedo e de forma tão brutal. Teria até deixado de rezar e fazer suas orações habituais.[96] O marido, ao contrário, de acordo com depoimento da filha Alzira, viveu um movimento de dolorosa aproximação com a fé.

No velório de Getulinho no Catete, antes de fecharem o caixão para transportá-lo ao cemitério, o pai pediu para que esvaziassem a sala e o deixassem a sós com o corpo do filho por alguns minutos. O desejo do presidente foi prontamente atendido. Alzira permaneceu à porta de entrada, para impedir que aquele último adeus paterno fosse interrompido por terceiros. Quinze minutos depois, ela entreabriu a porta e avistou o pai na mesma posição que o deixara antes: Getúlio, sentado em uma cadeira que aproximara do esquife, olhava silencioso para o rosto do filho.[97]

Alzira então decidiu deixá-lo ali, sozinho, por mais alguns instantes. Decorridos outros dez minutos, ela afinal resolveu entrar e, puxando uma cadeira para sentar ao lado do pai, passou-lhe levemente a mão nas costas.

"Patrão, está na hora de ele ir embora", falou, em voz baixa.

Getúlio, sem tirar os olhos do caixão, lamentou:

"Eu tenho uma enorme dificuldade de acreditar que a generosidade, a gentileza, a genialidade e o caráter do Getulinho serão enterrados junto com a sua carne..."[98]

Para Alzira, era a forma que o pai, sempre tão oblíquo na hora de revelar os sentimentos mais íntimos, encontrara de questionar de uma vez por todas o seu conhecido materialismo.[99]

19. O Estado Novo agoniza: é preciso fazer a abertura. Antes que os inimigos do governo a façam (1943-4)

Vestido com o pomposo fardão de casimira verde-escuro e folhas bordadas em fios de ouro, Getúlio Vargas chegou ao Petit Trianon, sede da Academia Brasileira de Letras, no Rio de Janeiro, para tomar posse como o mais novo "imortal" da instituição. À entrada, sob as luzes do lustre de cristal e entre peças de porcelana da região francesa de Sèvres, foi recepcionado pelos acadêmicos Antônio Austregésilo, Cassiano Ricardo e Pedro Calmon. Conduzido ao salão nobre, posou para a tradicional fotografia e recebeu o diploma, o colar e a espada — insígnias da chamada Casa de Machado de Assis. Sem nunca propriamente ter escrito um livro, Getúlio ingressava, a partir daquele instante, no panteão dos literatos brasileiros.[1]

Os discursos oficiais reunidos pelo DIP e editados pela José Olympio sob o título de *A nova política do Brasil*, obra que já chegara ao nono volume, foram considerados uma credencial mais do que suficiente para garantir o ingresso do presidente da República na ABL, cujos estatutos determinam, de forma peremptória, desde a fundação: "Só podem ser membros efetivos da Academia os brasileiros que tenham, em qualquer dos gêneros de literatura, publicado obras de reconhecido mérito ou, fora desses gêneros, livro de valor literário".[2]

Havia pelo menos quatro anos que os acadêmicos assediavam Getúlio, adulando-o em repetidas homenagens. Por trás das lisonjas existia um motivo inconfessado, embora notório: os imortais desejavam obter a posse definitiva do terreno onde estava erguida a sede da Academia, na avenida Presidente Wilson, no centro da cidade. O prédio — uma réplica do palacete neoclássico de mesmo nome construído em Versalhes pelo rei Luís XV para a amante Madame de Pompadour — abrigara originalmente o pavilhão da França na Exposição Internacional comemorativa do centenário da independência do Brasil, em 1922. Após o evento, a edificação foi doada à ABL pelo governo francês, mas o terreno continuou sob domínio da União.³

Em meados de 1939, a diretoria da instituição convidou Getúlio para uma visita informal à famosa biblioteca da casa, cujo acervo inclui preciosidades bibliográficas, a exemplo das primeiras edições de clássicos da literatura universal. Homem de espírito ilustrado e amante das letras, o presidente da República, por certo, teria interesse e curiosidade em folheá-las, sugeriram os mensageiros do convite. Ao chegar ao local, em vez da anunciada informalidade, Getúlio foi surpreendido por uma sessão solene, que contou com a presença de todos os imortais residentes no Rio. Instado a sentar na cadeira de presidente da ABL, mereceu uma saudação do titular do posto, Antônio Austregésilo, que pediu licença para tratá-lo apenas como "senhor" — e não "vossa excelência".⁴

"Este é o tratamento que, aqui, damos aos pares. E o senhor é um dos nossos, um intelectual como nós", disse o acadêmico, médico pioneiro no estudo dos distúrbios neurológicos no Brasil, autor de *Estudo clínico do delírio*.⁵

Durante a visita, o enlevado Getúlio demonstrou interesse particular em um exemplar raro de *A divina comédia*, de Dante Alighieri, e numa primeira edição, raríssima, de *Os lusíadas*, de Luís Vaz de Camões, obra que precisou ser retirada do cofre onde estava guardada para que pudesse ser contemplada.

"Tomei um chá, palestramos sobre várias coisas e retirei-me. Minha recepção, disse o presidente [da ABL], não foi em virtude do cargo [de presidente da República], mas como confrade, escritor, orador etc.", comentou Getúlio, envaidecido.⁶

Ao longo de 1940, foram feitas novas abordagens, sempre com idênticos propósitos. Enquanto os acadêmicos buscavam estreitar as relações com o governo, a diretoria protocolava requerimentos nos órgãos federais competentes, solicitando a transferência integral e definitiva do imóvel. Para acelerar a tramitação dos documentos, João Neves da Fontoura ficou encarregado de sondar as veleidades do velho colega de faculdade quanto à hipótese de ele próprio vir a envergar o fardão de brocados dourados.

Numa de suas idas ao Palácio Guanabara, João Neves revelou a Getúlio que as portas da Academia estavam abertas para ele. Havia um movimento interno para fazê-lo o próximo imortal. Getúlio, a princípio, desconversou. Jamais se apresentaria como candidato à ABL, garantiu. Lançar-se à disputa por uma cadeira de acadêmico seria algo por demais pretensioso, já que não era exatamente um literato. De mais a mais, ainda que os apelos da vaidade pudessem suplantar as circunspecções do bom senso, paparicar os acadêmicos, implorando-lhes votos numa boca de urna literária, também constituiria uma tarefa no mínimo constrangedora para um presidente da República.[7]

João Neves levou as ponderações de Getúlio à diretoria da ABL, que decidiu facilitar a situação para ambas as partes. Foram instituídas novas regras, ao sabor das conveniências. Excepcionalmente, bastaria um grupo de dez imortais se declarar a favor da candidatura para que esta fosse oficializada por aclamação, sem a necessidade de autoinscrição prévia. Ficou acertado, desse modo, que tão logo surgisse uma vaga, o nome de Getúlio Vargas seria considerado apto à disputa.[8]

A censura à imprensa impediu qualquer crítica ou comentário maldoso em torno do tema. Porém, nem mesmo os rigores do DIP evitaram que corresse, à época, mais uma anedota em torno de Getúlio. Segundo consta, o poeta e diplomata Olegário Mariano teria dito ao presidente da República, em um assomo de subserviência:

"Já que é preciso morrer alguém para que vossa excelência entre para a Academia, estou disposto ao sacrifício: eu me suicido."[9]

Chistes à parte, o falecimento do escritor paulista José de Alcântara Machado, em abril de 1941, finalmente abriu caminho para a eleição de Getúlio Vargas à ABL. Por ironia do destino, ele herdaria a cadeira deixada por um dos mais ativos ideólogos da guerra civil de 1932, autor da célebre sentença: "Paulista sou, há quatrocentos anos".[10]

Conforme as regras de ocasião, uma dezena de acadêmicos — Adelmar Tavares, Alcides Maya, Aloísio de Castro, Ataulfo de Paiva, Celso Vieira, Gustavo Barroso, José Carlos de Macedo Soares, Olegário Mariano, Oliveira Vianna e Osvaldo Orico — aclamaram Getúlio candidato, na sessão de 8 de maio de 1941. Ele não precisou enfrentar nenhum concorrente. Foi candidato único. Outros três aspirantes à vaga — Basílio de Magalhães, Menotti del Picchia e Mateus de Oliveira — retiraram as respectivas inscrições. Um quarto pretendente, o ilustre desconhecido José Júlio de Carvalho, insistiu em seguir na disputa, mas teve o pedido de registro indeferido pelo presidente da mesa de votação, Edgard Roquette-Pinto, sob a justificativa de que, sem nenhuma obra literária que o abonasse, Carvalho não estava qualificado a participar da contenda.[11]

"Por ocasião de apresentar-se candidato a uma das vagas da Academia um indivíduo notoriamente imbecil, ficou resolvido que a mesa teria autoridade para aceitar ou não as candidaturas que se apresentassem", alegou Roquette-Pinto.[12]

De acordo com a ata oficial, foram 36 sufrágios a favor de Getúlio, um voto em branco e três ausências. O voto em branco foi atribuído a Otávio Mangabeira, eterno adversário do regime, que estava no exílio e teria enviado, por carta, o sufrágio de protesto. Após a proclamação do resultado, um dos ausentes, o crítico, romancista e historiador Afrânio Peixoto, se afastou gradativamente das reuniões e dos característicos chás com bolinhos das quintas-feiras, restringindo suas visitas ao Petit Trianon a consultas esporádicas ao arquivo e à biblioteca. Nas poucas vezes em que retornou à casa, Peixoto deixou evidente todo o seu desconforto ao retirar da carteira e exibir um recorte de cartolina branca onde se lia a palavra "SILÊNCIO", em caracteres gregos.[13]

Eleito em agosto de 1941, Getúlio só envergou o fardão quase dois anos e meio depois — o que novamente contrariou as regras tradicionais da ABL, que estipulavam o prazo máximo de seis meses entre a eleição e a posse, limite prorrogável por idêntico período, e por uma única vez. Nesse meio-tempo, a documentação protocolada pela ABL solicitando o domínio do terreno recebeu parecer favorável do Ministério da Fazenda e foi encaminhada à presidência da República, que recebeu despacho positivo de Getúlio: "Aprovado. Lavre-se o decreto".

Com o Petit Trianon abarrotado de autoridades civis e militares, Getúlio enfim tomou posse na noite de 29 de dezembro de 1943. Devido ao elevado número de convidados de honra, foram improvisadas cadeiras adicionais, colocadas no jardim do prédio. Conforme os registros da imprensa, havia pelo menos mil pessoas presentes, sem contar a multidão de curiosos que se posicionou ao longo da avenida Presidente Wilson.[14] Designado para fazer o discurso de recepção, o acadêmico Ataulfo de Paiva não se acanhou em revelar, de público, os verdadeiros motivos que haviam aproximado a instituição do mais novo imortal.

"Um decreto presidencial veio unir vosso nome ao próprio solo em que se assentam os alicerces dessa casa", entregou Paiva. "Transferis graciosamente à

Academia o domínio útil, diga-se, a plena propriedade do terreno em que ela está construída."[15]

Depois do surto de sinceridade, o orador cumpriu o protocolo e discorreu sobre as alegadas qualidades literárias da obra do confrade recém-empossado. Segundo Paiva, *A nova política do Brasil* era "uma opulenta e singular coletânea", "autos de um processo em que o estadista Getúlio Vargas irá pleitear perante a História o julgamento sobre o seu governo — e poderá simultaneamente pleitear, perante a arte e o pensamento, os títulos de orador vigoroso e escritor elegante".[16]

Paiva passou em revista os dados biográficos de Getúlio e, em especial, destacou as ações do Estado Novo nas áreas da educação e da cultura. Sublinhou a criação do Instituto Nacional do Livro, órgão que, ao congregar intelectuais como Sérgio Buarque de Holanda e Augusto Meyer, vinha sendo responsável pela ampliação significativa do número de bibliotecas públicas e pela consolidação do mercado editorial brasileiro. Fez também a devida referência à fundação do Serviço do Patrimônio Histórico e Artístico Nacional (Sphan), criado por decreto a partir de estudos encomendados pelo governo a Mário de Andrade.[17]

Por sua vez, como de praxe, Getúlio deveria incluir em seu discurso algumas considerações sobre a vida e a obra dos acadêmicos que o antecederam na cadeira que passaria a ocupar, cujo patrono era o poeta inconfidente Tomás Antônio Gonzaga. Era a ocasião de Getúlio justificar sua presença em um cenáculo reservado a literatos — mas que também já acolhera expoentes de outras áreas do conhecimento, como o cientista Oswaldo Cruz e o inventor Alberto Santos-Dumont.

"Eleito para a cadeira 37, venho sentar-me entre vós, sob o patronato de Tomás Antônio Gonzaga. Não me poderia sentir melhor em qualquer outra", afirmou. "O poeta da Inconfidência Mineira alcançou essa consagração mais pelo seu destino político que pela expressão da sua arte poética, aliás, formosa", argumentou. "Não foi a literatura de amores infelizes, tão comum em tantos autores da época, o que elevou a herói o patrono desta cadeira. A projeção excepcional da personalidade do cantor de *Marília* resultou da sua atuação política, da sua participação num acontecimento que objetivava emancipar a grande terra brasileira."[18]

A circunstância era propícia para o estreante na ABL salientar um dos traços basilares da ideologia estado-novista: o entendimento de que a arte e a cultura deveriam ser encaradas não mais como mero diletantismo, mas como força propulsora da unidade nacional e da formação cívica de um povo. Assim, todo o discurso de posse de Getúlio se baseou na premissa de que era necessário, com a devida mediação do poder público, promover "a simbiose entre os homens de pensamento e os homens de ação". Os intelectuais não mais deveriam ficar presos à torre de marfim da "inteligência ociosa", tampouco os espíritos práticos poderiam relegar a cultura a um lugar secundário da vida social.[19]

"O Brasil realizou a sua emancipação política, constrói agora a sua emancipação econômica e inicia, finalmente, a sua emancipação cultural", sentenciou Getúlio.[20]

Bastava um rápido olhar sobre a plateia para identificar, no local reservado aos acadêmicos, a mais perfeita tradução das palavras do novo imortal. Boa parte daqueles homens de fardão — sobretudo os eleitos para a ABL a partir de 1930 — incorporava a pretendida "simbiose entre ação e pensamento", glorificada por Getúlio. Não à toa, imortais como João Neves da Fontoura, José Carlos de Macedo Soares, Levi Carneiro, Roquette-Pinto, Oliveira Vianna, entre outros, eram intrinsecamente ligados ao aparato ideológico e à máquina burocrática do regime. A Academia se beneficiara, em termos materiais, desse alinhamento intelectual ao poder. E o governo, de sua parte, encontrara no mundo acadêmico a legitimação para o "grande programa de atuação construtiva e nacionalizadora", conforme definiu Getúlio em sua fala.[21]

Não parecia coincidência o fato de a posse de Getúlio Dornelles Vargas na ABL ter ocorrido no instante em que o Estado Novo atravessava uma grave crise de legitimidade política, ideológica e intelectual. De início, a declaração de guerra ao Eixo e a comoção popular decorrente do afundamento dos navios brasileiros serviram para o Catete capitalizar o apoio da opinião pública. Porém, a entrada oficial do Brasil no conflito também explicitara as incongruências de um governo que se dispunha a lutar contra o totalitarismo no plano externo enquanto no plano interno se recusava a aceitar as contingências do jogo democrático.

Uma visão retrospectiva dos fatos revelaria que, àquela altura, o Estado Novo estava implodindo, vítima de suas próprias contradições.

Menos de oito meses após a morte de Getulinho, os Vargas vestiram luto pela segunda vez naquele mesmo ano de 1943. Depois de perder o filho caçula, Getúlio perdeu também o pai. Em 21 de outubro, o velho general Manuel do Nascimento Vargas faleceu no Rio de Janeiro, 34 dias antes de completar 99 anos.

O atestado de óbito, assinado pelo médico Heitor Annes Dias, apontou uma broncopneumonia, secundada por insuficiência respiratória. O general passara os últimos dias de vida na capital federal, confinado em um dos quartos do Palácio Guanabara. Embora cego, vitimado por constantes acessos de tosse e picos de febre alta, mantivera-se lúcido até o derradeiro suspiro.[22]

"É preciso que haja ordem, pois quanto ao progresso meu filho cuida disso", costumava dizer Manuel Vargas aos que o procuravam para conversar sobre a situação política nacional, um de seus temas prediletos.[23]

De óculos escuros e paletó preto, Getúlio empunhou uma das alças do esquife colocado a bordo do avião que seguiu do Aeroporto Santos-Dumont com destino a São Borja, onde o pai foi sepultado, no jazigo da família, ao lado da esposa Candoca. O jornal *A Noite* informou:

> O presidente Vargas conduziu o corpo até o interior da aeronave, na qual se demorou algum tempo. Depois, foi postar-se ao lado do seu automóvel e ali ficou, sem ser interrompido, durante os longos instantes reclamados pelo aparelho para se pôr em condições de partida. [...] Só depois que o avião presidencial rolou para a pista, onde levantou voo, foi que sua excelência entrou no carro, rumando novamente para o Guanabara.[24]

Em razão da morte do pai do presidente da República, todas as solenidades cívicas alusivas ao 13º aniversário da vitória do movimento civil-militar de 1930, marcadas para dali a três dias, 24 de outubro, foram canceladas. Na data, em vez de festejos, Getúlio foi alvo de um libelo histórico, que denunciava o Estado Novo como modelo de governo incompatível com a luta dos Aliados. "Um povo reduzido ao silêncio e privado da faculdade de pensar e de opinar é um organismo corroído", dizia o documento, impresso em três páginas diagramadas em um total de oito colunas de texto. Uma pequena tipografia de Barbacena, no sul de Minas, rodara os primeiros exemplares, chegados ao Rio de Janeiro em dois sacos de estopa.[25] "Se lutamos contra o fascismo ao lado das nações unidas, para que a liberdade e a democracia sejam restituídas a seus povos, certamente não pedimos demais reclamando para nós mesmos os direitos e as garantias que as caracterizam."[26]

O manifesto, intitulado "Ao povo mineiro", vinha referendado por 92 assinaturas, incluindo figuras solares da política, da sociedade e da cultura de Minas.

Para evitar que a responsabilidade do folheto recaísse sobre os primeiros nomes da lista, os signatários foram citados em rigorosa ordem alfabética. Entre aqueles de maior visibilidade pública destacavam-se Adauto Lúcio Cardoso, Adolfo Bergamini, Afonso Arinos de Melo Franco, Afonso Pena Júnior, Artur Bernardes, Carlos Horta Pereira, Dario de Almeida Magalhães, José de Magalhães Pinto, Mário Brant, Milton Campos, Odilon Braga, Olavo Bilac Pinto, Paulo Pinheiro Chagas, Pedro Aleixo, Pedro Nava e Virgílio de Melo Franco.[27]

"Não é suprimindo a liberdade, sufocando o espírito público, cultivando o aulicismo, eliminando a vida política, anulando o cidadão e impedindo-o de colaborar nos negócios e nas deliberações do governo que se formam e engrandecem as nações", expunha outro trecho do opúsculo que passaria à história como o "Manifesto dos mineiros". O estilo, apesar de contundente, era sóbrio: "Este não é um documento subversivo; não visamos agitar, nem pretendemos conduzir", ressalvava-se. "As palavras ponderadas dessa mensagem, que dirigimos aos nossos coestaduanos, inspiram-se, pois, nas suas mais firmes tradições de civismo e no seu reconhecido apego aos ideais políticos que se realizam pela autonomia estadual e pela democracia."[28]

A redação final coubera a Milton Campos, ex-deputado, e a Pedro Aleixo, ex-presidente da Câmara dissolvida pelo golpe que instituíra o Estado Novo. A gênese do documento estava diretamente ligada aos incidentes que haviam marcado, em agosto, a realização simultânea no Rio de Janeiro de dois importantes eventos, o I Congresso Jurídico Nacional e a III Conferência da Associação Interamericana de Advogados. O ministro Marcondes Filho, que vinha acumulando as pastas do Trabalho e da Justiça, impedira a realização de uma plenária geral dos encontros tão logo tomou conhecimento de que alguns dos oradores inscritos questionariam a ordem jurídica então vigente no país.[29]

Sob protesto, a delegação de Minas Gerais abandonou os eventos, recebendo a imediata solidariedade dos representantes do Distrito Federal e da Bahia. Para demarcar ainda mais sua posição, os advogados dissidentes resolveram homenagear o líder da comissão mineira, Pedro Aleixo, com um almoço de desagravo em um restaurante no aterro do Calabouço, no Rio. Na oportunidade, o criminalista Sobral Pinto, reconhecido defensor dos direitos de presos políticos, proferiu um discurso antológico, no qual fez a defesa apaixonada do sistema representativo. A alocução de Sobral desencadeou uma imediata resposta de Cassiano Ricardo, que pelas páginas de *A Manhã* — o jornal oficial do Estado Novo — atacou os participantes do banquete, a quem rotulou de "liberalões" e de "saudosos da Primeira República".[30]

"Quem assistiu à algazarra de uma Câmara funcionando, nos moldes do velho sistema, é que pode ter a exata ideia do absoluto pouco-caso com que se aprovavam as leis", argumentou Cassiano Ricardo, para depois afirmar que Getúlio havia demolido a "ficção jurídica da democracia" para substituí-la por uma verdadeira democracia social. "A política do velho regime só sabia provar a existência da democracia pela liberdade de xingação, pelo desrespeito, pela calúnia", avaliou Cassiano Ricardo. "Veio, então, o genial golpe de 1937 e realizou sua profecia: [...] nem o exagero dos regimes totalitários, nem a criminosa negligência dos regimes puramente liberais."[31]

Sobral Pinto não deixou a arenga sem resposta. Rebateu imediatamente o artigo de Cassiano Ricardo em sua coluna do *Jornal do Commercio*. Um autêntico regime democrático, afirmou o advogado, permitiria a participação periódica dos cidadãos na formação do governo, por meio de eleições livres. Além disso, acrescentou Sobral Pinto, o efetivo estado de direito pressupunha a existência de um Judiciário autônomo, livre da tutela do Executivo. Em revide, Cassiano Ricardo elevou a temperatura da discussão e desafiou o antagonista a definir, "se fosse homem realmente de coragem", qual o regime que então vigorava no Brasil.

"Mova seus lábios e dê a mais bela prova de sua intrepidez", incitou.[32]

O DIP acompanhou a polêmica com evidente interesse. Cassiano Ricardo atraíra o adversário para um ponto sem volta. Caso Sobral Pinto aceitasse o desafio e resolvesse classificar o regime getulista como uma ditadura autoritária, que desrespeitava as noções mais comezinhas do direito individual, correria o risco de passar uma boa temporada na cadeia, acusado de subversão. Na melhor das hipóteses, poria o *Jornal do Commercio* em situação difícil perante o governo. Por isso, em vez de morder a isca, Sobral preferiu assumir uma atitude de cautela. Em novo artigo, respondeu a Cassiano Ricardo:

> Aceitaremos, com resignação cristã, as sanções de sua maldade poderosa. [...] Não será a primeira vez que, resguardados apenas pelo escudo moral de nossa inocência invencível, imitaremos o exemplo de Jesus Cristo, de guardar silêncio imperturbável diante dos acusadores que têm consciência de estar caluniando a sua vítima.[33]

A controvérsia não terminou sem que o diretor do *Jornal do Commercio*, Elmano Cardim, fosse chamado à sede do DIP para ser advertido de que o periódico não poderia publicar nenhum texto de Sobral Pinto no qual fosse discutida "a natureza das atuais instituições políticas brasileiras". Vitorioso, Cassiano Ricardo tripudiou, festejando o silenciamento do opositor: "Para fingir de valente, ele [Sobral Pinto] vestiu um couro de onça. Mas agora exclama que haverá de morrer imolado, à semelhança dos antigos cristãos no circo romano".[34]

O Catete tratou de calar os signatários do "Manifesto dos mineiros" por meios ainda mais ortodoxos. Aqueles que desfrutavam de cargo público foram sumariamente exonerados — e mesmo os que exerciam funções na iniciativa privada se viram objeto de retaliações. O Banco Hipotecário e Agrícola de Minas Gerais, do qual Pedro Aleixo e Afonso Pena Júnior eram diretores, foi encampado pelo governo federal e ambos, demitidos. O mesmo ocorreu com o Banco da Lavoura, com o consequente afastamento de Magalhães Pinto da diretoria. Virgílio de Melo Franco soube pelos jornais de sua exoneração como interventor do Banco Alemão Transatlântico, enquanto Adauto Lúcio Cardoso, servidor do Ministério da Viação e consultor jurídico do Lloyd, recebeu uma carta de aposentadoria compulsória, por "conveniência do regime", conforme facultava a Polaca.[35]

"Vamos dar uma lição a essa gente", recomendara Getúlio ao governante mineiro, Benedito Valadares, que foi orientado a convocar os diretores de bancos e companhias para adverti-los das possíveis consequências negativas para seus negócios caso não afastassem os assinantes do manifesto.[36]

"Que Deus serene seu coração atribulado e lhe restitua a equanimidade, que tem sido sua única força", telegrafou a Getúlio um dos atingidos, Afonso Pena Júnior.[37]

Em meio a essa escalada de tensões, as forças repressivas passaram a enxergar conspirações e quintas-colunas por todos os lados. Em 30 de outubro, um simples baile de estudantes, realizado em São Paulo pelos alunos da Faculdade de Direito do Largo São Francisco, resultou na detenção do presidente do Centro Acadêmico XI de Agosto, Hélio Mota. Durante a festa, o Baile das Américas, um dos rapazes pedira ao maestro um espetaculoso rufar de tambores. Seria o acompanhamento apropriado, sugeriu, para a leitura de um pequeno poema em homenagem aos soldados alistados na Força Expedicionária Brasileira (FEB), recém-organizada para coadjuvar os Aliados na guerra contra o Eixo:

Oh, valente legionário
Do Corpo Expedicionário,
Por que vais lutar a esmo
Se a luta cruenta e fria
É pela democracia?
Vamos lutá-la aqui mesmo! [38]

A declamação terminou com brados de "Abaixo a ditadura" e "Morra Getúlio Vargas". Um agente de polícia infiltrado entre os estudantes flagrou a situação e denunciou o caso aos superiores. Além do presidente do Centro Acadêmico, outros dois jovens acabaram presos, e as casas de vários deles foram reviradas pela polícia, em busca de material subversivo. No Rio de Janeiro, Getúlio recebeu o relatório no qual o secretário de Segurança de São Paulo, Coriolano de Góis, justificava a prisão dos estudantes e a permanência de Hélio Mota, "um criminoso confesso", em uma solitária.[39]

"A polícia não podia assistir ao desrespeito à mais alta autoridade da nação", explicava Coriolano.[40]

No dia seguinte, o diretor da Faculdade de Direito, Cardozo de Melo Neto, telefonou para o Catete e intercedeu em favor dos estudantes. Pediu, sobretudo, a libertação imediata do presidente do Centro Acadêmico, que seguia incomunicável. Getúlio, por meio de seus secretários, prometeu uma ordem de soltura para o dia seguinte. Em vez disso, Coriolano de Góis enxotou uma comissão universitária que foi à Secretaria de Segurança cobrar o cumprimento da medida.[41]

"Benzam a Deus eu não ter que ir à faculdade, pois se isso acontecer não medirei consequências e, se preciso for, atirarei nos estudantes, fazendo correr sangue", advertiu.[42]

A reação intempestiva do secretário de Segurança deu origem a um manifesto estudantil, mimeografado e assinado por duzentos alunos. "Pela primeira vez na história da existência de nosso glorioso Centro Acadêmico XI de Agosto, o seu presidente foi arbitrariamente preso. Preso por quê? Porque manifestou ideias contrárias ao regime, afirmam os responsáveis por sua prisão. Seria isso um crime num país democrático?"[43]

Em represália, Coriolano de Góis enviou um batalhão de choque para invadir a faculdade e prender os estudantes envolvidos na redação do manifesto. No dia 2 de novembro, um grupo de 150 homens da Polícia Especial armados com metralhadoras, fuzis, revólveres, cassetetes e bombas de gás cumpriu a missão com o rigor exigido pelo secretário de Segurança. Depois de severamente espancados, trinta rapazes foram recolhidos à Superintendência de Ordem Política e Social. As instalações do XI de Agosto, incluindo móveis e documentos, ficaram destruídas. As paredes, crivadas de balas e respingadas de sangue, eram as melhores testemunhas da violência da operação.[44]

Cardozo de Melo Neto pediu demissão do cargo e os presidentes dos centros acadêmicos de doze faculdades paulistas assinaram uma moção de repúdio, endereçada a Getúlio. Ao mesmo tempo, programou-se um grande comício estudantil para o dia 9 de novembro, mas Coriolano de Góis novamente advertiu que não admitiria manifestações de protesto contra o presidente. "Para resguardar a ordem, a Secretaria de Segurança não permitirá qualquer reunião dessa natureza e agirá com a máxima energia contra os que tentarem perturbá-la", ameaçou, em nota publicada na imprensa paulista.[45]

Por precaução, os estudantes decidiram cancelar a concentração pública. No lugar dela, idealizaram uma marcha silenciosa, durante a qual trezentos jovens, com lenços amarrados na boca para denunciar a repressão de que estavam sendo alvo, caminhariam até a praça do Patriarca, no centro de São Paulo. Coriolano, intransigente, deu ordem para que se impedisse também a "Passeata da Mordaça" a qualquer custo. Até mesmo um tanque de guerra, além de soldados da cavalaria, foi enviado para encurralar os manifestantes.[46]

O confronto entre os homens da Polícia Especial e os alunos da Faculdade de Direito terminou em tragédia. Duas dúzias de pessoas saíram feridas, incluindo populares que passavam pela rua na hora e nada tinham a ver com o episódio. Um menino, José Emídio de Barros, dez anos, precisou amputar a perna esquerda em consequência de uma lesão produzida por projétil que lhe esmigalhou músculos, ossos e tendões. Uma senhora de 65 anos, Domingas Covelli, e o comerciário Jaime Carlos da Silva Teles, vinte anos, não resistiram aos ferimentos a bala. Morreram antes que pudessem ser socorridos e levados ao hospital.[47]

João Brasil Vita, futuro vereador e então cursando o segundo ano de direito, recebeu um tiro no peito. A gravidade do caso levou um padre a lhe ministrar a extrema-unção, mas o paciente acabou se recuperando, após quinze dias entre a vida e a morte. Alvejado por um balaço que lhe atravessou o pescoço e saiu pelas costas, outro estudante, Aloísio Ferraz Pereira (futuro professor das arcadas e autor de uma *História da filosofia do direito*), convalescia na Casa de Saúde Santa

Rita, no bairro de Vila Mariana, quando recebeu a visita de solidariedade do reitor da Universidade de São Paulo, Jorge Americano.[48]

"O sacrifício de 9 de novembro foi necessário, para fazer com que a opinião pública, finalmente, perceba que vivemos numa ditadura", disse o combalido Ferraz Pereira ao reitor.[49]

Se o artigo 78 da Polaca fosse levado em consideração, aquele 10 de novembro de 1943 seria o último dia de Getúlio no Catete. A legislação em vigor previa que o mandato do presidente da República — que recomeçara a ser recontado em 1937, com a instauração do Estado Novo — era de seis anos. Teria chegado a hora, portanto, de passar a faixa presidencial ao sucessor. Havia se esgotado também o prazo para a realização do plebiscito que deveria ter auscultado a população sobre a permanência e a legitimidade do texto constitucional escrito por Francisco Campos.

Mas o artigo 171 da mesma Constituição estabelecia que, na vigência do estado de guerra, o presidente tinha a prerrogativa de suspender qualquer trecho da Carta Magna. Como o Brasil se encontrava oficialmente em luta contra o Eixo, Getúlio tornou sem validade o artigo que determinava a extensão do seu mandato e, sem ferir as regras estabelecidas, voltou a dilatar o próprio período de governo, que já se estendia por treze anos, iniciados em 1930.

Mais uma vez, Getúlio Dornelles Vargas tomava Franklin Delano Roosevelt como paradigma para justificar a falta de alternância no poder e rebater o discurso dos "profetas do liberalismo democrático".[50] A um ano de completar o terceiro mandato, o presidente da dita maior democracia do mundo era candidato declarado a mais uma reeleição — o que de fato acabaria ocorrendo no ano seguinte, quando derrotaria o republicano Thomas Edmund Dewey na disputa pela Casa Branca. Entretanto, havia novamente uma diferença básica entre as duas realidades. Roosevelt iria conquistar o quarto mandato consecutivo por meio do voto, enquanto Getúlio permanecia no cargo sem permitir nenhuma consulta às urnas.

Em vez de um dia de despedidas, o sexto aniversário do Estado Novo foi marcado por uma agenda de inaugurações grandiloquentes, durante as quais Getúlio pronunciou significativos discursos, com recados diretos à nação, aos trabalhadores, às Forças Armadas e, principalmente, aos opositores do regime. A maratona de eventos, de forte acento personalista, começou pela manhã, às 9h30, com a entrega de um trecho da via destinada a se tornar a principal artéria do Rio de Janeiro. Descrita pela propaganda doutrinária do DIP como um símbolo do progresso brasileiro, a construção da avenida de quatro quilômetros de extensão acarretara a derrubada de pelo menos quinhentos prédios e o desaparecimento de dezenas de logradouros, incluindo a legendária praça Onze de Julho, a "praça Onze", cenário dos antigos desfiles de escolas de samba. Ao descerrar a placa de identificação da "maior obra viária urbana de toda a América Latina", Getúlio leu o próprio nome gravado em bronze: "Avenida Getúlio Vargas".[51]

Às onze horas, a comitiva presidencial se dirigiu à praia de São Cristóvão, onde teve lugar a segunda inauguração do dia. Foram entregues ao Exército as novas dependências do Arsenal de Guerra, considerado igualmente pelos superlativos dos comunicados oficiais como "o maior parque bélico da América Latina". Ali, Getúlio fez o primeiro discurso alusivo à data, falando para uma plateia constituída por militares de alta patente. As celebrações pelo início do reaparelhamento do Exército brasileiro, tornado possível pelo acordo com os Estados Unidos, deram a tônica do evento. Todavia, Getúlio não poderia deixar de aproveitar o ensejo para fazer uma advertência aos que andavam subscrevendo manifestos e pregando a necessidade de abertura política.[52]

> As comemorações do sexto aniversário do regime de 10 de novembro encontram-nos absorvidos e ocupados com as tarefas imediatas de ganhar a guerra a qualquer preço [...]. Em circunstâncias assim difíceis, necessitando antes de tudo de estabilidade interna para garantir-nos lugar condigno entre as nações vitoriosas, seria erro e crime agitar a Nação. Por isso mesmo, o governo não vacilará em reprimir quaisquer tentativas de perturbação estéril. A hora é de união, e para mantê-la não hesitaremos em usar meios enérgicos.[53]

Getúlio repetiria o mesmo tom à tarde, durante a inauguração do novo prédio do Ministério da Fazenda, um gigantesco edifício de catorze andares e 100 mil metros quadrados de área construída — o equivalente a dez campos de futebol — anunciado pelo DIP, é claro, como "a maior edificação de toda a América Latina". Nesse caso, Getúlio falou para uma audiência de milhares de trabalhadores, que lotaram a esplanada do Castelo e exibiram faixas e cartazes com louvações ao presidente e à entrada em vigor, justamente naquele dia, da Consolidação das Leis do Trabalho — a CLT, conjunto de normas e regras que sistematizou, unificou e ampliou a vasta legislação trabalhista introduzida no país desde 1930.⁵⁴

A CLT, com seus minuciosos 922 artigos, representava um inegável avanço em relação ao período republicano anterior, no qual as relações entre capital e trabalho eram encaradas como uma questão de polícia e os empregados ficavam à mercê das arbitrariedades dos patrões, sem praticamente nenhuma legislação que lhes assegurasse os direitos básicos. Ao criar a Justiça do Trabalho, regulamentar o salário mínimo, as férias anuais e o descanso semanal, entre outros tantos benefícios à classe trabalhadora, Getúlio rompera com um longo histórico de injustiças sociais, embora sob o preço da repressão sistemática ao movimento operário independente e ao sindicalismo livre.

"Trabalhadores do Brasil", evocou. "Atravessamos uma fase de renovação dos valores de reconstrução social em bases mais equitativas, visando assegurar ao maior número de brasileiros os benefícios da vida civilizada", definiu, após anunciar o aumento do salário mínimo e da tabela de vencimentos dos funcionários civis e militares. "O governo espera que os brasileiros, jovens e velhos, homens e mulheres, habitantes das cidades e dos campos, concorram com a sua parcela de esforço para o bem comum, que no momento significa, precisamente, o esforço para a vitória."⁵⁵

Com essas palavras, Getúlio convocava os trabalhadores para um grande projeto de mobilização nacional, justamente no momento em que os efeitos da guerra começavam a interferir no cotidiano das famílias brasileiras. As principais cidades do país, à noite, permaneciam com casas e ruas às escuras, por efeito do chamado blecaute (do inglês, *blackout*), para dificultar hipotéticos bombardeios inimigos. O comércio de gêneros alimentícios e artigos de primeira necessidade enfrentava uma crise geral de desabastecimento. A gasolina desaparecera das bombas de combustível e apenas os veículos oficiais estavam livres do racionamento imposto pelo governo. Táxis tinham direito a uma cota mínima, e os donos de automóveis particulares precisaram fazer a devida adaptação para o funcionamento do motor a gás, instalando um trambolho na traseira do veículo, o gasogênio, acessório muito poluente. Porém o aspecto mais atemorizante para as classes populares e as camadas médias urbanas era mesmo o fantasma da inflação, que ameaçava corroer o poder de compra da nova moeda, o cruzeiro, instituído em 1942, em substituição ao velho mil-réis.⁵⁶

A desejada mobilização em massa envolveria uma "batalha da produção", metáfora cunhada por Getúlio para fazer um contraponto às batalhas reais, travadas na área militar. Cada trabalhador passava a ser considerado um "soldado da produção", indivíduo necessariamente disciplinado, atento à manutenção da ordem, pronto para denunciar os quintas-colunas que pregavam a agitação contra o governo e, por conseguinte, contra o Brasil. "Trabalho e vigilância" — este passara a ser o binômio repetido, quase como um mantra, por Getúlio.[57]

O Estado Novo, em seus estertores, fazia do advento do chamado "trabalhismo" um antídoto contra os clamores internos por democratização, ao mesmo tempo que tentava encontrar o lugar do Brasil no novo mapa político mundial. Naquele ano de 1943, o Eixo experimentara amargas e sucessivas derrotas. Por meio de contraofensivas articuladas, os soviéticos haviam retomado o controle da frente leste e empurravam, paulatinamente, os alemães para fora de seus domínios. Depois do desembarque aliado na Sicília, Mussolini fora derrubado do poder e reduzira sua área de influência à porção setentrional da península, onde fundara um Estado fantoche de Berlim, a efêmera República Social Italiana, sediada em Salò. A intensidade da campanha naval nazifascista no Atlântico também refluíra após o repetido torpedeamento de embarcações germânicas pelos Estados Unidos. O totalitarismo, enfim, definhava na Europa. Cedo ou tarde, no Brasil, Getúlio teria que aceitar a transição para um regime democrático e representativo.

"Quando terminar a guerra, em ambiente próprio de paz e ordem, com garantias máximas à liberdade de opinião, reajustaremos a estrutura política da nação, faremos de forma ampla e segura as necessárias consultas ao povo brasileiro", ele prometeu, ao final do discurso de inauguração do Palácio da Fazenda. "E das classes trabalhadoras organizadas tiraremos de preferência os elementos necessários à representação nacional: patrões, operários, comerciantes, agricultores — gente nova, cheia de vigor e de esperança, capaz de crer e de levar avante as tarefas do nosso progresso."[58]

Dito de outro modo, em português menos retórico, Getúlio planejava estabelecer uma representação nos moldes corporativos, ou seja, por categorias e sindicatos profissionais, insistindo na tese de que a política, os partidos políticos e a democracia representativa eram valores arcaicos, indissociáveis do liberalismo e do regionalismo típicos da Primeira República. "A primazia nas posições de direção, controle e consulta caberá aos que trabalham e produzem, e não aos que se viciaram em cultivar a atividade pública como meio de subsistência e instrumento de simples acomodações pessoais", explicitou.[59]

A fórmula corporativista encontrava especial resistência nos meios militares, que temiam a transformação do Brasil em uma "república sindicalista", fantasma que voltaria a assombrar os quartéis duas décadas mais tarde, quando o principal herdeiro do getulismo, João Goulart, viria a ser deposto por meio de um golpe de Estado.⁶⁰ Dessa maneira, Getúlio foi levado a usar de toda a sua criatividade — e astúcia política — para tentar formatar outro modelo de transição, no qual o esgotamento do ciclo autoritário não resultasse, necessariamente, em seu afastamento do poder.⁶¹

No vasto anedotário em torno do presidente, o monograma GDV, bordado na camisa esportiva branca com que gostava de jogar golfe, não representaria as iniciais de Getúlio Dornelles Vargas. Conforme os maledicentes, era a abreviação da divisa que andava inspirando o plano de perpetuação do Estado Novo: Governo Discricionário Vitalício.⁶²

As sete composições ferroviárias começaram a chegar ao porto do Rio de Janeiro por volta das oito e meia da noite daquele 30 de junho de 1944. Os trens trafegavam em alta velocidade, com as janelas fechadas com tábuas, o que impedia os 5 mil homens a bordo — amontoados no meio da escuridão, sentados sobre os sacolões que lhes serviam de bagagem — de saber o que estava ocorrendo do lado de fora.⁶³ Na saída da Vila Militar, haviam recebido a informação de que iriam tomar parte em um exercício tático, nos subúrbios de Nova Iguaçu. Porém viram-se despejados numa plataforma junto ao mar, onde se depararam com uma intensa claridade, que lhes deixou atônitos, dado o contraste com o breu anterior. Um gigantesco navio de bandeira norte-americana, feericamente iluminado, os aguardava no cais. Era o *USS General W. A. Mann*, uma fortaleza naval com 622 pés (cerca de 190 metros) de comprimento e capacidade para transportar um total de 5142 homens.⁶⁴

"Parece um monstro pré-histórico. O cinzento do casco se confunde quase com o negror da noite. As chaminés parecem chifres empinados, os canhões da proa lembram presas pontiagudas", descreveu, impressionado, o então sargento Boris Schnaiderman, 27 anos, ucraniano naturalizado brasileiro, futuro professor da Universidade de São Paulo e tradutor de grandes escritores russos como Dostoiévski, Tolstói, Tchékhov, Górki e Maiakóvski.⁶⁵

"A tropa desceu dos vagões em silêncio absoluto, aparentemente esmagada pela surpresa", confirmaria o chefe do Estado-Maior da Força Expedicionária Brasileira, coronel Floriano de Lima Brayner, encarregado da operação. Em fila indiana, os soldados uniformizados subiram rampas e escadarias com os sacolões verdes às costas.[66] O formigueiro humano parecia não ter mais fim.[67] Era uma noite abafada, e o cheiro acre de suor, misturado ao da maresia, impregnava o ambiente. Havia um temor difuso no ar, retratado no rosto daqueles indivíduos que partiam rumo ao desconhecido.[68]

"Quem tem cu tem medo", Schnaiderman ouviu um deles comentar.[69]

No interior do navio, foram orientados a assumir um lugar nos beliches contíguos — na verdade, simples macas superpostas, suspensas por correntes e apinhadas a pequena distância uma da outra. O espaço era tão diminuto entre elas que seria impraticável para alguém, deitado de costas, elevar os joelhos levemente, sem cutucar o companheiro de cima. Também era impossível largar o saco ao chão, fazer o caminho contrário, saltar do navio e sair correndo para o mais longe possível dali.

"Entrou, não pode mais voltar", diziam os fuzileiros navais, postos em sentinela, de armas na mão.[70]

Nenhum daqueles 5 mil embarcados — a maioria entre vinte e trinta anos de idade — tivera oportunidade de se despedir das respectivas famílias. A partida do *General Mann* fora cercada por absoluto sigilo. Nem mesmo os oficiais mais graduados tinham conhecimento do destino final da viagem. A única certeza era que aquela imensa movimentação não se tratava de um exercício militar rotineiro. Estavam sendo enviados, de verdade, para a guerra.[71]

Por volta da meia-noite, quando todos já se encontravam deitados em seus catres procurando alguma forma possível de pegar no sono, um Cadillac preto, escoltado por batedores, atravessou a praça Mauá e estacionou junto ao cais. Getúlio, vestido com um terno creme, com chapéu da mesma cor e a ponta do lenço branco caprichosamente dobrado despontando no bolso externo do paletó, desceu do carro soltando baforadas do característico charuto. Com passos firmes, subiu a bordo do navio norte-americano e se dirigiu à ponte de comando. Os alto-falantes espalhados pelos dormitórios informaram aos soldados brasileiros que eles iriam ouvir, naquele momento, uma mensagem de sua excelência, o presidente da República.

"Soldados da Força Expedicionária, o chefe do governo veio trazer-vos uma palavra de despedida, em nome de toda a nação brasileira", disse Getúlio, ao microfone prateado.

> Sei o quanto nos custa, a todos, este momento transcendente em que vos separais dos vossos lares, do calor e do carinho dos entes amados. O destino vos escolheu para a missão histórica de fazer tremular, nos campos de luta, o pavilhão auriverde e responder com a presença do Brasil às ofensas e humilhações que nos tentaram impor.

A voz de Getúlio saiu firme e límpida, sem nenhuma sombra de agitação ou estremecimento. Sempre sereno, garantiu:

> O governo não se descuidará, um instante, no desvelo pelas vossas famílias. Estejais tranquilos. É com emoção que aqui vos deixo os meus votos de pleno êxito. Não é um adeus. É um até breve, quando então ouvireis a palavra da pátria agradecida.[72]

Antes de deixar o local, Getúlio visitou os dormitórios dos pracinhas e conversou animadamente com alguns deles. Depois, cumprimentou a tripulação norte-americana e desejou boa sorte especial ao comandante da Força Expedicionária Brasileira, o general Mascarenhas de Morais, o único militar brasileiro que tinha conhecimento do destino final do *General Mann*: o porto de Nápoles, na Itália. O Brasil iria participar da ofensiva contra as tropas alemãs que haviam ocupado parte do território italiano, após os recuos de Mussolini.[73]

Até aquela data, a carreira do general Mascarenhas, um homem miúdo, inexpressivo e míope, antítese do estereótipo do guerreiro militar, havia transcorrido sem maiores brilhantismos. Não foram poucos os que se surpreenderam com a escolha de seu nome para comandar a FEB, missão que o próprio ministro da Guerra, Eurico Gaspar Dutra, se oferecera para desempenhar. Getúlio, entretanto, preferira confiar a função a um oficial de perfil discreto, pouco carismático e quase desconhecido do grande público, ex-comandante da 2ª RM, sediada em São Paulo. Evitava-se, assim, transformar Dutra ou qualquer outro chefe militar mais ambicioso, como Góes Monteiro, em herói nacional.[74]

"O general que voltasse vitorioso da guerra, por menos que fizesse, estaria creditado para tomar conta do poder no Brasil", calculava Góes, verbalizando uma expectativa que se tornara voz corrente no país.[75]

A nomeação de Mascarenhas de Morais, portanto, era uma garantia de que o carisma de Getúlio não encontraria, no campo militar, um rival à altura no inevitável processo de transição democrática. Tal constatação crescia de significado quando se tinha em mente que o envio de pracinhas para a guerra derivara de uma decisão pessoal do presidente brasileiro, e não de uma vontade expressa pelo colega norte-americano, Franklin Roosevelt. O general Mark Wayne Clark, comandante do v Exército dos Estados Unidos em ação na Europa, não achara necessário o reforço de efetivos brasileiros nos campos de batalha. Clark considerava muito mais natural que o Brasil se limitasse a fornecer matérias-primas estratégicas e a auxiliar o patrulhamento do Atlântico Sul, por meio da cessão das bases aeronavais.[76]

As motivações de Getúlio para a criação da FEB, no entanto, podiam ser facilmente elucidadas. Na escala de prioridades para as remessas de material bélico às nações aliadas, Washington decidira dar preferência aos países diretamente envolvidos nos combates contra os nazifascistas. Decidido a aproveitar a chance histórica de satisfazer uma antiga aspiração das Forças Armadas, consolidar seu poder pessoal e, a um só tempo, garantir ao Brasil uma posição privilegiada nas posteriores negociações de paz, Getúlio liberou Dutra para ir aos Estados Unidos acertar os detalhes da cooperação armada. Como desdobramento, as forças brasileiras receberam a missão periférica de manter o Exército alemão ocupado na Itália, de modo a não permitir que os nazistas deslocassem mais tropas para a França, onde se preparava a ofensiva final contra Hitler.[77]

Apesar das notórias simpatias anteriores do ministro da Guerra pelo poderio alemão, seu pragmatismo militar falou mais alto. Reconhecido germanófilo, Eurico Gaspar Dutra sabia que a guerra, para o Eixo, já estava praticamente perdida. Assim, trabalhou sem acanhamento para a adequação do Exército brasileiro aos manuais de guerra norte-americanos. Góes Monteiro, ao contrário, não ocultou suas reservas à organização da FEB, iniciativa que classificou de "esdrúxula" e de "rematada tolice". Contrariado, Góes solicitou o desligamento da chefia do Estado-Maior, alegando problemas de saúde.[78]

Uma vez afastado da ditadura que tanto ajudara a implantar e manter, Góes Monteiro se converteu de um momento para outro em um apaixonado defensor da democratização do país. Os liberais, que até a véspera identificavam nele a encarnação tupiniquim da besta-fera totalitária, começaram a cortejá-lo, na tentativa de convencê-lo a derrubar Getúlio.

"A essa época, já havia agitação bem forte no país. Eu era procurado incessantemente por militares e políticos", admitiria mais tarde o general. "Dizia-lhes que, embora se houvesse agravado o meu estado de saúde, queria contribuir, nas últimas fases que me restassem de vida, para restabelecer a normalidade da minha pátria."[79]

Na noite de 10 de agosto de 1944, Oswaldo Aranha procurou Getúlio no Palácio Guanabara para dizer que estava profundamente decepcionado com o governo. Minutos antes, recebera um telefonema do capitão Amílcar Dutra de Menezes, novo diretor do DIP, comunicando que a Sociedade Amigos da América (SAA) fora fechada pela polícia. Oswaldo mal pudera acreditar no que ouvira. Era vice-presidente da entidade, lançada em janeiro do ano anterior, e acabara de ser reeleito para a função. A solenidade de posse estava agendada para o dia seguinte, em um dos salões do Automóvel Clube do Brasil. A ordem inesperada de fechamento partira de Coriolano de Góis, delegado que após se indispor com os estudantes em São Paulo fora transferido para o Rio, onde terminara recompensado com o prestigioso cargo de chefe de Polícia do Distrito Federal.[80]

O fato de o truculento Coriolano ter chefiado também, muitos anos antes, a polícia do ex-presidente Washington Luís já vinha sendo encarado por Oswaldo Aranha como uma afronta à memória do movimento de 1930. Uma frase atribuída a Washington, aliás, servia para ilustrar a situação: "Getúlio teve frustrada a sua caçada, pois está se valendo agora dos meus cachorros".[81]

Oswaldo definia seu sentimento como de "amargura íntima". Não entendia como Getúlio apoiara semelhante ato de brutalidade contra uma organização que sempre trabalhara pelo alinhamento militar, econômico e cultural do Brasil com os Estados Unidos. Presidida pelo general Manuel Rabelo, ministro do Supremo — hoje Superior — Tribunal Militar (STM), a Sociedade Amigos da América congregava, é verdade, um amplo leque de apoios, que iam da União Nacional dos Estudantes a certos setores da oposição liberal. Mas seria um exagero rotulá-la de "antro de comunistas", como queriam os núcleos mais conservadores do governo.[82]

A determinação de fechar a SAA, no entender de Oswaldo Aranha, era uma demonstração de que ele perdera total prestígio nos altos escalões do governo. O gesto rude de Coriolano significara um desacato ao ministro das Relações Exteriores e, no limite, uma grosseria contra um amigo do presidente da República. Sentindo-se ultrajado, Oswaldo solicitou a imediata demissão da pasta.

"Eu fui vítima de um Pearl Harbor policial", comparou.[83]

Em resposta, como em ocasiões anteriores, Getúlio pediu-lhe que refletisse melhor sobre o assunto. Consultasse o travesseiro. Quando estivesse mais calmo, conversariam a respeito.[84]

No dia seguinte, a indignação de Oswaldo aumentou. Ele participava do almoço semanal dos rotarianos ao lado de integrantes da SAA, no Automóvel Clube do Brasil, quando foi surpreendido pela chegada ruidosa de um destacamento policial, que ordenou a evacuação do recinto. O fato de um ministro ser expulso de uma reunião pública, por ordem da polícia, foi demais para Oswaldo, que decidiu deixar o governo, sem mais cobrar satisfações a Getúlio. Na mesma tarde, redigiu o pedido de exoneração e o endereçou ao Catete. Passadas quase duas semanas, não recebeu nenhuma resposta oficial à mensagem.[85]

"Getúlio, há dez dias aguardo a minha demissão. Não mereci, nesses longos dez dias, qualquer decisão tua ou do governo", escreveu. "Essa demora só posso interpretar como mais uma falta de consideração ao amigo e ao ministro. Nada mais me resta, pois, do que deixar o ministério por ato próprio, do que te dou comunicação e darei às nossas missões diplomáticas."[86]

O último cabeça do movimento de 1930 ainda com assento no governo acabara de pedir demissão. Da condição de amigo íntimo do presidente, Oswaldo Aranha passou a ser investigado como um potencial adversário do regime. Benjamim Vargas, que assumira a função de intermediário entre o Catete e as autoridades policiais, submeteu o ex-chanceler a cerrada vigilância, dada a proximidade do demissionário com Virgílio de Melo Franco, signatário do "Manifesto dos mineiros". Magoado, Oswaldo preferiu sair temporariamente de circulação, recolhendo-se ao haras que havia montado em Vargem Grande, bairro afastado do centro do Rio.[87]

"A minha saída prende-se a imperativos de consciência e de normas de ação", declarou. "Quando o amor morre, o afastamento é sempre a atitude mais digna e elegante."[88]

O principal arquiteto do alinhamento brasileiro com os Estados Unidos fora expelido do governo, por desconcertante coincidência, no exato momento em que a FEB mandava os primeiros contingentes para lutar na Europa ao lado dos norte-americanos. Oswaldo, em tal circunstância, perdia a chance de se autorizar como o nome ideal para conduzir a transição democrática, como muitos haviam imaginado, sobretudo o Departamento de Estado, em Washington. "Peço que transmita a Aranha meu mais profundo pesar pessoal com sua exoneração", telegrafou um contrafeito secretário Cordell Hull ao embaixador Jefferson Caffery.[89]

O terreno ficava livre para Getúlio assumir, sozinho, e por conta própria, a condução do processo de abertura.

"É preciso *ganhar o tirão*", aconselhou o secretário da presidência da República, Luiz Vergara, ao conterrâneo Getúlio.[90]

No vocabulário dos pampas, "ganhar o tirão" significa partir na frente do adversário, antecipar-se, tomar a iniciativa em uma peleja. Em vez de simplesmente se conformar em vestir as bombachas e voltar às coxilhas de São Borja, o presidente deveria se adiantar e promover a abertura política, impedindo que os oposicionistas tomassem para si essa crucial bandeira de luta.

"É preciso não esquecer que o espírito popular reage negativamente diante das situações e dos espetáculos que pela repetição, pela continuidade, acabam dando a sensação de monotonia, de cansaço, de envelhecimento", advertiu Vergara, a respeito das reiteradas solenidades cívicas do Estado Novo. "A necessidade de mudar, de ver caras e coisas diferentes, ou que pareçam diferentes, não ocorre só na vida individual", comparou o secretário, por escrito, em uma análise de conjuntura enviada para a avaliação de Getúlio.

> O povo se cansa dos figurantes da encenação governamental, como se cansa e se desinteressa dos comediantes que no palco se apresentam todos os dias, vestindo do mesmo modo, entrando e saindo pelas mesmas portas, usando dos mesmos truques e fazendo as mesmas momices. Quando isso acontece, o teatro fica às moscas.[91]

Vergara propunha que Getúlio agisse como um produtor teatral ameaçado de falência. "Como procedem os empresários inteligentes e os artistas verdadeiros? Trocam os cartazes, substituem os figurantes, mudam de repertório e às vezes até o teatro de lugar", detalhou.

Isso significa oferecer coisas novas, dar novidades, prender a atenção do público e evitar-lhe o cansaço, a sensação desagradável de monotonia, de rotina. Assim acontece ou deve acontecer no palco maior da vida política. Quantas revoluções se teriam evitado se, nos governos, os responsáveis tivessem o cuidado de proceder como os bons empresários ou bons encenadores de comédias?[92]

A sugestão de Vergara era mudar tudo para, no fundo, tudo continuar exatamente da mesma forma: "De todos os homens que estão no governo, só um não pode sair, porque é o criador e afiançador da situação. É também, sem lisonja, o único que sabe reagir ao cansaço público".[93]

Getúlio, ao que parece, gostou da metáfora. Ele também já vinha sentindo a necessidade de alterar o script, variar o cenário, trocar os atores, sacudir a plateia. Tanto era assim que já encomendara a Marcondes Filho, ministro simultâneo do Trabalho e da Justiça, o roteiro jurídico para encaminhar uma abertura política sob o devido controle do governo.[94]

Entretanto, para lançar mão da mesma analogia proposta por Luiz Vergara, restava saber se o público pagante iria aprovar a nova encenação e aplaudir, de pé, ao término do último ato. Ou, ao contrário disso, se os figurantes excluídos da cena principal não iriam se rebelar contra o protagonista, alterando o final da história, transformando, talvez, a farsa em tragédia.

20. "Estou resolvido ao sacrifício, como um protesto, marcando a consciência dos traidores" (1944-5)

"Vim para acabar com o Estado Novo", disse Góes Monteiro a Getúlio, no Palácio Guanabara, na tarde de 1º de novembro de 1944.[1]

O general acabara de chegar de um almoço no Iate Clube oferecido pelo alto comando do Exército ao ministro da Guerra, Eurico Gaspar Dutra. Na ocasião, em conversas com colegas de farda, Góes constatara um clima de descontentamento generalizado na caserna em relação ao governo. A ampla maioria dos oficiais situados na cúpula da corporação concordava que não fazia mais sentido a manutenção da ditadura ante o triunfo inexorável da democracia sobre as potências do Eixo.[2]

"Não se pode compreender que o Brasil, que nesse momento combate as nações totalitárias, permaneça sendo ele próprio um Estado totalitário", reforçou Góes, recém-convertido ao ideário democrata.[3]

Para sua surpresa, Getúlio concordou. Segundo o presidente, as avaliações do general eram razoáveis. Chegou até a indagar a Góes o que ele faria caso estivesse em seu lugar, sentado na cadeira presidencial, imbuído da delicada tarefa de administrar a restauração das liberdades políticas.[4]

"Eu decretaria uma nova Constituição amanhã mesmo", respondeu o militar, de bate-pronto, em um ato falho que deixou aflorar sua verdadeira vocação autocrática. Talvez por ter percebido a incoerência da própria formulação, reconsiderou: "Mas reconheço a inexequibilidade disso. Aconselho-o a empregar o método clássico, isto é, convocar uma Assembleia Constituinte, que depois de eleita decidirá os destinos do país".[5]

Góes estivera onze meses afastado do Brasil, como embaixador extraordinário junto ao Comitê de Emergência e Defesa Política da América, em Montevidéu, cargo que ocupara desde a sua saída da chefia do Estado-Maior. Retornara ao Rio de Janeiro dois dias antes, quando então tivera a oportunidade de discutir pela primeira vez, com Dutra, a situação anômala do país. Ambos haviam decidido que era necessário encaminhar, o mais breve possível, o processo de transição para a abertura do regime. Receptivo, Getúlio disse contar com a ajuda dos dois generais nos desdobramentos da questão. Mas a princípio descartava a ideia de convocar uma Constituinte. Em vez disso, buscaria uma solução "mais condizente com a realidade brasileira".[6]

"Procure o Marcondes Filho", sugeriu Getúlio, após informar a Góes que o ministro da Justiça e do Trabalho estava encarregado dos estudos que deveriam dar origem ao anteprojeto de abertura.[7]

O ano terminou, entretanto, sem Góes Monteiro ter conseguido marcar um único encontro com Marcondes, que parecia assoberbado demais com a tarefa de pilotar o expediente normal de dois ministérios e, ainda por cima, preparar o terreno para a distensão. Como se não bastasse a tripla carga de atribuições, Marcondes comandava um programa semanal de dez minutos na Rádio Mauá, inserido também na *Hora do Brasil*, no qual divulgava ao operariado mensagens ufanistas que encerravam sempre com o mesmo bordão: "Boa noite, trabalhadores do Brasil".[8]

Góes ficou irritado com o aparente descaso do ministro, que também não encontrou tempo na agenda para conceder um horário a Dutra, a fim de discutir pelo menos com o titular da Guerra, como era de esperar, os rumos da democratização. No entender dos generais, isso indicava que a distensão, se estivesse realmente sendo gestada nos bastidores do Catete, parecia fadada a ser conduzida apenas pela ala civil do governo, sem as devidas consultas ao setor militar. Sentindo-se escanteados, Góes e Dutra começaram a se articular com outros generais para debater o problema, em reuniões semanais de alto coturno.[9]

A impressão disseminada nos quartéis era que o Estado Novo, fundado com o aval das Forças Armadas, precisaria também ser enterrado pelos militares, uma vez que até aquele instante o presidente não dera demonstrações concretas de que se dispunha a deixar o poder por vontade própria. Um grupo de civis logo se aproximou dos generais, estabelecendo um núcleo conspirativo que compreendia elementos dos mais variados matizes, desde "carcomidos" da Primeira República, a exemplo do ex-presidente Artur Bernardes, a antigos aliados do governo, como Flores da Cunha e Virgílio de Melo Franco, passando ainda por exilados como Otávio Mangabeira e os liberais quatrocentões de São Paulo, organizados em torno de Júlio de Mesquita Filho.[10]

Os fatos seguiam nesse ritmo de indefinições quando, no início de janeiro de 1945, Getúlio subiu para a residência oficial de verão em Petrópolis e, num fim de tarde, antes de arrumar a escrivaninha e dar por encerrado mais um dia de trabalho no Palácio Rio Negro, mandou chamar ao gabinete o secretário Luiz Vergara.

"O Marcondes trouxe hoje essa papelada sobre aquele nosso assunto", disse. "Leva para casa, examina e traz de volta amanhã de manhã. Vamos ver se recuperamos o tempo perdido, porque os acontecimentos estão se precipitando", observou, passando às mãos de Vergara um dossiê com 43 páginas datilografadas, classificadas sob a rubrica de "Confidencial".[11]

Na manhã seguinte, com um ar insone e olheiras típicas de quem passara a noite acordado, o secretário encontrou o presidente lendo os jornais do dia. As manchetes eram quase todas internacionais e descreviam com letras graúdas os avanços dos Aliados nos campos de batalha. O Exército Vermelho bombardeara Budapeste e já encurralara as tropas alemãs na Hungria. Em meio a fortes nevascas, soldados norte-americanos e britânicos estavam conseguindo debelar a contraofensiva nazista nas Ardenas, forçando a retirada das divisões germânicas Panzer da região. Fortalezas voadoras, os famosos B-29, ameaçavam varrer o Japão do mapa. Também mereciam destaque diário as façanhas na Itália da FEB, cujos pracinhas enfrentavam um terrível inimigo na campanha pelo domínio dos montes Apeninos: o frio rigoroso do inverno europeu.[12]

Além das razões de governo, Getúlio tinha um interesse particular nas notícias que chegavam do front. Lutero estava na cidade italiana de Livorno, incorporado ao 1º Grupo de Aviação de Caça, servindo como médico em um hospital de guerra coordenado pelos norte-americanos. De quando em vez, aparecia uma foto do filho, envergando o uniforme militar, nas páginas dos principais matutinos cariocas.[13]

Vergara entrou na sala com os mesmos papéis da véspera nas mãos. Erguendo os olhos dos jornais, Getúlio perguntou-lhe se havia lido o documento elaborado por Marcondes, conforme recomendara. O secretário, que além do abatimento físico parecia trazer os nervos à flor da pele, não conseguiu controlar o palavrão:

"Perdi a noite de sono depois de examinar esta merda!"[14]

Getúlio tomou um susto. Vergara não era dado a explosões do gênero. Somente algo de muito grave faria um funcionário discreto e compenetrado como ele perder as estribeiras dessa forma. O presidente jamais admitiria tal comportamento por parte de um subordinado, mas a reação do secretário foi tão inesperada que o desarmou. Apenas se levantou da cadeira e, com uma fisionomia contrariada, redarguiu:

"Parece que estás meio nervoso... Mas, afinal, homem, o que achaste, o que te fez perder assim o sono?"[15]

Vergara tomou fôlego. Procurou se acalmar. Mas, ainda trêmulo, sem conseguir esconder o tamanho do desapontamento, disse que Marcondes Filho produzira uma aberração, da primeira à última folha. Sob qualquer aspecto que se analisasse o documento, fosse do ponto de vista político ou mesmo da perspectiva jurídica, as propostas do ministro não teriam o menor cabimento. Se Getúlio ousasse pôr aqueles planos em prática, previu o secretário, iria desencadear uma campanha de resistência tão violenta contra o governo que nenhuma força no mundo seria capaz de debelá-la.[16]

"Não compreendo como Marcondes, inteligente como é, advogado brilhante e bem-dotado politicamente, levou tanto tempo para apresentar soluções completamente inaproveitáveis. Nem parecem ter sido elaboradas por ele, e sim por algum colaborador encapuzado, adversário do senhor", concluiu Vergara.[17]

Getúlio ouviu a crítica em silêncio. Ao final, pediu que o secretário deixasse os papéis sobre a mesa. Iria reexaminar o dossiê para tentar tirar alguma nova conclusão a respeito do caso. Porém, mal Luiz Vergara saiu pela porta, o oficial de gabinete Andrade Queiroz foi chamado pelo presidente, que lhe entregou a mesma pasta, pedindo que interrompesse tudo que estivesse fazendo, lesse aquilo e, em no máximo uma hora, trouxesse tudo de volta com uma avaliação pessoal sobre o conteúdo.[18]

"O Vergara achou muito ruim. Mas isso talvez seja, em parte, efeito de noite maldormida ou de usar um travesseiro duro, que não é saudável nem favorece os sonhos de bons augúrios", comentou Getúlio.[19]

Findo o prazo estabelecido, Queiroz retornou à sala acabrunhado. Sentia muito, mas era obrigado a dizer que, sinceramente, também não gostara nem um pouco do que lera. Consideraria uma imprudência o governo acolher as soluções apresentadas pelo ministro Marcondes Filho. Getúlio, decepcionado com a segunda análise negativa, agradeceu e dispensou o funcionário, sem alongar a conversa. Recolheu os papéis e os colocou numa gaveta.[20]

As propostas de Marcondes Filho eram, de fato, temerárias. Em síntese, sugeriam que a Constituição de 1937 fosse mantida, depois de maquiada em alguns artigos específicos. A modificação de maior monta dizia respeito ao artigo 175, que determinava a extensão do mandato do presidente da República. Segundo o texto constitucional em vigor, o governo de Getúlio começara a ser recontado com a assinatura da Polaca e deveria ter se estendido até a realização do plebiscito, que nunca fora convocado. Pois Marcondes sugeria que o texto fosse reescrito, de forma a determinar que o mandato do presidente começasse a ser contado a partir da "aprovação", e não da "vigência" da Constituição, ou seja, após a realização efetiva da consulta popular plebiscitária originalmente prevista.[21]

A sugestão era que o Catete, por meio de um decreto-lei, convocasse as eleições presidenciais e o plebiscito, que deveriam se realizar no mesmo dia. Com um único movimento das pedras no tabuleiro, a Polaca ganharia legitimidade e, por consequência, seria aberto um novo período presidencial. Para completar o plano que o ministro julgou infalível, seria lançado um manifesto exigindo a candidatura de Getúlio, fazendo-se circular um abaixo-assinado pelo país, no qual se afirmaria, com todas as vírgulas: "A Nação inteira está profunda, e plenamente, convencida de que o atual presidente da República, em virtude de fatos antecedentes e presentes da sua sabedoria política, é a individualidade mais capaz de dirigir o Brasil, em tão difíceis momentos do mundo atual e futuro".[22]

A coroar o casuísmo, Marcondes Filho recomendava que as eleições fossem realizadas quase de imediato, a 15 de abril, o que impediria o surgimento e a viabilidade de uma candidatura de oposição mais sólida e com chances plausíveis de vitória. Dada a exiguidade de tempo, em vez de se proceder a um rigoroso alistamento eleitoral no país, propunha-se que os cidadãos aptos a votar poderiam comparecer às urnas munidos apenas da cédula de identidade, da carteira de trabalho ou da ficha de inscrição no instituto de previdência. Três meses após a votação para presidente, seriam convocadas as eleições para o Legislativo, seguindo-se o modelo corporativo, por meio da representação de associações de classe e sindicatos reconhecidos pelo governo.[23]

"Isso não é uma eleição, é uma burla", opinou Dutra, quando teve acesso ao documento.[24]

Até mesmo pessoas do círculo familiar de Getúlio acharam que Marcondes exagerara na dose. O genro Amaral Peixoto classificou o anteprojeto como "horroroso". Em confidência ao sogro, disse que não sabia o que, naquele amontoado de contrassensos, lhe parecia mais incoerente, se a manutenção da Polaca, a desfaçatez de alterar uma palavra da Constituição para mudar por completo o sentido de um artigo tão categórico ou a possibilidade de dispensar o alistamento dos eleitores e, assim, abrir a porteira para um festival de irregularidades no dia da votação.[25]

"Com essa lei, presidente, se eu quiser, elejo até o Ladislau", disse Amaral Peixoto, fazendo menção ao contínuo do Palácio do Ingá. "A proposta se presta a todo tipo de fraudes. Além do mais, é uma ignomínia, uma coisa vergonhosa. O governo não precisa disso."[26]

Um documento sem assinatura, preservado nos arquivos pessoais de Getúlio, indicava a forma de se preparar a opinião pública para a estratégia continuísta. Também sob a rubrica de "Confidencial", o plano previa, entre outros itens, uma grande campanha de sindicalização dos trabalhadores, inclusive rurais, para depois "selecionar os nomes mais representativos e mais integrados ao regime". Por sua vez, as delegacias regionais do Ministério do Trabalho deveriam ser ocupadas "por pessoas de capacidade e eficiente autoridade sobre os sindicatos, e que serão mais tarde nomeadas presidentes das juntas eleitorais". Em simultâneo, deveria ser organizado um prontuário com o nome de todos os prefeitos, juízes de direito e funcionários públicos municipais, "recomendando-se aos interventores, eventualmente, a substituição ou remoção das autoridades suspeitas ao governo".[27]

Em paralelo, seria administrada à população uma dose maciça de propaganda oficial:

Preparar a publicação de uma pequena, mas incisiva, biografia do presidente, mostrando, de modo irrefutável, que ele constitui o maior capital de experiência humana, política e administrativa que o Brasil atualmente possui [...], e que só ele, portanto, será capaz de fazer o Brasil penetrar e caminhar com segurança no mundo futuro. O livro deverá inundar o país em momento oportuno.

Preparar, desde já, uma bem escolhida coleção de pequenas palestras gravadas em discos, destinadas às estações de rádio. Tais palestras de propaganda a respeito da necessidade de ordem, da autoridade do presidente, das virtudes deste, das realizações do Estado Nacional, de combate à demagogia, de apelos patrióticos, de diretrizes eleitorais etc. etc. etc. [sic] serão entremeadas nos programas de todas as estações de rádio nos momentos convenientes, formando um ambiente nacional que ninguém conseguirá vencer.

Preparar uma série de filmes nacionais, subordinada ao título "O que o presidente realiza", para divulgar, em momento oportuno, mostrando o que éramos, o que hoje somos e o que poderemos ser pela continuidade das obras em andamento sob as diretrizes do presidente.

Preparar, desde já, um folheto de divulgação da Constituição, escrito em linguagem simples, de emoção patriótica, de sensibilidade e até mesmo de certa poesia, de acordo com a índole brasileira, provando com acontecimentos bons e maus de outros países que quem está com a realidade é a nossa Carta política. Esse trabalho que se subordinaria ao título "Em louvor de nossa Constituição" explicaria ainda o mecanismo eleitoral e os perigos da má escolha dos candidatos.

Preparar uma série de cartazes de alta sugestão, firmados por artistas, para a propaganda, no momento eleitoral, dos objetivos necessários ao êxito da campanha.

Intensificação no país, pelo processo da bola de neve, da consciência de que visto e considerado o conjunto de qualidades, de equilíbrio, serenidade, tolerância, impessoalidade, experiência, clarividência, bondade, inteligência, antevisão, serviços, estima pública, plástica, persistência, confiança, pan-brasilidade, predestinação, necessárias a um presidente da República na época que atravessamos, só mesmo Getúlio Vargas.[28]

Depois de mais de sete anos sem ler uma única linha contra si nos grandes jornais do país, Getúlio ficou irritado ao folhear a edição do *Correio da Manhã* de

22 de fevereiro de 1945 e se deparar com uma entrevista concedida por José Américo de Almeida ao jornalista Carlos Lacerda. "É preciso que alguém fale, e fale alto, e diga tudo, custe o que custar", lia-se em um trecho que reproduzia as declarações do ex-ministro da Viação. "Para atender às solicitações da guerra e à consciência dos brasileiros, o país precisa de um governo de concentração nacional. Ora, um governo não se compõe de um homem providencial e de um povo anestesiado." No turbilhão de críticas disparadas contra o desempenho ditatorial de Getúlio à frente da presidência, Américo não economizara farpas nem mesmo para os festejados progressos da legislação trabalhista: "Ela é avançada no papel, mas não produz os benefícios apregoados. Está atrofiada pela burocracia e deformada pela propaganda".[29]

José Américo, que jamais perdoara a desfeita de Getúlio em 1937, quando este atropelara sua candidatura presidencial por meio do golpe que instituiu o Estado Novo, defendia a necessidade imediata de eleições, mas fazia uma importante ressalva. "Só três brasileiros, na minha opinião, não podem ser candidatos à presidência da República nesta quadra. Os dois primeiros somos eu e o meu antigo competidor na malograda sucessão presidencial de 37, o sr. Armando de Sales Oliveira." Conforme o entrevistado, daquela vez, ele e Sales marchariam unidos, em benefício da restauração democrática.

> O terceiro é o Sr. Getúlio Vargas, porque se incompatibilizou com as forças políticas do país. Malsinou tanto os políticos e as organizações partidárias em seus recentes discursos, que os mais sensíveis, isto é, os mais briosos, já se arregimentam contra ele. E o que convém à nação é um homem capaz de fazer convergirem para o seu nome e o seu programa todas as correntes de colaboração.

Ao final, Américo afirmava que as forças políticas de oposição já tinham escolhido um candidato. Apesar disso, não o nomeou. Tentou fazer mistério. Disse apenas que o indicado era "um homem cheio de serviços à pátria, que representa uma garantia de retidão e de respeito à dignidade do país".[30]

Estava rompido o rígido bloqueio imposto pela censura à imprensa brasileira. Costa Rego, redator-chefe do *Correio da Manhã*, aceitara publicar o torpedo, que outros jornais haviam recusado por temer as costumeiras represálias do governo. O dono do periódico, Paulo Bittencourt, estava no México e de lá autorizou a edição do material explosivo. Rego, feitas as contas do prejuízo financeiro, calculou que o *Correio* tinha um estoque de papel suficiente para aguentar seis meses sem a subvenção oficial.[31]

"Em seis meses, acho que vocês derrubam Getúlio, não derrubam?", indagou, ao grupo de oposicionistas que haviam lhe levado uma cópia da entrevista — o jornalista Arnon de Mello (pai do futuro presidente Fernando Collor de Mello), o intelectual Luís Camilo de Oliveira (demitido da chefia da Biblioteca do Itamaraty por ter assinado o "Manifesto dos mineiros") e o major Juracy Magalhães, um dos principais articuladores militares da conspiração em andamento.[32]

Getúlio via confirmados os rumores de que os adversários andavam tramando uma candidatura de oposição — ainda que as eleições não estivessem sequer oficialmente marcadas —, para assim forçar a abertura do calendário eleitoral e pôr o governo na defensiva. Embora a entrevista de José Américo tenha ocultado o nome do candidato de resistência, já corria de boca em boca a notícia de que o indicado seria o major-brigadeiro Eduardo Gomes, que acabara de se exonerar da 2ª Zona Aérea, sediada em Recife. Aos 48 anos, um dos míticos sobreviventes dos "Dezoito do Forte", criador do Correio Aéreo Nacional, o brigadeiro desfrutava de uma imagem positiva junto à opinião pública, era respeitado pela classe política e, em especial, gozava de amplo prestígio junto aos colegas militares.[33]

Tão logo soube dos primeiros murmúrios de que Eduardo Gomes estava sendo requestado pelos inimigos do regime, Getúlio ensaiara uma manobra preventiva que, todavia, não produzira o resultado esperado. Por meio do ministro da Aeronáutica, Joaquim Pedro Salgado Filho, acenara com a possibilidade de conceder ao brigadeiro uma comissão nos Estados Unidos para afastá-lo do país — mas a oferta foi rechaçada.[34] No mesmo dia em que o *Correio da Manhã* estampou a entrevista que desmoralizou a censura, *O Globo* pôs nas ruas uma edição extra na qual ouvia também José Américo, que dessa vez não fez segredo e confirmou aos leitores do jornal de Roberto Marinho:

"O candidato será o major-brigadeiro Eduardo Gomes."[35]

Getúlio sentiu-se colocado no canto do ringue, atirado contra as cordas, de guarda baixa, exposto aos socos do adversário. Os oponentes haviam lhe tomado a iniciativa da luta. Era preciso pensar e reagir rápido, para não ir a nocaute logo no primeiro assalto.

Entre as muitas louvações que se seguiram na imprensa a Eduardo Gomes, o *Correio da Manhã* publicou um poema laudatório de Manuel Bandeira, intitulado "O brigadeiro":

Depois de tamanhas dores,
De tão duro cativeiro
Às mãos dos interventores,
Que quer o Brasil inteiro?
  — O Brigadeiro!

Havia informações seguras de que o lançamento da candidatura de Eduardo Gomes, que despertara um frêmito de entusiasmo na caserna, era apenas a fachada de uma operação clandestina. Integrantes da oposição andavam assediando Eurico Gaspar Dutra, na busca de atrair o ministro da Guerra a uma ação armada para depor Getúlio. O ex-presidente Artur Bernardes já abordara Dutra nesse sentido. José Américo, idem. Como atrativo irrecusável, sugeriram a organização de uma junta militar governativa, formada por ele, Dutra, representando o Exército, o brigadeiro Eduardo Gomes, a Aeronáutica, e o almirante Ari Parreiras, a Marinha.[36]

João Neves da Fontoura, que desde 1943 exercia o cargo de embaixador brasileiro em Portugal, chegou ao Rio de Janeiro e foi surpreendido, ao desembarcar, pela informação de que o governo estava prestes a ruir. Informado do problema, Neves seguiu para Petrópolis e jantou com Getúlio no Palácio Rio Negro. O presidente pareceu-lhe inseguro quanto à própria permanência no poder.[37]

Ao fim da conversa, Neves chegou à conclusão de que havia três providências a serem tomadas, em caráter de urgência. A primeira, indicou, era fazer o Catete recuperar a prerrogativa das ações, definindo regras eleitorais claras e marcando o pleito para uma data próxima, eliminando as desconfianças de continuísmo. A segunda, procurar manter o ministro da Guerra a uma distância segura dos conspiradores, neutralizando a corrente golpista. A terceira, enfim, era fabricar um candidato apto o suficiente a derrotar Eduardo Gomes nas urnas. Naquelas circunstâncias, apenas outro militar seria capaz de dividir as Forças Armadas e impor um dique ao furor despertado pelo nome do brigadeiro nos quartéis. E, na percepção de João Neves, só havia alguém com o perfil adequado para desempenhar esse papel com efetiva desenvoltura: Eurico Gaspar Dutra.[38]

"Ou o senhor lança a candidatura do general Dutra ou será deposto ainda nesta semana", concordou o interventor de Pernambuco, Agamenon Magalhães, que Getúlio mandara chamar em Recife para assumir o Ministério da

Justiça no lugar de Marcondes Filho, cujo dossiê merecera a repulsa geral da equipe de governo.[39]

Getúlio percebeu que não havia alternativa à vista. Se adotasse a fórmula continuísta de Marcondes, os militares o escorraçariam do Catete nos próximos dias. Se deixasse Dutra sendo objeto do assédio dos conspiradores, correria o risco de perder o único ponto formal de apoio que ainda lhe restava nas Forças Armadas. Assim, a contragosto, para tentar retomar o comando da democratização, afrouxou a censura sobre os jornais e promulgou em 28 de fevereiro a Lei Constitucional nº 9, que determinava a futura volta do Parlamento e fixava o prazo de noventa dias para que fosse marcada a data das eleições presidenciais, seguidas da votação para o Congresso.[40]

A imprensa, após tantos anos tolhida em seu direito de livre expressão, dispensou uma pororoca de críticas à nova lei. As manchetes condenaram, em especial, a manutenção da Constituição autoritária e a convocação de eleições sem a suspensão prévia dos mecanismos de exceção, que permaneciam em vigor. Pela Lei nº 9, qualquer emenda constitucional proposta pelo Congresso teria que ser aprovada por um plebiscito, o que na prática esvaziava as funções do Legislativo. "Em moldes totalitários: mantidos os poderes ditatoriais do presidente da República", condenou, no alto da primeira página, o *Diário Carioca*.[41]

Procurado pelos jornalistas, Góes Monteiro disse que não se alongaria sobre o assunto. Mas mandou um recado a Getúlio:

"A Lei nº 9 não modifica substancialmente a Constituição de 1937. Tudo quanto eu tinha a dizer sobre o atual momento brasileiro já o fiz. Seriam redundantes novas declarações. Só com o domínio integral da lei sobre o arbítrio é que poderão ser asseguradas todas as liberdades fundamentais."[42]

Até mesmo Francisco Campos, o autor da Polaca, abasteceu as páginas dos jornais com notícias contra o governo. "Entregue o poder, sr. Getúlio Vargas!" — foi a frase pinçada de uma entrevista com Chico Ciência que foi parar dois dias depois na manchete do *Diário*. "A Constituição de 1937 caducou. Nossa organização política foi moldada sob a influência de ideias que não resistiram ao teste da luta. A contar de dois anos para cá, mudou a fisionomia política do mundo", justificou Campos. "O sr. Getúlio Vargas já pensou demais em si mesmo. É tempo de ele pensar também um pouco no Brasil."[43]

As chefias de redação aproveitaram o momento para divulgar notícias que antes haviam ficado retidas na peneira da censura. Só então, a 4 de março, os leitores dos principais jornais do país tomaram conhecimento de que o I Congresso Nacional de Escritores, realizado em janeiro no Teatro Municipal de São Paulo, havia encerrado seus trabalhos com a assinatura de uma declaração de princípios com quatro itens, aprovados por unanimidade, exigindo a liberdade de expressão, o voto livre, a soberania popular e a urgente reorganização política do país. Entre os participantes do encontro, despontavam Afonso Arinos, Aníbal Machado, Caio Prado Júnior, Dionélio Machado, Francisco de Assis Barbosa, Guilherme Figueiredo, Hermes Lima, Jorge Amado, Mário de Andrade, Murilo Rubião, Otto Lara Resende e Sérgio Milliet. Se a vetusta Academia Brasileira de Letras estava com Getúlio, os associados da combativa União Brasileira de Escritores estavam perfilados na oposição.[44]

O precedente serviu para que um grupo de jornalistas, em 10 de março, publicasse um manifesto repudiando a Lei nº 9 e declarando apoio a Eduardo Gomes, o "candidato do povo". "Já é tempo de acabar com o absurdo de ostentarmos uma democracia só para uso exterior", dizia o texto, assinado por Apparício Torelly, Austregésilo de Ataíde, Arnon de Mello, Edmar Morel, Lêdo Ivo, Moacir Werneck de Castro, Raimundo Magalhães Júnior, Vinicius de Moraes, entre muitos outros. Os artistas plásticos publicaram logo em seguida seu próprio documento em defesa da "restauração das liberdades públicas e do regime democrático em plenitude".[45]

Na mesma semana, um almoço no restaurante Lido, no Rio, reuniu duzentos intelectuais contra Getúlio. Aurélio Buarque de Holanda, Carlos Drummond de Andrade, Graciliano Ramos, José Lins do Rego, Lucia Miguel Pereira, Peregrino Júnior e Sérgio Buarque de Holanda compareceram e assinaram a ata da reunião. Naquele dia, o poeta Murilo Mendes anunciou que deixaria de colaborar com *A Manhã*, porta-voz oficioso da ditadura, enquanto Carlos Lacerda divulgou uma lista de algumas das proibições que o DIP, ao longo do tempo, infligira aos jornais. Entre os assuntos vetados constava o pedido de aumento de salário feito pelos seringueiros da Amazônia, engajados na campanha "Guerra da Borracha", que recrutara 55 mil brasileiros, especialmente nordestinos, para produzir 100 mil toneladas do produto a fim de abastecer os Aliados durante a guerra. Milhares desses "voluntários" morreram de malária e padeceram do abandono nas frentes de trabalho no meio da selva. A imprensa fora impedida de veicular qualquer notícia que destoasse do tom apoteótico da propaganda oficial.[46]

A relação completa dos temas proibidos pelo governo incluía desde as prosaicas profecias de videntes e quiromantes sobre os destinos do conflito mundial até denúncias de corrupção e suborno na administração pública. As críticas negativas à biografia autorizada de Getúlio, escrita pelo austríaco Paul Frischauer, também foram submetidas ao crivo implacável dos censores. Os distúrbios estudantis em São Paulo, os impasses entre especialistas a respeito do acordo ortográfico que vinha sendo discutido entre Brasil e Portugal, a greve de funcionários da Companhia Siderúrgica então em obras, a ação dos cangaceiros no Nordeste e as filas provocadas pelo desabastecimento igualmente constavam do índex.[47]

A efervescência no meio das elites civis era acompanhada da excitação crescente no setor militar. Informes chegados a Getúlio davam conta de que o coronel Juarez Távora — que um dia desfrutara de grande prestígio no governo, a ponto de ser apelidado de "vice-rei do Norte" — abordara o general Dutra, também tentando convencê-lo a renunciar ao Ministério da Guerra e aderir ao movimento pela deposição do presidente da República.[48]

Pressionado por todos os flancos, em 14 de março Getúlio enfim convocou Dutra ao Rio Negro para tratar da questão sucessória. O ministro da Guerra, solicitado a fazer uma análise do cenário político, considerou que o ambiente era amplamente desfavorável ao governo. A oposição estava cada vez mais aguerrida e a pré-candidatura de Eduardo Gomes canalizara as insatisfações tanto civis quanto militares. O Exército, de acordo com Dutra, se pusera em estado de expectativa vigilante. Qualquer gesto que indicasse uma solução continuísta seria rechaçado pelos quartéis, resumiu o ministro da Guerra.[49]

"Mas eu não serei candidato", garantiu-lhe Getúlio. "O senhor irá à presidência da República, porque eu quero", comunicou, não sem deixar transparecer na voz certo "azedume", de acordo com o testemunho de Dutra.[50]

A rapidez com a qual o interlocutor aceitou o convite, sem ao menos pedir tempo para refletir, deixou Getúlio ressabiado.[51] Mas no mesmo dia mandou chamar Góes Monteiro para informá-lo de que o Catete lançaria a candidatura do ministro da Guerra à presidência da República. Getúlio, segundo Góes, estaria "visivelmente emocionado", "desataviado nos seus raciocínios", "como se estivesse sob a ação de um tóxico". O general ficou surpreso com o atordoamento momentâneo do presidente, de hábito um homem frio, experiente em dissimular as próprias ansiedades.[52]

"Se meus inimigos me ameaçam com uma espada, eu lhes responderei com outra", anunciou.[53]

A perspectiva de ser derrubado por um golpe militar, de fato, desnorteara Getúlio. Após o anúncio público da candidatura de Dutra, sem nenhum indício de que a crise seria passageira, ele redigiu à mão, em papel timbrado do gabinete da presidência, um documento muito pouco conhecido pela posteridade. Dez páginas que podiam ser interpretadas como uma antecipação da famosa carta-testamento de 1954:

[...]
O lançamento inicial da candidatura de um militar tinha o propósito de confusão da ordem. A linguagem de certos jornais, os discursos ativistas de velhos políticos despeitados, as declarações de alguns professores, muitos deles por mim nomeados, de que meu governo não era legal, obedeciam a um preparo prévio da opinião, com esse objetivo.

Tudo isso se fazia sob a alegação de que eu pretendia candidatar-me a um novo período presidencial, nas próximas eleições. Embora fosse um direito normal nos regimes democráticos pleitear os sufrágios de meus concidadãos, esse era o pretexto para a desordem.

Não desejando que meu nome fosse causa de uma guerra civil, principalmente estando o Brasil empenhado numa guerra externa, declarei, de público, que não era candidato.

Sugeri então a candidatura do ministro da Guerra, general Eurico Gaspar Dutra, colaborador do meu governo, como candidato da ordem contra a desordem. À medida que essa candidatura tomara vulto, pela articulação das forças políticas, fui tendo conhecimento dos entendimentos secretos do referido general, já de algum tempo, com elementos da oposição que se diziam meus adversários e até meus inimigos.

Um ex-presidente da República que se notabilizara no governo por um espírito vingativo, pelas perseguições e violências que praticara e delas se justificava, na época, afirmando que a ordem estava acima da lei, foi procurar o ministro da Guerra, propondo-lhe um golpe de força para depor-me do governo.

Mais tarde vim a saber também que a entrevista do tristemente célebre Francisco Campos fora previamente mostrada ao ministro da Guerra e por ele aprovada. Cai a coragem do panfletário.

As declarações de José Américo, os entendimentos secretos com Juarez Távora e Juracy Magalhães, também não deixam dúvidas sobre o assunto. O aliado de véspera dos oposicionistas, assim que lhe acenei com a candidatura, transformou-se em contendor do brigadeiro.

Não tenho razão para duvidar da lealdade das Forças Armadas de minha pátria, as quais sempre prestigiei. Nenhum governo esmerou-se tanto pelo seu fortalecimento quanto o meu. Nenhum cuidou tanto de sua preparação profissional, do selecionamento dos seus quadros, do aumento de seus efetivos, de seu equipamento, da melhoria de suas condições materiais e do seu conforto. Não tenho para elas senão sentimentos de apreço e admiração.

Fui traído apenas por um chefe militar, no qual depositei toda confiança e cumulei de benefícios, seguido por alguns asseclas interessados e interesseiros. A demagogia, a intriga, a traição imperaram, sem controle, amparadas por esses maus elementos e principais responsáveis.

Não havia ideias, nem programas, nem diretrizes construtivas, nos meus opositores. Só o incitamento à desordem. Certos jornalistas sem educação cívica, movidos por interesses subalternos, e alguns políticos torpes ou vesânicos foram os principais instrumentos dessa situação. A intriga e a calúnia, aceitas e até animadas por elementos que cercavam o próprio candidato por mim apresentado e detentor da força que eu lhe pusera nas mãos, tomaram de mim um prisioneiro torturado pelas agressões de uns e pela suspeita cavilosa de outros.

Esse candidato é um homem primário, instintivo, desconfiado, desleal, com ambições superiores ao seu merecimento e cercado por uma camarilha doméstica, civil e militar, que o domina sem contraste, falando ora em nome do povo, ora do Exército, sem representar nem a um, nem a outro. Senti que estava traído e sem um ponto de apoio. Não poderia reagir porque bradariam, conforme o ambiente por eles criado, que eu preparava um golpe para continuar no poder.

Resolvido a manter minha palavra de que não seria candidato, preferi transigir com essa situação angustiante. E continuei orientando os acontecimentos para a solução político-eleitoral já definida pela apresentação dos dois candidatos militares.

Estava eu, porém, ameaçado, a cada momento, de deposição por um golpe de força. Por isso redigi estas notas à guisa de informação, para que sejam publicadas, se vierem a confirmar-se esses fatos por mim esperados. Escravo de minha palavra empenhada, de forma pública e solene, estou firmemente decidido a resistir, mesmo isolado, a qualquer golpe de traição ou violência.

Não ser candidato para evitar a desordem é um ato de abnegação e desinteresse que meu país tem o direito de esperar de minha parte. Resistir à violência para me depor do governo é um dever. Primeiro, porque não resistir seria um ato de fraqueza, incompatível com a dignidade do cargo e a felonia dos agressores. Segundo, porque constituiria um mau exemplo para o futuro.

Lúcido e consciente, estou resolvido a esse sacrifício para que ele fique como um protesto, marcando a consciência dos traidores. Se sucumbir, vítima de uma agressão, deixarei aos meus autores morais e materiais, como um legado de infâmia, a ignomínia do atentado que contra mim praticarem.

Sinto que o povo brasileiro a quem nunca faltei, no amor que por ele tenho e na defesa de seus direitos e legítimos interesses, está comigo.

Ele me fará justiça!

13 de abril de 1945

Getúlio Vargas[54]

Getúlio sempre preferiu passar o aniversário longe do Rio de Janeiro, cercado apenas pelos familiares e pelos pouquíssimos amigos que faziam parte de seu círculo privado. Apesar de os rituais do Estado Novo terem incluído o dia do nascimento do presidente entre as datas magnas do calendário cívico nacional desde 1938, ele sempre encontrava uma forma de sair de circulação a cada 19 de abril. Não foi diferente naquele ano de 1945, quando completava 62 anos de idade (ou 63, de acordo com o batistério original). Recolhido ao Sítio Cafundó, em Petrópolis, propriedade da filha Alzira e do genro Amaral Peixoto, recebeu como principal presente do dia o retorno do filho Lutero, que chegara da Europa na véspera, após se licenciar do hospital onde prestara serviço em Livorno.[55]

Lutero Vargas voltava ao Brasil sozinho. Separara-se da alemã Ingeborg ten Haeff, que passara a morar com o segundo marido, o arquiteto Paul Lester Wiener, em Nova York. Em 1942, Lutero e Inge haviam vivido cerca de um ano nos Estados Unidos, a convite do Office of the Coordinator of Inter-American Affairs coordenado por Nelson Rockefeller — ocasião na qual o primogênito de Getúlio obtivera uma bolsa de estudos para estagiar em importantes centros ortopédicos norte-americanos instalados em Baltimore, Boston, Detroit, Chicago, San Francisco, Los Angeles e Memphis.[56]

Nessas idas e vindas, o casamento começou a naufragar quando Lutero passou a ter encontros extraconjugais com a socialite americana Nancy Tuckerman, que depois viajaria à Itália para encontrar, na Roma libertada, o amante latino.[57]

A filha do casal desfeito, a menina Cândida Darcy, de três anos, seria criada pelo tio Espártaco, casado com América Fontella Vargas, residente no Rio Grande do Sul.[58] Ingeborg deixou a filha sob os cuidados da família do ex-marido e iniciou uma bem-sucedida carreira de artista plástica nos Estados Unidos, casando-se posteriormente, pela terceira vez, com o escritor e tradutor John Githens — autor de *Ten Haeff's Paintings* e *Ten Haeff Drawings*, sobre a obra da esposa —, com quem viveu no Greenwich Village até ela morrer, em 2011, aos 95 anos.

No dia do aniversário, no Cafundó, Getúlio preferiu não ler os jornais que chegavam do Rio e cujas edições destacavam os dois assuntos mais candentes da semana. O primeiro era a repercussão da entrevista concedida na antevéspera pelo brigadeiro Eduardo Gomes à imprensa, pregando a necessidade de suspensão da Polaca e o retorno à Constituição de 1934, além da conveniência de Getúlio se afastar do poder e passar a condução do país ao Judiciário, para que o processo de transição pudesse ser feito livre da tutela do Executivo. Gomes defendia que o presidente do Supremo Tribunal Federal, o cearense José Linhares, assumisse interinamente o governo, enquanto o futuro chefe de Estado não fosse eleito e tomasse posse. "Todo o poder ao Judiciário" — foi a bandeira que os partidários do brigadeiro passaram a desfraldar em seus pronunciamentos públicos.[59]

O segundo assunto a mobilizar a atenção dos jornais naqueles dias era a decisão do STF de acolher os habeas corpus impetrados em favor de um grupo de exilados e presos políticos. Premido pelas circunstâncias, sempre objetivando readquirir a dianteira do processo de distensão, Getúlio mandara o Ministério da Justiça elaborar um decreto-lei anistiando todos os envolvidos em crimes contra a segurança nacional desde 1934 — o que incluía, portanto, os participantes do movimento comunista de 1935 e do levante integralista de 1938. Antes mesmo da assinatura do dispositivo, a Justiça começou a ordenar a libertação de prisioneiros e autorizar o retorno dos expatriados.[60]

"O sr. Getúlio Vargas faz anos hoje. A data vai passar como a de qualquer mortal. Satisfação da família, telegramas de alguns amigos, cuja quantidade varia de acordo com a posição do aniversariante", dizia uma nota estampada na primeira página do *Diário Carioca*, ilustrada por uma caricatura do presidente. "O ditador poderia, no transcorrer do dia de hoje, tirar alguns momentos para pensar no Brasil. Pensar bem no que fez nos últimos sete anos. E tomar uma atitude que satisfaça os brasileiros. O dia de hoje permite esse exame de consciência."[61]

As desconfianças de Getúlio em relação a uma possível traição de Eurico

Gaspar Dutra se refletiram no desinteresse ostensivo do governo em relação à candidatura oficial. Em nenhum momento o presidente prestou maiores apoios logísticos e estratégicos à campanha. Esvaziados, os comícios ganharam contornos de retumbante fracasso. Nos discursos públicos, Getúlio simplesmente ignorava a existência do candidato ou, no máximo, fazia referências burocráticas ao seu nome. Em um dos episódios mais constrangedores do período pré-eleitoral, Dutra, no interior de um trem, por trás da janela de vidro, observou o vagão ser cercado por manifestantes. Por julgar que eram seus partidários, abriu a janela para cumprimentá-los. Mas, em resposta, ouviu apenas uma sonora vaia, seguida de brados em favor do brigadeiro Eduardo Gomes.[62]

O fato levou muita gente nos salões do Catete a imaginar que Getúlio Vargas abandonaria o ministro da Guerra a qualquer momento, recorrendo à velha tática de buscar um tertius ou, quem sabe, de se lançar ele mesmo à disputa, desafiando os riscos embutidos na manobra continuísta. Fontes do governo estimavam que a população civil, em particular os operários e trabalhadores em geral, ficariam do lado do presidente e lhe dariam o apoio popular necessário para enfrentar os presumíveis golpistas. Em meio às comemorações do aniversário, Getúlio foi questionado a respeito pelo jornalista José Maciel Filho, que se tornara íntimo da família.

"Dr. Getúlio, nós, seus amigos, não merecemos o castigo que nos quer impor. Por que não decide logo se candidatar e acabar com essa guerra de nervos?", indagou Maciel Filho.[63]

"Você está olhando para um homem que não sabe mais qual é o seu dever. Estou diante de um dilema", reconheceu um amargurado Getúlio. "Sinto que precisaria aguentar um pouco mais, esperar o término da guerra, e preparar o país para o tempo de paz, passar o governo ao meu sucessor e retirar-me definitivamente da política. Isto levaria, no máximo, um ano", calculou. "Mas cansei e estou enojado de tanta infâmia e vilania, a minha vontade é renunciar, entregando o governo por que tanto anseiam, e ir aproveitar este resto de vida." Depois de uma de suas pausas características, arrematou: "Mas, se eu fizer isto, deixarei um rastilho de pólvora".[64]

Por volta de oito horas da noite, a vaga humana que se formou no largo da Carioca, no centro do Rio, resolveu seguir em direção à rua Senador Dantas, a caminho da Glória. O número de manifestantes era tão gigantesco que, quando os primeiros começaram a tomar conta da praça Paris, quase dois quilômetros adiante, ainda havia centenas de pessoas assumindo lugar na cauda da passeata, no local original da concentração. A caravana ganhou volume ainda mais impressionante ao encontrar outro contingente que descia a rua da Lapa, caminhando em idêntico sentido. Comprimidos em um bloco compacto, os dois grupos rumaram então pela rua do Catete, rumo à sede do governo. Nos estandartes, bandeiras, faixas e cartazes, uma frase se destacava entre as demais: "Queremos Getúlio!".[65]

Ao tomar conhecimento de que o presidente estava no Guanabara, a multidão rumou para as Laranjeiras, tomando caminho pela rua Paissandu. Minutos depois, o mar de gente se concentrou na rua Pinheiro Machado, até que os portões do palácio fossem abertos de par em par. Os jardins ficaram tomados pela aglomeração em questão de segundos. Passava pouco das nove da noite quando Getúlio Vargas apareceu nas escadarias, acenando para o público. De todos os lados pipocaram vivas e aplausos.[66]

"Que-re-mos Ge-tú-lio! Que-re-mos Ge-tú-lio! Que-re-mos Ge-tú-lio!", ouvia-se, em ritmo cadenciado.

Erguendo os braços no ar, com as mãos espalmadas, o presidente sinalizou que iria falar aos manifestantes.

> Ao homem que se aproxima do fim de suas atividades públicas, e que outro desejo não tem senão o de recolher-se à tranquilidade de seu lar, é profundamente comovedor e eloquente este movimento a que acabo de assistir. [...] Estou plenamente vingado, porque nenhuma outra vingança desejaria exercer. Em toda parte procurei atender às necessidades dos que trabalham. Não gostam de mim apenas os gozadores e os sibaritas, aqueles que vivendo em abundância não querem pagar aos homens que trabalham uma justa remuneração dos seus serviços. [...] Sem pretender comparar-me, na minha humildade, sigo os preceitos do Divino Mestre e com Ele repetirei as palavras do Evangelho: "Perdoai-os, Senhor, porque eles não sabem o que fazem!".[67]

As folhinhas com o retrato oficial do presidente, distribuídas pelo DIP, indicavam a data de 30 de agosto de 1945. Não era a primeira vez, nem seria a última, que multidões ganhariam as ruas do Rio de Janeiro em eventos semelhantes, para exigir a permanência de Getúlio Vargas no Catete. A palavra de ordem "Queremos Getúlio" deu origem ao apelido do movimento que logo se espalhou como uma catapora política pelo país: "queremismo". Apesar de continuar afirmando que não seria candidato à própria sucessão, o presidente não desestimulava aquelas romarias populares em torno de seu nome, o que só fazia aumentar as suspeitas de que estivesse preparando um bote para se perpetuar no poder.

Um observador internacional privilegiado, o embaixador britânico Sir Donald Saint Clair Gainer, fazia uma avaliação diferente. "Vargas está firmemente resolvido a não aceitar novo mandato, mas está permitindo que a campanha queremista continue por razões de vaidade pessoal e para mostrar que, embora haja pressão para que fique, ainda assim está resolvido a se retirar e descansar." De acordo com Gainer, Getúlio insuflava aquela demonstração de força popular para evitar que seus inimigos tomassem quaisquer medidas violentas contra ele e sua família, "e para deixá-lo sair com mais dignidade do que se houvesse um clamor generalizado por sua retirada".[68]

A essa altura, antecipando-se ao prazo legal de noventa dias antes da eleição, Dutra se desincompatibilizara do Ministério da Guerra para se dedicar a uma candidatura que continuava anêmica, sem despertar o menor entusiasmo na população. Do outro lado, Eduardo Gomes contava com boa parte da imprensa a seu favor, além de uma penetração razoável nas classes médias urbanas e do apoio declarado de largos segmentos da oficialidade. Como exigia a lei eleitoral decretada no final de maio por Getúlio, dois grandes partidos foram inicialmente criados para dar sustentação ao pleito, marcado afinal para 2 de dezembro. O Partido Social Democrático (PSD) congregou os principais interventores nomeados pelo Estado Novo em torno de Dutra, enquanto a União Democrática Nacional (UDN), frente ampla e antigetulista, endossou as pretensões do brigadeiro. Para canalizar o apelo popular da legislação a favor dos trabalhadores, Getúlio incentivou o surgimento de uma terceira agremiação de peso, o Partido Trabalhista Brasileiro (PTB), composto de lideranças sindicais que a princípio se dividiram entre uma adesão discreta a Dutra e a tendência manifesta de abraçar o queremismo.[69]

As candidaturas do PSD e da UDN já estavam lançadas quando Getúlio tentou duas derradeiras cartadas. Primeiro, como se quisesse ganhar tempo e repetir a estratégia diversionista de 1937 — e com o evidente objetivo de dividir as Forças Armadas —, ainda chegou a sugerir a candidatura de Góes Monteiro, a quem chamara para substituir Dutra no Ministério da Guerra, sempre com o intuito de unir-se ao inimigo ante a impossibilidade de derrotá-lo em um confronto armado direto. Góes recusou-se a entrar na disputa e, para assumir a pasta, arrancara um compromisso solene de Getúlio: o de manter inalterada a data das eleições, em dezembro.[70] Todavia, já se cristalizara entre os udenistas e alguns militares o juízo de que apenas o afastamento prévio do presidente garantiria eleições limpas.

"Espontaneamente ou à força, a substituição do sr. Getúlio Vargas representa o caminho mais seguro para levar a nação à realização dos seus anseios democráticos", confirmou o general Ari Pires, em carta a Góes Monteiro.[71]

Percebendo que o cerco se fechava, Getúlio autorizou João Neves a negociar sob sigilo uma solução conciliatória, para evitar um golpe que já parecia certo. Prometia renunciar à presidência e entregar o governo a Góes, "em nome da paz interna". Mas a oferta foi repelida por um dos cardeais da UDN, o ex-deputado fluminense Raul Fernandes, após consultas à executiva do partido e ao próprio Eduardo Gomes. Os udenistas não queriam se arriscar a ver a ditadura apenas mudar de mãos. Góes Monteiro, cristão-novo do liberalismo, não despertava maiores confianças, dado o passado então recente como baluarte do Estado Novo.[72]

Esgotadas as fórmulas habituais para tentar neutralizar os adversários, Getúlio passou a estimular abertamente o queremismo, assumindo uma dubiedade quase esquizofrênica, ora se declarando fora da disputa presidencial, ora autorizando a transmissão dos comícios do movimento em cadeia nacional de rádio. O industrial paulista Hugo Borghi — que lutara a favor de São Paulo em 1932, mas estava grato ao governo após fazer fortuna com o negócio do algodão para o exterior ao longo da guerra — era um dos financiadores da campanha pela manutenção do presidente. Borghi se tornou um dos defensores mais entusiasmados de uma das principais bandeiras de luta dos queremistas: o adiamento das eleições e a convocação imediata de uma Assembleia Nacional Constituinte, sob o lema "Constituinte com Getúlio".[73]

Ironia das ironias, os adversários do regime, que no início do ano pediam a reconstitucionalização imediata do país, mudaram de ideia, alterando a ordem dos fatores: primeiro deveria ser escolhido o presidente, só depois convocada a Constituinte. E os getulistas como Marcondes Filho, que até há pouco tempo descartavam fazer a convocação prévia da assembleia, preferindo antecipar o calendário eleitoral e jogar a substituição da Polaca para as calendas gregas, também alteraram a perspectiva: as eleições podiam esperar, a Constituinte deveria vir antes.

Naquele jogo de tantos sinais contrários, que se alternavam conforme a evolução dos fatos, o queremismo encontrou um aliado aparentemente improvável na figura do principal líder das esquerdas brasileiras, Luís Carlos Prestes, que saíra da prisão beneficiado pela anistia, após nove anos de detenção. O comunista — uma das principais vítimas do arbítrio do Estado Novo, o militante radical que tivera a companheira Olga Benario extraditada e morta em um campo de concentração nazista — deixou a cadeia elogiando o governo e defendendo Getúlio contra os alardeados golpistas. Cobrado por parcela da militância e pela opinião pública, Prestes se justificou:

"A anistia é esquecimento, e eu, da minha parte, estou disposto a esquecer."[74]

O antigo comandante da Coluna Invicta afirmava que Getúlio merecia um crédito de confiança, por ter manifestado a coragem de romper com o Eixo e declarar guerra aos nazifascistas. Prestes elogiava ainda a decisão então recente do governo de reatar as relações oficiais do Brasil com a União Soviética, aderindo à estratégia norte-americana de promover uma aliança mundial entre as nações que colaboraram para a derrota de Hitler. O líder alemão, segundo fontes oficiais, se suicidara em abril, após a destruição de seu bunker, em Berlim, dois dias depois de o corpo de Mussolini ser exposto pela Resistência italiana em praça pública, de cabeça para baixo, pendurado pelos pés, em Milão.

O líder comunista discursou para as 10 mil pessoas que lotavam as arquibancadas do estádio do Vasco da Gama, em um comício que marcou a libertação dos presos políticos:

> A anistia foi obra também de *nosso* governo, deste mesmo governo que, dando volta atrás nas suas tendências inaceitáveis para o povo, vencendo dificuldades mil, criadas sempre pelos reacionários que o comprometiam e que, infelizmente em grande parte o comprometem, preferiu ficar com o povo.[75]

As palavras de Prestes inquietaram os quartéis. Muitos imaginaram que Getúlio, como medida final de desespero, estava mancomunado com os extremistas de esquerda. O fato de o governo ter decretado em junho uma lei de combate aos trustes e cartéis econômicos, dando amplos poderes ao Catete para expropriar empresas nativas ou estrangeiras consideradas perniciosas ao interesse nacional, ajudou os que queriam a todo custo associar Getúlio aos comunistas. A chamada Lei Malaia — assim apelidada por causa das feições asiáticas do ministro da Justiça, Agamenon Magalhães — foi demonizada por Assis Chateaubriand, que passou a ver sob ameaça os seus Diários Associados, o maior conglomerado de comunicações do país.[76]

"Nesses últimos anos, minha vida foi estar de carabina na porta dos Associados para defender este patrimônio. E acho que se eu não fosse paraibano, e do sertão, esse gaúcho já tinha me comido", protestou Chatô.[77]

Até o número do decreto-lei antitruste, 7666, serviu para ilações a respeito da suposta natureza satânica da medida. Houve também quem atribuísse ao laboratório político do Catete uma série de greves que começaram a despontar no país, a exemplo do movimento paredista dos estivadores em Santos e o dos motoristas em São Paulo. De acordo com tais interpretações, o governo teria deliberado apostar em um estado de convulsão social, para estabelecer um quadro dramático de anarquia, propício à suspensão das eleições.[78]

"Estou acompanhando o dr. Getúlio com o dedo no gatilho", revelou Dutra a Vitorino Freire, membro do diretório nacional do PSD. "Ele não me apanhará de surpresa."[79]

O pretexto de exorcizar o fantasma vermelho da subversão, utilizado por Getúlio para justificar o golpe do Estado Novo em 1937, se voltava contra ele, oito anos depois. No Brasil, o truque era velho. Mas, de forma surpreendente, sempre funcionava.

Em 3 de outubro, no 15º aniversário do movimento de 1930, Lutero Vargas tentou se aproximar do Guanabara, mas percebeu que era impossível seguir adiante. Mais uma das colossais concentrações queremistas arrastara milhares de pessoas às ruas do Rio de Janeiro. Todas as vias de acesso ao palácio estavam entupidas de gente. "Desisti de abrir caminho e fiquei no meio do povo, na altura da Senador Correa", recordaria mais tarde Lutero.[80]

No gabinete presidencial, antes de sair à sacada para saudar a multidão, Getúlio conversou com a filha Alzira. Disse que seu maior desejo seria anunciar a renúncia, depois descer as escadarias e se misturar no meio daquela gente que gritava seu nome lá fora, numa aclamação consagradora. Mas os próprios ministros militares o haviam dissuadido do pretenso gesto, pois ninguém conteria a turba ou conseguiria manter a ordem depois disso.[81]

A foto publicada no dia seguinte na primeira página de *A Manhã* era espantosa. Em plano aberto, mostrava um aspecto do comício que, iniciado mais uma vez no largo da Carioca, derivara para a passeata rumo à residência oficial. Até onde a lente da câmera conseguira alcançar, não havia um único espaço vazio. Milhares de manifestantes, homens e mulheres, de roupas formais ou uniformes de trabalho, com chapéus que formavam um conjunto quase infinito de pontinhos claros sob um fundo mais escuro, atestavam o sucesso indiscutível da concentração pública em homenagem a Getúlio.[82]

"Há crescente convicção de que, em uma eleição livre nesse momento, o presidente Vargas, se fosse candidato, provavelmente ganharia, em grande parte porque os elementos operários e as classes mais baixas votariam nele", analisou o novo embaixador dos Estados Unidos no Brasil, Adolf Berle Junior.[83]

Ex-professor de economia em Harvard e de direito corporativo na Universidade Columbia, o ilustrado Adolf Berle fora um dos mentores do New Deal.[84] Enviado ao Rio de Janeiro no início do ano, remetera vários despachos a Washington analisando o panorama político do país. Em todos eles, afirmava que Getúlio lhe parecia sincero na promessa de realizar as eleições em 2 de dezembro para, depois disso, passar o poder ao sucessor, seguindo as regras combinadas. "O presidente Vargas está tentando manter as coisas nos trilhos e continuar levando o Brasil para a democracia, apesar da grande pressão exercida sobre ele por elementos comunistas de um lado e queremistas de outro", telegrafou ao Departamento de Estado.[85]

Apesar dessa convicção reiterada diversas vezes na correspondência diplomática aos superiores, Berle considerou que seria o caso de providenciar, na primeira oportunidade possível, um atestado do interesse norte-americano em ver consolidado o processo brasileiro de abertura política. No mínimo, cogitou o embaixador em mensagem a Washington, seria uma forma de alertar o país sobre o perigo da associação dos queremistas com os comunistas e, ao mesmo tempo, brecar a ação subterrânea da UDN — que vinha tentando angariar o apoio dos Estados Unidos para patrocinar um golpe contra Getúlio.[86]

Quatro dias antes daquela grande manifestação do queremismo em comemoração ao 3 de outubro, Berle aproveitara um almoço que lhe fora oferecido pelo Sindicato dos Jornalistas, no Hotel Quitandinha, em Petrópolis, para executar seus planos e fazer um discurso em nome da democracia. Por deferência ao presidente da República, fora ao Guanabara e fizera uma leitura prévia do texto para Getúlio, na expectativa de obter sua concordância com os termos sugeridos. O português pedregoso do embaixador, porém, acabara enfadando o ouvinte, que quase cochilara durante a audiência.[87]

Getúlio não dera a devida atenção às palavras que o norte-americano tentara decifrar no papel datilografado, em um suplício que se estendera por vários minutos. Por isso mesmo, o presidente ficou irritadíssimo quando, no dia seguinte, viu certos trechos do mesmo discurso transcritos em letra de fôrma nos jornais mais influentes do Rio. Postas no papel, as mesmas palavras pareciam ter ganhado um novo significado. SENSACIONAL DISCURSO DO EMBAIXADOR BERLE — foi a manchete do *Diário Carioca*.[88]

A imprensa fez uma interpretação seletiva do texto. Minimizou as passagens nas quais o diplomata afirmava que o governo dos Estados Unidos considerava a palavra empenhada de Getúlio, ao garantir eleições para dezembro, acima de qualquer suspeita. "Não concordam os americanos com aqueles que se esforçam em representar essas promessas e declarações solenes como insinceras ou mero embuste verbal." Era, sem dúvida, um duro recado para os udenistas, que preferiram destacar os segmentos nos quais Berle, censurando os defensores da tese de "Constituinte com Getúlio", afirmava que elaborar ou emendar uma Constituição era um ato normal da experiência democrática, "mas não é menos do que trágico quando essa tarefa é permitida para interromper ou impedir um governo democrático".[89]

Subsistiria entre os getulistas, para todo o sempre, a suspeita — infundada, à luz dos arquivos do Departamento de Estado em Washington — de que o discurso de Berle era uma espécie de salvo-conduto da Casa Branca, insatisfeita com a lei antitruste, aos golpistas abrigados na UDN.[90] Na verdade, o episódio poderia ser considerado, no limite, uma imperdoável gafe diplomática, uma intervenção indevida de um representante estrangeiro na política interna do país, mas vendida pelos jornais da época como prova cabal de que os norte-americanos estavam empenhados em derrubar o Estado Novo, a menos de dois meses das prometidas eleições.[91]

"Não precisamos ir buscar exemplos nem lições no estrangeiro", desabafou Getúlio no discurso aos queremistas. "Atravesso um momento dramático de minha vida pública e preciso falar ao povo com prudência e lealdade", definiu. "Devo dizer-vos que há forças reacionárias poderosas, ocultas umas, ostensivas outras, todas contrárias à convocação de uma Constituinte. Posso afirmar-vos que, naquilo que de mim depender, o povo pode contar comigo."[92]

No dia 10 de outubro, Getúlio surpreendeu a todos baixando um decreto-lei antecipando para 2 de dezembro as eleições estaduais, antes marcadas para maio do ano seguinte, fazendo-as assim coincidir com o pleito presidencial. Para os que o acusavam de não gostar de urnas, ele preparara uma verdadeira overdose eleitoral. A UDN, porém, classificou a manobra como um "golpe de tinteiro": por meio de uma canetada, Getúlio teria lançado o país à confusão, obrigando os interventores que desejassem concorrer aos governos estaduais a se desincompatibilizar e passar o cargo, provisoriamente, a funcionários indicados pelo Catete.[93]

Pelo raciocínio dos udenistas, os interventores interinos poderiam usar a máquina administrativa para manipular a eleição federal ao seu bel-prazer, e ao mesmo tempo providenciar para que os estados ficassem nas mãos de candidatos de confiança do getulismo. Tanto para Eduardo Gomes como para Dutra, seria um péssimo negócio.[94]

"Não há na história desse país, nem de nenhum outro país civilizado do mundo, exemplo de maluquice semelhante", protestou em editorial José Eduardo Macedo Soares. "Um ditador escorraçado, nas vascas da agonia de seu governo, delegando poderes que não possui, faculta aos seus agentes burocráticos uma farsa sinistra."[95]

Naquela mesma tarde, Dutra ligou para um dos principais articuladores da solução golpista nos quartéis, o general Ângelo Mendes de Morais, diretor de pessoal do Exército. Queria saber se não seria o momento propício para pôr a tropa na rua. Depois de avaliar as circunstâncias, ambos consideraram que ainda não era a hora adequada. Como justificar a derrubada de um presidente que, em vez de suspender, antecipava eleições? Melhor aguardar.[96]

Afinal, a espera parecia ser apenas uma questão de dias. Luís Carlos Prestes, Hugo Borghi e um dos fundadores do PTB, José Segadas Viana, estavam convocando o povo para mais uma concentração pública, dali a duas semanas, dessa vez reunindo comunistas, queremistas e trabalhistas na mesma manifestação a favor de Getúlio.

Bastava espalhar o boato de que, nesse dia, 26 de outubro, uma sexta-feira, o presidente iria baixar um decreto convocando a Constituinte e suspendendo as eleições. A central de rumores trabalhou a todo vapor. No dia 24, quarta, o *Diário Carioca* alardeou, em manchete:

"Vargas vai dar o golpe sexta-feira."[97]

Epílogo
(29 de outubro a 1º de novembro de 1945)

Como todo bom militar, Góes Monteiro acordava cedo, ao primeiro raio de sol. Naquela segunda-feira, já barbeado, tomara café e se preparava para sair de casa quando o telefone tocou. Do outro lado da linha estava João Alberto. O antigo revolucionário tenentista, ex-comandante de um dos destacamentos da Coluna Prestes e ex-interventor de São Paulo, tinha uma notícia para dar ao general. Mas preferia falar-lhe pessoalmente, dada a natureza do tema.[1]

Como ambos moravam no Leblon e Góes estava de saída para o Ministério da Guerra, combinou de passar na residência do amigo, para irem conversando durante o caminho. No automóvel, ao longo da avenida Atlântica, João Alberto abriu o jogo. Depois de ter sido embaixador no Canadá, presidir a Coordenação da Mobilização Econômica criada pelo Estado Novo e, por último, responder pela chefatura geral de polícia, iria assumir uma nova função de proeminência no governo. Estava para ser nomeado, dali a poucas horas, prefeito do Distrito Federal. A mudança de posto iria provocar uma pequena dança de cadeiras, explicou. O então ocupante da prefeitura, Henrique Dodsworth, deveria ser deslocado para Lisboa, como representante do Brasil em Portugal. A chefia da polícia passaria às mãos de Benjamim Vargas, o irmão caçula de Getúlio.[2]

Confirmava-se assim o boato que circulava na cidade havia alguns dias. Segundo se comentava, em suas peregrinações noturnas pelos cassinos e cabarés do Rio, Bejo andava se vangloriando de que em breve seria nomeado para o comando da polícia — e de que mandara encomendar trezentos colchões novos para abastecer as celas onde pretendia enfurnar os que estavam conspirando contra o governo.[3]

A reação de Góes à informação passada por João Alberto foi de enérgica repulsa. Quatro dias antes, em seu último despacho com o presidente, este lhe garantira que, depois do polêmico decreto-lei antecipando as eleições estaduais, não haveria mais surpresas às vésperas do pleito presidencial. Um grupo de generais havia confiado ao ministro da Guerra a entrega de um memorando ao Catete, exigindo a revogação imediata do referido decreto ou, pelo menos, a substituição dos interventores que se desincompatibilizassem por integrantes do Judiciário — e não por funcionários de confiança do governo. Getúlio ainda não dera nenhuma resposta ao documento, mas Góes teria conseguido abrandar os ânimos dos colegas, sustentando que não admitiria, enquanto estivesse no comando da pasta, contrafações de última hora.[4]

A súbita nomeação de Bejo, no entender de Góes Monteiro, mudava tudo. Quando se divulgasse a notícia, o general ficaria desmoralizado ante o resto da tropa, pois isso seria um sinal claro de que sua palavra não tinha nenhum valor. Góes disse não ter dúvidas de que a alteração nos quadros obedecia a um plano sorrateiro de Getúlio com o intuito de se perpetuar no poder. O comício que deveria ter ocorrido na sexta-feira anterior, anunciado como uma manifestação de unidade dos queremistas, comunistas e trabalhistas, fora cancelado após uma portaria da chefatura de polícia ter proibido o evento, em nome da manutenção da ordem. Por consequência, a oficialidade dos quartéis iria interpretar a mudança como uma represália direta a João Alberto — e como demonstração evidente de que o Catete apelaria para a conhecida truculência de Bejo como resposta aos opositores.[5]

"O presidente está faltando com todos os compromissos e deveres para comigo, que estou me sacrificando para mantê-lo no governo até a eleição de seu sucessor", urrou Góes. "É inconcebível e inadmissível que eu venha a sofrer um golpe tão brutal. Mas, com isso, a carreira política do dr. Getúlio também está liquidada. Ele não pode se sustentar no poder sem mim."[6]

João Alberto sugeriu que Góes se acalmasse. A nomeação de Bejo ainda não fora assinada. Getúlio poderia voltar atrás, reconsiderar a questão. Mas o general não se tranquilizou.

| FIFTEEN CENTS | AUGUST 12, 1940 |

TIME

THE WEEKLY NEWSMAGAZINE

BRAZIL'S VARGAS
"As Americans we are strong."
(Foreign News)

VOLUME XXXVI — NUMBER 7

Getúlio na capa da *Time* em agosto de 1940: "Como americanos, nós somos fortes".

Pôsteres do Departamento de Imprensa e Propaganda (DIP) produzidos durante o Estado Novo.

"Crianças!
Aprendendo, no lar e nas escolas, o culto da Pátria, trareis para a vida prática todas as probabilidades de êxito.
Só o amor constrói e, amando o Brasil, forçosamente o conduzireis aos mais altos destinos entre as Nações, realizando os desejos de engrandecimento aninhados em cada coração brasileiro."

O "culto da pátria" era uma das tônicas do discurso da primeira fase da chamada Era Vargas.

Aimée Simões Lopes e Alzira Vargas.

Aimée, Getúlio e Alzira, em Minas Gerais.

Alzira Vargas e o marido, Ernani do Amaral Peixoto, interventor do estado do Rio.

O casamento civil de Lutero Vargas, filho mais velho de Getúlio, com a alemã Ingeborg ten Haeff, no Palácio Guanabara.

Acima, Getúlio Vargas Filho, o Getulinho, no batizado de Getúlio Vargas Neto, filho de Jandira. Ao lado, Darcy Vargas.

Getúlio Vargas, no Palácio Guanabara, em 1942.

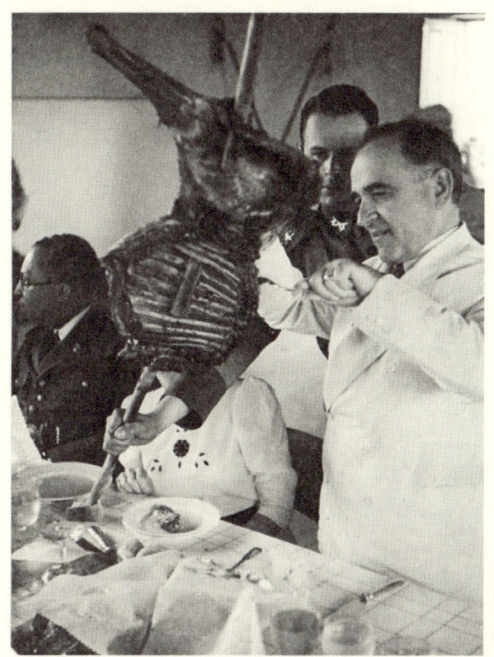

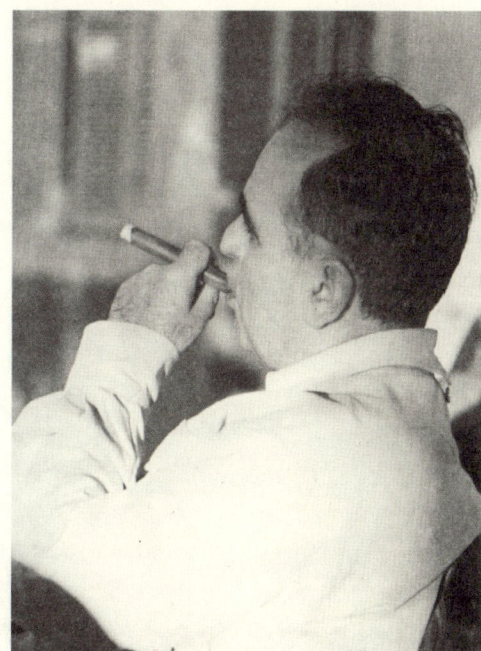

Três flagrantes de viagens ao interior do Rio Grande do Sul.

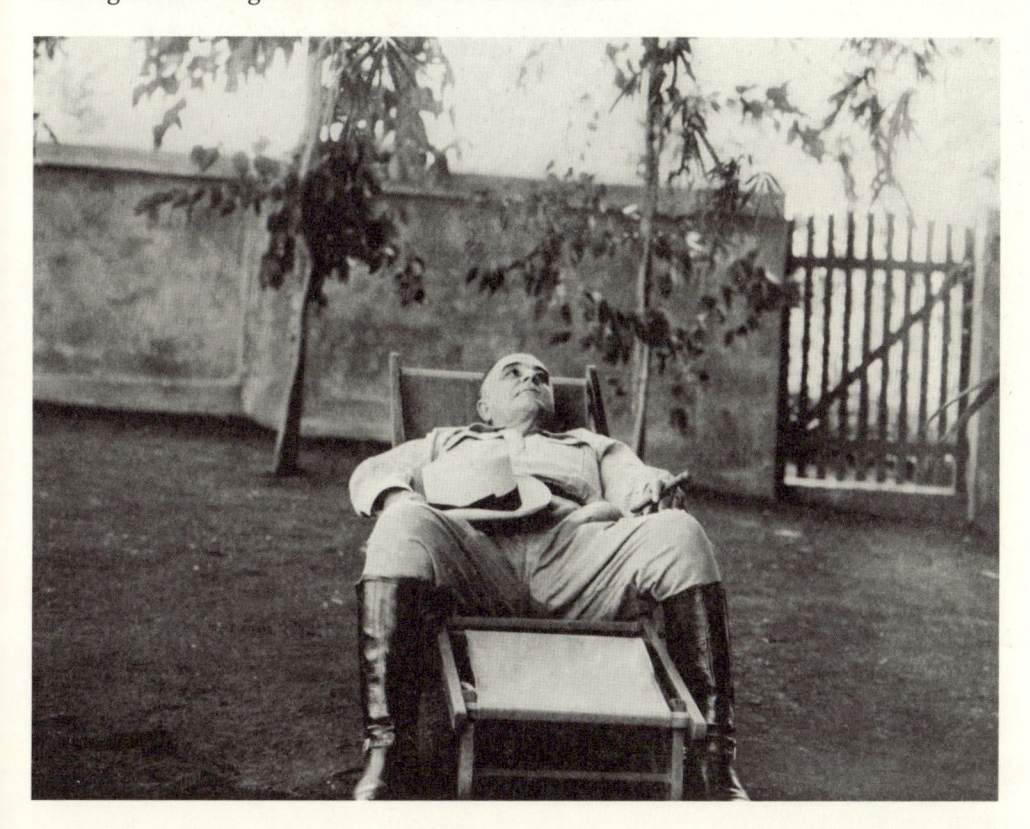

As solenidades cívicas durante o Estado Novo foram marcadas por grandes multidões e pelo uso ostensivo de imagens em louvação a Getúlio.

A imprensa precisou se adequar ao patriotismo exacerbado: capas de J. Carlos para revistas da época.

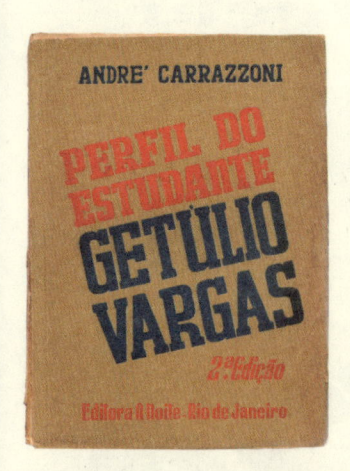

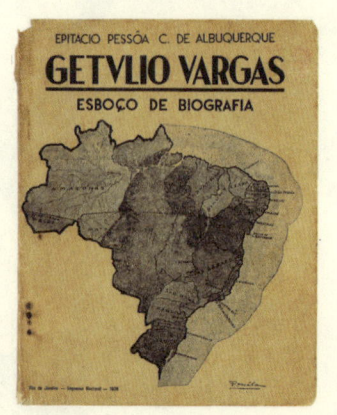

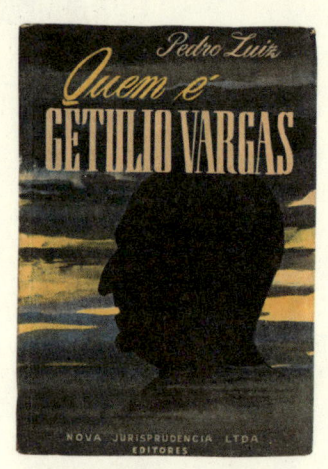

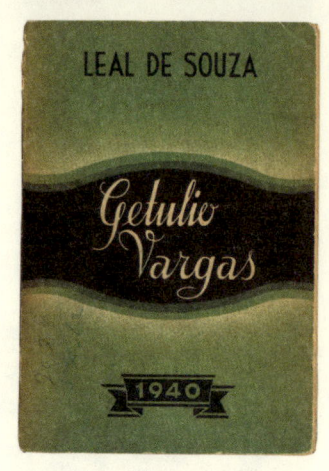

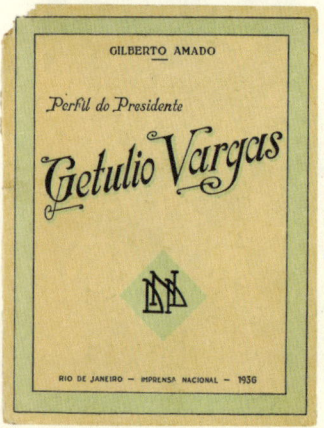

Financiado pelo Departamento de Propaganda, o mercado editorial publicou inúmeros livros laudatórios sobre Getúlio.

Getúlio com o fardão da Academia Brasileira de Letras, para a qual foi eleito em 1941. Abaixo, em companhia do jornalista Assis Chateaubriand, o Chatô, dono dos Diários Associados.

As crianças eram um alvo prioritário da máquina de propaganda do Estado Novo. O DIP editou cartilhas e livros infantis, inclusive biografias de Getúlio, que gostava de ser fotografado ao lado de meninos e meninas do povo.

O BRASIL NOVO
GETULIO VARGAS
E SUA VIDA
PARA A CRIANÇA BRASILEIRA

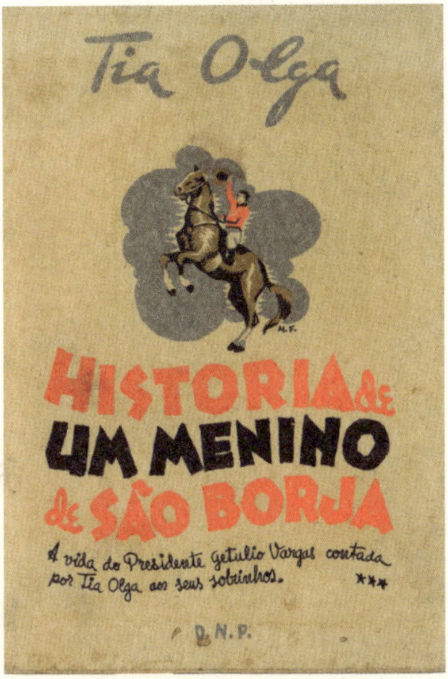
Tia Olga
HISTORIA de
UM MENINO
de SÃO BORJA
A vida do Presidente Getulio Vargas contada por Tia Olga aos seus sobrinhos.
***
D.N.P.

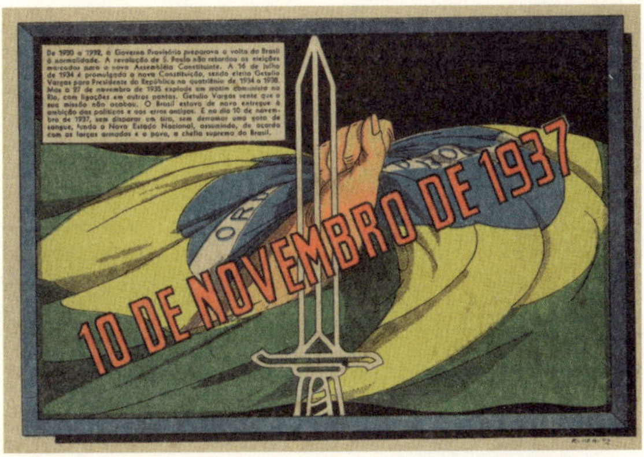
De 1930 a 1932, o Governo Provisório preparava a volta do Brasil
à normalidade. A revolução de S. Paulo não retardou as eleições
marcadas para a nova Assembléia Constituinte. A 16 de julho
de 1934 é promulgada a nova Constituição, sendo eleito Getulio
Vargas para Presidente da República no quatriênio de 1934 a 1938.
Mas a 27 de novembro de 1935 explode um motim comunista no
Rio, com ligações em outros pontos. Getulio Vargas sente que a
sua missão não acabou. O Brasil estava de novo entregue à
ambição dos politicos e aos erros antigos. E no dia 10 de novembro de 1937, sem disparar um tiro, sem derramar uma gota de
sangue, funda o Novo Estado Nacional, assumindo, de acordo
com as forças armadas e o povo, a chefia supremo do Brasil.
10 DE NOVEMBRO DE 1937

Getúlio posa para o escultor Jo Davidson, enviado por Roosevelt ao Brasil especialmente para isso.

Após a queda do Estado Novo (1945), bustos de Getúlio são retirados das praças e jogados no meio da rua.

Em abril de 1945, já sob a pressão militar que o derrubaria do poder seis meses depois, Getúlio escreveu sua primeira carta-testamento: "Lúcido e consciente, estou resolvido a este sacrifício para que ele fique como um protesto, marcando a consciência dos traidores".

Getúlio durante uma partida de golfe: o esporte era para ele um exercício de autocontrole e equilíbrio.

"Para mim, o fato está consumado. Não posso mais confiar em um homem a quem servi com tanto desprendimento e que, nesse momento, julga-me igual aos canalhas com os quais ele se habituou a tratar."[7]

Ao chegar ao Ministério da Guerra, por volta das oito da manhã, Góes Monteiro mandou chamar o oficial de gabinete e ditou-lhe uma carta à presidência da República, comunicando que a partir daquela data não responderia mais pelo cargo. Em seguida, disparou telegramas cifrados para os comandantes de todas as regiões militares do país, ordenando que fosse posta em prática a "Diretiva nº 1", uma ampla mobilização de tropas para defender a ordem pública, prevista no caso de agitação subversiva. Em comunicado ao general Valentim Benício da Silva, comandante da 1ª RM, determinou o cerco a repartições e edifícios públicos estratégicos do Distrito Federal, como a Light, os Correios e as estações ferroviárias. Por último, reuniu alguns generais em seu gabinete para informar-lhes que, diante do ocorrido, estava se desligando do ministério.[8]

Um dos presentes, o general Cordeiro de Farias, que voltara dos campos de combate na Itália pregando a democratização do país, sugeriu que o general Góes Monteiro, naquela situação de emergência, fosse declarado comandante em chefe do Exército, Marinha e Aeronáutica, evitando dar conhecimento imediato de sua demissão ao Catete, para só fazê-lo bem mais tarde, no começo da noite. Nesse intervalo, conviria difundir a notícia pelos quartéis e convocar uma reunião militar de cúpula. A proposta foi acolhida por unanimidade, e Góes incumbiu os generais de disseminarem entre os pares a informação de que o presidente ultrapassara os limites anteriormente combinados e, assim, perdera a autoridade para exercer suas funções como mandatário da República e chefe supremo das Forças Armadas.[9]

Já eram cerca de nove horas da manhã quando ali chegou o general Eurico Gaspar Dutra. Posto a par dos últimos acontecimentos, não se demorou no prédio. Seguiu minutos depois ao Ministério da Justiça — ao qual a chefia de polícia estava hierarquicamente subordinada — para interpelar Agamenon Magalhães a respeito. Dutra retornou duas horas e meia depois, às 11h30, acompanhado do general Mendes de Morais, para dizer a Góes que encontrara o ministro Agamenon em palestra com João Alberto. Eles lhe confirmaram a nomeação de Bejo, cuja posse oficial deveria ocorrer logo no início da tarde.[10]

Dutra lhes falara então que o governo estava cometendo um erro crasso. Depois se retirara, no mesmo instante em que Agamenon e Alberto partiam rumo ao Guanabara, para avisar Getúlio que os militares estavam em polvorosa. Ou, como gostava de dizer Bejo, que "os macacos estavam se coçando".[11]

A manhã transcorrera sem maiores incidentes na residência oficial. Como a maior parte dos jornais não circulava às segundas-feiras, Getúlio aproveitou o tempo de costume reservado à leitura dos matutinos para pôr a correspondência em dia. Depois, despachou normalmente. Só lamentara não poder almoçar naquele dia com a filha Alzira, que fora a Niterói acompanhar o marido, Amaral Peixoto, recém-aclamado pela convenção regional do PSD candidato oficial do partido ao governo do estado do Rio. Como o decreto presidencial previa que os interventores em exercício precisavam se desincompatibilizar até trinta dias antes das eleições marcadas para 2 de dezembro, o genro de Getúlio fora participar de um banquete de despedida no Palácio do Ingá — e esvaziar as gavetas do gabinete de trabalho, para ficar apto à disputa. Na mesma ocasião, Alzira também passaria a presidência da Legião Brasileira de Assistência à respectiva substituta.[12]

"É pena. Hoje eu tinha uma porção de coisas para te contar", dissera o presidente à filha. "Mas, vai, na tua volta falarei contigo."[13]

Getúlio e Darcy almoçaram na companhia de Benjamim e Lutero. Desde que os filhos e filhas haviam casado, o palácio se tornara grande demais para o casal. O suntuoso salão de refeições, que dispunha de uma mesa para vários lugares, ficara sem uso. Uma mesa menor fora acomodada em uma antiga saleta de bilhar, onde os copeiros passaram a servir a comida ao presidente da República e aos ocasionais visitantes mais íntimos.[14] Entre uma garfada e outra, Getúlio indagou ao irmão:

"O João Alberto já comunicou ao Góes?"

"Tudo resolvido", respondeu Bejo.[15]

Lutero, que não estava sabendo de nada, ficou boiando. Depois de comer, mal levantou da mesa, Getúlio foi surpreendido com a chegada repentina de Agamenon e Alberto, que lhe contaram o que estava havendo. Góes iria pedir demissão, e um grupo de generais se reunira no Ministério da Guerra. Dutra, com quem haviam estado minutos antes, parecia zangado. A informação de que Bejo iria assumir o comando da polícia do Distrito Federal provocara um escarcéu. Especulava-se que o governo estava preparando um golpe de cima para baixo, com o objetivo de decretar a convocação da Constituinte e o cancelamento das eleições. De acordo com a hipótese, caberia a Bejo a missão de prender os civis e militares que oferecessem resistência.[16]

Até ali, Alberto cumprira a função de agente duplo. Cultivara uma interlocução constante com o núcleo conspirativo, ao mesmo tempo que mantivera Getúlio informado dos passos dos adversários. Um dos principais elementos de contato do chefe de polícia com os golpistas militares era o general Cordeiro de Farias, que estabelecera com ele uma espécie de senha para definir o momento exato de depor o governo. Cordeiro acreditava que, antes de adotar qualquer nova ofensiva continuísta, Getúlio trataria de afastar João Alberto do caminho, para evitar que seus planos esbarrassem numa possível resistência policial. Assim, o general arrancara de Alberto o compromisso de avisá-lo imediatamente no caso de vir a perceber alguma manobra de bastidores para rifá-lo do cargo.[17]

O problema é que João Alberto tinha ambições próprias. Assumira a polícia em março, quando o processo de democratização começara a ganhar corpo. O titular anterior, o irascível Coriolano de Góis, fora transferido para a carteira de importação e exportação do Banco do Brasil. Menos de sete meses depois, Alberto manifestara a Getúlio o desejo de deixar o posto e assumir a prefeitura do Rio, com o objetivo declarado de se cacifar como futuro postulante à presidência da República — na sucessão de quem saísse vitorioso nas eleições marcadas para dali a pouco mais de um mês. Getúlio considerara a pretensão legítima, dado o currículo do requerente, e não vira maiores dificuldades em substituí-lo por Bejo, cujas relações de amizade com o general Dutra datavam de 1932, quando tinham combatido os revoltosos paulistas na fronteira de Minas Gerais.[18]

Desde a quinta-feira, João Alberto acertara sua demissão voluntária da Polícia e a consequente substituição por Benjamim, um dos nomes que ele próprio sugerira a Getúlio para ocupar a função, cargo da mais estrita confiança do Executivo. Mas, ao contrário do combinado com Cordeiro, não deixara escapar nenhuma pista de sua eminente saída aos conspiradores. Seguindo instruções expressas do presidente, esperara passar a sexta-feira fatídica — o dia do comício que não houve — e todo o fim de semana, na esperança de que na segunda-feira o terreno estivesse menos escorregadio para anunciar a novidade aos generais. Como João Alberto lhes explicaria que estava saindo por vontade própria, para assumir um cargo mais elevado, calculara-se que a senha acertada com Cordeiro seria declarada sem validade.[19]

O ponto frágil do plano foi não cogitar que Góes Monteiro tomasse a nomeação de Benjamim Vargas como uma provocação e, mais que isso, como o pretexto que faltava para os golpistas entrarem em ação. Alertado pelo pai, Bejo decidiu ir ao Ministério da Guerra para se entender diretamente com Góes Monteiro. Antes, passaria no Ministério da Justiça para tomar posse, conforme programado.[20]

Os relógios marcavam então duas horas da tarde. Longe dali, em Niterói, Alzira recebia com surpresa a informação, transmitida pelo rádio, de que o tio Benjamim estava para ser nomeado chefe de polícia. Minutos antes, uma amiga lhe telefonara do Rio. Ela queria saber o que estava ocorrendo, pois acabara de passar na praça da Bandeira, ponto de interseção entre importantes vias da cidade, e percebera um movimento incomum de tropas do Exército, incluindo uma grande quantidade de tanques de guerra.[21]

Alzira pegou o carro, tomou uma balsa e depois seguiu a toda velocidade para o Palácio Guanabara. Entrou no quarto do pai a tempo de vê-lo remexendo no fundo de uma gaveta do criado-mudo. Imaginou que ele estivesse em busca de um revólver e estancou o passo, petrificada. Mas o "patrão" olhou para ela e, calmamente, apenas retirou um charuto da gaveta. Antes de cortar a ponta para acendê-lo, comentou:

"Parece que os generais não gostaram da nomeação do Bejo. Estão reunidos no Ministério da Guerra, sob a presidência do Góes." Getúlio acrescentou que chamara o general a sua presença, mas ele se recusara a vir, mandando avisar que assumira a chefia suprema das forças militares do país. "Estou esperando a chegada do Dutra e do Agamenon, que vêm de lá, para saber o que querem de mim", completou o pai.

"E nós, o que vamos fazer?", interrogou Alzira, aflita.

"Esperar."[22]

Góes pedira para que o seu almoço fosse servido, excepcionalmente, no gabinete. Comeu sozinho. Depois tirou o casaco e deitou-se no sofá, para esperar a digestão. Calculou descansar por alguns minutos, mas terminou por adormecer de modo profundo, por cerca de duas horas. Eram três da tarde quando o auxiliar o acordou, para dizer que o salão de reuniões estava apinhado de generais e alguns elementos civis, entre os quais reconhecera o sr. Benjamim Vargas, irmão do presidente da República.[23]

O general se recompôs e desceu as escadas que davam para o salão, onde logo encontrou Dutra batendo boca com Bejo. A chegada altiva de Góes, contudo, concentrou as atenções e silenciou as conversas paralelas. Apenas João Alberto se adiantou e comunicou que, minutos antes, passara a chefia de polícia a Benjamim.

"Os senhores vão muito depressa...", comentou Góes, sentando-se na cadeira ministerial, com ar grave.[24]

Foi a vez de Bejo falar. Disse que vinha se apresentar ao ministro da Guerra por já ter assumido o cargo e por querer colaborar, como era de seu dever, na manutenção da ordem pública.

Góes não deixou que ele fosse adiante.

"Então procure outro ministro, pois eu não estou mais respondendo pela função", retrucou, de forma rude.[25]

Bejo ficou lívido. Apelou para o senso de responsabilidade do general e para os vínculos históricos de amizade que o uniam ao presidente da República. Góes mais uma vez o interrompeu.

"Se é somente disso que o senhor veio tratar comigo, pode se retirar. Não tenho mais nada a lhe dizer. Minha decisão é irrevogável."[26]

Bejo não insistiu. Resolveu ir embora. Na saída, esbarrou com os generais Mendes de Morais e Álcio Souto. O segundo, comandante do Núcleo de Divisão Blindada, sugeriu que prendessem o irmão do presidente ali mesmo, para abreviarem a história. Mendes de Morais foi contra:

"Você está doido, isso entornaria tudo. Vamos agir serenamente, mas com segurança."[27]

Souto e Morais adentraram a sala de reuniões e comunicaram que os tanques de guerra estavam nas ruas, aguardando ordens. Góes determinou que os blindados prosseguissem em direção ao Guanabara, posicionando-se ao longo da rua Pinheiro Machado, defronte aos portões do palácio. Lançando um olhar pela mesa, indagou se por acaso algum dos militares ali presentes estava em desacordo com as ordens emitidas. Apenas um deles levantou o braço, o capitão Ulrich de Oliveira, a quem foi dada a subsequente voz de prisão.[28]

As horas voavam. Às cinco da tarde, o ministro da Justiça, Agamenon Magalhães, chegou ao Ministério da Guerra com a intenção de negociar um armistício, mas foi informado de que a sorte de Getúlio já estava lançada. As tropas não retornariam aos quartéis. A essa altura, o prédio estava repleto de oficiais superiores das três armas, entre eles o brigadeiro Eduardo Gomes. Dutra, que tinha uma audiência previamente marcada com Getúlio às sete horas, decidiu manter a agenda e por volta das seis e meia seguiu ao Guanabara, com o intuito de tomar conhecimento do que estava ocorrendo no campo adversário. Se não retornasse no prazo de duas horas, recomendou, tomassem as medidas que julgassem necessárias.[29]

O general Canrobert Pereira da Costa, secretário-geral do Ministério da Guerra, sugeriu a Góes Monteiro que mantivessem Agamenon retido até a volta de Dutra, como medida preventiva.

"Quer dizer que estou sendo feito refém?", espantou-se o ministro da Justiça.[30]

Pontualíssimo, Dutra chegou ao Guanabara às dezenove horas e foi anunciado por Luiz Vergara ao presidente. Getúlio, com um revólver na cintura por baixo do paletó, mandou-o entrar. A conversa, a portas fechadas, não demorou mais de meia hora. O general disse a Getúlio que as unidades do Exército, da Marinha e da Aeronáutica estavam todas mobilizadas. Seria inútil esboçar qualquer tipo de resistência. A nomeação de Bejo como chefe de polícia fizera transbordar as desconfianças dos militares quanto às intenções continuístas do governo.[31]

As respectivas versões divergiriam sobre o conteúdo do restante do diálogo. Mais tarde, Eurico Gaspar Dutra afirmou que Getúlio lhe propusera um acordo para a solução pacífica da crise. O presidente lhe teria oferecido três opções. A primeira era tornar sem efeito a nomeação de Benjamim Vargas e deixar tudo como estava antes. Esquecessem, portanto, o assunto. A segunda seria manter os atos do governo e, uma vez que Góes não admitia voltar atrás no pedido de demissão, nomear um novo ministro da Guerra, indicado a critério de Dutra. A última, deixar que o próprio general decidisse o que deveria ser feito, para pacificar o país e impedir um possível derramamento de sangue.[32] Pela versão de Getúlio, porém, a proposta de anular a nomeação de Bejo teria partido de Dutra.

"Se não tenho mais autoridade para nomear um chefe de polícia de minha confiança, não sou mais presidente da República", teria dito o presidente.[33]

O general Dutra retornou ao Ministério da Guerra e repassou aos generais a sua variante da história. As três propostas de solução negociada foram rechaçadas por Góes Monteiro, que decidiu eleger um representante para ir de novo ao

Guanabara, dessa vez para exigir que o presidente abandonasse o palácio. Seriam asseguradas todas as garantias necessárias a respeito da segurança pessoal de Getúlio e da família Vargas. Ninguém seria submetido a outros constrangimentos que não a obrigação de deixar o prédio sob escolta armada.[34]

Góes encarregou da delicada missão o general Cordeiro de Farias, nomeado chefe do Estado-Maior das forças sublevadas.

"Mas, logo eu?", indagou Cordeiro, alegando a condição de "amigo" de Getúlio como um motivo de grande embaraço. Embora concordasse com a deposição do presidente, sentia-se impedido por razões de foro íntimo.[35]

"Se você não for, quem tem de ir sou eu", replicou Góes.[36]

"Ah, não! Você não sai daqui!", protestou Álcio Souto.[37]

Resignado, Cordeiro fez uma última pergunta a Góes, antes de sair. Caso Getúlio quisesse saber, a quem o presidente destituído deveria passar o cargo, depois de sair pacificamente do Guanabara?[38]

A interrogação ficou pairando no ar. Góes Monteiro estava sentado em um sofá, ladeado por Dutra e Eduardo Gomes, os dois candidatos à presidência da República. Seguiram-se alguns instantes de desconfortável mutismo geral. Como não existia a figura do vice-presidente nem o Legislativo estava funcionando, não havia uma linha sucessória legalmente estabelecida.[39]

Góes, que sempre ambicionara ocupar o posto máximo da República, encontrara as condições propícias para, enfim, reivindicar para si a regalia, no papel de comandante militar do golpe. Mas havia ali dois postulantes públicos ao posto, ambos militares, com campanhas eleitorais homologadas e lançadas em convenções partidárias. Nenhum deles poderia, é claro, levantar o dedo e se declarar merecedor do posto por antecipação. Entretanto, deixar Góes assumir a presidência, mesmo em caráter provisório, embutia um risco real que eles não pareciam dispostos a correr.

O silêncio foi interrompido por Agamenon Magalhães, que ainda estava por perto e sugeriu o desenlace que ninguém, por questões de coerência, poderia recusar. Dadas as circunstâncias, a melhor saída era passar o poder ao presidente do STF, José Linhares. Dutra foi forçado a concordar. Eduardo Gomes, que vinha pregando o lema "Todo o poder ao Judiciário", também não teria como se opor. Góes, o novo "paladino da democratização", muito menos.[40]

Os militares, portanto, haviam derrubado Getúlio. Mas não dividiriam entre si o butim da vitória.

* * *

Às nove da noite, Cordeiro de Farias chegou ao Guanabara como representante dos generais, acompanhado de Agamenon Magalhães, que finalmente pudera sair do Ministério da Guerra. Não havia mais perigo de reação. O Exército já providenciara a mudança de guarda, e a segurança do palácio estava submetida a forças favoráveis ao golpe. Uma unidade motorizada, sob o comando do tenente-coronel Ulhôa Cintra, ocupara os jardins. Tanques de guerra apontavam as armas para o edifício. O único oficial leal ao governo e em condições de oferecer alguma espécie de resistência armada em todo o Rio de Janeiro, o general Renato Paquet, comandante da Vila Militar, recebera um telefonema do colega Firmo Freire, chefe do Gabinete Militar da Presidência da República, com um recado categórico.

"Paquet, o dr. Getúlio manda dizer que não quer nenhuma escaramuça e que você largue a Vila de mão."[41]

O general Odílio Denys, comandante da Polícia Militar e admirador do presidente, recebera as mesmas instruções.[42]

Quando viu Cordeiro subir as escadarias, Bejo cutucou o sobrinho Lutero:

"Vamos assistir ao que este sujeito vai dizer ao Getúlio. Se faltar ao respeito, não sei o que farei."[43]

Cordeiro de Farias chegou vestido com uma capa de chuva, apesar de não haver nenhum indício de nuvem no céu. Mantinha a mão direita o tempo todo sob a capa, segurando o revólver, que não hesitaria em usar se necessário. Encontrou Getúlio sentado atrás da escrivaninha. De pé, em cada um dos cantos da mesa, posicionavam-se Bejo e Lutero. O general, sempre com uma das mãos oculta, entregou ao presidente uma minuta da declaração de renúncia, rabiscada de próprio punho por Góes Monteiro.[44]

Getúlio passou os olhos no papel sem demonstrar maior interesse e o entregou a Luiz Vergara, para que o secretário tirasse uma cópia datilografada, em papel timbrado, e depois a trouxesse para ele assinar.[45]

"Preferia que os senhores me atacassem, porque eu me defenderia. Mas já que se trata de um golpe branco, não serei eu o elemento perturbador. Pode dizer a eles que não sou mais presidente", disse Getúlio, que pediu o prazo de 48 horas para deixar o Palácio.[46]

Precisava encaixotar seus objetos pessoais e selecionar alguns papéis particulares antes de ir embora, justificou. Assinou então o termo de renúncia e nomeou Agamenon Magalhães como seu representante para se entender com os integrantes do novo governo. Tinha uma última mensagem para Cordeiro de Farias transmitir a Góes, Dutra e Eduardo Gomes.

"Informe a seus amigos que desejo apenas ir para o Sul. Eles que fiquem mexendo esse mingau."[47]

No dia seguinte, os generais mandaram cortar a luz, a água e o gás do Guanabara. Depois, ordenaram que os funcionários fossem dispensados, inclusive os da cozinha. Era uma forma de acelerar a saída do inquilino que se tornara incômodo e de desestimular qualquer possibilidade de organização de um contragolpe. Getúlio foi obrigado a mandar pedir o almoço e o jantar em um restaurante próximo, numa marmita.[48]

"Isso está mais parecido com uma ação de despejo que um golpe de Estado. Só falta aparecer o oficial de Justiça", ironizou Getúlio.[49]

O presidente deposto não cogitava a hipótese de permanecer em um prédio às escuras e onde não podia mais sequer tomar banho. Já escrevera um manifesto de despedida ao povo brasileiro, comunicando os motivos da renúncia. Quando fosse divulgado pela imprensa, o trecho inicial do documento não chegaria ao conhecimento público. Luiz Vergara considerara os termos fortes demais e potencialmente ofensivos às Forças Armadas. Temeu que os militares mudassem de opinião e impedissem Getúlio de ir embora sem novas desafrontas. Assim, o secretário sugeriu que os dois primeiros parágrafos fossem cortados.[50] Eles diziam:

> Na noite de 29 do corrente, um grupo de generais chefiado pelo ministro da Guerra lançou às ruas da capital da República quase toda a tropa disponível da 1ª Região Militar, ocupando as principais artérias da cidade e os edifícios públicos e cercando o Palácio Guanabara. Fez-se uma perfeita mobilização de tanques, canhões e metralhadoras, alarmando a população urbana.
>
> A oficialidade jovem e os praças ignoravam os motivos dessa exibição marcial. Apenas cumpriam ordens. A rapidez na execução dessas medidas e a futilidade de seu pretexto demonstram que se tratava de plano há muito concertado, aguardando somente oportunidade para ser posto em prática.[51]

O texto distribuído aos jornais evitava maiores afrontas ao Exército, mas falava de "traição pelo conluio da intriga e da violência" e continha mensagens direcionadas ao operariado. "Fiz sempre a política de amparo aos trabalhadores, preocupei-me constantemente com a sorte dos humildes, socorri quanto pude a todos os necessitados", dizia. "E como estes me guardassem afeto e me testemunhassem solidariedade, transformei-me em motivo de inquietação para os poderosos, para os dominadores do momento, para os que tinham pressa em restaurar os velhos processos de ajustes e cambalachos de grupos em detrimento dos legítimos interesses da coletividade nacional."[52]

O final do manifesto destilava um tom superior de triunfo e esperança: "Deixo o governo para que por minha causa não se derrame sangue brasileiro. Não guardarei ódios nem prevenções pessoais. Sinto que o povo, ao qual nunca faltei no amor que lhe devoto e na defesa de seus direitos, está comigo. Ele me fará justiça".[53]

Após quinze anos no poder, Getúlio estava pronto para retornar a São Borja, sua cidade natal. Durante o longo tempo em que permaneceu à frente dos destinos da nação, o país sofreu transformações significativas — políticas, econômicas e sociais. De nação essencialmente agrária e semicolonial, o Brasil iniciara um processo de industrialização crescente, que se intensificaria nos decênios seguintes. Os setores da manufatura mais tradicional assistiram à expansão do parque industrial de base, representado em particular pela área metal-mecânica. Grandes institutos de pesquisa e empresas estatais, como a Companhia Siderúrgica Nacional, a Companhia Vale do Rio Doce e a Fábrica Nacional de Motores, surgiram sob o influxo da política desenvolvimentista do Estado Novo.

A vasta obra de regulamentação das relações entre capital e trabalho, materializada na CLT, serviu como estratégia de sustentação política do regime e, pela força da propaganda, foi anunciada como concessão benevolente do Estado às classes trabalhadoras — encobrindo-se o aspecto fundamental da administração dos conflitos de classe e da cooptação das lideranças operárias por meio do chamado peleguismo. Mas ela representou também o legado simbólico mais eloquente de Getúlio, o de defensor dos direitos sociais. Pela primeira vez na história do país, um líder político buscou sua legitimação no povo, o que ajudou a cristalizar sua figura, no imaginário popular, como um aliado preferencial dos mais pobres e humildes. Ao mesmo tempo, a proibição de greves e a repressão brutal a comunistas e anarquistas minimizaram de modo progressivo a resistência histórica das organizações patronais e das elites, que também foram convocadas a se aproximar do aparelho estatal, como parcela indissolúvel de sua estrutura burocrática.[54]

Se em 1945 o Brasil era outro, bem diverso daquele de 1930, Getúlio a essa altura também não era exatamente o mesmo homem, embora tenha permanecido um personagem singular, permeado por fascinantes contradições. Político originário de uma oligarquia regional, de matriz positivista, chegara ao poder como um revolucionário que pregava a ruptura radical com os velhos padrões oligárquicos. Em quinze anos de governo, com exceção de um breve interlúdio entre julho de 1934 e março de 1936, comandou o Brasil como ditador nacionalista — autoritário e sorridente —, que assinava e rasgava Constituições sem nenhum constrangimento, um homem a um só tempo amigo do povo e aliado dos interesses industriais.[55]

Em uma década e meia de ditadura, a emergência de uma sociedade urbana de massas — outro fruto da chamada Era Vargas — ajudou a moldar também o indivíduo Getúlio, que muito em breve reinventaria entre nós o significado da mobilização popular e, suprema contradição, da democracia.

Mas esse era um aspecto da história que, em vez de terminar, como muitos imaginavam, estava apenas começando.

No dia 1º de novembro de 1945, exatamente um ano depois de Góes Monteiro ter ido ao Guanabara para avisar que voltara de Montevidéu com o firme propósito de acabar com o Estado Novo, Getúlio embarcou no Santos-Dumont em um avião da Força Aérea Brasileira que o levou a São Borja. João Alberto o escoltou até o aeroporto. Viajou sem a esposa, Darcy, que ficaria morando no Rio de Janeiro. Alzira permaneceu ao lado do marido, Amaral Peixoto, assim como continuaram vivendo na capital federal os outros dois filhos, Lutero e Jandira — Maneco já estava no Rio Grande do Sul havia algum tempo, auxiliando o tio Protásio na condução das fazendas da família.

Getúlio teve como companheiro de voo um sobrinho, o major Serafim Dornelles. Quando o avião já cruzava o céu na direção do Rio Grande do Sul, Serafim perguntou como o tio iria aproveitar o longo tempo de vida que, por certo, ainda lhe restava. Getúlio acendeu um charuto da marca Poock, de fabricação gaúcha, soltou uma baforada azulada e, depois de alguns segundos meditativo, respondeu:

"Deves ter ouvido dizer que a política se assemelha a um jogo de xadrez. Indiscutivelmente, em alguns pontos se assemelham. Por exemplo: eu sou uma pedra que foi movida da posição que ocupava. E eles pensam que vou permanecer aonde me colocaram. É o grande erro deles. Não sabem que vamos começar um novo jogo — e com todas as pedras de volta ao tabuleiro."[56]

Este livro

Cerca de seis meses antes do lançamento, em maio de 2012, de *Getúlio: Dos anos de formação à conquista do poder (1882-1930)* — o primeiro dos três volumes que, ao final, comporão esta biografia —, comecei a escrever o segundo livro, que os leitores têm agora nas mãos.

No tomo inicial, o grande desafio foi realizar um trabalho de investigação histórica e jornalística sobre o período menos conhecido e menos pesquisado da trajetória do biografado: aquele compreendido entre o seu nascimento, em 1882, até a chegada ao poder, em 1930.

Desta vez, ao contrário, a maior dificuldade foi sintetizar o grande volume de informações a respeito do intervalo de tempo decorrido entre a posse de Getúlio no Catete e a sua derrubada, por meio de um golpe de Estado, em 1945. É, talvez, um dos períodos mais estudados da história brasileira, por envolver uma série de episódios específicos e, cada um deles, por si só, já contemplados por uma bibliografia exaustiva e consolidada: a revolta paulista de 32, o levante comunista de 35, o golpe getulista de 37, o *putsch* integralista de 38 e a ditadura do Estado Novo, que sobreviveu até 45.

Em nenhum momento ousei reescrever ou reinterpretar tais acontecimentos, empreitada que fugiria ao limite de minha competência e ao escopo original deste livro. Meu propósito, como biógrafo, foi articular o vasto pano de fundo com os aspectos da vida privada do biografado, sobrepondo cotidiano e contexto histórico, para tentar compreender de que forma essas duas dimensões interagiram e sofreram influências mútuas.

Para mergulhar no microcosmo da família Vargas, dois conjuntos de fontes primárias foram de capital relevância. O primeiro deles, o riquíssimo acervo pessoal de Getúlio, preservado e catalogado pelo Centro de Pesquisa e Documentação de História Contemporânea do Brasil da Fundação Getúlio Vargas (CPDOC-FGV). O segundo, o diário do biografado, custodiado na mesma instituição — e alvo de uma publicação em dois volumes, em 1995.

Os números absolutos fornecem a extensão do universo que, desde o início, se apresentou à pesquisa. No arquivo pessoal de Getúlio Vargas, no CPDOC, existem nada menos de 4679 entradas entre os anos de 1930 e 1945, cada uma delas correspondendo a um conjunto próprio de documentos manuscritos, audiovisuais ou impressos. O diário, por sua vez, compreende treze cadernos, que quando foram publicados em forma de livro resultaram, juntos, em mais de 1200 páginas.

A consulta exaustiva a esse material foi o primeiro passo para traçar o roteiro do segundo tomo da biografia de Getúlio. A partir do mapeamento prévio do material depositado no CPDOC, confrontaram-se as informações obtidas nos registros particulares do biografado com a extensa bibliografia disponível, citada na sessão seguinte deste volume. Mais de duas dezenas de outros arquivos foram igualmente pesquisados, no Brasil e no exterior, para compor o mosaico de dados. A leitura de periódicos de época, das mais diversas procedências e tendências políticas, contribuiu para conferir à narrativa certa polifonia de vozes, produzida pelos repórteres e analistas que então escreviam e interpretavam a história em tempo real. Charges, caricaturas, canções populares, panfletos, inquéritos policiais, filmes, fotografias e gravuras também ampararam a recomposição de época.

Todo esse acervo plural de fontes, após um processo seletivo de edição crítica, resultou no presente volume. Como sempre, escudei-me no trabalho de pesquisadores contratados para auxiliar na coleta de documentos. Desta vez, foi inestimável a ajuda proporcionada por duas colegas jornalistas — Damaris Giuliana e Suzana Liskauskas —, que reviraram os arquivos do Itamaraty, garimpando a correspondência diplomática trocada entre o Ministério das Relações Exteriores e as representações brasileiras em países como Alemanha, Argentina, Estados Unidos, Inglaterra e Itália. Em Buenos Aires, a também colega Marina Mota consultou os arquivos do Ministério do Exterior da Argentina e da Biblioteca Nacional daquele país vizinho, localizando documentos essenciais para a reconstituição do episódio da invasão de Santo Tomé. Sobre o mesmo assunto, também foi fecunda a interlocução com o pesquisador são-borjense Iberê Athayde Teixeira, autor de um livro pioneiro a respeito do tema.

Cabe aqui um agradecimento especial à socióloga Celina Vargas do Amaral Peixoto, neta de Getúlio, que me recebeu com enorme gentileza em seu apartamento no Leblon, franqueando-me cartas e outros papéis familiares, ajudando-me a penetrar um pouco mais na alma e na intimidade do biografado. Celina e o pesquisador Reynaldo de Barros me ofereceram algumas horas de agradável e proveitosa conversa, chamando-me a atenção para detalhes e confidenciando-me minúcias típicas do território da memória afetiva. Pela confiança que depositaram em mim e no meu trabalho, serei para sempre grato.

Outra Celina generosa, a cientista política Maria Celina D'Araújo, autoridade indiscutível quando o assunto é a chamada Era Vargas, concedeu-me a imensa honra de ter um texto assinado por ela na orelha deste livro. Após ler os originais, Maria Celina ainda me sugeriu uma bibliografia adicional que, uma vez incorporada ao texto, ajudou a dar maior consistência a alguns conteúdos aqui trabalhados.

Ao pesquisador Antônio Sérgio Ribeiro, mais uma vez, devo a leitura atenta e o trabalho de revisão histórica. Ele foi o responsável pela eliminação de alguns deslizes e certas imprecisões existentes nas primeiras versões do texto. "Serginho, o Fenômeno", como é conhecido pelos profissionais que o procuram por causa de seu conhecimento enciclopédico, de seu proverbial perfeccionismo e de seu inacreditável acervo de jornais e revistas, tem sido de uma generosidade ímpar — e de uma paciência beneditina — para comigo e para com minhas dúvidas e interrogações.

O amigo Victor Gentilli, professor de jornalismo, leu vários capítulos deste livro à proporção que iam sendo escritos. Fez críticas pertinentes, deu sugestões conscienciosas, mas sobretudo encorajou-me a prosseguir em uma jornada que por vezes parecia insana — e interminável.

A leitura prévia e a mediação sensível de Luiz Schwarcz me ajudaram na correção de rumos e na manutenção do foco, impedindo que fatores externos e alheios à nossa vontade viessem prejudicar a efetiva realização da obra. Sempre que julgou prudente, sugeriu-me cortes e novos rumos narrativos, soluções que tornaram este livro, tenho certeza, mais amigável ao leitor.

O editor Otávio Marques da Costa foi outro interlocutor tão constante quanto decisivo. Soube compreender eventuais atrasos de cronograma, regendo com segurança as etapas necessárias para que o livro chegasse, enfim, ao ponto final.

Rodrigo Teixeira, por meio da RT Features, proporcionou as condições objetivas para que eu possa vir me dedicando exclusivamente, durante todo esse tempo, ao ofício de biografar Getúlio.

O amigo Fernando Morais, mestre das biografias, não só testemunhou a gênese deste projeto, como sempre me incentivou quando o procurei — e foram inúmeras vezes — para ouvir sugestões, opiniões e críticas.

Leny Cordeiro, que desde o primeiro volume responde pela preparação dos originais da obra, tem trabalhado com carinho, eficiência e obstinação para podar as eventuais arestas e conferir maior coerência e coesão à narrativa.

Há, ainda, como de costume, uma enorme dívida de gratidão para com uma série de outras pessoas que, de um modo ou de outro, estão sendo essenciais à realização desta longa biografia.

O meu obrigado a Adriana Maximiliano, Alberto Dines, Alceu Nunes, Alice Mesquita, Ana Laura Souza, Boris Fausto, Clara Dias, Clarissa Barreto, Cláudia Albuquerque, Diana Passy, Edvaldo Filho, Eliade de Melo Sabio, Eliane Trombini, Fernando Costa, Flávia Marreiro, Floriano Martins, Gilmar de Carvalho, Gunter Axt, Joana Fernandes, João Baptista da Costa Aguiar, Joca Reiners Terron, Juliana Vettore, Karine Moura Vieira, Karine Rodrigues, Kelsen Bravos, Laurentino Gomes, Luciana Arakaki, Luciano Cavalcante, Lucila Lombardi, Marcello Campos, Marcelo de Paiva Abreu, Marcelo Levy, Mário Magalhães, Marta Garcia, Matinas Suzuki Jr., Natercia Rocha, Nilda Fernandes Mesquita, Pablo Uchoa, Paula Neiva, Paulo Markun, Pedro Cezar Dutra Fonseca, Priscilla Iagi, Silvia Yama, Sylvia Colombo, Tatiane Pereira, Thiago Mello e Vessillo Monte.

Este livro foi escrito para meus filhos, Ícaro, Nara, Emília e Alice.

Também para Darcy, minha mãe.

E, em especial, para minha mulher, Adriana, amor absoluto.

São Paulo, outono de 2013.

Fontes

ARQUIVOS

Arquivo Agnaldo da Veiga Fernandes. Santos, SP
Arquivo Antônio Sérgio Ribeiro. São Paulo, SP
Arquivo da Assembleia Legislativa do Estado do Rio Grande do Sul. Porto Alegre, RS
Arquivo do Estado do Rio de Janeiro. Rio de Janeiro, RJ
Arquivo do Ministerio de las Relaciones Exteriores y Culto. Buenos Aires, Argentina
Arquivo pessoal de Celina Vargas do Amaral Peixoto. Rio de Janeiro, RJ
Arquivo Edgard Leuenroth, da Universidade de Campinas. Campinas, SP
Arquivo Histórico de Porto Alegre Moisés Velinho. Porto Alegre, RS
Arquivo Histórico do Exército. Rio de Janeiro, RJ
Arquivo Histórico do Itamaraty. Rio de Janeiro, RJ, e Brasília, DF
Arquivo Público de São Paulo. São Paulo, SP
Arquivo Público do Estado do Rio Grande do Sul. Porto Alegre, RS
Arquivo Público Mineiro. Belo Horizonte, MG
Arquivo Nacional, Rio de Janeiro, RJ
Biblioteca Getúlio Vargas. São Borja, RS
Biblioteca Nacional. Rio de Janeiro, RJ
Biblioteca Nacional de la Republica Argentina. Buenos Aires, Argentina
Biblioteca Pública do Estado do Rio Grande do Sul. Porto Alegre, RS
Centro de Pesquisa e Documentação de História Contemporânea do Brasil da Fundação Getúlio Vargas (CPDOC-FGV). Rio de Janeiro, RJ
Cinemateca Brasileira. São Paulo, SP

Foreign Office. Londres, Inglaterra
Instituto Histórico e Geográfico do Rio Grande do Sul. Porto Alegre, RS
Museu da Comunicação José Hipólito da Costa. Porto Alegre, RS
Museu da República. Rio de Janeiro, RJ
Museu Getúlio Vargas. São Borja, RS
National Archives and Records Administration. Washington, Estados Unidos

ARQUIVOS ELETRÔNICOS

Internet

Anais da Câmara Federal (http://www2.camara.gov.br/)
Center for Research Libraries (CRL): Brazilian Government Documents (http://www.crl.edu/brazil)
Centro de Pesquisa e Documentação de História Contemporânea do Brasil (CPDOC). Fundação Getúlio Vargas (http://www.cpdoc.fgv.br/)
Coleção das Leis da República Federativa do Brasil (http://www2.camara.gov.br/atividade-legislativa/legislacao/publicacoes/republica)
Fundação Biblioteca Nacional (http://bndigital.bn.br/)
Museum of Tolerance Online. Multimedia Learning Center (http://motlc.wiesenthal.com)
SciElo — Brazil — Scientific Eletronic Library Online (http://www.scielo.br/scielo.php?lng=en)

CD-ROM

BONAVIDES, Paulo; AMARAL, Roberto. *Textos políticos da História do Brasil*. Brasília: Senado Federal, 2002.
Dicionário histórico-biográfico brasileiro. CPDOC/FGV.

OBRAS CONSULTADAS

ABREU, Marcelo de Paiva. *A ordem do progresso: Cem anos de política econômica republicana*. Rio de Janeiro: Campus, 1990.
_____. *O Brasil e a economia mundial (1930-1945)*. Rio de Janeiro: Civilização Brasileira, 1999.
ALENCAR ARARIPE, General Tristão de. *Tasso Fragoso: Um pouco de história do nosso Exército*. Rio de Janeiro: Biblioteca do Exército, 1960.
ALVES, Eustáquio. *Misérias da política: Nos bastidores da revolução*. Rio de Janeiro: Alba, 1933.
AMADO, Gilberto. *Depois da política*. Rio de Janeiro: José Olympio, 1960.
_____. *Presença na política*. Rio de Janeiro: José Olympio, 1958.
AMARAL PEIXOTO, Alzira Vargas do. *Getúlio Vargas, meu pai*. Rio de Janeiro/Porto Alegre/São Paulo: Globo, 1960.
ANDRADE, Oswald de. *Marco Zero*. 4ª ed. São Paulo: Globo, 2008.
ANTUNES, Delson. *Fora do sério: Um panorama do teatro de revista no Brasil*. Rio de Janeiro: Funarte, 2004.
ARAÚJO, Rubens Vidal. *Os Vargas*. Porto Alegre: Globo, 1985.

ARAÚJO, Rubens Vidal. *Os Vargas*. vol. 2. Porto Alegre, [s.n.], s/d.
ARENDT, Hannah. *Origens do totalitarismo: Antissemitismo, imperialismo, totalitarismo*. São Paulo: Companhia das Letras, 1989.
ARRIGHI, Jean Michel. *OEA: Organização dos Estados Americanos*. São Paulo: Manole, 2004.
AURÉLIO, Daniel Rodrigues. *Dossiê Getúlio Vargas*. São Paulo: Universo dos Livros, 2009.
ASSIS BRASIL. *Perfil biográfico e discursos*. Porto Alegre: Assembleia Legislativa do Estado do Rio Grande do Sul, 2006.
AXT, Gunter (org.). *As guerras dos gaúchos*. Porto Alegre: Nova Prova, 2008.
_____; BARROS FILHO, Omar L.; SEELIG, Ricardo Vaz; BOJUNGA, Sylvia (orgs.). *Reflexões sobre a Era Vargas*. Porto Alegre: Procuradoria Geral de Justiça — Memorial do Ministério Público, 2005.
_____; AITA, Carmen. *Parlamentares gaúchos: Getúlio Vargas. Discursos (1903-1929)*. 2ª ed. Porto Alegre: Assembleia Legislativa do Estado do Rio Grande do Sul, 1999.
_____; *Parlamentares gaúchos: José Antônio Flores da Cunha. Discursos (1909-1930)*. 2ª ed. Porto Alegre: Assembleia Legislativa do Estado do Rio Grande do Sul, 1998.
BANDEIRA, Moniz. *Relações Brasil-Estados Unidos no contexto da globalização*. 2 vols. São Paulo: Senac, 1997.
BARATA, Agildo. *Vida de um revolucionário*. São Paulo: Alfa-Ômega, 1978.
BASBAUM, Leôncio. *História sincera da República*. 3 vols. São Paulo: Alfa-Ômega, 1976.
_____. *Uma vida e muitas lutas (memórias)*. São Paulo: Alfa-Ômega, 1976.
BASTOS, Pedro Paulo Zahluth; FONSECA, Pedro Cezar Dutra. *A Era Vargas: Desenvolvimentismo, economia e sociedade*. São Paulo: Unesp, 2012.
BERSON, Theodore Michael. *A Political Biography of Dr. Oswaldo Aranha*. Nova York: New York University, 1971. (Tese de doutorado.)
BERTONHA, João Fábio. *Sob a sombra do fascismo: Os italianos de São Paulo e a luta contra o fascismo (1919- -1945)*. São Paulo: Annablume/Fapesp, 1999.
BLINKHORN, Martin. *Mussolini e a Itália fascista*. São Paulo: Paz e Terra, 2009.
BORGES, Vavy Pacheco. *Getúlio Vargas e a oligarquia paulista*. São Paulo: Brasiliense, 1979.
BOTELHO, André; SCHWARCZ, Lilia Moritz. *Um enigma chamado Brasil: 29 intérpretes e um país*. São Paulo: Companhia das Letras, 2009.
BOURNE, Richard. *Getúlio Vargas: A esfinge dos pampas*. São Paulo: Geração Editorial, 2012.
BRANDI, Paulo. *Vargas: Da vida para a história*. Rio de Janeiro: Zahar, 1983.
BRAYNER. Floriano de Lima. *A verdade sobre a FEB: Memórias de um chefe de Estado-Maior da campanha na Itália*. Rio de Janeiro: Civilização Brasileira, 1968.
BRITO, Chermont. *Vida luminosa de dona Darcy Vargas*. Rio de Janeiro: LBA, 1984.
BUARQUE DE HOLLANDA, Sérgio (superv.). *Grandes personagens da nossa história*. São Paulo: Abril Cultural, 1973.
CAGGIANI, Ivo. *Flores da Cunha*. Porto Alegre: Martins Livreiro, 1996.
_____. *João Francisco: A Hiena do Cati*. Porto Alegre: Martins Livreiro, 1988.
CALDAS, Breno. *Meio século de Correio do Povo: Glória e agonia de um grande jornal*. Porto Alegre: L&PM, 1987.
CALLADO, Ana Arruda. *Adalgisa Nery*. Rio de Janeiro: Relume Dumará, 1999.
_____. *Darcy: A outra face de Vargas*. Rio de Janeiro: Batel/Biblioteca Nacional, 2011.

CALLADO, Pedro. *A revolução de 29 de outubro de 1931 em Pernambuco*. Rio de Janeiro: Companhia Brasileira de Artes Gráficas, 1944.

CAMARGO, Aspásia; HIPPOLITO, Lucia; D'ARAÚJO, Maria Celina Soares; FLASKMAN, Dora Rocha. *Artes da política: Diálogo com Amaral Peixoto*. Rio de Janeiro: Nova Fronteira, 1986.

_____; GÓES, Walder de. *Meio século de combate: Diálogo com Cordeiro de Farias*. Rio de Janeiro: Nova Fronteira, 1981.

CAMPOS, Reynaldo Pompeu. *Repressão judicial no Estado Novo: Esquerda e direita no banco dos réus*. Rio de Janeiro: Achiamé, 1982.

_____; ARAÚJO, João Hermes Pereira de; SIMONSEN, Mário Henrique. *Oswaldo Aranha: A estrela da revolução*. São Paulo: Mandarim, 1966.

CANALE, Dario; VIANA, Francisco; TAVARES, José Nilo (orgs.). *Novembro de 1935: Meio século depois*. Petrópolis: Vozes, 1985.

CANCELLI, Elizabeth. *O mundo da violência: A polícia da Era Vargas*. Brasília: UnB, 1993.

CANTON, Olides. *Getúlio Vargas: Depoimento de um filho*. Porto Alegre: Est, 2004.

CARNEIRO, Glauco. *História das revoluções brasileiras*. 2 vols. Rio de Janeiro: O Cruzeiro, 1965.

_____. *Lusardo: O último caudilho*. 2 vols. Rio de Janeiro: Nova Fronteira, 1977.

CARNEIRO, Maria Luiza Tucci. *Cidadão do mundo: O Brasil diante do Holocausto e dos judeus refugiados do nazifascismo (1933-1948)*. São Paulo: Perspectiva/Fapesp, 2010.

_____. *O antissemitismo na Era Vargas (1930-1945)*. São Paulo: Brasiliense, 1988.

_____; CROCI, Federico (orgs.). *Tempos de fascismos: Ideologia, intolerância, imaginário*. São Paulo: Edusp-Arquivo Público de São Paulo-Imprensa Oficial, 2010.

_____; KOSSOY, Boris. *A imprensa confiscada pelo Deops (1924-1954)*. São Paulo: Ateliê, Imprensa Oficial-Arquivo do Estado, 2003.

CARONE, Edgard. *A Primeira República*. Rio de Janeiro/São Paulo: Difel, 1969.

_____. *A República Nova (1930-1937)*. 3ª ed. Rio de Janeiro/São Paulo: Difel, 1974.

_____. *A Segunda República (1930-1937)*. Rio de Janeiro/São Paulo: Difel, 1973.

_____. *O Estado Novo (1937-1945)*. Rio de Janeiro/São Paulo: Difel, 1976.

_____. *O tenentismo*. Rio de Janeiro/São Paulo: Difel, 1975.

_____. *Revoluções do Brasil contemporâneo (1922-1938)*. 3ª ed. Rio de Janeiro/São Paulo: Difel, 1977.

CARRAZZONI, André. *Depoimentos: Da ideologia à ação revolucionária*. Rio de Janeiro: Schmidt, 1932.

_____. *Getúlio Vargas*. Rio de Janeiro: José Olympio, 1939.

CARVALHO, Marco Antônio de. *Rubem Braga: Um cigano fazendeiro do ar*. São Paulo: Globo, 2007.

CASTRO, Celso. *A invenção do Exército brasileiro*. Rio de Janeiro: Zahar, 2002.

_____. *O espírito militar*. Rio de Janeiro: Zahar, 1990.

CASTRO, Moacir Werneck. *Europa 1935: Uma aventura de juventude*. Rio de Janeiro: Record, 2000.

CASTRO, Ruy. *Carmen*. São Paulo: Companhia das Letras, 2005.

CAVALCANTE, Paulo. *O caso eu conto como foi: Da Coluna Prestes à queda de Arraes*. São Paulo: Alfa-Ômega, 1978.

CHACON, Vamireh. *História dos partidos brasileiros*. Brasília: UnB, 1981.

CHAGAS, Carlos. *O Brasil sem retoques: 1808-1964. A história contada por jornais e jornalistas*. vol. 1. Rio de Janeiro: Record, 2001.

CHAGAS, Paulo Pinheiro. *O brigadeiro da libertação*. Rio de Janeiro: Zélio Valverde, 1945.

CHATEAUBRIAND, Assis. *O pensamento de Assis Chateaubriand*. 27 vols. Brasília: Fundação Assis Chateaubriand, 1998.

CIANO, Galeazzo. *Ciano's Diary (1937-1943)*. Londres: Phoenix, 2002.

CONNIFF, Michael L. *Política urbana no Brasil: A ascensão do populismo (1925-1945)*. Rio de Janeiro: Relume Dumará, 2006.

CONY, Carlos Heitor. *Quem matou Vargas*. São Paulo: Planeta, 2004.

CORRÊA, Adalberto. *O Brasil inquieto de 1922 a 1937*. Porto Alegre: [s.n.], 1954.

CORTÉS. Carlos E. *Política gaúcha (1930-1964)*. Porto Alegre: PUC-RS, 2007.

COSTA, Cecília. *Diário Carioca: O jornal que mudou a imprensa brasileira*. Rio de Janeiro: Fundação Biblioteca Nacional, 2011.

COSTA, Sergio Corrêa da. *Crônica de uma guerra secreta. Nazismo na América: A conexão argentina*. Rio de Janeiro: Record, 2004.

COUTINHO, Lourival. *O general Góes depõe...* Rio de Janeiro: Coelho Branco, 1956.

COUTO, Ronaldo Costa. *Brasília Kubitschek de Oliveira*. Rio de Janeiro: Record, 2006.

CUNHA, Vasco Leitão. *Diplomacia em alto-mar: Depoimento ao CPDOC*. Rio de Janeiro: FGV, 1994.

D'ARAÚJO, Maria Celina (org.). *As instituições brasileiras da Era Vargas*. Rio de Janeiro: UERJ-FGV, 1999.

_____ (org.). *Getúlio Vargas*. Série Perfis Parlamentares. Brasília: Câmara dos Deputados, 2011.

_____. *O Estado Novo*. Rio de Janeiro: Jorge Zahar, 2000.

_____. *A Era Vargas*. 2ª ed. São Paulo: Moderna, 2004.

DEAN, Warren. *A industrialização de São Paulo*. 4ª ed. Rio de Janeiro: Bertrand, 1991.

DELFIM NETTO, Antônio. *O problema do café no Brasil*. 3ª ed. Campinas: Unesp, 2009.

DENYS, Odílio. *Ciclo revolucionário brasileiro*. Rio de Janeiro: Biblioteca do Exército, 1993.

DEODATO, Hernani. *Dicionário de batalhas brasileiras*. São Paulo: Ibrasa, 1996.

DINES, Alberto. *Morte no paraíso: A tragédia de Stefan Zweig*. 4ª ed. Rio de Janeiro: Rocco, 2012.

DORNELLES, Mozart. *1930-1992: Política, políticos e militares*. Barbacena: Centro Gráfico, s/d.

DUARTE, Paulo. *Que é que há?*. São Paulo: [s.n.], 1931.

DULLES, John W. F. *A Faculdade de Direito de São Paulo e a resistência anti-Vargas (1938-1945)*. São Paulo: Edusp; Rio de Janeiro: Nova Fronteira, 1984.

_____. *Anarquistas e comunistas no Brasil*. Rio de Janeiro: Nova Fronteira, 1977.

_____. *Carlos Lacerda: A vida de um lutador*. 4ª ed. vol. 1. Rio de Janeiro: Nova Fronteira, 1992.

_____. *Getúlio Vargas: Biografia política*. Rio de Janeiro: Renes, 1967.

_____. *Sobral Pinto: A consciência do Brasil — A cruzada contra o regime Vargas (1930-1945)*. Rio de Janeiro: Nova Fronteira, 2001.

ELLIS, Alfredo. *A nossa guerra: Estudo de síntese crítica político-militar*. São Paulo: Piratininga, 1933.

FABRÍCIO, José de Araújo. "Os Vargas: Uma estirpe faialense no Rio Grande do Sul". *Revista do IHGRS*, vols. 123 e 124, Porto Alegre, 1986, 1992.

FALANGA, Gianluca. *Mussolini's Vorposten in Hitler's Reich: Italiens Politik in Berlin 1933-1945*. Berlim: Ch. Links, 2008.

FAORO, Raymundo. *Os donos do poder: Formação do patronato político brasileiro*. 3ª ed. São Paulo: Globo, 2001.

FAUSTO, Boris. *A Revolução de 30: Historiografia e história*. 16ª ed. São Paulo: Companhia das Letras, 1997.

_____. *Getúlio Vargas*. São Paulo: Companhia das Letras, 2008.

_____. *História concisa do Brasil*. São Paulo: Edusp/Imprensa Oficial, 2001.

_____. *História do Brasil*. São Paulo: Edusp/FDE, 2001.

_____ (dir.). *História geral da civilização brasileira: Período republicano*. 4 vols. São Paulo: Difel, 1984.

_____. *O pensamento nacionalista autoritário*. Rio de Janeiro: Jorge Zahar, 2001.

FERREIRA, Jorge; DELGADO, Lucilia de Almeida Neves (orgs.). *O Brasil republicano. O tempo do nacional--estatismo*. Rio de Janeiro: Civilização Brasileira, 2007.

FERREIRA, Manoel Rodrigues. *A evolução do sistema eleitoral brasileiro*. Brasília: Senado Federal, 2001.

FERREIRA. Oliveiros S. *Vida e morte do partido fardado*. São Paulo: Senac, 2000.

FIGUEIREDO, Cláudio. *Entre sem bater: A vida de Apparício Torelly*. Rio de Janeiro: Casa da Palavra, 2012.

FIGUEIREDO, Euclydes. *Contribuição para a história da Revolução Constitucionalista de 1932*. São Paulo: Martins, 1981.

FIGUEIREDO, Eurico de Lima (org.). *Os militares e a Revolução de 30*. Rio de Janeiro: Paz e Terra, 1979.

FIGUEIREDO, Lucas. *O ministério do silêncio: A história do serviço secreto brasileiro de Washington Luís a Lula (1927-2005)*. Rio de Janeiro: Record, 2005.

FLORINDO, Marcos Tarcísio. *O serviço reservado da Delegacia de Ordem Política e Social de São Paulo na Era Vargas*. São Paulo: Unesp, 2006.

FONSECA, Pedro Cezar Dutra. *Vargas: O capitalismo em construção*. São Paulo: Brasiliense, 1989.

FONTOURA, João Neves da. *Discursos parlamentares (1923-1928)*. Porto Alegre: Assembleia Legislativa do Estado do Rio Grande do Sul, 1997.

_____. *Memórias*. 2 vols. Porto Alegre: Globo, 1958.

_____. *Accuso!*. Rio de Janeiro: [s.n.], 1933.

FORTES, Alexandre, *Nós do quarto distrito: A classe trabalhadora porto-alegrense e a Era Vargas*. Caxias do Sul: EDUCS; Rio de Janeiro: Garamond, 2004.

FRANCO, Afonso Arinos de Melo. *Curso de direito constitucional brasileiro*. 2 vols. Rio de Janeiro: Forense, 1958.

_____. *Um estadista da República: Afrânio de Melo Franco e seu tempo*. Rio de Janeiro: Nova Aguilar, 1976.

FRANCO, Sérgio da Costa. *Dicionário político do Rio Grande do Sul (1821-1937)*. Porto Alegre: Suliani Letra & Vida, 2010.

FREYRE, Gilberto. *Novo mundo nos trópicos*. São Paulo: Global, 2011.

FRISCHAUER, Paul. *Presidente Vargas*. São Paulo: Companhia Editora Nacional, 1944.

FURTADO, Celso. *Formação econômica do Brasil*. 29ª ed. São Paulo: Companhia Editora Nacional, 1998.

GALINARI, Melliandro Mendes. *A Era Vargas no Pentagrama: Dimensões político-discursivas do canto orfeônico de Villa-Lobos*. Belo Horizonte: Universidade Federal de Minas Gerais, 2007. (Tese de doutorado.)

GAMBINI, Roberto. *O duplo jogo de Getúlio Vargas*. São Paulo: Símbolo, 1977.

GAULD, Charles A. *Farquhar: O último titã — um empreendedor norte-americano na América Latina*. São Paulo: Cultura, 2006.

GERALDO, Endrica. *A lei das cotas de 1934: Controle de estrangeiros no Brasil*. (Texto disponível em: <http://segall.ifch.unicamp.br/publicacoes_ael/index.php/cadernos_ael/article/view/157>.)

GIRON, Loraine Slomp. *As sombras do Littorio: O fascismo no Rio Grande do Sul*. Porto Alegre: Parlenda, 1994.

GOMES, Angela Maria de Castro (org.). *A invenção do trabalhismo*. 3ª ed. Rio de Janeiro: FGV, 2005.

_____. *Regionalismo e centralização política: Partidos e Constituinte nos anos 30*. Rio de Janeiro: Nova Fronteira, 1980.

GUEIROS, J. A. *Juracy Magalhães: O último tenente*. Rio de Janeiro: Record, 1996.

HARTMANN, Ivar. *Getúlio Vargas*. 2ª ed. Porto Alegre: Tchê, 1984.

HAYES, Robert A. *Nação armada: A mística militar brasileira.* Rio de Janeiro: Biblioteca do Exército, 1991.

HENRIQUES, Afonso. *Ascensão e queda de Getúlio Vargas.* 3 vols. Rio de Janeiro/São Paulo: Record, 1977.

HENTSCHKE, Jens R. *Vargas and Brazil: New Perspectives.* Nova York: Palgrave Macmillan, 2006.

HILTON, Stanley. *A rebelião vermelha.* Rio de Janeiro: Record, 1986.

_____. *O Brasil e a crise internacional (1930-1945).* Rio de Janeiro: Civilização Brasileira, 1977.

_____. *O ditador e o embaixador: Getúlio Vargas, Adolf Berle Jr. e a queda do Estado Novo.* Rio de Janeiro: Record, 1987.

_____. *Oswaldo Aranha: Uma biografia.* Rio de Janeiro: Objetiva, 1994.

_____. *Suástica sobre o Brasil: A história da espionagem alemã no Brasil.* Rio de Janeiro: Civilização Brasileira, 1977.

_____. *1932: A guerra civil brasileira.* Rio de Janeiro: Nova Fronteira, 1982.

JACKSON, Russell. *Shakespeare in Film.* Cambridge: Cambridge University Press, 2000.

JARDIM, Renato. *A invasão de São Paulo.* São Paulo: Sociedade Impressora Paulista, 1932.

JOFFILY, José. *Harry Berger.* Rio de Janeiro: Paz e Terra; Curitiba: Universidade Federal do Paraná, 1987.

JORGE, Fernando. *Getúlio Vargas e o seu tempo.* 2 vols. São Paulo: T. A. Queiroz, 1994.

KEITH, Henry Hunt. *Soldados salvadores.* Rio de Janeiro: Biblioteca do Exército, 1989.

KERSHAW, Ian. *Hitler.* São Paulo: Companhia das Letras, 2010.

KLINGER, Bertoldo. *Parada e desfile duma vida de voluntário do Brasil na primeira metade do século.* Rio de Janeiro: O Cruzeiro, 1958.

_____. *Narrativas autobiográficas.* vol. 1. Rio de Janeiro: O Cruzeiro, 1944.

KOIFMAN, Fábio. *Presidentes do Brasil.* São Paulo: Cultura, 2002.

LACERDA, Carlos. *Depoimento.* Rio de Janeiro: Nova Fronteira, 1987.

_____. *Rosas e pedras do meu caminho.* Brasília: UnB, 2001.

LACERDA, Maurício de. *Segunda República.* Rio de Janeiro: Freitas Bastos, 1931.

LAMOUNIER, Bolívar. *Getúlio.* São Paulo: Nova Cultural, 1988.

LEITE, Aureliano. *Martírio e glória de São Paulo.* São Paulo: Revista dos Tribunais, 1934.

_____. *Memórias de um revolucionário.* São Paulo, 1931.

LEITE, Mauro Renault; NOVELLI JÚNIOR. *Marechal Eurico Gaspar Dutra: O dever da verdade.* Rio de Janeiro: Nova Fronteira, 1983.

LESSA, Barbosa. *Borges de Medeiros.* Porto Alegre: Tchê, 1985.

LEVINE, Robert M. *O regime de Vargas: Os anos críticos (1934-1938).* Rio de Janeiro: Nova Fronteira, 1980.

_____. *Pai dos pobres?: O Brasil e a Era Vargas.* São Paulo: Companhia das Letras, 2001.

LIMA, Azevedo. *Memórias de um carcomido.* Rio de Janeiro: Leo, 1958.

LIMA, Euclides Cachioli de. *Capacete de aço: Breve histórico do símbolo de uma guerra.* (Disponível em: <mmdc.itapetininga.com.br/imagem/capacete.pdf>.)

LIMA, Valentina da Rocha. *Getúlio: uma história oral.* 2ª ed. Rio de Janeiro: Record, 1986.

LIMONCIC, Flávio; MARTINHO, Francisco Carlos Palomares (orgs.). *Os intelectuais do antiliberalismo: Projetos e políticas para outras modernidades.* Rio de Janeiro: Civilização Brasileira, 2010.

LINS DE BARROS, João Alberto. *A marcha da Coluna.* Rio de Janeiro: Biblioteca do Exército, 1997.

LIRA NETO. *Castello: A marcha para a ditadura.* São Paulo: Contexto, 2004.

LIRA NETO. *Getúlio: Dos anos de formação à conquista do poder (1882-1930)*. São Paulo: Companhia das Letras, 2012.

LOBATO, Monteiro. *Cartas escolhidas*. São Paulo: Brasiliense, 1972.

LOPES, João Paulo. *A nação (i)mortal: Identidade nacional e política na Academia Brasileira de Letras (1931--1943)*. Belo Horizonte: Faculdade de Filosofia e Ciências Humanas da Universidade Federal de Minas Gerais, 2007. (Dissertação de mestrado.)

LOPES, Roberto. *Diplomatas e espiões*. São Paulo: Discovery, 2012.

_____. *Missão no Reich: Glória e covardia dos diplomatas latino-americanos na Alemanha de Hitler*. Rio de Janeiro: Lexicon, 2008.

LOUZEIRO, José. *O anjo da fidelidade: A história sincera de Gregório Fortunato*. Rio de Janeiro: Francisco Alves, 2000.

LUSTOSA, Isabel. *Histórias de presidentes: A República do Catete*. Petrópolis: Vozes, 1989.

MAFFEI, Eduardo. *A batalha da praça da Sé*. Rio de Janeiro: Philobiblion, 1984.

MAGALHÃES, João Batista. *A evolução militar do Brasil*. Rio de Janeiro: Biblioteca do Exército, 1998.

MAGALHÃES, Mário. *Marighella: O guerrilheiro que incendiou o mundo*. São Paulo: Companhia das Letras, 2012.

MAGALHÃES JR., R. *Getúlio. Pró e contra: O julgamento da história*. São Paulo: Melhoramentos, 1976.

MALTA, Octávio. *Os "tenentes" na revolução brasileira*. Rio de Janeiro: Civilização Brasileira, 1969.

MARIÁTEGUI, José Carlos. *As origens do fascismo*. São Paulo: Alameda, 2010.

MCCANN, Frank D. *Soldados da pátria: História do Exército brasileiro, 1889-1937*. São Paulo: Companhia das Letras, 2007.

MEDEIROS, Maurício de. *Outras revoluções virão*. São Paulo: Calvino Filho, 1932.

MELO FILHO, Murilo. *Testemunho político*. São Paulo: Elevação, 1999.

MELO FRANCO, Afonso Arinos. *Afrânio de Melo Franco e seu tempo*. Rio de Janeiro: Nova Aguilar, 1976.

MELLO, Frederico Pernambucano de. *Guerreiros do sol: violência e banditismo no Nordeste do Brasil*. São Paulo: A Girafa, 2004.

MENESES, Filipe Ribeiro de. *Salazar: Biografia definitiva*. São Paulo: Leya, 2011.

MESQUITA FILHO, Júlio de. *A Europa que eu vi*. São Paulo: Martins Fontes, 1953.

_____. *Memórias de um revolucionário: Notas para um ensaio de sociologia política*. São Paulo: Anhembi, 1954.

MILZA, Pierre. *Mussolini*. Rio de Janeiro: Nova Fronteira, 2011.

MORAES, Dênis de; VIANA, Francisco. *Prestes: Lutas e autocríticas*. Petrópolis: Vozes, 1982.

MORAES, Luís Carlos de. *Vocabulário sul-rio-grandense*. Porto Alegre: Globo, 1935.

MORAES, Mascarenhas de. *Memórias*. 2 vols. Rio de Janeiro: Biblioteca do Exército, 1984.

MORAIS, Fernando. *Chatô: O rei do Brasil*. São Paulo: Companhia das Letras, 1994.

_____. *Olga*. 16ª ed. São Paulo: Companhia das Letras, 1994.

MOREL, Edmar. *A trincheira da liberdade: História da ABI*. Rio de Janeiro, Record, 1985.

MOURA, Gerson. *Autonomia na dependência: A política externa brasileira de 1935 a 1942*. Rio de Janeiro: Nova Fronteira, 1980.

MOURÃO FILHO, Olympio. *Memórias: A verdade de um revolucionário*. 4ª ed. Porto Alegre: L&PM, 1978.

MUYLAERT, Roberto. *1943: Roosevelt e Vargas em Natal*. São Paulo: Bússola, 2012.

NABUCO, Carolina. *A vida de Virgílio de Melo Franco*. Rio de Janeiro: José Olympio, 1962.

NASSER, David. *A revolução dos covardes*. Rio de Janeiro: O Cruzeiro, 1947.

NASSER, David. *Eu fui guarda-costas de Getúlio*. Rio de Janeiro: O Cruzeiro, 1947.
NERY, Sebastião. *Folclore político*. São Paulo: Geração Editorial, 2002.
NOGUEIRA FILHO, Paulo. *A guerra cívica*. 6 vols. Rio de Janeiro: José Olympio, 1965/1981.
_____. *Ideais e lutas de um burguês progressista*. São Paulo: Anhembi, 1958.
NUNES, Zeno Cardoso; NUNES, Rui Cardoso. *Dicionário de regionalismos do Rio Grande do Sul*. Porto Alegre: Martins Livreiro, 2010.
O'DONNELL, F. Talaia. *Oswaldo Aranha*. Porto Alegre: Sulina, 1980.
OLIVEIRA, Irene Rodrigues. *Missão Cooke: Estado Novo e a implantação da CSN*. Rio de Janeiro: e-Papers, 2003.
ORICO, Oswaldo. *O feiticeiro de São Borja*. Rio de Janeiro: Edição do autor, 1976.
OSÓRIO, Joaquim Luís. *Partidos políticos no Rio Grande do Sul: Período republicano*. Porto Alegre: Assembleia Legislativa do Rio Grande do Sul, 1992.
PAIVA, Salvyano Cavalcante de. *Viva o rebolado!: Vida e morte do teatro de revista brasileiro*. Rio de Janeiro: Nova Fronteira, 1991.
PANDOLFI, Dulce (org.). *Repensando o Estado Novo*. Rio de Janeiro: FGV, 1999.
PERAZZO, Priscila Ferreira. *O perigo alemão e a repressão policial no Estado Novo*. São Paulo: Arquivo do Estado de São Paulo, 1999.
PERDIGÃO, João; CORRADI, Euler. *O rei da roleta: A incrível vida de Joaquim Rola*. Rio de Janeiro: Casa da Palavra, 2012.
PEREIRA, Duarte Pacheco. *1924: O diário da revolução — Os 23 dias que abalaram São Paulo*. São Paulo: Imprensa Oficial, Fundação Energia e Saneamento, 2010.
PEREIRA, Lígia Maria Leite; FARIA, Maria Auxiliadora de. *Presidente Antônio Carlos: Um Andrada da República — O arquiteto da Revolução de 30*. Rio de Janeiro: Nova Fronteira, 1998.
PEROSA, Maria F. de Lima. *A hora do clique: Análise do programa de rádio* Voz do Brasil *da Velha à Nova República*. São Paulo: Annablume/ECA-SP, 1995.
PESAVENTO, Sandra Jatahy. *Borges de Medeiros*. Porto Alegre: IEL, 1990.
PESSOA, Epitácio. *Revolução de Outubro de 1930 e República Nova*. Rio de Janeiro: INL, 1965.
PESSOA, Pantaleão. *Reminiscências e imposições de uma vida (1885-1965)*. Rio de Janeiro, 1972.
PETRIK, Tiago. *1932: Uma aventura olímpica na terra do cinema*. Rio de Janeiro, PTK: 2008.
PILAGALLO, Oscar. *História da imprensa paulista: Jornalismo e poder de d. Pedro I a Dilma*. São Paulo: Três Estrelas, 2012.
_____. *O Brasil em sobressalto*. São Paulo: Publifolha, 2002.
PINHEIRO, Paulo Sérgio. *Estratégias da ilusão: A revolução mundial e o Brasil*. São Paulo: Companhia das Letras, 1991.
PINTO, Sobral. *Por que defendo os comunistas*. Belo Horizonte: Universidade Católica de Minas Gerais, 1979.
PORTO, Delegado Eurico Bellens. *A Insurreição de 27 de novembro. Relatório oficial*. Rio de Janeiro: Imprensa Nacional, 1936.
PORTO, Walter Costa. *O voto no Brasil*. Rio de Janeiro: Topbooks, 1989.
PORTO ALEGRE, Apolinário. *Popularium sul-rio-grandense: Estudo de filologia e folclore*. Porto Alegre: UFRGS/Instituto Estadual do Livro, 1982.
PRESTES, Anita Leocádia. *Luiz Carlos Prestes e a Aliança Nacional Libertadora*. São Paulo: Brasiliense, 2008.

QUEIROZ JÚNIOR. *Memórias sobre Getúlio.* Rio de Janeiro: Copac, 1957.

_____. *222 anedotas de Getúlio Vargas.* 2ª ed. Rio de Janeiro: Companhia Brasileira de Artes Gráficas, 1955.

RAMOS, Graciliano. *Memórias do cárcere.* 21ª ed. Rio de Janeiro: Record, 1986.

REALE, Ebe. *Lindolfo Collor.* São Paulo: DBA, 1991.

REALE, Miguel. *Memórias.* 2 vols. São Paulo: Saraiva, 1987.

REVERBEL, Carlos. *Assis Brasil.* Porto Alegre: Instituto Estadual do Livro, 1996.

RIBEIRO, Ana Paula Goulart; FERREIRA, Lucia Maria Alves (orgs.). *Mídia e memória: A produção de sentidos nos meios de comunicação.* Rio de Janeiro: Mauad, 2007.

RIBEIRO, José Augusto. *A Era Vargas.* 3 vols. Rio de Janeiro: Casa Jorge Editorial, 2001.

RICARDO, Cassiano. *Marcha para oeste: A influência da bandeira na formação social do Brasil.* 4ª ed. Rio de Janeiro: José Olympio. 1970.

RIOS, Kênia Sousa. *Campos de concentração no Ceará: Isolamento e poder na seca de 1932.* Fortaleza: Museu do Ceará/Secretaria de Cultura do Estado, 2006.

RODRÍGUEZ, Ricardo Vélez. *Castilhismo: Uma filosofia da República.* Caxias do Sul: Universidade de Caxias do Sul, 1980.

_____. *Oliveira Vianna e o papel modernizador do Estado brasileiro.* Londrina: UEL, 1997.

ROSE, R. S. *Uma das coisas esquecidas: Getúlio Vargas e o controle social no Brasil (1930-1954).* São Paulo: Companhia das Letras, 2001.

_____; SCOTT, Gordon D. *Johnny: A vida do espião que delatou a rebelião comunista de 1935.* Rio de Janeiro: Record, 2010.

RUSSOMANO, Vitor. *Adagiário gaúcho.* Porto Alegre: Livraria do Globo, 1938.

SÁ, Mem de. *A politização do Rio Grande.* Porto Alegre: Tabajara, 1973.

SALGADO, Plínio. *O integralismo perante à nação.* Rio de Janeiro: Livraria Clássica Brasileira, 1950.

SALONE. *Irredutivelmente liberal: Política e cultura na trajetória de Júlio de Mesquita Filho.* São Paulo: Albatroz, 2009.

SANDER, Roberto. *O Brasil na mira de Hitler: A história do afundamento de 34 navios brasileiros pelos nazistas.* Rio de Janeiro: Objetiva, 2011.

SANDES, Noé Freire. *O tempo revolucionário e outros tempos: O jornalista Costa Rego e a representação do passado (1930-1937).* Goiânia: UFG, 2012.

SANDRONI, Cícero; SANDRONI, Laura Constância A. de A. *Austregésilo de Athayde: O século de um liberal.* Rio de Janeiro: Agir, 1998.

SANTA ROSA, Virgínio. *O sentido do tenentismo.* São Paulo: Alfa-Ômega, 1976.

SANTOS, Viviane Teresinha dos. *Os seguidores do Duce: Os italianos fascistas no estado de São Paulo.* São Paulo: Arquivo do Estado/Imprensa Oficial, 2001.

SANTOS-DUMONT, Alberto. *O que eu vi, o que nós veremos.* São Paulo: Hedra, 2002.

SASSOON, Donald. *Mussolini e a ascensão do fascismo.* Rio de Janeiro: Agir, 2009.

SCHWARTZMAN, Simon; BOMENY, Maria Helena Bousquet; COSTA, Vanda Maria Ribeiro. *Tempos de Capanema.* São Paulo: Paz e Terra; Rio de Janeiro: Fundação Getúlio Vargas, 2000.

SEITENFUS, Ricardo. *O Brasil vai à guerra: O processo do envolvimento brasileiro na Segunda Guerra Mundial.* 3ª ed. São Paulo: Manole, 2003.

SEVERIANO, Jaime. *Getúlio Vargas e a música popular.* Rio de Janeiro: Fundação Getúlio Vargas, 1983.

SILVA, Edmundo de Macedo Soares e. *Um construtor de nosso tempo: Depoimento ao CPDOC-FGV.* Rio de Janeiro: Fundação CSN, 1998.

SILVA, Juremir Machado da. *Getúlio*. Rio de Janeiro: BestBolso, 2008.

SILVA, Hélio. *A ameaça vermelha: O Plano Cohen*. Porto Alegre: L&PM, 1980.

_____. *Vargas: Uma biografia política*. Porto Alegre: L&PM, 2004.

_____. *1931: Os tenentes no poder*. Rio de Janeiro: Civilização Brasileira, 1966.

_____. *1932: A guerra paulista*. Rio de Janeiro: Civilização Brasileira, 1967.

_____. *1933: A crise do tenentismo*. Rio de Janeiro: Civilização Brasileira, 1968.

_____. *1934: A Constituinte*. Rio de Janeiro: Civilização Brasileira, 1969.

_____. *1935: A revolta vermelha*. Rio de Janeiro: Civilização Brasileira, 1969.

_____. *1937: Todos os golpes se parecem*. Rio de Janeiro: Civilização Brasileira, 1970.

_____. *1938: Terrorismo em campo verde*. Rio de Janeiro: Civilização Brasileira, 1971.

_____. *1939: Véspera da guerra*. Rio de Janeiro: Civilização Brasileira, 1972.

_____. *1942: Guerra no continente*. Rio de Janeiro: Civilização Brasileira, 1972.

_____. *1944: O Brasil na Guerra*. Rio de Janeiro: Civilização Brasileira, 1974.

_____. *1945: Por que depuseram Vargas*. Rio de Janeiro: Civilização Brasileira, 1976.

SILVEIRA, Joel. *A feijoada que derrubou o governo*. São Paulo: Companhia das Letras, 2004.

_____. *A milésima segunda noite da avenida Paulista*. São Paulo: Companhia das Letras, 2003.

SIQUEIRA, Magno Bissoli. *Samba e identidade nacional: Das origens à Era Vargas*. São Paulo: Unesp, 2012.

SCHWARCZ, Lilia Moritz. *O espetáculo das raças: Cientistas, instituições e questão racial no Brasil — 1870--1930*. São Paulo: Companhia das Letras, 1995.

SODRÉ, Nelson Werneck. *História da imprensa no Brasil*. Rio de Janeiro: Civilização Brasileira, 1966.

_____. *História militar do Brasil*. Rio de Janeiro: Civilização Brasileira, 1968.

_____. *Memórias de um soldado*. Rio de Janeiro: Civilização Brasileira, 1967.

SOUZA, José Inácio de Melo. *O Estado contra os meios de comunicação (1889-1945)*. São Paulo: Fapesp/Annablume, 2003.

SOUZA, Leal de. *Getúlio Vargas*. Rio de Janeiro: Gráfica Olímpica, 1940.

SOUZA, Márcio. *O brasileiro voador*. São Paulo: Marco Zero, 1986.

SKIDMORE, Thomas. *Brasil: De Getúlio a Tancredo*. 12ª ed. São Paulo: Paz e Terra, 2000.

_____. *Uma história do Brasil*. São Paulo: Paz e Terra, 1998.

SPALDING, Walter. *Construtores do Rio Grande*. 3 vols. Porto Alegre: Sulina, 1969.

STEPAN, Alfred. *Os militares na política*. Rio de Janeiro: Artenova, 1971.

TARGA, Luís Roberto Pecois. *Breve inventário de temas do Sul*. Porto Alegre: UFRGS/FEE; Lajeado: Univates, 1998.

TAVARES, Claudio. *Uma rebelião caluniada: O levante do 21º BC em 1931*. Recife: Guararapes, 1982.

TAVARES, Rodrigo Rodrigues. *O porto vermelho: A maré revolucionária (1930-1951)*. São Paulo: Arquivo do Estado/Imprensa Oficial, 2001.

TÁVORA, Juarez. *Uma vida e muitas lutas*. 2 vols. Rio de Janeiro: José Olympio, 1973.

TEIXEIRA, Iberê Athayde. *Os ossos do presidente: A vida e a morte de Getúlio Vargas*. Santo Ângelo: Ediuri, 2012.

_____. *1933: A invasão de Santo Tomé*. Santo Ângelo: Ediuri, 2011.

TENÓRIO, Heliodoro; OLIVEIRA, Odilon Aquino de. *São Paulo contra a ditadura*. São Paulo: Ismael Nogueira, 1933.

TORRES, Alberto. *O problema nacional brasileiro*. Rio de Janeiro: Imprensa Nacional, 1914.

TOTA, Antônio Pedro. *O imperialismo sedutor: A americanização do Brasil na época da Segunda Guerra*. São Paulo: Companhia das Letras, 2000.

VALADARES, Benedito. *Tempos idos e vividos*. Rio de Janeiro: Civilização Brasileira, 2006.

VAMPRÉ, Leven. *São Paulo: Terra conquistada*. São Paulo: Sociedade Impressora Paulista, 1932.

VARGAS, Alzira. *Getúlio Vargas, meu pai*. Porto Alegre: Globo, 1960.

VARGAS, Getúlio. *A nova política do Brasil*. "Da Aliança Liberal às realizações do primeiro ano de governo (1930-1931)". 10 vols. Rio de Janeiro: José Olympio, 1945.

_____. *Diário*. 2 vols. São Paulo: Siciliano; Rio de Janeiro: Fundação Getúlio Vargas, 1995.

VARGAS, Lutero. *Getúlio Vargas: A revolução inacabada*. Rio de Janeiro: Bloch, 1988.

VELLOSO, Mônica Pimenta. *Os intelectuais e a política cultural do Estado Novo*. Rio de Janeiro: Centro de Pesquisa e Documentação de História Contemporânea do Brasil, 1987.

VENÂNCIO FILHO, Alberto. "Afrânio Peixoto". Conferência pronunciada em 27 de março de 2007 na Academia Brasileira de Letras, no ciclo Presidentes da ABL.

VERGARA, Luiz. *Fui secretário de Getúlio Vargas*. Porto Alegre: Globo, 1960.

VIANNA, Marly de Almeida Gomes. *Revolucionários de 35: Sonho e realidade*. São Paulo: Companhia das Letras, 1992.

VIANNA, Oliveira. *Evolução do povo brasileiro*. São Paulo: Monteiro Lobato Editores, 1926.

_____. *Instituições políticas brasileiras*. 2 vols. Rio de Janeiro: José Olympio, 1955.

_____. *Populações meridionais do Brasil*. 2 vols. Rio de Janeiro: José Olympio, 1952.

VIDAL, Barros. *Getúlio Vargas: Um destino a serviço do Brasil*. Rio de Janeiro: Gráfica Olímpica, 1945.

VILLA, Marco Antônio. *A história das Constituições brasileiras: 200 anos de luta contra o arbítrio*. São Paulo: Leya, 2011.

WAACK, William. *Camaradas*. São Paulo: Companhia das Letras, 1993.

WEFFORT, Francisco. *O populismo na política brasileira*. São Paulo: Paz e Terra, 1980.

WEINSTEIN, Barbara. "Inventando a 'mulher paulista': Política, rebelião e a generificação das identidades regionais brasileiras". *Niterói*, vol. 5, n. 1, pp. 71-95, 2º sem. 2004.

WELLES, Benjamin, *Sumner Welles: FDR's Global Strategist: A Biography*. Nova York: St. Martin's, 1997.

ZAFFARONI, Eugenio Raúl; PIERANGELI, José Henrique. *Manual de direito penal brasileiro*. São Paulo: RT, 1999.

ZAUDER, F. (org.). *História das escolas de samba*. Rio de Janeiro: Rio Gráfica, 1976.

JORNAIS E REVISTAS — TÍTULOS E PROCEDÊNCIA DOS ARQUIVOS CONSULTADOS

A Batalha (RJ) — Biblioteca Nacional

A Democracia (Rivera, Uruguai) — Biblioteca Nacional de Montevidéu

A Federação (RS) — Biblioteca Nacional e Museu da Comunicação Hipólito da Costa

A Fronteira (Uruguaiana) — Ministerio de las Relaciones Exteriores y Culto (Argentina)

A Noite (RJ) — Biblioteca Nacional e Arquivo Antônio Sérgio Ribeiro

Brasileiros (SP) — Coleção do autor

Careta (RJ) — Biblioteca Nacional e coleção do autor

Correio do Povo (RS) — Biblioteca Nacional e Museu da Comunicação Hipólito da Costa

Correio da Manhã (RJ) — Biblioteca Nacional e Arquivo Antônio Sérgio Ribeiro

Diário Nacional (SP) — Arquivo Antônio Sérgio Ribeiro

El Pueblo (Buenos Aires) — Biblioteca Nacional de la Republica Argentina
Estado do Rio Grande — Museu da Comunicação Hipólito da Costa
Folha da Manhã (SP) — Biblioteca Nacional e Acervo *Folha de S.Paulo*
Folha da Noite (SP) — Biblioteca Nacional e Acervo *Folha de S.Paulo*
Hierarchia (RJ) — Biblioteca Nacional
Iara: Revista de Moda, Cultura e Arte (SP) — http://www.iararevista.sp.senac.br/
Jornal do Brasil (RJ) — Biblioteca Nacional
Jornal do Commercio (RJ) — Biblioteca Nacional
O Combate (SP) — Biblioteca Nacional
O Estado de Minas (MG) — Arquivo Público de Minas Gerais
O Estado de S. Paulo (SP) — Arquivo Público de S. Paulo e Arquivo Antônio Sérgio Ribeiro
O Globo (RJ) — Biblioteca Nacional
O Imparcial — Biblioteca Nacional
O Jornal (RJ) — Biblioteca Nacional
O Malho (RJ) — Biblioteca Nacional e coleção do autor
Revista do Globo (RS) — Museu da Comunicação Hipólito da Costa e coleção do autor
Revista do Instituto Histórico e Geográfico do Rio Grande do Sul (RS) — Instituto Histórico e Geográfico do Rio Grande do Sul
The New York Times (EUA) — http://spiderbites.nytimes.com/
Tribuna da Imprensa (RJ) — Biblioteca Nacional
Tribuna Popular (RJ) — Biblioteca Nacional

Notas

1. OFICIAIS DO EXÉRCITO DESTROEM UM JORNAL:
"A DITADURA VAI SALVAR O BRASIL", PROCLAMAM (1930-2) [pp. 13-36]

1. A reconstituição do episódio está embasada nos relatos feitos à época pelos jornais *A Batalha*, *A Noite*, *Correio da Manhã*, *Diário Nacional*, *Folha da Manhã*, *Folha da Tarde*, *Jornal do Brasil*, *O Estado de S. Paulo*, *O Jornal* e *O Globo*, nas edições dos dias 26 de fevereiro a 5 de março de 1932.
2. Decreto nº 19 398, de 11 de novembro de 1930. *Coleção das Leis da República dos Estados Unidos do Brasil. Leis de 1930*, vol. 2.
3. Decreto nº 19 711, de 18 de fevereiro de 1931. *Coleção das Leis da República dos Estados Unidos do Brasil. Leis de 1931*, vol. 3.
4. *Diário Carioca*, 24 de fevereiro de 1932.
5. Para o perfil biográfico de José Eduardo Macedo Soares, ver Cecília Costa, *Diário Carioca: O jornal que mudou a imprensa brasileira*, e o verbete específico ao personagem no *Dicionário histórico-biográfico brasileiro*, do CPDOC-FGV.
6. Sobre o Clube 3 de Outubro, ver Maria Cecília Spina Forjaz, *Tenentismo e forças armadas na Revolução de 30*; e Michel L. Coniff, "Os tenentes no poder: Uma nova perspectiva da Revolução de 30", em Eurico de Lima Figueiredo (org.), *Os militares e a Revolução de 30*. Ver ainda o verbete específico, "Clube 3 de Outubro", no *Dicionário histórico-biográfico brasileiro*, do CPDOC-FGV.
7. Juarez Távora, *Uma vida e muitas lutas*, vol. 2, p. 43.
8. *O Globo*, 26 de fevereiro de 1932.
9. *Correio da Manhã*, 26 de fevereiro de 1932.
10. *A Noite*, 26 de fevereiro de 1932.
11. A ida de Maurício Cardoso ao Palácio Guanabara foi narrada originalmente por Batista

Lusardo, em entrevista ao *Diário Carioca*, na edição de 5 de abril de 1932, que marcou a volta do jornal à circulação, após o empastelamento.

12. Glauco Carneiro, *Lusardo: O último caudilho*, vol. 2, p. 140.
13. Maria Cecília Spina Forjaz, *Tenentismo e forças armadas na Revolução de 30*; e Michel L. Coniff, "Os tenentes no poder: Uma nova perspectiva da Revolução de 30", em Eurico de Lima Figueiredo (org.), *Os militares e a Revolução de 30*.
14. Pedro Cézar Dutra Fonseca, *Vargas: O capitalismo em construção*, p. 161.
15. Glauco Carneiro, op. cit., vol. 2, p. 140.
16. Revista *Careta*, edições de 1931 e 1932. Sobre as comédias musicais da época, ver Salvyano Cavalcante de Paiva, *Viva o rebolado!: Vida e morte do teatro de revista brasileiro*, e Delson Antunes, *Fora do sério: Um panorama do teatro de revista no Brasil*.
17. Glauco Carneiro, op. cit., pp. 140-1.
18. *Correio da Manhã*, 26 de fevereiro de 1932.
19. Glauco Carneiro, op. cit., p. 141.
20. Idem.
21. Idem.
22. Idem.
23. Idem.
24. Idem.
25. Decreto nº 20.466, de 1º de outubro de 1931. *Coleção das Leis dos Estados Unidos do Brasil. Leis de 1931*, vol. 3.
26. *Correio da Manhã*, *A Noite* e *Diário Nacional*, edições de 26 e 28 de fevereiro de 1932.
27. *Veja*, 12 de novembro de 1977.
28. Idem.
29. Joel Silveira, *A feijoada que derrubou o governo*, pp. 119-20.
30. Alzira Vargas do Amaral Peixoto, *Getúlio Vargas, meu pai*, pp. 175-7.
31. Idem, p. 177.
32. Idem, p. 178.
33. Idem, p. 177.
34. Getúlio Vargas, *Diário*, vol. 2, p. 274.
35. *Folha da Manhã*, 28 de fevereiro de 1932.
36. Edmar Morel, *A trincheira da liberdade: História da ABI*, pp. 122-5. *Folha da Manhã*, 28 de fevereiro de 1932.
37. *Correio da Manhã* e *Folha da Manhã*, edições de 28 de fevereiro de 1932.
38. Idem.
39. Getúlio Vargas, *Diário*, vol. 1, p. 92.
40. Idem, p. 93.
41. Cecília Costa, *Diário Carioca: O jornal que mudou a imprensa brasileira*, p. 101; *Edmundo de Macedo Soares, um construtor de nosso tempo: Depoimento ao CPDOC-FGV*, p. 52.
42. Cecília Costa, op. cit., p. 36.
43. Ângela Maria de Castro Gomes, "Confronto e compromisso no processo de constitucionalização", em Boris Fausto, *História geral da civilização brasileira*, vol. 3, t. 3, pp. 9-75.
44. Agildo Barata, *Vida de um revolucionário*, p. 161.

45. Ângela Maria de Castro Gomes, op. cit., pp. 9-75. Elizabeth Cancelli, *O mundo da violência: A polícia na Era Vargas*, pp. 36-8.
46. Sobre a suposta tibieza de Getúlio, ver por exemplo João Neves da Fontoura, *Accuso!*, p. 78.
47. Getúlio Vargas, *Diário*, vol. 1, p. 83.
48. Ângela Maria de Castro Gomes, op. cit., pp. 9-75.
49. Idem, p. 100.
50. Lourival Coutinho, *O general Góes depõe...*, p. 163.
51. Renato Jardim, *A invasão de São Paulo*, p. 99.
52. Elizabeth Cancelli, *O mundo da violência: A polícia na Era Vargas*, pp. 37-8. Ângela Maria de Castro Gomes, op. cit., pp. 9-75.
53. Carta de Getúlio Vargas a Flores da Cunha, 6 de junho de 1932. Arquivo CPDOC-FGV. Documento GV c 1932.06.06/1.
54. João Neves da Fontoura, *Memórias*, vol. 2, p. 9.
55. Para os números, respectivamente, Alfredo Ellis, *A nossa guerra*, p. 44; e *Folha da Manhã*, 26 de janeiro de 1932.
56. *Folha da Manhã*, 26 de janeiro de 1932.
57. *A Batalha*, 24 de fevereiro de 1932.
58. Decreto nº 20 076 de 24 de fevereiro de 1932. Em *Coleção das Leis da República dos Estados Unidos do Brasil. Leis de 1931*, vol. 1.
59. *O Estado de S. Paulo* e *Folha da Manhã*, 25 de fevereiro de 1932.
60. Glauco Carneiro, op. cit., vol. 2, pp. 134-8.
61. Idem, p. 134.
62. Idem, p. 138.
63. *Diário Carioca*, 24 de fevereiro de 1932.
64. *O Jornal*, 26 de fevereiro de 1932.
65. Getúlio Vargas, *Diário*, vol. 1, p. 93.
66. João Neves da Fontoura, *Memórias*, vol. 2, pp. 431-6.
67. João Neves da Fontoura, *Accuso!*, p. 14.
68. Idem, p. 78.
69. *Correio da Manhã*, 3 de março de 1932. Para o perfil biográfico de Felipe Moreira Lima, conferir o verbete específico no *Dicionário histórico-biográfico brasileiro*, do CPDOC-FGV.
70. João Neves da Fontoura, *Accuso!*, p. 78.
71. Glauco Carneiro, op. cit., vol. 2, p. 132; João Neves da Fontoura, *Accuso!*, p. 14; Getúlio Vargas, *Diário*, vol. 1, p. 94.
72. Carta de Batista Lusardo a Getúlio Vargas, 3 de março de 1932. Arquivo CPDOC-FGV. Documento GV 1932.03.03/1.
73. Para uma visão autoelogiosa do Laboratório de Antropologia Criminal fundado por Batista Lusardo e dirigido por Leonídio Ribeiro, ver Glauco Carneiro, op. cit., pp. 122-3. Para as tentativas de aplicação no Brasil das diversas teorias raciais correntes à época, ver Lilia Moritz Schwarcz, *O espetáculo das raças: Cientistas, instituições e questão racial no Brasil (1870-1930)*.
74. Carta de Lindolfo Collor a Getúlio Vargas, 3 de março de 1932. Arquivo CPDOC-FGV. Documento GV 1932.03.03/2.

75. Decreto nº 19 482, de 12 de dezembro de 1930. *Coleção das Leis da República dos Estados Unidos do Brasil, de 1930*, vol. 2.
76. Decreto nº 19 769, de 19 de março de 1931. *Coleção das Leis da República dos Estados Unidos do Brasil, de 1931*, vol. 1.
77. Ebe Reale, *Lindolfo Collor*, p. 73.
78. *Correio do Povo*, 5 de março de 1932. Ver também telegrama de Raul Pilla e Antônio Augusto Borges de Medeiros a Getúlio Vargas justificando a demissão dos políticos gaúchos, 18 de março de 1932. Arquivo CPDOC-FGV. Documento GV 1932.03.18/3.
79. *O Estado do Rio Grande*, 29 de fevereiro de 1932.
80. Carlos E. Cortés, *Política gaúcha (1930-1964)*, p. 58.
81. Carta de Oswaldo Aranha a Flores da Cunha, 3 de março de 1932. Citada por Aspásia Camargo, *Oswaldo Aranha: A estrela da revolução*, p. 80.
82. Getúlio Vargas, *Diário*, vol. 1, p. 94.
83. Luiz Vergara, *Fui secretário de Getúlio Vargas*, p. 72.
84. A reconstituição da caravana automobilística do Clube 3 de Outubro a Petrópolis foi feita embasada nas notícias publicadas à época nos seguintes jornais: *A Batalha*, *A Noite*, *Correio da Manhã*, *Diário Nacional*, *Folha da Manhã*, *Folha da Tarde*, *Jornal do Brasil*, *O Estado de S. Paulo*, *O Jornal* e *O Globo*.
85. *A Batalha*, 5 de março de 1932.
86. *Correio da Manhã*, 5 de março de 1932.
87. Idem.
88. Idem.
89. Idem.

2. CRISE POLÍTICA, CONFUSÃO NOS QUARTÉIS, CAOS FINANCEIRO. QUEREM DERRUBAR GETÚLIO (1931-2) [pp. 37-57]

1. Os detalhes da viagem e da chegada de Maurício Cardoso a Porto Alegre foram obtidos a partir de matérias e entrevistas publicadas nas edições dos jornais *A Federação*, *Correio do Povo* e *Estado do Rio Grande*, entre os dias 4 e 10 de março de 1932.
2. *Correio do Povo*, 9 de março de 1932.
3. Idem.
4. *Estado do Rio Grande* e *Correio do Povo*, 9 e 10 de março de 1932.
5. *Folha da Manhã*, 9 de março de 1932.
6. Alzira Vargas do Amaral Peixoto, *Getúlio Vargas, meu pai*, pp. 104-5.
7. Idem.
8. Idem.
9. Getúlio Vargas, *Diário*, vol. 1, p. 419.
10. Alzira Vargas do Amaral Peixoto, op. cit., p. 106.
11. Idem, pp. 107-8.
12. Idem, p. 85.
13. Carta de Getúlio Vargas a Maurício Cardoso, 4 de março de 1932. Arquivo CPDOC-FGV. Documento GV 1932.03.04/5.

14. *Diário Nacional*, 11 de março de 1932.
15. *O Estado do Rio Grande*, 7 de março de 1932.
16. Carta de Getúlio Vargas a Maurício Cardoso, 4 de março de 1932. Arquivo CPDOC-FGV. Documento GV 1932.03.04/5.
17. Getúlio Vargas, *Diário*, vol. 1, p. 320.
18. Telegrama de Getúlio Vargas a Assis Brasil, 4 de março de 1932. Arquivo CPDOC-FGV. Documento GV 1932.03.04/5.
19. *Estado do Rio Grande*, 14 de março de 1932.
20. *Correio do Povo*, 20 de março de 1932.
21. Rubens Vidal Araújo, *Os Vargas*, p. 121.
22. Charge republicada no *Estado do Rio Grande*, 5 de março de 1932.
23. *Correio do Povo*, 20 de março de 1932.
24. Entrevista de Antônio Carlos da Silva Muricy a Aspásia Camargo, Ignez Cordeiro de Farias e Lucia Hippolito. Documento datilografado. Arquivo CPDOC-FGV. Ver também Dulce Chaves Pandolfi, "Os anos 1930: As incertezas do regime", em Jorge Ferreira e Lucilia de Almeida Neves Delgado (orgs.), *O Brasil republicano. O tempo do nacional estatismo*, pp. 24-5.
25. Marcelo de Paiva Abreu, "Crise, crescimento e modernização autoritária (1930-1945)", em *A ordem do progresso: Cem anos de política econômica republicana*.
26. Getúlio Vargas, *Diário* vol. 1, p. 96. Marcelo de Paiva Abreu, op. cit., p. 76.
27. Marcelo de Paiva Abreu, *Brasil, 1824-1957: Bom ou mau pagador?*. Texto disponível em: <www.econ.puc-rio.br/pdf/mpabreu.PDF>.
28. Idem.
29. Pedro Cezar Dutra Fonseca, *Vargas: O capitalismo em construção*, p. 220.
30. *Folha da Manhã*, 16 de março de 1932.
31. *Correio da Manhã*, 16 de março de 1932.
32. *Jornal do Brasil*, 16 de março de 1932.
33. Getúlio Vargas, *Diário*, vol. 1, p. 94.
34. Carta de Getúlio Vargas a Darcy, 19 de setembro de 1910. Arquivo Celina Vargas do Amaral Peixoto.
35. Idem, p. 101.
36. Idem, p. 60.
37. Boris Fausto, *Getúlio Vargas*, p. 87.
38. Getúlio Vargas, *Diário*, vol. 2, p. 63.
39. Getúlio Vargas, *Diário*, vol. 1, p. 62.
40. *Correio do Povo*, 8 de março de 1932.
41. Paulo Nogueira Filho, *A guerra cívica: 1932*, p. 64.
42. Getúlio Vargas, *Diário*, vol. 1, p. 97.
43. *Correio do Povo*, 8 de março de 1932.
44. Idem.
45. Telegrama de Assis Brasil a Getúlio Vargas, 8 de março de 1932. Arquivo CPDOC-FGV. Documento GV 1932.03.8.
46. Telegrama de Getúlio Vargas a Assis Brasil, 17 de março de 1932. Arquivo CPDOC-FGV. Documento GV 1932.03.17.

47. Idem.
48. Idem.
49. Telegrama de Assis Brasil a Getúlio Vargas, 19 de março de 1932. Arquivo CPDOC-FGV. Documento GV 1932.19.5.
50. Telegrama de Raul Pilla e Antônio Augusto Borges de Medeiros a Getúlio Vargas, 18 de março de 1932. Arquivo CPDOC-FGV. Documento GV 1932.03.18/3.
51. Telegrama de Getúlio Vargas a Flores da Cunha, 19 de março de 1932. Arquivo CPDOC-FGV. Documento GV 1932.03.19/1.
52. Carta de Getúlio Vargas a Maurício Cardoso, 26 de março de 1932. Arquivo CPDOC-FGV. Documento GV 1932.03.26/1.
53. Valentina da Rocha Lima, *Getúlio: uma história oral*, p. 66.
54. Os detalhes da reunião foram reconstituídos a partir das informações publicadas em reportagens dos seguintes jornais: *Correio da Manhã*, *Diário Nacional*, *Folha da Manhã*, *Jornal do Brasil* e *O Globo*, nas edições de 31 de março a 2 de abril de 1932.
55. Respectivamente, Decretos nº 21175, de 21 de março, e nº 22035, de 29 de outubro de 1932. *Coleção das Leis da República dos Estados Unidos do Brasil de 1932*, vols. 1 e 4.
56. Para o perfil biográfico de Pedro Ernesto, conferir verbete específico no *Dicionário histórico-biográfico brasileiro*, do CPDOC-FGV. Ver também Thiago Cavaliere Mourelle, "Origens do trabalhismo: A experiência de Pedro Ernesto Batista na década de 1930". *Outros Tempos*, vol. 6, n. 7, julho de 2009.
57. Alzira Vargas do Amaral Peixoto, op. cit., pp. 72-3.
58. *Estado do Rio Grande*, 26 de março de 1932.
59. *Careta*, 23 de abril de 1932.
60. *Correio do Povo* e *Estado do Rio Grande*, 12 de abril de 1932.
61. *Correio do Povo*, 12 de abril de 1932.
62. Idem.
63. Idem.
64. Idem.
65. Para os compromissos de Aranha na viagem ao Rio Grande do Sul, ver as edições do *Correio do Povo*, *A Federação* e *Estado do Rio Grande* entre 12 e 22 de abril de 1932.
66. *Correio do Povo*, 20 de abril de 1932.
67. Idem.
68. Idem.
69. Telegrama de Oswaldo Aranha a Getúlio Vargas, abril de 1932. Arquivo CPDOC-FGV. Documento GV 1932.04.00/4.
70. J. A. Gueiros, *Juracy Magalhães: O último tenente*, p. 139.

3. "SAI, GETÚLIO, SAI! SÃO PAULO NÃO É SHANGHAI!" (1931-2) [pp. 58-78]

1. A reconstituição do episódio foi feita a partir das informações coletadas nos jornais *Folha da Manhã*, *Folha da Noite*, *O Estado de S. Paulo* e *Diário Nacional*, edições de 24 a 29 de maio de 1932.
2. Ilka Stern Cohen, "Quando perder é vencer". *Revista de História da Biblioteca Nacional*, ano 7, nº 82, p. 20.

3. *Correio da Manhã*, 15 de maio de 1932.
4. Getúlio Vargas, *Diário*, vol. 1, p. 49.
5. Alzira Vargas do Amaral Peixoto, op. cit., pp. 72-3.
6. Idem.
7. *Correio da Manhã*, 15 de maio de 1932.
8. O discurso, reproduzido pela imprensa da época, seria incluído, na íntegra, no segundo volume de *A nova política do Brasil*, obra que reúne os principais pronunciamentos de Getúlio Vargas.
9. *Folha da Manhã*, 15 de maio de 1932.
10. Getúlio Vargas, *A nova política do Brasil*, vol. 1, pp. 244-5.
11. Pedro Cezar Dutra Fonseca, *Vargas: O capitalismo em construção*, pp. 168-71.
12. Getúlio Vargas, *A nova política do Brasil*, p. 84.
13. Sobre o Gabinete Negro, conferir verbete no *Dicionário histórico-biográfico brasileiro*, do CPDOC-FGV.
14. Getúlio Vargas, *Diário*, vol. 1, p. 74.
15. Citado por Paulo Nogueira Filho, *Guerra cívica*, vol. 1, p. 93.
16. Alzira Vargas do Amaral Peixoto, op. cit., pp. 70-1.
17. Getúlio Vargas, *Diário*, vol. 2, p. 239.
18. Alzira Vargas do Amaral Peixoto, op. cit., p. 76.
19. Boris Fausto, *Getúlio*, p. 61.
20. Agildo Barata, *Vida de um revolucionário*, p. 155.
21. Glauco Carneiro, *Lusardo: O último caudilho*, p. 129.
22. Getúlio Vargas, *Diário*, vol. 1, p. 28.
23. *Careta*, 27 de dezembro de 1930. Vavy Pacheco Borges, *Getúlio Vargas e a oligarquia paulista*, p. 142.
24. Fernando Morais, *Chatô: O rei do Brasil*, p. 261.
25. Júlio de Mesquita Filho, *Memórias de um revolucionário*, p. 24.
26. Idem, pp. 35-7.
27. *Diário Nacional*, 12 de outubro de 1930.
28. Oliveira Vianna, *Populações meridionais do Brasil*, vol. 1, p. 429.
29. Paul Frischauer, *Presidente Vargas*, p. 286.
30. Getúlio Vargas, *Diário*, vol. 1, p. 208.
31. Há uma extensa bibliografia que detalha e analisa as divergências entre João Alberto e os liberais-democráticos, fenômeno que está na gênese do movimento que viria a ser conhecido como a "Revolução Constitucionalista de 1932". Para a visão paulista dos fatos, por exemplo, conferir Paulo Nogueira Filho, *A guerra cívica*; Paulo Duarte, *Que é que há?*; Leven Vampré, *São Paulo, terra conquistada*; Renato Jardim, *A aventura de outubro e a invasão de São Paulo*; Aureliano Leite, *Memórias de um revolucionário*; Alfredo Ellis Júnior, *A nossa guerra*, entre outros.
32. Euclides Figueiredo, *Contribuição para a história da Revolução Constitucionalista de 1932*, p. 31.
33. Getúlio Vargas, *Diário*, vol. 1, p. 59.
34. Entrevista de Moisés Velinho a Rosa Maria Barbosa de Araújo e Alírio Eberhardt, documento datilografado. Arquivo CPDOC-FGV.

35. Cartas sobre a crise na Interventoria de São Paulo. Arquivo CPDOC-FGV. Conjunto de documentos: GV c 1931.07.15

36. Lira Neto, *Getúlio: Dos anos de formação à conquista do poder (1882-1930)*, p. 219.

37. Carta de Getúlio Vargas a João Alberto, 19 de junho de 1931. Arquivo CPDOC-FGV. Documento GV c 1931.07.15.

38. Hélio Silva, *1931: Os tenentes no poder*, p. 178.

39. Carta de Plínio Barreto a João Alberto. Arquivo CPDOC-FGV. Documento GV c 1931.07.15.

40. Lourival Coutinho, *O general Góes depõe...*, p. 170.

41. Stanley Hilton, *Oswaldo Aranha, uma biografia*, pp. 123-4.

42. Alzira Vargas do Amaral Peixoto, op. cit., p. 75.

43. Decreto nº 20 249, de 24 de julho de 1931. *Coleção das leis da República dos Estados Unidos do Brasil. Leis de 1931*, vol. 2.

44. Carta de João Alberto a Getúlio Vargas, 4 de novembro de 1931. Arquivo CPDOC-FGV. Documento GV c 1931.11.04.

45. Idem.

46. Hélio Silva, op. cit., p. 222.

47. Carta de Laudo de Camargo a João Alberto. Citada por Hélio Silva, op. cit., p. 222.

48. Idem, p. 221.

49. Getúlio Vargas, *Diário*, vol. 1, p. 78.

50. Citado em telegrama de Laudo de Camargo a Getúlio Vargas, 13 de novembro de 1932. Arquivo CPDOC-FGV. Documento GV c 1931.11.13.

51. Idem.

52. *Correio de S. Paulo*, 22 de junho de 1932.

53. *Correio da Manhã*, 17 de fevereiro de 1932.

54. *Diário Nacional*, 21 de fevereiro de 1932.

55. Getúlio Vargas, *Diário*, vol. 1, p. 79.

56. Pedro Cezar Dutra Fonseca, *Vargas: O capitalismo em construção*, pp. 150-60.

57. Carta de José Maria Whitaker a Getúlio Vargas, 16 de novembro de 1932. Arquivo CPDOC-FGV. Documento GV c 1931.11.16.

58. *O Estado de S. Paulo*, 15 de janeiro de 1932.

59. Edgard Carone, *A Segunda República*, pp. 45-7.

60. Getúlio Vargas, *Diário*, vol. 1, p. 89.

61. *Diário Nacional*, 24 de maio de 1932. Renato Jardim, *A invasão de São Paulo*, p. 305.

62. Telegrama de Oswaldo Aranha a Luís Aranha, maio de 1935. Arquivo CPDOC-FGV. Documento GV c 1932.05.00/6.

63. Lourival Coutinho, op. cit., p. 175.

64. *Diário Carioca*, 6 de abril de 1932.

65. A estratégia de aceitar alguns integrantes do PRR no secretariado paulista foi referendada por um telegrama de Getúlio Vargas a Oswaldo Aranha, com data de 23 de maio de 1932. Arquivo CPDOC-FGV. Documento GV c 1932.05.23.

66. *Diário Nacional*, 12 de julho de 1932.

67. Getúlio Vargas, *Diário*, vol. 1, p. 105.

4. UM GENERAL DE PIJAMA ASSUME A PASTA DA GUERRA.
OS CONSPIRADORES DECIDEM QUE É HORA DE AGIR (1932) [pp. 79-96]

1. Alzira Vargas do Amaral Peixoto, *Getúlio Vargas, meu pai*, pp. 75-102.
2. Idem.
3. Idem.
4. Idem.
5. Idem.
6. Idem.
7. Idem.
8. Idem.
9. Idem.
10. Idem.
11. Idem.
12. Carta de Getúlio Vargas a Alzira Vargas, 18 de março de 1936. Arquivo Celina Vargas do Amaral Peixoto.
13. Carta de Alzira Vargas a Getúlio Vargas, 3 de dezembro de 1935. Arquivo Celina Vargas do Amaral Peixoto.
14. Idem.
15. Idem.
16. Idem, pp. 84-5.
17. Idem.
18. Idem.
19. Idem, p. 111.
20. Idem, pp. 74-5.
21. Ana Arruda Callado, *Darcy: A outra face de Vargas*, pp. 63-4.
22. Conclusões do autor após entrevista com Celina Vargas do Amaral Peixoto, fevereiro de 2013.
23. Decreto nº 19 626, de 26 de janeiro de 1931. *Coleção das Leis dos Estados Unidos do Brasil de 1931*, vol. 2.
24. *A Noite*, 8 de julho de 1931.
25. Getúlio Vargas, *A nova política do Brasil*, vol. 2, pp. 43-5.
26. Idem, p. 49.
27. Pedro Cezar Dutra Fonseca, *Vargas: O capitalismo em construção*, pp. 190-4.
28. Decreto nº 19 717, de 20 de fevereiro de 1931. *Coleção das Leis dos Estados Unidos do Brasil de 1931*, vol. 1.
29. Pedro Cezar Dutra Fonseca, *Vargas: O capitalismo em construção*, pp. 190 e 233-4.
30. Idem, pp. 199-200.
31. Idem, pp. 168-9.
32. Getúlio Vargas, *A nova política do Brasil*, vol. 2, p. 51.
33. Nota de Góes Monteiro expondo plano para pacificação de São Paulo. Arquivo CPDOC-FGV. Documento GV c 1932.05.00/5. Para os adjetivos "tumultuada e subversiva", ver telegrama de Getúlio Vargas a Flores da Cunha, 27 de maio de 1932. Arquivo CPDOC-FGV. Documento GV c 1932.05.27. Sobre a reunião do Gabinete Negro, conferir Getúlio Vargas, *Diário*, vol. 1, p. 106.

34. Para a crônica histórica do levante no Recife, ver Claudio Tavares, *Uma rebelião caluniada: O levante do 21º BC em 1931*; Pedro Callado, *A revolução de 29 de outubro de 1931 em Pernambuco*; e Paulo Cavalcanti, *O caso eu conto como foi: Da Coluna Prestes à queda de Arraes*.

35. Luiz Vergara, *Fui secretário de Getúlio Vargas*, pp. 72-6.

36. Idem.

37. Carta de Getúlio Vargas a Antunes Maciel Júnior, 6 de junho de 1932. Arquivo CPDOC-FGV. Documento GV c 1932.06.06/1.

38. Para os detalhes sobre a solenidade esportiva, ver as edições de 21 de junho de 1932 da *Folha da Manhã* e *O Globo*.

39. Para uma narrativa detalhada da viagem e da participação brasileira nos Jogos Olímpicos de 1932, ver Tiago Petrik, *1932: Uma aventura olímpica na terra do cinema*.

40. Para os bastidores das tentativas de acordo entre Getúlio Vargas e João Neves, ver "Documentos sobre as negociações para estabelecimento de acordo político entre a Frente Única Gaúcha e o Governo Provisório". Arquivo CPDOC-FGV. Documento GV c 1932.06.28/3. A versão de João Neves da Fontoura está em seu livro *Accuso!*.

41. "Documentos sobre as negociações para estabelecimento de acordo político entre a Frente Única Gaúcha e o Governo Provisório", Arquivo CPDOC-FGV. Documento GV c 1932.06.28/3.

42. Getúlio Vargas, *Diário*, vol. 1, p. 109.

43. Idem, p. 112.

44. Decreto nº 21 461, de 3 de junho de 1932. *Coleção das Leis da República dos Estados Unidos do Brasil de 1932*, vol. 2. *Atos do Governo Provisório (abril a junho)*.

45. "Documentos sobre as negociações para estabelecimento de acordo político entre a Frente Única Gaúcha e o Governo Provisório". Arquivo CPDOC-FGV. Documento GV c 1932.06.28/3.

46. Idem.

47. Idem.

48. Idem.

49. Idem.

50. *Folha da Manhã*, 23 de junho de 1932.

51. Transcrito pela *Folha da Manhã*, 23 de junho de 1932.

52. João Neves da Fontoura, *Accuso!*, pp. 109-35.

53. Para o perfil do general Espírito Santo Cardoso, conferir o verbete específico no *Dicionário histórico-biográfico brasileiro*, do CPDOC-FGV.

54. *Folha da Manhã*, 29 de junho de 1932.

55. Idem.

56. Carlos Chagas, *O Brasil sem retoques (1808-1964): A história contada pelos jornais*, p. 359.

57. Para o perfil de Bertoldo Klinger, conferir o verbete específico no *Dicionário histórico-biográfico brasileiro*, do CPDOC-FGV.

58. Correspondências sobre o ofício enviado por Bertoldo Klinger ao ministro da Guerra, general Espírito Santo Cardoso. Arquivo CPDOC-FGV. Documento GV c 1932.07.01/3.

59. Idem.

60. Telegrama de Flores da Cunha a Oswaldo Aranha, 7 de julho de 1932. Arquivo CPDOC-FGV. Documento GV c 1932.07.07/3.

61. Correspondências sobre o ofício enviado por Bertoldo Klinger ao ministro da Guerra, general Espírito Santo Cardoso. Arquivo CPDOC-FGV. Documento GV c 1932.07.01/3.
62. Idem.
63. Idem.
64. Telegramas de interventores estaduais a Getúlio Vargas expressando solidariedade ao Governo Provisório. Arquivo CPDOC-FGV. Documento GV c 1932.07.08/3.
65. Telegrama de Pedro Toledo a Getúlio Vargas. Arquivo CPDOC-FGV. Documento GV c 1932.07.08/2.
66. Correspondências sobre o ofício enviado por Bertoldo Klinger ao ministro da Guerra, general Espírito Santo Cardoso. Arquivo CPDOC-FGV. Documento GV c 1932.07.01/3.
67. Getúlio Vargas, *Diário*, vol. 1, p. 115.
68. Lutero Vargas, *Getúlio Vargas: A revolução inacabada*, p. 56.

5. GETÚLIO ESCREVE UM BILHETE DE DESPEDIDA:
"ESCOLHO A ÚNICA SOLUÇÃO DIGNA PARA NÃO CAIR EM DESONRA" (1932) [pp. 97-112]

1. Alzira Vargas, *Getúlio Vargas, meu pai*, pp. 59-60.
2. Idem, p. 60.
3. Idem.
4. Idem, p. 61.
5. Lourival Coutinho, *O general Góes depõe...*, pp. 183-9. Stanley Hilton, *1932: A guerra civil brasileira*, p. 84.
6. Idem, p. 190.
7. Idem.
8. Idem.
9. Idem, p. 191.
10. Stanley Hilton, op. cit., p. 87.
11. Lourival Coutinho, op. cit., p. 191.
12. Telegrama de Pedro de Toledo a Getúlio Vargas, 10 de julho de 1932. Arquivo CPDOC-FGV. Documento GV c 1932.07.10/2.
13. Getúlio Vargas, *Diário*, vol. 1, p. 116.
14. Conjunto de telegramas de Getúlio Vargas a Flores da Cunha, Olegário Maciel e a todos os demais interventores, 9 de julho de 1932. Arquivo CPDOC-FGV. Documento GV c 1932.07.09/3
15. Telegrama de Flores da Cunha a Oswaldo Aranha, 9 de julho de 1932. Arquivo CPDOC-FGV. Documento GV c 1932.07.09/2.
16. Lourival Coutinho, op. cit., p. 192.
17. O plano completo estabelecido por Góes Monteiro está reproduzido em Lourival Coutinho, op. cit., pp. 193-7.
18. Stanley Hilton, op. cit., pp. 112-6.
19. Idem.
20. Alzira Vargas, op. cit., p. 92.
21. Paul Frischauer, *Presidente Vargas*, p. 294.
22. Alzira Vargas, op. cit., p. 92.

23. Idem.
24. Idem.
25. Idem, p. 93.
26. Lourival Coutinho, op. cit., pp. 202-4.
27. Idem.
28. Idem.
29. Idem.
30. Idem.
31. Getúlio Vargas, *Diário*, vol. 1, p. 8.
32. Bilhete escrito por Getúlio Vargas, 10 de julho de 1932. Arquivo CPDOC-FGV. Documento GV c 1932.07.10/7.
33. Citado por Stanley Hilton, op. cit., p. 98.
34. Rubens Vidal de Araújo, *Os Vargas*, p. 121.
35. Euclides Figueiredo, *Contribuição para a história da Revolução Constitucionalista*, p. 63.
36. João Neves da Fontoura, *Accuso!*, p. 159.
37. Idem.
38. Stanley Hilton, op. cit., pp. 76-8.
39. *Correio do Povo*, 8 de julho de 1934. Citado por Carlos E. Cortés, *Política Gaúcha (1930-1964)*, p. 88.
40. Entrevista de Mem de Azambuja Sá a Rosa Maria Barbosa de Araújo e Alírio Eberhardt. Arquivo CPDOC-FGV. Documento datilografado.
41. Carta de Flores da Cunha a Getúlio Vargas, 12 de julho de 1932. Arquivo CPDOC-FGV. Documento GV c 1932.07.19.
42. Carta de Oswaldo Cruz a Flores da Cunha, 29 de outubro de 1932. Citada por Hélio Silva, *1932: A guerra paulista*, p. 52.
43. Telegrama de Walder Sarmanho e carta de Getúlio Vargas a Flores da Cunha, 12 de julho de 1932. Arquivo CPDOC-FGV. Documento GV c 1932.07.12/2.
44. Oscar Pilagallo, *O Brasil em sobressalto*, pp. 46-7.
45. Hernani Deodato, *A Revolução de 1932*, pp. 136-7.
46. Idem, p. 147.
47. Getúlio Vargas, *Diário*, vol. 1, p. 116.
48. Documentos sobre a proposta de pacificação nacional apresentada pela Frente Única Gaúcha. Arquivo CPDOC-FGV. Documento GV c 1932.07.12/2.
49. Getúlio Vargas, *Diário*, vol. 1, p. 117.
50. Idem.
51. Stanley Hilton, op. cit., p. 123.
52. Getúlio Vargas, *Diário*, vol. 1, p. 117.
53. Idem, p. 118. Stanley Hilton, op. cit., pp. 170-1.
54. Getúlio Vargas, *Diário*, vol. 1, p. 118.
55. Memória nº 1, de Góes Monteiro a Getúlio Vargas, 21 de julho de 1932. Arquivo CPDOC-FGV. Documento GV c 1932.07.21/1.
56. Carta de Flores da Cunha a Getúlio Vargas, 14 de julho de 1932. Arquivo CPDOC-FGV. Documento GV c 1932.07.14/3.

57. Carta de Manuel Rabelo a Getúlio Vargas, 1º de agosto de 1932. Arquivo CPDOC-FGV. GV c 1932.08.01.

58. Paulo Nogueira Filho, *A guerra cívica: Povo em armas*, vol. 3, t. 2, p. 333.

59. Diretivas Gerais nº 1, de Góes Monteiro, para as operações de conjunto projetadas para o Destacamento do Exército do Leste, Barra Mansa. Arquivo CPDOC-FGV. Documento GV c 1932.07.18/1.

60. Para as missões do Grupo Misto de Aviação durante o conflito, ver Nelson Freire Lavanère Wanderley, *História da Força Aérea Brasileira*, p. 169. Para o perfil de Eduardo Gomes, conferir o verbete específico no *Dicionário histórico-biográfico brasileiro*, do CPDOC-FGV.

61. Carta de Getúlio Vargas a Góes Monteiro, 5 de agosto de 1932. Arquivo CPDOC-FGV. Documento GV c 1932.08.05.

62. Correspondências sobre a exoneração do general Tasso Fragoso da chefia do Estado-Maior do Exército. Arquivo CPDOC-FGV. Documento GV c 1932.08.16/2.

63. Antes da posse efetiva de Andrade Neves no cargo, o EME ficou interinamente sob o comando do general de brigada Benedito Olímpio da Silveira, participante da repressão à revolta comandada na capital paulista por Isidoro Dias Lopes em 1924.

64. José Louzeiro, *O anjo da fidelidade: A história sincera de Gregório Fortunato*, p. 44.

65. Iberê Athayde Teixeira, *1933: A invasão de Santo Tomé*, pp. 37-8.

66. Lutero Vargas, *Getúlio Vargas: A revolução inacabada*, p. 58. Getúlio Vargas, *Diário*, vol. 1, p. 122.

67. Lutero Vargas, op. cit., p. 59.

68. Getúlio Vargas, *Diário*, vol. 1, p. 122.

69. Idem, p. 123.

70. José Louzeiro, op. cit., p. 46.

71. Segundo José Louzeiro, Gregório nasceu em São Borja, a 24 de maio de 1900, filho de Ana de Bairros (Nica) e Damião Fortunato. Idem, p. 15.

6. UMA NOTÍCIA SE ESPALHA EM SÃO PAULO: O DITADOR FUGIU DO PALÁCIO (1932) [pp. 113-30]

1. Os "episódios" narrados neste início de capítulo foram reconstituídos com base no noticiário dos principais jornais paulistas à época, em especial o *Diário de S. Paulo*, *Diário Nacional* e a *Folha da Manhã*.

2. *Folha da Manhã* e *O Estado de S. Paulo*, 3 de agosto de 1932.

3. *Correio da Manhã*, 4 de agosto de 1932.

4. Idem.

5. Hernani Deodato, *Dicionário de batalhas brasileiras*, p. 567.

6. Getúlio Vargas, *Diário*, vol. 1, p. 120.

7. Alzira Vargas do Amaral Peixoto, *Getúlio Vargas, meu pai*, p. 91.

8. Getúlio Vargas, *Diário*, vol. 1, p. 120.

9. Idem, p. 126.

10. Lutero Vargas, *Getúlio Vargas: A revolução inacabada*, pp. 56-62.

11. Idem.

12. Getúlio Vargas, *Diário*, vol. 1, p. 127.

13. Idem, p. 135.

14. Mauro Renault Leite e Novelli Júnior, *Marechal Eurico Gaspar Dutra: O dever da verdade*, p. 40.
15. Getúlio Vargas, *Diário*, vol. 1, p. 132.
16. Mauro Renault Leite e Novelli Júnior, op. cit., p. 40.
17. *Diário Nacional*, 21 de setembro de 1932.
18. Verbete relativo a Eurico Gaspar Dutra no *Dicionário histórico-biográfico brasileiro*, vol. 2, p. 1932.
19. Alzira Vargas, op. cit., p. 84.
20. Getúlio Vargas, *Diário*, vol. 1, p. 142.
21. *Folha da Manhã*, 13 de setembro de 1932.
22. *O Estado de S. Paulo*, 14 de setembro de 1932.
23. Getúlio Vargas, "A Revolução Paulista", em *A Nova Política do Brasil*, vol. 2, pp. 80-91.
24. Idem.
25. Paulo Nogueira Filho, vol. 3, t. 1, pp. 138-9.
26. Menotti Del Picchia, *A Revolução Paulista*, pp. 78-89. Citado por Paulo Nogueira Filho, op. cit., vol. 3, t. 1, pp. 117-8.
27. Guilherme de Almeida, "Exortação", na voz de Cesar Ladeira. LP *A Revolução de 32: Uma visão através da música popular*. São Paulo: Fundação Roberto Marinho/Sesc, 1982.
28. Paulo Nogueira Filho, op. cit., vol. 3, t. 1, pp. 167-93. *Nosso Século: 1930-1945*, p. 49.
29. Monteiro Lobato, "A defesa da vitória de São Paulo". Reproduzido por Hélio Silva, *A guerra paulista*, pp. 279-83.
30. Glauco Carneiro, *Batista Lusardo: O último caudilho*, vol. 2, p. 158.
31. Idem, p. 160.
32. Idem.
33. Idem, pp. 153-4.
34. Idem, pp. 156-8.
35. Getúlio Vargas, *Diário*, vol. 1, p. 127.
36. Glauco Carneiro, op. cit., vol. 2, p. 161.
37. Citado por Glauco Carneiro, op. cit., vol. 2, p. 162.
38. *Correio da Manhã*, 27 de setembro de 1932.
39. Getúlio Vargas, *Diário*, vol. 1, p. 135.
40. Telegrama de Bertoldo Klinger a Getúlio Vargas, 29 de setembro de 1932. Arquivo CPDOC-FGV. Documento GV c 1932.09.14.
41. "Documentos sobre a proposta de armistício apresentada ao Governo Provisório por Bertoldo Klinger". Arquivo CPDOC-FGV. Documento GV c 1932.09.14.
42. Telegrama de Getúlio a Góes Monteiro. Arquivo CPDOC-FGV. Documento GV c 1932.09.14.
43. "Documentos sobre a proposta de armistício apresentada ao Governo Provisório por Bertoldo Klinger". Arquivo CPDOC-FGV. Documento GV c 1932.09.14.
44. Idem.
45. Idem.
46. "Documentos sobre a convenção militar firmada por representantes oficiais do Governo Provisório e da Força Pública do Estado de São Paulo". Arquivo CPDOC-FGV. Documento GV c 1932.10.01/2.
47. Idem.
48. Idem.

49. Oscar Pilagallo, *O Brasil em sobressalto*, p. 47.
50. Telegrama de Flores da Cunha a Getúlio Vargas, 12 de março de 1933. Arquivo CPDOC-FGV. Documento GV c 1932.03.12.
51. "Anistia", samba de Ary Barroso, com Francisco Alves e orquestra. Disco Odeon 11.083-A.
52. Idem, p. 141.
53. *Correio da Manhã*, 14 de outubro de 1932.
54. Getúlio Vargas, *Diário*, vol. 1, p. 142.
55. *Correio da Manhã*, 25 de outubro de 1932.
56. Para a letra de "Pra frente, ó Brasil", ver Melliandro Mendes Galinari, *A Era Vargas no Pentagrama: Dimensões político-discursivas do canto orfeônico de Villa-Lobos*.
57. Heitor Villa-Lobos, *A música nacionalista no governo Getúlio Vargas*, pp. 27-33.
58. Idem, pp. 7-11.
59. Getúlio Vargas, *Diário*, vol. 1, p. 144.
60. *Correio da Manhã*, 25 de outubro de 1932.
61. Para a lista completa dos proscritos, ver Hélio Silva, op. cit., pp. 261-4.
62. Getúlio Vargas, *Diário*, vol. 1, p. 142.
63. Idem, p. 154.
64. Idem, p. 148.

7. GETÚLIO ESCAPA DA MORTE. PARA A POLÍCIA, FOI ACIDENTE.
MAS HAVIA QUEM APOSTASSE EM ATENTADO (1933) [pp. 131-52]

1. A reconstituição da viagem e do acidente na Rio-Petrópolis foi feita a partir da consulta aos jornais *Correio da Manhã* e *A Noite*, edições entre os dias 27 de abril e 5 de maio de 1933.
2. Idem.
3. Idem.
4. Idem.
5. Idem.
6. Getúlio Vargas, *Diário*, vol. 1, p. 207.
7. Idem. *Correio da Manhã*, 27 e 28 de abril de 1933.
8. Entrevista de Euclides Fernando a *A Noite*, 27 de abril de 1933.
9. Entrevista de Euclides Fernando ao *Correio da Manhã*, 29 de abril de 1933.
10. Idem.
11. Idem.
12. Idem.
13. Entrevista de Euclides Fernando a *A Noite*, 27 de abril de 1933.
14. Idem.
15. Idem.
16. Carta de Austregésilo de Athayde a Maria José. Citada por Cícero Sandroni e Laura Constância A. de A. Sandroni, *Austregésilo de Athayde: O século de um liberal*, p. 328.
17. *Correio da Manhã*, 29 de abril de 1933
18. Getúlio Vargas, *Diário*, vol. 1, p. 207.
19. Idem, pp. 207-9.

20. Idem, p. 210.

21. Para o perfil biográfico de Filinto Müller, ver verbete específico no *Dicionário histórico-biográfico brasileiro*, do CPDOC-FGV.

22. *Correio da Manhã* e *A Noite*, 27 de abril a 5 de maio de 1933.

23. Idem.

24. *Correio da Manhã*, 2 de maio de 1933.

25. Para as negociações de paz mediadas pelo Brasil, ver Getúlio Vargas, *Diário*, vol. 1, p. 207.

26. Mais recentemente, o jornalista Hélio Fernandes voltou a defender a hipótese de um atentado político, quando chegou a fazer certa confusão entre o episódio em questão e outro acidente, ocorrido em 1946 e que vitimou o então chefe da Casa Civil do presidente Eurico Gaspar Dutra, Gabriel Monteiro da Silva. O texto de Fernandes está disponível em: <http://www.tribunadaimprensa.com.br/?p=15430>.

27. Getúlio Vargas, *Diário*, vol. 1, p. 219.

28. Idem.

29. Idem, p. 214.

30. Para a íntegra do discurso, ver Getúlio Vargas, *A nova política do Brasil*, vol. 3, pp. 99-108.

31. *Boletim do Tribunal Superior de Justiça Eleitoral*, 13 de junho de 1934. As eleições nos estados do Espírito Santo, Mato Grosso e Santa Catarina, onde ocorreram denúncias de irregularidades, foram anuladas. Na votação posterior, o total de eleitores nessas três unidades da federação foi de 57 560 votantes, superando em 4191 eleitores à votação original, o que ampliou o universo final de votantes, em todo o país, para 1 226 815 cidadãos.

32. Carta de Afrânio de Melo Franco a Oswaldo Aranha, 12 de agosto de 1933. Arquivo CPDOC-FGV. Documento GV c 1933.08.12.

33. Getúlio Vargas, *Diário*, vol. 1, p. 184.

34. *Correio da Manhã*, 10 de fevereiro de 1932. Getúlio Vargas, *Diário*, vol. 1, p. 186.

35. Carta de Juracy Magalhães a Getúlio Vargas, 3 de janeiro de 1933. Arquivo CPDOC-FGV. Documento GV c 1933.01.03/1.

36. Ângela Maria de Castro Gomes, *Regionalismo e centralização política: Partidos e constituição nos anos 30*, p. 30.

37. Getúlio Vargas, *Diário*, vol. 1, pp. 208-9.

38. Discurso de Raul Fernandes em saudação a Getúlio Vargas na sessão inaugural da Assembleia Constituinte. *A Noite*, 15 de novembro de 1932.

39. Citado por Hélio Silva, *1934: A Constituinte*, p. 237.

40. Ângela Maria de Castro Gomes, *Regionalismo e centralização política: Partidos e constituição nos anos 30*, p. 28.

41. *A Manhã*, 19 de maio de 1932.

42. *Careta*, 20 de maio de 1933.

43. Walter Costa Porto, *O voto no Brasil*, pp. 238-9.

44. Decreto nº 21 076, de 24 de fevereiro de 1932.

45. *Boletim do Tribunal Superior de Justiça Eleitoral*, 13 de junho de 1934.

46. Ângela Maria de Castro Gomes, "Confronto e compromisso no processo de constitucionalização", em Boris Fausto, *História geral da civilização brasileira*, vol. 3, t. 3, p. 32.

47. Ângela Maria de Castro Gomes, op. cit., p. 31.

48. John W. Foster Dulles, *Anarquistas e comunistas no Brasil*, pp. 406-7.
49. *Boletim do Tribunal Superior de Justiça Eleitoral*, 13 de junho de 1934.
50. Conferir o verbete específico, "Chapa Única por São Paulo", no *Dicionário histórico-biográfico brasileiro*, do CPDOC-FGV.
51. *Boletim do Tribunal Superior de Justiça Eleitoral*, 13 de junho de 1934.
52. Conferir o verbete "União Cívica Nacional" no *Dicionário histórico-biográfico brasileiro*, do CPDOC-FGV.
53. Conferir o verbete específico, "Liga Eleitoral Católica", no *Dicionário histórico-biográfico brasileiro*, do CPDOC-FGV.
54. Decretos nº 22.621, de 5 de abril de 1933, e nº 22.653, de 20 de abril de 1933.
55. Getúlio Vargas, *Diário*, vol. 1, p. 194.
56. Ângela de Castro Gomes, "Oliveira Vianna: O Brasil do isolidarismo ao corporativismo", em Flávio Limoncic e Francisco Carlos Palomanes Martinho (orgs.), *Os intelectuais do antiliberalismo*, pp. 201-31. Para uma síntese didática do pensamento de Oliveira Vianna, vale a leitura do verbete relativo ao sociólogo, assinado por Luís Guilherme Bacelar Chaves, no *Dicionário histórico-biográfico brasileiro*, do CPDOC-FGV.
57. Ângela de Castro Gomes, *A invenção do trabalhismo*, p. 176.
58. Hélio Silva, *1934: A Constituinte*, p. 83. Para o casuísmo da representação classista na Constituinte, ver depoimentos de Evaristo de Morais Filho, Edgar Teixeira Leite e Paulo Pinheiro Chagas ao Programa de História Oral do CPDOC-FGV, reproduzidos por Valentina Rocha Lima em *Getúlio: uma história oral*, pp. 94-5.
59. Entrevista de Edgar Teixeira Leite a Edgar Teixeira Leite a Eduardo Raposo, Dulce Chaves Pandolfi, Maria Beatriz do Nascimento e Wanderbilt Duarte de Barros. Documento datilografado. Arquivo CPDOC-FGV.
60. Carta de Getúlio Vargas a Carneiro de Mendonça, 15 de fevereiro de 1933. Arquivo CPDOC-FGV. Documento GV c 1933.03.01.
61. Getúlio Vargas, *Diário*, vol. 1, p. 193.
62. Idem, p. 203.
63. Idem, p. 233.
64. *Correio da Manhã*, 23 de agosto de 1933.
65. Carta de Gustavo Capanema a Washington Pires, 24 de julho de 1933. Citada por Hélio Silva, *1933: A crise do tenentismo*, p. 210.
66. Getúlio Vargas, *Diário*, vol. 1, p. 228.
67. Idem, p. 231.
68. Hélio Silva, *1932: A guerra paulista*, p. 237.
69. Carta de João Neves da Fontoura a Maurício Cardoso, janeiro de 1933. Arquivo CPDOC-FGV. Documento GV c 1933.01.09/2.
70. Telegrama de Flores da Cunha a Oswaldo Aranha, 29 de dezembro de 1933. Arquivo CPDOC-FGV. Documento GV c 1933.12.29/2.
71. Lourival Coutinho, *O general Góes depõe...*, p. 239.
72. Getúlio Vargas, *Diário*, vol. 1, p. 241.
73. Lourival Coutinho, op. cit., p. 239.
74. Idem, p. 235.

75. Para um excelente estudo acadêmico sobre o tema, ver Kênia Sousa Rios, *Campos de concentração no Ceará: Isolamento e poder na seca de 1932*.

76. Getúlio Vargas, *Diário*, vol. 1, p. 241.

77. Idem.

78. Idem, p. 235.

79. Idem, p. 167.

80. Idem, p. 216.

81. Idem, p. 242.

82. Idem, p. 237.

83. Alzira Vargas do Amaral Peixoto, *Getúlio Vargas, meu pai*, pp. 120-1. Para a imagem e os trajes de Getúlio no desembarque do Zeppelin, ver as fotos publicadas pela revista *Careta*, edição de 14 de outubro de 1933.

84. Getúlio Vargas, *Diário*, vol. 1, p. 242.

85. *Careta*, 14 de outubro de 1933.

86. Frase incluída no discurso de Getúlio na saudação ao presidente argentino Agustín Pedro Justo, reproduzido pelo *Correio da Manhã*, 8 de outubro de 1933.

87. *Correio da Manhã*, 10 de outubro de 1930.

88. Getúlio Vargas, *Diário*, vol. 1, p. 339.

89. *Tratado antibélico de não agressão e de conciliação*, 1940.

90. Stanley Hilton, *O Brasil e a crise internacional*, p. 64.

91. Carta de Góes Monteiro a Getúlio Vargas, 4 de janeiro de 1934. Arquivo CPDOC-FGV. Documento GV C 1934.01.04.

92. "Mensagem do chefe do Governo Provisório lida perante a Assembleia Nacional Constituinte no ato de sua instalação", em 15 de novembro de 1933. Texto integral disponível em: <http://www.crl.edu/brazil>.

93. Getúlio Vargas, *Diário*, vol. 1, p. 219.

8. TIROS DE METRALHADORA NA FRONTEIRA ARGENTINA:
BEJO VARGAS COMPLICA A POLÍTICA EXTERNA BRASILEIRA (1933) [pp. 153-71]

1. A reconstituição do episódio foi feita com base no documento reservado "Incidente ocorrido em Santo Tomé (Corrientes), entre ciudadanos brasileños y marineros argentinos". Arquivo do Ministerio de Relaciones Exteriores y Culto de la Republica Argentina. Foram utilizadas também as informações publicadas à época pelos jornais platinos *La Nación*, *La Razón*, *La Prensa* e *El Pueblo*.

2. Depoimento de Lúcio Schiavo. "Sumario reservado nº 5, Letra R. Prefectura Geral Marítima. Outubro de 1933. Tiroteo entre personal de la subprefectura de Santo Tomé con tripulantes de uma lancha procedente de San Borja (Brasil). Instrutor: Capitán de navio Osvaldo Repetto". Arquivo do Ministério de Relaciones Exteriores y Culto de la Republica Argentina. Ver também Iberê Athayde Teixeira, *1933: A invasão de Santo Tomé*.

3. Depoimento de Francisco Filimer Verón e Narciso Nuñez. Documento reservado citado na nota anterior.

4. Idem.

5. Idem.

6. Idem.
7. Idem.
8. Depoimento de Benjamim Vargas. Documento citado na nota 2.
9. Depoimento de Francisco Filimer Verón e Narciso Nuñez. Documento reservado citado na nota 2.
10. "Reconstrucción fotografica de la escena. Sumario reservado nº 5, Letra R. Prefectura Geral Marítima", outubro de 1933.
11. Depoimento de Francisco Filimer Verón e Narciso Nuñez. Documento reservado citado na nota 2.
12. Idem.
13. "Incidente ocorrido em Santo Tomé (Corrientes), entre ciudadanos brasileños y marineros argentinos". Arquivo do Ministerio de Relaciones Exteriores y Culto de la Republica Argentina.
14. Alzira Vargas do Amaral Peixoto, *Getúlio Vargas, meu pai*, pp. 121-3.
15. *Folha da Manhã*, 18 de outubro de 1933.
16. *La Nación, La Razón, La Prensa* e *El Pueblo*, edições de 16 a 18 de outubro de 1933.
17. Getúlio Vargas, *Diário*, vol. 1, p. 244.
18. *A Fronteira*, Uruguaiana, 17 de outubro de 1933.
19. Getúlio Vargas, *Diário*, vol. 1, p. 245.
20. Iberê Athayde Teixeira, *1933: A invasão de Santo Tomé*, pp. 52-64.
21. Idem.
22. Getúlio Vargas, *Diário*, vol. 1, p. 245.
23. *El Pueblo*, 22 de setembro de 1933.
24. Correspondência sobre o atentado de Santo Tomé, outubro de 1933. Arquivo CPDOC-FGV. Documento GV c 1933.10.17.
25. Idem.
26. Depoimento de Rafael Sánchez. Documento reservado citado na nota 2.
27. Sumário do inquérito apresentado pelo capitão Osvaldo Repetto às autoridades argentinas. Documento reservado citado na nota 2.
28. Idem.
29. Depoimento de Benjamim Vargas. Documento citado na nota 2.
30. Sumário do inquérito apresentado pelo capitão Osvaldo Repetto às autoridades argentinas. Documento reservado citado na nota 2.
31. Idem.
32. Getúlio Vargas, *Diário*, vol. 1, p. 251.
33. Iberê Athayde Teixeira, op. cit., pp. 112-34.
34. Carta de Getúlio a Protásio Vargas. Reproduzida por Iberê Athayde Teixeira, op. cit., pp. 118-9.
35. Idem.
36. Correspondência sobre o atentado de Santo Tomé, outubro de 1933. Arquivo CPDOC-FGV. Documento GV c 1933.10.17.
37. Sergio Venturini, *Don Lucas: O caudilho das montoneras das bandas do Uruguai*, pp. 60-7.
38. Citado por Iberê Athayde Teixeira, op. cit., pp. 112-5.
39. "Documentos de la revolución de 1933 (invasión samborjense a Santo Tome, em cumplicidade y organizado por militares argentinos)". Citado por Iberê Athayde Teixeira, op. cit., pp. 112-5.

40. Idem.
41. Correspondência sobre o atentado de Santo Tomé, outubro de 1933. Arquivo CPDOC-FGV. Documento GV c 1933.10.17.
42. *Correio da Manhã, A Noite, O Globo* e *Jornal do Brasil*, edições de 15 e 17 de novembro de 1933.
43. *A Manha*, edições de 11 e 18 de novembro de 1933.
44. Decreto nº 22 622, de 5 de abril de 1933. *Coleção das Leis da República dos Estados Unidos do Brasil de 1933*, vol. 2.
45. Ronaldo Costa Couto, *Brasília Kubitschek de Oliveira*, p. 55.
46. Correspondência sobre a sucessão na Interventoria de Minas Gerais, setembro de 1933. Arquivo CPDOC-FGV. Documento GV c 1933.09.07.
47. *Careta*, 11 de novembro de 1933.
48. Getúlio Vargas, *Diário*, vol. 1, p. 250.
49. Ângela Maria de Castro Gomes, "Confronto e compromisso no processo de constitucionalização (1930-1964)", em Boris Fausto, *História geral da civilização brasileira*, vol. 3, t. 3, pp. 19-20 e 27-8.
50. *Diário da Noite*, 12 de novembro de 1933.
51. Lourival Coutinho, *O general Góes depõe...*, pp. 247-52. Alzira Vargas do Amaral Peixoto, *Getúlio Vargas, meu pai*, pp. 141-2.
52. Lourival Coutinho, op. cit., p. 250.
53. Idem, pp. 251-2.
54. Hélio Silva, *1934: A Constituinte*, p. 79.
55. Idem.
56. Idem.
57. Benedito Valadares, *Tempos idos e vividos*, p. 69.
58. Idem, pp. 67-8.
59. Hélio Silva, *1934: A Constituinte*, p. 79.
60. Alzira Vargas do Amaral Peixoto, op. cit., pp. 143-4.
61. Hélio Silva, *1934: A Constituinte*, p. 79.
62. Idem.
63. Documentos sobre a solução do caso mineiro. Arquivo CPDOC-FGV. Documento GV c 1933.12.04.
64. Hélio Silva, *1934: A Constituinte*, p. 80.
65. Getúlio Vargas, *Diário*, vol. 1, pp. 251-2.
66. Gilberto Amado, *Depois da política*, p. 227.
67. Documentos sobre a solução do caso mineiro. Arquivo CPDOC-FGV. Documento GV c 1933.12.04. Hélio Silva, *1934: A Constituinte*, pp. 80-1.
68. Há divergências, entre diferentes autores, quanto ao número exato de componentes da famosa lista. Para Hélio Silva, seriam cinco nomes. No diário, o próprio Getúlio fala de sete. Alzira, no livro sobre o pai, diz que eram oito. Os nomes citados no texto, em um total de seis, foram informados pelo próprio Benedito Valadares, em *Tempos idos e vividos*, p. 83.
69. Hélio Silva, *1934: A Constituinte*, p. 81.
70. Para o perfil biográfico de Benedito Valadares, conferir o verbete específico no *Dicionário histórico-biográfico brasileiro*, do CPDOC-FGV.

71. José Murilo de Carvalho, "Vargas e os militares", em Dulce Pandolfi, *Repensando o Estado Novo*, p. 343.
72. Benedito Valadares, op. cit., p. 71.
73. Idem, p. 72.
74. Getúlio Vargas, *Diário*, vol. 1, p. 252.
75. Aspásia Camargo, Lucia Hippolito, Maria Celina Soares D'Araújo e Dora Rocha Flaksman. *Artes da política: Diálogo com Amaral Peixoto*, p. 102.
76. Para os detalhes do "Esquema Aranha", ver Marcelo de Paiva Abreu, *O Brasil e a economia mundial*, pp. 242-7.
77. Documentos sobre pedido de demissão de Oswaldo Aranha do cargo de ministro da Fazenda. Arquivo CPDOC-FGV. Documento GV c 1933.12.12.
78. Documentos sobre a solução do caso mineiro. Arquivo CPDOC-FGV. Documento GV c 1933.12.04.
79. Getúlio Vargas, *Diário*, vol. 1, pp. 252 e 257.
80. *O Estado de S. Paulo*, 11 de abril de 1934. Citado por Ângela Maria de Castro Gomes, "Confronto e compromisso no processo de constitucionalização (1930-1964)", em Boris Fausto, *História geral da civilização brasileira*, vol. 3, t. 3, p. 52.
81. Alzira Vargas do Amaral Peixoto, op. cit., p. 154.

9. O DITADOR DEIXA O PODER; O NOVO PRESIDENTE ASSUME.
MAS ELES SÃO A MESMA PESSOA (1934) [pp. 172-91]

1. Iberê Athayde Teixeira, *1933: A invasão de São Borja*, p. 141.
2. As cenas iniciais deste capítulo foram reconstituídas com base nas narrativas apresentadas à época pelos jornais argentinos *El Mundo*, *La Nación*, *La Razón*, *La Prensa* e *El Pueblo*. Pormenores do episódio foram recuperados por Iberê Athayde Teixeira, em *1933: A invasão de São Borja*, que por sua vez tomou como base os artigos publicados por Pablo Argilaga no jornal *El Pueblo*, em 5 de janeiro de 1933.
3. Iberê Athayde Teixeira, op. cit., pp. 140-1.
4. *La Nación*, edições de 10 a 12 de janeiro de 1934.
5. Iberê Athayde Teixeira, op. cit., pp. 142-3.
6. Idem, p. 148. Pablo Argilaga no jornal *El Pueblo*, em 5 de janeiro de 1933.
7. Idem.
8. Idem, p. 143.
9. Idem, p. 137.
10. Idem, pp. 143-5. Pablo Argilaga no jornal *El Pueblo*, em 5 de janeiro de 1933.
11. Idem, p. 146.
12. Idem, pp. 136-46. Pablo Argilaga no jornal *El Pueblo*, em 5 de janeiro de 1933.
13. *El Pueblo*, 11 de janeiro de 1934. Iberê Athayde Teixeira, op. cit., pp. 148-50.
14. Iberê Athayde Teixeira, op. cit., p. 151. Pablo Argilaga no jornal *El Pueblo*, em 5 de janeiro de 1933.
15. Iberê Athayde Teixeira, op. cit., pp. 151-8.
16. Idem, pp. 158-60.

17. Idem.

18. Getúlio Vargas, *Diário*, vol. 1, p. 262.

19. Ofício do Ministério das Relações Exteriores ao embaixador Ramón J. Cárcano, 3 de julho de 1934. Arquivo Histórico do Itamaraty.

20. Idem.

21. Documento reservado. Resposta de Ramón J. Cárcano ao ministro Cavalcanti de Lacerda, 10 de julho de 1934. Arquivo Histórico do Itamaraty.

22. Carta de Pantaleão Pessoa a Getúlio Vargas, 5 de fevereiro de 1934. Arquivo CPDOC-FGV. Documento GV c 1934.02.05.

23. Afonso Arinos de Melo Franco. *Curso de Direito Constitucional*, vol. 2, pp. 175-87.

24. Getúlio Vargas, *Diário*, vol. 1, p. 264.

25. Citado por Hélio Silva, *1934: A Constituinte*, p. 284.

26. Idem, pp. 286-7.

27. *O Estado de S. Paulo*, 23 de fevereiro de 1934.

28. Afonso Arinos de Melo Franco, op. cit., vol. 2, pp. 187-91. Carlos E. Cortés. *Política gaúcha (1930-1964)*, p. 96.

29. Para um comparativo entre o anteprojeto e o texto do substitutivo, ver Ângela Maria do Castro Gomes, "Confronto e compromisso no processo de constitucionalização (1930-1964)", em Boris Fausto, *História geral da civilização brasileira*, vol. 3, t. 3, pp. 56-71.

30. Getúlio Vargas, *Diário*, vol. 1, p. 273.

31. Carta de Manuel Rabelo a Góes Monteiro, 18 de março de 1934. Arquivo CPDOC-FGV. Documento GV c 1934.03.18.

32. Getúlio Vargas, *Diário*, vol. 1, p. 279.

33. *Folha da Manhã*, 29 de maio de 1932.

34. Hélio Silva, *1934: A Constituinte*, pp. 209-16.

35. Para uma análise da legislação relativa à questão racial no Brasil em 1934, ver Endrica Geraldo, *A lei das cotas de 1934: Controle de estrangeiros no Brasil*. Texto disponível em: <http://segall.ifch.unicamp.br/publicacoes_ael/index.php/cadernos_ael/article/view/157>.

36. Hélio Silva, op. cit., p. 137.

37. Idem, p. 76.

38. Afonso Arinos de Melo Franco, op. cit., vol. 2, p. 192.

39. Para os acordos de bastidores no âmbito dos blocos parlamentares, ver Ângela Maria de Castro Gomes, "Confronto e compromisso no processo de constitucionalização (1930-1964)", em Boris Fausto, *História geral da civilização brasileira*, vol. 3, t. 3, pp. 43-7.

40. "Correspondência sobre conspiração no Exército, visando impedir as eleições presidenciais e a Constituinte, e a favor da implantação de uma ditadura militar", Arquivo CPDOC-FGV. Documento GV c 1934.04.05. Também citado por Hélio Silva, op. cit., p. 485.

41. Hélio Silva, op. cit., p. 521.

42. "Correspondência sobre conspiração no Exército, visando impedir as eleições presidenciais e a constituinte, e a favor da implantação de uma ditadura militar", Arquivo CPDOC-FGV. Documento GV c 1934.04.05.

43. Idem.
44. Ângela Maria de Castro Gomes, op. cit., p. 55. Lourival Coutinho, *O general Góes depõe...*, p. 257.
45. *O Jornal*, 8 de julho de 1934.
46. Carta de Góes Monteiro a Getúlio Vargas, 4 de janeiro de 1934. Arquivo CPDOC-FGV. Documento GV c 1934.01.04.
47. *Correio da Manhã*, 10 de abril de 1934.
48. Hélio Silva, op. cit., pp. 485, 453-62.
49. Getúlio Vargas, *Diário*, vol. 1, p. 284.
50. Ângela Maria de Castro Gomes, op. cit., pp. 52-6. Getúlio Vargas, *Diário*, vol. 1, pp. 282-7.
51. *O Jornal*, 29 de abril de 1934.
52. Alzira Vargas do Amaral Peixoto, *Getúlio Vargas, meu pai*, p. 154.
53. Getúlio Vargas, *Diário*, vol. 1, p. 291.
54. Idem, p. 272.
55. *O Jornal*, 2 de junho de 1934.
56. Citado por Noé Freire Sandes, *O tempo revolucionários e os outros tempos: O jornalista Costa Rego e a representação do passado*, p. 101.
57. *Correio da Manhã*, 21 de abril de 1934.
58. Edgard Carone, *A República Nova (1930-1937)*, p. 323.
59. *Folha da Manhã*, 29 de abril de 1934.
60. Getúlio Vargas, *Diário*, vol. 1, p. 291.
61. Para a documentação relativa ao afastamento de Daltro Filho e Franco Ferreira, ver Hélio Silva, op. cit., pp. 483-8.
62. *O Paiz*, 5 de maio de 1934.
63. Getúlio Vargas, *Diário*, vol. 1, p. 293.
64. Idem, p. 291.
65. Idem, p. 297.
66. Decreto nº 24 297, de 28 de maio de 1934. *Coleção das leis da República dos Estados Unidos do Brasil de 1934*, vol. 4.
67. *Folha da Manhã*, 29 de maio de 1934.
68. *A Noite*, 29 de maio de 1934.
69. *Correio da Manhã*, 2 de junho de 1934.
70. *O Jornal*, 8 de julho de 1934.
71. Getúlio Vargas, *Diário*, vol. 1, p. 302.
72. Idem, p. 307.
73. Decreto nº 24 776, de 14 de julho de 1934. *Coleção das Leis da República dos Estados Unidos do Brasil de 1934*, vol. 4.
74. *Revista da Semana*, 21 de julho de 1934.
75. Para uma análise da Constituição de 1934 e seus efeitos, ver Ângela Maria de Castro Gomes, op. cit., pp. 56-75.
76. Para a frase de Getúlio, ver Valentina da Rocha Lima, *Getúlio Vargas: uma história oral*, p. 96. Para o adjetivo "monstruoso", Getúlio Vargas, *Diário*, vol. 1, p. 310.
77. *Correio da Manhã* e *A Noite*, 18 de julho de 1934.

78. Idem.
79. Valentina da Rocha Lima, op. cit., p. 98.
80. Idem.
81. *Correio da Manhã* e *A Noite*, 18 de julho de 1934.
82. Idem.
83. Alzira Vargas do Amaral Peixoto, *Getúlio Vargas, meu pai*, pp. 129-30.
84. Idem.
85. *Correio da Manhã*, 18 de julho de 1934.
86. Getúlio Vargas, *A nova política do Brasil*, vol. 3, p. 244.
87. *Correio da Manhã*, 20 de julho de 1934.
88. Isabel Lustosa, *Histórias de presidentes*, p. 106.

10. A LEI MONSTRO É APROVADA: "NÃO TEREMOS MAIS DIREITO DE PENSAR EM VOZ ALTA" (1934-5) [pp. 192-220]

1. *Folha da Manhã* e *Folha da Noite*, edições de 7 a 10 de outubro de 1934.
2. "Manifesto de Outubro", reproduzido por Edgard Carone, *A Segunda República*, pp. 309-15.
3. Citado por Cláudio Figueiredo, *Entre sem bater: A vida de Apparicio Torelly, o Barão de Itararé*, p. 204.
4. *Folha da Manhã*, 7 de outubro de 1934.
5. *Folha da Manhã* e *Folha da Noite*, edições de 7 a 10 de outubro de 1934.
6. Idem.
7. Eduardo Maffei, *A batalha da praça da Sé*, p. 83.
8. Marly de Almeida Gomes Vianna, *Revolucionários de 35: Sonho e realidade*, p. 108.
9. *Folha da Manhã* e *Folha da Noite*, edições de 7 a 10 de outubro de 1934.
10. Idem.
11. *Folha da Manhã*, 9 de outubro de 1934.
12. Miguel Reale, *Memórias: Destinos cruzados*, vol. 1, p. 79.
13. Citado por Cláudio Figueiredo, op. cit., p. 206.
14. *Correio da Manhã*, 9 de outubro de 1934.
15. Getúlio Vargas, *Diário*, vol. 1, p. 332.
16. *Correio da Manhã*, 11 de outubro de 1934.
17. Idem.
18. Idem.
19. Citado por Cláudio Figueiredo, op. cit., p. 211.
20. Getúlio Vargas, *Diário*, vol. 1, p. 332. *Correio da Manhã* e *A Noite*, 11 de outubro de 1934.
21. *Correio da Manhã*, 28 de outubro de 1934.
22. Getúlio Vargas, *Diário*, vol. 1, p. 321.
23. Carta de Getúlio Vargas a Oswaldo Aranha, 16 de outubro de 1934. Citada por Stanley Hilton, *A rebelião vermelha*, p. 49.
24. Getúlio Vargas, *Diário*, vol. 1, p. 319.
25. Idem, pp. 308-9.
26. Decreto nº 23 533, de 1º de dezembro de 1933. *Coleção das Leis da República dos Estados Unidos*

do Brasil de 1933. Ver também Marcelo de Paiva Abreu, "Crise, crescimento e modernização autoritária: 1930-1945", em *A ordem do progresso: Cem anos de política econômica republicana (1889-1989)*, p. 79.

27. Idem, p. 308.
28. Idem.
29. Idem, pp. 332-3.
30. Pantaleão Pessoa, *Reminiscências e imposições de uma vida (1885-1965)*, p. 255.
31. Citado por Cláudio Figueiredo, op. cit., p. 211.
32. Moacir Werneck de Castro, *Europa 35: Uma aventura de juventude*, pp. 16-9.
33. Citado por Cláudio Figueiredo, op. cit., pp. 214-22.
34. *A Noite*, 15 de novembro de 1934.
35. Idem.
36. Getúlio Vargas, *Diário*, vol. 1, p. 333.
37. Idem, p. 417.
38. Idem, p. 333.
39. Idem, p. 336.
40. Idem, p. 373.
41. Maria Luiza Tucci Carneiro, *O antissemitismo na Era Vargas (1930-1945)*, pp. 108-16.
42. Decreto nº 19 941, de 30 de abril de 1931. *Coleção das Leis da República dos Estados Unidos do Brasil de 1931*.
43. Lira Neto, *Getúlio: Dos anos de formação à conquista do poder (1882-1930)*, pp. 235-6.
44. Boris Fausto, *Getúlio Vargas*, p. 57.
45. Getúlio Vargas, *Diário*, vol. 1, pp. 334-5.
46. Idem.
47. *Correio da Manhã*, 21 de novembro de 1934.
48. Lira Neto, *Getúlio: Dos anos de formação à conquista do poder (1882-1930)*, p. 120.
49. Getúlio Vargas, *Diário*, vol. 1, p. 342.
50. Idem, p. 343.
51. Idem, p. 356.
52. Getúlio Vargas, *Diário*, vol. 2, p. 92.
53. Luiz Vergara, *Fui secretário de Getúlio Vargas*, p. 117.
54. Aspásia Camargo, Lucia Hippolito, Maria Celina Soares D'Araújo e Dora Rocha Flaksman. *Artes da política: Diálogo com Amaral Peixoto*, p. 98.
55. Alzira Vargas do Amaral Peixoto, *Getúlio Vargas, meu pai*, p. 75.
56. *Correio da Manhã*, 28 de março de 1935.
57. Lei nº 38, de 4 de abril de 1935. *Coleção das Leis da República dos Estados Unidos do Brasil de 1935*.
58. "Manifesto operário contra a Lei de Segurança Nacional", reproduzido por Edgard Carone, op. cit., pp. 309-15.
59. Citado por Cláudio Figueiredo, op. cit., p. 236.
60. Lourival Coutinho, *O general Góes depõe...*, p. 267.
61. Luiz Vergara, op. cit., p. 97.
62. Edgard Carone, *A República Nova*, p. 144.
63. *A Platéa*, 23 de janeiro de 1935. Citado por Edgard Carone, *A República Nova*, p. 257.

64. Carta de Hercolino Cascardo a Getúlio Vargas, 24 de agosto de 1934. Arquivo CPDOC-FGV. Documento GV c 1934.08.24.

65. Frank D. McCann, *Soldados da pátria: História do Exército Brasileiro (1889-1937)*, p. 459.

66. Getúlio Vargas, *Diário*, vol. 1, p. 362.

67. Idem, p. 352.

68. Frank D. McCann, op. cit., p. 456.

69. Carta de Simões Lopes a Getúlio Vargas. Citada por Marly de Almeida Gomes Vianna, *Revolucionário de 35: Sonho e realidade*, p. 107.

70. Carta de Monteiro Lobato a Getúlio Vargas, 15 de fevereiro de 1935. Arquivo CPDOC-FGV. Documento GV c 1935.02.15.

71. Carta de Monteiro Lobato a Getúlio Vargas. Reproduzida em Monteiro Lobato, *Cartas escolhidas*, pp. 142-3.

72. *Hierarchia*, vol. 1, agosto de 1931.

73. Decreto nº 24 651, de 10 de julho de 1934. *Coleção das Leis da República dos Estados Unidos do Brasil de 1935*, vol. 2.

74. F. Zauder, *História das escolas de samba*. vol. 3, p. 40.

75. Getúlio Vargas, *Diário*, vol. 1, p. 342.

76. Lourival Coutinho, op. cit., p. 264.

77. Pantaleão Pessoa, *Reminiscências e imposições de uma vida (1885-1965)*, p. 167.

78. Documentos sobre a crise provocada pela questão do reajustamento dos vencimentos dos militares. Arquivo CPDOC-FGV. Documento GV c 1935.04.09/3.

79. Getúlio Vargas, *Diário*, vol. 1, p. 379.

80. Documentos sobre a crise provocada pela questão do reajustamento dos vencimentos dos militares. Arquivo CPDOC-FGV. Documento GV c 1935.04.09/3.

81. Getúlio Vargas, *Diário*, vol. 1, p. 359.

82. Documentos sobre a crise provocada pela questão do reajustamento dos vencimentos dos militares. Arquivo CPDOC-FGV. Documento GV c 1935.04.09/3.

83. Idem.

84. Idem.

85. Idem.

86. Carta da Carlos Maximiliano a Getúlio Vargas, 21 de janeiro de 1935. Arquivo CPDOC-FGV. Documento GV c 1935.01.21.

87. Carta de Getúlio Vargas a Oswaldo Aranha, 10 de maio de 1935. Arquivo CPDOC-FGV. Documento GV c 1935.05.10/1.

88. Getúlio Vargas, *Diário*, vol. 1, p. 379.

89. *A Noite*, 12 de abril de 1934.

90. Getúlio Vargas, *Diário*, vol. 1, p. 379.

91. *Correio da Manhã*, 13 de abril de 1935.

92. Getúlio Vargas, *Diário*, vol. 1, p. 380. Documentos sobre a crise provocada pela questão do reajustamento dos vencimentos dos militares. Arquivo CPDOC-FGV. Documento GV c 1935.04.09/3.

93. Documentos sobre a crise provocada pela questão do reajustamento dos vencimentos dos militares. Arquivo CPDOC-FGV. Documento GV c 1935.04.09/3.

94. Getúlio Vargas, *Diário*, vol. 1, p. 380.

95. Pantaleão Pessoa, *Reminiscências e imposições de uma vida (1885-1965)*, p. 168.
96. *Correio da Manhã*, 18 de abril de 1935.
97. *Correio da Manhã*, 16 de abril de 1935.
98. Documentos sobre a crise provocada pela questão do reajustamento dos vencimentos dos militares. Arquivo CPDOC-FGV. Documento GV c 1935.04.09/3.
99. Idem.
100. Idem.
101. Idem.
102. Idem.
103. Idem.
104. Getúlio Vargas, *Diário*, vol. 1, p. 388.
105. Idem, p. 367.
106. Documentos sobre a crise provocada pela questão do reajustamento dos vencimentos dos militares. Arquivo CPDOC-FGV. Documento GV c 1935.04.09/3. Lourival Coutinho, op. cit., p. 264.
107. Lourival Coutinho, op. cit., p. 264.
108. Mauro Renault Leite e Novelli Júnior, *Marechal Eurico Gaspar Dutra: O dever da verdade*, pp. 65-6.
109. Idem, pp. 67-8.
110. Getúlio Vargas, *Diário*, vol. 1, p. 386.
111. Carta de Getúlio Vargas a Oswaldo Aranha, 10 de maio de 1935. Arquivo CPDOC-FGV. Documento GV c 1935.05.10/1.
112. Carlos E. Cortés, *Política gaúcha (1930-1964)*, p. 110.

11. O SERVIÇO SECRETO BRITÂNICO ADVERTE GETÚLIO:
ESPIÕES E TERRORISTAS SOVIÉTICOS ESTÃO NO BRASIL (1935) [pp. 221-42]

1. O episódio foi reconstituído com base nas reportagens de época dos seguintes jornais: *Correio da Manhã, Folha da Manhã, Folha da Noite, A Noite, Jornal do Brasil* e *O Globo*.
2. Stanley Hilton, *A rebelião vermelha*, pp. 64-5.
3. Ver nota 1 deste capítulo.
4. *Folha da Manhã*, 4 de junho de 1935.
5. *Folha da Noite*, 4 de junho de 1935.
6. *Correio da Manhã*, 4 de junho de 1935.
7. Idem.
8. Idem.
9. Ver nota 1 deste capítulo.
10. Stanley Hilton, *A rebelião vermelha*, pp. 64-5.
11. Getúlio Vargas, *Diário*, vol. 1, p. 393.
12. Matérias dos jornais argentinos *El Tiempo, El Mundo* e *La Nación*, edições entre os dias 17 de maio e 3 de junho de 1935.
13. Getúlio Vargas, *Diário*, vol. 1, p. 393.
14. Gilberto Amado, *Perfil do presidente Getúlio Vargas*, pp. 8-9.
15. *El Mundo*, 25 de maio de 1935.

16. Idem.
17. *A Democracia*, 27 de setembro de 1938.
18. "Mensagem apresentada ao Poder Legislativo em 3 de maio de 1935 pelo presidente da República Getúlio Dornelles Vargas". Disponível em: <http://www.crl.edu/brazil/presidential>.
19. A tese da possível destruição dos papéis foi corroborada ao autor, em dezembro de 2012, pelo ministro João Pedro Corrêa Costa, atual diretor do Departamento de Comunicações e Documentação (DCD) do Ministério das Relações Exteriores.
20. Despacho assinado por Edward Coote, da embaixada britânica no Rio de Janeiro, para Londres, datado de 16 de julho de 1935. Arquivo do Foreign Office. Getúlio Vargas, *Diário*, vol. 1, p. 397.
21. Idem.
22. Getúlio Vargas, *Diário*, vol. 1, p. 398.
23. *O Globo*, 26 de junho de 1935.
24. *A Manhã*, 27 de junho de 1935.
25. R. S. Rose e Gordon D. Scott, *Johnny: A vida do espião que delatou a rebelião comunista de 1935*, pp. 263-4.
26. William Waack, *Camaradas*, p. 118.
27. Idem, pp. 118-23.
28. Hélio Silva, *1935: A revolta vermelha*, p. 288.
29. *Jornal do Brasil*, 28 de junho de 1935.
30. Idem.
31. William Waack, *Camaradas*, pp. 55-6.
32. Citado por Paulo Sérgio Pinheiro, *Estratégias da ilusão: A revolução mundial e o Brasil*, p. 275.
33. Para uma visão crítica do cangaço, ver Frederico Pernambucano de Mello, *Guerreiros do sol: Violência e banditismo no Nordeste do Brasil*.
34. William Waack, op. cit., p. 145.
35. Idem.
36. R. S. Rose e Gordon D. Scott, op. cit., p. 268.
37. Carta de Juracy Magalhães a Getúlio Vargas, 27 de junho de 1935. Arquivo CPDOC-FGV. Documento GV c 1935.06.27.
38. Fernando Morais, *Chatô: O rei do Brasil*, p. 360.
39. Idem.
40. *Correio da Manhã*, 5 e 6 de junho de 1935.
41. *Correio da Manhã*, 5 de julho de 1935.
42. *A Manhã*, 5 de julho de 1935.
43. *A Noite*, 5 de julho de 1935.
44. *A Manhã*, 6 de julho de 1935.
45. *Correio da Manhã* e *A Manhã*, edições de 5 e 6 de julho de 1935.
46. *A Manhã*, 6 de julho de 1935.
47. Idem.
48. *Correio da Manhã*, 6 de julho de 1935.
49. Getúlio Vargas, *Diário*, vol. 1, pp. 401-2. Carlos Lacerda, *Rosas e pedras de meu caminho*, pp. 156-7.
50. Hélio Silva, *1935: A revolta vermelha*, pp. 185-8.

51. Idem. Ver também Edgard Carone, *A Segunda República*, pp. 430-40.

52. Decreto nº 229, de 11 de julho de 1935. *Coleção das leis da República dos Estados Unidos do Brasil de 1935*, vol. 2. Cartas de Protásio e Benjamim Vargas a Getúlio Vargas sobre a nomeação de Viriato Vargas para ministro do Tribunal de Contas do Rio Grande do Sul, 8 a 22 de junho de 1935. Arquivo CPDOC-FGV. Documento GV c 1935.06.08/1. Getúlio Vargas, *Diário*, vol. 1, p. 403.

53. *A Noite*, 8 e 9 de julho de 1935.

54. Getúlio Vargas, *Diário*, vol. 1, p. 403.

55. Cartas de Protásio e Benjamim Vargas a Getúlio Vargas sobre a nomeação de Viriato Vargas para ministro do Tribunal de Contas do Rio Grande do Sul, 8 a 22 de junho de 1935. Arquivo CPDOC-FGV. Documento GV c 1935.06.08/1. Getúlio Vargas, *Diário*, vol. 1, p. 403.

56. Carta de Benjamim Vargas a Getúlio Vargas, 8 de junho de 1935. Arquivo CPDOC-FGV. Documento GV c 1935.06.08/1.

57. Cartas de Protásio Vargas a Getúlio Vargas, 22 de junho de 1935. Arquivo CPDOC-FGV. Documento GV c 1935.06.08/1.

58. Carta de Artur Caetano a Getúlio Vargas sobre a eleição de Augusto de Lima para a Academia Brasileira de Letras e carta do próprio escritor a Getúlio, agosto de 1935 e 18 de novembro de 1935. Arquivo CPDOC-FGV. Documentos GV c 1935.08.00/3 e GV c 1935.11.18/2.

59. Carta de Augusto de Lima Júnior a Getúlio Vargas, 18 de novembro de 1935. Arquivo CPDOC-FGV. Documentos GV c 1935.08.00/3 e GV c 1935.11.18/2.

60. *Correio da Manhã*, 17 de setembro de 1935.

61. *A Manhã*, 16 de julho de 1935.

62. Para o epíteto "Vargas, o enganador", ver Glauco Carneiro, *Lusardo: O último caudilho*, p. 190.

63. Getúlio Vargas, *Diário*, vol. 1, p. 397.

64. *A Noite*, edições de 27 de julho, 1 e 2 de agosto de 1935.

65. Getúlio Vargas, *Diário*, vol. 1, pp. 409-10.

66. Para os detalhes do acordo comercial Brasil-Estados Unidos, ver Marcelo de Paiva Abreu, *O Brasil e a economia mundial (1930-1945)*, pp. 205-24. Ver também Stanley Hilton, *A rebelião vermelha*, p. 149.

67. Getúlio Vargas, *Diário*, vol. 1, pp. 406, 413 e 422.

68. Idem, p. 431.

69. Idem, p. 413.

70. Hélio Silva, *1935: A revolta vermelha*, pp. 121-4.

71. Conferir o verbete relativo a Cristóvão Barcelos no *Dicionário histórico-biográfico brasileiro*, do CPDOC-FGV.

72. Getúlio Vargas, *Diário*, vol. 1, p. 426.

73. Idem, p. 413.

74. *A Noite*, 2 de agosto de 1935.

75. Para o enfraquecimento da ANL após o decreto de Getúlio ordenando o fechamento da entidade, ver Marly de Almeida Gomes Vianna, *Revolucionários de 35: Sonho e realidade*, pp. 146-50, e William Waack, op. cit., pp. 158-60.

76. Stanley Hilton, op. cit., p. 61.

77. William Waack, *Camaradas*, p. 201.

78. Idem, p. 161.

79. Idem, p. 198.

80. Getúlio Vargas, *Diário*, vol. 1, p. 437.

12. SETE MIL PRESOS POLÍTICOS LOTAM OS PORÕES DO REGIME.
HÁ GRAVES DENÚNCIAS DE TORTURA. GETÚLIO NEGA (1935-6) [pp. 243-75]

1. Pantaleão Pessoa, *Reminiscências e imposições de uma vida (1885-1965)*, p. 218.
2. Getúlio Vargas, *Diário*, vol. 1, pp. 446-7. Mauro Renault Leite e Novelli Júnior, *Marechal Eurico Gaspar Dutra: O dever da verdade*, pp. 89-102.
3. R. S. Rose e Gordon D. Scott, *Johnny: A vida do espião que delatou a rebelião comunista de 1935*, p. 276.
4. Delegado Eurico Bellens Porto. *A Insurreição de 27 de novembro. Relatório oficial*, p. 83.
5. Mauro Renault Leite e Novelli Júnior, op. cit., p. 99.
6. Getúlio Vargas, *Diário*, vol. 1, pp. 446-7.
7. Citado por Marly de Almeida Gomes Vianna, *Revolucionários de 35: Sonho e realidade*, p. 259.
8. *Correio da Manhã*, 29 de novembro de 1937.
9. Getúlio Vargas, *Diário*, vol. 1, pp. 446-7. Mauro Renault Leite e Novelli Júnior, op. cit., pp. 89-102.
10. Pantaleão Pessoa, op. cit., pp. 216-8. Getúlio Vargas, *Diário*, vol. 1, pp. 446-7.
11. Pantaleão Pessoa, op. cit., p. 216.
12. Idem, pp. 220-2.
13. Getúlio Vargas, *Diário*, vol. 1, pp. 446-7.
14. Idem.
15. Idem.
16. Marly de Almeida Gomes Vianna, op. cit., p. 257. Getúlio Vargas, *Diário*, vol. 1, pp. 446-7.
17. Getúlio Vargas, *Diário*, vol. 1, p. 447.
18. Marly de Almeida Gomes Vianna, op. cit., pp. 259-60.
19. Idem.
20. Getúlio Vargas, *Diário*, vol. 1, p. 447.
21. A conclusão é compartilhada por pesquisadores e historiadores das mais variadas tendências ideológicas. Marly de Almeida Gomes Vianna, op. cit., p. 250. Paulo Sérgio Pinheiro, *Estratégias da ilusão: A revolução mundial e o Brasil*, pp. 289-97. William Waack, *Camaradas*, pp. 194-203.
22. Para a reconstituição minuciosa dos levantes de Natal e Recife, ver Marly de Almeida Gomes Vianna, op. cit., pp. 185-239.
23. Getúlio Vargas, *Diário*, vol. 1, p. 445. *Correio da Manhã*, 26 de novembro de 1935.
24. Marly de Almeida Gomes Vianna, op. cit., p. 262.
25. Idem, p. 249.
26. *A Manhã*, 27 de novembro de 1927.
27. William Waack, op. cit., pp. 194-203.
28. Idem. Marly de Almeida Gomes Vianna, op. cit., p. 254.
29. Agildo Barata, *Vida de um revolucionário*, p. 297.
30. Paulo Sérgio Pinheiro. op. cit., pp. 303-4.
31. *Correio da Manhã*, 29 de novembro de 1935.
32. Idem.
33. Delegado Eurico Bellens Porto, op. cit. Paulo Sérgio Pinheiro, op. cit., p. 304. Maria Celina D'Araújo, *O Estado Novo*, p. 17.

34. Carta de Trifino Correia a Getúlio Vargas, 30 de agosto de 1936. Arquivo CPDOC-FGV. Documento GV c 1936.08.30/1.

35. Getúlio Vargas, *Diário*, vol. 1, p. 448.

36. Idem, p. 449.

37. Documentos sobre as medidas repressivas adotadas pelo governo e pelas Forças Armadas em relação aos participantes do movimento comunista. Arquivo CPDOC-FGV. Documento GV c 1935.12.03/3.

38. Idem.

39. Getúlio Vargas, *Diário*, vol. 1, p. 448.

40. Idem, p. 450.

41. *O Estado de S. Paulo*, 4 de dezembro de 1935.

42. *Correio da Manhã*, 1º de dezembro de 1935.

43. *Careta*, 18 de janeiro de 1936.

44. Getúlio Vargas, *Diário*, vol. 1, p. 314.

45. Idem, p. 467.

46. Idem, p. 478.

47. Getúlio Vargas, *A nova política do Brasil*, vol. 4, pp. 174-5.

48. Getúlio Vargas, *Diário*, vol. 1, p. 456.

49. Idem, p. 452.

50. Documentos sobre as medidas repressivas adotadas pelo governo e pelas Forças Armadas em relação aos participantes do movimento comunista. Arquivo CPDOC-FGV. Documento GV c 1935.12.03/3.

51. Getúlio Vargas, *Diário*, vol. 1, p. 456.

52. *Correio da Manhã*, 17 de dezembro de 1935.

53. Getúlio Vargas, *Diário*, vol. 1, p. 494.

54. *Correio da Manhã* e *A Noite*, 18 de dezembro de 1935.

55. John W. F. Dulles, *Sobral Pinto: A consciência do Brasil*, p. 89.

56. Hélio Silva, *1937: Todos os golpes se parecem*, pp. 117-8.

57. Fernando Morais, *Olga*, p. 100.

58. William Waack, *Camaradas*, pp. 255-6. Marly de Almeida Gomes Vianna, op. cit., p. 285. Fernando Morais, op. cit., p. 102.

59. Fernando Morais, op. cit., p. 102.

60. Stanley Hilton, *A rebelião vermelha*, pp. 127-8.

61. Getúlio Vargas, *A nova política do Brasil*, vol. 4, pp. 139-45.

62. Idem.

63. Graciliano Ramos, *Memórias do cárcere*, vol. 1, p. 34.

64. *Correio da Manhã*, 1º de abril de 1936.

65. Verbete relativo a Anísio Teixeira no *Dicionário histórico-biográfico brasileiro*, do CPDOC-FGV.

66. Marco Antonio de Carvalho, *Rubem Braga: Um cigano fazendeiro do ar*, pp. 238-46.

67. Alzira Vargas, *Getúlio Vargas, meu pai*, pp. 212-4.

68. Carta de Vicente Paulo Francisco Rao a Getúlio Vargas, 18 de janeiro de 1936. Arquivo CPDOC-FGV. Documento GV c 1936.01.18/1.

69. Paulo Sérgio Pinheiro, op. cit., p. 321.

70. Citado por Hélio Silva, 1937: Todos os golpes se parecem, p. 132.
71. Adalberto Correia, O Brasil inquieto de 1922 a 1937, p. 168.
72. Correio da Manhã, 10 de julho de 1937.
73. Carta de Filinto Müller a Getúlio Vargas, 18 de junho de 1936. Arquivo CPDOC-FGV. Documento GV c 1937.06.18.
74. John W. F. Dulles, Sobral Pinto: A consciência do Brasil, p. 92. Stanley Hilton, op. cit., p. 103. Robert Levine, O regime de Vargas: Os anos críticos, p. 198. Fernando Morais, op. cit., p. 106. William Waack, op. cit., p. 343.
75. Stanley Hilton, op. cit., p. 103.
76. Luiz Vergara, Fui secretário de Getúlio Vargas, pp. 104-6.
77. Mauro Renault Leite e Novelli Júnior, Marechal Eurico Gaspar Dutra: O dever da verdade, pp. 101-2.
78. Revista do Globo, edição especial: "Subsídios para as memórias de Getúlio Vargas", agosto de 1950.
79. Stanley Hilton, op. cit., p. 103.
80. Idem, p. 106.
81. Idem, p. 115.
82. Idem, pp. 114-5.
83. William Waack, op. cit., pp. 343-4.
84. R. S. Rose e Gordon D. Scott, op. cit., pp. 280-1.
85. Idem.
86. Idem, pp. 290-6.
87. William Waack, op. cit., p. 300. Stanley Hilton, op. cit., p. 103.
88. Fernando Morais, op. cit., pp. 137-9. William Waack, op. cit., pp. 292-7.
89. William Waack, op. cit., p. 296.
90. Fernando Morais, op. cit., pp. 137-9. William Waack, op. cit., pp. 292-7.
91. Stanley Hilton, op. cit., p. 103.
92. Carta de Oswaldo Aranha a Getúlio Vargas, 22 de abril de 1936. Arquivo CPDOC-FGV. Documento GV c 1936.04.22.
93. Despacho de Moniz de Aragão ao Ministério das Relações Exteriores, 29 de janeiro de 1936. Arquivo do Itamaraty. Citado também por Stanley Hilton, op. cit., p. 149.
94. Despachos de Moniz de Aragão ao Ministério das Relações Exteriores, 3 a 29 de janeiro de 1936. Arquivo do Itamaraty. Citados também por Stanley Hilton, op. cit., pp. 149-50.
95. Stanley Hilton, op. cit., p. 132.
96. Despacho de Moniz de Aragão ao Ministério das Relações Exteriores, 4 de fevereiro de 1936. Arquivo do Itamaraty. Citado também por Stanley Hilton, op. cit., pp. 152-3.
97. Despacho de Moniz de Aragão ao Ministério das Relações Exteriores, 24 de abril de 1936. Arquivo do Itamaraty. Citado também por Stanley Hilton, A rebelião vermelha, pp. 155-6.
98. Memorando reservado, do embaixador brasileiro na Alemanha, Moniz de Aragão, ao chefe de seção da América no Ministério das Relações Estrangeiras da Alemanha, 18 de março de 1937. Arquivo do Itamaraty.
99. Hélio Silva, op. cit., pp. 136-7.
100. Idem.

101. Carta de Getúlio Vargas a Oswaldo Aranha, 11 de janeiro de 1936. Arquivo CPDOC-FGV. Documento GV c 1936.01.11.

102. Getúlio Vargas, *A nova política do Brasil*, vol. 4, pp. 139-45.

103. Robert Levine, *O regime de Vargas: Os anos críticos*, p. 196.

104. Getúlio Vargas, *Diário*, vol. 1, p. 488.

105. Delegado Eurico Bellens Porto. *A Insurreição de 27 de novembro. Relatório oficial*, pp. 78-90.

106. Stanley Hilton, op. cit., p. 106. Hélio Silva, op. cit., p. 148.

107. Hélio Silva, op. cit., p. 161.

108. Getúlio Vargas, *Diário*, vol. 1, p. 494.

109. Carta de Virgílio de Melo Franco a Getúlio Vargas, 11 de maio de 1936. Arquivo CPDOC-FGV. Documento GV c 1936.05.11.

110. Carta de Oswaldo Aranha a Getúlio Vargas, 22 de julho de 1936. Arquivo CPDOC-FGV. Documento GV c 1936.07.22/2.

111. Paulo Sérgio Pinheiro, op. cit., p. 321. Paulo Brandi, *Vargas: Da vida para a história*, p. 104. Stanley Hilton, op. cit., p. 113.

112. Idem.

113. Stanley Hilton, op. cit., p. 145.

114. Carta de Getúlio Vargas a Oswaldo Aranha, 28 de maio de 1936. Arquivo CPDOC-FGV. Documento GV c 1936.05.28.

115. Ian Kershav, *Hitler*, pp. 271-81.

116. Carta de Heitor Lima a Darcy Vargas. Citada por Fernando Morais, op. cit., pp. 174-5.

117. Stanley Hilton, op. cit., p. 112.

118. Para os detalhes do julgamento dos implicados, ver Hélio Silva, op. cit., pp. 207-19.

119. Getúlio Vargas, *Diário*, vol. 1, p. 488.

120. Idem, p. 484.

121. Jean Michel Arrighi, *OEA: Organização dos Estados Americanos*, p. 116.

122. *Folha da Noite*, 28 de novembro de 1936.

123. *A Noite*, 27 de novembro de 1936.

124. Idem.

125. *Correio da Manhã*, 26 de novembro de 1936.

126. Getúlio Vargas, *Diário*, vol. 1, p. 488.

127. *Correio da Manhã*, 26 de novembro de 1936.

128. Idem. José Augusto Ribeiro, *A Era Vargas*, vol. 1, pp. 147-8.

129. Flávio Limoncic. *Os inventores do New Deal: Estado e sindicato nos Estados Unidos dos anos 1930*.

130. Lourival Coutinho, *O general Góes depõe...*, p. 281.

131. Paulo Brandi, *Vargas: Da vida para a história*, p. 105.

132. Francisco Campos, *O Estado Nacional*. Versão digital disponível no seguinte endereço: <http://bibliotecadigital.puc-campinas.edu.br/services/e-books/Francisco%20Campos-1.pdf>.

133. Carta de Getúlio Vargas a Franklin Roosevelt, 8 de janeiro de 1936. Arquivo CPDOC-FGV. Documento GV c 1936.01.08/2.

134. Getúlio Vargas, *Diário*, vol. 1, p. 408.

135. Carta de Getúlio Vargas a Oswaldo Aranha, 11 de janeiro de 1936. Arquivo CPDOC-FGV. Documento GV c 1936.01.11.

136. Relatório de Moniz de Aragão, representante brasileiro na Alemanha, ao Ministério das Relações Exteriores, 19 de março de 1937. Arquivo do Itamaraty. Segundo os números apresentados por Moniz, as exportações brasileiras para a Alemanha somavam, em 1936, 131,4 milhões de marcos, contra 118,5 milhões da Argentina, 58,8 milhões do Chile e 56,4 milhões do México. Os demais países apresentavam valores menores. Quanto às importações brasileiras em relação ao Reich, chegavam no mesmo período a 133,4 milhões de marcos, contra 97,7 milhões da Argentina, 51,1 milhões do México e 49,4 do Chile.

137. Getúlio Vargas, *Diário*, vol. 1, pp. 469, 513, 529, 532, 544.

138. Telegrama de Benito Mussolini a Getúlio Vargas, 1º de dezembro de 1935. Arquivo Histórico do Itamaraty.

139. Carta de Benito Mussolini a José Carlos de Macedo Soares, 10 de dezembro de 1935. Arquivo CPDOC-FGV. Documento GV c 1935.12.10/2.

140. Carta de Oswaldo Aranha a Getúlio Vargas. 3 de dezembro de 1935. Arquivo CPDOC-FGV. Documento GV c 1935.12.03/1.

141. Getúlio Vargas, *Diário*, vol. 1, pp. 531-2.

142. Carta de Francisco Franco a Getúlio Vargas, 29 de outubro de 1936. Arquivo CPDOC-FGV. Documento GV c 1936.10.29/1

143. Valentina da Rocha Lima, *Getúlio: Uma história oral*, p. 111.

144. Constituição dos Estados Unidos do Brasil de 16 de julho de 1934, artigo 112.

145. Alzira Vargas do Amaral Peixoto, op. cit., pp. 262-3.

146. A citação é uma paráfrase. Getúlio Vargas, *Diário*, vol. 1, p. 408.

147. Valentina da Rocha Lima, op. cit., p. 111.

148. Getúlio Vargas, *Diário*, vol. 2, p. 9.

149. Alzira Vargas do Amaral Peixoto, op. cit., p. 286.

150. Idem, p. 269.

151. Getúlio Vargas, *Diário*, vol. 1, p. 527.

152. "A menina Presidência", marcha de Antônio Nássara e Cristóvão de Alencar, com Sílvio Caldas e Orquestra Odeon. Disco Odeon 11.450-A.

13. "OS SATÉLITES COMEÇAM A GIRAR EM TORNO DO SOL", DIZ GETÚLIO, APÓS TIRAR DE ÓRBITA OS CANDIDATOS A PRESIDENTE (1936-7) [pp. 276-311]

1. Carta de Moniz de Aragão, representante brasileiro na Alemanha, ao Ministério das Relações Exteriores, 22 de maio de 1937. Arquivo do Itamaraty.

2. Idem.

3. Getúlio Vargas, *Diário*, vol. 2, p. 39.

4. Idem, p. 98.

5. Idem, p. 35.

6. Idem, p. 39.

7. Idem, p. 45.

8. Russell Jackson, *Shakespeare in Film*, p. 137.

9. Idem, p. 56.

10. Idem, p. 61.

11. Idem, p. 64.
12. Verbete "Simões Lopes Filho", *Dicionário histórico-biográfico brasileiro*, do CPDOC-FGV.
13. Getúlio Vargas, *Diário*, vol. 2, p. 61.
14. Idem, p. 74.
15. Idem, p. 93.
16. Stanley Hilton, *Oswaldo Aranha: Uma biografia*, p. 244.
17. Getúlio Vargas, *Diário*, vol. 1, p. 571.
18. Verbete "Armando Sales", *Dicionário histórico-biográfico brasileiro*, do CPDOC-FGV.
19. Lourival Coutinho, *O general Góes depõe...*, p. 287.
20. Getúlio Vargas, *Diário*, vol. 2, p. 12.
21. Idem, p. 11.
22. Carta de Oswaldo Aranha a Getúlio Vargas, 11 de dezembro de 1935. Arquivo CPDOC-FGV. Documento GV c 1935.12.11/2.
23. Mauro Renault Leite e Novelli Júnior, *Marechal Eurico Gaspar Dutra: O dever da verdade*, p. 136.
24. Carlos E. Cortés, *Política gaúcha (1930-1964)*, pp. 114-8.
25. Carta de Getúlio Vargas a Protásio Vargas, 29 de abril de 1936. Arquivo CPDOC-FGV. Documento GV c 1936.04.29/2.
26. Carlos E. Cortés, *Política gaúcha (1930-1964)*, p. 113.
27. Getúlio Vargas, *Diário*, vol. 1, p. 540.
28. Idem, p. 487.
29. Correspondência sobre o agravamento da crise política no Rio Grande do Sul, decorrente do rompimento das relações entre o governador do estado e a presidência da República em função da sucessão presidencial. Arquivo CPDOC-FGV. Documento GV c 1936.11.02.
30. Idem.
31. Lourival Coutinho, op. cit., p. 283.
32. Getúlio Vargas, *Diário*, vol. 1, p. 564.
33. Mauro Renault Leite e Novelli Júnior, op. cit., p. 136.
34. Getúlio Vargas, *Diário*, vol. 1, p. 562.
35. Frank D. McCann, *Soldados da pátria: História do Exército brasileiro*, p. 505.
36. Manifesto da Frente Única. Arquivo CPDOC-FGV. Documento GV c 1936.11.02.
37. Glauco Carneiro, *Lusardo: O último caudilho*, vol. 2, p. 193.
38. Para a eleição de João Neves da Fontoura na Academia Brasileira de Letras, ver *Correio da Manhã*, 20 de março de 1936 e 13 de junho de 1937.
39. João Neves da Fontoura, *Accuso!*, p. 12.
40. Correspondência sobre o agravamento da crise política no Rio Grande do Sul, decorrente do rompimento das relações entre o governador do estado e a presidência da República em função da sucessão presidencial. Arquivo CPDOC-FGV. Documento GV c 1936.11.02.
41. Carta de Benjamim Vargas a Getúlio, 18 de novembro de 1936. Arquivo CPDOC-FGV. Documento GV c 1936.11.02.
42. Telegrama de Getúlio Vargas a Benjamim Vargas, 26 de novembro de 1936. Arquivo CPDOC-FGV. Documento GV c 1936.11.02.
43. Getúlio Vargas, *Diário*, vol. 2, p. 32.
44. Idem, p. 16.

45. Cartas analisando a situação política de Minas Gerais e as articulações do PRM em torno do nome de Antônio Carlos Ribeiro de Andrada para candidato à sucessão presidencial. Arquivo CPDOC-FGV. Documento GV c 1936.03.20/1.

46. Citado por Lígia Maria Leite Pereira e Maria Auxiliadora de Faria, *Presidente Antônio Carlos: Um Andrada da República e arquiteto da Revolução de 30*, pp. 457-8.

47. Benedito Valadares, *Tempos idos e vividos*, p. 154.

48. Verbete "Benedito Valadares", *Dicionário histórico-biográfico brasileiro*, do CPDOC-FGV.

49. Idem e Paulo Brandi, *Vargas: Da vida para a história*, p. 112.

50. Getúlio Vargas, *Diário*, vol. 2, p. 41.

51. Idem, p. 42.

52. Telegramas sobre a denúncia do governador Carlos de Lima Cavalcanti no Tribunal de Segurança Nacional, sob acusação de envolvimento com o movimento comunista de 1935. Arquivo CPDOC-FGV. Documento GV c 1937.05.11/2

53. Getúlio Vargas, *Diário*, vol. 2, p. 66.

54. Verbete "Pedro Ernesto", *Dicionário histórico-biográfico brasileiro*, do CPDOC-FGV.

55. Ver Lira Neto, *Getúlio: Dos anos de formação à conquista do poder (1882-1930)*, p. 255.

56. Paulo Brandi, *Vargas: Da vida para a história*, p. 110.

57. Getúlio Vargas, *Diário*, vol. 2, p. 24.

58. Hélio Silva, *1937: Todos os golpes se parecem*, p. 313. Paulo Brandi, op. cit., p. 110.

59. Entrevista de Juracy Magalhães a Eduardo Raposo e Alzira Alves de Abreu. Publicada por Valentina da Rocha Lima, *Getúlio: Uma história oral*, p. 113.

60. Entrevista de José da Costa Porto a Eduardo Raposo e Dulce Chaves Pandolfi. Publicada por Valentina da Rocha Lima, op. cit., p. 114.

61. Getúlio Vargas, *Diário*, vol. 2, p. 30.

62. Carlos E. Cortés, *Política gaúcha (1930-1964)*, pp. 114-45.

63. Correspondência sobre o agravamento da crise política no Rio Grande do Sul, decorrente do rompimento das relações entre o governador do estado e a presidência da República em função da sucessão presidencial. Arquivo CPDOC-FGV. Documento GV c 1936.11.02.

64. Carlos E. Cortés, op. cit., p. 123.

65. Getúlio Vargas, *Diário*, vol. 2, p. 33.

66. Idem, p. 34.

67. Hélio Silva, op. cit., p. 328.

68. Correspondência sobre o agravamento da crise política no Rio Grande do Sul, decorrente do rompimento das relações entre o governador do estado e a presidência da República em função da sucessão presidencial. Arquivo CPDOC-FGV. Documento GV c 1936.11.02.

69. Mauro Renault Leite e Novelli Júnior, *Marechal Eurico Gaspar Dutra: O dever da verdade*, p. 164.

70. Carlos E. Cortés, op. cit., p. 127.

71. Verbete "Benedito Valadares", *Dicionário histórico-biográfico brasileiro*, do CPDOC-FGV.

72. Getúlio Vargas, *Diário*, vol. 2, p. 37.

73. Idem, p. 38.

74. Getúlio Vargas, *A nova política do Brasil*, vol. 4, p. 226.

75. Idem.

76. Mauro Renault Leite e Novelli Júnior, op. cit., pp. 158-61.

77. Getúlio Vargas, *Diário*, vol. 2, p. 27.
78. Mauro Renault Leite e Novelli Júnior, op. cit., pp. 163-83.
79. Idem, p. 167.
80. Paulo Brandi, op. cit., p. 111.
81. Mauro Renault Leite e Novelli Júnior, op. cit., pp. 163-83.
82. Getúlio Vargas, *Diário*, vol. 2, p. 50.
83. Mauro Renault Leite e Novelli Júnior, op. cit., pp. 163-83.
84. *Careta*, 12 de junho de 1937.
85. Benedito Valadares, op. cit., pp. 169-70.
86. Idem, p. 170.
87. Idem.
88. Idem.
89. Idem, p. 171.
90. Idem, pp. 171-3.
91. Hélio Silva, op. cit., pp. 356-7.
92. Benedito Valadares, op. cit., p. 174.
93. Telegrama de Getúlio Vargas a Benedito Valadares, 17 de maio de 1937. Arquivo CPDOC-FGV. Documento GV c 1937.05.17/3.
94. Para a íntegra do discurso, Benedito Valadares, op. cit., p. 177.
95. Idem, p. 174.
96. *Careta*, 19 de junho de 1937.
97. Lourival Coutinho, *O general Góes depõe...*, pp. 295-7. Getúlio Vargas, *Diário*, vol. 2, p. 50.
98. Mauro Renault Leite e Novelli Júnior, op. cit., p. 186. Getúlio Vargas, *Diário*, vol. 2, p. 50.
99. Lourival Coutinho, op. cit., p. 295.
100. Idem.
101. Idem.
102. Idem, p. 296.
103. Idem.
104. Verbetes "Valdomiro Lima" e "José Pessoa Cavalcanti de Albuquerque", *Dicionário histórico-biográfico brasileiro*, do CPDOC-FGV.
105. Verbetes "Manuel Cerqueira de Daltro Filho" e "João Guedes da Fontoura", *Dicionário histórico-biográfico brasileiro*, do CPDOC-FGV.
106. Getúlio Vargas, *Diário*, vol. 2, p. 52.
107. Stanley Hilton, *A rebelião vermelha*, p. 161.
108. Getúlio Vargas, *Diário*, vol. 2, p. 52.
109. Stanley Hilton, op. cit., p. 162.
110. Idem.
111. Idem, p. 165.
112. Carta de Filinto Müller a Getúlio Vargas, 18 de junho de 1937. Arquivo CPDOC-FGV. Documento GV c 1937.06.18.
113. Stanley Hilton, op. cit., p. 164.
114. Idem, pp. 167-8.
115. Getúlio Vargas, *Diário*, vol. 2, p. 62.

116. Mauro Renault Leite e Novelli Júnior, op. cit., p. 221.
117. Lourival Coutinho, op. cit., p. 300.
118. *Correio da Manhã*, 3 de agosto de 1937. Hélio Silva, op. cit., p. 369.
119. Hélio Silva, idem, p. 370.
120. Mauro Renault Leite e Novelli Júnior, op. cit., pp. 212-3.
121. Idem, p. 222.
122. *Correio da Manhã*, 13 de julho de 1937.
123. Idem.
124. Fernando Morais, *Chatô: O rei do Brasil*, p. 373.
125. *Correio da Manhã*, 27 de agosto de 1937.
126. *Correio da Manhã*, 26 de agosto de 1937.
127. Getúlio Vargas, *Diário*, vol. 2, p. 68.
128. Carta de Oswaldo Aranha a Getúlio Vargas, 24 de agosto de 1937. Arquivo CPDOC-FGV. Documento GV c 1937.08.24.
129. Benedito Valadares, op. cit., pp. 205-6.
130. Idem.
131. Idem, pp. 207-14.
132. Idem, p. 213.
133. *Correio da Manhã*, 8 de setembro de 1937.
134. Mauro Renault Leite e Novelli Júnior, op. cit., p. 227.
135. Idem, p. 225.
136. Idem, p. 228.
137. Benedito Valadares, op. cit., p. 214.
138. Mauro Renault Leite e Novelli Júnior, op. cit., pp. 228-9.
139. Idem.
140. *Correio da Manhã*, 22 de setembro de 1937.
141. Idem.
142. Idem.
143. *Correio da Manhã*, 23 de setembro de 1937.
144. Idem.
145. *Correio da Manhã*, 23 de setembro de 1937.
146. *Diário do Poder Legislativo*, 25 de setembro de 1937.
147. Idem.
148. Getúlio Vargas, *Diário*, vol. 2, pp. 71-2.
149. Mauro Renault Leite e Novelli Júnior, op. cit., p. 234.
150. *Correio da Manhã*, 1º de outubro de 1937.
151. Verbete "Plano Cohen", *Dicionário histórico-biográfico brasileiro*, do CPDOC-FGV.
152. A defesa de Mourão está incluída, na íntegra, em Hélio Silva, *A ameaça vermelha: O Plano Cohen*.
153. Lourival Coutinho, op. cit., p. 298.
154. Mauro Renault Leite e Novelli Júnior, op. cit., pp. 232-8.
155. Idem, p. 234.
156. Idem, p. 237.

157. Idem, pp. 239-44.
158. Idem.
159. Getúlio Vargas, *Diário*, vol. 2, p. 72.
160. Lilian Maria F. de Lima Perosa, *A hora do clique: Análise do programa de rádio* Voz do Brasil *da Velha à Nova República*, pp. 37-8.
161. Getúlio Vargas, *Diário*, vol. 2, p. 72.
162. Idem.
163. Mauro Renault Leite e Novelli Júnior, op. cit., pp. 212-3.
164. Paul Frischauer, *Presidente Vargas*, p. 351.
165. Getúlio Vargas, *Diário*, vol. 2, p. 76.
166. Hélio Silva, *1937: Todos os golpes se parecem*, pp. 445-54.
167. *Correio da Manhã*, 5 de novembro de 1937.
168. Plínio Salgado, *O integralismo perante a nação*, pp. 117-26.
169. Idem.
170. Getúlio Vargas, *Diário*, vol. 2, p. 78.
171. Plínio Salgado, op. cit., pp. 117-26. Getúlio Vargas, *Diário*, vol. 2, p. 78.
172. *Correio da Manhã*, 5 de novembro de 1937.
173. Getúlio Vargas, *Diário*, vol. 2, p. 81.
174. Idem.
175. Idem, p. 82.
176. Idem.
177. Mauro Renault Leite e Novelli Júnior, op. cit., pp. 261-7.
178. Idem, p. 267.
179. Getúlio Vargas, *Diário*, vol. 2, p. 83.
180. Mauro Renault Leite e Novelli Júnior, op. cit., p. 268. Getúlio Vargas, *Diário*, vol. 2, p. 83.
181. Getúlio Vargas, *Diário*, vol. 2, p. 83.
182. Getúlio Vargas, *A nova política do Brasil*, pp. 19-32.
183. Plínio Salgado, op. cit., p. 126.

14. MENÇÃO HONROSA NO CONCURSO INFANTIL DE FRASES PATRIÓTICAS: "GETÚLIO VARGAS É MAIOR QUE O TARZAN DAS FLORESTAS" (1937-8) [pp. 312-30]

1. *Correio da Manhã*, 28 de novembro de 1937.
2. Idem.
3. *A Noite*, 27 de novembro de 1937.
4. *Correio da Manhã*, 28 de novembro de 1937.
5. Idem.
6. Idem.
7. Carta de Moniz Aragão ao Ministério das Relações Exteriores. 18 de novembro de 1937. Arquivo do Itamaraty.
8. Galeazzo Ciano, *Ciano's Diary (1937-1943)*, pp. 29-30. Ricardo Seitenfus, *O Brasil vai à guerra*, pp. 94-5. Stanley Hilton, *A rebelião vermelha*, pp. 184-5.

9. Cartas de Oswaldo Aranha a Getúlio Vargas, 15 e 30 de novembro de 1937. Arquivo CPDOC-FGV. Documentos GV c 1937.11.15/2 e GV c 1937.11.30/1.

10. Idem.

11. Telegramas trocados entre Getúlio Vargas e Oswaldo Aranha, 16 a 19 de novembro de 1937. Arquivos CPDOC-FGV. Documento GV c 1937.11.16/2.

12. Palestra telefônica entre Sousa Costa, Luís Aranha e Oswaldo Aranha. Arquivos CPDOC-FGV. Documento GV c 1937.11.16/3.

13. Idem.

14. *The New York Times*, 14 de novembro de 1937. Telegramas trocados entre Getúlio Vargas e Oswaldo Aranha, 16 a 19 de novembro de 1937. Arquivos CPDOC-FGV. Documento GV c 1937.11.16/2.

15. Idem.

16. Idem.

17. *The Evening Star*, 7 de dezembro de 1937. Recorte anexo de carta de Oswaldo Aranha a Getúlio. Mesma data. Arquivo CPDOC-FGV. GV c 1937.12.07.

18. Idem.

19. Carta de Oswaldo Aranha a Getúlio Vargas, 30 de novembro de 1937. Arquivo CPDOC-FGV. Documento GV c 1937.11.30/1.

20. Telegramas trocados entre Getúlio Vargas e Oswaldo Aranha, 16 a 19 de novembro de 1937. Arquivo CPDOC-FGV. Documento GV c 1937.11.16/2.

21. Carta de Oswaldo Aranha a Sumner Welles, março de 1938. Arquivo CPDOC-FGV. Documento GV c 1938.03.00/2.

22. Carta de Oswaldo Aranha a Ciro de Freitas Vale, 5 de maio de 1940. Arquivo CPDOC-FGV. Documento AO 40.01.05/1. Maria Luiza Tucci Carneiro, *O antissemitismo na Era Vargas*, pp. 286-7.

23. Afonso Arinos de Melo Franco, *Curso de direito constitucional brasileiro*, pp. 203-12.

24. Boris Fausto, *Getúlio Vargas*, pp. 90-4.

25. Decreto-lei nº 37, de 2 de dezembro de 1937. *Repositório da Legislação Brasileira do Estado Novo*.

26. Getúlio Vargas, *Diário*, vol. 2, p. 134.

27. Telegramas trocados entre Getúlio Vargas e Oswaldo Aranha, 16 a 19 de novembro de 1937. Arquivo CPDOC-FGV. Documento GV c 1937.11.16/2.

28. Getúlio Vargas, *A nova política do Brasil*, vol. 5, p. 123.

29. Simon Schwartzman, *Tempos de Capanema*, p. 154.

30. Plínio Salgado, *O integralismo perante a nação*, pp. 130-3.

31. Idem.

32. Idem.

33. Idem.

34. Carta de Newton de Andrade Cavalcanti a Eurico Gaspar Dutra, 2 de dezembro de 1937. Arquivo CPDOC-FGV. Documento GV c 1937.12.02.

35. Carta de Pantaleão da Silva Pessoa a Eurico Gaspar Dutra, 23 de novembro de 1937. Arquivo CPDOC-FGV. Documento GV c 1937.11.23/1.

36. Getúlio Vargas, *Diário*, pp. 86-7.

37. Afonso Arinos de Melo Franco, op. cit., pp. 203-12. Marco Antonio Villa, *A história das Constituições brasileiras*, p. 72.

38. Marco Antonio Villa, idem, p. 71.
39. Afonso Arinos de Melo Franco, op. cit., pp. 203-12.
40. Alzira Vargas do Amaral Peixoto, *Getúlio Vargas, meu pai*, p. 371.
41. Idem, p. 372.
42. Idem.
43. Idem, pp. 372-3.
44. Idem, p. 373.
45. Carta de Protásio Vargas a Getúlio Vargas, 7 de março de 1938. Arquivo CPDOC-FGV. Documento GV c 1938.03.07/2.
46. Idem.
47. Getúlio Vargas, *Diário*, vol. 2, p. 102.
48. Telegramas de Manuel de Cerqueira Daltro Filho a Eurico Gaspar Dutra, 30 de novembro de 1937. Arquivo CPDOC-FGV. Documento GV c 1937.11.30/3.
49. Carlos E. Cortés, *Política gaúcha (1930-1964)*, p. 154.
50. Getúlio Vargas, *Diário*, vol. 2, p. 101.
51. *A Noite*, 6 de janeiro de 1938.
52. Getúlio Vargas, *Diário*, vol. 2, p. 102.
53. Carlos E. Cortés, op. cit., p. 154. Alzira Vargas do Amaral Peixoto, op. cit., pp. 344-5.
54. Aspásia Camargo e Walder de Góes, *Meio século de combate: Diálogo com Cordeiro de Farias*, p. 237.
55. Alzira Vargas do Amaral Peixoto, op. cit., p. 346.
56. Getúlio Vargas, *Diário*, vol. 2, p. 102. Alzira Vargas do Amaral Peixoto, op. cit., pp. 347-8.
57. *A Noite Ilustrada*, 25 de janeiro de 1938.
58. Paul Frischauer, *Presidente Vargas*, p. 28.
59. O diálogo foi reproduzido em carta de Viriato Vargas a Getúlio, 31 de março de 1938. Arquivo CPDOC-FGV. Documento GV c 1938.03.81.
60. Elizabeth Cancelli, *O mundo da violência: A polícia da Era Vargas*, pp. 57-69.
61. Eugenio Raúl Zaffaroni e José Henrique Pierangeli, *Manual de direito penal brasileiro: Parte geral*, pp. 222-3.
62. Getúlio Vargas, *Diário*, vol. 2, p. 172.
63. Hélio Silva, *1938: Terrorismo em campo verde*, p. 85.
64. Decreto-lei nº 910, de 30 de novembro de 1938. *Repositório da Legislação Brasileira do Estado Novo*.
65. Carta de Geraldo Rocha a Getúlio Vargas, 5 de janeiro de 1938. Arquivo CPDOC-FGV. Documento GV c 1938.01.05.
66. Leal de Souza, *Getúlio Vargas*, p. 165.
67. Elizabeth Cancelli, *O mundo da violência: A polícia da Era Vargas*, p. 56.
68. Getúlio Vargas, *A nova política do Brasil*, 5 vols.
69. *O Malho*, edição comemorativa do aniversário do presidente Getúlio Vargas, abril de 1943.
70. Elizabeth Cancelli, op. cit., pp. 33-5.
71. Getúlio Vargas, *A nova política do Brasil*, pp. 121-30.
72. Plínio Salgado, op. cit., p. 127.
73. Alzira Vargas do Amaral Peixoto, op. cit., pp. 339-40.

74. Idem, pp. 349-50.
75. Idem, pp. 376-9.
76. Idem.
77. Idem.
78. Idem.
79. Verbete "Aristides Guilhem" do *Dicionário histórico-biográfico brasileiro*, do CPDOC-FGV. Hélio Silva, *1938: Terrorismo em campo verde*, p. 146.
80. Alzira Vargas do Amaral Peixoto, *Getúlio Vargas, meu pai*, p. 376. Hélio Silva, *1938: Terrorismo em campo verde*, pp. 157-8.
81. *Correio da Manhã*, 13 de março de 1938.
82. Idem.
83. Hélio Silva, op. cit., pp. 147-56.
84. Idem.

15. GETÚLIO ENFRENTA METRALHADORAS E FUZIS, MAS
SUCUMBE ANTE UM ADEUS DA BEM-AMADA (1937-8) [pp. 331-49]

1. Getúlio Vargas, *Diário*, vol. 2, pp. 130-1. Alzira Vargas do Amaral Peixoto, *Getúlio Vargas, meu pai*, p. 179.
2. Alzira Vargas do Amaral Peixoto, idem, p. 179.
3. Idem, p. 180.
4. Queiroz Júnior, *Memórias sobre Getúlio*, p. 89.
5. Alzira Vargas do Amaral Peixoto, op. cit., p. 180.
6. David Nasser, *A revolução dos covardes*, pp. 127-35. Hélio Silva, *1938: Terrorismo em campo verde*, pp. 199-205.
7. Idem.
8. Hélio Silva, *1938: Terrorismo em campo verde*, p. 201.
9. Alzira Vargas do Amaral Peixoto, op. cit., pp. 179-85.
10. Idem, p. 187.
11. *Correio da Manhã*, 12 de maio de 1938.
12. Depoimento de Manuel Pereira Lima, processo nº 600 do Tribunal de Segurança Nacional, citado por Hélio Silva, op. cit., pp. 220-5.
13. Alzira Vargas do Amaral Peixoto, op. cit., p. 185.
14. Idem.
15. Hélio Silva, op. cit., pp. 171-2.
16. Lourival Coutinho, *O general Góes depõe...*, pp. 348-51. Alzira Vargas do Amaral Peixoto, op. cit., p. 186.
17. Alzira Vargas do Amaral Peixoto, op. cit., pp. 185-9.
18. Idem.
19. Idem.
20. Idem.
21. Idem.
22. Idem.

23. Hélio Silva, op. cit., pp. 197-219.
24. Idem.
25. Idem, p. 205.
26. Mauro Renault Leite e Novelli Júnior, *Marechal Eurico Gaspar Dutra: O dever da verdade*, pp. 298-301.
27. Idem.
28. Aspásia Camargo, Lucia Hippolito, Maria Celina Soares D'Araújo e Dora Rocha Flaksman. *Artes da política: Diálogo com Amaral Peixoto*, p. 199.
29. Hélio Silva, op. cit., p. 204.
30. Alzira Vargas do Amaral Peixoto, op. cit., p. 185.
31. Aspásia Camargo e Walder de Góes. *Meio século de combate: Diálogos com Cordeiro de Farias*, pp. 261-8.
32. Idem.
33. Paulo Brandi, *Vargas: Da vida para a história*, pp. 130-1.
34. Aspásia Camargo, Lucia Hippolito, Maria Celina Soares D'Araújo e Dora Rocha Flaksman. *Artes da política: Diálogo com Amaral Peixoto*, p. 197.
35. Mauro Renault Leite e Novelli Júnior, *Marechal Eurico Gaspar Dutra: O dever da verdade*, pp. 298-301.
36. Idem.
37. Lourival Coutinho, *O general Góes depõe...*, pp. 348-51.
38. Mauro Renault Leite e Novelli Júnior, op. cit., p. 301.
39. Aspásia Camargo, Lucia Hippolito, Maria Celina Soares D'Araújo e Dora Rocha Flaksman, op. cit., p. 201.
40. Alzira Vargas do Amaral Peixoto, op. cit., p. 195.
41. *Correio da Manhã*, 14 de março de 1938.
42. Idem, p. 136.
43. Idem, p. 129.
44. Idem, p. 131.
45. Carta de Luís Simões Lopes a Getúlio Vargas. Arquivo CPDOC-FGV. Documento GV c 1938.03.17.
46. Idem.
47. Verbete "Luís Simões Lopes", *Dicionário histórico-biográfico brasileiro*, do CPDOC-FGV.
48. Getúlio Vargas, *Diário*, vol. 1, pp. 118-9.
49. Idem.
50. Idem.
51. Idem, p. 121.
52. Idem, p. 168.
53. Idem, p. 123.
54. Idem, p. 124.
55. Alzira Vargas do Amaral Peixoto, op. cit., p. 363.
56. Getúlio Vargas, *Diário*, vol. 1, p. 121.
57. Idem, p. 136.
58. Ana Arruda Callado, *Darcy, a outra face de Vargas*, pp. 63-4.

59. Michelle Kauffmann Benarush, "Aimée de Heeren: Do exílio à fama", em *Iara, Revista de Moda, Cultura e Arte*, vol. 5, n. 1, maio de 2012.

60. *Correio da Manhã*, 14 de maio de 1938.

61. Idem.

62. Documentos sobre o levante integralista de 11 de maio. Arquivo CPDOC-FGV. Documento GV c 1938.05.13.

63. Despacho de Vincenzo Lojacono a Roma, 28 de junho de 1938. Arquivo Histórico do Ministério das Relações Exteriores da Itália. Citado por Ricardo Seitenfus, op. cit., p. 139.

64. Correspondência sobre as demissões de Oswaldo Aranha do Ministério das Relações Exteriores, de José Antônio Aranha da Inspetoria Regional do Trabalho e de Luís Aranha do Instituto dos Marítimos em protestos pelas acusações a Manuel Aranha, incluindo carta de Getúlio solicitando a Oswaldo Aranha que não abandone seu cargo. Arquivo CPDOC-FGV. Documento GV c 1938.06.29/2.

65. Carta de Getúlio Vargas a Oswaldo Aranha, 1º de julho de 1932. Arquivo CPDOC-FGV. Documento GV c 1938.06.29/2. Para o abatimento moral e físico do biografado, ver Getúlio Vargas, *Diário*, vol. 2, p. 142.

66. Getúlio Vargas, *Diário*, vol. 2, p. 162.

67. Idem, p. 176.

68. Idem, p. 139.

69. Despacho de Vincenzo Lojacono a Roma, 29 de junho de 1938. Arquivo Histórico do Ministério das Relações Exteriores da Itália. Citado por Ricardo Seitenfus, op. cit., p. 140.

70. A informação é expressamente confirmada em despacho de Lojacano a Roma, datada de 8 de janeiro de 1938, após o Ministério das Relações Exteriores da Itália questionar se era o caso, com a implantação do Estado Novo no Brasil, de o governo fascista de Mussolini "suspender a subvenção financeira" à AIB.

71. Telegrama de Galeazzo Ciano a Vincenzo Lojacono, 28 de junho de 1938. Arquivo Histórico do Ministério das Relações Exteriores da Itália. Citado por Ricardo Seitenfus, op. cit., p. 139.

72. Hélio Silva, op. cit., p. 278.

73. Carta de Luís Sparano a Getúlio Vargas, 2 de setembro de 1938. Arquivo CPDOC-FGV. Documento GV c 1938.09.02/1.

74. Hélio Silva, op. cit., pp. 48, 51, 53, 260-2 e 331.

75. Decreto-lei nº 431, de 18 de maio de 1938.

76. Ricardo Seitenfus, op. cit., p. 125.

77. Idem, p. 121.

78. Idem, p. 106.

79. Getúlio Vargas, *Diário*, vol. 2, p. 111.

80. Ricardo Seitenfus, op. cit., p. 106.

81. Idem.

82. Idem, pp. 96-130.

83. Idem.

84. Idem.

85. Getúlio Vargas, *Diário*, vol. 2, p. 170.

86. Idem, pp. 157-8.

87. Para os objetivos e debates da Conferência Pan-Americana de Lima, bem como sobre a participação brasileira no evento, ver Ricardo Seitenfus, op. cit., pp. 152-5.
88. Getúlio Vargas, *Diário*, vol. 2, p. 186.

16. A SEGUNDA GUERRA MUNDIAL ESTOURA NA EUROPA.
"ESTOU SÓ E CALADO, PARA NÃO DEMONSTRAR APREENSÃO" (1939-40) [pp. 350-75]

1. Getúlio Vargas, *Diário*, vol. 2, p. 192.
2. Idem, p. 380.
3. Idem, p. 216.
4. *Veja*, 12 de novembro de 1997.
5. *A Noite Ilustrada*, 7 de março de 1939.
6. Getúlio Vargas, *Diário*, vol. 2, p. 209.
7. Documentos incluindo relatórios e correspondência entre Oswaldo Aranha, Getúlio Vargas, Franklin Roosevelt, Cordell Hull e outros sobre os trabalhos e negociações da Missão Aranha. Arquivo CPDOC-FGV. Documento GV c 1939.01.09.
8. Idem.
9. Estudo crítico, de Francisco Campos, sobre a necessidade da instalação no Brasil de um grande complexo siderúrgico. Arquivo CPDOC-FGV. Documento GV c 1938.04.14.
10. Alzira Vargas do Amaral Peixoto, *Getúlio Vargas, meu pai*, p. 273.
11. Documentos incluindo relatórios e correspondência entre Oswaldo Aranha, Getúlio Vargas, Franklin Roosevelt, Cordell Hull e outros sobre os trabalhos e negociações da Missão Aranha. Arquivo CPDOC-FGV. Documento GV c 1939.01.09.
12. Idem.
13. Idem.
14. Idem.
15. Idem.
16. Para os detalhes sobre as negociações da Missão Aranha, ver Marcelo de Paiva Abreu, *O Brasil e a economia mundial (1930-1945)*, pp. 269-76.
17. Carta de Oswaldo Aranha a Getúlio Vargas, 27 de março de 1939. Arquivo CPDOC-FGV. Documento OA cp 1939.01.09.
18. Getúlio Vargas, *Diário*, vol. 2, p. 200.
19. Ricardo Seitenfus, *O Brasil vai à guerra*, pp. 159-63.
20. Getúlio Vargas, *Diário*, vol. 2, p. 206.
21. Cartas de Rosalina Coelho Lisboa a Getúlio Vargas, 14 de janeiro de 1939. Arquivo CPDOC-FGV. Documento GV c 1939.01.14.
22. Getúlio Vargas, *Diário*, vol. 2, p. 205.
23. Documentos incluindo relatórios e correspondência entre Oswaldo Aranha, Getúlio Vargas, Franklin Roosevelt, Cordell Hull e outros sobre os trabalhos e negociações da Missão Aranha. Arquivo CPDOC-FGV. Documento GV c 1939.01.09.
24. Roberto Muylaert, *1943: Roosevelt e Vargas em Natal*, p. 18.
25. Idem, pp. 149-58.
26. Osmar Freitas Jr., "A alemã dos Vargas", *Brasileiros*, 20 de janeiro de 2009.

27. Getúlio Vargas, *Diário*, vol. 2, p. 209.

28. Verbete "André Carrazzoni", *Dicionário histórico-biográfico brasileiro*, do CPDOC-FGV.

29. Notas de André Carrazzoni relativas à orientação a ser dada ao livro sobre Getúlio Vargas. Arquivo CPDOC-FGV. Documento GV c 1939.07.00/2.

30. André Carrazzoni, *Getúlio Vargas*, pp. 289-90.

31. Telegrama de Oswaldo Aranha a Vargas, 24 de novembro de 1937. Arquivo CPDOC-FGV. Documento GV c 1937.11.24/3.

32. Stanley Hilton, *Oswaldo Aranha: Uma biografia*, p. 310. Getúlio Vargas, *Diário*, vol. 2, p. 210.

33. Getúlio Vargas, *Diário*, vol. 2, p. 213.

34. Stanley Hilton, op. cit., p. 308.

35. Getúlio Vargas, *Diário*, vol. 2, p. 213.

36. Decreto-lei nº 1074, de 25 de janeiro de 1939.

37. Carta de Eurico Gaspar Dutra a Getúlio Vargas, abril de 1939. Arquivo CPDOC-FGV. Documento GV c 1939.04.00.

38. Getúlio Vargas, *Diário*, vol. 2, p. 221.

39. Carta aberta de Flores da Cunha a Eurico Gaspar Dutra, 21 de julho de 1939. Arquivo CPDOC-FGV. Documento GV c 1939.07.21.

40. Getúlio Vargas, *Diário*, vol. 2, p. 226.

41. Idem.

42. *Correio da Manhã*, 28 de maio de 1939.

43. Para a participação do Brasil na Conferência de Lima, Ricardo Seitenfus, *O Brasil vai à guerra*, pp. 152-6.

44. Hélio Silva, *1939: Véspera da guerra*, pp. 147-9.

45. *Correio da Manhã*, 28 de maio de 1939.

46. José Louzeiro, *O anjo negro: A história sincera de Gregório Fortunato*, p. 147.

47. *Correio da Manhã*, 4 de junho de 1939.

48. João Freire Filho, "Escrevendo a história cultural da TV no Brasil: questões teóricas e metodológicas", em Ana Paula Goulart Ribeiro e Lucia Maria Alves Ferreira (orgs.). *Mídia e memória: A produção de sentidos nos meios de comunicação*, p. 127. Áureo Busetto, "Em busca da caixa mágica: O Estado Novo e a televisão". *Revista Brasileira de História*, vol. 27, n. 54, dezembro de 2007. Texto disponível em: <http://www.scielo.br/scielo.php?pid=S0102-01882007000200010&script=sci_arttext>.

49. Idem.

50. Donald M. McKale. *Traditional Antisemitism and the Holocaust: The Case of the German Diplomat Curt Prüfer*. Museum of Tolerance Online. Texto disponível em: < http://motlc.wiesenthal.com/site/pp.asp?c=gvKVLCMVIuG&b=395117>.

51. Idem.

52. Maria Luiza Tucci Carneiro, *O antissemitismo na Era Vargas*, pp. 270-1.

53. "Plano de redução da dívida externa brasileira através de uma política de imigração", janeiro de 1939. Arquivo CPDOC-FGV. Documento GV c 1939.03.00.

54. Carta de Rosalina Coelho Lisboa a Getúlio Vargas, s.d. Arquivo CPDOC-FGV. Documento GV c 1940.09.00/4.

55. Carta de Oswaldo Aranha a Ciro de Freitas Vale, 5 de maio de 1940. Arquivo CPDOC-FGV. Documento GV c 1940.01.05/1.

56. Idem.

57. Para uma excelente análise documentada das ambiguidades de Oswaldo Aranha em relação à questão judaica, ver Maria Luiza Tucci Carneiro, *O antissemitismo na Era Vargas (1930-1945)*, pp. 258-95.

58. Maria Luiza Tucci Carneiro, *O antissemitismo na Era Vargas (1930-1945)*, p. 283.

59. Getúlio Vargas, *Diário*, vol. 2, p. 242.

60. Luis Nassif, "Banqueiro foi personagem do século xx", *Folha de S.Paulo*, 28 de fevereiro de 2001.

61. Luis Nassif, "Os amores do embaixador", *Folha de S.Paulo*, 11 de março de 2001.

62. Alzira Vargas do Amaral Peixoto, op. cit., p. 321.

63. Aspásia Camargo, Lucia Hippolito, Maria Celina Soares D'Araújo, Dora Rocha Flaksman, op. cit., pp. 182-8.

64. Idem.

65. Alzira Vargas do Amaral Peixoto, op. cit., pp. 340-2.

66. Idem.

67. Idem.

68. Getúlio Vargas, *Diário*, vol. 2, p. 244.

69. Carta de Roberto Marinho a Getúlio Vargas, 1º de agosto de 1939. Arquivo CPDOC-FGV. Documento GV c 1939.08.01.

70. Aspásia Camargo, Lucia Hippolito, Maria Celina Soares D'Araújo, Dora Rocha Flaksman, op. cit., pp. 182-8.

71. *A Noite* e *Correio da Manhã*, 23 de julho de 1939.

72. Aspásia Camargo, Lucia Hippolito, Maria Celina Soares D'Araújo, Dora Rocha Flaksman, op. cit., pp. 182-8.

73. Getúlio Vargas, *Diário*, vol. 2, p. 249.

74. Para o momento em que Darcy e o marido passaram a utilizar camas separadas, Getúlio Vargas, *Diário*, vol. 2, p. 298.

75. Getúlio Vargas, *Diário*, vol. 2, p. 239.

76. Idem, p. 254.

77. Idem, p. 259.

78. Idem, p. 252.

79. *Correio da Manhã*, 1º de setembro de 1939.

80. Getúlio Vargas, *Diário*, vol. 2, p. 252.

81. *Correio da Manhã*, 3 de setembro de 1939.

82. Decreto-lei nº 1561, de 2 de setembro de 1939.

83. Citado por Ricardo Seitenfus, *O Brasil vai à guerra*, p. 207.

84. Hélio Silva, *1939: Véspera de guerra*, p. 180. Decreto-lei nº 1561, de 2 de setembro de 1939.

85. Ricardo Seitenfus, *O Brasil vai à guerra*, pp. 179-90. Hélio Silva, *1939: Véspera de guerra*, p. 180. Getúlio Vargas, *Diário*, vol. 2, p. 278.

86. Getúlio Vargas, *Diário*, vol. 2, p. 278.

87. Carta de Eurico Gaspar Dutra a Getúlio Vargas, 10 de junho de 1940. Arquivo CPDOC-FGV. Documento GV c 1940.06.10. Ver também Ricardo Seitenfus, op. cit., p. 182.

88. Hélio Silva, op. cit., pp. 283-4. Ricardo Seitenfus, op. cit., pp. 178-85.

89. Ricardo Seitenfus, idem.

90. Getúlio Vargas, *Diário*, vol. 2, p. 210.
91. Idem.
92. "Documentos tratando das negociações para instalação da siderurgia no Brasil". Arquivo CPDOC-FGV. GV C 1940.01.09.
93. Idem.
94. Ricardo Seitenfus, op. cit., p. 192.
95. "Documentos tratando das negociações para instalação da siderurgia no Brasil". Arquivo CPDOC-FGV. GV C 1940.01.09.
96. A expressão "equidistância pragmática" foi cunhada por Gerson Moura em "Autonomia na dependência: a política externa brasileira de 1935 a 1942".
97. "Correspondência de Góes Monteiro a Getúlio Vargas sobre seus contatos nos USA e o interesse americano no fornecimento de material bélico ao Brasil em troca de matérias-primas". Arquivo CPDOC-FGV. Documento GV C 1939.07.07.
98. Ricardo Seitenfus, *O Brasil vai à guerra*, pp. 185-96.
99. Hélio Silva, *1939: Véspera de guerra*, p. 201.
100. Lourival Coutinho, *O general Góes depõe...*, p. 367.
101. Getúlio Vargas, *Diário*, vol. 2, pp. 318-9.
102. Idem, p. 313.
103. *A Noite*, 11 de junho de 1940.
104. "Documentos sobre o discurso de Getúlio Vargas no dia comemorativo da Marinha". Arquivo CPDOC-FGV. Documento GV C 1940.06.11.
105. Idem.
106. Idem.
107. Idem.
108. Idem.
109. Idem.
110. Idem.
111. Idem.
112. Hélio Silva, op. cit., pp. 227-8.
113. Getúlio Vargas, *Diário*, vol. 2, p. 319.
114. "Documentos sobre o discurso de Getúlio Vargas no dia comemorativo da Marinha". Arquivo CPDOC-FGV. Documento GV C 1940.06.11.
115. Idem.
116. Idem.
117. Hélio Silva, op. cit., pp. 231-3.
118. Getúlio Vargas, *Diário*, vol. 2, p. 323.

17. GETÚLIO TOMA A DECISÃO SOBRE A GUERRA. MAS AVISA:
"NÃO SOBREVIVEREI A UM DESASTRE PARA MINHA PÁTRIA" (1940-1) [pp. 376-405]

1. A reconstituição da viagem de Getúlio ao Araguaia foi feita com base nas reportagens publicadas pelos jornais *Correio da Manhã* e *A Noite*, nas edições de 5 a 13 de agosto de 1941.
2. Idem.

3. *Correio da Manhã*, 10 de agosto de 1940.
4. Idem.
5. Idem.
6. Idem.
7. Getúlio Vargas, *A nova política do Brasil*, vol. 5, p. 124.
8. Cassiano Ricardo, *Marcha para o Oeste*, p. 479.
9. *Correio da Manhã*, 10 de agosto de 1940.
10. *A Noite*, 12 de agosto de 1940.
11. Getúlio Vargas, *Diário*, vol. 2, p. 330.
12. Idem, pp. 285-446.
13. Para as informações sobre a poeta, ver o perfil biográfico escrito por Ana Maria Callado, *Adalgisa Nery*, da Coleção Perfis do Rio.
14. Queiroz Júnior, *222 anedotas de Getúlio Vargas*, pp. 69-70.
15. José Inácio de Melo Souza. *O Estado contra os meios de comunicação (1889-1945)*, pp. 107-6.
16. *Correio da Manhã*, 10 de agosto de 1940.
17. *Time*, 12 de agosto de 1940.
18. Idem.
19. Idem.
20. Idem.
21. Idem.
22. Idem.
23. Carta de Getúlio Vargas a Carlos Martins Pereira e Souza, 15 de fevereiro de 1940. "Documentos tratando das negociações para a instalação da siderurgia no Brasil". Arquivo CPDOC-FGV. Documento GV c 1940.01.09.
24. Carta de Carlos Martins Pereira e Souza a Getúlio Vargas, 13 de fevereiro de 1940. "Documentos tratando das negociações para a instalação da siderurgia no Brasil". Arquivo CPDOC-FGV. Documento GV c 1940.01.09.
25. Idem.
26. Lucia Hippolito e Ignez Cordeiro de Farias, *Edmundo de Macedo Soares: Um construtor de nosso tempo*, pp. 94-5.
27. Idem.
28. Decreto-lei nº 1985, de 29 de março de 1940.
29. Charles A. Gauld, *Farquhar, o último titã*, pp. 406-15.
30. Idem.
31. Idem.
32. Ricardo Seitenfus, *O Brasil vai à guerra*, pp. 225-31.
33. Idem, p. 227.
34. Idem.
35. Getúlio Vargas, *Diário*, vol. 2, p. 321.
36. Ricardo Seitenfus, op. cit., p. 228.
37. Idem, p. 229.
38. Idem, p. 230.

39. Idem, pp. 238-9. Ver também, para mais detalhes, "Documentos tratando das negociações para a instalação da siderurgia no Brasil". Arquivo CPDOC-FGV. Documento GV c 1940.01.09.

40. Getúlio Vargas, *Diário*, vol. 2, p. 341.

41. "Telegrama circular de Cordell Hull informando sobre aquisição americana de bases aéreas e navais nas Bermudas, Jamaica, Bahamas, Santa Lucia, Trinidad e Guiana Inglesa". Arquivo CPDOC-FGV. Documento GV c 1940.09.06.

42. Getúlio Vargas, *Diário*, vol. 2, p. 424.

43. Idem, p. 431.

44. *Diário de Notícias*, 28 de setembro de 1940.

45. Ricardo Seitenfus, op. cit., pp. 239-40.

46. Idem, p. 253.

47. Getúlio Vargas, *Diário*, vol. 2, p. 400.

48. Lutero Vargas, *Getúlio Vargas: A revolução inacabada*, p. 169.

49. Idem.

50. Osmar Freitas Jr., "A alemã dos Vargas", revista *Brasileiros*, 20 de janeiro de 2009. Roberto Muylaert, *1943: Roosevelt e Vargas em Natal*, pp. 152-3.

51. Idem.

52. Lutero Vargas, op. cit., p. 169.

53. Getúlio Vargas, *Diário*, vol. 2, p. 338.

54. Osmar Freitas Jr., "A alemã dos Vargas", revista *Brasileiros*, 20 de janeiro de 2009.

55. Idem.

56. Para a entrevista de Ingeborg, Osmar Freitas Jr., "A alemã dos Vargas", *Brasileiros*, 20 de janeiro de 2009. Para as acusações de que ela era espiã nazista, José Louzeiro, *O anjo da fidelidade: A história sincera de Gregório Fortunato*, pp. 466-73. Sobre os boatos a respeito da sexualidade da então esposa de Lutero, ver Juremir Machado da Silva, *Getúlio: Romance*. Sobre a casa na Urca, Roberto Muylaert, *1943: Roosevelt e Vargas em Natal*, p. 154.

57. Getúlio Vargas, *Diário*, vol. 2, p. 362.

58. *Correio da Manhã*, 19 de julho de 1941.

59. Roberto Muylaert, *1943: Roosevelt e Vargas em Natal*, p. 18.

60. Lutero Vargas, op. cit., pp. 171-2.

61. Júlio de Mesquita Filho, *A Europa que eu vi*, pp. 78-9.

62. Idem, p. 430.

63. Roberto Salone, *Irredutivelmente liberal: Política e cultura na trajetória de Júlio de Mesquita Filho*, pp. 369-70.

64. Verbete "Ademar de Barros", *Dicionário histórico-biográfico brasileiro*, do CPDOC-FGV.

65. Idem.

66. "Peças de inquérito contra Ademar de Barros do qual resultou sua substituição por Fernando Costa". Arquivo CPDOC-FGV. Documento GV confid 1940.11.04.

67. Verbete "Ademar de Barros", *Dicionário Histórico-Biográfico Brasileiro*, do CPDOC-FGV. Paulo Brandi, *Vargas: Da vida para a história*, pp. 150-1.

68. John W. F. Dulles, *A Faculdade de Direito de São Paulo e a resistência anti-Vargas*, p. 177.

69. "Cartas sobre a concessão do título de doutor honoris causa a Getúlio Vargas pela Uni-

versidade de São Paulo e os distúrbios que o fato provocou nos meios estudantis". Arquivo CPDOC--FGV. Documento GV c 1941.09.24.

70. John W. F. Dulles, op. cit., p. 179.
71. Getúlio Vargas, *Diário*, vol. 2, p. 360.
72. Idem, p. 436.
73. *Correio da Manhã*, 5 de novembro de 1940.
74. Getúlio Vargas, *Diário*, vol. 2, p. 349.
75. Idem.
76. Alzira Vargas do Amaral Peixoto, *Getúlio Vargas, meu pai*, p. 385.
77. Paul Frischauer, *Presidente Vargas*, p. 354.
78. Alberto Dines, *Morte no paraíso: A tragédia de Stefan Zweig*, pp. 511-2.
79. Paul Frischauer, op. cit., p. 10.
80. Getúlio Vargas, *A nova política do Brasil*, vol. 8, p. 244.
81. Hélio Silva, *1939: Véspera da guerra*, p. 295.
82. Idem, p. 287.
83. Getúlio Vargas, *A nova política do Brasil*, vol. 8, p. 241.
84. Hélio Silva, op. cit., p. 295.
85. Idem, pp. 276-317.
86. Idem.
87. Idem.
88. Getúlio Vargas, *Diário*, vol. 2, p. 359.
89. Idem, p. 360.
90. Idem.
91. Idem.
92. Getúlio Vargas, *Diário*, vol. 2, p. 457.
93. *Walt Disney & El Grupo*. Documentário. Direção de Theodore Thomas. Motion Picture Rating, 2008.
94. Idem.
95. *A Noite*, 5 de setembro de 1941.
96. Felipe Ribeiro de Menezes, *Salazar*, pp. 212-4.
97. *A Noite*, 5 de setembro de 1941.
98. Getúlio Vargas, *Diário*, vol. 2, p. 429.
99. *A Manhã*, 11 de novembro de 1941.
100. *Correio da Manhã*, 11 de novembro de 1941.
101. Getúlio Vargas, *Diário*, vol. 2, p. 434.
102. Idem, p. 416.
103. Idem, pp. 440-1.
104. *A Noite*, 8 de dezembro de 1941.
105. Hélio Silva, *1942: Guerra no continente*, p. 55.
106. Getúlio Vargas, *Diário*, vol. 2, p. 443.
107. Para a biografia do diplomata norte-americano, Benjamin Welles, *Sumner Welles: FDR's Global Strategist: A Biography*.
108. Getúlio Vargas, *Diário*, vol. 2, p. 454.

109. *Correio da Manhã*, 16 de janeiro de 1942.

110. Carta de Eurico Gaspar Dutra a Getúlio Vargas, encaminhando carta que lhe foi dirigida por Góes Monteiro, 24 de janeiro de 1942. Arquivo CPDOC-FGV. Documento GV c 1942.01.24. Ricardo Seitenfus, op. cit., p. 274.

111. Ricardo Seitenfus, *O Brasil vai à guerra*, pp. 274 e 291.

112. Getúlio Vargas, *Diário*, vol. 2, p. 454. Ricardo Seitenfus, *O Brasil vai à guerra*, pp. 270-6.

113. Getúlio Vargas, *Diário*, vol. 2, p. 454.

114. Para o cenário da conversa, *Correio da Manhã* e *A Noite*, 19 e 20 de janeiro de 1942. Para a conversa com o embaixador argentino, Getúlio Vargas, *Diário*, vol. 2, p. 454.

115. Getúlio Vargas, *Diário*, vol. 2, p. 454.

116. Idem.

117. Idem, p. 457.

118. Idem.

119. Idem.

120. *Correio da Manhã*, 29 de janeiro de 1942.

121. Ricardo Seitenfus, op. cit., pp. 280-4.

122. Idem, p. 280.

18. PRESO A UMA CAMA, GETÚLIO ADMINISTRA A CRISE DO REGIME, ENQUANTO OS NAZISTAS INICIAM O "ALEGRE MASSACRE" (1942-3) [pp. 406-28]

1. Alzira Vargas do Amaral Peixoto, *Getúlio Vargas, meu pai*, pp. 45-6.

2. A reconstituição do episódio e de sua repercussão foi feita com base nas reportagens publicadas à época pelos seguintes jornais: *A Manhã*, *A Noite*, *Correio da Manhã* e *Diário de Notícias*.

3. Idem.

4. Idem.

5. Idem.

6. Idem.

7. Iberê Athayde Teixeira, *Os ossos do presidente: A vida e a morte de Getúlio Vargas*, pp. 167-8. Ver também do mesmo autor *A invasão de Santo Tomé*, p. 14.

8. Alzira Vargas. *Fatos e Fotos*, 3 de agosto de 1963: "A vida de Getúlio". Hélio Silva, *1945: Por que depuseram Vargas*, p. 225.

9. Para a recusa de receber visitas, *Revista do Globo*, edição especial, agosto de 1950, "Subsídios para as memórias de Getúlio Vargas".

10. Alzira Vargas do Amaral Peixoto, *Getúlio Vargas, meu pai*, pp. 45-6.

11. *A Manhã*, 10 de maio de 1942.

12. Alzira Vargas do Amaral Peixoto, *Getúlio Vargas, meu pai*, pp. 45-6.

13. *A Noite*, 7 de maio de 1942.

14. Carta de Protásio Vargas a Getúlio, 29 de maio de 1942. Arquivo CPDOC-FGV. Documento GV c 1942.05.07.

15. *Revista do Globo*, edição especial, agosto de 1950, "Subsídios para as memórias de Getúlio Vargas".

16. *A Manhã*, 4 de junho de 1942.

17. *Correio da Manhã*, 4 de junho de 1942.
18. Getúlio Vargas, *Diário*, vol. 2, p. 477.
19. Para uma narrativa jornalística dos afundamentos dos navios brasileiros por submarinos nazistas, Roberto Sander, *O Brasil na mira de Hitler*. Ver também Hélio Silva, *1942: Guerra no continente*, pp. 329-72.
20. Idem.
21. Idem.
22. Correspondência entre Carlos Martins, Getúlio Vargas e outros sobre entrega de material bélico ao Brasil, várias datas. Arquivo CPDOC-FGV. Documento GV c 1942.03.17.
23. Roberto Sander, *O Brasil na mira de Hitler*, pp. 77-84.
24. Decreto-lei nº 4166, de 11 de março de 1942.
25. *A Noite*, 14 de março de 1942.
26. Sergio Corrêa da Costa, *Crônica de uma guerra secreta. Nazismo na América: A conexão argentina*, pp. 139-44.
27. Stanley Hilton, *Suástica sobre o Brasil*, pp. 269-78. Roberto Sander, *O Brasil na mira de Hitler*, pp. 110-8.
28. Idem.
29. Roberto Sander, op. cit., pp. 107-8.
30. Ricardo Seitenfus, *O Brasil vai à guerra*, pp. 241-5.
31. Getúlio Vargas, *Diário*, vol. 2, p. 435.
32. Sergio Corrêa da Costa, *Crônica de uma guerra secreta. Nazismo na América: A conexão argentina*, pp. 86-9.
33. Ricardo Seitenfus, *O Brasil vai à guerra*, pp. 241-5.
34. Sergio Corrêa da Costa, *Crônica de uma guerra secreta. Nazismo na América: A conexão argentina*, p. 87. Ana Arruda Callado, *Darcy, a outra face de Vargas*, pp. 62-3.
35. Alexandre Fortes. *Nós do Quarto Distrito: A classe trabalhadora porto-alegrense e a Era Vargas*, pp. 188-91.
36. Ricardo Seitenfus, *O Brasil vai à guerra*, pp. 241-5.
37. Hélio Silva, *1942: Guerra no continente*, pp. 329-72.
38. Correspondência entre Carlos Martins, Getúlio Vargas e outros sobre entrega de material bélico ao Brasil, várias datas. Arquivo CPDOC-FGV. Documento GV c 1942.03.17.
39. Hélio Silva, *1942: Guerra no continente*, pp. 346-8.
40. Roberto Sander, op. cit., p. 176.
41. Stanley Hilton, *Suástica sobre o Brasil*, p. 292.
42. Roberto Sander, op. cit., p. 98.
43. *Correio da Manhã*, 2 de maio de 1942.
44. Idem.
45. Idem.
46. Vasco Leitão da Cunha, *Diplomacia em alto-mar: Depoimento ao CPDOC*, pp. 88-94.
47. Idem.
48. Idem.
49. Idem.
50. Idem.

51. Idem.
52. Verbetes "Filinto Müller, "Francisco Campos" e "Lourival Fontes", *Dicionário histórico-biográfico brasileiro*, do CPDOC-FGV.
53. Carta de Getúlio Vargas a Lourival Fontes, 17 de julho de 1942. Arquivo CPDOC-FGV. Documento GV c 1942.07.17/1.
54. Carta de Getúlio Vargas a Filinto Müller, 17 de julho de 1942. Arquivo CPDOC-FGV. Documento GV c 1942.07.17/3.
55. Carta de Getúlio Vargas a Francisco Campos, 17 de julho de 1942. Arquivo CPDOC-FGV. Documento GV c 1942.07.17/4.
56. Vasco Leitão da Cunha, op. cit., pp. 88-94.
57. Stanley Hilton, *Oswaldo Aranha: Uma biografia*, p. 397.
58. *A Noite*, 20 de agosto de 1942.
59. Roberto Sander, op. cit., pp. 217-30.
60. Idem, pp. 231-4.
61. Idem, pp. 231-41.
62. *Correio da Manhã* e *A Noite*, 18 e 19 de agosto de 1932.
63. Idem.
64. Idem.
65. Idem.
66. Idem.
67. Idem.
68. Idem.
69. Idem.
70. Idem.
71. Telegrama de Franklin Delano Roosevelt a Getúlio Vargas, 20 de agosto de 1942. Arquivo CPDOC-FGV. Documento GV c 1942.08.20/1.
72. Hélio Silva, *1942: Guerra no continente*, pp. 376-7.
73. Stanley Hilton, *Oswaldo Aranha: Uma biografia*, p. 397.
74. Hélio Silva, *1942: Guerra no continente*, p. 391.
75. Stanley Hilton, *Oswaldo Aranha: Uma biografia*, p. 397.
76. Hélio Silva, *1944: O Brasil na guerra*, p. 54.
77. Idem.
78. Lutero Vargas, *Getúlio Vargas: A revolução inacabada*, pp. 171-2.
79. Roberto Muylaert, *1943: Roosevelt e Vargas em Natal*, pp. 17-23.
80. Lutero Vargas, op. cit., pp. 171-2.
81. Idem.
82. Hélio Silva, *1944: O Brasil na guerra*, p. 54. Roberto Muylaert, op. cit., pp. 17-23.
83. Maria Celina D'Araújo, *O Estado Novo*, pp. 48-9.
84. Luiz Vergara, *Fui secretário de Getúlio Vargas*, pp. 171-2.
85. Roberto Muylaert, op. cit., p. 68.
86. John W. F. Dulles, *Getúlio Vargas: Biografia política*, p. 255.
87. *Revista do Globo*, edição especial, agosto de 1950, "Subsídios para as memórias de Getúlio Vargas".

88. Hélio Silva, *1944: O Brasil na guerra*, p. 55.
89. Filipe Ribeiro de Meneses, *Salazar: Biografia definitiva*, pp. 315-26.
90. "Documentos sobre a Conferência de Getúlio Vargas e Franklin Roosevelt, em Natal". Arquivo CPDOC-FGV. Documento GV c 1943.01.04/1.
91. Hélio Silva, *1944: O Brasil na guerra*, p. 55.
92. Idem.
93. Idem, p. 57.
94. Roberto Muylaert, op. cit., pp. 67-76.
95. Lutero Vargas, *Getúlio Vargas, A revolução inacabada*, pp. 171-2.
96. Ana Arruda Callado, *Darcy: A outra face de Vargas*, pp. 191-206.
97. Depoimento de Alzira Vargas ao jornalista Fernando Morais, 13 de abril de 1988.
98. Idem.
99. Idem.

19. O ESTADO NOVO AGONIZA: É PRECISO FAZER A ABERTURA.
ANTES QUE OS INIMIGOS DO GOVERNO A FAÇAM. (1943-4) [pp. 429-52]

1. Os detalhes da posse de Getúlio na Academia Brasileira de Letras foram obtidos nos seguintes jornais da época: *Correio da Manhã*, *A Noite* e *A Manhã*.
2. Estatutos da Academia Brasileira de Letras. Disponível no site oficial da instituição: <http://www.academia.org.br>.
3. João Paulo Lopes, *A nação (i)mortal: Identidade nacional e política na Academia Brasileira de Letras (1931-1943)*.
4. Getúlio Vargas, *Diário*, vol. 2, p. 247.
5. *A Noite*, 12 e 13 de agosto de 1939.
6. Getúlio Vargas, *Diário*, vol. 2, p. 247.
7. Para a visita de João Neves ao Catete, ver Getúlio Vargas, *Diário*, vol. 2, p. 316.
8. João Paulo Lopes, op. cit.
9. Parafraseado de Queiroz Júnior, *222 anedotas de Getúlio Vargas*, p. 42. David Nasser, em *Eu fui guarda-costas de Getúlio*, p. 162, atribui a frase e o episódio a outro acadêmico, Pedro Calmon.
10. Discurso de posse de Alcântara Machado na Academia Brasileira de Letras. Disponível no site oficial da instituição: <http://www.academia.org.br>.
11. João Paulo Lopes, op. cit.
12. Idem.
13. Alberto Venâncio Filho. *Afrânio Peixoto*. Conferência pronunciada em 27 de março de 2007 na Academia Brasileira de Letras. Disponível em <http://www.academia.org.br/abl/media/RB53%20-%20Culto%20da%20Imortalidade.pdf>.
14. *Correio da Manhã* e *A Noite*, 30 de dezembro de 1943.
15. Ataulfo de Paiva. Discurso de recepção ao acadêmico Getúlio Vargas. Disponível em: <http://www.academia.org.br/abl/cgi/cgilua.exe/sys/start.htm?infoid=7192&sid=255>.
16. Idem.
17. Idem.

18. Getúlio Vargas, Discurso de posse na Academia Brasileira de Letras. Disponível em: <http://www.academia.org.br/abl/cgi/cgilua.exe/sys/start.htm?infoid=585&sid=335>.
19. Idem.
20. Idem.
21. Mônica Pimenta Velloso. *Os intelectuais e a política cultural do Estado Novo*. Ver também. João Paulo Lopes, op. cit.
22. *Correio da Manhã*, *A Noite* e *A Manhã*, edições de 21, 22 e 23 de outubro de 1943.
23. Paul Frischauer, *Presidente Vargas*, p. 80.
24. *A Noite*, 21 de outubro de 1943.
25. Hélio Silva, *1945: Por que depuseram Vargas*, pp. 64-5.
26. "Manifesto ao povo mineiro". Arquivo CPDOC-FGV. Documento GV c 1943.10.24.
27. Idem.
28. Idem.
29. John W. F. Dulles. *Sobral Pinto: A consciência do Brasil*, pp. 246-9. Hélio Silva, *1945: Por que depuseram Vargas*, pp. 62-82.
30. Idem.
31. Idem.
32. Idem.
33. Idem.
34. Idem.
35. Hélio Silva, *1945: Por que depuseram Vargas*, pp. 62-82.
36. Benedito Valadares, *Tempos idos e vividos*, p. 285.
37. Idem.
38. John W. F. Dulles. *A Faculdade de Direito de São Paulo e a resistência Anti-Vargas (1938-1945)*, pp. 249-88.
39. Idem.
40. Idem.
41. Idem.
42. Idem.
43. Idem.
44. Idem.
45. Idem.
46. Idem.
47. Idem.
48. Idem.
49. Idem.
50. *Correio da Manhã*, 11 de novembro de 1943. Luiz Vergara, *Fui secretário de Getúlio Vargas*, p. 158.
51. *A Manhã*, *A Noite* e *Correio da Manhã*, edições de 10 a 13 de novembro de 1943.
52. Idem.
53. Idem.
54. Idem.
55. Idem.

56. Para o contexto histórico dessa mobilização popular, que está na gênese da política trabalhista, ver Angela de Castro Gomes, *A invenção do trabalhismo*.

57. Idem, pp. 224-5.

58. *Correio da Manhã*, 11 de novembro de 1943.

59. Idem.

60. Para a resistência militar à fórmula e à ideia de uma "república sindical", ver Lourival Coutinho, *O general Góes depõe...*, p. 396.

61. Paulo Brandi, *Vargas: Da vida para a história*, pp. 172-3.

62. Queiroz Júnior, *22 anedotas de Getúlio Vargas*, p. 129.

63. Floriano de Lima Brayner, *A verdade sobre a FEB: Memórias de um chefe de Estado-Maior na campanha da Itália*, pp. 84-8.

64. Idem.

65. Boris Schnaiderman, *Guerra em surdina*, p. 38.

66. Floriano de Lima Brayner, *A verdade sobre a FEB: Memórias de um chefe de Estado-Maior na campanha da Itália*, pp. 84-8.

67. Lira Neto, *Castello: A marcha para a ditadura*, p. 110.

68. Floriano de Lima Brayner, op. cit., pp. 84-8.

69. Boris Schnaiderman, op. cit., p. 38.

70. Floriano de Lima Brayner, op. cit., pp. 84-8.

71. Idem.

72. Idem.

73. Idem.

74. Para o perfil de Mascarenhas de Morais, conferir verbete específico no *Dicionário histórico-biográfico brasileiro*.

75. Lourival Coutinho, *O general Góes depõe...*, p. 390.

76. Idem, p. 386.

77. Verbete "Força Expedicionária Brasileira", *Dicionário histórico-biográfico brasileiro*.

78. Lourival Coutinho, op. cit., pp. 391-2.

79. Idem, p. 409.

80. Stanley Hilton, *Oswaldo Aranha: Uma biografia*, pp. 421-7.

81. Leonardo Coutinho, *O general Góes depõe...*, p. 398.

82. Stanley Hilton, op. cit., pp. 421-7.

83. Citado por Paulo Brandi, *Vargas: Da vida para a história*, p. 176.

84. Stanley Hilton, op. cit., pp. 421-7.

85. Idem.

86. Idem.

87. Idem.

88. Idem.

89. Idem.

90. Luiz Vergara, *Fui secretário de Getúlio Vargas*, p. 152.

91. Idem, pp. 156-7.

92. Idem.

93. Idem.

94. Idem.

20. "ESTOU RESOLVIDO AO SACRIFÍCIO, COMO UM PROTESTO, MARCANDO A CONSCIÊNCIA DOS TRAIDORES" (1944-5) [pp. 453-78]

1. Lourival Coutinho, *O general Góes depõe...*, p. 405.
2. Idem, p. 404.
3. Idem, p. 405.
4. Idem, pp. 404-5.
5. Idem.
6. Idem.
7. Idem.
8. Angela de Castro Gomes, *A invenção do trabalhismo*, p. 211.
9. Lourival Coutinho, op. cit., p. 405.
10. Carlos Lacerda, *Depoimento*, pp. 72-5. Verbete "União Democrática Nacional", no *Dicionário histórico-biográfico brasileiro*, do CPDOC-FGV.
11. Luiz Vergara, *Fui secretário de Getúlio Vargas*, p. 159.
12. As notícias citadas foram colhidas nas edições do início de janeiro dos seguintes jornais: *Diário Carioca, A Noite, A Manhã* e *Correio da Manhã*.
13. Idem. Ver também Lutero Vargas, *Getúlio Vargas: A revolução inacabada*, pp. 172-6.
14. Luiz Vergara, *Fui secretário de Getúlio Vargas*: p. 160. No original, Vergara não explicita o palavrão, mas o deixa subentendido. Em vez de "merda", escreve "aquilo", mas acrescenta logo a seguir: "Usei aí, pela primeira vez desde que trabalhava com ele [Getúlio], um palavrão".
15. Idem.
16. Idem.
17. Idem, p. 161.
18. Idem, p. 162.
19. Idem, p. 163.
20. Idem.
21. "Documentos de Marcondes Filho sobre reformas políticas". Arquivo CPDOC-FGV. Documento GV c 1944.00.00/7.
22. Idem.
23. Idem.
24. Lourival Coutinho, *O general Góes depõe...*, p. 408.
25. Aspásia Camargo, Maria Celina Soares D'Araújo e Dora Rocha Flaksman, *Artes da política: Diálogo com Amaral Peixoto*, pp. 223-4.
26. A segunda frase é uma paráfrase baseada no depoimento de Amaral Peixoto referido na nota anterior.
27. "Plano dispondo sobre alistamento eleitoral, organização sindical e propaganda governamental que permitam a realização de eleições sem o retorno aos velhos processos localistas". Arquivo CPDOC-FGV. Documento GV confid 1943.00.00/2.
28. Idem.
29. *Correio da Manhã*, 22 de fevereiro de 1945.
30. Idem.
31. Hélio Silva, *1945: Por que depuseram Vargas*, p. 85.

32. Idem.

33. Verbete "Eduardo Gomes" no *Dicionário histórico-biográfico brasileiro*, do CPDOC-FGV. Para um panegírico do personagem, Paulo Pinheiro Chagas, *O brigadeiro da libertação*.

34. Lourival Coutinho, *O general Góes depõe...*, p. 407.

35. *O Globo*, 22 de fevereiro de 1945.

36. Depoimento de José Américo de Almeida, incluído em Valentina da Rocha Lima, *Getúlio: uma história oral*, pp. 149-50.

37. *O Globo*, 15 de fevereiro de 1960.

38. Idem.

39. Depoimento de José Américo de Almeida, incluído em Valentina da Rocha Lima, op. cit., p. 150.

40. Lei Constitucional nº 9, de 28 de fevereiro de 1945.

41. *Diário Carioca*, 1º de março de 1945.

42. Idem.

43. *Diário Carioca*, 3 de março de 1945.

44. *Diário Carioca*, 4 de março de 1945.

45. *Correio da Manhã*, 11 de março de 1945.

46. Idem.

47. Idem.

48. Juarez Távora, *Memórias: Uma vida e muitas lutas — A caminhada no altiplano*, pp. 184-6.

49. Hélio Silva, *1945: Por que depuseram Vargas*, p. 129. Paulo Brandi, *Vargas: Da vida para a História*, p. 182. Mauro Renault Leite e Novelli Júnior, *Dutra: O dever da verdade*, p. 672.

50. Idem.

51. John W. F. Dulles, *Getúlio Vargas: Biografia política*, p. 278.

52. Lourival Coutinho, op. cit., p. 412.

53. Juracy Magalhães e J. A. Gueiros, *O último tenente*, p. 214.

54. "Carta-testamento de Getúlio Vargas expondo os motivos que o levariam a cometer suicídio, em decorrência da tentativa de um golpe militar", 13 de abril de 1945. Arquivo CPDOC-FGV, documento GV c 1945.04.13/2.

55. *Fatos e Fotos*, "A vida de Getúlio: o golpe de 1945", 3 de agosto de 1963. Lutero Vargas, *Getúlio: A revolução inacabada*, pp. 152-3.

56. Lutero Vargas, op. cit., pp. 170-1.

57. Roberto Muylaert, *1943: Roosevelt e Vargas em Natal*, pp. 177-8.

58. Ana Arruda Callado, *Darcy, a outra face de Vargas*, p. 58.

59. *Diário Carioca*, 17 de abril de 1945.

60. Hélio Silva, *1945: Por que depuseram Vargas*, p. 192.

61. *Diário Carioca*, 19 de abril de 1945.

62. Lourival Coutinho, *O general Góes depõe...*, p. 424.

63. *Fatos e Fotos*, "A vida de Getúlio: o golpe de 1945", 3 de agosto de 1963.

64. Idem.

65. *A Manhã*, 31 de agosto de 1945.

66. Idem.

67. Idem.

68. Telegrama de Gainer ao Foreign Office, 1º de agosto de 1945. Arquivo do Foreign Office. Citado por Stanley Hilton, *O ditador e o embaixador*, pp. 66-7.

69. Paulo Brandi, *Vargas: da vida para a História*, pp. 183-4. Angela de Castro Gomes, *A invenção do trabalhismo*, pp. 279-83. John W. F. Dulles, *Getúlio Vargas: Biografia política*, pp. 280-3.

70. Lourival Coutinho, op. cit., p. 418.

71. Carta de Ari Pires a Góes Monteiro, 4 de outubro de 1945. Arquivo Góes Monteiro. Arquivo Nacional.

72. Hélio Silva, *1945: Por que depuseram Vargas*, pp. 230-2.

73. Verbete "Hugo Borghi", *Dicionário histórico-biográfico brasileiro*, do CPDOC-FGV.

74. Hélio Silva, *1945: Por que depuseram Vargas*, p. 193.

75. *Tribuna Popular*, 24 de maio de 1945.

76. Decreto-lei nº 7666, de 22 de junho de 1945.

77. Fernando Morais, *Chatô: O rei do Brasil*, pp. 456-7.

78. John W. F. Dulles, *Getúlio Vargas: Biografia política*, p. 281.

79. Citado por Stanley Hilton. *O ditador e o embaixador*, p. 70.

80. Lutero Vargas, op. cit., pp. 151-2.

81. Idem.

82. *A Manhã*, 4 de outubro de 1945.

83. Telegrama de Adolf Berle ao Departamento de Estado, 21 de março de 1945. Citado por Stanley Hilton, *O ditador e o embaixador*, p. 84.

84. Stanley Hilton, op. cit., pp. 18-9.

85. Idem, p. 84.

86. Idem, p. 90.

87. Lourival Coutinho, op. cit., p. 432. Lutero Vargas, *Getúlio: A revolução inacabada*, p. 156. Hélio Silva, *1945: Por que depuseram Vargas*, pp. 213-23. "Subsídios para as memórias de Getúlio Vargas", edição especial da *Revista do Globo*, agosto de 1950.

88. *Diário Carioca*, 30 de setembro de 1945.

89. Idem.

90. Lutero Vargas, op. cit., p. 156. "Subsídios para as memórias de Getúlio Vargas", edição especial da *Revista do Globo*, agosto de 1950.

91. Stanley Hilton, *O ditador e o embaixador*, pp. 75-99.

92. *A Manhã*, 4 de outubro de 1945.

93. *Diário Carioca*, 11 de outubro de 1945.

94. Idem.

95. Idem.

96. Mauro Renault Leite e Novelli Júnior, *Marechal Eurico Gaspar Dutra: O dever da verdade*, p. 735.

97. *Diário Carioca*, 24 de outubro de 1945.

EPÍLOGO (29 DE OUTUBRO A 1º DE NOVEMBRO DE 1945) [pp.479-92]

1. Lourival Coutinho, *O general Góes depõe...*, pp. 441-8.

2. Idem.

3. Paulo Brandi, *Vargas: Da vida para a História*, p. 193.

4. Lourival Coutinho, *O general Góes depõe...*, pp. 441-8.
5. Idem.
6. Idem.
7. Idem.
8. Idem.
9. Idem.
10. Idem.
11. Idem, p. 430.
12. Rubens Vidal de Araújo, *Os Vargas*, p. 189.
13. Idem.
14. Lutero Vargas, *Getúlio Vargas: A revolução inacabada*, p. 158.
15. Idem.
16. Idem.
17. Aspásia Camargo e Walder de Góes, *Meio século de combate: Diálogo com Cordeiro de Farias*, pp. 389-91.
18. Aspásia Camargo, Maria Celina Soares D'Araújo e Dora Rocha Flaksman, *Artes da política: Diálogo com Amaral Peixoto*, p. 227.
19. Paulo Brandi, op. cit., p. 193.
20. Lutero Vargas, op. cit., p. 158.
21. Rubens Vidal de Araújo, *Os Vargas*, p. 190.
22. Idem.
23. Lourival Coutinho, op. cit., pp. 448-62.
24. Idem.
25. Idem.
26. Idem.
27. Mauro Renault Leite e Novelli Júnior, *Marechal Eurico Gaspar Dutra: O dever da verdade*, p. 736.
28. Lourival Coutinho, op. cit., pp. 448-62.
29. Idem.
30. Idem.
31. Luiz Vergara, *Fui secretário de Getúlio Vargas*, pp. 180-2. Mauro Renault Leite e Novelli Júnior, op. cit., pp. 716-8. Lutero Vargas, op. cit., p. 158.
32. Lourival Coutinho, op. cit., pp. 448-62.
33. Hélio Silva, *1945: Por que depuseram Vargas*, p. 240.
34. Lourival Coutinho, op. cit., pp. 448-62.
35. Aspásia Camargo e Walder de Góes, op. cit., p. 397.
36. Idem.
37. Idem.
38. Lourival Coutinho, op. cit., pp. 448-62.
39. Lutero Vargas, op. cit., p. 158. Lourival Coutinho, op. cit., pp. 448-62.
40. Idem.
41. Hélio Silva, *1945: Por que depuseram Vargas*, p. 254.
42. Odílio Denys, *Ciclo revolucionário brasileiro*, pp. 42-7.
43. Lutero Vargas, op. cit., p. 158.

44. Aspásia Camargo e Walder de Góes, op. cit., p. 398.
45. Luiz Vergara, op. cit., pp. 180-2.
46. Lutero Vargas, op. cit., p. 158. Aspásia Camargo e Walder de Góes, op. cit., p. 398.
47. Mauro Renault Leite e Novelli Júnior, op. cit., p. 745.
48. Rubens Vidal de Araújo, op. cit., p. 192.
49. Idem.
50. Luiz Vergara, op. cit., pp. 180-2.
51. "Nota, proclamações e mensagens de Getúlio Vargas ao povo gaúcho e brasileiro comunicando sua renúncia, suas preocupações para com os trabalhadores e razões de seu afastamento". Arquivo CPDOC-FGV. Documento GV c 1945.10.29/2.
52. Idem.
53. Idem.
54. Pedro Cézar Dutra Fonseca, *Vargas: O capitalismo em construção*, pp. 291-300. Pedro Paulo Zahluth Bastos e Pedro Cézar Dutra Fonseca: *A Era Vargas: Desenvolvimento, economia e sociedade*, p. 15.
55. Maria Celina D'Araújo, "Getúlio Vargas, conservadorismo e modernização", em Gunter Axt, Omar L. de Barros Filho, Ricardo Van Seelig e Sylvia Bojunga, *Reflexões sobre a Era Vargas*, pp. 147-65.
56. Rubens Vidal de Araújo, op. cit., p. 193.

Crédito das imagens

Todos os esforços foram feitos para determinar a origem das imagens deste livro. Nem sempre isso foi possível. Teremos prazer em creditar as fontes, caso se manifestem.

CADERNO PB

pp. 1, 2, 3, 4, 5, 6, 7, 10, 11, 12 (abaixo), 13 (acima), 14, 15 (acima e abaixo) e 16: Fundação Getúlio Vargas - CPDOC

p. 8: Coleção do autor. Reprodução de Motivo e Renato Parada.

p. 9: Folhapress (acima), DR/ Família Belmonte (ao centro) e *Careta* (abaixo)

p. 12 (acima): Photo by Keystone-France/ Gamma-Keystone via Getty Images

pp. 13 (abaixo) e 15 (centro): Photo by John Phillips/ Time Life Pictures/ Getty Images

CADERNO COR

pp.1 e 9: Coleção do autor. Reprodução de Renato Parada.

pp. 2, 3, 10, 12 (abaixo) e 13 (acima): Coleção do autor. Reprodução Motivo.

pp. 4, 5, 7, 8 (acima), 11, 12 (acima), 13 (abaixo), 14 e 15: Fundação Getúlio Vargas – CPDOC

pp.6 e 8 (abaixo): Photo by Hart Preston/ Time & Life Pictures/ Getty Images

16: Photo by Hart Preston/ Time & Life Pictures/ Getty Images

Índice remissivo

Abissínia (Etiópia), 240, 272
Abreu, Ciro Carvalho de, 216, 218
Abreu, Florêncio de, 135
Academia Brasileira de Letras, 193, 237-8, 282, 429-34, 464, 538n, 544n, 564-5n
Academia Paulista de Letras, 76
Accuso! (João Neves), 282
Acordos de Washington, 405
açúcar, 139, 272, 379
África, 381, 399, 425, 426
Agência Nacional, 325
Aguirre, Domingo, 162, 172-5
Alagoas, 24, 147, 379
Albânia, 359
Alberto, João, 63, 66-70, 72-3, 76, 89-90, 114, 136, 142, 178, 220, 377-8, 479-83, 485, 491, 516-7n
Alberto, rei da Bélgica, 65
Albuquerque, Epitácio Pessoa Cavalcanti de, 391
Albuquerque, Jesuíno Carlos de, 350-1
Albuquerque, João Pessoa Cavalcanti de, 65, 78, 215, 295, 391
Albuquerque, José Pessoa Cavalcanti de, 215, 293, 546n
álcool, 85, 154, 175, 260, 379
Alegrete (navio), 415
Aleixo, Pedro, 168, 252, 284, 291, 293, 296, 436, 438
Alemanha, 54, 184, 209, 239, 263, 267, 271, 276, 314-6, 343, 347-8, 353-5, 357, 359, 361, 363, 367, 369, 373, 383-5, 387-9, 395, 396, 398, 400, 402-3, 405, 422, 541n, 543n
Alencar, Cristóvão de, 275, 543n
Alexandre I, rei da Iugoslávia, 197
algodão, 239, 354, 384, 385, 387, 412, 473
Aliados, 372, 401, 426, 435, 438, 455, 464
Aliança Liberal, 14, 18-9, 26, 30, 32, 38, 62, 66, 140, 151, 283, 326
Aliança Nacional Libertadora (ANL), 207-8, 228-30, 232, 234-6, 238, 241, 244, 250, 254, 264, 298, 538n
Almanaque do Tico-Tico, 80
Almeida, Guilherme de, 119-20, 129, 523n

Almeida, José Américo de, 54, 63, 139, 146-7, 177, 274, 286, 288, 293, 298, 300, 460-2, 466, 568n
Almeida, Mário Martins de, 61, 78, 119
Almirante Alexandrino (navio), 369
Almirante Jaceguay (navio), 144, 147-9
Alô, amigos (desenho animado), 397
Alvarenga, Sérgio, 388
Alves, Francisco, 126, 361, 524n
Alves, Glicério, 106
Amado, Gilberto, 168, 224, 529n, 536n
Amado, Jorge, 257, 464
Amazonas, 147, 150, 259, 379
Amazônia, 137, 464
América do Norte, 382, 419
América Latina, 151, 240, 269, 315, 349, 373, 398, 403, 404, 419, 442
Americano, Jorge, 392, 441
Amorim, Otília, 17
anarquistas, 32, 491
Anauê (revista), 319
"Anauê!" (saudação integralista), 192, 194, 328
Andes, 151
Andrada, Antônio Carlos Ribeiro de, 142, 163, 165, 168-70, 177, 189-90, 206, 212, 274, 277, 283-6, 288, 545n
Andrade, Antônio Américo Camargo, 61, 78, 119
Andrade, Carlos Drummond de, 164, 379, 464
Andrade, José Joaquim de, 100
Andrade, Mário de, 119, 433, 464
Anhanguera (bandeirante), 77
Aníbal Benévolo (navio), 420
anistia, 44, 72, 124, 126, 136, 188, 231, 474
Anjos, Augusto dos, 80
Anjos, Manoel dos, 377
Anta, grupo literário, 378
Antígua, 386
antissemitismo, 193, 267, 362-3; *ver também* judeus
Arabutã (navio), 412
Aragão, José Joaquim Moniz de, 262-3, 314, 348, 541n, 543n
Araguaia, 376-8, 380, 382, 557n

Aranha, Graça, 80
Aranha, Luís, 139, 143, 517n, 549n, 553n
Aranha, Manuel, 344-5, 553n
Aranha, Oswaldo, 18, 28, 30, 33-4, 46, 54-5, 63, 70, 75-7, 86-7, 94, 96, 102-4, 107, 113, 138-9, 163-4, 166-7, 170, 177, 198, 262, 264-5, 271-2, 274-5, 279, 286-8, 299, 315-7, 341, 344-5, 348, 352-4, 357-8, 362-3, 369, 371, 375, 386, 395-6, 400, 404-5, 410, 413, 417, 419, 421-2, 449-50, 513n, 515n, 517n, 519-20n, 525-6n, 530n, 533n, 535-6n, 541-4n, 547n, 549n, 553-6n, 563n, 566n
Aranha, Vindinha, 54, 341
Arantes, Altino, 129
Arará (navio), 420
Araraquara (navio), 420
Araújo Lima, Clóvis, 263
Araújo, Castro de, 135
Araújo, Ruy, 233
Argentina, 50, 76, 84, 113, 136, 150-2, 157, 162, 174, 176, 221, 223, 225, 260, 320, 371, 379, 402-3, 405, 423, 427, 527-8n, 543n
Argentino Roca, Julio, 157
Arsenal de Guerra, 442
Ásia, 399
Assembleia Constituinte, 15, 28, 49, 62, 130, 132, 139, 143, 163, 182, 184, 317, 454, 473, 525n, 527n
Assis Brasil, 39, 43, 48-51, 56, 177, 220, 514-5n
Associação Antifascista de São Paulo, 21
Associação Brasileira de Imprensa (ABI), 22, 200, 253, 511n
Associação das Mães Cristãs, 120
Associação Integralista Brasileira (AIB), 192, 193, 195, 199, 304, 308, 318-9, 328-30, 345, 553n
Associated Press, 373
Ataíde, Austregésilo de, 464
Ataul, pajé, 376-7
Ateneu, O (Raul Pompeia), 80
Athayde, Austregésilo de, 129, 135, 524n
Athayde, Tristão de, 210
Atlântico (revista binacional), 398
Atlântico Norte, 386, 402, 415
Atlântico Sul, 271, 386, 401, 416, 423, 448
Austrália, 413

Austregésilo, Antônio, 429-30
Áustria, 276, 348, 394
Automóvel Clube do Brasil, 449-50
Avenol, Joseph, 272
Azambuja, Cleto Dória de, 156
Azaña, Manuel, 272, 413

Babo, Lamartine, 366
bacharelismo, 85
Baependi (navio), 420
Bagaceira, A (Américo de Almeida), 54
Bahamas, 386, 401, 559n
Bahia, 24, 53, 57, 140, 145, 147, 164, 178, 180-1, 262, 278, 290, 292, 298-9, 310, 335, 379, 436
Baima, Henrique, 292
Bananal, ilha do, 376, 378, 380
Banco Alemão Transatlântico, 438
Banco Central no Brasil, 353
Banco da Inglaterra, 45
Banco de Crédito Mercantil, 413
Banco do Brasil, 30, 67, 198, 248, 279, 362, 412, 483
Bandeira, Manuel, 461
Barata, Agildo, 24, 129, 244, 245, 247, 250, 267, 511n, 516n, 539n
Barbacena (navio), 415
Barbarigo (submarino italiano), 415-6
Barbosa Jr., Crispim, 16
Barbosa, Francisco de Assis, 464
Barcelos, Cristóvão, 180, 240, 538n
Baron, Victor Allen, 242, 260-1
Barreto, Augusto Pais, 244
Barreto, Mena, 114
Barreto, Plínio, 70-2, 517n
Barros, Ademar de, 391-2, 559n
Barros, José Emídio de, 440
Barros, Paulo de Morais, 89, 309
Barros, Teotônio Monteiro de, 179
Barroso, Ary, 126, 524n
Barroso, Gustavo, 193, 431
Barthou, Louis, 197
Basto, Alberto Lemos, 266
Bastos, Abguar, 207, 265

"Batalha da Praça da Sé", 195
Batalha do Riachuelo, 138, 371
Batista, Marília, 361
Batista, Pedro Ernesto, 29, 34-6, 42, 44, 52-3, 63, 90, 135-6, 142, 210, 234, 244, 264-5, 267, 285, 515n, 545n
"Bejo" *ver* Vargas, Benjamin Dornelles (irmão de Getúlio)
Bélgica, 372
"Bem-Amada" *ver* Sá, Aimée Sotto Mayor
Benario, Olga, 227, 255, 261, 263, 267, 474, 540n
Bergamini, Adolfo, 436
Berle Jr., Adolf, 476-7, 569n
Bermudas, 386, 401, 559n
Bernardes, Artur, 52, 122, 129, 190, 220, 436, 455, 462
Berta, Ruben, 415
Biblioteca do Itamaraty, 461
Bilac, Olavo, 80
Biseo, Attillio, 388
Blair, Lee, 397
Bloco Acadêmico Castilhista, 38
Bodin, Charles, 149
Bolívia, 151, 379, 403
Bolsa de Nova York, 32
Bonfim, Antônio Maciel, 229, 231, 261, 267
Bonfim, José dos Santos Rodrigues, 195
Borba Gato, Manuel de, 77
Borba, Firmino Antônio, 129
Bordinalli, Luis, 196
Borghi, Hugo, 473, 478, 569n
borracha, 317, 405, 464
Bosch, Roberto, 161-2
Bouças, Valentim Fernandes, 351, 382
Braga, Antônio Pereira, 266
Braga, Odilon Duarte, 168, 198, 283, 310, 436
Braga, Rubem, 257, 540n
Brant, Mário, 436
Brasil, país dos banqueiros (Gustavo Barroso), 193
Brasília, 180
Brayner, Floriano de Lima, 446, 566n
Brecheret, Victor, 119

Breda, Alfredo, 17
Brigada Militar, 55, 57, 95, 166, 181, 186, 213, 280, 289, 307
"Brigadeiro, O" (Manuel Bandeira), 461
Buarque (navio), 412
Bureau Sul-Americano do Komintern (BSA), 227, 231, 255

Cabanas, João, 69
Cabedelo (navio), 412, 415
Cabeleira, Alvimar Garcez, 56
Cabo Verde, 388
café, 41, 45, 74, 75, 88, 119, 239, 246, 272-3, 344, 354, 384, 387, 405, 411, 479
Café Filho, João, 303
Caffery, Jefferson, 316, 371, 373, 387, 423, 426, 451
Cairu (navio), 412
"Calma, Gegê" (espetáculo teatral), 17
Calmon, Pedro, 429, 564n
Câmara dos Deputados, 61, 320
Câmara Federal, 207, 212, 238
Camargo, Laudo de, 72-5, 517n
Cameron, Marion, 266
"camisas-verdes", 192, 194-5, 202, 303-4, 308, 319, 328-9, 343, 346, 354, 399, 414
Camões, Luís Vaz de, 430
camponeses, 241-2
campos de concentração, 148, 267, 355, 363, 474
Campos, Francisco, 85, 89, 202, 270-3, 289, 308-10, 314-5, 317-8, 321, 325, 328, 352, 417-9, 441, 463, 466, 542n, 554n, 563n
Campos, Milton, 436
Campos, Siqueira, 78
Canaã (Graça Aranha), 80
Canadá, 366, 479
"Candoca", dona *ver* Vargas, Cândida Dornelles (mãe de Getúlio)
canto orfeônico, 128, 312, 407, 524n
Capanema, Gustavo, 96, 163-70, 183, 198, 392, 417, 526n, 549n
Capão da Traição, 77
capitalismo, 72, 84, 196, 210, 362, 382-3
Cardim, Elmano, 438

Cardoso, Adauto Lúcio, 436, 438
Cardoso, Augusto Inácio do Espírito Santo, 92-5, 113, 519n
Cardoso, Ciro do Espírito Santo, 92
Cardoso, Dulcídio do Espírito Santo, 92-3
Cardoso, Fernando Henrique, 92
Cardoso, Joaquim Inácio, 92
Cardoso, Maurício, 17-9, 27-9, 33-4, 37-9, 42, 44, 48-9, 89, 91, 107, 146, 185, 282, 322, 324, 510n, 513-5n, 526n
Careta, 54, 141, 252, 290, 511n, 515-6n, 525n, 527n, 529n, 540n, 546n
Carioca (revista), 360
Carnaval, 126, 210, 412
Carneiro, Levi, 434
Carneiro, Ribas, 259
Carrazzoni, André, 333, 356-7, 555n
Carta del Lavoro, 318
Carta Magna *ver* Constituição brasileira
Carvalho, José Júlio de, 432
Carvalho, Ronald de, 209
Cascardo, Hercolino, 207, 254, 535n
Cassal, Aníbal Barros, 43, 238
Castello Branco, Humberto de Alencar, 391
Castilhos, Júlio de, 179, 326
Castro Jr., João Cândido Pereira de, 330, 335
Castro, Aloísio de, 431
Castro, José Fernandes Leite de, 19, 63, 86, 90-2, 93
Castro, Moacir Werneck de, 197, 200, 464, 534n
"Catorze-de-pé-no-chão" (batalhão), 112, 115-6, 154, 162, 172
Cavalcanti, Augusto, 180
Cavalcanti, Carlos de Lima, 285, 310, 545n
Cavalcanti, Constâncio Deschamps, 181
Cavalcanti, Newton, 303-5, 319
Cavalcanti, Temístocles, 177
Caymmi, Dorival, 366
Ceará, 53, 142, 144, 147-8, 278, 379
Celso, Afonso, 302
Centolla, Amadeu Ludovico Carmelo, 407
Centro Acadêmico XI de Agosto, 438-40
Centro Dom Vital, 211
Centro Industrial Brasileiro (CIB), 231

Chagas, Djalma Pinheiro, 283
Chagas, Paulo Pinheiro, 436, 526n, 568n
Chateaubriand, Assis, 182, 184, 231, 253, 298, 474-5, 516n, 537n, 547n, 569n
Chermont, Abel, 259, 265
Chile, 150, 348, 403, 405, 423, 427, 543n
China, 71, 226
Churchill, Winston, 417, 425
Ciano, Galeazzo, 314-5, 345, 360, 405, 548n, 553n
Cícero, padre, 67
Cintra, Ulhôa, 488
Círculo de Juventude Germano-Brasileira, 348
Cisneiros, Amador, 17
Clark, Mark Wayne, 448
classes médias, 74, 77, 207, 241, 472
classes trabalhadoras, 422, 444, 490; *ver também* proletariado
Clube 3 de Outubro, 14-5, 18-9, 28-30, 34-5, 42-4, 53-4, 90-1, 93, 98, 182, 200, 232, 235, 510n, 513n
Coaracy, Vivaldo, 129
Cobra, José Nogueira, 195-6
Cochrane, Fernando, 329
Código de Minas, 383-4
Código Penal, 325
Coelho Neto (escritor), 238, 282
Coelho Neto, José Antônio, 218, 305
Colégio Aldridge, 79, 82
Colégio Pedro II, 302
Collor, Lindolfo, 31-3, 38, 48, 89, 129, 146, 185, 220, 512-3n
Colômbia, 84, 137, 151, 404
Coloni, Elvira Copello, 261
Coluna Prestes, 66, 69-70, 76, 103, 136, 233, 235, 247, 250, 323, 474, 479, 519n
Comandante Lira (navio), 415
Comissão de Defesa da Economia Nacional, 377
Comissão de Verificação de Poderes do Congresso, 27-8, 48
Comissão Executiva do Plano Siderúrgico Nacional, 370, 382
Comissão Mista Brasileiro-Americana, 399

Comissão Nacional de Repressão ao Comunismo, 257-8, 264, 266
Comitê de Emergência e Defesa Política da América, 454
Compagnie Française, 383
Companhia Brasileira de Mineração e Siderurgia, 384
Companhia Carbonífera Rio-Grandense, 412
Companhia Nitro Química Brasileira, 390
Companhia Siderúrgica Nacional (CSN), 384, 465, 490
Companhia Vale do Rio Doce, 490
comunismo, 32, 66, 77-8, 142, 197, 199, 202, 211, 225, 227, 229, 231, 238, 247-8, 252, 255-7, 261-3, 265, 267, 271-2, 285, 295, 297-8, 301, 303-6, 309, 315, 323, 391, 398, 449, 474, 476, 478, 480, 491, 526n
Condor (companhia aérea), 414-5
Confederação Brasileira de Desportos (CBD), 88
Conferência Interamericana de Consolidação da Paz, 268
Conferência Pan-Americana de Lima, 359, 554n
Congresso Nacional, 14, 28, 202, 208, 215, 239, 248, 253, 265-6, 270, 273, 284-5, 293, 300-1, 304, 306-7, 386, 394, 463-4
Conselho Administrativo do Bureau Internacional do Trabalho, 419
Conselho das Nações, 255
Conselho de Economia Nacional, 320
Conselho Federal de Comércio Exterior, 351
Conselho Federal de Serviço Público Civil (CFSPC), 278
Conselho Nacional do Café, 75
Conselho Nacional do Trabalho, 225
Conselho Superior de Segurança Nacional, 202
Consolidação das Leis do Trabalho (CLT), 442-3, 490
Constituição brasileira (1891), 27, 56, 85, 107, 124, 150, 189
Constituição brasileira (1934), 189, 205, 308, 330, 469, 532n, 543n
Constituição brasileira (1937), 317, 319-21, 409, 438, 441, 457-8, 463, 469, 473

Conversações com Mussolini (Emil Ludwig), 149
Cony, João Garcia, 158
Coppola, Vincenzo, 414
coronelismo, 24
Corrales, Ramón, 174
Correia, Adalberto, 257, 264, 541n
Correia, Afonso de Miranda, 263
Correia, Trifino, 250, 297, 306, 540n
Correio da Manhã, 35, 46, 115, 127, 185, 187, 197, 205, 250, 252, 302, 308, 312, 360, 367, 421, 459-61, 510-7n, 522-9n, 532-42n, 544n, 547-8n, 551-3n, 555-68n
Correio da Tarde, 78
Correio do Povo, 38, 280, 356, 513-5n, 521n
Correios, 248, 361, 481
Costa Neto, Luís Carlos da, 266
Costa, Angione, 16
Costa, Artur de Sousa, 198, 316, 404-5, 549n
Costa, Canrobert Pereira da, 486
Costa, Fernando, 284, 392, 559n
Costa, Flávio Paulo, 210
Costa, Joppert da, 326
Costa, Miguel, 65-6, 68-72, 76, 78, 136, 241, 249
Costa, Nepomuceno, 129
Costa, Podestá, 159
Coutinho, Bento do Amaral, 77
Couto, Miguel, 180
Covelli, Domingas, 440
crise mundial, 45, 67, 74, 88
Cristo Redentor, estátua do, 33, 65, 203
Cruz Vermelha, 120
Cruz, Oswaldo, 433
Cruzada Pró-Infância, 120
Cukor, George, 277
Cunha Jr., Isaac Luiz da, 332
Cunha, Haroldo Leitão da, 135
Cunha, Isaac, 407
Cunha, José Antônio Flores da, 38-9, 48, 51, 55, 57, 89, 95, 100-1, 106, 109, 121-2, 126, 129, 142, 146, 157, 163-7, 177, 180-2, 186, 213, 217, 219, 240, 248, 274, 279-80, 282, 286-91, 293-4, 297-8, 300, 306-7, 322, 330, 358, 455, 512-3n, 515n, 518-21n, 524n, 526n, 555n

Cunha, Vasco Leitão da, 417-9, 562-3n
Cushing, Barbara, 342

D'Eu, conde, 64
Daltro Filho, Manuel Cerqueira de, 181, 185-7, 295, 322-4, 532n, 546n, 550n
Dantas, San Tiago, 210
Dante Alighieri, 430
Darányi, Kálmán, 277
Darwin, Charles, 80
Davidson, Jo, 387
Debate, O, 38
Defesa Nacional, 94
Del Picchia, Menotti, 119, 431, 523n
Delegacia de Ordem Política e Social, 257
Delegacia Especial de Segurança Política e Social (DESPS), 196, 200, 232-3, 235, 260, 263-4, 417
democracia, 24-5, 35-6, 63, 139, 143, 146, 171, 183, 189, 201, 268, 300, 315, 354, 375, 393-4, 399, 427, 435-7, 439, 441, 444, 453, 464, 476, 491
Denys, Odílio, 418, 488, 570n
Departamento Administrativo do Serviço Público (DASP), 340
Departamento de Comunicações e Documentação (DCD), 225, 537n
Departamento de Imprensa e Propaganda (DIP), 380, 394-5, 397-8, 408-9, 418-20, 429, 431, 437-8, 442, 449, 464, 471
Departamento de Propaganda e Difusão Cultural (DPDC), 209-10, 306, 310, 313, 325-6, 356, 361, 368, 374, 377, 380
Departamento Nacional de Estradas de Rodagem (DNER), 339
Departamento Nacional do Café, 225, 253, 284
Dewey, Thomas Edmund, 441
Diário Carioca, 13-5, 17, 18-9, 21, 23, 27-30, 33-4, 36, 43, 49-51, 53, 76, 78, 198, 238, 253, 382, 463, 469, 477, 478, 510-2n, 517n, 567-9n
Diário da Noite, 135, 529n
Diário Nacional, 67-9, 74, 117, 510-1n, 513-7n, 522-3n
Diários Associados, 475
Dias, Heitor Annes, 435
Diégoli, Raul Francisco, 411

Dinamarca, 372
Disney, Walt, 397, 398, 560n
Distrito Federal, 13, 18, 28-9, 31, 34, 52, 90, 93, 114, 128, 142-3, 180, 196, 200, 210, 212, 234, 257, 285, 313, 410, 417-8, 436, 449, 479, 481-2
dívida externa, 45, 67, 75, 229, 353, 357, 362, 370, 555n
Divina comédia, A (Dante Alighieri), 430
Dodsworth, Henrique, 286, 479
Dois Ases (lancha), 153, 156, 158-60
Dollfuss, Engelbert, 394
Dornelles, Ernesto, 169
Dorsch, Ernest, 415
Duarte, Paulo, 64, 129, 516n
Duggan, Laurence, 370
Dutra, Carmela Teles Leite, 336
Dutra, Eurico Gaspar, 117, 187, 218, 243, 259, 282, 289, 293, 296, 300, 305, 310, 336, 338, 358, 395-7, 399-401, 404, 410, 418-9, 447-8, 453-4, 458, 462, 465-6, 469-70, 472, 475, 478, 481-7, 489, 523-5n, 536n, 539n, 541n, 544-5n, 549-50n, 552n, 555-6n, 561n, 569-70n
Dutra, Viriato, 288

...E o vento levou (filme), 397
Économie dirigée, économie scientifique (Bodin), 149
Einstein, Albert, 363
Entente Internationale contre la Troisième Internationale, 262
Equador, 84, 404
Era Vargas, 491
Escola de Aviação, 219, 242-6
Escola Militar de Rio Pardo, 94
escolas de samba, 210, 442, 535n
Espanha, 76, 404
Espírito Santo, 147, 384
Estado de Minas, O, 284
Estado de S. Paulo, O, 64, 67, 70, 114, 178, 252, 330, 391, 510n, 512-3n, 517n, 522-3n, 530-1n, 540n
Estado do Rio Grande, O, 43, 51, 237, 513-5n
Estado Novo, 318-9, 322, 325-6, 340, 344-8, 352-3, 356-7, 359, 363-4, 375, 378-9, 381, 390-4, 396-9, 409, 429, 433-6, 441, 444-5, 451, 453-4, 460, 468, 472-5, 477, 479, 490-1, 530n, 539n, 549-50n, 553n, 555n, 563n, 565n
Estado-Maior do Exército (EME), 90, 109-10, 187, 245, 294, 305, 522n
Estados Unidos, 144, 170, 184, 226, 239-40, 259, 261-2, 268-71, 279, 287, 315, 317, 342, 344, 349, 352-5, 357-9, 361-2, 370-1, 373-4, 381-2, 384-7, 389-90, 393, 395-6, 398, 400-5, 412-3, 415-7, 419, 423, 425-7, 442, 444, 448-50, 461, 468-9, 476-7
Esteves, Emílio Lúcio, 281
Esteves, Galdino, 116
Esteves, Lúcio, 288-90, 293, 295
Estudo clínico do delírio (Antônio Austregésilo), 430
Etchegoyen, Alcides, 419
Europa, 69, 84, 149, 209, 268, 272, 276, 282, 349-50, 352, 355, 361, 381, 383-4, 386-7, 399, 401, 414, 423, 426, 444, 448, 450, 468, 534n, 559n
"Evacuação de Dunquerque", 372, 388
Evening Star, The, 316, 549n
Evolução política do Brasil (Prado Jr.), 241
Ewert, Arthur Ernest, 226, 242, 249, 255, 258-60, 262-3, 267, 296
Exército brasileiro, 13, 19, 25, 44, 60, 71, 90, 92-6, 99, 104, 109-10, 116, 145, 147, 151, 155, 166, 179, 181-2, 186-7, 202, 207-8, 212, 216, 218-20, 232, 235, 242-3, 245, 247, 250-1, 280, 289-90, 293-4, 296-8, 300-7, 309, 320, 329, 334, 335, 337, 344, 347-9, 358-60, 370, 374, 376, 380, 390, 395-7, 400, 418, 426, 442, 448, 453, 462, 465, 467, 478, 481, 484, 486, 488, 490, 522n, 531n
Exército Vermelho, 227, 455
Eximbank, 353, 386

Fábrica Nacional de Motores, 490
Faculdade de Direito do Largo São Francisco, 195, 438-40
Falkemback, João, 173
Faria, Octavio de, 210
Farias, Cordeiro de, 76, 323-4, 337, 481, 483, 487-9, 514n, 550n, 552n, 558n, 570n

Farquhar, Percival, 383-4, 558n
fascismo, 21, 143, 194-5, 210, 229, 235, 240, 271-3, 317, 325, 328, 344-5, 360, 373-4, 381, 388, 399, 405, 413, 426, 435, 553n
Federação das Filhas de Maria, 120
Federação das Indústrias do Rio de Janeiro (FIRJAN), 231
Federação Mundial das Associações de Educação, 358
Federação Nacional da Imprensa, 392
Federação Operária de São Paulo, 193
Federação Paulista de Futebol, 390
Federação, A, 51, 513n, 515n
Federal Bureau of Investigation (FBI), 413
Feira Internacional de Amostras de Milão, 276
Feira Internacional de Amostras do Rio de Janeiro, 361
Feliciano, Adão, 21
Fernandes, Adalberto, 263
Fernandes, Albino José, 190
Fernandes, Euclides, 131-4, 406-7
Fernandes, Raul, 190, 236, 473, 525n
Ferraz, Antônio, 351
Ferreira, Franco, 186-7, 219, 532n
Ferreira, Pantaleão Telles, 129
Ferreira, Valdemar, 77, 289
Ferro, Antônio Joaquim Tavares, 149, 398
Figueiredo, Euclides de Oliveira, 99, 129, 186, 212, 329, 332, 335
Figueiredo, Guilherme, 464
Figueiredo, João Baptista de Oliveira, 99
Filimer Verón, Francisco, 153-6, 160, 527-8n
Fiúza, Iedo, 339
Flaubert, Gustave, 80
floresta amazônica, 376
Folha da Manhã, 27, 40, 45, 62, 114, 118, 187, 195, 510-6n, 519n, 522-3n, 528n, 531-3n, 536n
Fonseca, Deodoro da, 48
Fonseca, Gregório da, 42, 83
Fonseca, Hermes da, 14, 45, 64
Fontes, Lourival, 210, 256, 306, 355, 361, 379-80, 394, 397-8, 418-9, 563n

Fontoura, João Guedes da, 187, 208, 211, 214-5, 217-9, 290-1, 293, 295, 546n
Fontoura, João Neves da, 26, 30, 32-4, 37, 48, 55, 89-92, 118, 129, 146, 185, 220, 238, 282, 430, 434, 462, 473, 512n, 519n, 521n, 526n, 544n
Força Aérea Brasileira (FAB), 416, 423, 491, 522n
Força Expedicionária Brasileira (FEB), 438, 446-8, 450, 455, 566n
Força Pública, 59, 66, 69, 71, 78, 95, 99, 107, 109, 125, 181, 194-5, 291-2, 294, 307, 523n
Forças Armadas, 94, 151, 171, 182-3, 186, 208, 211, 213, 248, 250, 253-4, 289, 290, 294-6, 300, 305, 338, 357, 359-60, 370-1, 394, 398, 405, 425, 441, 448, 454, 462-3, 467, 472, 481, 489, 540n
Ford, Henry, 379
Forte de Copacabana, 14, 334, 390
Fortunato, Gregório, 112, 116, 172, 225, 522n, 555n, 559n
Fortune (revista norte-americana), 317
Fournier, Severo, 332-3, 343-6
Fragoso, Tasso, 90, 109-10, 114, 522n
França, 342, 361, 367, 371-2, 374, 391, 394, 416, 430, 448
Franco, Afonso Arinos de Melo, 139, 284, 436, 464, 531n, 549-50n
Franco, Afrânio de Melo, 89, 139, 164, 165, 170, 176-7, 190, 349, 525n
Franco, Francisco, 272, 355, 413, 543n
Franco, Virgílio de Melo, 63, 164, 167, 183, 220, 265, 436, 438, 450, 455, 542n
Freire, Firmo, 488
Frente de Trabalho Alemão, 414
Frente Única Gaúcha (FUG), 87, 89, 106-7, 196, 282, 519n, 521n
Frente Única Paulista (FUP), 75-8, 87, 89
Frente Única Rio-Grandense, 38
Frischauer, Paul, 394, 465, 516n, 520n, 548n, 550n, 560n, 565n
Fronteira, A, 158, 528n
Fui secretário de Getúlio Vargas (Luís Vergara), 258, 513n, 519n, 534n, 541n, 563n, 565-7n, 570n
Fundação Getulio Vargas, 82, 339
funding loan, 45, 170

Gabaglia, Raja, 302
Gabinete Negro, 63, 73, 86, 108, 164, 516n, 518n
Gainer, Sir Donald Saint Clair, 472, 569n
Gama, Edith Maria Vargas Costa (neta de Getúlio), 342
Gama, Getúlio Vargas da Costa (neto de Getúlio), 342
Gama, Rui da Costa, 342, 414
García, Bernardo, 221-3
gasolina, 60, 85, 153, 178, 246, 443
Gazeta, A, 25, 392
Gerow, Leonard Townsend, 404
Gestapo, 262-3
Getúlio Vargas (Carrazzoni), 356
Getúlio Vargas (perfil biográfico publicado pelo Departamento de Propaganda), 326
Ghioldi, Carmen de Alfaya, 227, 260
Ghioldi, Rodolfo José, 227, 249, 260, 267
Githens, John, 389, 469
Globo, O, 22, 44, 228-9, 238, 365-6, 461, 510n, 513n, 515n, 519n, 529n, 536-7n, 568n
Goiás, 281, 376-7
Góis, Coriolano de, 392, 439-40, 483
Gomes, Eduardo, 109, 245, 246, 461-2, 464-5, 469-70, 472-3, 478, 486-7, 489, 522n, 568n
Gonçalves Dias (navio), 415
Gonzaga, Tomás Antônio, 433
Goulart, João, 445
Governo Provisório, 14, 18, 20, 22-3, 25, 28-31, 33-5, 38-9, 44, 47, 49-53, 55, 57, 62-3, 65-9, 73-5, 77-8, 82, 84, 86, 88-9, 95-6, 99, 101, 110-1, 118, 128, 130, 132, 137, 140-1, 143, 147, 150, 157-8, 163, 168, 177, 182-4, 187, 189, 202, 270, 519-20n, 523n, 527n
Graaf, Johann Heinrich Amadeus de, 226, 228, 231, 242, 244, 249, 255, 260
Graf Spee (navio), 368
Graf Zeppelin (dirigível alemão), 149
Grande Otelo, 17
greve geral, 241, 304
Grupo Misto de Aviação, 109, 522n
Guarnieri, Camargo, 119
Guerra Civil Espanhola, 272, 355, 413

"Guerra da Borracha", 464
Guerra do Chaco, 151
Guerra dos Emboabas, 77
Guiana Inglesa, 386, 559n
Guianas, 404
Guilhem, Aristides, 296, 305-6, 329, 336, 338, 357, 551n
Guimarães, Honório de Freitas, 267
Guimarães, Jayme Barbosa, 195
Guimarães, Protógenes Pereira, 28, 90, 123, 179, 190, 199-200, 213, 215, 240, 296, 310
Guinle, Guilherme, 231, 370, 382, 384, 386

Habermann, Hugo von, 355
Haeff, Ingeborg ten, 355, 388-9, 468
Harlow, Jean, 126-7
Hastings, Christina, 266
Havaí, 399
Hawaló, aldeia, 376
Heeren, Rodman Arturo de, 342
Hermann Stoltz (empresa de navegação), 414
Hierarchia, 210, 535n
Himmler, Heinrich, 413
Hindenburg, Paul von, 84
"Hino ao sol do Brasil" (Lucilia Villa-Lobos), 236
Hino Nacional Brasileiro, 191, 235, 313, 328, 421
Hirohito, imperador do Japão, 416
História da filosofia do direito (Ferraz Pereira), 440
Hitler, Adolf, 54, 184, 209, 239, 262, 267, 271, 276, 326, 347-8, 361, 367, 371-2, 381, 384, 398, 403-4, 415-6, 423, 448, 474, 542n, 562n
HMS *Shropshire* (navio), 368
Hoden, Marcel, 272
Holanda, Aurélio Buarque de, 464
Holanda, Rafael, 16
Holanda, Sérgio Buarque de, 433, 464
Holmes, Jesse Jones, 383
Homem delinquente, O (Lombroso), 31
Homero, 80
Hontz, Heinz von, 348
Hoover, Herbert, 84, 144

Hora do Brasil (programa de rádio), 306, 454
Howard, Leslie, 277
Hull, Cordell, 349, 451, 554n, 559n
Hutt, Alfred, 228, 231, 244, 260

Igreja Católica, 202-3, 211
Imparcial, O, 14
Imprensa Nacional, 43, 238
índios, 376, 378, 382
Inglaterra, 184, 361, 372, 374, 385-6, 395-6, 413
Inimigos do Sigma (Viveiros), 202
Instituto Anatômico de Berlim, 355
Instituto do Açúcar e do Álcool, 85
Instituto do Cacau, 85
Instituto do Café de São Paulo, 68, 75
Instituto Histórico, 191, 302
Instituto Nacional do Livro, 433
integralismo, 192-6, 202, 274, 303, 308, 311, 319, 328-30, 334-9, 343-6, 349, 354, 398, 416, 548-9n
Intentona Comunista, 264
International Business Machines (IBM), 382
intervencionismo, 84
Isabel, princesa, 64
Israel, 363
Itabira Iron Ore Co., 383
Itagiba (navio), 420
Itália, 31, 76, 184, 210, 240, 272, 276, 315, 316, 318, 325, 340, 343, 344, 345, 353, 355, 359-60, 369, 372-3, 387, 400, 402, 405, 422, 447-8, 455, 468, 481, 553n, 566n
Itamaraty, 82, 137, 150, 157, 176-8, 203, 221, 223, 224, 262-3, 268, 314, 317, 348, 354, 362-3, 386, 396, 401, 414, 419, 421, 461, 531n, 541n, 543n, 548n
Itanhangá Golf Club, 350-1, 368, 372, 393
Itaquicê (navio), 88
Itararé, Barão de *ver* Torelly, Apparício
Iturriaga, J., 158
Ivo, Lêdo, 464

Jamaica, 386, 559n
Japão, 71, 315, 353, 355, 387, 400, 402, 405, 422, 455
Jardim Botânico do Rio de Janeiro, 397

Jesus Cristo, 437
João Crisóstomo, São, 81
Johns Hopkins University, 355, 390
Johnson, João Ferreira, 90
Jones, Buck, 346
Jordan, Franz Wasa, 413
Jornal do Brasil, 46, 229, 231, 252, 510n, 513-5n, 529n, 536-7n
Jornal do Commercio, 437-8
Jornal do Povo, 195, 197, 200
Jornal dos Sports, 88
Jornal, O, 247, 510n, 512-3n, 532n
Joujoux e Balangandãs (espetáculo de revista), 366
Jubiabá (Jorge Amado), 257
judeus, 193, 202, 253, 263, 267, 272, 277, 303, 317, 355, 361-3, 556n
Junqueiro, Guerra, 80
Justiça do Trabalho, 443
Justiça Eleitoral, 27, 140, 525-6n
Justo, Agustín Pedro, 150-2, 155, 157, 175, 221, 223, 323, 527n
Justo, Eduardo, 324
Juventude Comunista, 195

Kenny, Elizabeth, 424
Klinger, Bertoldo, 93-6, 99, 105, 114, 123-5, 129, 212, 519-20n, 523n
Komintern, 221, 226-31, 242, 249, 255, 260, 266, 315-6
Kruel, Riograndino, 265
Kruger, Helena, 226, 249, 260
Krupp, canhões, 347, 354, 357, 369, 395
Kun, Béla, 304

Laboratório de Antropologia Criminal, 31, 512n
Lacerda, Carlos, 235-6, 460, 464, 537n, 567n
Lacerda, Gustavo de, 22
Lacerda, Maurício de, 235
Lampião, Virgulino Ferreira da Silva, *dito*, 53, 68, 230
Langsdorff, Hans, 368
Lati (companhia aérea), 414

Leão, Carlos Alberto Carneiro, 327
Legião Revolucionária, 58-9, 65, 70, 78
Lei Áurea, 343
Lei de Segurança Nacional (LSN), 192, 205-8, 236, 251-2, 295, 534*n*
Lei dos Sindicatos (1931), 32
Leis de Nuremberg, 267
Leite Filho, Barreto, 242, 249
Leite, Edgard Teixeira, 144
Leite, Joaquim Mamede da Silva, d., 393
Leite, Licurgo, 168
Leme, Sebastião, d., 44, 93, 103, 143, 202, 211, 312, 342
Lend-Lease Act, 387
Lessa, Orígenes, 119
Levetzow, Werner von, 360
liberalismo, 63, 84-5, 139, 143, 182, 202, 269, 271, 311, 441, 444, 473
Líbero, Cásper, 392
Life (revista norte-americana), 317
Liga das Nações, 240, 272, 427
Liga das Senhoras Católicas, 120
Liga Eleitoral Católica (LEC), 143, 526*n*
Light, 228, 231, 244, 260, 320, 481
Lima Jr., Augusto de, 237-8, 282, 538*n*
Lima, Alceu Amoroso, 143
Lima, Augusto de, 237
Lima, Felipe de Moreira, 30
Lima, Francisco Negrão de, 307-8, 310
Lima, Heitor, 267, 542*n*
Lima, Hermes, 464
Lima, Manuel Pereira, 333, 551*n*
Lima, Mota (deputado), 303
Lima, Noraldino, 168
Lima, Pedro Mota, 233, 249
Lima, Valdomiro, 102, 108, 113, 115, 125, 142, 145, 181, 293-4, 546*n*
Lincoln, limusine presidencial, 131, 133
Linhares, José, 469, 487
Liotta, Aurelio, 414
Lira, Francisco Natividade, 261
Lisboa, Rosalina Coelho, 354, 362, 399, 554-5*n*
Lloyd Brasileiro, 145, 388, 411-2, 421, 438

Lobato, Monteiro, 119-20, 209, 523*n*, 535*n*
Locatelli, Amleto, 242
Lojacono, Vincenzo, 343-5, 553*n*
Lombroso, Cesare, 31
Lopes, Isidoro Dias, 66, 68-9, 99, 114, 129, 522*n*
Lopes, Luís Simões, 47, 204, 278, 339, 341, 552*n*
Lopes, Simões (pai), 47
López Ramírez, Armando, 172
"Lucas, Don" *ver* Torres, Pedro Lucas
Luce, Henry, 317
Ludwig, Emil, 149, 286
Lufthansa (companhia aérea), 414
Luís XV, rei da França, 430
Lusardo, Batista, 18-9, 28, 31, 38, 66, 121-2, 129, 146, 185, 220, 238-9, 282, 287, 511-2*n*, 523*n*
Lusíadas, Os (Camões), 430
Lutz, Berta, 142
Luxemburgo, 372
Luz, Carlos, 291

Machado Filho, Alexandre Marcondes, 407, 436, 452, 454-8, 463, 473, 567*n*
Machado, Alcântara, 119, 301, 431, 564*n*
Machado, Aníbal, 464
Machado, Cristiano, 183, 185
Machado, Dionélio, 464
Machado, João Carlos, 292, 309
Machado, Pinheiro, 164, 332, 471, 485
Machado, Raul Campelo, 266
Maciel Filho, José, 470
Maciel, Antunes, 87, 126, 519*n*
Maciel, Olegário, 52, 100, 163-4, 166, 520*n*
Mackensen, Hans Georg von, 314
maçonaria, 202
Maffei, Eduardo, 194, 533*n*
Magalhães Jr., Raimundo, 464
Magalhães, Agamenon, 180, 197-9, 264, 285, 300, 462, 474, 481, 485, 487-9
Magalhães, Basílio de, 238, 431
Magalhães, Dario de Almeida, 436
Magalhães, Juracy Montenegro, 53, 57, 140, 181-2, 212, 214, 231, 264, 272-4, 286, 310, 461, 466, 515*n*, 525*n*, 537*n*, 545*n*, 568*n*

Maia, Francisco Prestes, 391
Manchúria, 71
"Maneco" *ver* Vargas, Manuel Antônio (filho de Getúlio)
Mangabeira, Otávio, 140, 329, 335, 432, 455
Manha, A, 163, 195, 206, 525n, 529n
Manhã, A, 228, 233-4, 249, 399, 408, 436, 464, 475, 537-9n, 560-1n, 564-5n, 567-9n
"Manifesto ao povo de São Paulo" (Getúlio Vargas), 118
"Manifesto de outubro" (Plínio Salgado), 193
"Manifesto dos mineiros", 436, 438, 450, 461
"Mar, O" (Caymmi), 366
Maranhão, 147-8
Marcha para o Oeste (Cassiano Ricardo), 378, 558n
"Marcha para o Oeste" (campanha oficial), 377-8
Mariano, Olegário, 431
Mariante, Álvaro Guilherme, 103, 181, 305
Marinha brasileira, 14, 28, 90, 99, 123, 132, 138, 157, 199-200, 202, 207-8, 213, 215, 218, 240, 242, 257, 271, 296, 302, 306, 309-10, 329, 336-8, 368, 371-2, 374, 388, 415-6, 426-7, 462, 481, 486, 557n
Marinho, Roberto, 228, 366, 461, 523n, 556n
Marrocos, 425
Marshall Jr., George Catlett, 359, 360, 370
Martins, Abesguardo, 264
marxismo, 67, 77, 195, 228, 257
Mato Grosso, 94-6, 102, 105, 281, 294, 377, 525n
Matos, Leônidas, 96
Maya, Alcides, 431
Medeiros Neto, Antônio Garcia de, 177-8
Medeiros, Borges de, 38, 48, 51, 55, 106-7, 121-2, 129, 185, 187-8, 190, 220, 513n, 515n
Mello, Arnon de, 461, 464
Mello, Fernando Collor de, 461
Melo Neto, José Joaquim Cardozo de, 299, 301, 310, 439-40
Melo, Leopoldo Tavares Cunha, 259
Melo, Olímpio de, 285
Memórias do cárcere (Graciliano Ramos), 256, 540n

Mendes, Murilo, 379, 464
Mendonça, Carneiro de, 144, 526n
Mendonça, Misael, 250
Mendonça, Roberto Carlos Vasco Carneiro de, 53
Menezes, Amílcar Dutra de, 449
Menezes, José Sotero de, 129
Mesquita Filho, Júlio de, 67, 75, 106, 129, 145, 330, 391, 455, 516n, 559n
Mesquita, família, 71, 391
Mesquita, Francisco, 391
México, 150, 460, 543n
Meyer, Augusto, 433
Meyer, Otto Ernst, 414
Mignone, Francisco, 119
Military Intelligence, Section 6 (MI6) *ver* serviço secreto britânico
Miller, Lehman W., 400, 404
Milliet, Sérgio, 464
Minas Gerais, 52-3, 57, 87, 89, 96, 100, 102, 105, 111, 117, 122, 142, 163-4, 169-71, 178, 198, 215, 238, 274, 281, 284, 292, 299, 340, 351, 379, 383, 436, 438, 483
Minas Gerais (navio), 371-2, 374-5, 384-6, 399
Ministério da Agricultura, 50, 147, 198
Ministério da Educação e Saúde Pública, 198
Ministério da Fazenda, 33, 198, 214, 279, 352, 432, 442
Ministério da Guerra, 76, 90, 92, 182, 212, 215-6, 219, 245, 281, 290-1, 293, 301, 336, 399, 419, 465, 472, 479, 481-2, 484-6, 488
Ministério da Justiça, 27, 30, 89, 177, 210, 236, 295, 309, 325, 417, 421, 463, 469, 481, 484
Ministério da Propaganda alemão, 209
Ministério da Viação, 198, 438
Ministério das Relações Exteriores, 159, 170, 177, 198, 225, 262, 348, 361, 363, 419, 531n, 537n, 541n, 543n, 548n, 553n; *ver também* Itamaraty
Ministério do Trabalho, 32, 143-4, 197-8, 301, 343, 458
Miragaia, Euclides, 61, 78, 119
Miranda, Carmen, 382, 383

Miranda, Celso da Rocha, 415
Mirochevski, Mendel, 242
Missão Aranha, 353, 357, 554n
MMDC (Miragaia, Martins, Dráusio e Camargo), 61, 78, 119; *ver também* Revolução Constitucionalista (1932)
Mojica, José, 153
Monteiro, Góes, 63, 70-1, 73-4, 76, 94-5, 98-101, 103, 105, 108-10, 113, 115, 117, 125, 142, 146-8, 151, 171, 177, 179, 182-6, 190, 199, 206, 211-20, 251, 253, 270, 272, 281, 291, 293-4, 297, 305, 334, 338, 357-8, 370, 396, 399, 418, 447-8, 453-4, 463, 465, 472-3, 479-81, 483-4, 486-8, 491, 512n, 517-8n, 520-3n, 526-7n, 529n, 531-2n, 534n, 542n, 544n, 546n, 551-2n, 557n, 561n, 566-70n
Moraes, Vinicius de, 464
Morais Filho, Prudente de, 177
Morais Neto, Prudente de, 129
Morais, Ângelo Mendes de, 478, 481, 485
Morais, Mascarenhas de, 447-8, 566n
Morato, Francisco, 65-6, 129
Morel, Edmar, 464, 511n
Moreyra, Álvaro, 234
Morgenthau Jr., Henry, 370
Moscatelli, Antonio, 388
Moses, Herbert, 22
Moss, Selma, 363
Mota, Alda Sarmanho, 111
Mota, Hélio, 438-9
Mota, Odon Sarmanho, 111, 116, 154-6, 158
Moura, Emílio, 164
Mourão, Abner, 391
Mulher parisiense dos cabelos de fogo, A (filme), 126
Müller, Filinto, 136, 196, 200, 218, 227, 232-4, 236, 248, 251-3, 255, 258, 260-1, 263-4, 266, 281, 295-6, 305, 333, 338, 358, 373, 391, 410, 413, 417-9, 525n, 541n, 546n, 563n
Mussolini, Benito, 64, 143, 149-50, 184, 210, 240, 271-2, 276, 314, 318, 326, 345, 359-60, 369, 373, 381, 388, 398, 404-5, 416, 423, 444, 447, 474, 543n, 553n
Mussolini, Edda Ciano, 359-60

nacionalismo, 128, 313
Naródni Komissariat Vnútrennikh Diel (NKVD), polícia secreta soviética, 227
Nascimento, Júlio Barbosa do, 332-3
Nássara, Antônio, 275, 543n
Nasser, David, 247, 551n, 564n
Nava, Pedro, 164, 436
nazismo, 209, 262, 263, 267, 276, 314, 346-8, 354-5, 357, 361, 363, 372, 384-5, 388, 394, 398-9, 403, 406, 412-6, 423, 426, 448, 455, 474, 559n, 561-2n
Neiva, Artur, 180
Nemilov, Anton V., 81
Nery, Adalgisa, 379, 558n
Neue Deutsche Zeitung (jornal porto-alegrense), 414
Neves, Francisco Ramos de Andrade, 110, 187, 219, 522n
New Deal, 269-70, 315, 353, 381, 383, 476, 542n
New York Herald Tribune, 373
New York Times, 315, 370, 373, 401, 549n
Nica (cozinheira da família Vargas), 112, 522n
Niemeyer, Sir Otto, 45
Nietzsche, Friedrich, 80
Noite, A, 84, 187, 201, 232, 268, 274, 313, 326, 378, 412, 435, 510-1n, 513n, 518n, 524-5n, 529n, 532-8n, 540n, 542n, 548n, 550n, 554-8n, 560-5n, 567n
Noronha, Isaías, 114
Noruega, 372
Nova política do Brasil, A (coletânea de falas públicas de Getúlio Vargas), 300, 326, 429, 433, 516n, 518n, 525n, 533n, 540n, 542n, 545n, 548-50n, 558n, 560n
Novaes, Guiomar, 119
Nunes, Djalma, 17
Nuñez, Narciso, 153, 155, 527-8n

Oest, Henrique Cordeiro, 235
Offensiva, A, 193, 295
Office of Inter-American Affairs (OCIAA), 397, 468
oligarquias, 23-5, 141, 144, 274, 491, 516n
Olimpíadas de Berlim (1936), 361

Olimpíadas de Los Angeles (1932), 88, 127
Olinda (navio), 412
Oliveira, Armando de Sales, 145-6, 198, 274, 275, 278-9, 284, 286, 289, 291-2, 298-9, 301, 309-10, 329, 460, 544n
Oliveira, Dalva de, 361
Oliveira, Décio Pinto de, 195
Oliveira, Hernani Dias de, 195
Oliveira, Luís Camilo de, 461
Oliveira, Mateus de, 431
Oliveira, Numa de, 72, 73
Oliveira, Reinaldo R. B. de, 327
Oliveira, Ulrich de, 485
ONU, 363
Ordem do Cruzeiro do Sul, 150
Ordem dos Advogados do Brasil (OAB), 259
Organização da Juventude Brasileira, 328
Orico, Osvaldo, 431
Oscarito, 17
Osório, Carlos Amoreti, 207

Pacelli, Eugenio, 203
Pacheco, Armando, 379
"Pacto Tríplice" (Alemanha, Itália e Japão), 386-7
Paim Filho, 190
Países Baixos, 372
Paiva, Ataulfo de, 431-2, 564n
Palacete Santa Helena, 193-4
Palácio de Versalhes, 65
Palácio do Ingá, 364, 458, 482
Palácio Guanabara, 17, 21, 28, 40, 64, 83, 89, 97, 101, 138, 165, 226, 243, 246, 277, 284, 292, 305, 321, 331, 334, 338, 342, 359, 363, 365, 389, 393, 401, 406-7, 410, 431, 435, 449, 453, 484, 489, 510n
Palácio Laranjeiras, 64
Palácio Rio Negro, 20, 30, 52, 57, 131, 287, 356, 455, 462
Palácio Tiradentes, 47, 61-2, 163, 185, 188, 215
Palestina, 361
Pan American Airways, 415, 425
Panair do Brasil, 415

Panamá, 88, 368, 404
pan-americanismo, 357, 361, 375, 399
Paquet, Renato, 488
Pará, 147, 169, 379
Paracuri (navio), 415
Paraguai, 150-1, 281, 379, 403
Paraíba, 24, 99-101, 104-5, 108, 113, 115, 147, 186, 379
Paraná, 108-9, 113, 263, 278, 281, 347-8
"Paris Belfort" (hino da Revolução Constitucionalista (1932)), 119
Parnaíba (navio), 411
Partido Autonomista (PA), 142
Partido Comunista, 67, 142, 226-7
Partido Comunista do Brasil (PCB), 226, 229-30, 241-2, 247-9, 261, 267
Partido Constitucionalista de São Paulo, 278
Partido da Lavoura, 142
Partido Democrático (PD), 65-6, 68-70, 72, 75-6, 119
Partido Libertador (PL), 38-9
Partido Nacional, 54
Partido Nazista, 54, 346, 347, 348, 360, 414
Partido Popular Paulista (PPP), 58
Partido Progressista (PP), 142, 168
Partido Republicano do Rio Grande do Sul (PRR), 38, 48, 70, 75, 517n
Partido Republicano Liberal (PRL), 142, 166, 278, 322
Partido Republicano Mineiro (PRM), 52, 278, 283, 545n
Partido Republicano Paulista (PRP), 68, 77
Partido Social Democrático (PSD), 180, 472, 475, 482
Partido Social Nacionalista, 54
Partido Socialista, 142, 392
Partido Trabalhista Brasileiro (PTB), 472, 478
Pearl Harbor, 399, 401, 450
Pedrinhas (navio), 415
Pedro I, d., 150
Pedrosa, Mário, 379
Peixoto, Afrânio, 432, 564n
Peixoto, Alzira Vargas do Amaral (filha de Ge-

túlio), 21, 40-1, 53, 64-5, 72, 79-83, 97-8, 102-3, 149, 167, 171, 184, 190, 203-4, 231, 254, 257, 273-4, 276-7, 321-3, 328-9, 331-5, 337-9, 342, 352, 355, 363-6, 394, 406, 409, 415, 421, 425, 428, 468, 475, 482, 484, 491, 511n, 513n, 515-8n, 520n, 522-3n, 527-30n, 532-4n, 540n, 543n, 545n, 550-2n, 554n, 556n, 560-1n, 564n

Peixoto, Augusto do Amaral, 254

Peixoto, Ernani do Amaral, 254, 310, 338-9, 342, 364-6, 417, 458, 468, 482, 491

Peixoto, Floriano, 294

pelotão de fuzilamento, 87, 258

Pena Jr., Afonso, 436, 438

Peregrino Júnior, 464

Pereira, Aloísio Ferraz, 440

Pereira, Carlos Horta, 436

Pereira, Lucia Miguel, 464

Pernambuco, 24, 136, 147, 229-31, 285, 290, 292, 310, 379, 462

Peru, 137, 151, 349, 403

Pessoa, Epitácio, 383

Pessoa, João ver Albuquerque, João Pessoa Cavalcanti de

Pessoa, Pantaleão da Silva, 105, 177, 187, 199, 216, 218, 243, 245, 319-20, 531n, 534-6n, 539n, 549n

Pestana, Augusto, 132

Pestana, Celso, 132-4, 136

Petit Larousse Illustré, Le (enciclopédia), 80

Petit Trianon, 429, 432

Petit-Jean, padre, 204

petróleo, 151, 209-10

Philips, John, 380

Piauí, 147, 148, 379

Piave (navio), 415

Pilla, Raul, 38, 48, 51, 54-5, 106-7, 129, 146, 220, 513n, 515n

Piłsudski, Józef, 317

Pinto, Heráclito Fontoura Sobral, 259, 296, 436-8, 540-1n, 565n

Pinto, José de Magalhães, 436, 438

Pinto, Olavo Bilac, 436

Pio XII, papa ver Pacelli, Eugenio

Piza, Toledo, 136

Plano Cohen, 304, 306, 547n

Platéa, A, 206, 534n

Poder Executivo, 84, 124, 178-9, 183, 189, 229, 254, 270, 310, 320, 410, 437, 469, 483

Poder Judiciário, 124, 264, 270, 437, 469, 480, 487

Poder Legislativo, 61, 178, 189, 212, 215, 252, 266, 270, 271, 285, 288, 308, 318, 320, 457, 463, 487, 537n, 547n

"Polaca" ver Constituição brasileira (1937)

Política da Boa Vizinhança, 397-8, 404

Polônia, 281, 317, 367

Pomar, Gregorio, 161-2

Pompadour, Madame de, 430

Pompeia, Raul, 80

Populações meridionais do Brasil (Oliveira Vianna), 68, 516n

Por que me ufano do meu país (Afonso Celso), 302

Por São Paulo e pelo Brasil (João Neves), 282

Portinari, Candido, 389

Porto, Eurico Bellens, 250, 539n, 542n

Portugal, 426, 462, 465, 479

Potências do Eixo, 315

Prado Jr., Caio, 241, 464

Prado, Carlos de Almeida, 158, 237

Prado, Vicente de Almeida, 67

Presidente Vargas (Frischauer), 394

Prestes, Anita Leocádia, 267

Prestes, Júlio, 66, 68, 139, 144, 284

Prestes, Luís Carlos, 66, 136, 227, 229-30, 234-6, 242, 244, 247-9, 255, 260, 263, 266-7, 296, 474, 478

Primeira Guerra Mundial, 45

Primeira República, 24, 76, 122, 140-2, 224, 437, 444-5

Primeira Reunião de Consulta dos Ministros das Relações Exteriores dos Países Americanos, 368

I Congresso Jurídico Nacional, 436

proletariado, 32, 129, 210, 229-30, 241, 261

propriedade privada, 19, 84

protestantismo, 202

Protocolos dos sábios de Sião, Os, 193

Prüfer, Curt, 361, 384-5, 403, 405, 555n
Pueblo, El, 158, 224, 527-8n, 530n
Py, Aurélio, 287
Py, Ayrton Tavares, 287

"Que é que a baiana tem, O?" (Caymmi), 366
Quebra da Bolsa de Nova York (1929), 32, 45
Queen Mary (navio), 413
Queiroz Filho, Eusébio de, 338
Queiroz, Carlota Pereira de, 141
Quental, Antero de, 80

Rabelo, Manuel, 73-4, 76, 102, 109, 179, 181, 449, 522n, 531n
Radical, O, 91
Rádio Berlim, 419, 422-3
Rádio Mauá, 454
Rádio Mayrink Veiga, 335
Rahal, Wilson Coury, 392
Ramón Gutiérrez, José, 348
Ramos, Graciliano, 256-7, 379, 464, 540n
Ramos, Nereu, 297
Rao, Vicente, 197-200, 202, 205, 218, 227, 236, 252, 258, 264, 279, 285, 540n
Razão, A, 78
Reale, Miguel, 195, 533n
Recebedoria de Rendas, 248
Reconstruction Finance Corporation (RFC), 383
redemocratização, 27, 29, 119, 126, 139, 145, 296
Rego, Costa, 185, 187, 460, 532n
Rego, José Lins do, 379, 464
Reichsforschungsrat (conselho de pesquisa alemão), 355
Reinações de Narizinho (Monteiro Lobato), 120
Reino Unido, 226, 367
Reis, Antônio José Coelho dos, 419
Reis, João Marques dos, 198
Renault, Abgar, 164
República Velha ver Primeira República
Resende, Otto Lara, 464
Revista de Antropofagia, 119
Revista do Globo, 259, 541n, 561n, 563n, 569n

Revolução Constitucionalista (1932), 125, 136, 140, 145, 158, 186, 198, 286, 516n, 521n
Revolução de 1930, 14, 19, 118, 255, 393, 510-1n, 545n
Revolução Farroupilha, 121, 314
Revoluciones radicales: Missiones/Santo Tomé (Don Lucas), 162
Revue des Deux Mondes, 304
Rey de los gitanos, El (filme), 153
RFA Olynthus (navio), 368
Ribeiro Filho, João Gomes, 187, 215, 219-20, 245, 281
Ricardo, Cassiano, 119, 378, 408, 429, 436-8, 558n
Rio de Janeiro, 14, 20, 22-3, 28, 30-1, 34, 37, 40, 52-4, 65, 70, 76, 88, 93-5, 99-100, 102, 105, 111, 113-6, 123, 128, 131, 133-6, 143, 145, 149-50, 155, 157, 161, 180, 181, 197, 210, 218, 221, 223, 226, 228, 231-2, 238-42, 244, 247-8, 250, 256, 258, 263, 265-6, 268-70, 278, 286-7, 293, 295-6, 298-300, 307, 312-3, 315-6, 322-4, 334-6, 338, 341-3, 346, 351, 353, 356, 358-61, 363-5, 368-71, 373-4, 377, 379, 384, 387-90, 396-7, 400-1, 403-6, 411-4, 420, 423, 425, 427, 429, 434-6, 439, 442, 445, 454, 462, 468, 471, 475-6, 488, 491
Rio Grande do Norte, 142, 147, 248, 371, 423, 425, 427
Rio Grande do Sul, 20, 30, 34, 42-3, 47, 50-3, 55-6, 85, 87, 89, 91, 95, 100, 105, 109, 111-2, 122, 130, 136, 142, 176, 178, 181, 186-8, 198, 216-8, 237, 240, 274, 278, 281, 283, 288-90, 292, 294-5, 297, 300, 307, 322, 324, 337, 347, 379, 385, 394, 409, 414, 419, 469, 491
Ritter, Karl, 346, 348, 354, 361
Rocha, Geraldo, 326, 550n
Rockefeller, Nelson Aldrich, 397, 468
Romano, Emílio, 346
Romeu e Julieta (filme), 277
Roncador, serra do, 378
Roosevelt, Franklin Delano, 262, 268-71, 315, 316, 352-3, 355, 361, 370, 374-5, 381, 386-7, 393, 400, 402-4, 417, 422-7, 441, 448, 542n, 554n, 559n, 563-4n, 568n
Roquette-Pinto, Edgard, 432, 434

Rosembeck, Georg, 153, 156, 159
Rosembeck, Josef, 153
Rubião, Murilo, 464
Rússia, 81, 267, 385, 398; *ver também* União Soviética

Sá, Aimée Sotto Mayor, 47, 204, 276-8, 309, 331, 339-42, 344, 367, 379, 553*n*
Sá, Mem de Azambuja, 106, 521*n*
Sá, Raul de, 168
Saborovsky, Elise, 226, 255, 258, 267
Sáenz Peña, Roque, 150
Saint-Simon, Conde de, 80
Salazar, António de Oliveira, 149, 318, 326, 398, 426
Salazar: O homem e sua obra (Tavares Ferro), 149, 398
Saldanha, Jovelino de Oliveira, 157, 158
Saldanha, Sinval, 48
Salgado, Plínio, 190, 192-4, 199, 202, 207, 274, 301, 303-4, 308, 311, 318-9, 327, 330, 332, 345, 354, 398, 548-50*n*
Salles, Walter Moreira, 364
samba, 359, 524*n*
Sánchez Cerro, Luis Miguel, 137
Sánchez, Rafael, 159, 528*n*
Santa Catarina, 135, 278, 281, 297, 347-8, 385, 525*n*
Santa Lúcia (ilha), 386
Santiago, Júlio, 337, 339
Santos, Carlos Maximiliano Pereira dos, 213
Santos-Dumont, Alberto, 110, 433
São Paulo, 21-2, 27-8, 52-3, 57-8, 61, 63, 66-72, 74-8, 82, 85-7, 89-90, 95-6, 98-104, 106, 108-11, 113, 115-20, 123-6, 129, 139, 141-2, 145-6, 164, 178, 181, 186-7, 192-3, 197-8, 215, 241, 249, 260, 274, 278-9, 281-2, 284, 286, 289-92, 294, 299, 307, 310, 323, 378-9, 390-2, 396, 414, 424, 427, 438-41, 447, 449, 455, 464-5, 473, 475, 479
São Paulo Railway, 396
Sarmanho, Walder, 72, 97, 123, 287, 333, 341, 521*n*
Sauerbruch, Ernst Ferdinand, 355
Schiavo, Lúcio, 153, 527*n*
Schnaiderman, Boris, 445-6, 566*n*

Schutzstaffel (SS), 413
Seeds, Sir William, 226-7
Segall, Lasar, 119
Segunda Guerra Mundial, 240, 350, 368, 380
Senado, 189, 248, 274, 293, 300, 306, 309-10, 410
Senegal, 371
Sergipe, 24, 147, 420
Serviço de Estudos e Investigações (SEI), 262
Serviço do Patrimônio Histórico e Artístico Nacional (SPHAN), 433
serviço secreto britânico, 221, 226, 228-9, 404, 414, 536*n*
VII Congresso da Internacional Comunista, 229
Setúbal, Paulo, 119
Shakespeare, William, 80, 543*n*
Shearer, Norma, 277
siderurgia, 311, 316, 352-3, 370, 382-7, 395, 425, 554*n*, 557-9*n*
Silva, Duarte Leopoldo e, d., 78
Silva, Herculano Carvalho e, 125, 142
Silva, Homero de Souza e, 341
Silva, Oswaldo Vila Bella e, 124
Silva, Valentim Benício da, 481
Silveira, Nise da, 257
Silveira, Otávio da, 263, 265
Silvino, Antônio, 68
Simões Filho, Ernesto, 129
Simonsen, Mário Wallace, 415
Simpson, Wallis, 342
Sindicato dos Bancários, 233
Sindicato dos Garçons, 196-7
Sindicato dos Lojistas, 302
Sindicato dos Trabalhadores em Marcenaria, 233
Siqueira Campos (navio), 395-6
Síria, 361
Sítio Cafundó, 468-9
Soares, Alcina, 382
Soares, Edmundo de Macedo, 382-4, 386, 511*n*, 558*n*
Soares, José Carlos de Macedo, 198, 262, 272, 279, 295, 382, 431, 434, 543*n*

Soares, José Eduardo Macedo, 14, 16, 23, 29, 34, 43, 76, 198, 252, 382, 478, 510n
Sob o fogo invisível (Carrazzoni), 333
Sociedade Amigos da América (SAA), 449-50
Sociedade dos Amigos da Rússia, 67
Sousa Filho, 47
Sousa, Dráusio Marcondes de, 61, 78, 119
Souto, Álcio, 485, 487
Souza, Carlos Martins Pereira e, 363, 370, 374, 382, 412, 558n, 562n
Souza, Leal de, 326, 550n
Souza, Mário Tarquínio de, 365-6
Sparano, Luís, 345, 553n
Spinelli, Caetano, 195
Stálin,Ióssif, 223
Starziczny, Josef Jacob Johannes, 413
Storni, Alfredo, 150, 164, 293
Strayer, Frank, 153
Stutchevskaia, Sófia Semiónova, 227, 260
Stutchevski, Pável Vladímirovitch, 227, 260
Sudetos, 348
sufrágio universal, 139, 144, 184
Superintendência de Educação Musical e Artística (SEMA), 128
Superintendência de Ordem Política e Social, 440
Supremo Tribunal Federal, 14, 208, 270, 469, 487
Supremo Tribunal Militar (STM), 305, 335, 449

Taine, Hippolyte, 80
Tamandaré (navio), 415
Tavares, Adelmar, 431
Tavares, Raul, 335
Távora, Juarez, 15, 53, 63, 146-7, 465-6, 510n, 568n
Tchecoslováquia, 281, 348, 359
Teatro Recreio, 17
Teixeira, Anísio, 234, 257, 540n
Teixeira, Felisberto Batista, 373
Teixeira, Patrício, 389
Teixeira, Pedro Ludovico, 377
Telefunken, televisor, 360, 361
Teles, Jaime Carlos da Silva, 440

televisão, 361
Templo sem deuses (Gregório da Fonseca), 42
Ten Haeff Drawings (Githens), 469
Ten Haeff's Paintings (Githens), 469
tenentismo, 14-5, 23-5, 29, 39, 44, 51-3, 58, 63, 66, 72, 74, 76-7, 89, 93, 143, 146, 180, 189, 199, 207, 232-3, 526n
III Conferência da Associação Interamericana de Advogados, 436
III Conferência Extraordinária dos Ministros das Relações Exteriores das Repúblicas Americanas, 401, 404
Terceiro Reich, 54, 271, 368
Terra Nova, 386
Terra, Gabriel, 221-3, 225, 255
Tesouro Nacional, 84, 386
Tico-Tico (revista), 326-7
Time (revista norte-americana), 317, 342, 380-2, 558n
Tocantins, 376
Toledo, Pedro de, 76-8, 86, 96, 98-101, 125, 129, 520n
Torelly, Apparício, 141, 163, 195, 200, 206, 464, 533n
Torres, Acúrcio, 178
Torres, Ari Frederico, 382, 384, 386
Torres, Benjamin, 39, 158
Torres, Pedro Lucas, 162, 528n
tortura, 243, 259, 261-2, 265-6, 539n
Tostes, João, 239
totalitarismo, 434, 444
Tragédia biológica da mulher, A (Nemilov), 81
Tratado Antibélico de Não Agressão e de Conciliação, 150, 152
Tribunal de Contas, 84, 189, 237, 288, 538n
Tribunal de Segurança Nacional (TSN), 266-7, 285, 391, 545n, 551n
Trinidad, 386, 401, 411, 559n
Tuckerman, Nancy, 468

U-155 (submarino alemão), 412
U-162 (submarino alemão), 411
U-432 (submarino alemão), 412

U-507 (submarino alemão), 420
U-94 (submarino alemão), 412
União Beneficente dos Choferes, 302
União Brasileira de Escritores, 464
União Cívica Nacional (UCN), 142-3, 526n
União Cívica Radical, 155, 161
União das Escolas de Samba, 210
União Democrática Brasileira (UDB), 278
União Democrática Nacional (UDN), 472-3, 476-8, 567n
União dos Trabalhadores do Livro e do Jornal, 233
União dos Trabalhadores Gráficos (UTG), 22
União Feminina do Brasil, 233, 257
União Nacional dos Estudantes (UNE), 150, 417, 421, 449
União Operária Camponesa, 142
União Soviética, 228, 230, 242, 255, 260, 285, 315, 398, 474
United States Steel Corporation, 370, 383
Uriburu, José Félix, 150
Uruguai, 84, 113, 150-1, 153, 155, 157, 160, 162, 221-3, 225, 255, 322-3, 379, 403, 528n
USS *General W. A. Mann* (navio), 445-7

Valadares, Benedito, 169-70, 181, 284, 288, 291-4, 299, 301, 308, 438, 529-30n, 545-7n, 565n
Vale, Ciro de Freitas, 362-3, 549n, 555n
Valverde, Belmiro Lima, 330, 335
Vargas Filho, Getúlio ("Getulinho", filho mais novo de Getúlio), 83, 131-4, 204, 355, 363, 390, 424, 427-8, 434
Vargas, Alzira *ver* Peixoto, Alzira Vargas do Amaral (filha de Getúlio)
Vargas, América Fontella, 469
Vargas, Ary Mesquita, 111, 154, 156
Vargas, Benjamim Dornelles ("Bejo", irmão de Getúlio), 111-2, 116-7, 151-63, 173-4, 237, 283, 287-8, 290, 307, 334-5, 337-9, 360, 377, 409, 450, 479-86, 488, 528n, 538n, 544n
Vargas, Cândida Darcy (neta de Getúlio), 390, 469

Vargas, Cândida Dornelles (dona "Candoca", mãe de Getúlio), 273, 322, 435
Vargas, Darcy Sarmanho (esposa de Getúlio), 21, 46-7, 97, 102, 111, 117, 127, 131-6, 145, 149, 204, 241, 265, 267, 276-8, 293, 322, 341, 366, 390, 409, 421, 428, 482, 491, 514n, 542n, 556n
Vargas, Espártaco Dornelles (irmão de Getúlio), 469
Vargas, Jandira (filha de Getúlio), 83, 97, 117, 203, 204, 276-7, 322, 331, 333, 342, 363, 414, 491
Vargas, Lutero (primogênito de Getúlio), 83, 96, 111, 115-7, 333, 337, 355, 363, 388-90, 424, 427, 455, 468, 475, 482, 488, 491, 520n, 522n, 559n, 563-4n, 567-71n
Vargas, Manuel Antônio ("Maneco", filho de Getúlio), 83, 333, 337, 363, 491
Vargas, Manuel do Nascimento (pai de Getúlio), 158, 236, 321-2, 324, 434-5
Vargas, Omar Mesquita, 111
Vargas, Protásio Dornelles (irmão de Getúlio), 111, 159, 161, 204, 237, 280, 322, 363, 409, 491, 528n, 538n, 544n, 550n, 561n
Vargas, Viriato Dornelles (irmão de Getúlio), 38, 158, 236, 237, 324, 538n, 550n
Varig, 203, 414-5
Vasconcelos, José Luís Pereira de, 98, 129
Vasconcelos, Leão de, 238
Vasconcelos, Teopompo Godói de, 69
Venezuela, 404
Verde-Amarelo, grupo literário, 378
Vergara, Luiz, 86, 204, 258-9, 451-2, 455-6, 486, 488-9, 513n, 519n, 534n, 541n, 563n, 565-7n, 570-1n
Verón, cabo *ver* Filimer Verón, Francisco
Viana, José Segadas, 478
Vianna, Oliveira, 68, 143, 177, 210, 431, 434, 516n, 526n
Viegas, Augusto, 168
Vieira, Celso, 431
Vila Militar, 101, 187, 208, 212, 214-6, 218-9, 242-6, 249, 445, 488
Vilaboim, Manuel, 129

Villa Bella, Oswaldo, 129
Villa-Lobos, Heitor, 127-8, 233, 236, 312-3, 524n
Villa-Lobos, Lucilia, 236
Virgulino, Honório Himalaia, 266
Visões do passado (Augusto de Lima Jr.), 237
Vita, João Brasil, 440
Viveiros, Custódio de, 202
Você já foi à Bahia? (desenho animado), 397
Vogue (revista norte-americana), 342
Voz do Gráfico, A, 22

Wakama (navio), 368
Washington Luís, 13-4, 20, 44, 52, 64-6, 84, 92-3, 109, 128, 136, 140, 164, 190, 220, 329, 449
Weinschenck, Oscar, 190

Welles, Sumner, 316-7, 395, 400-3, 405, 423, 549n, 560n
Western Telegraph Company, 43, 123, 396
Whitaker, José Maria, 39, 67, 75, 517n
Wiehl, Emil Karl Joseph, 384
Wiener, Paul Lester, 468
Withney, John Hay, 397

Xanthaky, Theodor, 259

Yrigoyen, Hipólito, 150

Zé Carioca (personagem de Walt Disney), 397
Zola, Émile, 80
Zweig, Stefan, 394, 560n